国 家 出 版 基 金 资 助 项 目

5

秦岭昆虫志

鞘翅目（一）

总 主 编 杨星科
本卷主编 杨星科
副 主 编 葛斯琴 李利珍 梁宏斌

世界图书出版公司
西安 北京 上海 广州

图书在版编目(CIP)数据

秦岭昆虫志. 5, 鞘翅目. 一 / 杨星科主编. —西安:
世界图书出版西安有限公司, 2018.1
ISBN 978 -7 -5192 -4035 -6

Ⅰ. ①秦… Ⅱ. ①杨… Ⅲ. ①秦岭—昆虫志 ②秦岭—
—鞘翅目—昆虫志 Ⅳ. ①Q968.224.1

中国版本图书馆 CIP 数据核字(2018)第 060458 号

书　　名	**秦岭昆虫志　鞘翅目(一)**
总 主 编	**杨星科**
本卷主编	**杨星科**
副 主 编	**葛斯琴　李利珍　梁宏斌**
策　　划	**赵亚强**
责任编辑	**冀彩霞　王娟**
装帧设计	**诗风文化**
出版发行	**世界图书出版西安有限公司**
地　　址	**西安市北大街 85 号**
邮　　编	710003
电　　话	029 -87214941　87233647(**市场营销部**) 029 -87234767(**总编室**)
网　　址	**http://www.wpcxa.com**
邮　　箱	**xast@wpcxa.com**
经　　销	**新华书店**
印　　刷	**陕西博文印务有限责任公司**
开　　本	787mm×1092mm　1/16
印　　张	50.25
插　　页	51
字　　数	1000 **千字**
版　　次	2018 **年** 1 **月第** 1 **版**　2018 **年** 1 **月第** 1 **次印刷**
国际书号	ISBN 978 -7 -5192 -4035 -6
定　　价	480.00 **元**

内容简介

本志是《秦岭昆虫志》第五卷。鞘翅目是昆虫纲中物种多样性最丰富的类群，也是一个十分特化的类群。它以前翅角质化而得名，包括腐食类、菌食类、捕食类、寄生类和植食类等，与人类关系极为密切。本志是国内鞘翅目同行专家对陕西秦岭地区鞘翅目昆虫进行系统深入研究的最新成果，记述鞘翅目 31 科 397 属 1019 种，其中包括大量陕西新纪录种。本志编写了各分类阶元的主要鉴别特征，同时给出了分科、亚科、属、种的检索表，各属和种均有主要引证、模式种、分布，以及重要属、种的生态习性等。科后附有参考文献。

本志可为从事昆虫学、生物多样性研究及植物保护、森林保护等工作的人员提供参考。

《秦岭昆虫志》编委会

《秦岭昆虫志·鞘翅目(一)》编委会

《秦岭昆虫志·鞘翅目(一)》编辑出版委员会

序

秦岭是我国最古老的山脉之一，在我国生物地理上占据着重要地位。它是我国南北气候的分水岭，环境的复杂性成就了生物的多样性，因此受到了世界的高度关注。关于秦岭的生物资源、区系组成、分布格局等，植物和大型动物都有较为系统的研究和显著的成果，《秦岭植物志》《秦岭动物志》陆续问世，而无脊椎动物研究却一直属于空白。

杨星科研究员长期从事昆虫区系的研究，先后组织开展过多次大型科学考察，并且都有很好的成果以专著、考察报告等形式展现给大家，为我国的昆虫多样性研究做出了实质性的贡献。2013 年，他利用在中国科学院西安分院、陕西省科学院工作的机会，积极争取项目支持，团结全国同行，全面开展秦岭地区昆虫资源的考察。通过 3 年的野外工作，在大家的共同努力下，完成了《秦岭昆虫志》这部 12 卷册的巨著。《秦岭昆虫志》所包括的种类是原已知种类的 2 倍，编写完全按照志书的规则，不同阶元都有鉴别特征及检索表，属、种都有科学引证，在保证种类准确性的同时，为大家提供了更为广泛的信息，文后附有详细的参考文献，有力地保证了《秦岭昆虫志》的质量和水平，使这套志书具有很高的科学价值和应用价值，我相信这套志书的出版必定会对我国乃至世界昆虫多样性研究产生深远的影响。

生物多样性研究，直接关系到生物资源的合理开发与科学利用，关系到生态系统的平衡与可持续发展，关系到友好型生态环境的建设。我国地域广阔，地形复杂多样，生物多样性极为丰富。但是，我国昆虫资源家底远不清楚，昆虫多样性研究与国际相比相差甚远。如何改变这种现状，在需要国家政策支持的同时，更需要我们同行的共同努力。《秦岭昆虫志》的完成与问世，为我们大家起到了很好的示范与引领作用。

随着全球化的发展态势，世界各国、不同地域之间的各种交流、来往、贸易、物流等出现新的模式和高频次现象，这也给我们带来巨大的挑战。首先是生物安全问题，随着贸易往来、物流循环、人员交流的不断增长，外来入侵生物的入侵形势严峻，农林生产及生态环境的安全威胁加大；其次是生物产业作为未来战略新兴产业，对生物资源的挖掘与开发日趋强化，生物资源的研究与保护已不仅仅是一个科学问题。这些都关系到我们国家的经济与社会发展战略。昆虫是生物界最大的家族，蕴藏着巨大的资源，摸清昆虫资源家底，不但可以有效应对外来生物入侵，破解生物安全的威胁，同时也可以对我国生物资源的保护和利用做出实质性的贡献，这是我们科技工作者义不容辞的责任和义务。我衷心希望我国昆虫界的同仁们，在国家建设科技强国战略的指引下，大家齐心协力，共同努力，把我国昆虫多样性研究推向一个新的水平，真正服务于国家战略需求！

这或许是《秦岭昆虫志》带给我们的启迪吧！

是为序！

中国科学院院士

中国科学院上海植物生理生态研究所研究员 尹文英

2016 年 11 月于上海

出版前言

秦岭自西向东横贯我国中部，是长江、黄河两大水系的分水岭，西起甘肃临洮，东抵河南鲁山，东西长达500km，南北宽140～200km，地处北纬32°5′～34°45′，东经104°30′～115°52′。秦岭西部比较陡峭，海拔较高，一般在2000～3000m；东部比较舒缓，海拔较低，一般在2000m以下。它是古北区和东洋区的分界线，同时为亚热带、暖温带的分界线，亚热带常绿阔叶林的分布北线。该地区具有从一种自然地理条件向另一种自然过渡、从一种地质构造单元向另一种构造单元过渡的特性。同时，秦岭作为我国大陆青藏高原以东的最高山地，具有自己独特的垂直景观带谱。正因为秦岭山地地理位置的特殊性，使得其物种多样性非常丰富且具较强的区域特异性，一直是生物分类学和生物地理学研究的热点区域。然而，之前对该地区昆虫区系研究多较为零散，缺乏系统的专著。

1997年，中国科学院生命科学院生物技术局设立“关键地区生物资源综合考察及其评价”重大项目，并于1998～1999年由项目主持单位组织考察秦岭西段和甘肃南部地区。在此研究基础上，形成了2005年出版的《秦岭西段及甘南地区昆虫》这一专著。该书对于秦岭西部地区的昆虫类群的系统研究有着重要意义，推动了对该区生物多样性的研究，也让更多的人认识到了秦岭地区的重要性。然而，由于其工作多集中在秦岭西部地区，对秦岭中、东部地区的调查较少，未能反映整个秦岭地区昆虫的全貌。为了全面系统地评价和利用秦岭昆虫资源，我们在陕西省财政厅科技专项经费的支持下，在陕西省科学院的大力帮助下，从2012年开始，再次进行了为期3年的野外调查工作，在借鉴秦岭西段研究结果的基础上，重点加强了秦岭中、东部地区的调查工作。参加野外工作的包括陕西省动物研究所、西北农林科技大学、陕西师范大学、中国科学院动物研究所、南开大学、浙江大学、河北大学、中国农业大学、中南科技大学等十多家单位，计120多人次，共获得昆虫标本50余万号，进一步完善了秦岭地区昆虫多样性资料，为编写《秦岭昆虫志》奠定了良好基础。

《秦岭昆虫志》按照《中国动物志》的编写体例进行编写，顺序上参照六足动物的系统关系；各目按照系统发育关系，以科为单元进行编写，科下各属按照系统关系排序，属内各种以种名的首字母顺序编排，各阶元都有鉴别特征和检索表，属、种都有科学引证，文后附参考文献。为了准确体现各位专家的劳动，除了《秦岭昆虫志》编委会外，各卷都有本卷的编委会，各科作者署名紧跟其后。

《秦岭昆虫志》共分为十二卷：第一卷由廉振民教授主编，包括无翅昆虫、蜉蝣目、蜻蜓目、襀翅目、蜚蠊目、等翅目、螳螂目、革翅目、直翅目、竹节虫目；第二卷由卜文俊教授主编，包括半翅目异翅亚目；第三卷由张雅林教授主编，包括半翅目同翅亚目；第四卷由花保祯教授主编，包括蝎目、缨翅目、广翅目、蛇蛉目、脉翅目、毛翅目、长翅目；第五卷鞘翅目（一）由杨星科、葛斯琴研究员主编，包括步甲科、龙虱科、牙甲总科、隐翅虫总科、金龟总科、花甲总科、丸甲总科、长蠹总科、吉丁甲总科、叩甲总科、郭公甲总科、扁甲总科、拟步甲总科等；第六卷鞘翅目（二）由林美英博士主编，包括暗天牛科、瘦天牛科和天牛科；第七卷鞘翅目（三）由杨星科、张润志研究员主编，主要包括叶甲总科（除去天牛类）、象甲总科；第八卷鳞翅目由薛大勇研究员、韩红香和姜楠博士主编，包括大蛾类；第九卷鳞翅目（二）由房丽君研究员主编，包括蝶类；第十卷由杨定教授、王孟卿副研究员和董慧博士主编，包括双翅目；第十一卷由陈学新教授主编，包括膜翅目。十一卷共记述了秦岭地区六足类4纲27目334科3325属7496种，其中包括1个新属、27个新种、12个中国新纪录属、34个新纪录种、42个陕西新纪录属、260个陕西新纪录种。需要说明的是：鳞翅目小蛾类已由南开大学李后魂教授主编先期出版，我们这次没有组织重新编写；另有部分目、科因为国内没有专家研究，因此没有办法编写。为了弥补缺憾，系统总结陕西秦岭地区已知昆虫种类，同时也便于读者使用，由唐周怀研究员、杨美霞博士主编，完成了《陕西昆虫名录》，作为本志的第十二卷。

目前，《秦岭昆虫志》即将付梓。该项目成果的获得，是全国广大同行通力合作、共同努力的结果，凝聚了昆虫分类学者忠诚于神圣事业的集体智慧。项目主持单位、《秦岭昆虫志》编委会对各卷主编的辛勤劳动和各位专家的全力支持、无私奉献表示衷心的感谢！对大家的科学精神表示敬佩！

在项目立项初期，白明博士在项目建议书的起草、成稿等方面做了大量工作；张雅林、廉振民等多位教授提出了许多宝贵意见；陕西省财政厅教科文处在项目申请和审批方面给予了诸多指导和帮助。在项目执行过程中，陕西省动物研究所领导给予了全力的支持，唐周怀研究员对野外工作给予了多方面的协调和帮助。

在本志编写过程中，尹文英院士、印象初院士、康乐院士分别给予了不同程度的鼓励、支持、指导和帮助，特别是尹文英院士在大病初愈的情况下欣然为本志写序，让我们深受鼓舞和激励！

在本志的统稿过程中，杨美霞博士付出了巨大的劳动，崔俊芝女士和郭明霞同学在文字整理、格式修改、学名审核等方面做了大量的工作。本书的出版，得到了世界图书出版有限公司的鼎力支持，特别是薛春民先生的全力支持与帮助，责任编辑同志亦付出了的艰辛的努力和辛勤的劳动，终使本志得以顺利出版。

我们谨借此对以上相关单位和个人，以及在项目执行和出版过程中提供帮助和做出贡献的同志表示衷心的感谢！

由于我们的水平所限，本志的错误和缺憾在所难免，诚望大家不吝赐教！

《秦岭昆虫志》编委会

2017 年 10 月于古城西安

Preface

Through the middle China from the West to the East, the Qinling Mountains provide a natural boundary between the Yangtze River and the Yellow River, the two major river systems in China. Located around the latitude 32°5′ – 34°45′N and the longitude 104°30′ – 115°52′E, they stretch from Lintao, Gansu Province in the west to Lushan, Henan Province in the east, with the length of 500km from west to east and the breadth of 140 – 200km from north to south. The west part of the Qinling Mountains is considerably steep, with higher elevations of 2000 – 3000m, while the east part is comparatively gentle, with lower elevation generally below 2000m. The Qinling Mountains are generally accepted as the boundary between Palaearctic and Oriental Regions, subtropical and warm temperate zones, as well as the north line of distribution of subtropical evergreen broad-leaved forests. This region is characterized by transition from one natural geographical condition to another and one geological structure unit to another. Furthermore, the Qinling Mountains, as the highest mountain in the east of the Qinghai-Tibet Plateau, have their own unique vertical landscape spectrum. Because of the special geographical location of the Qinling Mountains Range, it is rich in species diversity and has strong regional endemism, which constantly makes it research hotspot both for taxonomy and biogeography. However, the study of insect fauna in this area is fragmented and still lacks systematic monographs.

In 1997, the Biotechnology Bureau of the Chinese Academy of Sciences established a major Project of "Comprehensive Survey and Evaluation of Biological Resources in Key Regions". In 1998 – 1999, the presider of this project investigated the western part of Qinling range and southern Gansu. On the basis of these expeditions, a monograph entitled *Insect Fauna of Mid-West Qinling Range and Southern Gansu* was published in 2005. This book is of great significance for the systematic study of insects in the western Qinling region. It has promoted the study of biodiversity in this region and made more people realize the importance of Qinling region. However, since its work is mainly concentrated on the west part of Qinling, there are little surveys in the mid-east part, which hardly reflects the true state of the insect fauna of the entire Qinling Mountains. In order to comprehensively and systematically evaluate and utilize the insect resources of the Qinling Mountains, funded by special expenses of Science and Technology Project from the Financial Department of Shaanxi Province, as well as the help from Shaanxi Academy of Sciences, we have carried out a three-year field survey since 2012. Based on the expedition results of the western region, we have paid more attention to the eastern part of the Qinling Mountains during the investigations. More than 120 researchers from over 10 institutions participated in the field work, including Shaanxi Institute of Zoology, Northwest A & F University, Shaanxi Normal University, Institute of Zoology, Chinese Academy of Sciences, Nankai University, Zhejiang University, Hebei University, China Agricultural University, Central South University of Forestry and Technology etc. Over half million insect specimens were collected, which would greatly improve the biodiversity data of insect fauna in the Qinling region and lay a good foundation for the compiling of the monograph *Insect Fauna of the Qinling Mountains*.

The compiling style of *Insect Fauna of the Qinling Mountains* is mainly in accordance with *Fauna Sinica*, and the sequence is based on the systematic relationship of the hexapod system. The compiling of each order is according to the phylogenetic relationship and one family is taken as a unit. Below the family, the sequence of each genus is also according to the phylogenetic relationship, while below the genus, the arrangement of species is in alphabetical order. Each species is sorted according to the first letter. Each category is accompanied by identification feature and identification key, and each genus, as well as each species has scientific citation. At the end, references are attached. In order to accurately reflect the work of every specialist, apart from the Editorial Board of *Insect Fauna of the Qinling Mountains*, the Editorial Board for each volume is also provided, and the authors for each family immediately follow the family name.

There are totally 12 volumes for *Insect Fauna of the Qinling Mountains*. Volume Ⅰ is edited by Professor Lian Zhenmin, and includes apterygot insects, Ephemeroptera, Odonata, Plecoptera, Blattodea, Isoptera, Mantodea, Dermaptera, Orthoptera and Phasmatodea. Volume Ⅱ is edited by Professor Bu Wenjun, and includes Hemiptera-Heteroptera. Volume Ⅲ is edited by Professor Zhang Yalin, and includes Hemiptera-Homoptera. Volume Ⅳ is edited by Professor Hua Baozhen, and includes Psocoptera, Thysanoptera, Megaloptera, Raphidioptera, Neuroptera, Trichoptera and Mecoptera. Volume Ⅴ (Coleoptera Ⅰ) is jointly edited by Professor Yang Xingke and Ge Siqin, and includes Carabidae, Dytiscidae, Hydrophiloidea, Staphylinoidea, Scarabaeoidea, Dascilloidea, Byrrhoidea, Dryopoidea, Buprestoidea, Elateroidea, Cleroidea, Cujoidea and Tenebrionoidea. Volume Ⅵ (ColeopteraⅡ) is edited by Dr. Lin Meiying, and includes

Vesperidae, Disteniidae and Cerambycidae. Volume Ⅶ (Coleoptera Ⅲ) is jointly edited by Professor Yang Xingke and Zhang Runzhi, and includes Chrysomeloidea (except Cerambycid-beetles) and Curculionoidea. Volume Ⅷ (Lepidoptera Ⅰ) is jointly edited by Professor Xue Dayong, Dr. Han Hongxiang and Jiang Nan, and includes large moths. Volume Ⅸ (Lepidoptera Ⅱ) is edited by Professor Fang Lijun, and includes exclusively butterflies. Volume Ⅹ is edited by Professor Yang Ding, Associate Prof. Wang Mengqing and Dr. Dong Hui, and includes Diptera. Volume Ⅺ is edited by Professor Chen Xuexin, and includes Hymenoptera. There are totally 4 classes, 27 orders, 334 families, 3325 genera and 7496 species of Hexapoda recorded in the 11 volumes of this series, including one new genus and 27 new species. For the new record, there are 12 genera and 34 species from China, as well as 42 genera and 260 species from Shaanxi Province. It should be noted that the contents of Microlepidoptera have been published previously by Professor Li Houhun, Nankai University, therefore, we haven't rewritten the same context. Besides, due to the unavailability of suitable specialists, some insect groups unavoidably are not covered in this series. In order to make up for this defect and systematically summarize the known species of insects, as well as make convenience for the readers, the book *Insect Fauna of Shaanxi Province*, was jointly compiled by Prof. Tang Zhouhuai and Dr. Yang Meixia, which will be the twelfth volume of this series.

Currently, 12 volumes have been completed and are ready for publication. The achievements should be addressed to the cooperation and collective intelligence of numerous entomologists throughout China. The project presiding institution and the editorial board are highly appreciated with all specialists' hard work, full support and unselfish dedication!

During the initial stage of the program, Dr. Bai Ming had contributed a lot to the drafting of the research proposal. Prof. Zhang Yalin and Prof. Lian Zhenmin had proposed many valuable comments. The Financial Department of Shaanxi Province had given a lot of guidance and helps during the application process and final approval of the program. During the conduction of the program, the authority of Shaanxi Institute of Zoology had given a full support to the research. Prof. Tang Zhouhuai had made a lot of coordination and assistances in the fieldwork.

In the preparation of this series of books, Academicians Yin Wenying, Yin Xiangchu and Kang Le had provided various degrees of encouragement, supports, guidance and help! In particular, Prof. Yin Wenying readily consented to write the preface even though she had just recovered from a severe illness, which really made us encouraged and inspired!

In the process of drafting preparation, Dr. Yang Meixia had paid a great labor. Mrs. Cui Junzhi and Miss Guo Mingxia had done a lot of work in word polishing, format adjustment, and terms checking. While, the publication of this series have obtained great support from World Publishing Corporation, especially Mr. Xue Chunmin. The executive editors have also made a lot of hard work.

We would like to express our heartfelt gratitude to the above-mentioned institutes and individuals, as well as those not mentioned above but provided various assistances in the implementation period of the program, drafting preparation and publication.

Due to the limitations of our expertise, there are inevitable mistakes and shortcomings in this series. We sincerely expect you to enlighten us with your instruction!

Editorial Board of *Insect Fauna of the Qinling Mountains*

前　言

鞘翅目昆虫(统称甲虫)无论是从形态和食性上，还是从物种多样性上，都是昆虫纲最具代表性的特殊类群，也是最大的类群。到目前为止，已有正式记录的甲虫种类超过了42万种，我国甲虫目前已知种类也超过了3.3万种。

秦岭是我国最古老的山脉，也是我国南北气候的分界线。因此，秦岭地区的生物区系、分布格局、多样性特征等也表现出特殊性和复杂性。它因此也成为世界上生物多样性最为丰富的地区之一，受到生物系统学家的青睐和进化生物学家的高度关注。

虽然秦岭屹立在我国，但我国从事鞘翅目系统学研究的科技工作者对秦岭地区甲虫的系统考察却远远落后于世界同行。在我们有组织的考察之前，日本学者、欧洲学者和以美国为主的美洲学者及世界各国的昆虫爱好者等已在本地区采集了大量的甲虫标本。具体数量我们难以统计，但从1980—2010年30年的统计资料可以看出，他们以采自秦岭标本为模式发表甲虫新种630多个，依次就可见一斑。1998年，我们在中国科学院的支持下，第一次组织了对秦岭地区昆虫的野外考察，但仅限于秦岭西段。后来，河南农科院申效成先生等组织了对秦岭东段的考察。大家的工作和研究成果大大丰富了秦岭地区昆虫区系的资料，进一步提升了对秦岭地区甲虫本质上的认识。

从1998年以来，我们课题组坚持每年到秦岭地区考察，到2016年已经整整18年。其间，我们收获了大量的昆虫标本，仅鞘翅目就超过了20万号。在陕西省财政专项经费支持下，从2013年开始，我们又连续3年再次组织了针对秦岭地区昆虫的系统考察与补点，进一步丰富了对本地区甲虫的研究资料，为编写《秦岭昆虫志》甲虫部分奠定了扎实基础。

《秦岭昆虫志》之鞘翅目是全国甲虫同行共同努力、集体承担并完成的。它分为三册：第一册是《秦岭昆虫志》第五卷，由杨星科任主编，葛斯琴、李利珍、梁宏斌为副主编，主要内容包括藻食亚目、肉食亚目、多食亚目的拟步甲总科之前的相关类群，共31

科 397 属 1019 种；第二册是《秦岭昆虫志》第六卷，由林美英博士完成，为天牛类，内容包括暗天牛科、瘦天牛科和天牛科，共记述 3 科 219 属 483 种；第三册是《秦岭昆虫志》第七卷，由杨星科、张润志主编，包括叶甲总科和象甲总科，共记述了 12 科 229 属 500 种。三册共记述秦岭地区鞘翅目 46 科 845 属 2002 种。需要指出的是，还有大量类群因无人研究而未能编写。

在整个野外和室内工作过程中，各位参加编写的专家表现出豁达的胸襟、无私的情怀，勤奋敬业，科学严谨，在较短的时间内完成了初稿，让人感动，激人奋进！在这里，我们还要特别提到的是任顺祥教授，虽然他重病在身，但在与病魔搏斗的同时，还与他的弟子一起按时高质量完成了任务！当任顺祥教授去世的噩耗传来时，我万分惊愕，无论如何不能接受如此残酷的现实！更不敢相信这是他为昆虫学事业做出的最后贡献！让我更加遗憾的是，他没有看到自己的成果问世就匆匆地走了！人走了，精神永存！

本志即将付梓，作为主编，我最想要表达的是对各位同仁的衷心感谢！感谢大家无私的奉献！同时，也借此机会感谢杨美霞博士和崔俊芝女士，她们在成稿和统稿过程中做了大量细致的工作！感谢出版社编辑的敬业精神和高度的责任感，使鞘翅目三册书能顺利面世！

由于时间有限，我们的水平也有限，书中难免会有这样那样的错误和问题，诚望广大读者批评指正！

杨星科

2017 年春夏之交于古城西安

目　录

概　述

杨星科
（中国科学院动物研究所，北京 100101）

鞘翅目昆虫，俗称甲虫，身体多强烈几丁化，和其他目昆虫相比，体壁相当坚硬。前翅演变为鞘翅为其主要特征。它是昆虫纲中种类最多、分布最广的目。迄今世界已知超过 40 万种，中国记录 3 万余种。陕西秦岭地区共记述 46 科 844 属 2003 种。

一、形态学

甲虫属全变态类，由于具坚硬的鞘翅，提高了对环境的抗逆力，其分布范围相当广泛，土壤、水中、仓库、林木等处都可见到。海拔 5300 多米的地区也有甲虫的存在。广泛的分布，带来形态上的分异和多样化，无论成虫还是幼虫，其形态的多样性在昆虫纲中都是相当突出的。

（一）成虫

体型大小悬殊，体长 1～160mm 不等。体形多样，有长形、椭圆形、圆形、圆筒形、扁形等。体色以黑色为主，兼有黄、褐、蓝、绿、紫、红等色，不少类群表现出鲜亮的金属光泽。

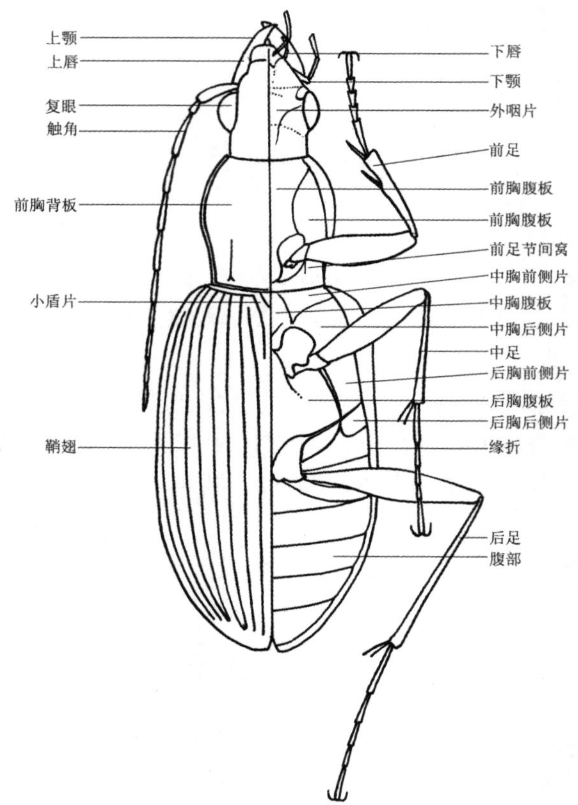

图1　鞘翅目成虫(步甲科)整体图

1. 头部

(1) 头式

甲虫头部的基本形态与一般昆虫很接近。头顶正中为冠缝，侧臂呈“人”字形分叉伸至前幕骨陷之下，直达颊下区。在侧臂下部，额唇基沟之上为额区；端部为上唇，上唇与额区之间为唇基，唇基又分为后唇基和前唇基。在长期的演变过程中，冠缝也发生了很大变化。

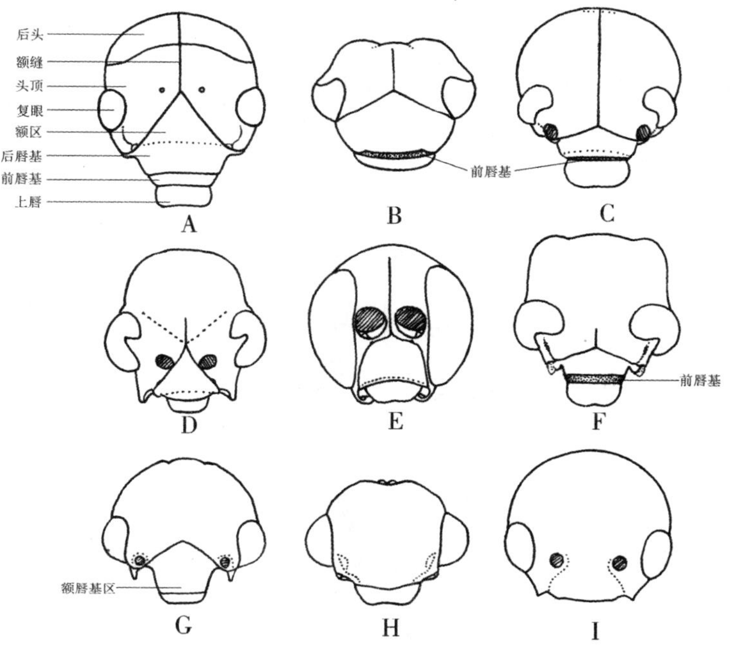

图2 鞘翅目昆虫头式(仿 F. S. Stickney)

A. 基本类型; B. 牙甲科(*Hydrous* 属); C. 芫菁科; D. 负泥虫科; E. 铁甲科; F. 长朽木甲科; G. 扁圆甲科; H. 地叩甲科; I. 肖叶甲科

(2)复眼及单眼

正常情况下，复眼为圆形，位于头部两侧，但也有的复眼形状发生了变化，有肾形、条形、方形、半月形等。在天牛科沟胫天牛亚科 Lamiinae 中，复眼由于中部缢缩至断开，形成两个小复眼；在豉甲科、锹甲科中某些属和拳甲科 Clambidae 等类群中，每个复眼分为上下两个独立的复眼；在筒蠹科类群中，复眼特别大，在背面几乎相接；寄居甲科 Leptinidae、棘角金龟科 Acanthoceridae 等科中，复眼消失。

鞘翅目中，成虫多数类群无单眼，少数类群具 1 个中单眼，如皮蠹科，或具 2 个背单眼，位于头顶两侧，靠近复眼，如隐翅虫科部分亚科，但是，在甲虫中绝无 3 个单眼。

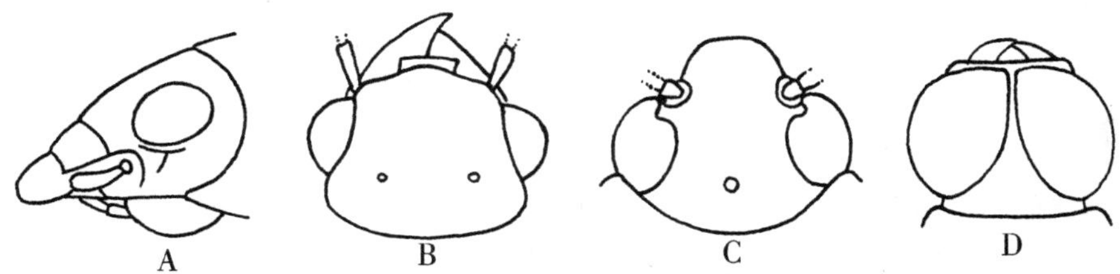

图3 复眼与单眼

A. 上下复眼(豉甲科); B. 圆形复眼及 2 个背单眼(隐翅虫科); C. 缺刻形复眼及 1 个中单眼(皮蠹科); D. 复眼大，靠近(筒蠹科)

(3)触角

根据昆虫形态学的规定，触角第1节叫柄节，第2节为梗节，其余部分称鞭节。鞘翅目昆虫触角一般11节，柄节、梗节一般变化不大，主要因鞭节的形态变异，形成不同的触角类型。

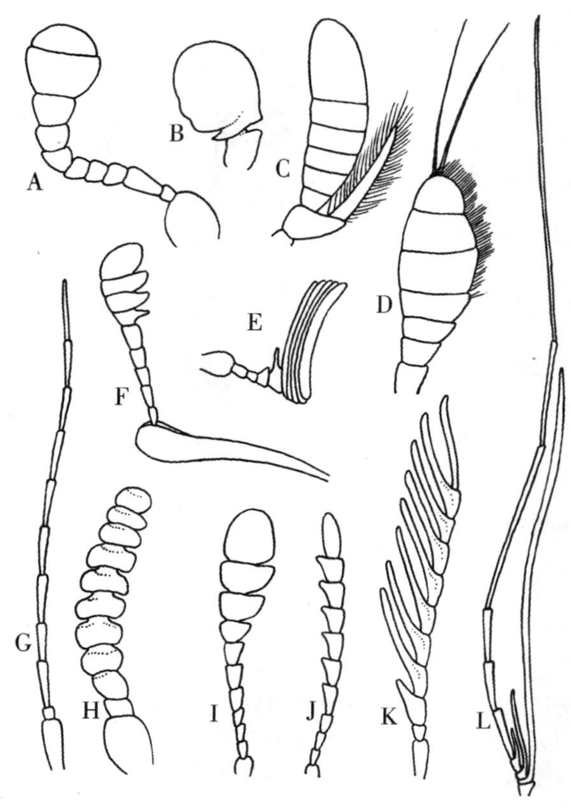

图4 触角基本类型

A. 锤状(坚甲科)；B. 叶片状(棒角甲科)；C. 豉角状(豉甲科)；D. 芒角状(瓢虫科)；E. 鳃角状(金龟科)；F. 膝状(锹甲科)；G. 丝状(天牛科)；H. 念珠状(条脊甲科)；I. 棒状(拟叩甲科)；J. 锯齿状(豆象科)；K. 栉状(赤翅甲科)；L. 枝状(扁泥甲科)

(4)口器

鞘翅目昆虫几乎均为咀嚼式口器，个别类群有特化，有类似于喙状等类型。

上唇：在许多甲虫中可见，它是一长方形骨片，有关节。但是，在犀金龟科中，上唇隐藏于唇基之下；在象甲总科、肖叶甲科等类群中，上唇及唇基消失；在藻食亚目 Myxophaga 及隐翅虫科、扁腹花甲科 Eucinetidae 等类群中，上唇延伸成长管状，适于刺吸。

上颚：由于食性不同，上颚的大小、形状均表现出差异性。捕食性甲虫，其上颚均很发达，内侧有明显的齿；植食性甲虫上颚短而粗，臼叶比较发达；腐食性及液食性甲虫上颚形状发生变化，变得短而薄，而且表面毛比较发达；有些类群成虫基本不取食，如鳃金龟科 Melolonthidae 中的不少类群，其上颚趋于退化；锹甲科雌雄二型，主要表现在上颚上，雄虫上颚极发达，有的甚至大于体长，而雌虫则不发达。据有关报道，雄虫具有发达的上颚，是为了与同性争夺配偶时，将其作为“决斗”的武器；拟叩甲科有一类其两侧上颚发育分异，出现不对称的形态。

下颚：主要由下颚须、外颚叶和内颚叶组成。下颚须 4 节，少数有 3 节或 5 节者。外颚叶多数是单片状，但在肉食亚目 Adephaga 中，外颚叶 2 节，内颚叶发达，内侧为长而密的毛列，顶端是 1 个可动的钩状突起，多数人叫它趾节，起辅助捕食作用；天牛科外颚叶与内颚叶分离，但内侧均具毛；金龟科外颚叶很发达，但由于食性改变，内外颚叶的毛均很长且很发达；犀金龟科、小蠹亚科 Scolytinae 内、外颚叶均合并于一体，小蠹下颚须退化。有些类群，下颚外颚叶消失，如藻食亚目及露尾甲科 Nitidulidae；有的没有内颚叶，如缨甲科 Ptiliidae、薪甲科 Lathridiidae 和圆蕈甲科Cisidae。

下唇：鞘翅目中，下唇真正的颏一般多消失，而我们所看到的是亚颏，比较发达。唇舌有不少分裂者，也有分化为侧唇舌和中唇舌的，有的呈多分裂现象。步甲、天牛等捕食和植食性甲虫，其下唇须、唇舌都较发达；而成虫为腐食性或不取食者，其下唇须和唇舌都不发达，有的甚至退化，较为特殊的如小蠹亚科。下唇须一般为 3 节，少数也有 1 节和 2 节者，但在一些类群中，下唇须不分节，如隐翅虫科的部分类群。因甲虫的亚颏均比较发达，与前颏紧密相连，所以，当后颊向头后扩展以后，露出的亚颏部分一般被称为外咽片，这种情况在鞘翅目中比较普遍。当后颊发达，强烈向后扩展，并在头后亚颏之上相接触，覆盖住亚颏，使外咽片消失，其所形成的接缝称外咽缝。

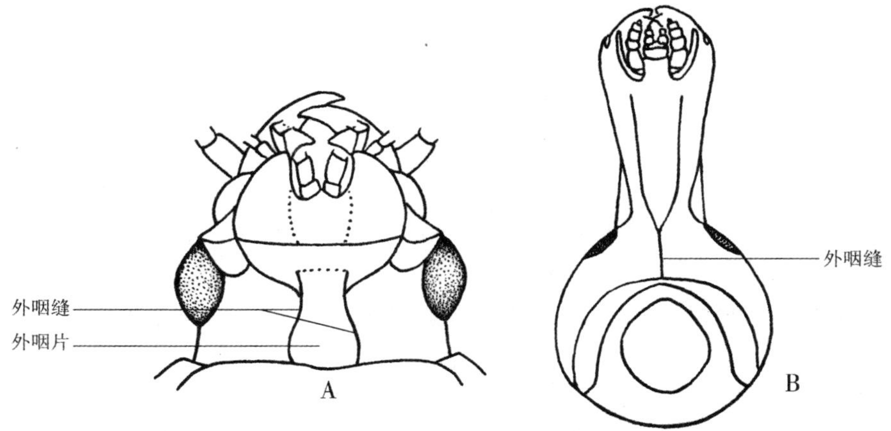

图 5 外咽片和外咽缝

A. 步甲科；B. 象甲科（仿赵养昌等）

2. 颈部

颈部是连接头、胸部的一部分，为膜质。而颈片的出现，是改进头部自由活动的主要进化阶段，因此，是高等昆虫的一个形态标志。但是，在鞘翅目的四个亚目中，唯独高等多食亚目 Polyphaga 各科有颈片，而其他三个亚目则无颈片。据有关形态学家研究认为，其属原生无颈片。据此可推测，鞘翅目的祖先很可能无颈片。在多食亚目中，拟步甲科 Tenebrionidae、象甲科缺少颈片，其属后生无颈片。

3. 胸部

鞘翅目昆虫虽然前、中、后胸很分明，但因鞘翅的覆盖，人们一般只能看到发达的前胸。

(1) 前胸

骨化甚烈，质地坚硬。背板形态有长形、方形、椭圆形等不同类型。有些类群前缘凹入，后缘隆凸，侧缘弧形突出；有的侧缘呈瘤状突或刺状；软鞘类部分类群前胸背板近方形，周缘皆较直，如花萤科；犀金龟科等类群，其前胸背板中央为一角状突或叉状突。在叶甲总科等类群中，前胸背板侧缘或周缘具边框与否，常作为属的分类特征。背板向侧面弯折，在折线以下，侧板或腹板之上，为前背折缘(hypomeron)。在前背折缘之下，足的基本窝之上，在原鞘亚目 Archostemata 和肉食亚目中，为侧板(pleuron)，在基节窝外侧为腹板。基前转片(trochantin)在低等甲虫中与基节、侧板及其他骨片分离，如在原鞘亚目和肉食亚目中基前转片独立存在；而在藻食亚目和多食亚目中，基前转片与侧板合并，而侧板内藏于前背折缘之内。

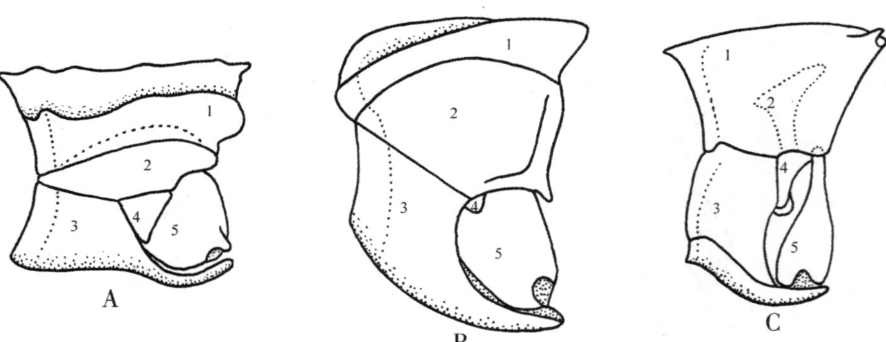

图 6 前胸侧面

A. 原鞘亚目基本类型；B. 肉食亚目基本类型；C. 藻食亚目及多食亚目基本类型（仿 Hlavac, 1972）

1. 前背折缘；2. 侧板；3. 腹板；4. 基前转片；5. 基节窝

前胸腹板位于腹面中部，一般不分开，有的在前胸基节间形成突起，叫前胸腹板突(prosternal process)。在较为原始的类群中，前胸腹板突宽大；而在进化类群中，前胸腹板突变窄，如刀刃状。前胸腹板突在穿过基节后端部变宽，封闭了前足基节窝，叫作关闭式基节窝；相反，则前足基节窝不关闭，称为开放式基节窝。此形态一般作为族以上的分类特征。前足基节窝横长、基前转片暴露、开放式的特征，一般被认为是原始类型。基节窝的关闭除了前胸腹板端部膨大外，在肉食亚目中，侧板的膨阔与前胸腹板端部相接，才形成关闭式；而在多食亚目中，则是前背折缘的膨阔形成的。

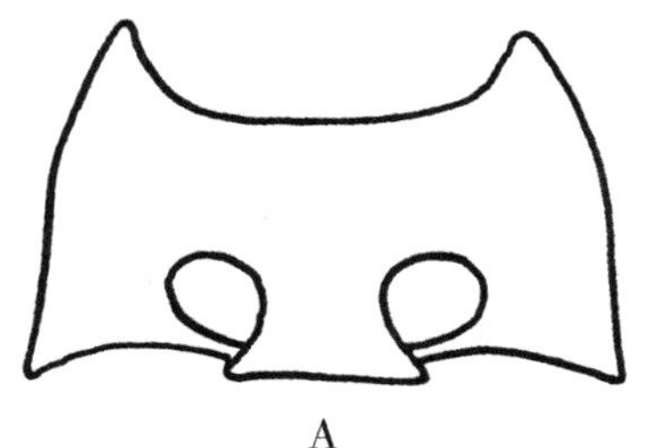

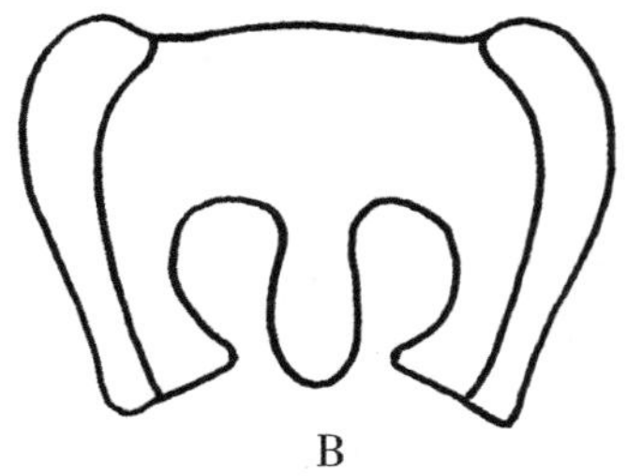

图 7 前足基节窝的基本类型

A. 关闭式；B. 开放式

(2) 中、后胸

在鞘翅目中一般愈合在一起，且被鞘翅覆盖，仅中胸小盾片外露。小盾片形状多为三角形，也有舌形、心形、半圆形等。

中胸腹板一般较后胸腹板要小得多，它位于中足之前中部，两侧为发达的侧板，分为前侧片和后侧片。前侧片与前胸腹板相接，后侧片位于中足基节外侧，上与前侧片相接，下与后胸前侧片相接，前后侧片大小相差不大。较为原始的类群，后侧片不与后胸腹板或侧板相接触，使中足基节窝外侧开放，同时，基前转片可见。

后胸腹板明显的大于中胸腹板，其前端伸于中足基节间，外侧主要被前侧片包围。前侧片长且发达，主要是为了增加肌肉生长的地方，便于飞行活动。后侧片位于前侧片之下，后足基节外侧。在较为原始的类群中，后胸腹板自后足基节间向前延伸有 1 条纵缝(longitudinal suture)，其后侧片也很发达。如果后胸后侧片把后足基节窝封闭，则会影响腹部运动。

(3) 鞘翅

前翅形成鞘翅是鞘翅目的主要特征。关于鞘翅的起源众说纷纭，然而比较倾向性的意见是，翅的起源首先是前翅横脉增多，与纵脉形成网状构造，然后上表皮加厚、角质化而成。所以，人们看到的鞘翅上的脊实际上是纵脉。鞘翅前缘折向腹面，形成缘折。缘折的有无、宽窄，常被作为分类上的特征。鞘翅在背面缝合的地方叫中缝，在中缝处，两个鞘翅缝合时有不同的连锁构造。有些所谓鞘翅愈合的类群，如步甲科一些种类，两个鞘翅合为一体，难以打开，但笔者经试验，最终还是能打开，只不过是嵌合得相当紧而已。

鞘翅的形状各异，如图8所示，这些是常见鞘翅的基本类型。绝大多数类群其鞘翅均盖住腹部，然而，隐翅虫科 Staphylinidae 鞘翅均相当短，腹部完全裸露。花萤科 Cantharidae 和叶甲科萤叶甲亚科 Galerucinae 等一些类群中，也有不少短翅类型。铁甲科 Hispidae 中一些类群鞘翅上有枝刺。小蠹亚科昆虫基本上是钻蛀性的，其鞘翅很特殊，具有翅坡。瓢虫科其鞘翅均为半圆形。鞘翅的功能主要包括3个方面：抵御外力的挤压，保护后翅不受磨损，阻止体内水分蒸发。

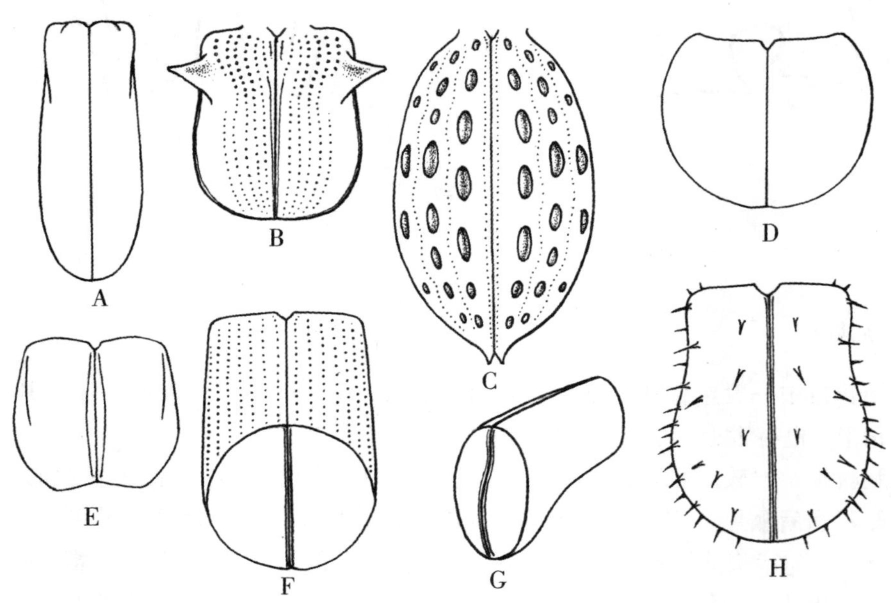

图8 鞘翅的基本类型

A. 天牛科；B. 象甲科；C. 步甲科；D. 瓢虫科；E. 隐翅虫科；F. 小蠹科（背视）；G. 小蠹亚科（侧视）；H. 铁甲科

（4）后翅

后翅为膜质，正常的后翅长于鞘翅。基本类型有分4种的，即长扁甲型、肉食甲型、萤甲型、隐翅甲型。也有分为5种类型的，除上述4种外，增加一种藻食甲型。笔者在5种类型的基础上，增加缨翅甲型。但是，这些仅是形态上的分法，分类上并无真正的应用价值。

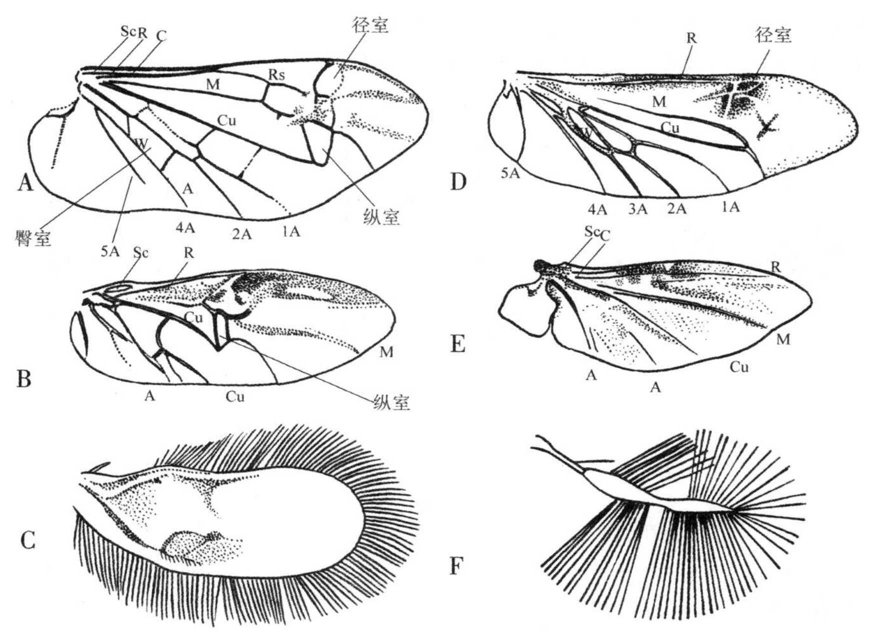

图 9 后翅的基本类型

A. 长扁甲型；B. 肉食甲型；C. 藻食甲型；D. 萤甲型；E. 隐翅甲型；F. 缨翅甲型（A-B 仿 F. Nanninga；F 仿 R. A. Crowson）

由于前翅特化为鞘翅，其功能发生了变化，导致后翅增大，独立承担飞行功能，这使后翅的翅脉变化较大。在原始的类群中，翅脉较多，代表性的是长扁甲型的翅脉类型，主要特征包括：R 脉发达，有分支 Rs 脉；M、Cu 及 A 脉均很发达，有径室、纵室及臀室；臀区发达，端部折叠卷缩成筒状。肉食甲型，其翅脉也较多，但 R 脉较短，无分支；M 脉退化；无径室及臀室，仅有纵室。藻食甲型，翅脉全部退化，仅留痕迹，翅周缘有长毛。萤甲型仅 M 脉退化，但端部与 Cu 脉相连；A 脉很发达；有径室和臀室。隐翅甲型主要特征是 R、M、Cu 脉直达翅缘，臀脉退化，无任何翅室。缨翅甲型后翅窄细，无任何脉痕或稍具脉痕，周缘具长缨毛且分为两组。

通过以上内容可以看出，鞘翅目昆虫后翅主干脉只有 3 条，即径脉（R）、中脉（M）和肘脉（Cu）。因为血流要由体内通过 R 脉到翅内，再由 Cu 脉返回，所以这两条脉都比较强大。在高山、沙漠生活的类群及部分土栖甲虫，有不少类群失去后翅。

（5）胸足

胸足 3 对，由基节、转节、腿节、胫节、跗节和爪组成。前足和中足基节多为圆锥状；后足基节横长，在叩甲科中，后足基节呈片状，覆盖于腿节之上，称腿盖。3 对足的腿节基本相似，个别跳跃足腿节膨大；胫节多数情况为前足和中足较短，后足较长，极少数后足短于前足和中足，长臂金龟以前足各节长而得名。跗节正常，若有变化，则以前足及后足第 1 跗节变化为多。

根据其功能和行为特点，足可分为步行足（步甲、虎甲）、跳跃足（跳甲）、游泳足（水龟、龙虱）、开掘足（金龟类）和抱握足（雄龙虱）。

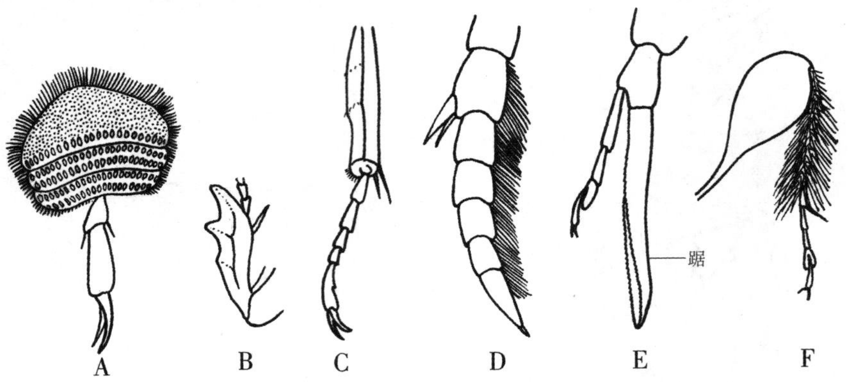

图10 足的基本类型

A. 抱握足；B. 开掘足；C. 步行足；D. 游泳足；E，F. 跳跃足

跗节一般为5节，但也有变化。根据3对足跗节的数量，一般分为5节类（Pentamerous），即3对足的跗节均为5节，如步甲、虎甲、金龟子；伪4节类（Pseudotetramerous），实为5节，第3节双叶状，第4节极小，几乎与第3节愈合，如叶甲总科；异跗类（Heteromerous），前、中、后足跗节为5-5-4式，主要见于伪步甲科、芫菁科等类群；4节类（Tetramerous），3对足跗节均为4节，如圆蕈甲科 Cisidae、伪瓢虫科 Endomychidae、拟球甲科 Corylophidae；伪3节类（Pseudotrimerous），实为4节，跗节第3节很小，位于双叶状的第2节基部，主要见于瓢虫科；3节类（Trimerous），3对足的跗节均为3节，如蚁甲科 Pselaphidae、薪甲科 Lathridiidae。另外，还有跗节1节的，如单跗甲科 Lepiceridae。

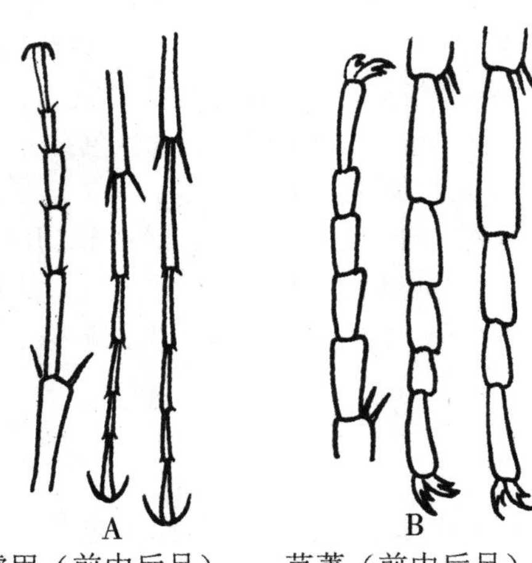

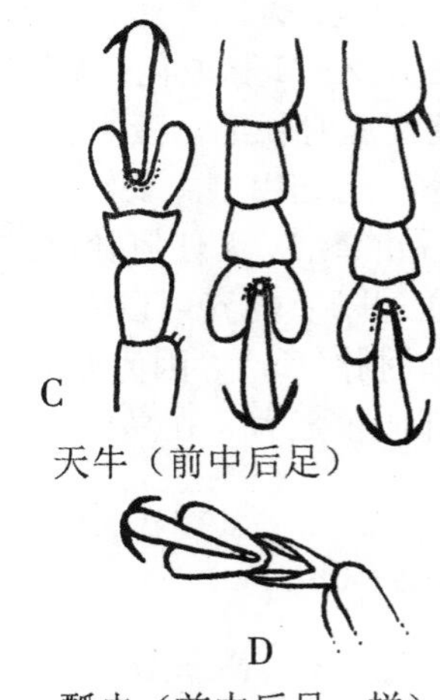

图11 跗节的基本类型

A. 5节类（5-5-5）（虎甲科）；B. 异跗类（5-5-4）（芫菁科）；C. 伪4节类（天牛科）；D. 伪3节类（瓢虫科）

爪的形态在分类中常作为种上阶元的应用特征，但其形态变化在科级无规律可循。在同一科内，如叶甲科 Chrysomelidae，就有 4 种类型的爪，图 12 中 A 为单齿爪，基部合并；B 为附齿爪，基部双叶宽大；C 为双齿爪；D 为单齿爪，但基部不合并。另外，在丽金龟科中爪一边为双齿，一边为单齿，成为异齿爪。步甲的爪代表了捕食类的主要类型，一般单齿发达。在一些类群中，前、中、后足爪的类型也有不同，如花萤科 Cantharidae。

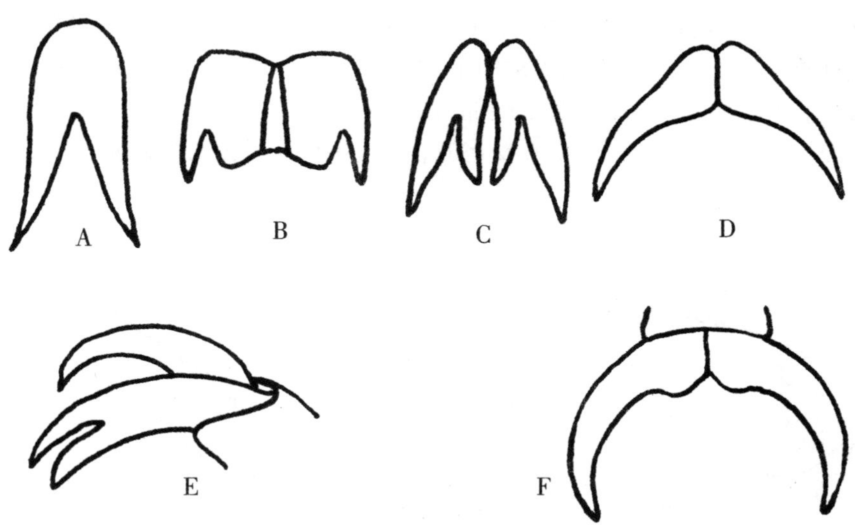

图 12　爪的基本类型

A. 单齿式，基部合并；B. 附齿式；C. 双齿式；D. 单齿式，基部不合并；E. 异齿式（丽金龟科）；F. 肉食类单爪(步甲科)

4. 腹部

腹部背板由 10 节组成，第 1 节多消失，第 9 节作为生殖节，参与外生殖器的构造，一般藏于体内。第 10 背板在较原始的长扁甲科雄虫中，作为亚臀板位于臀板之下，在隐翅虫科中则可见。而在大多数类群中第 10 背板消失。末节背板称为臀板，一般是第 7 或第 8 背板。背板的节数可以通过腹部气门的位置来确定。在少数类群中，腹部背板少于 4 节，寡节蚁甲科 Clavigeridae 腹部背板仅 3 节。

腹板数量一般少于背板，第 1 节腹板消失，第 2 节在一些类群中存在，在花萤总科中它完整存在，而在金龟科、步甲科等类群中，它分化成两个骨片，位于后足基节外侧。在大多数类群中第 2 腹板消失，所以，一般看见的腹面第 1 节，多为第 3 腹板。腹板可见节多为 5 ~7 节，隐翅虫科和花萤总科中最多为 8 节。最少的腹面仅 3 节(球甲科)。在一些类群中，雌虫和雄虫腹面节数不同，多为雌虫多雄虫少。腹部气门一般为 8 对，位于背腹板之间的膜质区或背板上，第 1 对气门往往比较大，多数类群第 8 气门失去功能，也有少数类群第 6 ~8 气门均失去功能。

5. 雄性外生殖器

图 13 是雄虫腹端侧视示意图，它表现了雄性外生殖器的基本构造和发生位置。其中图 A 是阳茎内缩示意图，图 B 是阳茎外伸的情况。通过此图我们可以明白，雄性外生殖器实际是雄性生殖系统射精管端部部分构造，它在两性活动中伸出体外进入雌体。外生殖器基部以骨化的基片(tegmen)与射精管以膜相连；基片外侧是阳茎，它们之间亦为膜质；内囊藏于阳茎之内，外侧常有角质状骨片，内囊端部有 1 个鞭毛状的囊体，平时内缩于内囊之中，端部为生殖孔。当遇到体内压力时，在内囊伸出阳茎时，鞭毛状囊体也同时伸出，在交尾时，它直接伸进雌虫的受精囊。

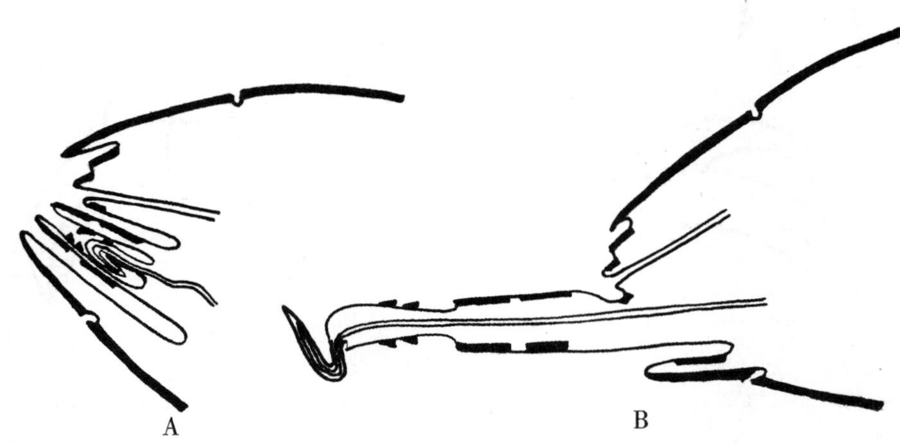

图 13 雄虫腹端及外生殖器发生位置

A. 外生殖器内缩体内；B. 外生殖器伸出体外(仿 F. Nanninga)

雄性外生殖器根据其形态和功能可分为 5 种基本类型(图 14)：三叶状主要由基片、侧叶和阳茎组成，侧叶可能来自于生殖突基节(gonocoxites)，此类型在水生甲虫和一些低等甲虫中常见，它一般被作为多食亚目的祖先类型；连接式多见于肉食亚目中的陆生类群，它无侧叶，基片发达；鞘状的特点是侧叶膨阔愈合成鞘，把阳茎藏于其内，主要见于金龟子类一些科；金龟子的另一类基片发达，呈鞘状，侧叶及阳茎均退化，因此作者称此类为基鞘状；环状主要见于植食性类群，如叶甲总科等，其特点是无侧叶，基片形成环状或半环状，多数称其为阳基。

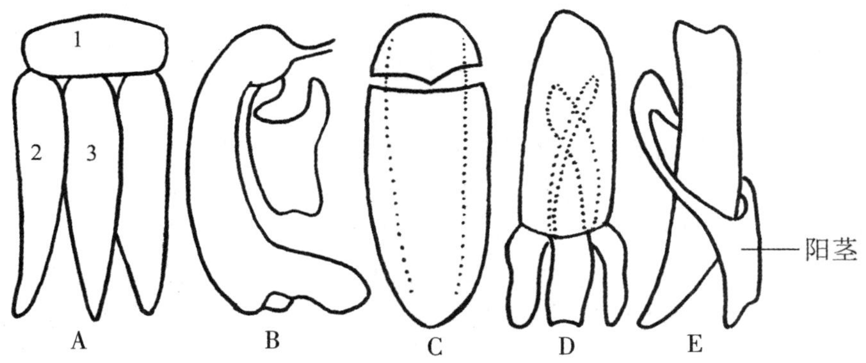

图 14　阳茎的基本类型

A. 三叶状；B. 连接式；C. 鞘状；D. 基鞘状；E. 环状

1. 基片；2. 侧叶；3. 阳茎

6. 雌性外生殖器

雌虫腹端及外生殖器的发生位置见图 15。第 9 腹板具 1 对分节的附器，每个附器基部骨化形成 1 个负瓣片，其通过关节与 1 节或 2 节的肢基片和尾突连接。附器之间为阴门，负瓣片基部与肛侧片（paraproct）相连。产卵器一般由尾片加大形成或者由第 8 和 9 节在休息时套叠形成。在一般的外生殖器解剖中，受精囊颜色比较深，容易看见。

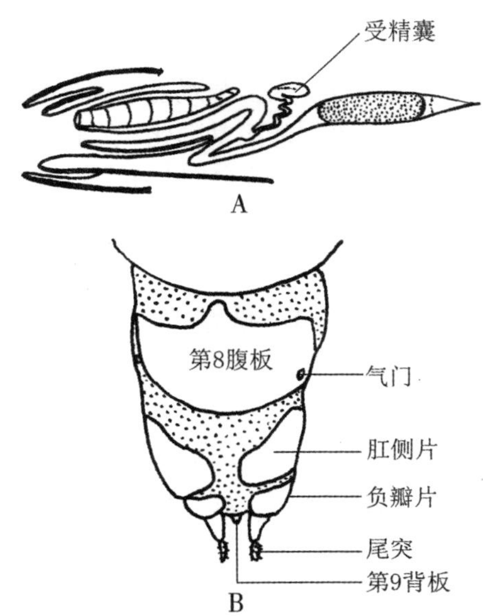

图 15　雌虫腹端及外生殖器发生位置

A. 雌虫腹端侧视，示卵巢管、受精囊（仿 M. Evans）；B. 负瓣片及附器（仿 Crowson）

（二）幼虫

鞘翅目昆虫的幼虫基本特征包括：头壳骨化强烈，每侧具6个或更少的侧单眼；触角3节，少有4节者，在倒数第2节端部有感器；咀嚼式口器；无下唇腺；足5～6节，有明显的跗节和成对的爪；腹部10节，无前腹足，第10节无附肢；第9节有1对尾突（urogomphi）；侧气门呼吸式，后胸气门丧失功能，腹气门8对。它与鳞翅目幼虫的主要区别为：无旁额片，无臀足。

二、生物学特性

鞘翅目昆虫属于全变态，其生活周期有卵、幼虫、蛹和成虫四个阶段。一般一年一到四代或多年一代。原鞘亚目个别属及隐翅虫科前角隐翅虫亚科 Aleocharinae 中具有胎生现象，叶甲亚科等一些类群中存在卵胎生行为。幼虫的龄期变化很大，正常的3～5龄，但个别类群出现过1～30龄的特殊情况。隐翅虫、金龟子类一般是3龄，皮蠹多为6～7龄。

蛹主要有无颚蛹（adecticous pupae）、离蛹（exatrate pupae）、被蛹（obtect pupae）三种。无颚蛹没有具功能的上颚；离蛹附肢与蛹体分离可动；被蛹体壁骨化强烈，附肢与身体紧贴在一起。在泥甲科、皮蠹科等类群中，腹部2～7节背面由2块突出成臂状的骨片形成1个肼铗（gintrops），可以夹住微小昆虫，其内侧凹陷；在金龟科、扁甲科、天牛科等类群中，为成对肼铗。大多数水生甲虫具有陆生的蛹，水生蛹具有呼吸鳃。在萤科、红萤科等类群中，有的雌虫幼形化，因此没有蛹期。

甲虫因为是昆虫纲中种类最多的类群，所以习性分化强烈，主要表现在以下几个方面。

1. 食性

（1）捕食性

肉食亚目、多食亚目中的瓢虫科、萤科、花萤科、芫菁科等类群均具有捕食习性。

（2）菌食性

寄居甲科、蛛甲科、隐翅虫科部分类群和大蕈甲科、小蕈甲科、坚甲科等，多以菌类为食。

(3)植食性

成虫和幼虫以植物枝、茎、叶、根、花、果等部位为食，主要集中于叶甲科、天牛科、小蠹科、象虫科和金龟总科中上气门系(Pleurostict)各科等类群。

(4)腐食性

金龟总科中侧气门系(Laparostict)多数科及葬甲科、隐翅虫科、阎甲科等具腐食性。

(5)取食仓储物

此类害虫叫仓库害虫，以仓储的种子、皮毛等物为食，主要有豆象科、皮蠹科、象甲科等。

2. 栖息习性

(1)水生

甲虫中有不少类群水生，如两栖甲科、沼梭甲科、龙虱科、水龟虫科、豉甲科、泥甲总科等4亚目25科，全世界约有10000种。中国有4亚目19科近700种为水生甲虫。

(2)陆生

植食性类群几乎全为陆生。

(3)土栖

步甲科部分类群、萤科一些类群的雌性和坚甲科及绝大多数甲虫的幼虫均为土栖。

(4)木栖

一些钻柱性甲虫，如长扁甲科一些种类和树皮甲科、小蠹科及一些寄居于朽木中的类群，如方胸科、丸甲科等，均为木栖。

(5)共栖

指与其他昆虫或动物共栖一处，一般多见于栖居于蚁巢中的葬甲科、蛛甲科，寄居于啮齿类巢中的寄居甲科等。

(6)菌栖

指生活在菌体中，如大蕈甲科、小蕈甲科、球蕈甲科等。

寄生性的种类在鞘翅目中比较少见。

三、分类系统

鞘翅目种类繁多，类群庞大，所以，分类系统也就呈现出多样化。目前比较受多数人认可的是 Crowson 1981 年的 4 亚目系统。关于总科和科的系统，多以 Bouchard, P. 等(2011)最新分类系统为主，即 4 亚目 159 科(现生类群)。近 5 年多，这一系统仍在发生不断的变化，比如阎甲科(Histeridae)提升为总科、瓢虫科(Coccinellidae)提升为总科等。据此，作者给出了一个系统树(图 16)，即 4 亚目 18 总科 193 科。

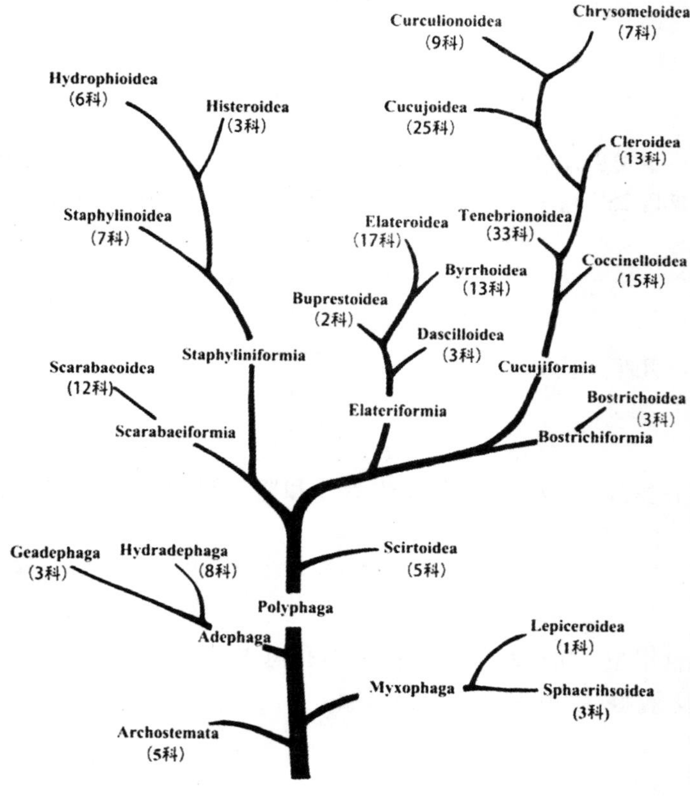

图 16 鞘翅目系统树

分亚目检索表

1. 基前转片不与其他部位合并，明显外露；中胸明显较长 ………………… **原鞘亚目 Archostemata**
   基前转片与其他部位合并或隐藏，不明显外露；中胸明显较短 ……………………………… 2
2. 中足基节窝远离，中、后胸宽阔相接；后翅具长毛缘饰 ………………… **藻食亚目 Myxophaga**
   中足基节窝相距较近；后翅无长毛缘饰 ……………………………………………………… 3
3. 后足基节把腹部可见第 1 节分为两部分；无颈片 ………………………… **肉食亚目 Adephaga**
   后足基节不把腹部可见第 1 节分为两部分；具颈片 ……………………… **多食亚目 Polyphaga**

藻食亚目 Myxophaga

贾凤龙
（中山大学生命科学学院，广州 510275）

一、淘甲科 Torridincolidae

鉴别特征：体长 1.00～2.60mm。卵圆形，表面光滑，有金属光泽。触角 9 或 11 节，短棒状。前胸侧片不达前胸前缘。鞘翅完全盖住腹部，同种因有或无后翅，呈现出二相型。足跗节 4 节，腹部可见腹板 5 节，第 2 节基部常被第 1 节掩盖。

分类：亚洲，非洲，南美洲。世界已知 7 属 27 种，亚洲地区仅有 1 属，全部生活于十分潮湿的崖壁上。通常同一种包括有翅型和无翅型（无后翅）两种类型。中国已知 1 属 5 种，陕西秦岭地区发现 1 种。

1. 佐藤淘甲属 *Satonius* Endrödy-Younga, 1997

Satonius Endrödy-Younga, 1997: 317. **Type species:** *Delevea kurosawai* Sato, 1982.

属征：体长 1.20～2.50mm。宽卵圆形。背面黑色，腹面黄褐色。上唇前缘具长刚毛列。触角短，第 1 节粗壮，第 2 节很小，第 3～10 节紧密。前胸背面具密而很浅且不甚清晰的刻点及细而短的箭头状刻纹。前胸腹板前缘中部多少呈钝齿状；前胸腹板突宽，端部尖。小盾片小。鞘翅无刻点列及刻纹，缘折基部具大凹陷。中胸腹板窄，前缘凹陷以接纳前胸腹板突。后胸腹板大，前侧缘沿中足基节窝延伸成刺状。

足短而平。前、中足基节近卵圆形，后足基节横形。腹面可见 5 节，第 1 节侧部凹，以接纳后足股节。

分布：古北区，东洋区。中国已知 5 种，秦岭地区发现 1 种。

（1）佐藤淘甲 *Satonius* sp.

鉴别特征：体长 1.70 ~ 1.90mm。卵圆形。背面黑色，腹面黄褐色。背面具细密的网纹。头部具极细的隐约可见的额唇基缝，上唇宽是长的 1.50 ~1.60 倍。触角着生于复眼前，11 节，短棒状，基节粗壮，第 3 ~10 节宽明显大于长，且紧密相接，第 11 节长约为前 1 节的 3 倍，端部生几根毛。下颚须 3 节，下唇须 2 节。前胸背板后端宽，向前强烈收窄，具极细刻点。小盾片三角形。鞘翅具细小刻点；侧缘具细边，端部侧边不明显。中胸腹板具明显的中足基节线。前、中足转节三角形，后足转节长形；股节短粗，胫节较细长，跗节 4 节，第 1 和第 2 节非常短，第 4 节长，明显长于 1 ~3 节之和。腹部第 1 节腹板中间前突至后足基节间；各节后缘具细齿。

本种可能是 1 个新种，因标本少，尤其缺乏雄性标本，故需今后仔细研究。

分布：陕西（秦岭）。

肉食亚目 Adephaga

贾凤龙
（中山大学生命科学学院，广州 510275）

分科检索表

1. 复眼分为背面和腹面两个；前足明显长于中、后足，中、后足短，呈桨状…… **豉甲科 Gyrinidae**
   复眼不分离；前足不长于中、后足，中、后足不呈桨状 …………………………………… 2
2. 后足基节不达鞘翅边缘，第 1 腹节可见；触角具毛；陆生 ………………… **步甲科 Carabidae**
   后足基节达鞘翅边缘，第 1 腹节不可见；触角多光滑；水生 …………………………… 3
3. 后足基节膨阔，片状，后端游离，至少盖住腹部可见前 3 节 ……………… **梭甲科 Haliplidae**
   若后足基节膨阔，与后胸愈合，后端不游离，不盖住腹部可见节 ……………………… 4
4. 身体背面隆拱，腹面平坦；后足基节板前缘中部呈角状，后基突发达…… **伪龙虱科 Noteridae**
   身体背、腹面均隆拱；后足基节板前缘中部不呈角状，后基突不发达 ………………… 5
5. 后足胫节和跗节通常有长游泳毛，后足跗节扁 ……………………………… **龙虱科 Dytiscidae**
   后足胫节和跗节无长游泳毛，后足跗节细长，柱状……………………… **壁甲科 Aspidytidae**

二、壁甲科 Aspidytidae

鉴别特征：体型与龙虱很相似，流线型，前胸背板与鞘翅基部等宽。背面隆起，腹面平坦。触角丝状，柄节特别短，远比第 2 节短。小盾片可见。后足基节成板形，中部（至少中间后部）形成明显后基节中隆区。后胸腹板具 1 条横行的可见的细沟纹，长度几乎与后足基节板宽度相等。腹部 6 节（第 1 可见节被后足基节几乎完全遮盖）。足细长，无游泳毛，跗节 5 节，第 4 节不分瓣。

分类：中国；非洲。世界仅知 2 属 2 种，中国记录 1 属 1 种，仅发现于华山。

2. 秦壁甲属 *Sinaspidytes* Balke, Beutel *et* Ribera, 2015

Sinaspidytes Balke, Beutel *et* Ribera, 2015: 4. **Type species**: *Aspidytes wrasei* Balke, Ribera *et* Beutel, 2003.

属征：唇基从背面观在复眼之间呈均匀的圆形；下唇舌大，"T"形，无密刚毛。下唇须倒数第 2 节比末节小，具 4 个感觉器，即 4 个圆形突起上具有刚毛的钟形感受器。下唇中部略凹陷。前胸腹板突无边框，后足基节突具宽边框。雄性外生殖器中叶仅简单的弯曲，非多个骨化和膜组成的结构；雌性生殖节具明显的刚毛。

分布：中国，仅发现于秦岭华山。

（2）乌拉秦壁甲 *Sinaspidytes wrasei* (Balke, Ribera *et* Beutel, 2003)

Aspidytes wrasei Balke, Ribera *et* Beutel, 2003: 56.

Sinaspidytes wrasei: Balke, Beutel & Ribera, 2015: 4.

鉴别特征：体长 4.80 ~ 5.10mm。流线型，前胸背板和鞘翅基部等宽，背面较隆起，腹面平坦。体黑色，头部前段褐色，上唇黄色，前胸背板边缘通常略淡，腹面黄褐色。头部具有明显的网纹，复眼前缘凹陷，触角丝状，下颚须与下唇须几乎等长，咽片后部具明显小窝。前胸背板后端宽，向前端明显变窄，具网纹及小刻点，侧缘和前缘具边框线。小盾片可见。鞘翅基部最宽，向端部明显收窄，缘折基部宽，向后端明显变窄，具多角形网纹及大小不等的刻点。前胸腹板平坦，前缘具成排的短毛，前胸腹板突发达，后端宽，末端几乎平截，后侧缘圆形；中胸腹板略短于前胸腹板，中部具明显的五角形沟。后胸前侧片三角形，前缘和外缘具边，后侧片被鞘翅缘折所遮盖；后胸腹板不达侧缘；后胸腹板突发达，近圆形；后胸腹板后部具有 1 条微弱但可见的横沟线，几乎与后足基节板宽度相等，之后具有 1 条短纵沟；后足基节宽大，内侧明显平隆，共同构成 1 个平板；外侧低平，与腹部几乎处于同一平面。足细长，步甲型，无游泳毛。前足、中足短，后足长；足 5 节，前足跗节基部 4 节腹面无刷状毛，爪长，两爪等长；中足、后足跗节 5 节。腹部可见 6 节，第 1 可见节仅于后足基节两侧可见，第 2 和 3 可见节部分愈合。

生物学：生活于有缓慢水流的峭壁上，白天隐藏，夜间活动。

分布：陕西（华山）。

三、梭甲科 Haliplidae

鉴别特征：体长 2.00 ~ 5.50mm。通常黄褐色，具有黑色斑块或黑色线纹。背面强烈隆拱，腹面亦不平坦。头小，复眼发达。触角 11 节，光滑无毛。前胸背板基部宽，通常与鞘翅基部等宽，少数窄于鞘翅，向前强烈收窄，前缘通常与头等宽。鞘翅流线型，通常基部之后最宽，具 10 条大刻点纵纹。前胸腹板突与后胸腹板突相接。前足基节和中足基节接近，球形；后足基节膨大成板状，向后至少覆盖腹部前 3 节，足有游泳毛。

生物学：生活于具有水草和石砾的静水或流速极缓慢的河流边缘。

分类：中国记录 2 属 29 种，陕西秦岭地区发现 2 属 5 种。

分属及亚属检索表

1. 后足基节板至少盖住第 6 腹节基部，仅第 7 节完全可见，基节板后缘具后突；下颚须和下唇须末节明显长于前 1 节；鞘翅具有鞘缝刻纹 ………………………………… **水梭属 *Peltodytes***
2. 后足基节板仅达第 4 腹板，至少后部 3 个腹节可见，基节板后端无后突；下颚须和下唇须末节短于前 1 节；鞘翅无鞘缝刻纹（**梭甲属 *Haliplus***） ……………………………………………… 3
3. 后足胫节背面具有排成 1 列的长毛束，前胸背板基部两侧无短刻线 ……………………………………………………………………………………… **梭甲属长毛亚属 *Haliplus*（*Liaphlus*）**
   后足胫节背面无长毛束，前胸背板通常于基部两侧具短斜纵刻线（极少数无，仅 1 ~ 2 个大刻点） ……………………………………………………… **梭甲属指名亚属 *Haliplus*（*Haliplus*）**

3. 梭甲属 *Haliplus* Latreille, 1802

Haliplus Latreille, 1802: 77. **Type species**: *Dytiscus impressus* Fabricius, 1787 (= *Dytiscus ruficollis*de Geer, 1774: 404).

Cnemidotus Illiger, 1802: 297. **Type species**: *Dytiscus impressus* Fabricius, 1787.

Hoplitus Clairville, 1806: 218. **Type species**: *Dytiscus impressus* Fabricius, 1787.

属征：体长2.00～4.60mm。体黄褐色，通常刻点深色。卵圆形，鞘翅基部最宽。下颚须和下唇须末节短于前1节。前胸背板基部最宽，通常具有短纵刻纹(中国已知种类除少数变异个体外，均有该刻纹)。鞘翅常有黑斑，具规则的刻点列，纹间距不隆起。腹面黄褐色，常有黑斑。前胸腹板突平坦，中部具浅沟或边缘具浅沟。后足基节板状，后缘圆，伸达第4腹节。后足胫节背面有或无长毛列。

分布：世界广布。中国已知23种，秦岭地区发现3种。

分种检索表

1. 鞘翅无黑斑，前胸腹板突前缘无隆边 ………………………… **简梭甲 *H.* (*Haliplus*) *simplex***
   鞘翅有黑斑，前胸腹板突前缘具隆边 ………………………………………………………… 2
2. 后足胫节背面具1列长毛束 ………………………………… **变斑梭甲 *H.* (*Liaphlus*) *diruptus***
   后足胫节背面无长毛束 ………………………………………… **瑞氏梭甲 *H.* (*H.*) *regimbarti***

(3) 瑞氏梭甲 ***Haliplus* (*Haliplus*) *regimbarti* Zaitzev, 1908**

Haliplus brevis Wehnche, 1880: 75 (nec Stephens 1828).
Haliplus regimbarti Zaitzev, 1908: 122 (new name for *Haliplus brevis* Wehncke, 1880).
Haliplus sauteri Zimmermann, 1924: 130.

鉴别特征：体长2.70～3.00mm。体黄褐色。下颚须和下唇须末节明显短于前1节。前胸背板后部两侧无斜纵短刻纹。前胸腹板突前缘具隆边；后胸腹板突平或略隆，侧缘各具1列大刻点列，在侧缘中部形成明显的凹线。鞘翅无鞘缝刻纹，鞘翅有黑斑。后足基节后缘具7～9(通常7～8)根突出的刚毛。后足胫节背面无长游泳毛。

采集记录：2头，长安韦曲，1984.Ⅷ.21。

分布：陕西(长安)、河南、山东、江苏、安徽、浙江、湖北、江西、湖南、福建、台湾、广东、广西、贵州、云南。

(4) 简梭甲 ***Haliplus* (*Haliplus*) *simplex* Clark, 1863**

Haliplus simplex Clark, 1863: 419.
Haliplus minutus Takizawa, 1931: 140.
Haliplus medvedevi Gramma, 1980: 294.

鉴别特征：与瑞氏梭甲 *H. regimbarti* Zaitzev 区别如下：前胸腹板突前缘无隆边，后胸腹板突平或略隆，侧缘无明显的1列大刻点列形成的凹线，在中部具有1个大凹窝。鞘翅上通常无黑斑。后足基节后缘无突出的刚毛列。

采集记录：16头，长安，1984.Ⅷ.21。

分布：陕西(长安)、黑龙江、吉林、辽宁、内蒙古、北京、山东、江苏、安徽、浙江、广东；俄罗斯，朝鲜，日本。

（5）变斑梭甲 *Haliplus*（*Liaphlus*）*diruptus* J. Balfour-Browne, 1947

Haliplus diruptus J. Balfour-Browne, 1947: 436.

鉴别特征：体长2.80～3.50mm。卵圆形，两侧不平行。体黄色至黄褐色。鞘翅基部通常无黑斑或黑带，缝纹黑色，翅面上有黑斑，变异较大，中部、端部约1/3处及端部各有1个较大黑斑与鞘缝黑带相接。前胸背板后部两侧无斜纵短刻纹。鞘翅无网纹。后足胫节背面具1列长游泳毛，列长大约为胫节长的1/3，包含8个刻点。前胸腹板突较宽，基节两侧明显收窄，在前足基节前向前方有1条直达前缘的刻线；后胸腹板突中部具有1个凹陷。雄性前足跗节和中足跗节略宽，下方具吸附毛。

采集记录：1头，长安南五台山，1984. Ⅷ. 23。

分布：陕西(长安)、黑龙江、辽宁、北京、天津、山东、上海、江苏、安徽、湖北、湖南、福建、台湾、海南、香港、贵州、云南；俄罗斯(远东)，朝鲜，日本，越南，印度，缅甸。

4. 水梭属 *Peltodytes* Régimbart, 1879

Peltodytes Régimbart, 1879: 450. **Type species**: *Dytiscus caesus* Duftschmid, 1805: 284.

属征：下颚须和下唇须末节明显长于前1节。鞘翅缝纹至少超过1/2，刻点列之刻点相似，较 *Haliplus* 明显强壮。无次级刻点列。后足基节板至少达第6腹节，后缘具有或长或短的突起。

分布：除新热带区外，世界广布。中国已知6种，秦岭地区发现2种。

（6）北京水梭 *Peltodytes*（*Peltodytes*）*pekinensis* Vondel, 1992

Peltodytes pekinensis Vondel, 1992: 285.

鉴别特征：与中华水梭 *P. sinensis*（Hope）区别如下：后足基节板后缘具1个较长短突，略呈指状。鞘翅第4刻点列仅在中部断开，该列后部刻点至少达鞘翅后部的1/3。

采集记录：4头，西安浐灞，2001. Ⅴ. 11。

分布：陕西(西安)、辽宁、北京、河北、天津、山东、浙江、福建、广东；俄罗斯(远东)。

(7) 中华水梭 *Peltodytes* (*Peltodytes*) *sinensis* (Hope, 1845)

Haliplus sinensis Hope, 1845: 15.

Haliplus variabilis Clark, 1863: 417.

Peltodytes sinensis: Régimbart, 1899: 192.

Peltodytes koreanus Takizawa, 1931: 138.

Peltodytes aschnae Makhan, 1999: 269.

鉴别特征: 体长3.40~4.00mm。宽卵圆形。体黄褐色。头部在复眼之间有2个黑斑,刻点明显。下颚须和下唇须末节长于前1节。前胸背板在第5刻点列相对处具黑斑,包含2~5个大而深的刻点,两黑斑之间刻点有时黑色,后角处具2~5个黑色大刻点,其余刻点本色;侧边缘窄于触角宽度。鞘翅后部之半具有鞘缝刻纹,缝纹黑色,具10条刻点列,刻点大,黑色,内侧5列最基部的刻点明显较其他刻点大。第4刻点列仅在基部的3~5个刻点和端部1~4个刻点可见。后足基节板盖住腹部第6节部分,边缘具有钝突,后基板大部分具大刻点。腹面浅黄褐色,足深色。前胸腹板突后部两侧具刻痕,后胸腹板突中部具1个凹陷。雄性前足和中足第1和第2跗节宽,下方有吸附毛。

采集记录: 17头,长安韦曲,1984.Ⅷ.21;1头,长安南五台山,1984.Ⅷ.17。

分布: 陕西(西安)、吉林、辽宁、北京、河北、天津、河南、山东、上海、江苏、安徽、浙江、湖北、江西、湖南、福建、台湾、广东、海南、广西、重庆、四川、贵州、云南;朝鲜,日本,越南,菲律宾。

四、伪龙虱科 Noteridae

鉴别特征: 体型较小,通常5mm以下,背面较强隆起,腹面较平坦,与龙虱科的粒龙虱亚科 Laccophilinae 相似。前胸腹板基部和后突位于同一平面。前、中、后胸腹板及后足基节内侧于腹面中央隆起形成1个宽板。后足基节分为两部分,在前部中间成角状,外部(上部)与腹部几乎处于同一平面,内部(下部)隆起,形成腹面隆板一部分,盖住转节。小盾片不可见。前、中足跗节5节,第4节与第5节等长。

分类: 中国已知4属14种,陕西秦岭地区发现1属1种。

5. 伪龙虱属 *Noterus* Clairville, 1806

Noterus Clairville, 1806: 222. **Type species**: *Dytiscus crassicornis* O. F. Müller, 1776: 72.

属征：体长 3.50 ~ 5.00mm。背面隆拱，卵圆形。背面红褐或黄褐色，具有细刻纹及由此构成的横形网眼。鞘翅具大或小的刻点，至少在后端形成较规则的纵刻点列。前胸腹板中部具纵脊。前胸腹板突、后胸腹板及后基板构成的复合体形成不太一致的结构，无毛。前胸腹板突端部多少渐尖，呈水滴状。后足股节后缘近端部无刚毛束。腹板光滑。雄性触角数节(通常 5 ~ 11 节)明显宽阔。

分布：古北区。中国已知 4 种，秦岭地区发现 1 种。

（8）日本伪龙虱 *Noterus japonicus* Sharp, 1873

Noterus japonicus Sharp, 1873: 52.

鉴别特征：体型大，体长 4.40 ~ 5.00mm。卵形，较隆拱。体黄褐色至锈红色，雄性腹面黑色。雄性触角第 5 ~ 10 节宽，第 5 节向外凸，第 6 节宽略小于长，着生于第 5 节内侧。前胸腹板纵脊达到前缘，前缘具有 1 个向下伸突的齿；后端水滴状。鞘翅刻点较小，形成不甚规则的行列。前胸腹板突、后胸腹板和后足基节内隆构成的复合板无毛。前足胫节距不等长，长距几乎成钩状，短距几乎不可见；前足胫节外侧缘无大的强距，但具有梳状结构；后足基节后缘构无凹口，两基节后缘呈一宽“V”形结构，后足股节亚端部无刚毛束。

分布：陕西(秦岭)、黑龙江、吉林、辽宁、北京、河北、内蒙古、山东、上海、江苏、湖北、江西、福建、广东、海南、香港、广西、贵州、云南；俄罗斯(远东)，朝鲜，日本。

五、豉甲科 Gyrinidae

鉴别特征：体长 3 ~ 26mm。体黑色，有时具绿色或蓝色光泽。触角短，9 ~ 11 节，不达前胸背板前缘，基部 2 节大，第 2 节膨大，具长毛束，其余节很短宽，形成短棒，末端几节有时愈合。复眼分成上、下两个，成 4 复眼状；前足很细长，远长于中足和后足；中足和后足很短，扁平，桨状。腹部多为 7 节，末节通常不被鞘翅完全盖住。雄性前足跗节具小吸盘。

分类：中国已知 3 亚科 6 属 56 种，陕西秦岭地区发现 2 属 2 种。

分属检索表

前胸背板和鞘翅至少在侧缘具毛带；腹部末节细长，长显著大于宽，中部具纵行长毛束列 ……………………………………………………………………………… 毛豉甲属 *Orectochilus*

前胸背板和鞘翅无毛；腹部末节宽扁，长不大于宽，无纵行的长毛束列 ……… 豉甲属 *Gyrinus*

6. 豉甲属 *Gyrinus* O. F. Müller, 1764

Gyrinus O. F. Müller, 1764: 17. **Type species**: *Dytiscus natator* Linnaeus, 1758.

属征: 背面黑色或蓝黑色，通常侧缘具绿色光泽，前胸背板和鞘翅侧缘不为黄色。上唇短，没有纵沟。背复眼较腹复眼靠前。触角 9 节。前胸背板通常具浅横沟，鞘翅刻点列 11 列，无刻纹，纹间距通常有细小的刻点。前胸背板和鞘翅无明显网纹。

分布: 世界广布。中国已知 12 种，秦岭地区发现 1 种。

(9) 四川豉甲 *Gyrinus* (s. str.) *szechuanensis* Ochs, 1929

Gyrinus natator szechuanensis Ochs, 1929: 2.

Gyrinus szechuanensis: Ochs, 1932: 58.

鉴别特征: 体长 5 ~ 6mm。宽卵圆形，宽大于长的 1/2，强烈隆拱。背面有光泽，黑色，侧边缘铜色；腹面黄褐色，口器、鞘翅缘折、足和腹部末节红褐色或深褐色。小盾片长略大于宽，几乎呈等边三角形，无网纹，前缘略凹陷。中胸腹板后半部具沟，沟的中部宽而深，形成 1 个凹陷。鞘翅刻点列之刻点相对细，外侧刻点列之刻点较大，鞘翅端部斜截，内外角圆；鞘翅侧缘完整，基部宽，向后部突然变窄。腹面光滑，无网纹。前足胫节自基部向中部渐宽，端部 1/2 两侧近平行，外角钝，外凸。

分布: 陕西(秦岭)、甘肃、上海、四川。

7. 毛豉甲属 *Orectochilus* Eschscholtz, 1833

Orectochilus Eschscholtz, 1833: 59. **Type species**: *Gyrinus villosus* O. Müller, 1776.

属征: 体小到中型，卵形或长卵形。背面强烈隆拱，黑色或棕色。上唇长，无纵沟。背复眼和腹复眼几乎处于同位。触角 8 ~ 11 节(出现数节愈合)。前胸背板和鞘翅至少在侧缘具毛带。小盾片外露。鞘翅无刻点列，细网纹在放大 100 倍以上可见。腹部末节细长，长显著大于宽，中部具有纵行长毛束列。

分布: 亚洲，个别发现于欧洲和非洲北部。中国已知 35 种，秦岭地区发现 1 种。

(10) 暗毛豉甲 *Orectochilus* (*Patrus*) *obscuriceps* Régimbart, 1907

Orectochilus obscuriceps Régimbart, 1907: 215.

鉴别特征：体长6.20～7.00mm。长卵圆形，背面十分隆拱。雄性背面黑色，雌性常红褐色。后端及后侧常为黄褐色，腹面黄褐色，鞘翅缘折、腹部末端和足黄色。上唇半圆形，具强刻点，前缘具红褐色毛。前胸背板和鞘翅覆盖密毛。鞘翅端部斜截，在雌性中略凹，在雄性中略凸，外端角钝圆。雄性前足胫节外端角较钝，前足跗节宽大，明显较跗节宽。

分布：陕西（秦岭）、四川。

参考文献

Balfour-Browne, J. 1947. The aquatic Coleoptera of Manchuria (Weymarn collection). *Annals and Magazine of Natural History*, (11) 13(1946): 433-460.

Balke, M., Ribera, I. and Beutel, R. G. 2003. Aspidytidae: On the discovery of a new beetle family: detailed morphological analysis, description of a second species, and key to fossil and extant adephagan families (Coleoptera). Pp. 53-66. In: Jäch, M. & Ji, L.-Z. (Eds.), *Water Beetles of China*, Vol. Ⅲ. Wien: Zoologisch-Botanische Gesellschaft in Österreich and Wiener Coleopterologenverein, 371 pp.

Clark, H. 1863. Descriptions of new East-Asiatic species of Haliplidae and Hydroporidae. *The Transactions of the Royal Entomological Society of London*, (3) 1: 417-428.

Cheo, M. T. 1934. The Gyrinidae of China. *Peking Natural History Bulletin*, 8 [1933-1934] (3): 205-237.

Endrödy-Younga, S. 1997. Active extraction of water-dissolved oxygen and descriptions of new taxa of Torridincolidae (Coleoptera: Myxophaga). *Annals of the Transvaal Museum*, 36(24): 313-332.

Eschcholtz, J. F. 1833. *Zoologischer Atlas, enthaltend Abbildungen und Beschreibungen neuer Thierarten, währen des Flottcapitains v. Kotzebue zweiter Reise um die Welt, auf der Russisch-Kaiserlichen Kriegsschlupp Predpriaetië in den Jahren 1823-1826*. Fünftes Heft. Berlin: Reimer, Ⅷ + 28 pp.

Hope, F. W. 1845. On the entomology of China, with descriptions of the new species sent to England by Dr. Cantor from Chusan and Canton. *The Transactions of the Entomological Society of London*, 4: 4-17.

Jia, F.-L. and Vondel, B. van. 2011. Annotated catalogue of the Haliplidae of China with the description of a new species and new records from China (Coleoptera, Adephaga). *ZooKeys*, 133: 1-17.

Latreille, P. A. 1802. *Histoire naturelle, générale et particulière, des crustacés et des insects. Ouvrage faisant suite à l' histoire naturelle générale et particulière, composee par Leclerc de Buffon, et rédigée par C. S. Sonnini, membre de plusieurs sociétés savantes*. Vol. 1. Principes élémentaires. Paris: Dufart, xiv + 394 pp.

Ochs, G. 1929. On some new and interesting species of water beetles of the family Gyrinidae in the United States National Museum. *Proceedings of the United States National Musem*, 75(3): 1-6.

Ochs, G. 1932. Note on species of Gyrinidae from China. *Peking Natural History Bulletin*, 6 (3) [1931-1932]: 57-58.

Ochs, G. 1936. Ein neuer Beitrag zur Kenntinis der Gyriniden. -Fauna Chinas unter Berücksichtigung einiger verwandter Arten aus Hinter-Indien. *Festschrift für Prof. Dr. Embrik Strand*, 1: 601-613.

Régimbart, M. 1879. Étude sur la classification des Dytiscidae. *Annales de la Société Entomologique de France* (5) 8(1878): 447- 466 + pl. 10: 1-28.

Régimbart, M. 1907. Essai monographique de la famille des Gyrinidae. 3e supplément. *Annales de la Société Entomologique de France*, 76: 137-245.

Ribera, I., Beutel, R. G., Balke, M. & Vogler, A. P. 2002. Discovery of Aspidytidae, a new family of aquatic Coleoptera. *Proceedings of the Royal Society, London*, (B) 269: 2351-2356.

Sharp, D. 1873. The water beetles of Japan. *The Transactions of the Entomological Society of London*, (1873): 45- 67.

Toussain, E. F. A., Beute, R. G., Morinière, J., Jia, F-L., Xu, Sh-Q., Michat, M. C., Zhou, X., Bilton, D. T., Ribera, I., Hajek, J. and Balke, M. 2015. Molecular phylogeny of the highly disjunct cliffwater beetles from South Africa and China(Coleoptera: Aspidytidae). *Zoological Journal of the Linnean Society*, 2015:1-10.

Vondel, B. J. van. 1992. Revision of the Palaearctic and Oriental species of *Peltodytes* Régimbart (Coleoptera: Haliplidae). *Tijdschrift voor Entomologie*, 135: 275-297.

Zaitzev, F. A. 1908. Berichtigungen und Zusätze zu den Haliplidae, Dytiscidae und Gyrinidae in den neuesten Katalogen der Coleoptera. *Russkoe Entomologicheskoe Obozrenie*, 7(1907): 114-124.

六、龙虱科 Dytiscidae

姬兰柱　边冬菊

(中国科学院沈阳应用生态研究所，沈阳 110016)

鉴别特征：体长 1 ~48 mm。体卵圆形至长卵形，多数种类虫体连续，仅少数种类在前胸背板与鞘翅连接处中断。背部表面光滑，有光泽。触角丝状，11 节。后翅发达。后足特化为游泳足，基节发达，左右相接。雄虫前足为抱握足。腹部背板可见 8 节，腹板可见 6 节。

分类：世界已知 10 亚科 174 属 4223 种，中国记录 6 亚科 44 属 335 种，陕西秦岭地区发现 4 属 9 种。

分属检索表

1. 小盾片被前胸背板覆盖或仅端部针尖大的区域可见 ……………………… **粒龙虱属 *Laccophilus***
   小盾片完全可见 ………………………………………………………………………… 2
2. 鞘翅上无斑或色带，头、前胸背板及鞘翅颜色一致，均为黑色，或头与前胸背板黑色，鞘翅淡黄棕色 ……………………………………………………………… **端毛龙虱属 *Agabus***
   鞘翅上具淡黄色纵条或具铁锈色块状斑 ……………………………………………… 3

3. 鞘翅侧缘具淡黄色纵条或鞘翅上具黄色小圆斑组成的纵条……………… **短胸龙虱属 *Platynectes***
多数种类在鞘翅亚基部具铁锈色横带，中后部及亚端部具铁锈色块状斑 ………………………
……………………………………………………………………………………… **宽缘龙虱属 *Platambus***

8. 端毛龙虱属 *Agabus* Leach, 1817

Agabus Leach, 1817: 69. **Type species**: *Agabus paykullii* Leach, 1817: 72 (= *Dytiscius serricornis* Paykull, 1799).

鉴别特征：体长5～11mm。头及前胸背板为黑色，鞘翅褐色或是整个背面均为黑色。背面具网纹，网眼为多边形或者是近小圆形。后胸腹板翅侧缘不急剧变狭。后足股节端部后角具1簇小刚毛。雄性前足及中足基部3个跗节略膨大，具吸附毛。

分布：世界广布。中国已知41种，秦岭地区发现2种。

分种检索表

体长5.20～5.60 mm；前胸背板两侧不具红棕色宽纵带，腹面浅红棕色；阳茎近端部膨大 ……
……………………………………………………………………………… **等端毛龙虱 *A. aequalis***
体长9.60～10.00 mm；前胸背板两侧具红棕色宽纵带，腹面黑色；阳茎近端部不膨大…………
……………………………………………………………………………… **瑞氏端毛龙虱 *A. regimbarti***

(11) 等端毛龙虱 *Agabus aequalis* Sharp, 1882（图17；图版1：1）

Agabus aequalis Sharp, 1882: 501.

鉴别特征：体长5.20～5.60mm，体宽4.40～4.50mm。体卵形。头、前胸背板深棕色，上唇及唇基前缘颜色略淡，头基部具1对圆形的棕色斑，鞘翅、腹面浅黄棕色。头部表面具多边形网纹，网眼大小不一，部分网眼内部具1个细小刻点。前胸背板网纹与头部类似，在前缘及后缘分别具1列大刻点，后缘刻点列在中部间断。鞘翅表面具多边形的细小网纹，网眼大小基本一致，网眼内无细小刻点；鞘翅表面具3列大刻点列。前胸腹板突起呈柳叶形，端部尖；后足基节板具网纹，部分网眼内具细小刻点；腹部1～4节具纵向刻线，第5腹节具细小网纹。

采集记录：7♂17♀，凤县，1900m，1998.Ⅵ.09，王淼采。

分布：陕西（凤县）、吉林、甘肃、四川；俄罗斯。

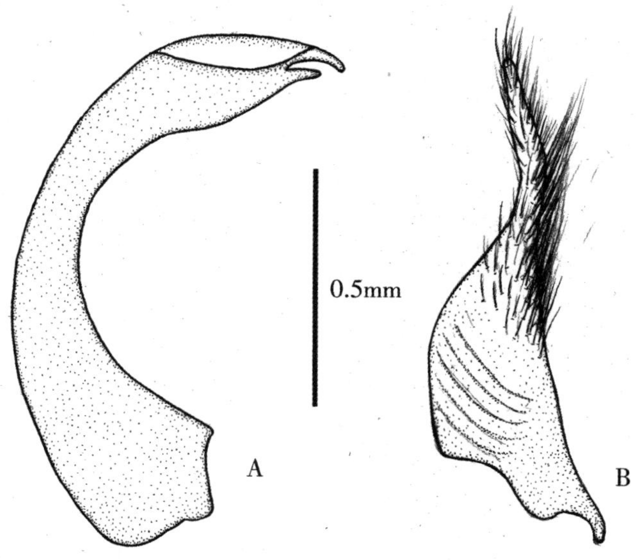

图 17　等端毛龙虱 *Agabus aequalis* Sharp
A. 阳茎侧面观；B. 阳基侧突

(12) 瑞氏端毛龙虱 *Agabus regimbarti* Zaitzev, 1906(图 18；图版 1：2)

Agabus regimbarti Zaitzev, 1906：174.

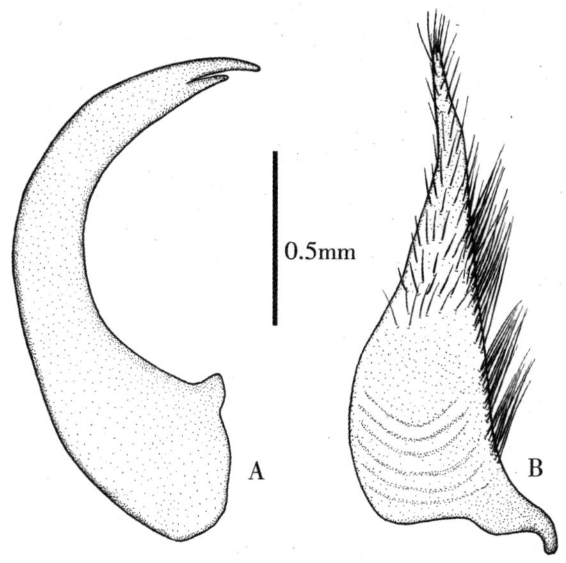

图 18　瑞氏端毛龙虱 *Agabus regimbarti* Zaitzev
A. 阳茎侧面观；B. 阳基侧突

鉴别特征：体长9.60～10.00mm，体宽7.20～7.50mm。体卵形。头及前胸背板黑色，前胸背板两侧具红棕色宽纵带，鞘翅浅黄到黄棕色，腹面黑色，腹节2～5节后缘黄棕色。头基部具1对长卵形的红棕色斑点；头部表面具网纹，网眼多边形，大小不一，网眼内具1～5个细小的刻点。前胸背板上网纹与头部近似；沿前后缘各具1列由中等大小刻点组成的刻点列，后缘的刻点列在中部间断。鞘翅表面具多边形网眼构成的网纹，网眼大小几乎相等，内部不具小刻点；鞘翅具3列刻点列，刻点列上的刻点相对较小。前胸腹板突起瘦长，基部2/3开始向端部急剧变狭，端部尖；后足基节板表面具网纹及横向褶皱；腹部1～5节表面具细小网纹及向内倾斜的刻纹，第5腹节端半部具纵向褶皱。

采集记录：1♂2♀，凤县，1900 m，1998.Ⅵ.09，王淼采。

分布：陕西(凤县)、黑龙江、辽宁、北京、河北、山西、山东、甘肃、江西、四川、贵州、西藏。

9. 宽缘龙虱属 *Platambus* Thomson, 1859

Platambus Thomson, 1859: 14. **Type species**: *Dytiscus maculatus* Linnaeus, 1758.

鉴别特征：体长5.60～9.50mm。多数种类长卵形，仅少数种类宽卵形。头部黑色，具2个铁锈色斑点；头部具多边形网眼构成的网纹，网眼内部具1个或多个小刻点；部分种类头部刻点粗糙。前胸背板黑色，侧缘颜色略淡或前角处呈砖红色；前胸背板前缘刻点列完整，仅少数种类后缘刻点列在中间中断。鞘翅黑色，多数种类在亚基部具宽的铁锈色横带；多数种类具网纹，网纹由多边形网眼组成，网眼内部具小刻点，网眼间具1个大刻点。腹面深褐色，少数种类红棕色；前胸腹板突宽大，通常短而扁平，一些种类前胸背板突起前端近刺状；后胸腹板翅通常较窄。雄性前足及中足跗节膨大，基部3节具小吸盘；多数种类第5腹节上具皱缩刻痕。

分布：东洋区。中国已知28种，秦岭地区发现4种。

分种检索表

1. 体长大于8mm；鞘翅表面粗糙，无条带或斑 ……………………… **密纹宽缘龙虱 *P. angulicollis***
   体长小于8mm；鞘翅表面光滑，具铁锈色圆形斑或条带 ……………………………………… 2
2. 鞘翅亚基部不具铁锈色横带，在鞘翅中部偏后及亚端部的侧缘分别具1对大、小圆斑 ………
   ……………………………………………………………………………… **雅安宽缘龙虱 *P. yaanensis***
   鞘翅亚基部具铁锈色横带 …………………………………………………………………………… 3
3. 鞘翅具长纵带，在前中部、中部及后部向内延伸成斑 …………… **黄边宽缘龙虱 *P. excoffieri***
   鞘翅具短纵带，在中部偏后具1个角状斑及亚端部具1个小圆斑 ………………………………
   ………………………………………………………………… **五岭山宽缘龙虱 *P. wulingshanensis***

(13) 密纹宽缘龙虱 *Platambus angulicollis* (Régimbart, 1899)(图 19；图版 1：3)

Agabus angulicollis Régimbart, 1899: 273.
Platambus angulicollis: Brancucci, 1982: 115.

鉴别特征：体长 9.10 mm，体宽 5mm。宽卵形，明显拱起。头部深褐色到黑色，基部具两个圆形的红棕色眼间斑，触角红棕色；网纹刻入深，网眼小且呈多边形，网眼内具小刻点，网眼间具 1 个稍大刻点；额唇缝上具 1 个大的圆形凹陷。前胸背板深褐色到黑色；网纹与头部近似；前缘粗糙刻点两侧密集，刻点互相融合，皱缩，中间稀疏，后缘刻点列在中部明显间断。鞘翅黑色，侧缘颜色略淡；表面粗糙，网眼小且呈多边形，网眼内具 1～4 个细小刻点；背部、侧缘及亚侧缘具刻点列。腹面红棕色；前胸腹板突起扁平，深褐色，前部 2/3 宽圆，端 1/3 急剧变狭，端部尖；后胸腹板翅侧缘不明显变狭；后足基节板具网纹，皱缩；腹节 1～5 节具弧形细刻线；末腹节基部 1/3 具网纹；端部 1/3 具纵沟，明显皱缩，后缘中部不凹入。雄性前足及中足基部 3 个跗节略膨大，具圆形小吸盘。

采集记录：1♂，佛坪，898m，2005. Ⅵ，边冬菊采。

分布：陕西(佛坪)、内蒙古、北京、河北、四川、西藏；蒙古。

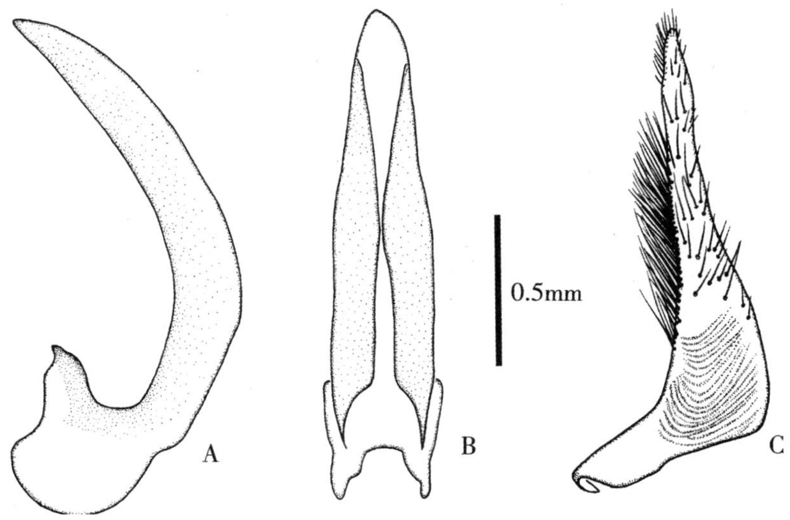

图 19　密纹宽缘龙虱 *Platambus angulicollis* (Régimbart)
A. 阳茎侧面观；B. 阳茎背面观；C. 阳基侧突

(14) 黄边宽缘龙虱 *Platambus excoffieri* Régimbart, 1899(图 20；图版 1：4)

Platambus excoffieri Régimbart, 1899: 281.

鉴别特征：体长6.00~7.10mm，体宽3.50~4.10mm。体卵形，略拱起。头部黑色，前部颜色略淡，具两个红棕色的圆形眼间斑；额唇缝深褐色；上唇中部凹入，具短纤毛；网纹清晰，网眼多边形，网眼内具1~4个小刻点，网眼间具少数大刻点分布。前胸背板黑色，肩角处棕黄色；网纹与头部近似，网眼内具1~6个小刻点；前缘粗糙刻点列完整，后缘刻点列仅在两侧。鞘翅黑色，具铁锈色斑；亚基部横带后缘犬牙交错，向内不达中缝；纵带在前中部、中部及亚端部向内延伸形成斑，末端几乎达鞘翅端部；网纹刻入浅，网眼多边形，内具1~5个细小刻点；背部、侧缘及亚侧缘具刻点列，刻点列上刻点大而稀疏。腹面红褐色，腹节颜色加深；前胸腹板突起扁平，前部2/3侧缘具窄脊，端部尖；后胸腹板翅窄；后足基节板皱缩，具网纹。第1~5腹节具细刻线，细小刻点均匀分布；末节深色，边缘皱缩，网纹刻入浅，网眼多边形，内具1~2个刻点，一些网眼间隙有稍大刻点分布。足红棕色，跗节颜色深；雄性前足及中足基部3个跗节明显膨大，腹面具吸附毛；后爪不等长。

采集记录：1♂，佛坪，898m，2005，边冬菊采；2♂，7头，宁陕，680m，2005.Ⅵ.13，边冬菊、王淼采。

分布：陕西(佛坪、宁陕)、河北、山东、甘肃、浙江、湖南、海南、四川、贵州、云南、西藏。

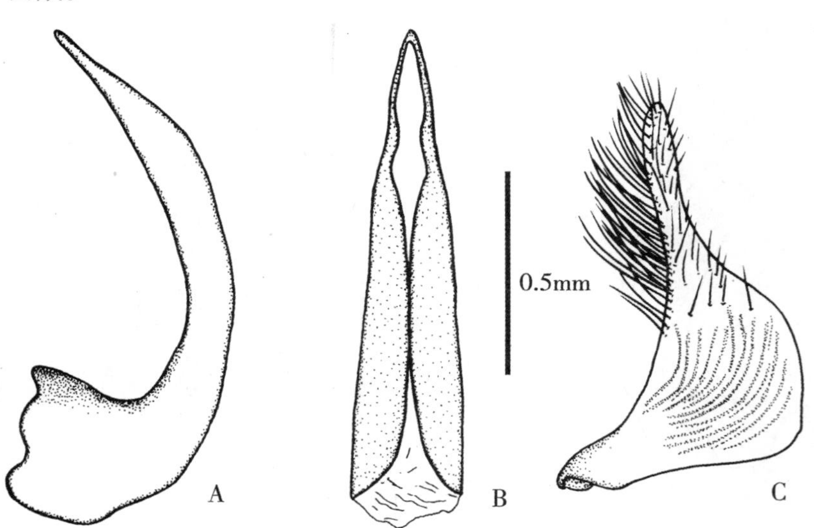

图20　黄边宽缘龙虱 *Platambus excoffieri* Régimbart

A. 阳茎侧面观；B. 阳茎背面观；C. 阳基侧突

(15) 五岭山宽缘龙虱 *Platambus wulingshanensis* Brancucci, 2005(图21；图版1：5)

Platambus wulingshanensis Brancucci, 2005: 1.

鉴别特征：体长6.20~6.60mm，体宽3.90~4.10mm。宽卵形，明显拱起。头部黑色，具青铜色光泽；具1对棕黄色的眼间斑；触角红棕色；网纹明显刻入，网眼多边形，大小不等，内具1～3个小刻点。前胸背板黑色，肩角处黄棕色到红棕色；网纹由多边形网眼构成，大小不一，网眼内具1～3个细小刻点，网眼间有大刻点分布；前缘刻点列完整，两侧刻点相互融合；后缘刻点列中部有很宽的间断，两侧皱缩。鞘翅黑色，亚基部具1条宽横带，侧缘具1条半月形纵带，中部偏后具1个大的角状斑，亚端部具1个圆形小斑；缘褶红棕色；网纹由刻入很深的多边形网眼构成，内具1～5个刻点，网眼间隙具稍大刻点分布。腹面深黑色，足棕褐色；前胸腹板突起矛状，基半部侧缘具宽脊，端点尖；后胸腹板翅长而窄。腹部2～4节具网纹，刻点相互融合形成短而深的沟，刻点上长有长鬃。雄性末腹节端半部网纹粗糙，侧缘皱缩。雄性前足及中足跗节略膨大，具许多小圆形的吸盘。

采集记录：2♂，佛坪，898m，2005，边冬菊采。

分布：陕西（佛坪）、湖北、湖南。

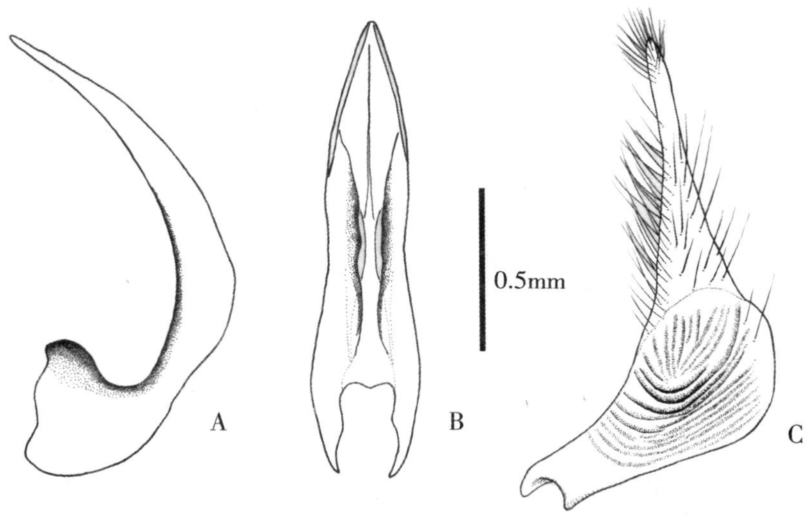

图21　五岭山宽缘龙虱 *Platambus wulingshanensis* Brancucci

A. 阳茎侧面观；B. 阳茎背面观；C. 阳基侧突

(16) 雅安宽缘龙虱 *Platambus yaanensis* Nilsson, 2003（图22；图版1：6）

Platambus yaanensis Nilsson, 2003：272.

鉴别特征：体长5.70mm，体宽3.10mm。体宽卵形，背部中度拱起。头部深褐色，唇基前缘红褐色，触角淡黄色；网纹多边形，网眼内具1～4个小刻点；复眼内缘具1列粗糙刻点；触角着生处有2个刻陷。前胸背板黑色；网纹由刻入很浅的多边形网眼构成，网眼内具1～4个小刻点；前缘粗糙刻点列不间断，后缘刻点列明显间断。鞘翅光滑发亮，黑色；在鞘翅中部偏后及亚端部的侧缘分别具1对大圆斑和小圆斑；

在背部、侧缘及亚侧缘具粗糙刻点列，均不达鞘翅基部；网纹清晰，刻入浅，网眼多边形，内部具1~5个小刻点。腹面红棕色到红褐色；前胸腹板突起前半部边缘具窄脊，从中部开始逐渐变细，端部尖；后胸腹板翅侧缘狭；后胸腹板及后足基节板皱缩；雄性末腹节端部钝，中间略凹入，端半部皱缩明显。后足股节端部后角具1簇小刚毛，后胫节腹面侧缘1/3处具1列刚毛，后爪等长；雄性前足及中足基部3跗节略膨大，具吸盘。

采集记录： 2♂，宁陕，680m，2005. Ⅵ. 13，王淼采。

分布： 陕西（宁陕）、四川。

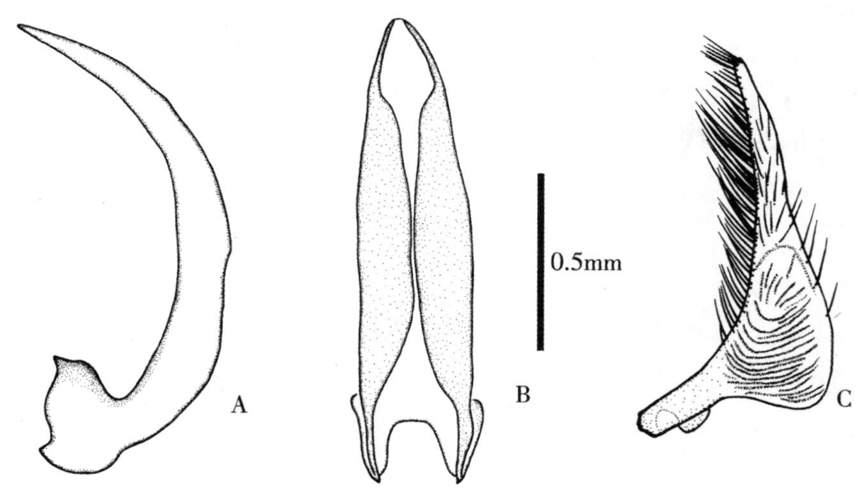

图22 雅安宽缘龙虱 *Platambus yaanensis* Nilsson
A. 阳茎侧面观；B. 阳茎背面观；C. 阳基侧突

10. 短胸龙虱属 *Platynectes* Régimbart, 1879

Platynectes Régimbart, 1879: 454. **Type species**: *Agabus decemnotatus* Aubé, 1838.

属征： 体长4.70~7.00mm，体宽2.90~4.00mm。体宽卵形，背部仅略微隆起。前胸背板极短。鞘翅侧缘具淡黄色纵条或鞘翅上具小黄斑组成的纵条。股节端部内角具1簇小刚毛，后爪不等长，外爪略短于内爪。

分布： 古北区，东洋区，澳洲区，新热带区。中国已知11种，秦岭地区发现2种。

分种检索表

体长6.00~6.30mm；雄性阳茎端部宽，端点圆 …………………… **大斑短胸龙虱 *P. dissimillis***

体型略大，体长6.30~6.70mm；雄性阳茎端部窄，端点尖 ……………… **大短胸龙虱 *P. major***

(17) 大斑短胸龙虱 *Platynectes dissimillis* (Sharp, 1873)(图 23；图版 1：7)

Agabus dissimillis Sharp, 1873: 50.
Platynectes dissimillis: Sharp, 1882: 543.

鉴别特征：体长 6.00 ~ 6.30mm，体宽 3.20 ~ 3.50mm。宽卵形，背面拱起不明显。头部棕黄色，两眼内侧深色，触角淡黄色；唇基前缘内凹；网纹略刻入，网眼大小不一，多边形，内具 1 ~ 3 个刻点；眼内缘具粗糙刻点列。前胸背板黑色，肩角处红棕色；侧缘窄脊明显；前缘深褐色；网纹与头部近似；前缘刻点列完整，刻点相对密集，后缘刻点列仅在两侧具少许稀疏刻点。鞘翅黑色；基部具黄棕色窄横带，外侧达翅缘，在亚侧缘处间断；横带在鞘翅侧缘及鞘翅缝两侧纵向延伸，侧缘带在亚端部向内延伸形成 1 个相对较大的斑；每个翅瓣上具 6 条由小黄斑组成的纵带；网纹刻入浅，网眼相对较大，多边形，网眼内具 1 ~ 5 个细小刻点。前胸腹板突起红褐色，基部 2/3 侧缘具脊，端部尖；腹节具细长的弧形刻线。前足棕黄色，中足和后足红棕色；雄性前足、中足基部 3 跗节略加宽，具吸附毛；后爪不等长，外爪略短于内爪。

采集记录：1♂，秦岭，1200 ~ 1400m，1995，Pütz 采。

分布：陕西(秦岭)、浙江、湖北、江西、湖南、福建、台湾、广东、香港、贵州；日本，缅甸。

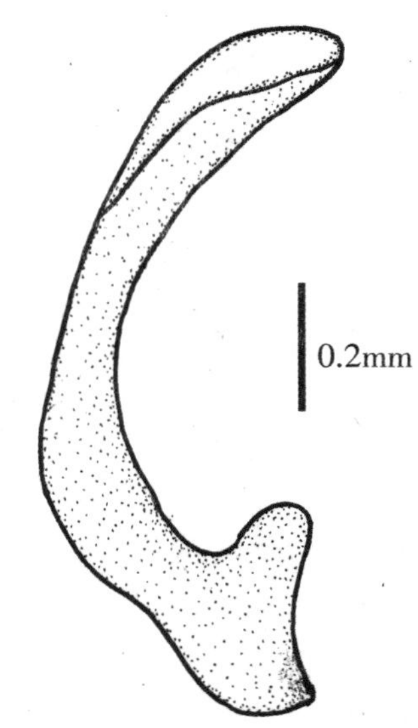

图 23　大斑短胸龙虱 *Platynectes dissimillis* (Sharp)
阳茎侧面观

(18) 大短胸龙虱 *Platynectes major* Nilsson, 1998(图 24；图版 1：8)

Platynectes dissimilis major Nilsson, 1998: 114.

鉴别特征：体长 6.30～6.70mm，体宽 3.50～3.80mm。该种类与 *P. dissimillis* Sharp 近似，主要区别在于该种体型更大，阳茎端部窄，端点尖，而后者体型相对较小，阳茎端部较宽，端点圆。

采集记录：3♂，宁陕，680m，2005.Ⅵ.13，刘彦斌采。

分布：陕西(宁陕)、安徽、浙江、江西、湖南、福建、广东、贵州、云南；日本，越南，泰国。

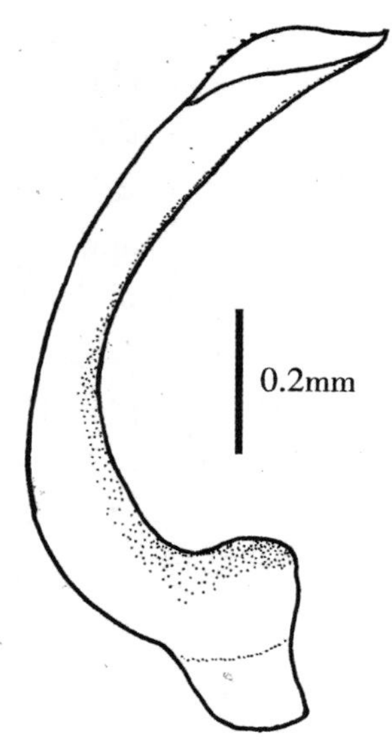

图 24 大短胸龙虱 *Platynectes major* Nilsson
阳茎侧面观

11. 粒龙虱属 *Laccophilus* Leach, 1815

Laccophilus Leach, 1815: 84. **Type species**: *Dytiscus minutus* Linnaeus, 1758.

属征：体型偏小，体长 3～6mm。卵形、宽卵形或宽椭圆形，背腹面不明显拱起。体色黄色到深棕色。前胸背板后缘“V”角明显。鞘翅具横带、“Z”形线或无斑纹，网纹清晰刻入，网眼近圆形或多边形。前胸腹板突起长针状；腹面常具圆弧形的刻线。前足及中足跗节明显 5 节，雄性跗节仅略膨大；后足股节短，后胫节外缘齿状。

分布：世界广布。中国记录 22 种，秦岭地区发现 1 种。

(19) 圆眼粒龙虱 *Laccophilus difficilis* Sharp, 1873(图 25；图版 1：9)

Laccophilus difficilis Sharp, 1873: 53.

鉴别特征：体长5.20mm，体宽3mm。卵形，略拱起。头部棕黄色，触角淡黄色；唇基前缘略内凹，颜色加深；触角着生处具深色斑痕；网纹清晰，网眼大小均一，小圆形；复眼内侧小刻点密集分布。前胸背板棕黄色，后缘具深色窄边；前角端部钝，后角钝圆，侧缘几乎直。网眼小圆形，大小均一。鞘翅黄棕色，鞘翅陷线由深棕色小圆斑构成；网眼与前胸背板近似，网眼间具小刻点。腹面光滑；后足基节板表面具横刻；腹节表面具弧形刻线，末腹节具稀疏刻点及细纤毛。足黄棕色，前足及中足股节扁平，后足股节短而粗。

采集记录：2♂，宁陕大茨沟，1437m，2005. Ⅵ. 12，边冬菊采。

分布：陕西（宁陕）、黑龙江、吉林、辽宁、北京、山东、江苏、上海、浙江、湖北、湖南、福建、广东、海南、四川、贵州、云南；日本。

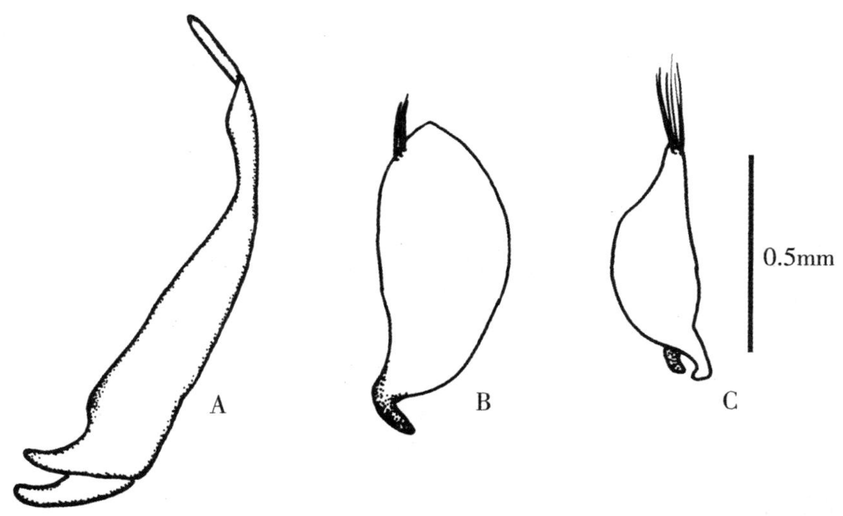

图25　圆眼粒龙虱 *Laccophilus difficilis* Sharp

A. 阳茎侧面观；B. 左阳基侧突侧面观；C. 右阳基侧突侧面观

参考文献

Brancucci, M. 1982. Les *Platambus* du sous-genre *Anagabus* (Col., Dytiscidae). *Mitteilungen der Schweizerischen Entomologischen Gesellschaft*, 55 (1-2): 115-124.

Brancucci, M. 1988. A revision of the genus *Platambus* Thomson (Coleoptera, Dytiscidae). *Entomologica Basiliensia*, 12: 165-239.

Brancucci, M. 2005. Notes on some *Platambus* (s. str.) Thomson, 1859 species from China, with the description of one new species (Coleoptera, Dytiscidae). *Entomologica Basiliensia*, 27: 1-5.

Leach, W. E. 1815. Entomology. 57-172. Baldwin, Edinburgh.

Leach, W. E. 1817. *The zoological miscellany; being descriptions of new or interesting animals*. E. Nodder & Son, v, London. 1-155.

Nilsson, A. N. 1998. Dytiscidae: 5. The genus *Platynectes* Regimbart in China, with a revision of the dissimilis-complex (Coleoptera). 107-122. In Jäch, M. A., Ji, L. (Eds.). *Water beetles of China*. Vol. 2. Zoologisch-Botanische Gesellschaft in Osterreich and Wiener Coleopterologenverein, Wien. 1-371.

Nilsson, A. N. 2003. Dytiscidae: XI. New species, new synonymies, and new records in *Platambus* Thomson from China (Coleoptera). 279-284. In: Jäch, M. A., Ji, L. (Eds.). *Water beetles of China*. Vol. 3. Zoologisch-Botanische Gesellschaft in Osterreich and Wiener Coleopterologenverein, Wien. 1-572.

Régimbart M. 1879: Étude sur la classification des Dytiscidae. *Annales de la Société Entomologique de France*, (5), 8(1878): 447-466.

Régimbart, M. 1899. Révision des Dytiscidae de la région Indo-Sino-Malaise. *Annales de la Société Entomologique de France*, 68: 186-367.

Sharp, D. 1873. The water beetles of Japan. *The Transactions of the Entomological Society of London*, 1873: 45-67.

Zaitzev, F. A. P. 1906. Notizen über Wasserkäfer (Coleoptera aquatica). XXI-XXX. *Russkoe Entomologicheskoe Obozrenie*, 6: 170-175.

七、步甲科 Carabidae

梁红斌 刘漪舟
（中国科学院动物研究所，北京 100101）

鉴别特征：体细长，一般长 3 ~ 60mm。色泽幽暗，多为黑色或棕色，许多种类带绿色、蓝色、紫色或黄铜色金属光泽，部分种类具黄色圆斑或条带。头一般比前胸背板狭，前口式，上颚外侧有沟，有些类群沟内有刚毛；复眼突出，洞居和土栖种类复眼退化或消失；触角线状，共 11 节；前胸背板一般方形或心形，部分种类呈长筒形；中胸和后胸各具 1 对翅，前翅为鞘翅，后翅膜质，许多地栖种类后翅退化。鞘翅长度一般盖过腹部，但一些类群鞘翅后端平截，露出腹部末端；鞘翅表面一般有条沟或刻点行，基部有小盾片行，有些种类消失。足一般细长，善于爬行，前足、中足、后足跗节均为 5 节。

生物学：步甲科昆虫行动敏捷，在热带和亚热带树栖的种类较多，而温带和冷凉地区的步甲主要在地表活动。河边、森林和溪流边数量多，而沙漠和海边数量很少。步甲多具夜行性，白天隐藏于石下、枯枝落叶下或土中。步甲成虫和幼虫大多为捕食性，取食小型昆虫、蚯蚓、蜗牛等，部分种类也取食植物的花、果实和种子。幼虫一般三个龄期，但个别种类仅两个龄期。步甲一般被认为是对人类有益的天敌昆虫，在控制农林业害虫方面发挥着重要作用，但有些种类有害，如星步甲可取食柞属上的柞蚕，青步甲可危害饲养的林蛙，严重时可毁灭整个蚕场和蛙场。

分类：世界广布。世界步甲科已知有3.40万多种，中国有步甲3000种以上，陕西秦岭地区目前鉴定出的步甲共57属146种(不含仅鉴定到属的种类)。

本志主要标本来源于1998~1999年在甘肃南部和秦岭西部考察、2007年史宏亮随杨星科研究组对秦岭的考察采集，2012年6月梁红斌对秦岭的单独采集、2015年7月刘漪舟等人在秦岭的采集，以及历史上对该地区零散的采集。秦岭的步甲大多数为东洋区种类或东洋区和古北界共有的种类，古北区的种类偏少。本地区特有种较多，有30多种步甲目前仅发现于秦岭。

分属检索表

1. 中胸后侧片与中足基节臼直接连通 …… 2
   中胸后侧片不与中足基节臼连通，中足基节臼被中、后胸腹板包围 …… 9
2. 上颚外沟无毛 …… 3
   上颚外沟有毛 …… 5
3. 上颚特别细长，前胸狭窄 …… **蜗步甲属 *Cychrus***
   上颚短或略长，前胸宽 …… 4
4. 触角第3节长度明显大于第1节，上颚表面粗糙 …… **星步甲属 *Calosoma***
   触角第3节长度与第1节接近，上颚表面光洁 …… **大步甲属 *Carabus***
5. 触角基部3节光洁，复眼之间有6条或更多的纵脊，鞘翅第2行距特别宽 …… **湿步甲属 *Notiophilus***
   触角基部4节光洁，复眼之间平坦，鞘翅第2行距正常 …… 6
6. 上颚外侧明显扩大，下颚胫节外缘有5~6个带毛突起；前胸背板两侧弧圆，最宽处在中部 …… **盗步甲属 *Leistus***
   上颚外侧不扩大，下颚胫节外缘无毛及突起；前胸背板最宽处一般在中部之前，基半部收狭 …… 7
7. 每个鞘翅行距和条沟模糊，有十多个大的粗糙圆印斑，斑中心有1个毛穴，斑之间的区域光亮，光亮区有粗刻点 …… **印步甲属 *Paropisthius***
   鞘翅具正常的行距和条沟 …… 8
8. 前胸背板后角圆；体小型 …… **弧缘步甲属 *Archastes***
   前胸背板后角尖；体中到大型 …… **心步甲属 *Nebria***
9. 前足挖掘式，前胫节宽扁，有指状突；中胸柄状，小盾片位于其上 …… 10
   前足适宜步行，胫节不如上述；小盾片位于鞘翅基部之间 …… 11
10. 第1触角节长度大于后3节之和，眉毛1根，体中型至大型 …… **蝼步甲属 *Scarites***
    第1触角节长度明显小于后3节之和，眉毛2根，体小型 …… **小蝼步甲属 *Clivina***
11. 上颚外沟有毛1根 …… 12
    上颚沟无毛，如有1根，则鞘翅后端平截 …… 17
12. 眉毛1根 …… 13
    眉毛2根 …… 14
13. 前胸背板侧缘无边，头部在眼后有1条明显横凹 …… **球胸步甲属 *Broscosoma***
    前胸背板侧缘有边，头部在眼后有较浅横凹 …… **真肉步甲属 *Eobroscus***

14. 中型；末节口须筒形，与亚端节长度接近，端部钝；头于眼后有 1 个浅横凹 ……………… 15
小型；末节口须短小，锥状或端部渐狭尖；头后无横凹 ……………………………………… 16
15. 前胸背板侧缘中部仅 1 根毛 ………………………………………… **原隘步甲属 *Archipatrobus***
前胸背板侧缘中部有多根毛 ……………………………………… **华隘步甲属 *Chinapenetretus***
16. 体表有密柔毛，在鞘翅上形成圆形斑；鞘翅刻点密，排列不规则；眼突出似虎甲 ……………
…………………………………………………………………………………… **虎步甲属 *Asaphidion***
体表光洁，鞘翅有规则的刻点行，有时只有靠近翅缝的行列清楚；眼不如上述 ……………
………………………………………………………………………………… **锥须步甲属 *Bembidion***
17. 鞘翅盖过腹部 …………………………………………………………………………………… 18
鞘翅后端平截，腹部后端外露 ……………………………………………………………………… 46
18. 下颚须端节接在亚端节的侧端，体被粗刻点，头、前胸背板被黄毛 ………………………… 19
下颚须端节正常接在亚端节的端部 ………………………………………………………………… 20
19. 鞘翅全一色 ………………………………………………………… **角胸步甲属 *Peronomerus***
鞘翅有红色或黄色斑 ……………………………………………………… **偏须步甲属 *Panagaeus***
20. 上颚端部常较钝并有明显凹缺；唇基及上唇前缘凹入常较深且两侧不对称，上唇基膜一般外露 ………………………………………………………………………………… **捷步甲属 *Badister***
上颚端部渐狭，无凹缺；唇基及上唇不如上述，上唇膜不外露 ………………………………… 21
21. 鞘翅无内褶；触角一般自第 3 节端部 1/3 起被绒毛（极少数从第 4 节被毛） …………… 22
鞘翅有内褶；触角一般第 4～11 节被绒毛（极少数从第 3 节被毛） ……………………… 29
22. 下唇须亚端节里缘毛 2 根；雄虫前跗节腹面有 2 行粘毛；鞘翅第 9 行距毛穴在中部中断，形成较大间隔 ……………………………………………………………………………………… 23
下唇须亚端节里缘毛 3 根或更多；鞘翅第 9 行距毛穴相连，呈 1 个完整列 ……………… 26
23. 颏有明显中齿；背面光洁，前胸背板无后角毛 ……………………………………………… 24
颏无中齿 …………………………………………………………………………………………… 25
24. 触角自第 4 节起密被绒毛 ……………………………………………… **寒步甲属 *Psychristus***
触角自第 3 节起密被绒毛 ……………………………………………… **怠步甲属 *Bradycellus***
25. 鞘翅无小盾片行；雄虫前中跗节第 4 节两侧叶较长 ……………… **寡行步甲属 *Loxoncus***
鞘翅有小盾片行 …………………………………………………………… **狭胸步甲属 *Stenolophus***
26. 雄虫前跗节腹面有密集的毛，海绵状，不形成 2 排；后跗节第 1 节明显较第 2 节长；复眼间常有 1 对红色斑 …………………………………………………………… **斑步甲属 *Anisodactylus***
雄虫前跗节腹面粘毛形成 2 排，后跗节第 1 节较第 2 节稍长，复眼间一般无红色斑 …… 27
27. 额沟两端呈深凹状，不伸达复眼；体背光洁或被毛 …………………… **婪步甲属 *Harpalus***
额沟两端向后方伸向复眼，体背光洁 ……………………………………………………………… 28
28. 额沟两端向后方伸，到达复眼 ………………………………………… **列毛步甲属 *Trichotichus***
额沟两端向后方略伸一小段，不到达复眼 ……………………… **瀛步甲属 *Nipponoharpalus***
29. 眉毛 1 根，前胸背板基凹外侧无隆脊，至少头部有绿色或铜色金属光泽，体表光洁或有毛 …
……………………………………………………………………………………… **青步甲属 *Chlaenius***
眉毛 2 根（如有 1 根，则前胸背板基凹外侧有隆脊）；头部一般黑色，少数具金属光泽；体表光洁无毛 ……………………………………………………………………………………………… 30
30. 下唇须亚端节里缘有刚毛 2 根以上 ………………………………………… **暗步甲属 *Amara***
下唇须亚端节里缘有刚毛 2 根 ……………………………………………………………………… 31

31\. 前胸背板稍鞘翅为狭，基缘无边或有而不完整，侧缘有边；足粗壮，前胫节端部粗，后转节长为腿节的 1/2 …… 32

前胸背板显较鞘翅为狭，基缘有边，侧缘无边；足细长，前胫节端部不特别粗，后转节长明显小于腿节长度的 1/3 …… 38

32\. 上颚很长，长于头部 …… **长颚步甲属 *Stomis***

上颚短，短于头部 …… 33

33\. 中唇舌前缘有毛 4 ~ 6 根 …… 34

中唇舌前缘毛非 4 ~ 6 根 …… 35

34\. 前胸背板侧边每侧具 1 根刚毛；雄性下唇须末节强烈膨大，三角形或斧状 …… **艳步甲属 *Trigonognatha***

前胸背板侧边每侧具 2 根以上刚毛；雄性下唇须末节纺锤状至筒状，或略膨大 …… **山丽步甲属 *Aristochroa***

35\. 鞘翅偶数行距略宽于奇数行距 …… **山绿步甲属 *Aristochroodes***

鞘翅奇偶数行距相等或奇数略宽于偶数行距 …… 36

36\. 颏齿宽而短，端部微凹或平截；鞘翅第 3 行距一般多于 3 个毛穴 …… **劫步甲属 *Lesticus***

颏齿细长，端部圆或分为二叶，很少消失；鞘翅第 3 行距 0 ~ 3 个毛穴 …… 37

37\. 阳茎端孔向右侧偏移；鞘翅第 3 行距无毛穴；下唇须次末节端部具 1 根细小的刚毛 …… **斯步甲属 *Straneostichus***

阳茎端孔不向右侧偏移；鞘翅第 3 行距一般具毛穴；下唇须次末节端部不具细小刚毛 …… **通缘步甲属 *Pterostichus***

38\. 触角自第 3 节起密被绒毛，第 3 节加长；上颚加长；足和触角黄白色；身体隆 …… **爪步甲属 *Onycholabis***

触角自第 4 节起密被绒毛，第 3 节正常；上颚正常；足和触角棕黄色；身体平 …… 39

39\. 前胫节有纵沟，爪无梳齿 …… 40

前胫节无纵沟；爪一般有齿，少数无梳齿 …… 41

40\. 亚颏每侧具 1 根刚毛 …… **纤步甲属 *Anchomenus***

亚颏每侧具 2 根刚毛 …… **盘步甲属 *Metacolpodes***

41\. 前胸盘状；后角宽圆，明显不呈角状 …… 42

前胸方或略呈心形，后角明显呈角状 …… 43

42\. 身体有金属光泽；爪无梳齿；前胸背板后角无毛；下唇须简单，呈细棒状 …… **安步甲属 *Andrewesius***

身体无金属光泽；爪多具梳齿；前胸背板后角一般有毛；下唇须多数膨扩呈铲状、纺锤状或斧状（雄性尤甚） …… **梨须步甲属 *Synuchus***

43\. 雄性外生殖器的右侧片不狭长，小棒状，比左侧片明显短小，中叶伸出身体后端部指向右方（而其他绝大部分步甲朝向左方） …… **锯步甲属 *Pistosia***

雄性外生殖器的右侧片很狭长，剑状，中叶伸出身体后端部指向左、右方 …… 44

44\. 雄性外生殖器中叶长而狭，端部和基部形成大钝度（腹面几乎呈一圆弧线）；个体较大 …… **蠋步甲属 *Dolichus***

雄性外生殖器中叶短，端部和基部呈直角或略呈钝度；个体较小 …… 45

45\. 前胸背板侧缘在后角之前略向内弯曲，有后角毛，肩方 …… **长跗步甲属 *Morphodactyla***

前胸背板侧缘在后角之前不弯曲，无后角毛，肩圆 …… **长胸步甲属 *Doliodactyla***

46. 雌虫腹部有 7 节，雄虫有 8 节；上颚外沟有 1 根毛 ………………… 屁步甲属 ***Pheropsophus***
雌虫和雄虫腹部可见节数全为 6 节 ……………………………………………………………………… 47
47. 前胸背板圆筒状或近似筒形，侧缘无边；头自眼后渐收狭，多少呈颈状；体小型 ……………
……………………………………………………………………………… 长颈步甲属 ***Archicolliuris***
前胸背板不呈筒形，侧缘有边；头的眼后部不如上述；体小至大型 ………………………… 48
48. 头于眼后膨扩，基部收敛呈柄；爪简单 ……………………………… 五角步甲属 ***Pentagonica***
头后不膨扩，鞘翅表面无脊，爪有齿或无齿 ………………………………………………… 49
49. 第 4 跗节端部分为二叶 ……………………………………………………………………………… 50
第 4 跗节端部近平截，不分为二叶 ……………………………………………………………… 56
50. 鞘翅无条沟，仅有细密刻点，无毛，淡黄至棕黄色 ……………………… 光鞘步甲属 ***Lebidia***
鞘翅有条沟或刻点行 …………………………………………………………………………………… 51
51. 鞘翅后缘强烈弯曲，外角尖锐；第 8 行距在端部加宽，此处有 1 条短的纵沟…………………
……………………………………………………………………………………… 掘步甲属 ***Scalidion***
鞘翅后缘近直，不弯曲，外角钝圆；第 8 行距正常……………………………………………… 52
52. 前胸背板基缘中部突出，两侧深深凹入，呈角状缺刻 …………………………………… 53
前胸背板基缘中部平直，如果基缘中部稍突出，则第 5 行距有大毛穴 ………………… 54
53. 体表(头、前胸背板及鞘翅)有粗刻点并被毛；前胸背板棕红色，头及鞘翅蓝色 …………
…………………………………………………………………………… 毛盆步甲属 ***Lachnolebia***
体表光洁或部分有刻点，多为黄色 ……………………………………………… 盆步甲属 ***Lebia***
54. 鞘翅第 5 行距有毛穴；前胸背板基缘中部突出，两端呈角状缺刻 ………… 苔步甲属 ***Taicona***
鞘翅第 5 行距无毛穴，前胸背板不如上述 ……………………………………………………… 55
55. 上颚侧缘不膨，唇须末节端部扩大，颏有中齿，后跗节第 1 节背面有沟 ……………………
……………………………………………………………………………………… 丽步甲属 ***Calleida***
上颚侧缘膨出，唇须末节端部稍狭，颏无中齿，后跗节第 1 节背面无沟 ……………………
…………………………………………………………………………………… 宽颚步甲属 ***Parena***
56. 上唇长等于宽或大于宽，背面被细密刻点，爪无齿………………………… 蕈步甲属 ***Lioptera***
上唇横方，宽明显大于长；爪有齿 ………………………………………… 猛步甲属 ***Cymindis***

12. 暗步甲属 *Amara* Bonelli, 1810

Amara Bonelli, 1810: tab. syn. **Type species**: *Carabus vulgaris* Linnaeus sensu Panzer, 1797 (= *Amara lunicollis* Schiødte, 1837).

Linomus Fischer von Waldheim, 1829: 16. **Type species**: *Carabus lucidus* Duftschmid, 1812.

Pangetes Gistel, 1856: 358. **Type species**: *Carabus ovatus* Fabricius, 1792.

Pseudoamara Baliani, 1934b: 190. **Type species**: *Amara beesoni* Baliani, 1934 (= *Amara birmana* Baliani, 1934).

属征：体长 5 ~ 20mm，体宽 3.00 ~ 7.50mm。虫体一般黑色，少数有蓝色或黄铜色金属光泽。头小，上颚略短，端部钝，外沟无毛；眼中等大小，眉毛 2 根，少数 1

根；触角短，自第4节起密被绒毛；下唇须次末节有刚毛3根以上，口须末节不膨大。前胸背板梯形、横方或略呈心形；后角直或略突出，具1根刚毛。鞘翅长方形，近端部缘折很明显；行距平或略隆，第3行距具1毛穴或无；条沟略深，一般有刻点。大部分具后翅，会飞翔。雄性生殖器右侧叶伸长呈剑状，左侧叶圆片状。

分布：全北区，东洋区，非洲区。全世界约550种，中国种类近百种，秦岭地区发现5种。

分种检索表

1. 前胸腹板突有边，前胸背板前区一般无刻点 ………………………………………… 2
   前胸腹板突无边，前胸背板前区有几个大刻点 ……………………… **大背胸暗步甲 *A. macronota***
2. 前足胫节距加宽分叉，呈三叉状 ………………………………………… **大卫暗步甲 *A. davidi***
   前足胫节距简单，长条状 ……………………………………………………………… 3
3. 鞘翅基部有小盾片毛穴；前胸背板基凹刻点很细微，两凹之间光洁；鞘翅条沟几乎无刻点 …… …………………………………………………………………… **雅暗步甲 *A. congrua***
   鞘翅基部无小盾片毛穴；前胸背板基凹刻点粗大，两凹之间也具刻点；鞘翅条沟具粗大刻点 …………………………………………………………………………………… 4
4. 前胸背板侧缘在后角之前有1个很短的弯曲，后角向外略突出；个体略大，体长7.50mm以上；体表黑色，微纹明显 ………………………………………… **异暗步甲 *A. dissimilis***
   前胸背板侧缘在后角之前几不弯曲，后角呈钝角，不突出；个体略小，体长7.20mm以下；体表棕黑色，光亮，微纹不显 ………………………………………… **亮暗步甲 *A. lucidissima***

(20) 雅暗步甲 *Amara congrua* Morawitz, 1862

Amara congrua Morawitz, 1862b: 326.
Amara mongolica Motschulsky, 1844: 185.
Amara striatella Putzeys, 1875c: lii.
Amara zimmermanni Putzeys, 1875c: li.
Amara mandzhurica Lutshnik, 1935: 257.
Amara ovatoides Baliani, 1943: 38.
Amara abnormalis Jedlička, 1956: 213.

鉴别特征：体长9.50~10.50mm，体宽4.00~4.20mm。体黑色，稍有蓝绿色金属光泽，触角1~3节黄色，余棕黄色，足胫节棕黄或棕黑色。头部小，眼大，略突出，眉毛2根。前胸基凹有少量刻点，有时刻点稍多，但两基凹之间一般无刻点；后角近直角，顶端钝圆。鞘翅行距微隆，无刻点和毛；条沟内刻点很细微，几乎不见；有小盾片毛穴。前胸腹板突有边。前足距简单。

采集记录：6头，周至厚畛子，2007.Ⅴ.27；3头，宁陕火地塘，2007.Ⅵ.01-02。

分布：陕西(周至、宁陕)、黑龙江、吉林、辽宁、北京、河北、内蒙古、甘肃、山东、上海、浙江、江西、福建、台湾、香港、云南；俄罗斯(远东)，朝鲜，日本，东南亚。

(21) 异暗步甲 *Amara dissimilis* Tschitschérine, 1894

Amara dissimilis Tschitschérine, 1894: 404.
Amara emmerichii Baliani, 1932: 14.
Amara komala Jedlička, 1934: 116.
Amara lama Baliani, 1934a: 110.
Amara mera Jedlička, 1934: 116.

鉴别特征：体长9.20～9.50mm，体宽3.60～3.80mm。体黑色，触角黄色。头部小，眼大，眉毛2根。前胸背板横宽，侧边厚宽，后角之前有1个很小且短的弯曲，有时无此弯；后角近直角，顶端有小突起，有时突起很微弱，后角不加厚；基凹平，凹内全被密刻点，两凹之间的刻点少。鞘翅无小盾片毛穴；行距有稀细刻点，有时刻点弱，雌性微纹很明显。前胸腹板突有边。前足距简单。

采集记录：2头，周至厚畛子，2007.Ⅴ.26；2头，宁陕火地塘，2007.Ⅵ.01。

分布：陕西(周至、宁陕)、甘肃、青海、四川、云南、西藏。

(22) 大背胸暗步甲 *Amara macronota* (Solsky, 1875)

Curtonotus macronotus Solsky, 1875: 265.
Amara jureceki Jedlička, 1957: 29.
Curtonotus nitens Putzeys, 1866c: 234.
Amara ovalipennis Jedlička, 1957: 30.

鉴别特征：体长10.50～12.00mm，体宽4.50～5.00mm。体黑色或棕黑色，口须、触角、跗节棕黄色。头顶略隆，光洁，无毛和刻点；额沟深短；上颚短，端部钝；颏具齿；眼大，眉毛2根。前胸背板隆，微纹明显，宽为长的1.60倍；侧缘圆，在后角之前明显弯曲，侧边明显宽厚，侧沟深，具粗刻点；基凹深，具粗刻点；盘区近前缘处有稀疏的大刻点(有些个体刻点极少或无)；后角尖，向外突出。鞘翅长为宽的1.50倍，光洁无毛，条沟深，沟内刻点粗大；行距稍隆，微纹清晰，不具刻点，第3行距无毛穴。前胸腹板突无加边。后胸腹板侧面和后胸前侧片被粗大刻点。足粗壮，前足胫节距简单。

采集记录：1头，周至厚畛子，2007.Ⅴ.26。

分布：陕西(周至)、黑龙江、吉林、河北、山东、甘肃、河南、浙江、湖北、江西、广西、四川、贵州、云南；俄罗斯(西伯利亚)，朝鲜，日本。

(23) 亮暗步甲 *Amara lucidissima* Baliani, 1932

Amara lucidissima Baliani, 1932: 10.

Amara kuatensis Jedlička, 1956b: 209.

鉴别特征: 体长 7.00 ~ 7.20mm, 体宽约 3mm。体棕黑色, 触角、足、口须棕黄色。头部小, 眉毛 2 根。前胸背板横宽, 侧边厚宽, 后角之前圆, 无弯曲; 后角钝角, 顶端有微小突起, 后角不加厚; 基凹略深, 凹内全被粗刻点, 两凹之间的刻点略稀少。鞘翅光亮, 无小盾片毛穴; 行距平, 光洁无刻点, 雌性微纹很明显; 条沟深, 沟内有大刻点。前胸腹板突有边。前足胫节距简单, 长形。

采集记录: 1 头, 宁陕火地塘, 2007. Ⅷ. 19。

分布: 陕西(宁陕)、浙江、福建、台湾、四川、云南。

(24) 大卫暗步甲 *Amara davidi* Tschitschérine, 1897

Amara davidi Tschitschérine, 1897b: 67.

鉴别特征: 体长 7.50 ~ 8.00mm, 体宽 3.50 ~ 3.80mm。体黑色, 触角 1 ~ 3 节及口须、胫节黄色, 触角 4 ~ 11 节棕黑色。头小; 眉毛 2 根。前胸背板横宽, 略呈梯形, 最宽处约在基部; 后角之前直, 无弯曲; 后角近直角, 顶端钝; 基凹平, 凹内具稀疏的刻点, 两凹之间无刻点。鞘翅有小盾片毛穴; 行距平, 无刻点, 雌性微纹明显; 条沟浅, 沟内有刻点。前胸腹板突有边。前足胫节距三叉状。

采集记录: 4 头, 周至厚畛子, 2007. Ⅴ. 27。

分布: 陕西(周至)、青海、四川、云南。

13. 纤步甲属 *Anchomenus* Bonelli, 1810

Anchomenus Bonelli, 1810: tab. syn. **Type species**: *Carabus prasinus* Thunberg, 1784 (= *Carabus dorsalis* Pontoppidan, 1763).

Ectenes Billberg, 1820: 29. **Type species**: *Carabus prasinus* Thunberg, 1784 (= *Carabus dorsalis* Pontoppidan, 1763).

Clibanarius Gozis, 1882: 295 [HN]. **Type species**: *Carabus dorsalis* Pontoppidan, 1763.

Chlaeniomimus Semenov, 1889a: 296. **Type species**: *Chlaenius gracilicollis* V. E. Jakovlev, 1887 (= *Atranus virescens* Motschulsky, 1865).

Idiochroma Bedel, 1902: 216 [RN]. **Type species**: *Carabus dorsalis* Pontoppidan, 1763.

Pseudanchus Casey, 1920a: 45. **Type species**: *Platynus funebris* LeConte, 1854.

Nipponanchus Habu, 1978: 36. **Type species**: *Anchomenus leucopus* Bates, 1873.

Anchagonum Kryzhanovsky, 1995: 269. **Type species**: *Anchomenus turkestanicus* Ballion, 1871.

属征：体黑色，无金属光泽。头部小；上颚略长，端部尖；眼大，眉毛2根；触角自第4节起密被绒毛；颏有中齿；亚颏每侧有1根刚毛。前胸背板略呈心形；侧边缘加宽，加宽的部分上有横皱纹；鞘翅长方形，行距平，第3行距有3个毛穴；条沟深，沟内有刻点。后翅发达，能飞翔。足细长，爪简单，无梳齿。

分布：全北区。世界已知14种，中国记录3种，秦岭地区发现1种。

(25) 淡足纤步甲 *Anchomenus leucopus* Bates, 1873

Anchomenus leucopus Bates, 1873a: 279.
Agonum metax Jedlička, 1962: 5.

鉴别特征：体长8.50～9.00mm，体宽3.50～3.70mm。体黑色，光亮，足、口须、触角基节黄色，触角2～11节棕黄色。头顶隆，有小刻点；眼后颊略长，约等于眼纵径的1/2；上颚略长，前端钩状；颏中齿尖长，中间不分叉；触角细长，第3节长度约等于第4节。前胸背板长心形，宽约为长的1.10倍；侧缘在中部均匀弧圆，在后角之前略弯曲；后角直角，端部尖锐，略向外突；基凹深狭，凹内有刻点；前胸背面全被刻点，盘区刻点稀疏且细小，侧沟和基部刻点粗密；中线细浅。鞘翅长方形，长为宽的1.60倍，肩部略圆；表面稍隆，翅端部近缝角处圆；行距略隆，无刻点和毛，微纹明显呈等直径网格，第3行距有刻点3个；条沟深，沟内有刻点。后足末跗节表面光洁无毛，背面有内外两条纵沟，腹面有2对刚毛。

采集记录：1头，佛坪，950m，1998.Ⅶ.23；1头，佛坪，900m，1999.Ⅵ.27。

分布：陕西（佛坪）、山西、甘肃、福建、台湾、广西；朝鲜，日本。

14. 安步甲属 *Andrewesius* Andrewes, 1939

Andrewesius Andrewes, 1939: 131. **Type species**: *Andrewesius vimmeri* Jedlička, 1932.

属征：体长8～14mm。体棕黄色，具深绿色、红铜色或紫色金属光泽。头部大，头顶略隆，无绒毛；眼中等大小，眉毛2根；口须棒状；颏具中齿；亚颏两侧各具长短2根毛；触角一般自第4节起被绒毛。前胸背板盘状，横宽，最宽处在前1/3，光洁，无刻点；基缘宽度略大于前缘；后角近钝圆，无后角毛；侧缘在后角之前圆，侧缘毛1根。鞘翅卵圆形；肩圆；侧缘圆弧状，缝角圆；条沟无刻点；行距平坦，第3行距具毛穴；无小盾片毛穴。后胸前侧片长宽近等。后翅退化。前足胫节无纵沟；跗节第4节端部浅裂；爪简单，无梳齿。

分布：中国；印度。世界已知21种，中国记录19种，秦岭地区发现1种。

(26) 茹氏安步甲 *Andrewesius rougemonti* Morvan, 1997

Andrewesius rougemonti Morvan, 1997: 12.

鉴别特征：体长8.50～9.00mm，体宽3.50～3.70mm。体黑色，有绿色和红铜色金属光泽，足胫节、口须、触角棕色或棕黑色。头顶隆，中间有1个小凹坑；眼后颊长，约等于眼纵径；触角细长，第3节端部有绒毛。前胸背板略呈心形，宽约为长的1.20倍；侧缘在中部均匀弧圆，在后角之前略近直，后角宽圆；基凹深，凹内有或密或稀的粗刻点；两凹之间无刻点；盘区无刻点。鞘翅长为宽的1.40倍；行距微纹明显呈等直径网格，第3行距有毛穴3个；条沟浅。后足末跗节每侧有5根刚毛。

采集记录：18头，周至厚畛子，2008. Ⅴ. 11；1头，眉县大爷海，2011. Ⅷ. 08；5头，宁陕火地塘，2008. Ⅴ. 25；21头，宁陕平河梁，2015. Ⅶ. 17；10头，宁陕平河梁，2015. Ⅶ. 15；1头，宁陕火地塘林场，2015. Ⅶ. 08。

分布：陕西(周至、眉县、宁陕)、甘肃。

15. 斑步甲属 *Anisodactylus* Dejean, 1829

Anisodactylus Dejean, 1829: 132. **Type species**: *Carabus binotatus* Fabricius, 1787.

Cephalogyna Casey, 1918: 414. **Type species**: *Anisodactylys lodingi* Schaefer, 1911.

Pseudhexatrichus Noonan, 1973: 352. **Type species**: *Anisodactylus dejeani* Buquet, 1840 (= *Carabus heros* Fabricius, 1801).

属征：体长7～19mm。体光洁或背面部分有绒毛，黑色或带有金属光泽。头中等大小，有些种类头顶有暗红色斑；唇基有2根或多根刚毛；上颚外沟无刚毛；下唇须端部2节有3根以上刚毛；颏无中齿；中唇舌在端部明显加宽；侧唇舌膜质，端部明显和中唇舌分离；颏和亚颏完全愈合；眼大，眉毛1根；触角自第3节起密被绒毛；颈部正常，不明显缢缩。前胸背板后角无毛，侧缘具刚毛1根。鞘翅末端弧圆，非截断状；小盾片沟细长，基部有1个毛穴；第3行距无毛穴或仅1个毛穴，第5和第7行距无毛穴。后足腿节后缘具2根刚毛；跗节光洁或背面有绒毛，雄虫前跗节2～4节粘毛海绵状，不排列成两列。

分布：亚洲，欧洲，非洲，北美洲。中国记录6种，秦岭地区发现3种。

分种检索表

1. 鞘翅第3行距无毛穴，头顶有红斑 ……………………………… **点翅斑步甲 *A. punctatipennis***
   鞘翅第3行距具1个毛穴，头顶无红斑 …………………………………………………………… 2
2. 前足胫节距简单，前胸背板后角圆 ……………………………… **圆角斑步甲 *A. emarginatus***
   前足胫节距三叉状，前胸背板后角尖锐 ………………………… **三叉斑步甲 *A. tricuspidatus***

（27）圆角斑步甲 *Anisodactylus*（*Anisodactylus*）*emarginatus* Ito, 2003

Anisodactylus（*Anisodactylus*）*emarginatus* Ito, 2003: 83.

鉴别特征：体长 11 ~ 12mm，体宽 4.80 ~ 5.20mm。体黑色，胫节、跗节、口须和触角棕黄色。触角自第 3 节起密被绒毛，眉毛 1 根，下唇须次末节具 3 根以上刚毛，中唇舌端部不加宽；头顶无红斑。前胸背板近方形，前区有少量刻点；基区多密刻点；后角宽圆；鞘翅行距微隆起，有稀疏的细刻点，第 3 行距后半部有 1 个毛穴；条沟浅，沟内有刻点。足跗节表面光洁；胫节距简单；雄性前足跗节的粘毛成海绵块状，不排列成两列。

采集记录：17 头，宁陕火地塘后山，1587m，2015. Ⅶ. 13。

分布：陕西（宁陕）。

讨论：Ito（2003）的原始描述指出该种的属级分类地位不明确，可能介于 *Anisodactylus* 和 *Harpalomimetes* 两属之间。此种的中唇舌顶端不加宽，前胸背板后角圆，跗节表面光洁无毛，和 *Anisodactylus* 属内典型的种类不一样。它的鞘翅侧区无毛，和 *Harpalomimetes* 的种类不同，雄性外生殖器也不是一个类型。

（28）点翅斑步甲 *Anisodactylus punctatipennis* Morawitz, 1862

Anisodactylus punctatipennis Morawitz, 1862b: 326.

鉴别特征：体长 10.50 ~ 12.00mm，体宽 4.50 ~ 4.80mm。体黑色，跗节和口须棕黄色，触角棕黑色。头顶密被刻点；中唇舌端部加宽；头顶有大红斑。前胸背板近方形，前区有少量刻点；基区多密刻点；后角钝角，顶端有 1 个小齿，外突；鞘翅行距微隆起，密被刻点，第 3 行距无大毛穴；条沟浅，沟内有刻点。足跗节表面被绒毛；胫节距简单；雄性前足跗节的粘毛成海绵块状，不排列成两列。

采集记录：10 头，宁陕火地塘，2007. Ⅵ. 01-Ⅷ. 18。

分布：陕西（宁陕）、甘肃、江苏、安徽、浙江、湖北、福建、广西、四川、贵州、云南；俄罗斯，朝鲜，日本。

（29）三叉斑步甲 *Anisodactylus tricuspidatus* Morawitz, 1863

Anisodactylus tricuspidatus Morawitz, 1863: 66.

鉴别特征：体长 9.50 ~ 12.00mm，体宽 4.00 ~ 5.50mm。体黑色，光亮，口须、触角和跗节棕红色。头顶密被刻点；中唇舌端部加宽；头顶无红斑。前胸背板近方形，前区有少量刻点；基区多密刻点；后角钝角，稍向外突出；鞘翅行距微隆起，密被刻点，第3行距具1个大毛穴；条沟浅，沟内有刻点。足跗节表面被绒毛；胫节距三叉状；雄性前足跗节的粘毛呈海绵块状，不排列成两列。

采集记录：1头，佛坪上沙窝，2007. Ⅴ.29。

分布：陕西(佛坪)、河北、安徽、浙江、湖北、湖南、福建、台湾、贵州；朝鲜，日本。

16. 弧缘步甲属 *Archastes* Jedlička, 1935

Archastes Jedlička, 1935: 1. **Type species**: *Archastes sterbai* Jedlička, 1935.

属征：小型，体长一般不超过12mm。体棕黑色或黑色，头顶无红斑。头部大，眉毛1根；触角基部4节光洁，自第5节起密被绒毛；上颚不加宽，外沟有1根刚毛；上唇横方，宽是长的2倍；下唇须亚端节具毛3根。前胸背板后角圆，后角具1根刚毛；前胸背板基部在后角处往往有1个凹缺。前胸腹板突具边框；中胸腹板中部有沟，向前隆起成脊，脊侧边有短毛。后胸前侧片和第4~6腹板侧区有稀疏的刻点，第4~6腹板每侧具1根刚毛。后跗节表面无沟，第4节端部平截；爪简单，无梳齿。

分布：中国。目前已知30种左右，秦岭地区发现1种。

(30) 单弧缘步甲 *Archastes solitarius* Ledoux *et* Roux, 1999

Archastes solitarius Ledoux *et* Roux, 1999: 75.

鉴别特征：体长8.50~9.50mm，体宽3.00~3.30mm。体棕黑色，口须、触角、胫节棕黄色。头隆，光洁，无刻点；额沟浅；上颚短，端部稍尖；颏中齿短，中间具大凹，具2根刚毛；亚颏每侧3根刚毛。前胸背板隆，光洁，无刻点和毛；宽约为长的1.30~1.40倍，最宽处在中部略前；侧缘弧圆，具侧缘毛1根；盘区隆，光洁无刻点，表面微纹明显，由横向网格组成；中线极细，不明显；基凹深，具少数几个刻点；后角宽圆。鞘翅长卵圆方形，长为宽的1.60~1.70倍，是前胸宽的1.40倍；条沟略深，具刻点；行距微隆，无毛及刻点，微纹不清晰，由横向网格组成，第3行距具毛穴2个。

采集记录：36头，眉县太白山，3240m，2012. Ⅶ.01，杯诱。

分布：陕西(周至、眉县)。

17. 长颈步甲属 *Archicolliuris* Liebke, 1931

Archicolliuris Liebke, 1931: 284. **Type species**: *Casnonia bimaculata* Redtenbacher, 1844.

Archicasnonia Liebke, 1938: 51. **Type species**: *Colliuris burgeoni* Liebke, 1931.

属征：头长形，眼后靠后一部分呈正三角形；表面光滑，无刻点和毛；复眼内缘有明显的脊，眉毛 2 根；触角细长，自第 4 节密被绒毛。前胸背板长圆柱形，表面光洁，无刻点；无侧沟，侧边不甚明显；中部稍前有 1 对侧缘毛。鞘翅长，外后角不尖，呈大钝角；行距光滑，无刻点，第 3 行距有 1 列毛穴。第 4 跗节不凹陷。腹节无绒毛，雄虫末节中部凹，有 1 对后缘毛；雌虫中部直，有 2 对后缘毛。

分布：亚洲南部，非洲。世界已知约 25 种，中国记录 2 种，秦岭地区发现 1 种。

讨论：头光滑，无次生刚毛，前胸背板光滑，有 1 对缘毛，是此属区别于近似属的显著特征。

(31) 双斑长颈步甲 *Archicolliuris bimaculata* (Redtenbacher, 1934)

Casnonia bimaculata Redtenbacher, 1844: 498.

鉴别特征：体长 7.00 ~ 8.50mm，体宽 1.50 ~ 2.00mm。体黑色，有光泽，腿节基半部、胫节、跗节、口须、触角、前胸背板、鞘翅基半部棕黄色，鞘翅后半部有 1 对卵圆形白色小斑，位于第 5 和 6 行距，可延伸到第 4 和 7 行距。头长菱形，头顶隆起，复眼之后不断收狭，呈正三角形。后眉毛位于复眼后缘连线之后；额沟深，表面光滑，明显有微纹，呈等直径网格状，颏齿大，端部尖。前胸背板前 1/3 近圆柱形，最宽处在基部 1/3 处，表面明显具横皱，微纹明显；前角近直角；侧边在中部明显，在近前角和基部消失，侧缘毛位于中部略后。鞘翅行距平，微纹明显，第 3 行距有 5 或 6 个毛穴，第 7 行距在白斑略前有 1 个毛穴；外顶角钝角，角顶端微圆。

分布：陕西(佛坪)、浙江、福建、台湾、广东、四川、贵州、云南；日本，东南亚。

18. 原隘步甲属 *Archipatrobus* Zamotajlov, 1992

Archipatrobus Zamotajlov, 1992: 269. **Type species**: *Archipatrobus deuvei* Zamotajlov, 1992.

属征：体长 9.50 ~ 16.00mm。体黑色，光亮，口须、触角和足有时棕色或红棕色。头大，眼很突出，眉毛 2 根，后眉毛接近眼后缘；颊短于眼直径；颈沟深，表面光洁或有皱褶和刻点。前胸背板横宽，稍呈心形，最宽处在前 1/3 处或中部；侧边在前半部弧圆，在后角之前微弯曲，有侧毛 1 根；后角直角，有毛 1 根；基凹大而深；盘区前部、基部及侧沟都有刻点。鞘翅长方，稍呈卵形，肩明显可见，不圆；鞘翅基部平或稍凹陷；第 3 行距有 3 个大毛穴；侧边具 8 条沟，有 11 ~ 17 个大毛穴。一般后翅发达，可飞翔，极少数无后翅。跗节表面光滑，第 5 跗节腹面无刚毛。

分布：东洋区。世界已知 3 种，中国都有分布，秦岭地区仅发现 1 种。

(32) 黄足原隘步甲 *Archipatrobus flavipes* (Motschulsky, 1864)

Patrobus flavipes Motschulsky, 1864: 191.

鉴别特征： 体长13.50～14.50mm，体宽5.20～5.50mm。体黑色或棕色(浅色的多为刚羽化个体)，稍光亮，触角棕黑色，足和口须棕黄色。头大，头顶隆，光洁，无刻点和毛；额沟狭而深，沟内有少量粗刻点；上唇端缘平，具6根刚毛；上颚长，端部钩状。前胸背板略呈心形，盘区平，无毛，靠前缘中部具刻点；侧缘在前半部弧圆，在后角之前向内弯曲，前中部具侧缘毛1根；后角直角，顶端尖；基凹大而深，凹内有粗刻点，两凹之间也具粗刻点；中线深。鞘翅行距微隆，等直径微纹不很清晰，第3行距有毛穴3个；条沟深，沟内具粗浅刻点。

采集记录： 2头，周至厚畛子，1745m，2007.Ⅴ.26；1头，周至厚畛子，1860m，杯诱，2007.Ⅷ.14。

分布： 陕西(周至)、吉林、北京、河北、河南、宁夏、甘肃、江苏、上海、安徽、浙江、江西、湖南、四川、云南；朝鲜，日本。

19. 山丽步甲属 *Aristochroa* Tschitschérine, 1898

Aristochroa Tschitschérine, 1898a: 70. **Type species**: *Platysma latecostata* Fairmaire, 1887.

属征： 体长10.00～15.80mm，体宽3.60～4.80mm。体色多种，一般为金属绿色、红铜色、墨绿色、蓝紫色，少数个体黑色。触角自第4节起密被绒毛；眼大，半球形，眉毛2根；额沟向后分成两叉；颏齿明显；中唇舌具毛4或6根。前胸背板略隆起，基凹包括内外两条沟，内沟比外沟长；侧缘中部靠前具1～6根刚毛，侧面观多数具圆锯齿；后角具1根刚毛。鞘翅隆起，肩部圆；多数种奇数行距强烈隆起，偶数行距较平，少量种类奇偶数行距隆起程度相同，偶数行距具清晰的等径微纹，多数种奇数行距无微纹，少数种具清晰的等径微纹；第3行距多数具1～2个毛穴；后翅退化。

分布： 除1种分布在缅甸境内的高黎贡山外，其余均为中国西南地区的高山特有种，多数种类分布于云南和四川，少数分布在陕西、青海、甘肃和西藏。世界已知30种左右，秦岭地区发现1种。

(33) 军山丽步甲 *Aristochroa militaris* Sciaky *et* Wrase, 1997

Aristochroa militaris Sciaky *et* Wrase, 1997: 1116.

鉴别特征： 体长14.00～14.60mm。头部绿色，具铜色金属光泽；前胸背板金属铜色；鞘翅行距奇偶异色，隆起的奇数行距褐色，不隆起的偶数行距浅铜色，条沟金属绿色；腹面和足黑褐色。触角自第 4 节起被绒毛，眉毛 2 根，中唇舌顶端有毛 4 根。前胸背板近方形，最宽处在中部靠前；后角近直角，侧缘具锯齿，中部之前具2 ~ 3 根刚毛；基凹深，凹内有刻点。鞘翅行距隆，微纹明显，第 3 行距有毛穴 2 个。雄性腹部末端有 1 对刚毛，雌性有两对刚毛。雄性阳茎的端片长，基部宽，不向腹面弯折。

采集记录： 11 头，周至厚畛子，无采集时间和采集人；6 头，眉县太白山索道至保护站，2012. Ⅵ. 30-Ⅶ. 03。

分布： 陕西（周至、眉县、宁陕）。

20. 山绿步甲属 *Aristochroodes* Marcilhac, 1993

Aristochroodes Marcilhac, 1993: 273. **Type species**: *Aristochroodes reginae* Marcilhac, 1993.

属征： 体长 13 ~ 15mm，体宽 4. 50 ~ 4. 80mm。体黑色，背面带绿色金属光泽。触角自第 4 节起密被绒毛；眼大，半球形，眉毛 2 根；颏齿明显。前胸背板略隆起，内外侧基凹沟存在但界限不很清晰；侧缘中部靠前具 1 根刚毛，偶尔 2 ~ 3 根；后角具 1 根刚毛。鞘翅隆起，肩部圆；偶数行距宽于奇数行距；第 3 行距多数具 1 个毛穴，位于中部略靠后，靠近第 2 条沟；后翅退化。

分布： 陕西、宁夏、甘肃。本属仅发现 1 种。

（34）瑞山绿步甲东部亚种 *Aristochroodes reginae orientalis* Sciaky *et* Wrase, 1997

Aristochroodes reginae orientalis Sciaky *et* Wrase, 1997: 1120.

鉴别特征： 体长 13 ~ 15mm。体表绿色，有时带黄铜色或紫铜色金属光泽。前胸背板强烈横方，侧缘在后角之前近直，后角呈锐角，强烈向外侧突出；侧边厚，在中部之后加宽，侧沟深，具少量刻点；内外基凹界限不很清晰，外基凹的外侧隆起。鞘翅条沟浅，沟底具细刻点；偶数行距较奇数行距略宽。前胸前侧片及中、后胸侧片密被刻点。该亚种和指名亚种非常相似，但体型略窄，前胸背板不如指名亚种宽；鞘翅偶数行距仅略宽于奇数行距，鞘翅基部奇数和偶数行距几乎等宽。

分布： 陕西（宁陕）、宁夏。指名亚种发现于甘肃。

21. 虎步甲属 *Asaphidion* Gozis, 1886

Asaphidion Gozis, 1886: 6 [RN]. **Type species**: *Elaphrus picipes* Duftschmid, 1812 (= *Cicindela caraboides* Schrank, 1781).

Basaphidion Netolitzky, 1935: 168. **Type species**: *Cicindela caraboides* Schrank, 1781.

Pseudelaphrus Acloque, 1896: 81. **Type species**: *Cicindela flavipes* Linnaeus, 1761.

Tachypus Dejean, 1821: 18 [HN]. **Type pecies**: *Elaphrus picipes* Duftschmid, 1812 (= *Cicindela caraboides* Schrank, 1781).

属征：个体较小，体长一般在8mm以下。体表有绒毛。头大；眼大而突出，眉毛2根；上颚外沟有1根刚毛；口须末节细小，锥状；中唇舌端部2根毛；触角自第2节起密被绒毛。前胸背板略呈心状，中部最宽处向外突出呈角，角端尖或圆。鞘翅有光洁区，光洁区呈横带状或不规则的片状。前足胫节外缘直，不向内弯曲。

分布：亚洲，欧洲，北美洲。世界已知约40种，中国有5种，秦岭地区发现2种。

分种检索表

前胸背板后角有毛，腿节略有金属光泽 …………………………………… 半亮虎步甲 ***A. semilucidus***

前胸背板后角无毛，腿节明显有金属光泽 …………………………………… 粒虎步甲 ***A. granulatus***

(35) 半亮虎步甲 *Asaphidion semilucidus* (Motschulsky, 1862)

Tachypus semilucidum Motschulsky, 1862: 24.

Tachypus nubiferum Morawitz, 1862b: 327.

鉴别特征：体长4.50～5.00mm，体宽2mm。体黑色，口须、触角1～5节和足胫节棕黄色，触角6～11节及腿节棕黑色，无金属光泽，身体表面毛黄白色。眼大，眼后颊不隆起；头顶平，密被粗刻点和毛。前胸背板心形，最宽处在中部略前；侧边角顶端圆；后角近直角，顶部尖，有毛1根；表面隆，密被毛和刻点。鞘翅中后部有两条宽的光洁区，鞘翅端部光洁，前半部有三片光洁区。

采集记录：1头，华阴华山，2007. Ⅵ.06。

分布：陕西(华阴)、北京、河北、山东；俄罗斯(远东)，日本。

(36) 粒虎步甲 *Asaphidion granulatus* Andrewes, 1925

Asaphidion granulatus Andrewes, 1925: 51.

鉴别特征：体长4.50～5.00mm，体宽2mm。体黑色，口须、触角1～5节和足胫节棕黄色，触角1～2节略有金属光泽，触角6～11节棕黑色，腿节明显有蓝黑色金属光泽，身体表面毛黄白色。眼大，眼后颊不隆起；头顶平，密被粗刻点和毛。前胸背板心形，最宽处在中部略前；侧边角顶端圆；后角近直角，顶部尖，无后角毛；表面隆，密被毛和刻点。鞘翅前中后部有三片宽的光洁区，鞘翅端部光洁。

采集记录：7头，周至厚畛子，2007. Ⅴ.06；2头，宁陕火地塘，2007. Ⅵ.01。

分布：陕西(周至、宁陕)、四川。

22．捷步甲属 *Badister* Clairville，1806

Badister Clairville, 1806: 90. **Type species**: *Carabus bipustulatus* Fabricius, 1792 (= *Carabus bullatus* Schrank, 1798).

属征：小型，体长 4～8mm。上颚不对称，左上颚或右上颚中部有大凹缺；上唇深裂，形成两叶；下颚须末节细纺锤状；眉毛 2 根；触角自第 2 或 3 节起被密绒毛。前胸背板光洁无毛，具侧缘毛和后角毛。鞘翅光洁，无刻点和毛；第 3 行距有 2 个毛穴；具后翅。

分布：全北区，东洋区，非洲区。世界已知约 50 种，中国记录 6 种，秦岭地区发现 1 种。

(37) 小边捷步甲 *Badister marginellus* Bates，1873

Badister marginellus Bates, 1873a: 258.

鉴别特征：体长 5.00～5.50mm，体宽 2.20mm。触角第 1～2 节、第 10～11 节、口须、足、前胸背板、翅边黄色，上颚和翅缝棕黄色，翅中央棕黑色，头部黑色，中后胸和腹部腹面棕黑色。头顶平，光洁，微纹明显，由等直径的网格组成；触角自第 3 节起密被毛，第 2 节被稀疏的毛；上颚粗短，端部平截，左上颚中部有凹缺。前胸背板横方，宽为长的 1.50 倍；侧缘在前半部弧圆，后角前微弯曲；后角轮廓清晰，角端钝；基凹深，光洁无刻点；基缘中部直，近后角处向前斜切；盘区隆，光洁，无毛和刻点。鞘翅长方形，长为宽的 1.50 倍，有虹彩；条沟浅，沟内无刻点；行距平，光洁，第 3 行距有毛穴 2 个。

分布：陕西(佛坪)、北京、甘肃、浙江、湖北、湖南、四川；俄罗斯(远东)，日本。

23．锥须步甲属 *Bembidion* Latreille，1802

Bembidion Latreille, 1802: 82. **Type species**: *Carabus quadriguttatus* Fabricius, 1775 (= *Cicindela quadrimaculata* Linnaeus, 1761).

属征：小型，体长 3～8mm。上颚细尖，外沟有 1 根刚毛；上唇平直，有毛 6 根；唇须有密毛，下颚须和下唇须末节细小，锥状；眉毛 2 根；触角第 2 或 3 节起被密绒毛。前胸背板多呈心状，盘区光洁无毛，具侧缘毛和后角毛。鞘翅光洁，无刻点和毛；第3行距有1个或多个毛穴；具后翅，一般会飞翔，常生活在水边。

分布：全北区，东洋区，非洲区。世界已知上千种，中国目前记录200种左右，秦岭地区发现3种。

分种检索表

1. 体型小，体长不超过4mm；身体表面有铜绿色金属光泽，行距微纹非常明显 …………………………………………………………………… **尼罗锥须步甲 *B. niloticum batesi***
   体长超过6mm，表面有蓝黑色金属光泽 …………………………………………………… 2
2. 鞘翅第7条沟消失或仅存细微刻点………………………… **拟光背锥须步甲 *B. lissonotoides***
   鞘翅第7条沟正常，不消失 ……………………………………………… **原锥须步甲 *B. proteron***

（38）拟光背锥须步甲 *Bembidion lissonotoides* Kirschenhofer, 1989

Bembidion lissonotoides Kirschenhofer, 1989: 398.

鉴别特征：体长6.00～6.50mm，体宽2.50～2.70mm。体黑色，体表有蓝色金属光泽，触角第1节和口须棕色，腿棕黑色。头大，眼大而鼓；头顶平，有不明显的横微纹；额沟深。前胸背板略呈心形，前缘宽度约为基缘宽度的1.30倍；盘区表面隆，和头顶微纹相似；侧缘在后角之前微弯曲；后角直角，角顶端尖锐且外突；基凹小而深，凹内有几个大刻点。鞘翅长方形，行距平，微纹和头及胸相似，第3行距中部和后部各有大毛穴1个；第1～6条沟深，沟内刻点粗大，近端部的刻点消失，第7条沟消失或仅存细微刻点。

采集记录：1头，周至厚畛子，1350m，1999.Ⅵ.21；1头，佛坪，890m，1999.Ⅵ.26，灯诱。

分布：陕西（周至、佛坪）、甘肃、浙江、贵州。

（39）尼罗锥须步甲 *Bembidion niloticum batesi* (Putzeys, 1875)

Notaphus niloticum batesi Putzeys, 1875a: 52.

鉴别特征：体长3.50～3.70mm，体宽1.60～1.70mm。体黑色，体表有铜绿色金属光泽，鞘翅端部有黄斑，黄斑在1～4行距上占据整个行距长度的1/6，在5～8行距上约占行距的1/4。头大，眼大而鼓；头顶有明显的等直径微纹。前胸背板略呈心形，前缘宽度约为基缘宽度的1.30倍；盘区表面隆，和头顶微纹相似；侧缘在后角之前直；后角钝角；基凹很小，凹内光洁。鞘翅长方形，行距平，微纹和头及胸相似，第3行距有大毛穴2个；条沟略深，沟内刻点粗大，基部条沟很浅，仅由刻点组成，端部条沟亦浅且刻点不显。此种以体表明显的等直径微纹、微小的体型和同属物种容易区分开。

采集记录：2 头，周至厚畛子，2007. Ⅷ. 13；1 头，柞水营盘，1046m，2007. Ⅵ. 03。

分布：陕西(周至、柞水)，中国广布；日本，朝鲜，东南亚。

(40) 原锥须步甲 *Bembidion proteron* Netolitzky, 1920

Bembidion proteron Netolitzky, 1920: 116.

鉴别特征：和 *Bembidion lissonotoides* Kirschenhofer, 1989 几乎完全一样，最明显的区别是鞘翅第 7 条沟深，并不消失。

采集记录：3 头，佛坪，900m，1999. Ⅵ. 26。

分布：陕西(周至、佛坪)、山西、甘肃、江西、贵州。

24. 怠步甲属 *Bradycellus* Erichson, 1837

Bradycellus Erichson, 1837: 64. **Type species**: *Carabus collaris* Paykull, 1798 (= *Acupalpus caucasicus* Chaudoir, 1846).

Tetraplatypus Tschitschérine, 1897b: 62. **Type species**: *Acupalpus similis* Dejean, 1829 (= *Trechus ruficollis* Stephens, 1828).

属征：体长 3～10mm。体黑色或棕红色。身体光洁无毛；眼大，眉毛 1 根；上颚外沟无刚毛；触角自第 3 节起被绒毛；口须末节纺锤状，端部细尖；下唇须亚端节具刚毛 2 根；颏明显具中齿；侧唇舌和中唇舌稍分离，长度超过中唇舌。前胸背板无后角毛，基凹一般较深。小盾片毛穴一般存在，极少消失。鞘翅第 3 行距毛穴有时无。后足腿节具 2 根毛；跗节表面光洁或具稀疏的毛；雄虫前足跗节大多膨扩，少数不膨扩，具粘毛，中足跗节有些种类也具粘毛。前胸腹板突有刚毛或无；后胸前侧片长，向后收狭。

分布：全北区。世界已知 130 余种，中国有 30 余种，秦岭地区发现 4 种。

分种检索表

1. 雄性腹板 2～3 节中部无凹陷的毛区；前胸背板棕黄色；小盾片行无或仅有 1～2 个刻点 ………………………………………………………………………………………… **小怠步甲 *B. fimbriatus***

   雄性腹板 2～3 节中部有凹陷的毛区；前胸背板黑色，至多侧边棕黄色；小盾片行存在 …… 2

2. 鞘翅条沟深，有明显的刻点 ……………………………………………… **舒氏怠步甲 *B. schuelkei***

   鞘翅条沟深浅不一，无刻点 ……………………………………………………………………… 3

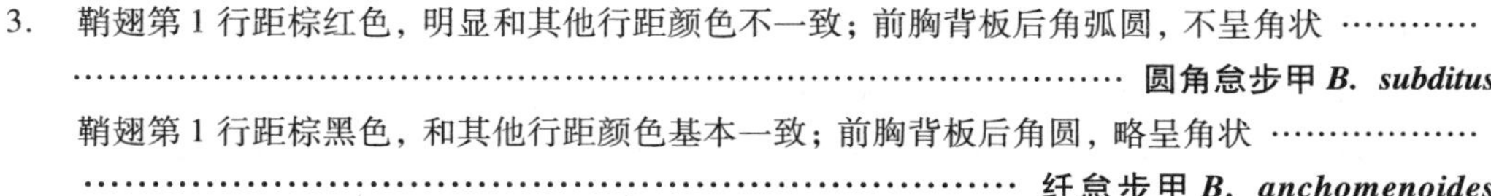

3. 鞘翅第1行距棕红色，明显和其他行距颜色不一致；前胸背板后角弧圆，不呈角状 …………………………………………………………………………… **圆角怠步甲 *B. subditus***

鞘翅第1行距棕黑色，和其他行距颜色基本一致；前胸背板后角圆，略呈角状 …………………………………………………………………………… **纤怠步甲 *B. anchomenoides***

(41) 纤怠步甲 *Bradycellus anchomenoides* Bates, 1873

Bradycellus (*Tachycellus*) *anchomenoides* Bates, 1873a: 265.

鉴别特征： 体长5.50mm，体宽2.10mm。体黑色，触角第1节、口须、足棕黄色，触角2～11节棕黑色。眼中等大小，略呈半球形；额沟略深；头顶光洁，无刻点。前胸背板横宽，宽是长的1.40倍；侧缘在前半部弧圆，后角之前近直；后角钝角，端部圆，但能分辨出后角；基凹很深，沟内有少量粗刻点；基区有几个粗刻点；盘区隆，光洁无刻点；中线浅。小盾片毛穴一般存在，小盾片沟短。鞘翅行距微隆起，第3行距后部有1个毛穴；条沟深，沟内无刻点。前胸腹板突无刚毛，后胸前侧片狭长。

采集记录： 1头，周至厚畛子，1745m，2007.Ⅴ.26。

分布： 陕西(周至)、上海、福建、四川、云南；不丹，印度，东南亚。

(42) 小怠步甲 *Bradycellus fimbriatus* Bates, 1873

Bradycellus fimbriatus Bates, 1873a: 267.

鉴别特征： 体长3.50～3.80mm，体宽1.60～1.80mm。体黑色，触角1～3节、口须、足棕红色，前胸背板大部分棕色，仅中区黑色，鞘翅第2～5行距中区黑色，其余棕红色。眼大，半球形；额沟深；头顶光洁，无刻点。前胸背板横宽，宽是长的1.30倍；侧缘在前半部弧圆，后角之前直；后角稍大于直角，端部尖；基凹很浅，仅由几个刻点组成；基区光或有少量粗刻点；盘区隆，光洁无刻点；中线浅。小盾片毛穴一般存在，极少消失，小盾片沟消失或仅由2～3个刻点组成。鞘翅行距微隆起，第3行距无毛穴；第1～4条沟深，5～9条沟很浅或仅由刻点组成。雄虫前足跗节稍膨扩，有两列粘毛。前胸腹板突有多根刚毛。

采集记录： 6头，宁陕火地塘，1538m，2007.Ⅵ.01；1头，宁陕火地塘，2007.Ⅷ.18。

分布： 陕西(宁陕)、河北、山西、山东、浙江、江西、四川、云南；日本。

(43) 舒氏怠步甲 *Bradycellus schuelkei* Jaeger *et* Wrase, 1996

Bradycellus schuelkei Jaeger *et* Wrase, 1996: 154.

鉴别特征： 体长4.30～4.80mm。体黑色，触角第1节、口须、足棕色，触角2～

11 节棕黑色。眼中等大小，略呈半球形；额沟略深；头顶光洁，无刻点。前胸背板横宽，宽是长的 1.30～1.40 倍；侧缘从前角到后角均匀弧圆；后角处宽圆，无法分辨出后角；基凹很深，沟内有粗刻点；基区有少量粗刻点；盘区隆，光洁无刻点；中线浅。小盾片毛穴一般存在，小盾片沟短。鞘翅行距微隆起，第 3 行距后部有 1 个毛穴；条沟深，沟内有粗刻点。后胸前侧片狭长。本卷作者未见过此种的标本，以上描述来自原作者。

分布：陕西（秦岭）。

（44）圆角怠步甲 *Bradycellus subditus*（Lewis, 1879）

Tachycellus subditus Lewis, 1879b: 459.

鉴别特征：体长 4.00～5.50mm，体宽 1.60～2.40mm。体黑色，触角第 1 节、口须、足、鞘翅第 1 行距棕黄色，触角 2～11 节棕黑色。眼中等大小，略呈半球形；额沟略深；头顶光洁，无刻点。前胸背板横宽，宽是长的 1.30～1.40 倍；侧缘从前角到后角弧圆；后角处宽圆，不呈角状；基凹很深，沟内有少量粗刻点；基区光或有少量粗刻点；盘区隆，光洁无刻点；中线浅。小盾片毛穴一般存在，小盾片沟短。鞘翅行距微隆起，第 3 行距后部有 1 个毛穴；条沟浅，沟内无刻点。后胸前侧片狭长。

采集记录：1 头，周至厚畛子，1350m，1999. Ⅵ. 22；7 头，佛坪，900m，1999. Ⅵ. 25-27。

分布：陕西（周至、佛坪）、湖北、四川；日本。

25. 球胸步甲属 *Broscosoma* Rosenhauer, 1846

Broscosoma Rosenhauer, 1846: 1. **Type species**: *Broscosoma baldense* Rosenhauer, 1846.

Broscosoma Putzeys, 1846: 3. **Type species**: *Broscosoma baldense* Rosenhauer, 1846.

属征：体长 8～12mm。体黑色，部分种类具绿色、蓝色金属光泽。头大，眼中等大小，眉毛 2 根；上颚长，外沟有 1 根刚毛；触角自第 5 节起密被绒毛（个别种类第 4 节端部有绒毛）。前胸背板极隆，球形，侧边无或极不完整，具 1 根侧缘毛。鞘翅非常隆，行距平；条沟或深或浅，有时部分条沟退化消失。一些种类后翅退化，不能飞翔。

分布：东洋区。世界有 20 多种，秦岭地区发现 1 种，为本地特有种。

（45）微球胸步甲 *Broscosoma valainisi* Barševskis, 2010

Broscosoma valainisi Barševskis, 2010: 19.

鉴别特征：体长8mm，体宽2.70mm。体棕黑色，略具红铜色金属光泽，触角、口须和足胫节棕黄色，腿节棕黑色。头小，触角自第5节被绒毛；眼小，不突出，眉毛2根。前胸背板长卵形，长是宽的1.30倍。鞘翅卵圆形，长为宽的1.50倍；肩圆，后翅退化；表面光洁，微纹不显；第1条沟深，有刻点，其他条沟很浅，端部不显。

采集记录：2头，眉县太白山，2012.Ⅶ.01。

分布：陕西（眉县）。

26．丽步甲属 *Calleida* Latreille，1824

Calleida Latreille，1824：132. **Type species**：*Carabus decorus* Fabricius，1801（= *Calleida cordicollis* Putzeys，1845）.

Spongoloba Chaudoir，1872：152. **Type species**：*Calleida fulgida* Dejean，1831.

Lecalida Casey，1920b：288. **Type species**：*Lecalida pimalis* Casey（= *Calleida platynoides* Horn，1881）.

属征：体长7.50～15.00mm，体宽约5mm。体黑色或棕黄色，翅表常具强烈的绿色、紫色或红铜色金属光泽。体扁平，复眼大，膨出，眉毛2根；触角自第4节密被绒毛。前胸扁平，大致呈方形或略呈心形，一般光洁，或少数种类具毛。鞘翅平，行距一般不隆，表面光洁或具毛；条沟略深；鞘翅后端平截。腹面多毛。腿短，跗节宽，爪具梳齿，适合树栖。

分布：东洋区，非洲区，新热带区，新北区。世界已知约300种，中国记录15种左右，秦岭地区发现2种。

分种检索表

体长7.70～9.00mm，雄性末腹板后缘每侧有2根或更多的刚毛，雌性末腹板后缘每侧有3根或更多的刚毛 …………………………………………………………… **福建丽步甲 *C. fukiensis***

体长9～11mm，雄性末腹板后缘每侧有1根刚毛，雌性末腹板后缘每侧有2根刚毛 …………………………………………………………………………… **中华丽步甲 *C. chinensis***

（46）中华丽步甲 *Calleida chinensis* Jedlička，1934

Calleida chinensis Jedlička，1934：121.

鉴别特征：体长9～11mm。体黑色，触角、口须、跗节、胫节、前胸背板侧边棕黄色，鞘翅具黄绿色金属光泽，翅中部近翅缝处略呈紫色。头顶平，无毛和刻点；触角第3节略长于第4节；眼后颊长，稍长于眼纵径的1/2。前胸背板方，略呈心形；前角圆，顶端无刚毛；侧边于后角之前稍弯曲；盘区具少量横向浅皱纹；后角略大于直角，顶端略钝。鞘翅长，两侧边近平行；行距隆，上有极稀疏的细刻点，第3行距有毛2根，雌性鞘翅表面有或无微纹，雄性鞘翅表面无微纹。

采集记录： 1头，佛坪县长角坝乡下沙窝，1065m，2007. Ⅷ. 16，振布。

分布： 陕西（佛坪）、河北、河南、甘肃、江苏、上海、安徽、浙江、湖北，江西、湖南、福建、广东、重庆、四川、贵州。

（47）福建丽步甲 *Calleida fukiensis* Jedlička, 1963

Calleida fukiensis Jedlička, 1963: 437.

鉴别特征： 体长7.70～9.00mm。体黑色，头、前胸背板、口须、触角、足棕色或棕黄色，鞘翅具蓝绿色或蓝紫色金属光泽。头顶平坦，无毛，具极稀疏的刻点；眼后颊明显肿胀，长于眼纵径的1/2。前胸背板长方形，宽为长的1.10～1.20倍，最宽处在前1/3处；盘区略隆起，无毛，被一些细刻点；侧边在中部略圆弧，后角之前略弯曲；后角接近直角，有时略向外突出；中线清晰且完整；中线两侧具较浅的横向皱纹。鞘翅行距平，具网状微纹，行距间具少量细刻点，第8行距于近端部略隆起；条沟略深，沟底具刻点，刻点向鞘翅端部逐渐变细。前胸腹板、后胸腹板两侧、后胸前侧片被细绒毛；雄性腹板末端每侧具2根刚毛，雌性具3根，偶尔4根刚毛；雄性末腹板端部中央具明显凹缺，雌性平直。本种可通过雄性腹板末端具2根刚毛，雌性具3根刚毛，鞘翅基部横脊仅到达第4行距，以及特殊的体色与中国附近同属的其他种类相区别。

采集记录： 1头，佛坪县长角坝乡上沙窝，1107～1215m，2007. Ⅴ. 29，振布；1头；佛坪，890m，1999. Ⅵ. 26。

分布： 陕西（佛坪）、河南、浙江、湖北、江西、湖南、福建、广东、广西、贵州。

27. 星步甲属 *Calosoma* Weber, 1801

Calosoma Weber, 1801: 20. **Type species**: *Carabus sycophanta* Linnaeus, 1758.

Acalosoma Lafer, 1989: 106. **Type species**: *Carabus inquisitor* Linnaeus, 1758.

Callipara Motschulsky, 1866: 308. **Type species**: *Carabus sycophanta* Linnaeus, 1758.

属征： 大型种类，体长20mm或更长。体黑色或有金属光泽，鞘翅的大星点一般具金属色。触角自第5节开始被绒毛，第3节侧扁，长度是第2节的3倍；上颚大，表面皱；眉毛1根。前胸背板略呈心形，表面被刻点或皱褶，后角刚毛有或无。鞘翅肩方，两侧缘平行或自肩部向中后部膨扩；行距多于16条，一般具皱纹，部分行距上有大星点，有些种类的行距之间的界限模糊不清。胫节在一些种类里弯曲，雄虫尤甚。

分布：世界广布。世界大约有 170 种。中国有 12 种（亚种），秦岭地区仅发现 1 种。

（48）大星步甲 *Calosoma maximoviczi* Morawitz, 1863

Calosoma maximoviczi Morawitz, 1863: 20.
Calosoma mikado Bates, 1873a: 235.
Calosoma maximoviczi sauteri Born, 1909: 99.
Callipara taqueti Lapouge, 1924: 41.
Callipara touzalini Lapouge, 1924: 42.

鉴别特征：体长 30mm 左右，体宽 12.50mm 左右。体黑色，鞘翅边缘有微弱的蓝绿色金属光泽。触角自第 5 节被毛，第 3 节长度大于 1 和 2 节之和；上颚宽大；下唇须次末节有 3～4 根刚毛；下颚须末节长度和次末节长度接近。前胸背板略呈心形，无后角毛；盘区表面密被刻点；侧缘从前角到后角呈均匀的圆弧状。鞘翅向后渐宽，最宽处在中后部；行距隆，有瓦纹，无毛和刻点，第 4、8、12 行距上有大星点 10～15个，星点的直径小于行距宽度；条沟深。腹面光洁，无绒毛。

采集记录：2 头，宁陕火地塘，2007. Ⅵ. 01；1 头，宁陕火地塘林场，1554m，2015. Ⅶ. 12。

分布：陕西（宁陕）、甘肃、辽宁、内蒙古、河北、山西、山东、河南、安徽、浙江、湖北、江西、福建、台湾、四川、云南；俄罗斯，朝鲜，日本。

28. 大步甲属 *Carabus* Linnaeus, 1758

Carabus Linnaeus, 1758: 413. **Type species**: *Carabus granulatus* Linnaeus, 1758.

属征：大型，体长 15～60mm，虫体一般较为狭长。头小；唇须末节一般斧状；触角细长，自第 5 节起密被绒毛，第 3 节长度和第 1 节接近；眼半球形，眉毛 1 根。前胸背板多样，一般呈方形；盘区有皱和刻点，无毛。鞘翅多具瘤状或链状的突；后翅一般退化。中足基节窝开放，中胸后侧片伸达中足基节。足细长。

分布：古北界，新北界。世界已知 800 种左右，中国种类有 500 种以上，秦岭地区发现 23 种。

分种检索表

1. 亚颏不具刚毛 ………………………………………………………………………… 2

亚颏具刚毛 …………………………………………………………………………………………………… 10

2. 头宽大，与前胸背板近等宽 ……………………………………………………………………………… 9

头正常或头部窄长 ……………………………………………………………………………………… 3

3. 头部与前胸背板窄长，前胸背板长显著大于宽……………………………… 绿妖步甲 ***C. haeckeli***

头部正常，前胸背板长宽近似 ………………………………………………………………………… 4

4. 鞘翅行距或多或少为连续的隆线 ……………………………………………………………………… 5

鞘翅行距不呈连续的隆线，均为连续的瘤突列 ……………………………………………………… 6

5. 鞘翅主行距间夹有 5 条纵脊，但多不连续；鞘翅大多有金属铜色光泽 …………………………
…………………………………………………………………………………… 秦大步甲 ***C. qinlingensis***

鞘翅主行距间夹有 5 条清晰而连续的纵脊；鞘翅无金属光泽，偶尔略有金属铜色光泽 ………
……………………………………………………………………………… 太白大步甲 ***C. taibaiensis***

6. 鞘翅呈纺锤形，鞘翅末端缝角尖细突出略上翘 ………………………… 圆粒大步甲 ***C. formosus***

鞘翅卵形，鞘翅末端圆弧形不上翘 ……………………………………………………………………… 7

7. 鞘翅金属蓝紫色，密布成行的条形颗粒 ………………………… 碎纹大步甲 ***C. crassesculptus***

鞘翅金属铜色或黑色，瘤突较稀疏，瘤突间有颜色较明亮的浅凹 ………………………………… 8

8. 个体较大，体长 20mm 以上 …………………………………………… 悟空大步甲 ***C. sunwukong***

个体较小，体长 20mm 以下 ……………………………………………………… 微大步甲 ***C. exiguus***

9. 鞘翅金属绿色；个体略小，体长 19～22mm ……………………………… 巅大步甲 ***C. kitawakiellus***

鞘翅金属铜色；个体略大，体长 23～27mm ………………………… 太白山大步甲 ***C. taibaishanicus***

10. 体型较大，体长 35mm 以上 ………………………………………………………………………… 11

体型较小，体长 30mm 以下 ………………………………………………………………………… 12

11. 主行距间夹有 7 条细密的纵脊 ……………………………………………… 泰坦大步甲 ***C. titanus***

主行距间夹有 3 条或少于 3 条的纵脊及瘤突列 ……………………… 点胸大步甲 ***C. grossefoveatus***

12. 鞘翅行距或多或少为连续的隆线 …………………………………………………………………… 13

鞘翅行距不呈连续的隆线，均为瘤突列 ……………………………………………………………… 19

13. 主行距间夹有的隆线和瘤突列总计大于 5 列，有时细密或微弱，不易看清 ………………… 14

主行距间夹有的隆线和瘤突列总计等于或小于 3 列 ………………………………………………… 17

14. 鞘翅具鲨皮状微纹，磨砂质感，无光泽 ……………………………………… 阳子大步甲 ***C. yokoae***

鞘翅不如上述，多少有光泽 …………………………………………………………………………… 15

15. 主行距间夹有 5 条或以上连续的细密隆线；体长 25mm 以上 ……………………………………… 16

主行距间的细密隆线部分中断，形成长瘤突列；体长 21mm 以下 ………………………………
…………………………………………………………………………………… 南五台大步甲 ***C. nanwutai***

16. 鞘翅纵脊较平坦，不清晰，靠近小盾片处尤其不清晰 ………… 北协大步甲 ***C. kitawakianus***

鞘翅纵脊突出，清晰，靠近小盾片处纵脊也清晰 ………………………… 莱氏大步甲 ***C. reitterianus***

17. 鞘翅肩部圆，主行距间夹有 1 条纵脊 ……………………………………………… 延大步甲 ***C. protenes***

鞘翅肩部方，主行距间夹有 3 条纵脊 ………………………………………………………………… 18

18. 体型较大，体长 23mm 以上；鞘翅常有金属铜色或绿蓝色光泽，偶有黑色……………………
…………………………………………………………………………………………… 警大步甲 ***C. vigil***

体型较小，体长 23mm 以下；鞘翅黑色，无金属光泽 ……… 米仓大步甲 ***C. pseudolatipennis***

19. 体型较大，体长 25mm 以上 ……………………………………………… 革大步甲 ***C. coriaceipennis***

体型较小，体长 25mm 以下 ………………………………………………………………………… 20

20. 前胸背板侧缘圆弧形，最宽处位于前胸背板 1/2 处，鞘翅瘤突大小相似且排列紧密 ……………………………………………………………………………… **刻翅大步甲 *C. sculptipennis***
前胸背板近心形，最宽处位于距前缘 1/3 处，鞘翅有明显的较大的瘤突列和较小的瘤突列 ……………………………………………………………………………………… 21
21. 腿节及触角基部呈红褐色 ……………………………………………… **八戒大步甲 *C. zhubajie***
腿节及触角基部黑色 ……………………………………………………………………… 22
22. 头部密布深沟纹；鞘翅黑褐色，无金属光泽 ………………………… **陕大步甲 *C. shaanxiensis***
头部光洁；鞘翅具红色或黄绿色金属光泽，偶尔黑色 ………………… **周氏大步甲 *C. choui***

(49) 绿妖步甲 *Carabus* (*Acoptolabrus*) *haeckeli* Brezina *et* Imura, 1997

Carabus haeckeli Brezina *et* Imura, 1997: 7.

鉴别特征：体长 26～35mm。体背金属绿色，有光泽，足及体腹面黑色。头部有沟纹。前胸背板修长，长度为宽度的 1.20 倍以上；侧缘在后角前弯曲；后角不突出；表面有较深的沟纹；中线明显。鞘翅卵圆形，每鞘翅有 6 排黑色瘤突，第 2、4、6 列的瘤突较大，第 1、3、5 列瘤突较小。

采集记录：2 头，眉县太白山，2012. Ⅵ. 30。

分布：陕西(周至、眉县)。

(50) 米仓大步甲 *Carabus* (*Acoptopterus*) *pseudolatipennis* Deuve, 1991

Carabus pseudolatipennis Deuve, 1991: 104.

鉴别特征：体长 19～22mm。全身黑褐色。前胸背板宽大于长，侧缘在后角前几乎不弯曲，往基部处明显收狭；后角略突出；盘区表面光洁或有不规则网状微纹。鞘翅卵圆形，主行距特化为连续的长瘤突，主行距间夹有 3 条细脊。

采集记录：2 头，周至厚畛子，2008. Ⅴ；30 头，宁陕火地塘，2007. Ⅷ. 20。

分布：陕西(周至、太白、洋县、宁陕)、甘肃、湖北、重庆、四川。

讨论：采自秦岭的标本应为亚种 *C. pseudolatipennis qinlingicus* Deuve, 1998。

(51) 警大步甲 *Carabus* (*Acoptopterus*) *vigil* Semenov, 1898

Carabus vigil Semenov, 1898: 351.
Carabus striatus Semenov, 1887: 398 .

鉴别特征：体长 24～26mm。头部黑色，胸板及鞘翅常有铜红色或铜绿色光泽，亦有黑色。前胸背板宽略大于长；侧缘在后角前弯曲；后角突出；盘区密布细刻点到不规则的网状沟纹。鞘翅卵圆形，主行距特化为连续的长瘤突，主行距间夹有3条细脊。

采集记录： 1头，宁陕火地塘，2007. Ⅵ.02。

分布： 陕西（周至、户县、眉县、洋县）、河南、甘肃、浙江、湖北、江西、四川。

（52）点胸大步甲 *Carabus*（*Apotomopterus*）*grossefoveatus*（Hauser, 1913）

Apotomopterus grossefoveatus Hauser, 1913: 464.

鉴别特征： 体长38～46mm。体全黑色，有时鞘翅和行距中断处的浅凹略带红或绿色光泽。头部略有横向微纹。前胸背板侧缘在后角前弯曲；后角不突出，呈钝角；盘区表面密布横条状微纹。鞘翅满覆平行的行距，3条主行距特化为连续的椭圆形至线形突起，主行距间夹有明显的纵脊状行距和连续短线状瘤突；雌性鞘翅近末端明显内凹。

采集记录： 1头，凤县，1980. Ⅴ。

分布： 陕西（蓝田、凤县、留坝、眉县、宁陕）、甘肃、四川。

（53）延大步甲 *Carabus*（*Apotomopterus*）*protenes* Bates, 1889

Carabus protenes Bates, 1889: 217.

鉴别特征： 体长27～30mm。体全黑色，无金属光泽。头部光洁。前胸背板长宽近等；侧缘在后角前弯曲；后角略向后突出，呈锐角；盘区具不规则的网格状微纹。鞘翅卵圆形，主行距特化为连续的长椭圆形突起，主行距间夹有1条明显的纵脊。此外，有时纵脊两侧各有1列瘤突列或纵脊，一般极不明显。

采集记录： 1头，周至厚畛子，2008. Ⅴ。

分布： 陕西（长安、蓝田、周至、眉县、宁陕、洋县）、河南、甘肃、湖北、湖南、四川、贵州、云南。

（54）圆粒大步甲 *Carabus*（*Damaster*）*formosus* Semenov, 1887

Carabus formosus Semenov, 1887: 413.

鉴别特征： 体长25～35mm。头、胸黑色或蓝紫色，鞘翅绿色或铜色、黑色，有金属光泽。足和体腹面黑色。头密布细刻点。前胸背板略呈六边形，长宽近似，前胸背板在后角前不弯曲或略弯，后角突出，前胸背板密布细刻点。鞘翅纺锤形，主行距特化为连续的瘤突，二级行距特化为连续的略小的瘤突，三级行距为更小的瘤突列。

分布： 陕西（长安、蓝田）、甘肃、青海、湖北、重庆、四川。

(55) 微大步甲 *Carabus* (*Eccoptolabrus*) *exiguus* Semenov, 1898

Carabus exiguus Semenov, 1898: 399.

鉴别特征： 体长 15 ~ 18mm。体背金属铜色，鞘翅行距中断处的浅凹呈金属橙黄色。头部密布沟纹。前胸背板长宽近似，基部宽度与头的宽度近乎相等；侧缘距基部 2/3 处起明显收束，在后角之前弯曲；后角突出；盘区前胸背板表面密布沟纹。鞘翅卵圆形，主行距特化为连续的瘤突，二级行距特化为连续的略小的瘤突，三级行距为更小的瘤突列。

分布： 陕西(周至)、宁夏、甘肃、青海、四川。

讨论： 秦岭地区分布亚种为 *C. exiguus fanianus* Imura, 1993。

(56) 悟空大步甲 *Carabus* (*Eccoptolabrus*) *sunwukong* Imura, 1993

Carabus sunwukong Imura, 1993a: 17.

鉴别特征： 体长 22 ~ 25mm。全体黑褐色，鞘翅和鞘翅行距中断处的浅凹金属黄绿色。头部密布沟纹。前胸背板长宽近乎相等，侧缘在后角前弯曲，后角略突出，盘区密布深沟纹。鞘翅卵圆形，主行距特化为连续的瘤突，二级行距特化为连续的略小的瘤突，三级行距为更小的瘤突列。

采集记录： 1 头，宁陕火地塘，2007. Ⅷ. 20。

分布： 陕西(周至、宁陕)、河南。

(57) 秦大步甲 *Carabus* (*Hypsocarabus*) *qinlingensis* Imura, 1993

Carabus qinlingensis Imura, 1993b: 366.

鉴别特征： 体长 18 ~ 20mm。体黑色到铜色，常有金属光泽。头部密布细密微纹，亚颏不具刚毛。前胸背板长宽近乎相等，侧缘在后角之前弯曲，后角突出，盘区布满不规则沟纹。鞘翅卵圆形，主行距特化为连续的椭圆形突起，主行距间密布细密纵纹和排列成行的突起。阳茎略细长，端部较尖锐。

采集记录： 1 头，周至厚畛子，2008. Ⅴ。

分布： 陕西(长安)。

(58) 太白大步甲 *Carabus* (*Hypsocarabus*) *taibaiensis* Kleinfeld, 2001

Carabus taibaiensis Kleinfeld, 2001: 43.

鉴别特征：体长 20 ~ 23mm。体褐色，前胸背板边缘和鞘翅有微弱的金属铜色光泽。头部较光洁，上唇光洁，额有微纹，亚颏不具刚毛。前胸背板长宽近似，最宽处位于距前胸背板基部 2/3 处，后角突出，侧缘在后角前弯曲，前胸背板布满不规则沟纹。鞘翅卵圆形，主行距特化为连续的椭圆形突起，主行距间密布细密纵纹，纵纹清晰。

分布：陕西（太白）、宁夏、甘肃。

（59）阳子大步甲 *Carabus*（*Leptocarabus*）*yokoae* Deuve, 1988

Carabus yokoae Deuve, 1988: 323.

鉴别特征：体长 25 ~ 28mm。全体黑褐色。头部光洁。前胸背板宽略大于长，侧缘在后角之前弯曲，后角向后明显突出，盘区表面密布不规则沟纹。鞘翅卵圆形，表面密布细小颗粒状微纹，主行距特化为连续的线状长突起，主行距间夹有较细密的纵脊，鞘翅表面平坦，行距隆起微弱。

采集记录：2 头，周至厚畛子，2007. Ⅷ. 14。

分布：陕西（周至、户县、太白、宁陕、洋县）、甘肃、湖北、重庆、四川。

讨论：秦岭地区分布的亚种为 *C. yokoae chengkouensis* Imura, 1995。

（60）革大步甲 *Carabus*（*Morphocarabus*）*coriaceipennis* Chaudoir, 1863

Carabus coriaceipennis Chaudoir, 1863a: 114.

鉴别特征：体长 25 ~ 30mm。体黑色。头部具刻点和不规则沟纹。前胸背板宽大于长，最宽处位于距基部 2/3 到 1/2 处；侧缘在基部前无明显收狭，在后角前不弯曲；后角突出，呈叶状。鞘翅卵圆形，表面布满成行的瘤突列，一般有明显的较大的瘤突列和较小的瘤突列。

分布：陕西（周至）、山西、山东。

（61）八戒大步甲 *Carabus*（*Morphocarabus*）*zhubajie* Imura, 1993

Carabus zhubajie Imura, 1993b: 363.

鉴别特征：体长 19 ~ 21mm。背面具金属铜色到绿色光泽。触角基部红褐色。前胸背板宽大于长，前胸背板在后角前不弯曲；后角突出；盘区表面密布刻点和沟纹。鞘翅卵圆形，主行距特化为连续的短线状瘤突，主行距间夹有 3 列排列成行的小瘤突。足胫节红褐色。

分布： 陕西（周至）、山西、河南、甘肃。

（62）碎纹大步甲 *Carabus*（*Pagocarabus*）*crassesculptus* Kraatz，1881

Carabus crassesculptus Kraatz，1881：268.

鉴别特征： 体长 21～27mm。背面蓝紫色。头部有沟状微纹。前胸背板宽大于长，最宽处位于距基部 2/3 处；前角钝圆，前胸背板在后角前弯曲；后角突出；前胸背板表面密布不规则沟纹，中线明显。鞘翅卵圆形，密布成行的条形颗粒。

采集记录： 1 头，周至厚畛子，2007.Ⅷ.14。

分布： 陕西（长安、周至、户县、太白、宁陕、洋县）、北京、河北、山西、河南、甘肃、青海、四川；蒙古。

（63）周氏大步甲 *Carabus*（*Piocarabus*）*choui* Deuve，1989

Carabus choui Deuve，1989b：228.

鉴别特征： 体长 15～18mm。体背黄色、红色或绿色，足和体腹面黑色。前胸背板长略大于宽，前胸背板在后角前略微弯曲，后角突出，前胸背板布满不规则沟纹与刻点。鞘翅卵圆形，主行距特化为连续的椭圆形突起，主行距间密布瘤突，瘤突排列成行。

采集记录： 5 头，眉县太白山，2012.Ⅵ.30-Ⅶ.02。

分布： 陕西（周至、太白、眉县）。

（64）北协大步甲 *Carabus*（*Piocarabus*）*kitawakianus* Imura，1993

Carabus kitawakianus Imura，1993c：379.

鉴别特征： 体长 25～27mm。全身黑褐色，常有光泽。上唇光洁，额有微纹。前胸背板长宽近似，布满不规则沟纹，侧缘在后角前略弯曲；后角突出，似叶状；中线明显。鞘翅卵圆形，3 条主行距特化为连续的椭圆形突起，主行距间为细密纵纹。

分布： 陕西（周至、宁陕、洋县）、河南。

讨论： 秦岭地区有两个亚种，即 *Carabus kitawakianus huoditangicus* Cavazetti，1999（宁陕火地塘）和 *Carabus kitawakianus kitawakianus* Imura，1993（周至厚畛子）。

（65）南五台大步甲 *Carabus*（*Piocarabus*）*nanwutai* Kleinfeld，Korell *et* Wrase，1996

Carabus nanwutai Kleinfeld，Korell *et* Wrase，1996：131.

鉴别特征：体长 18 ~20mm。背面黑色到铜色，常有光泽。头部密布细密微纹，亚颏具刚毛。前胸背板长宽近乎相等，侧缘在后角前弯曲，后角突出，盘区表面布满不规则沟纹。鞘翅卵圆形，主行距特化为连续的椭圆形突起，主行距间密布细密纵纹和成行的突起。阳茎略短粗，端部钝圆。

分布：陕西（长安、周至、太白、眉县、宁陕）。

（66）莱氏大步甲 *Carabus*（*Piocarabus*）*reitterianus* Breuning, 1932

Carabus reitterianus Breuning, 1932: 60.

鉴别特征：体长 25 ~27mm。全身黑褐色，常有光泽。上唇光洁，额有微纹。前胸背板长宽近乎相等，表面布满不规则沟纹，侧缘在后角前略弯曲，后角突出似叶状，中线明显。鞘翅卵圆形，3 条主行距特化为连续的椭圆形突起，主行距间为细密纵纹。本种和北协大步甲 *C. kitawakianus* 很相似，区别是本种的鞘翅纵脊突出而清晰，靠近小盾片处的纵脊也清晰，前者体形也略比后者宽。

分布：陕西（太白、凤县、略阳、宝鸡）、宁夏、甘肃、四川。

（67）泰坦大步甲 *Carabus*（*Piocarabus*）*titanus* Breuning, 1933

Carabus titanus Breuning, 1933: 729.

Carabus corpulentior Deuve, 1990: 25.

鉴别特征：体长 35 ~40mm。全身黑褐色，常有光泽。头部较为光洁，有细小微纹。前胸背板宽大于长；前角钝；侧缘在后角前略弯曲；后角向后突出，呈锐角；盘区表面密布不规则沟纹。鞘翅卵圆形，3 条主行距特化为连续的椭圆形突起，中间为细密纵纹。

采集记录：2 头，宁陕旬阳坝，2007. Ⅷ. 21。

分布：陕西（蓝田、周至、凤县、眉县、华县、宁陕）、河南、甘肃、重庆、四川。

（68）巅大步甲 *Carabus*（*Pseudocranion*）*kitawakiellus* Imura, 1995

Carabus kitawakiellus Imura, 1995: 129 .

鉴别特征：体长 19 ~22mm。体表具绿色金属光泽，足和体腹面黑色。头部密布沟纹和刻点，头宽，其与胸宽之比大于 2/3。前胸背板宽大于长，最宽处位于距基部

2/3处；前角钝圆；侧缘在后角前弯曲；后角突出或略突出；盘区表面密布沟纹；中线明显深。鞘翅卵圆形，主行距特化为连续的瘤突，主行距间夹有3列细小瘤突，有时仅1列清晰。

采集记录：12头，眉县太白山，2012. Ⅵ.30。

分布：陕西（周至、眉县）。

(69) 太白山大步甲 *Carabus* (*Pseudocranion*) *taibaishanicus* Deuve, 1989

Carabus taibaishanicus Deuve, 1989a: 168.

鉴别特征：体长23～27mm。体表具红铜金属光泽，足和体腹面黑色。头部密布沟状微纹和刻点，头宽，其与胸宽之比大于2/3。前胸背板宽明显大于长，最宽处位于距基部2/3处；侧缘在后角前弯曲；后角略突出，但不明显；盘区表面密布深沟纹；中线明显深。鞘翅卵圆形，表面密布细颗粒，主行距特化为连续的椭圆形瘤突，主行距间夹有3列连续的细瘤突，有时仅1列清晰。

采集记录：2头，周至厚畛子，2008. Ⅴ。

分布：陕西（长安、周至、宁陕）。

(70) 刻翅大步甲 *Carabus* (*Scambocarabus*) *sculptipennis* Chaudoir, 1877

Carabus sculptipennis Chaudoir, 1877a: 75.

鉴别特征：体长20～25mm。体黑色。头部密布刻点。前胸背板宽大于长，最宽在1/2处；前角钝圆；侧缘呈弧形；后角突出；盘区表面密布刻点和不规则沟纹。鞘翅卵圆形，密布大小相似的细小颗粒状瘤突，瘤突排列成行。

分布：陕西（太白）、北京、河北、山西、河南、甘肃、青海；蒙古。

(71) 陕大步甲 *Carabus* (*Tomocarabus*) *shaanxiensis* Deuve, 1991

Carabus shaanxiensis Deuve, 1991: 105.

鉴别特征：体长15～17mm。全身黑色。头部密布深沟纹。前胸背板长宽近乎相等，前角钝圆，侧缘在后角前几乎不弯曲，后角略突出，盘区布满深沟纹。鞘翅卵圆形，主行距特化为连续的瘤突，主行距间密布细密瘤突。

采集记录：2 头，宁陕火地塘，2007. Ⅵ. 02-Ⅷ. 20。

分布：陕西（长安、周至、户县、太白、华县、宁陕）、河南、甘肃、重庆、四川。

29．华隘步甲属 *Chinapenetretus* Kurnakov，1963

Chinapenetretus Kurnakov，1963：410. **Type species**：*Apenetretus potanini* Kurnakov，1963.

属征：体长 10.50～16.00mm。体黑色，光亮，口须、触角和足有时棕色或红棕色。头大，眼略突出，眉毛 2 根，后眉毛接近眼后缘；颊短于眼直径；颈沟深，表面光洁或有皱褶和刻点。前胸背板方形、心形或近似心形；侧边有刚毛 3～5 根，后角有 1 根刚毛；基凹大而深。鞘翅长卵形，肩明显可见，有小肩齿；鞘翅基部平或稍凹陷；第3 行距有 3～4 个大毛穴；侧边 8 条沟有 8～13 个大毛穴。跗节表面光，第5 跗节腹面有刚毛或无。

分布：中国西南地区。世界共 11 种，秦岭地区仅发现 1 种。

（72）大华隘步甲 *Chinapenetretus*（*Grandipenetretus*）*major* Zamolajlov *et* Sciaky，1997

Chinapatrobus（*Grandipenetretus*）*major* Zamolajlov *et* Wrase，1997：1069.

鉴别特征：体长 14～16mm，体宽 5.50～6.00mm。体黑色，稍光亮。头大，头顶隆，光洁，无刻点和毛；额沟宽而深，沟内有少量细刻点；上唇梯形，端缘微凹，中部 4 根刚毛略靠近中央；上颚长，端部钩状。前胸背板略呈心形，盘区平，无刻点和毛；侧缘在前半部弧圆，在后角之前向内弯曲，前中部具侧缘毛 4 根（有时折断）；后角直角，略向外突伸，顶端尖；基凹大而深，凹内有粗刻点；中线深。鞘翅行距微隆，具明显的等直径微纹（因此，鞘翅幽暗），第 3 行距有毛穴 3 个；条沟深，沟内具细浅刻点（基部和端部刻点不明显，但仍可见）。

采集记录：2 头，秦岭大爷海，3590m，2011. Ⅷ. 08。

分布：陕西（周至、眉县、宁陕）。

讨论：此种分为两个亚种，指名亚种分布于宁陕县平河梁，另一个亚种 *C. major taibaiensis* Zamolajlov & Sciaky，1999 分布于周至县厚畛子和太白顶。根据原描述，后者身体更宽（鞘翅长是宽的 1.56～1.64 倍，而前者为 1.66～1.73 倍），鞘翅基部条沟刻点不显（前者明显），鞘翅 8 条沟的大毛穴为 16～18 个（前者为 18～22 个）。但这些特征差别都非常细微，目前我们的标本数量十分有限，是否为地理变异很难说，但在获得足够证据之前，我们暂且承认作者分为两个亚种的观点。

30. 青步甲属 *Chlaenius* Bonelli, 1810

Chlaenius Bonelli, 1810: tab. **Type species**: *Carabus festivus* Panzer, 1796.

属征：中型到大型，体长 10～25mm。虫体常具绿色或蓝色金属光泽，至少头部如此，许多种类鞘翅有黄色圆斑点或侧边有黄色条带。眼内侧具眉毛 1 根；上颚外沟无刚毛；颈区不明显缢缩；口须端节平截，不细尖，唇须亚端节一般光洁，无刚毛；触角自第 4 节密被绒毛（有些种类第 3 节具稀疏绒毛，明显比第 4 节少）。前胸背板多样，一般横方，少数心形；后角毛在后角之上或后角之前；表面大部分有刻点和毛，少部分盘区光洁。鞘翅最宽处在中部略后，侧边向后不明显加宽，条沟深。足细长，爪一般简单（少数种类具梳齿）；雄虫前足 1～3 节跗节膨宽，呈方形。

分布：世界广布，尤其以非洲、亚洲热带地区较多。世界已知近千种，中国分为 20 多个亚属，共有 60 多种，秦岭地区发现 5 种。

分种检索表

1. 后胸前侧片长宽近等；鞘翅行距明显起脊；大型种类，体长 20mm 以上 ………………………………………… **大脊青步甲 *C. costiger***
   后胸前侧片长明显大于宽；体长不超过 20mm ……………………………… 2
2. 鞘翅几乎光洁，仅在近侧缘可见短毛 ……………… **小黄缘青步甲 *C. spoliatus***
   鞘翅多毛，至少近条沟处有毛 ……………………………… 3
3. 跗节第 4 节端部极凹，3 节凹，背面具毛；鞘翅无斑 ……………… **陕跗青步甲 *C. wrasei***
   跗节第 4 节细长，端部稍凹，3 节平，背面略光洁；鞘翅有 2 个大黄斑 ……………… 4
4. 前胸背板略方形，宽约为长的 1.10 倍，表面密被刻点和毛 ………… **毛胸青步甲 *C. naeviger***
   前胸背板横宽，宽约为长的 1.30～1.40 倍，表面具稀疏刻点和毛 ………………………………………… **逗斑青步甲 *C. virgulifer***

（73）大脊青步甲 *Chlaenius costiger* Chaudoir, 1856

Chlaenius costiger Chaudoir, 1856: 258.

鉴别特征：体长 22.00～23.50mm，体宽 8.50～9.50mm。头和前胸金属绿色或红铜色，鞘翅黑色，条沟内有绿色金属光泽，足腿节、胫节和跗节棕红或黄色，转节黑色，口须和触角棕红色，身体腹面深棕色或黑色。前胸背板略横方，宽约为长的 1.20 倍，为头宽的 1.40 倍，最宽处在中部略前；基缘是前缘的 1.30 倍；前缘微凹，围绕颈部有 1 排短刚毛；基缘平直，近后角，不向后突伸；侧缘在前部均匀弯曲，直达后角，后角之前不直也不内凹，中部无侧缘毛；前角圆，不向前突出；后角近直角，角顶端钝圆，后角毛在后角之前，远离后角；盘区被稀疏的细刻点，刻点均匀分布于盘区；基凹狭，深，凹内具粗刻点和毛。鞘翅行距中央较隆，成脊状，脊光洁，脊两侧近条沟处被1行刻点和稀疏短毛，8～9行距的毛稍密，布满整个行距；条沟略深，沟内具细刻点，跗节第4节端部不裂，爪简单。

采集记录： 1头，长安，1981. Ⅶ. 05；1头，凤县，1980. Ⅴ. 07；1头，太白，1981. Ⅵ. 28；3头，留坝，1980；4头，镇巴，1981. Ⅶ. 23。

分布： 陕西（长安、凤县、太白、留坝、佛坪、镇巴）、江苏、安徽、湖北、江西、湖南、福建、广西、四川、贵州、云南；朝鲜，日本，越南，老挝，柬埔寨，缅甸，印度。

（74）毛胸青步甲 *Chlaenius naeviger* Morawitz, 1862

Chlaenius naeviger Morawitz, 1862b: 324.

鉴别特征： 体长13.50～14.50mm，体宽4.80～5.50mm。头部和前胸背板具绿色金属光泽，足单一棕黄色，鞘翅近黑色，每鞘翅后半部有1个黄色大圆斑，占据4～8行距，足全部棕红色，触角第1～3节棕黄色，余节棕黑色。头顶隆，中区光洁，被细密刻点，两侧和颈部刻点稍加粗，光洁无毛，微纹不明显；口须末节近圆柱形。前胸背板略方形，宽约为长的1.10倍，为头宽的1.40倍，最宽处在中部略前，后缘宽度为前缘的1.10倍；前缘微凹；基缘中部平直，在后角处稍向后突伸；侧缘在前部均匀弯曲，在后角之前略直或稍向内弯曲，中部无侧缘毛；前角圆，不向前突出；后角稍大于直角，角端略圆，后角毛在后角之前，远离后角；盘区密被刻点和毛，近盘区两侧稍稀；中线明显，不达前缘和后缘；基凹狭，很深，凹内具刻点和毛。鞘翅行距密被毛。腹部腹面几乎光洁。

采集记录： 1头，留坝庙台子，1350m，1998. Ⅶ. 22，廉振民采。

分布： 陕西（留坝）、辽宁、北京、河南、浙江、湖北、重庆、贵州、云南；俄罗斯。

（75）小黄缘青步甲 *Chlaenius spoliatus* （Rossi, 1792）

Carabus spoliatus Rossi, 1792: 33.

Chlaenius longipennis Motschulsky, 1865: 346.

Chlaenius cuprinus Schilsky, 1888: 181.

Chlaenius subpurpureus Reitter, 1901: 65.

鉴别特征： 体长16.00～16.50mm，体宽6.00～6.50mm。头部、前胸背板金属绿色并略显红铜色，鞘翅绿色，第1，3，5行距具红铜色光泽，8～9行距及翅缘黄色。头顶隆，具细微刻点，无毛，稍有皱褶，微纹不明显；上颚长，端部尖钩状，表面光滑无皱；口须光洁无毛刺，末节圆柱状，端部不膨宽。前胸背板略方形，宽约为长的

1.30倍，为头宽的1.30倍，最宽处在中部略前；侧缘在前部均匀弯曲，在后角之前直，近后角处稍弯曲，中部无侧缘毛；前角圆，微向前突出；后角直角，角顶端略钝圆，后角毛在后角之前，很远离后角；盘区具极细密刻点和横皱；基凹狭，极深，凹内刻点和盘区相近。前胸背板光洁无毛。鞘翅略长方形，肩圆，最宽处在中部，长为宽的1.60倍；行距隆起，第1，3，5行距比相邻2，4，6行距更隆，大部分光洁，第1，3，5行距靠条沟处被极少量细刻点和稀疏短毛，9行距毛稍密；条沟略深，沟内具细刻点。腹部腹面光洁无毛。

采集记录： 1头，周至双庙，1981. Ⅴ.20。

分布： 陕西（周至、潼关、渭南、安康）、黑龙江、辽宁、内蒙古、北京、天津、河北、山西、河南、甘肃、新疆、湖北、江西、云南；俄罗斯，欧洲。

（76）逗斑青步甲 *Chlaenius virgulifer* Chaudoir, 1876

Chlaenius virgulifer Chaudoir, 1876: 61.

Chlaenius pictus Bates, 1873: 247.

鉴别特征： 体长14.50～15.00mm，体宽5.30～5.60mm。头部、前胸背板具绿色或红铜色金属光泽，鞘翅黑色，后半部有逗点状斑，斑不覆盖9行距靠亚端缘大毛穴，足、口须、触角棕黄色，腹面黑色。头顶隆，具细微刻点，无毛，靠近眼内侧和颈区刻点稍粗，有皱褶，微纹不明显；上颚短，端部尖钩状，表面光滑无皱；口须光洁，亚端节有稀疏毛刺，末节圆柱状，端部平截，不加宽。前胸背板方形，宽约为长的1.30～1.40倍，最宽处在中部略前；侧缘均匀弯曲，从前角直达后角，中部无侧缘毛；前角圆，微向前突出；后角圆，角顶端钝，后角毛在后角略前，稍远离后角；盘区具稀疏刻点和毛。鞘翅长为宽的1.60倍，宽为前胸宽的1.30倍，密被毛；行距平，密被刻点和绒毛；条沟略深，沟内具细刻点。腹部腹面中区光洁无毛；后胸前侧片长大于宽，外侧有沟；雄性前腿节腹面有小刺突。

采集记录： 1♂，洋县，1981. Ⅶ；1♀，镇巴，1981. Ⅶ。

分布： 陕西（洋县、镇巴）、北京、河北、江苏、安徽、浙江、湖北、江西、湖南、福建、台湾、广东、广西、四川、贵州、云南；朝鲜，日本，东南亚。

（77）陕跗青步甲 *Chlaenius wrasei* Kirschenhofer, 1997

Chlaenius noguchii wrasei Kirschenhofer, 1997: 116.

鉴别特征： 体长16～17mm。头部金属绿色或铜色，前胸背板金属绿色或红铜色，鞘翅亮黑色，腹面亮黑色，足棕黄色，跗节、胫节端部及转节颜色稍深，呈红棕色。头顶略隆，几乎光洁，颈部具稀疏刻点和毛；触角1～3节深棕黄色且具稀疏的毛，余节棕色且具密毛，第1节略呈圆锥形；上唇前缘略平直；上颚棕黑色；颊具毛；

口须棕黄色，细长，略光洁。前胸背板略心形，宽为长的1.30倍，中部前最宽，前缘微凹，基缘中部平直，前缘略窄于基缘；侧缘前中部弧形，基部近凹弧形；前角钝角，后角圆锐；背板盘区几乎光洁，侧边有细皱及刻点毛；中沟细；基凹大；前胸前侧片和前胸腹板具密毛；前胸腹板突水滴形，端部具边；后胸前侧片被密毛，外侧沟不明显。鞘翅隆；行距隆，条沟略深，1~5行距中间光洁，两侧有毛，第6行距至外缘被密毛。腹节被密毛，中部略稀疏，中部两侧各有1根长毛。跗节表面具刻点和短毛，第4跗节深裂。雄虫前腿节腹面无刺突，前跗节基部3节十分膨扩，近方形。

分布：陕西(周至、留坝、镇巴)、甘肃、湖北、重庆。

31. 小蝼步甲属 *Clivina* Latreille, 1802

Clivina Latreille, 1802: 96. **Type species**: *Scarites arenarius* Fabricius, 1775 (= *Tenebrio fossor* Linnaeus, 1758).

属征：体狭，两侧近平行，体长10mm左右。头与前胸背板近等宽；眼每侧具2根眉毛；触角多为念珠状，第1节较长，从第4节开始密布绒毛。额边缘侧沟明显。颏具中齿。前胸背板近方形。中胸收狭，形成柄。鞘翅长方形，条沟深。前足为开掘式。

分布：全北区，澳洲区。世界已知400种左右，中国约有20种，秦岭地区发现1种。

(78) 栗小蝼甲 *Clivina castanea* Westwood, 1837

Clivina castanea Westwood, 1837: 128.

Eapabamus clivinoides Schmidt-Göbel, 1846: pl. 3.

Clivina parryi Putzeys, 1861: 60.

Clivina lata Putzeys, 1866a: 131.

鉴别特征：体长8.50~10.00mm，体宽2.50~2.80mm。体黑色或棕黑色。眼大而突出；唇基宽，前缘微凹，端角钝圆，侧叶圆形，中部凹陷；额光洁，中凹明显；上唇具7根刚毛。前胸背板微隆，表面光洁无刻点，有少量横向褶皱；侧缘圆弧状；后角具齿突；基宽大于端宽。鞘翅长为宽的2倍；侧边平行；条沟深，沟内具密刻点；行距明显隆起，第3行距具4个毛穴，基部毛穴靠近第2条沟，其他靠近第3条沟。

采集记录：3头，佛坪，870~1000m，1998.Ⅶ.23-1999.Ⅵ.27。

分布：陕西(佛坪)、河北、山东、河南、新疆、江苏、浙江、湖北、江西、湖南、福建、台湾、广东、海南、广西、四川、贵州、云南；朝鲜，东南亚，印度，斯里兰卡，新几内亚，澳大利亚。

32. 蜗步甲属 *Cychrus* Fabricius, 1794

Cychrus Fabricius, 1794: 441. **Type species**: *Tenebrio rostratus* Linnaeus, 1761 (= *Tenebrio caraboides* Linnaeus, 1758).

Kryptocychrus Cavazzuti, 1997: 75. **Type species**: *Cychrus loccai* Cavazzuti, 1997.

属征: 头部小，上颚细长，上唇深凹，触角自第5节起密被绒毛。前胸背板心形或略呈六边形，侧缘毛1根，后角直或尖锐。鞘翅长卵形，非常隆，有或无链状瘤突。足细长。无后翅。

分布: 古北区，东洋区。世界已知200种，中国约有150种，秦岭地区发现2种。

(79) 双棘蜗步甲 *Cychrus bispinosus* Deuve, 1989

Cychrus bispinosus Deuve, 1989b: 230.

鉴别特征: 体长13～15mm，体宽4～6mm。体黑色。头顶微隆，有粗刻点；眼小，半球形。前胸背板略呈六边形，表面光洁无刻点；侧缘圆弧状，在中部刚毛之后强烈隆起，和后角一起向后上方翘起，形成两个棘刺。鞘翅有3列长卵瘤突，每列6～7个。

采集记录: 1头，周至厚畛子，2007.Ⅷ.14；3头，宁陕火地塘，2007.Ⅷ.20。

分布: 陕西(周至、宁陕)、山西、河南、甘肃、湖北、四川。

(80) 中华蜗步甲 *Cychrus sinicus* Deuve, 1989

Cychrus sinicus Deuve, 1989b: 229 .

鉴别特征: 体长15～17mm，体宽6.00～7.50mm。体黑色。头顶微隆，有粗密刻点；眼小，半球形。前胸背板略呈心形，表面有粗而密的刻点；侧缘圆弧状，在中部刚毛之后微微隆起，到达后角；后角直角，顶端钝。鞘翅有3列长卵瘤突，每列6～7个。

采集记录: 3头，周至太白山，无日期和采集人。

分布: 陕西(周至、宁陕)、宁夏。

33. 猛步甲属 *Cymindis* Latreille, 1806

Cymindis Latreille, 1806: 190. **Type species**: *Buptestis humeralis* Geoffroy, 1785.

Tarus Clairville, 1806: 94. **Type species**: *Buprestis humeralis* Geoffroy, 1785.

Anomoeus Fischer von Waldheim, 1820, pl. xii. **Type species**: *Anomoeus dorsalis* Fischer von Waldheim, 1820 (= *Carabus lineatus* Quensel, 1806).

Arrhostus Motschulsky, 1864: 240. **Type species**: *Carabus pictus* Pallas, 1771.

Psammastes Motschulsky, 1864: 240. **Type species**: *Cymindis suturalis* Dejean, 1825.

属征：体长 8 ~ 15mm。表面大多数有毛，黑色或棕黑色。虫体扁平。头部大，颈部多少缢缩；眼突出，眼内侧具眉毛 2 根；触角 1 ~ 3 节有稀疏绒毛，自第 4 节起密被绒毛；口须密被绒毛；颏有中齿。前胸背板近方形或近心形；基边弧圆；侧边一般有 2 根侧缘毛，少数 1 根。鞘翅后端平截或斜截；行距平或稍隆，有毛和刻点；条沟由刻点组成。足细长，第 4 跗节端缘微凹，爪内侧面有梳齿。

分布：亚洲，欧洲，非洲，北美洲。世界已知超过 175 种，中国有 20 多种，秦岭地区仅发现 1 种。

（81）半猛步甲 *Cymindis daimio* Bates, 1873

Cymindis daimio Bates, 1873a: 310.

Cymindis tschitscherini Semenov, 1895: 331.

Cymindis nigrifemoris Habu *et* Inouye, 1963: 68.

鉴别特征：体长 8 ~ 9mm，体宽 3.00 ~ 3.50mm。体黑色，具蓝色或蓝紫色金属光泽，鞘翅 1 ~ 4 行距基部 2/3 和 5 ~ 9 行距基部 1/2 棕红色，触角、胫节黄色，口须、中胸和后胸腹面棕黄色，腿节棕黄或黑色。头大，密被绒毛和大刻点；眼后颊长，约为眼纵径的 1/2；雄性下唇须末节呈斧状。前胸背板略呈心形，密被毛和大刻点；侧边在后角之前有很短的弯曲；后角直角，在基边水平线之前。鞘翅后缘斜截，行距密被毛和大刻点，条沟内刻点粗大。腹面和足密被毛。雌性和雄性腹部末腹节后缘均被 2 对刚毛。

采集记录：1 头，佛坪，1999. Ⅵ. 27。

分布：陕西（佛坪）、吉林、辽宁、河北、甘肃；蒙古，俄罗斯，朝鲜，日本。

34. 蠋步甲属 *Dolichus* Bonelli, 1810

Dolichus Bonelli, 1810: tab. **Type species**: *Carabus flavicornis* Fabicius, 1787 (= *Carabus halensis* Schaller, 1783).

Matulus Gistel, 1848: ix. **Type species**: *Carabus flavicornis* Fabicius, 1787 (= *Carabus halensis* Schaller, 1783).

属征：中等大小，体长15～20mm，体宽6mm左右。体黑色，光亮，无金属光泽，鞘翅有时有红斑。头顶平，光洁，无毛及刻点，微纹不很明显；眼突出，内侧具眉毛2根；触角自第4节起密被绒毛，第3节比第1节略长；下唇须亚端节内侧具刚毛2根；颏具齿，尖或顶端有凹；亚颏每侧具刚毛2根。前胸背板略呈正方形，宽度等于或大于头部宽度；前后角均弧圆，具后角毛1根；侧边宽，具侧缘毛1根；盘区光洁，无刻点和毛。鞘翅略平，行距光洁，无毛和刻点，微纹明显；第3行距具2～3个毛穴。足细长，前胫节有纵沟；爪具梳齿。

分布：亚洲，欧洲。世界有2种，中国皆有分布，秦岭地区发现1种。

(82) 红胸蠋步甲 *Dolichus halensis* Schaller, 1783

Carabus halensis Schaller, 1783: 317.
Carabus flovicornis Fabricius, 1787: 199.
Motobus nigripennis Gistel, 1857: 16.
Dolichus triangulatus Schilsky, 1888: 182.
Dolichus dispar Pic, 1895: 106.
Dolichus bicolor Maindron, 1910: 15.
Dolichus viduus Maindron, 1910: 16.
Dolichus eohalensis Jeannel, 1937: 80.
Dolichus rufithorax Jedlička, 1936: 31.
Dolichus ruficollis Jeannel, 1937: 80.

鉴别特征：体长15.00～18.80mm，体宽5.00～6.50mm。体黑色，光亮，无金属光泽，鞘翅基中部有1个大的棕红色长圆斑，此斑的大小变异很大，有时甚至消失，口须、触角、足和前胸背板边棕黄色。头顶平，光洁，无毛及刻点，微纹不很明显；眼突出；触角第3节比第1节略长。前胸背板略呈正方形，宽约为长的1.10～1.20倍，宽度明显大于头部宽度；前后角均弧圆；盘区光洁，无刻点和毛，有横皱褶；基凹宽圆，凹内和周边密被刻点。鞘翅略平，行距光洁，无毛和刻点，微纹极明显，呈等直径的网格；第3行距具2～3个毛穴。

采集记录：1头，周至厚畛子，1350m，1999.Ⅵ.22；1头，眉县蒿坪，2011.Ⅷ.18；2头，佛坪，890m，1998.Ⅶ.25，1999.Ⅵ.26。

分布：陕西（周至、眉县、佛坪），中国广布；俄罗斯，朝鲜，日本，欧洲。

35. 长胸步甲属 *Doliodactyla* Sciaky *et* Wrase, 1998

Doliodactyla Sciaky *et* Wrase, 1998: 226. **Type species**: *Doliodactyla janatai* Sciaky *et* Wrase, 1998.

属征：体长12～19mm。头小；眼小，不突出，眉毛2根，眼后颊长；触角自第4

节起密被绒毛。前胸背板长大于宽，近方形；后角之前不明显向内弯曲，无后角毛；侧缘毛 1 根。鞘翅长卵形，小盾片毛穴存在。后跗节细长，长度近等于胫节；爪有梳齿。

分布：仅发现 1 种，分布在陕西秦岭。

(83) 简氏长胸步甲 *Doliodactyla janatai* Sciaky *et* Wrase, 1998

Doliodactyla janatai Sciaky *et* Wrase, 1998: 228.

鉴别特征：体长 15.00 ~ 18.80mm，体宽 3.50mm。体黑色，触角、口须、跗节棕黄色，无金属光泽。头顶非常隆，光洁，无毛及刻点；眼很小，眼后颊长度等于眼纵径；触角第 3 节接近第 1 节和第 2 节之和。前胸背板略呈正方形，宽约为长的 0.90 倍，宽度为头部宽度的 1.20 倍；盘区光洁，无刻点和毛；基凹宽圆，凹内有极少刻点和皱褶；侧缘在后角之前近直，中部之前有 1 根侧缘毛；后角宽圆，无后角毛。鞘翅长卵形，长为宽度的 1.70 倍；行距稍隆，光洁，无毛和刻点，微纹明显，呈横向网格状，第 3 行距具 2 ~ 3 个毛穴；条沟略深，有不明显的刻点。前胸腹板突无边。前胸前侧片和后胸前侧片无刻点，后胸前侧片长是宽的 1.50 倍。后跗节具内外纵沟。

采集记录：1 头，眉县大爷海，3590m，2011. Ⅷ. 08；4 头，眉县太白山，2012. Ⅶ. 01。

分布：陕西（周至、眉县）。

36. 真肉步甲属 *Eobroscus* Kryzhanovskij, 1951

Eobroscus Kryzhanovskij, 1951: 538. **Type species:** *Eobroscus richteri* Kryzhanovskij, 1951 (= *Broscus lutshniki* Roubal, 1928).

属征：体长 15 ~ 18mm。体棕黑色，稍具绿色或紫色金属光泽。头大，上颚外沟有 1 根刚毛；眼内侧具眉毛 1 根；触角自第 5 节或第 4 节端部起密被绒毛；颈区有横向深沟；咽部两侧各具 1 条斜向深沟；口须端节略呈棒状，端部平截，下唇须亚端节近端部有 2 根刚毛。前胸背板心形，基部被刻点，侧边有 2 根刚毛。鞘翅行距平，光洁，无毛和刻点；条沟细，由刻点组成。雄性前跗节 1 ~ 3 节略加宽，只有 1 ~ 2 节腹面有少量的白色粘毛。

分布：东亚和南亚。世界仅知 4 种，中国记录 3 种，秦岭地区发现 1 种。

(84) 卢氏肉步甲 *Eobroscus lutschiniki* (Roubal, 1928)

Broscus lutschiniki Roubal, 1928: 90.

Eobroscus richteri Kryzhanovskij, 1951: 538.

鉴别特征：体长 15 ~ 16mm，体宽约 5.50mm。体棕黑色，体表稍具紫色金属光泽。眼后颊微隆，长度约为眼纵径的 1/3；触角自第 5 节起密被绒毛。前胸背板表面无毛和刻点，中线两侧有多条横皱褶。鞘翅行距微纹明显，呈等直径的网格；条沟刻点在外侧不很清晰。

采集记录：1 头，周至厚畛子，1271m，2007. Ⅷ. 10。

分布：陕西（周至），东北；俄罗斯（远东），日本。

37. 婪步甲属 *Harpalus* Latreille, 1802

Harpalus Latreille, 1802: 92. **Type species**: *Carabus proteus* Paykull, 1790 (= *Harpalus affinis* Schrank, 1781).

Proteonus Fischer von Waldheim, 1829: 21. **Type species**: *Carabus distinguendus* Duftschmid, 1812.

Actephilus Stephens, 1833: column 11. **Type species**: *Carabus vernalis* Paykull sensu Duftschmid, 1812 (= *Harpalus pumilus* Sturn, 1818).

Conicus Motschulsky, 1844: 197. **Type species**: *Harpalus acuminalus* Motschulsky, 1844 (= *Harpalus oodioides* Dejean, 1829).

Pheuginus Motschulsky, 1844: 197. **Type species**: *Harpalus optabilis* Dejean, 1829.

Bioderus Motschulsky, 1848: 487. **Type species**: *Microderus petreus* Motschulsky, 1844 (= *Anisodactylus obtusus* Gebler, 1833).

Euxenus Gistel, 1856: 359. **Type species**: *Carabus vernalis* Fabricius, 1801 (= *Harpalus pumilus* Sturm, 1818).

Amblystus Motschulsky, 1864: 209. **Type species**: *Carabus rubripes* Duftschmid, 1812.

Ooistus Motschulsky, 1864: 209. **Type species**: *Harpalus taciturnus* Dejean, 1829.

Hypsinephus Bates, 1878: 715. **Type species**: *Hypsinephus ellipticus* Bates, 1878 (= *Harpalus Salinus* Dejean, 1829).

Artabas Gozis, 1882: 287. **Type species**: *Harpalus punctatostriatus* Dejean, 1829.

Harpalophonus Ganglbauer, 1891: 341. **Type species**: *Harpalus hospes* Sturm, 1818.

Loxophonus Reitter, 1894: 124. **Type species**: *Loxophonus setiporus* Reitter, 1894.

Brachypangus Tschitschérine, 1898b: 174. **Type species**: *Brachypangus ontonowi* Tschitschérine, 1898.

Epiharpalus Reitter, 1900: 75. **Type species**: *Harpalus punctipennis* Mulsant, 1852.

Harpalobius Reitter, 1900: 76. **Type species**: *Harpalus fuscipalpis* Sturm, 1818.

Harpaloderus Reitter, 1900: 76. **Type species**: *Harpalus sulphuripes* Germar, 1824.

Harpaloxys Reitter, 1900: 75. **Type species**: *Harpalus cardioderus* Putzeys, 1872 (= *Harpalus ebeninus* Heyden, 1870).

Lasioharpalus Reitter, 1900: 75. **Type species**: *Harpalus subangulatus* Reitter, 1900.

Cephalotypsis Tschitschérine, 1901: 238. **Type species**: *Harpalus semenowi* Tschitschérine, 1901.

Licinoderus Sainte-Claire Deville, 1905: 114. **Type species**: *Licinoderus chobauti* Sainte-Claire Deville, 1905 (= *Harpalus chobautianus* Lutshnik, 1922).

Acardystus Reitter, 1908: 172. **Type species**: *Harpalus rufus* Brüggemann, 1873 (= *Carabus flavescens* Piller *et* Mitterpacher, 1783).

Harpalomerus Casey, 1914: 76. **Type species**: *Harpalus amputatus* Say, 1830.

Pharalus Casey, 1914: 63. **Type species**: *Pangus testaceus* LeConte, 1853 (= *Harpalus indianus* Csiki, 1932).

Rapahlus Lutshnik, 1922: 61. **Type species**: *Harpalus salinus* Dejean, 1829.

Smirnovia Lutshnik, 1922: 62. **Type species**: *Smirnovia tristis* Lutshnik, 1922 (= *Harpalus kandaharensis* Jedlička, 1956).

Euharpalops Casey, 1924: 116. **Type species**: *Euharpalops wadei* Casey, 1924 (= *HarPalus Fiaternus* LeConte, 1865).

Haploharpalus Schauberger, 1926: 44. **Type species**: *Harpalus froelichii* Sturm, 1818.

Cordoharpalus Hatch, 1949: 87. **Type species**: *Harpalus cordifer* Notman, 1919.

Neoharpalus Mateu, 1954: 4. **Type species**: *Harpalus franzi* Mateu, 1954.

Harpalellus Lindroth, 1968: 815. **Type species**: *Harpalus basilaris* Kirby, 1837 (= *Harpalus fuscipalpis* Sturm, 1818).

Nephoharpalus Huang, Lei, Yan *et* Hu, 1996: 120. **Type species**: *Harpalus jianyangensis* Huang, Lei, Yan *et* Hu, 1996 (= *Harpalus pallidipennis* Morawitz, 1862).

属征：体长 6 ~ 16mm。一般黑色，少数有绿色、蓝色或紫色金属光泽。额沟非常短，呈小圆凹状，不向复眼方向延伸；唇基前缘常具 2 根刚毛；复眼常突出，内侧具 1 对刚毛；触角自第 3 节起每节具绒毛；上颚外沟无刚毛；颏与亚颏之间横沟完整，颏有齿或无齿；口须端节纺锤形，下唇须亚端节内侧具刚毛 3 根以上。前胸背板横方形，隆起；侧缘前半部分具 1 对刚毛，即前缘毛，无后缘毛。鞘翅一般无虹彩，光洁，有些种类有或稀或密的毛；侧缘在近翅端处常向内凹陷，呈端凹，端凹一般微弱，有的很明显；第 3 行距无毛穴，或仅有 1 个毛穴，少数有 1 个以上的毛穴，第 7 行距在翅端前常具 1 个毛穴，有的种类在此毛穴附近还具次生毛穴；后翅膜质，完整，具有飞翔功能。后足腿节近后缘毛列至少具 3 根刚毛（少数 2 根），跗节背面无毛或具纤毛；雄虫前中跗节 2 ~ 4 节多少膨大，腹面有两列粘毛，第 5 跗节腹面两侧至少具 2 对刚毛。

分布：古北区，东洋区。世界已知种类超过千种，中国已知 100 种，秦岭地区发现 12 种。

分种检索表

1. 跗节表面密被绒毛 ·· 2
   跗节表面光洁无毛 ·· 8
2. 鞘翅表面全部有毛 ·· 3
   鞘翅表面无毛，或仅在侧缘和端部有毛 ·· 5

3. 前胸背板全部被密刻点；体型较大，体长 15～16mm ……………… **乌苏里婪步甲 *H. ussuriensis***
前胸背板中区光洁；体型较小，体长 10～13mm …………………………………………………… 4
4. 唇基前缘有毛 2 根 ………………………………………………………………………… **毛婪步甲 *H. griseus***
唇基前缘有毛 3～6 根 ……………………………………………………………… **肖毛婪步甲 *H. jureceki***
5. 鞘翅条沟内明显有粗刻点 ……………………………………………………… **大卫婪步甲 *H. davidi***
鞘翅条沟内无刻点 ………………………………………………………………………………………… 6
6. 鞘翅全部行距无绒毛和刻点……………………………………… **单齿婪步甲 *H. simplicidens***
鞘翅至少第 8～9 行距及翅端部有绒毛和刻点 ………………………………………………… 7
7. 前胸背板后角尖齿状，向外突出；前足胫节距加宽呈三叉状 ………… **三齿婪步甲 *H. tridens***
前胸背板后角略圆，不突出；前足胫节距略加宽，不呈三叉状………… **草原婪步甲 *H. pastor***
8. 鞘翅棕黑色，表面有不规则的棕黄色斑……………………………… **黄鞘婪步甲 *H. pallidipennis***
鞘翅单一黑色，无色斑 …………………………………………………………………………………… 9
9. 虫体有绿色金属光泽 ……………………………………………………… **铜绿婪步甲 *H. chalcentus***
虫体全黑色，无金属光泽……………………………………………………………………………… 10
10. 腹部第 4～5 节腹板两原生刚毛外侧具刚毛或绒毛………………………………………… 11
腹部第 4～5 节腹板两原生刚毛外侧无刚毛及绒毛 ………………………… **棒婪步甲 *H. bungii***
11. 小型，体长小于 10mm；鞘翅带蓝紫色光泽，沟内无刻点，端凹略明显 ………………………
………………………………………………………………………………… **普氏婪步甲 *H. plancyi***
大型，体长大于 10mm；鞘翅不带蓝紫色光泽，沟内具刻点，端凹不明显 ……………………
…………………………………………………………………………… **直角婪步甲 *H. corporosus***

（85）棒婪步甲 *Harpalus bungii* Chaudoir，1844

Harpalus bungii Chaudoir，1844：451.
Harpalus misellus Tschitschérine，1897b：53.
Harpalus variipes Bates，1883：239.

鉴别特征：体长 6.50～8.50mm，体宽 3.00～3.50mm。体黑色，光亮，口须、触角、胫节棕黄色，腿节棕黑色，前胸背板边缘和近后角区域棕色。头部光洁，无刻点，微纹明显，由近等直径的网格组成；额沟短，不伸向复眼；上唇前缘微凹；颏齿中度突出；触角略超过前胸背板中部，从第 3 节起被绒毛，第 2 节最短，第 1、3 及末节较长；眉毛 1 根。前胸背板横方形，宽为长的 1.60 倍，最宽处在侧缘中部；后角钝圆；盘区中沟细；基凹狭长，呈纵沟状，沟内具刻点，沟外区域光洁。鞘翅基沟较平直，肩角有小尖齿；条沟无刻点；行距稍隆，光洁无毛，第 3 行距有 1 个毛穴。前足胫节外端具刺 4～5 根，后足腿节后缘具刚毛 4 根，有时 5 根，跗节表面光洁无绒毛。

采集记录：1 头，周至厚畛子，2007. Ⅴ.25；1 头，宁陕火地塘，2007. Ⅵ.05。

分布：陕西（周至、宁陕）、黑龙江、辽宁、内蒙古、河北、山西、四川；蒙古，俄罗斯（西伯利亚），朝鲜，日本。

（86）铜绿婪步甲 *Harpalus chalcentus* Bates, 1873

Harpalus chalcentus Bates, 1873a: 263.

鉴别特征：体长 13 ~ 14mm，体宽 4.70 ~ 5.00mm。体黑色，触角、口须和跗节端部棕黄色，表面有绿色金属光泽。头表面光洁，无毛和刻点，眼中等大。前胸背板方形，表面隆起；盘区光洁无刻点，基区全部、侧沟被密刻点；基凹狭，沟外区域强烈隆起；后角近直角，角顶端圆；侧缘在后角之前近直。鞘翅行距平，无刻点和毛，第3 行距近端部有 1 个大毛穴；条沟略深，沟内刻点不明显；亚端凹不深；缝角圆，无刺突。腹部 3 ~ 5 节除了两根长刚毛外，另有一些中等长度的刚毛。后腿节后缘有6 ~ 8 根刚毛；跗节表面光洁无毛。

采集记录：1 头，周至楼观台，680m，2008. Ⅵ. 24；1 头，周至楼观台，680m，2008. Ⅵ. 23-24；1 头，周至厚畛子，2007. Ⅴ. 25。

分布：陕西（周至）、吉林、河北、山东、宁夏、甘肃、江苏、浙江、湖北、湖南、福建、广东、广西、四川、贵州、云南；日本，朝鲜。

（87）直角婪步甲 *Harpalus corporosus* (Motschulsky, 1861)

Pheuginus corporosus Motschulsky, 1861: 3.

鉴别特征：体长 11.50 ~ 15.50mm，体宽 5.00 ~ 6.50mm。体黑色；触角、口须棕黄色至棕红色，部分带黑色；足深红棕色至黑色，无金属光泽。头表面光洁，无毛和刻点，眼中等大。前胸背板横方形，宽是长的 1.50 ~ 1.60 倍；盘区隆起，光洁无刻点；基区和侧沟被密刻点；基凹狭而浅，沟外区域隆起；后角直角，角顶端略尖；侧缘在后角之前直。鞘翅长是宽的近 1.40 倍；行距平，微纹明显，无刻点和毛，第 3 行距近端部有 1 个大毛穴，第 7 行距端部 1 个毛穴；条沟略深，沟内具紧密排列的刻点；亚端凹不深；缝角顶点略突出，呈锐齿状。腹部 3 ~ 5 节除了两根长刚毛外，另有一些中等长度的刚毛。后腿节后缘有 6 ~ 8 根刚毛，跗节表面光洁无毛。

采集记录：1 头，周至楼观台，680m，2008. Ⅵ. 22-26。

分布：陕西（周至）、黑龙江、辽宁、内蒙古、河北、宁夏、甘肃、湖北、西藏；日本。

（88）大卫婪步甲 *Harpalus davidi* (Tschitschérine, 1897)

Ophonus (*Pardileus*) *davidi* Tschitschérine, 1897b: 45.
Harpalus (*Pardileus*) *horni* Jedlička, 1928b: 92.
Harpalus (*Pardileus*) *Jedlickai* Schauberger, 1929: 184.
Harpalus zouhari Jedlička, 1961: 157.

Harpalus (*Pseudoophonus*) *adenticulatus* Huang, 1992: 59, 63.

Harpalus (*Pseudoophonus*) *kailiensis* Huang, 1992: 61, 64.

Harpalus (*Pseudoophonus*) *cilihumerus* Huang, Hu *et* Sun, 1994: 263, 267.

鉴别特征: 体长12.00～13.50mm，体宽4.50～5.40mm。虫体光亮，黑色，有时头和前胸背板稍带棕色，足腿节和胫节黑色，跗节棕黑色，触角棕黄色。头部光洁或稍具细刻点。前胸背板横宽，前缘后部靠端角处有粗大刻点，盘区光洁无毛，无刻点，后角钝圆，基凹很浅，基区刻点粗密。翅无毛被，行距隆，8～9行距有稀疏细刻点，但无纤毛，第7行距端具毛穴1个，条沟深，沟内明显具刻点。后腿节后缘具4根长刚毛，靠基部具短刚毛4～5根，前足胫节距简单且不分叉，跗节表面被绒毛，雄虫中足第1跗节不具粘毛。

采集记录: 1头，眉县汤峪口，500m，2011.Ⅷ.07。

分布: 陕西(眉县、镇巴)、河北、山西、山东、河南、甘肃、江苏、安徽、浙江、湖北、四川；朝鲜，日本。

(89) 毛婪步甲 *Harpalus griseus* (Panzer, 1796)

Carabus griseus Panzer, 1796: no 1.

Carabus bicolor Marsham, 1802: 436 (non Drury, 1770).

Harpalus reichei Desbrochers des Loges, 1867: 42.

Harpalus (*Pseudoophonus*) *xinjiangensis* Huang, Hu *et* Sun, 1994: 263, 267.

鉴别特征: 体长11～13mm，体宽4.20～4.50mm。体棕黑色，触角、口须和足黄色，表面无金属光泽。头表面光洁,无毛和刻点，眼中等大。前胸背板方形，表面隆起；盘区光洁无刻点，基区全部和侧沟被密刻点；基凹狭，凹外区域不隆起；后角近直角，角顶端圆；侧缘在后角之前近直。鞘翅行距平，密被刻点和毛；条沟略深，沟内刻点不明显；亚端凹不深；缝角圆，无刺突。腹部3～5节除了两根长刚毛外，密被细绒毛。后腿节后缘有4根长刚毛和少量短刚毛，跗节表面有密绒毛。

采集记录: 1头，周至厚畛子，2007.Ⅷ.11；1头，厚畛子老县城，1700m，2007.Ⅷ.12；1头，佛坪下沙窝，1200m，2008.Ⅶ.06；1头，宁陕火地塘，1500m，2007.Ⅷ.19。

分布: 陕西(周至、佛坪、宁陕)，中国广布；蒙古，俄罗斯，朝鲜，日本，东南亚，欧洲。

(90) 肖毛婪步甲 *Harpalus jureceki* (Jedlička, 1928)

Pseudophonus Jureceki Jedlička, 1928a: 45.

鉴别特征: 体长10～12mm。体黑色，上颚、上唇棕红色，口须、触角、足橘黄色。头顶光洁，眉毛1根；唇基具毛3~6根；颏齿端不尖；触角长达翅基，第3节为第2节长度的2倍以上，自第3节起被密绒毛。前胸板略宽于头部；后角钝圆；中沟明显，盘区中部光洁，前缘有少量刻点；基缘刻点密集；基凹较浅，常形成纵沟；侧缘具毛1根。鞘翅被密毛，行距较平。第5节腹板仅被细毛。足前胫节外端角有刺4~5根，爪简单。此种和 *Harpalus griseus*（Panzer）非常相似，但通过唇基毛数容易区别。

采集记录：2头，佛坪，890~950m，1998. Ⅶ. 23，1999. Ⅵ. 26。

分布：陕西(佛坪)、黑龙江、吉林、辽宁、内蒙古、河北、甘肃、安徽、浙江、湖北、江西、湖南、福建、四川、贵州、云南；俄罗斯，朝鲜，日本。

(91) 黄鞘婪步甲 *Harpalus pallidipennis* Morawitz, 1862

Harpalus pallidipennis Morawitz, 1862a: 260.

Harpalus jianyangensis Huang, Lei, Yan *et* Hu, 1996: 120.

Selenophorus temperatus Kolbe, 1886: 176.

Harpalus thoracicus Motschulsky, 1844: 221.

鉴别特征：体长8.50~9.50mm。头、胸棕黑色，鞘翅棕黑色，表面具不规则的棕黄色云斑。头光亮，无毛和刻点，微纹不明显，唇基毛2根，眉毛1根，触角自第3节被绒毛。前胸横宽，光亮，无毛，微纹明显呈等直径的网格；后角直，角端钝圆，基凹浅，被粗刻点，基部刻点粗密；侧缘毛1根。翅行距平，微纹明显，第3行距毛穴3~4个，第7行距端毛穴1个；条沟浅，沟内无刻点；翅近端凹明显。足跗节表面光洁无毛，前足胫节距简单，后腿节后缘毛4~7根。

采集记录：1头，周至，1981. Ⅹ. 15；1头，户县，1981。

分布：陕西(周至、户县)、河北、山东、甘肃、福建、广西、四川、西藏；蒙古，俄罗斯，朝鲜。

(92) 草原婪步甲 *Harpalus pastor* Motschulsky, 1844

Harpalus pastor Motschulsky, 1844: 208.

Harpalus (*Pardileus*) *tschiliensis* Schauberger, 1929: 186.

Harpalus (*Pardileus*) *tschiliensis sutschanensis* Schauberger, 1929: 187.

Harpalus (*Pardileus*) *tschiliensis hweisinensis* Schauberger, 1929: 188.

Harpalus (*Pardileus*) *tschiliensis szetschuanensis* Schauberger, 1930: 177.

Harpalus (*Pardileus*) *tschiliensis szetschuanensis* ab. *lateripunctatus* Schauberger, 1930: 177 (unavailable name).

Harpalus (*Pseudoophonus*) *penglainus* Huang, Hu *et* Sun, 1994: 264, 268.

Harpalus (*Pseudoophonus*) *chiloschizontus* Huang *in* Huang *et* Zhang, 1995: 114, 117.

鉴别特征：体长9～14mm。体棕黑色，稍光亮，附肢棕黄色。头顶隆，基本光洁；额沟深短；上唇宽大，前缘微凹；上颚粗壮，端部钝；下唇须倒2节内缘毛多于2根；颏齿明显；触角自第3节起被绒毛；眉毛1根。前胸背板横方，宽约为长的1.40～1.50倍，基宽稍大于端宽；前缘微凹；端角宽圆，几不向前突出；侧缘弧圆，在近后角处稍直；侧沟稍宽，布刻点；盘区大部分光洁，靠近端角处有稀刻点；中线明显；基凹较深，密布粗大刻点；基部中间有稀刻点；后角近直角，角端具1个小齿突，但不很明显。鞘翅近长方形，条沟深，沟内不具刻点；行距稍隆，微纹横向；第3行距无毛穴，第7行距近翅端具3～4毛穴，第8～10行距及其他行距靠端部具细刻点和纤毛；翅肩具1枚小齿，不很明显。后足腿节后缘具刚毛4～5根，前足胫节端距稍膨宽，但侧缘不具齿；跗节表面有绒毛，雄虫前中足跗节1～4节腹面有粘毛。

采集记录：1头，佛坪县城，2007.Ⅷ.15；1头，宁陕火地塘，2007.Ⅷ.18。

分布：陕西（佛坪、宁陕）、黑龙江、辽宁、内蒙古、河北、山西、山东、甘肃、湖北、湖南、福建、广东、广西、贵州；俄罗斯，朝鲜，日本。

（93）普氏婪步甲 *Harpalus plancyi* Tschitschérine, 1897

Harpalus plancyi Tschitschérine, 1897a: 22.

鉴别特征：体长7.50～9.00mm，体宽3.50～4.00mm。体黑色，鞘翅略带蓝紫色金属光泽，口须、触角棕黄色，足深棕色至黑色。头顶隆，背面无绒毛，刻点细微或不明显；复眼突出；触角伸至前胸背板后角之前。前胸背板隆，横方，宽是长的1.50倍；盘区隆，无毛和刻点；侧缘缘边明显，向前呈弧形收缩，向后较直，略收缩，在后角前变圆；后角钝角，顶端圆；基凹浅，被刻点。鞘翅长方形，长约为宽的1.40倍；行距表面无绒毛和刻点，微纹明显，呈等直径网纹状，第3行距具毛穴1个，条沟略深，沟内无刻点。后足腿节近后缘具5～7根刚毛；前足胫节前外缘一般具4～6根刺；跗节表面光洁无毛。腹部第3～5节腹板原生刚毛外侧常具数根次生刚毛。

采集记录：2头，周至厚畛子，2007.Ⅴ.25。

分布：陕西（周至）、辽宁、河北。

（94）单齿婪步甲 *Harpalus simplicidens* Schauberger, 1929

Harpalus simplicidens Schauberger, 1929: 185.

鉴别特征：体长11～13mm，体宽4.50～5.00mm。体黑色，口须、触角、足棕红色。头顶光洁，眉毛1根；唇基具毛2根；触角不达前胸背板基部，第3节为第2节长度的2倍。上颚端部钝；颏齿突出，颏具毛1对。前胸背板盘区隆起，光洁；侧缘弧圆；后角直，端部略尖，不向外突出；基部具较密刻点。鞘翅全部光洁，侧缘及翅端均无刻点和短毛；行距隆起，第7行距近端部有毛穴1～2个。胸部腹面被稀疏刻点。前足胫节端距侧缘略加宽，简单，不呈三叉状；后足腿节后缘具刚毛6～7根。雄虫中足基跗节腹面无粘毛，跗节表面有密毛。

采集记录：1头，咸阳，1981；1头，潼关，1981。

分布：陕西(咸阳、潼关)、黑龙江、吉林、内蒙古、河北、山西、河南、甘肃、江苏、安徽、江西、四川、西藏；蒙古，俄罗斯，朝鲜，日本。

(95) 三齿婪步甲 *Harpalus tridens* Morawitz, 1862

Harpalus tridens Morawitz, 1862a: 245.

Harpalus (*Pardileus*) *Pecirkai* Jedlička, 1928: 93.

Harpalus (*Pardileus*) *magnodentatus* Schauberger, 1929: 190.

Harpalus hypogeomysis Huang, 1993: 451, 454.

Harpalus (*Pseudoophonus*) *pilosus* Huang *in* Huang *et* Zhang, 1995: 113, 116.

鉴别特征：体长11～12mm，体宽4.50～4.80mm。体黑色，口须、触角、足棕红色。头顶光洁，眉毛1根；唇基具毛2根；触角不达前胸背板基部，自第3节起被绒毛，第3节为第2节长度的2倍。上颚端部钝；颏齿突出，颏具毛1对。前胸背板盘区隆起，光洁；侧缘弧圆；后角有1个小齿突，向外突伸；基部具较密刻点。鞘翅大部分光洁，侧缘8～9行距及其他行距的端部密布细刻点及短毛；行距隆起，第7行距近端部有毛穴2～3个。胸部腹面被稀疏刻点。前足胫节端距侧缘具齿，呈三叉状；后足腿节后缘具刚毛8～9根；雄虫中足基跗节腹面有粘毛；跗节表面密被绒毛。此种变异较大，有时鞘翅侧缘纤毛范围较大，占据多条行距；有些个体前足胫节端距侧齿不很明显。

采集记录：2头，佛坪，900m，1999. Ⅵ. 26；2头，宁陕火地塘林场，1554m，2015. Ⅶ. 17。

分布：陕西(佛坪、宁陕)、辽宁、甘肃、江苏、安徽、浙江、湖北、江西、湖南、福建、四川、贵州；朝鲜，日本，越南，老挝，柬埔寨，印度。

(96) 乌苏里婪步甲 *Harpalus ussuriensis* Chaudoir, 1863

Harpalus (*Pseudoophonus*) *ussuriensis* Chaudoir, 1863b: 219.

鉴别特征：体长15～16mm，体宽5.50～6.00mm。体棕黑色，触角、口须和足棕黄色，表面无金属光泽。头表面光洁无毛，密被刻点，眼中等大。前胸背板方形，表面隆起；盘区全部被密刻点，基部的侧部有绒毛；基凹浅，凹外区域不隆起；后角近直角，角顶端略圆；侧缘在后角之前近直。鞘翅行距平，密被刻点和毛；条沟略深，沟内刻点不明显；亚端凹不深；缝角圆，无刺突。腹部3～5节除了两根长刚毛外，中区还有较密的细绒毛。后腿节后缘有 4 根长刚毛和少量短刚毛，跗节表面有密绒毛。

采集记录：1 头，留坝庙台子，1998. Ⅶ.21；1 头，佛坪，1998. Ⅶ.23；1 头，宁陕火地塘，1979. Ⅷ.23。

分布：陕西（留坝、佛坪、宁陕）、黑龙江、吉林、辽宁、河北、山西、山东、甘肃、青海、江苏、湖北、湖南、四川；俄罗斯，朝鲜，日本。

38. 毛盆步甲属 *Lachnolebia* Maindron, 1905

Lachnolebia Maindron, 1905: 95 [RN]. **Type species**: *Lebia cribricollis* Morawitz, 1862.

Dictya Chaudoir, 1871: 123 [HN]. **Type species**: *Lebia cribricollis* Morawitz, 1862.

属征：体长 6.50 ~ 8.00mm。头在颈处缢缩；眼大，眉毛 2 根；触角第 1 ~ 3 节有稀疏绒毛，第 4 节起密被绒毛；口须末节纺锤状，端部平截；颏有中齿，但无刚毛。前胸背板基部中央整体向后突伸，明显呈柄状；基缘无加边；侧边有 2 根刚毛。鞘翅后缘平截，后外角圆，第 3 行距有毛穴 2 个，条沟呈刻点状。跗节表面有稀疏的绒毛，第 4 跗节深裂，爪有齿。

分布：亚洲。世界仅知 1 种，秦岭地区有分布。

(97) 筛毛盆步甲 *Lachnolebia cribricollis* (Morawitz, 1862)

Lebia cribricollis Morawitz, 1862a: 245.

鉴别特征：体长 6.50 ~ 8.00mm，体宽 3.20 ~ 3.50mm。体棕色，头部黑色，鞘翅蓝色。头大，头顶布满粗刻点和毛；眼突出，眼后颊几乎不显；触角第 3 节是第 4 节的 1.20 倍。前胸背板横方，宽是长的 1.20 ~ 1.30 倍，表面密被刻点和毛；侧边在后角之前有短的弯曲，后角略小于直角，外突，端部略尖。鞘翅略宽短，长为宽的 1.30 倍，其宽为前胸背板宽的 1.80 倍；行距平，有稀疏而大的刻点；条沟由刻点组成，刻点较深。雄性末腹板端缘有 2 对毛，雌性有 3 对毛。

采集记录：1 头，佛坪，950m，1998. Ⅶ.23。

分布：陕西（佛坪）、黑龙江、吉林、辽宁、河北、新疆、江苏、浙江、湖北、江西、湖南、福建、广西、四川、云南；俄罗斯，朝鲜，日本。

39. 盆步甲属 *Lebia* Latreille, 1802

Lebia Latreille, 1802: 85. **Type species**: *Carabus haemorrhoidalis* Fabricius, 1792 (= *Buprestis marginatus* Geoffroy, 1785).

Lia Eschscholtz , 1829: 7. **Type species**: *Lebia dorsalis* Dejean, 1826.

Aphelogenia Chaudoir, 1871: 156. **Type species**: *Carabus vittatus* Fabricius, 1801.

Dianchomena Chaudoir, 1871: 156. **Type species**: *Lebia scapularis* Dejean, 1831 (= *Lebia solea* Hentz, 1830).

Eccoptomesa Churdoir, 1871: 156. **Type species**: *Lebia coeca* Gory, 1833.

Eulebia MacLeay, 1871: 86. **Type species**: *Eulebia plagiata* Macleay, 1871 (= *Lebia melanonota* Chatdoir, 1870).

Metabola Charudoir, 1871: 156 [HN]. **Type species**: *Metabola rufopyga* Chaudoir, 1871 (= *Lebia pulchella* Dejean, 1826).

Scythropa Chaudoir, 1871: 156. **Type species**: *Scythropa goudoti* Chaudoir, 1871.

Morpholebia Pic, 1922: 25. **Type species**: *Lebia brevilimbata* Pic, 1922.

属征：体长4.50～15.00mm。头在颈处缢缩；眼大，眉毛2根；触角第1～3节光洁或有少量绒毛，自第4节起密被绒毛；口须末节棒状或略呈纺锤状，端部略尖或平截；颏有中齿，但无刚毛。前胸背板基部中央向后突伸，略呈柄状；基缘有加边；侧边有2根刚毛。鞘翅后缘平截，后外角圆，第3行距有毛穴2个，条沟呈刻点状。后翅发达，会飞翔。前胸前侧片长大于宽。跗节表面有稀疏的绒毛，第4跗节深裂，爪有齿。

分布：世界广布。世界已知750种，中国有30种左右，秦岭地区发现2种。

分种检索表

体长4.50～5.00mm；鞘翅黑色，端部1/5黄色，基部有两个卵圆形黄斑，占据2～6行距 ………………………………………………………………………………… **腰盆步甲 *L. iolanthe***

体长9.50mm左右；鞘翅黄色，基部和中后部各有1个黑斑，前斑占据1～4行距，后斑占据1～5行距，两斑在第1行距相连………………………………… **联斑盆步甲 *L. schmidtgoebeli***

(98) 腰盆步甲 *Lebia iolanthe* Bates, 1883

Lebia iolanthe Bates, 1883: 287.

鉴别特征：体长4.50～5.00mm，体宽2.20～2.30mm。体黄色，头部黑色，口须、触角4～11节棕黑色，鞘翅大部分黑色，端部1/5黄色，基部有两个卵圆形黄斑，占据2～6行距。头顶平，有细密刻点；触角1～3节光洁。前胸背板横方，宽是长的1.30～1.40倍，其宽度是头部宽度的1.10～1.20倍；表面具细微刻点和横皱；后角之前有短的弯曲；后角略呈锐角，端部外突。鞘翅宽约是前胸的2倍；行距平，微纹非常明显，由等直径的网格组成；条沟略深，沟内具细刻点。雄性末腹板有1～2对刚毛，雌性有3对刚毛。

采集记录：4头，佛坪，890～900m，1999.Ⅵ.26。

分布: 陕西(佛坪)、湖北、福建、台湾、海南、广西、四川、云南;日本。

(99) 联斑盆步甲 *Lebia schmidtgoebeli* Lorenz, 1998

Lebia schmidtgoebeli Lorenz, 1998: 13 [RN].

Lebia sellata Schmidt-Göbel, 1846: 45 [HN].

鉴别特征: 体长 9.50mm 左右, 体宽 4.50mm 左右。体黄色, 头部棕红色或黄色。基部和中后部各有 1 个黑斑, 前斑抵达基边, 占据 1 ~ 4 行距, 后斑占据 1 ~ 5 行距, 两斑在第 1 行距相连。头顶平, 有极细的稀疏刻点; 触角 1 ~ 3 节光洁。前胸背板横方, 宽是长的 1.50 倍, 其宽度是头部宽度的 1.20 倍; 表面密具细横皱; 后角之前几乎不弯曲; 后角略明显, 端部圆。鞘翅宽约是前胸的 2 倍; 行距平, 微纹略明显, 前由等直径的网格组成, 后部网格略扁; 条沟略深, 沟内具细刻点。雄性末腹板有 2 对刚毛, 雌性有 3 ~ 4 对刚毛。

采集记录: 1 头, 宁陕火地塘林场, 1554m, 2015. Ⅶ. 07。

分布: 陕西(宁陕)、湖北、福建、台湾、海南、广西、四川、云南;日本。

40. 光鞘步甲属 *Lebidia* Morawitz, 1862

Lebidia Morawitz, 1862b, 4: 239. **Type species**: *Lebidia octoguttata* Morawitz, 1862.

属征: 体长 7 ~ 12mm。体背强烈隆起, 体表光洁; 复眼半球形, 强烈突出; 颊短, 不及眼长的 1/2; 眉毛 2 根; 唇基横长, 前缘直或中部凹入, 前缘具 2 根刚毛; 触角自第 4 节端半部起密被绒毛; 上唇横前缘直, 端部具 6 根刚毛; 上颚加宽, 外缘宽圆, 外沟无毛; 下颚须、下唇须末节筒状; 颏无中齿, 通常无刚毛; 亚颏具 2 根长刚毛; 颊于复眼之下具 2 根刚毛。前胸背板明显宽于头部, 最宽处约在中部之后; 后缘中部不突出; 侧缘中部无刚毛, 后角具 1 根刚毛。鞘翅隆起, 缝角角圆, 不突出成刺。鞘翅条沟消失, 密布均匀的细刻点; 基部毛穴小。腹部 4 ~ 6 节中央两侧通常具 2 根刚毛; 末腹板每侧具 3 ~ 5 对刚毛; 雄性末端中部具凹缺, 雌性弧圆。后足腿节后缘具 2 根刚毛; 跗节加宽, 第 4 跗节双叶状, 爪具梳齿。

分布: 东亚和东南亚。世界已记录 4 种, 中国有 3 种, 秦岭地区发现 1 种。

(100) 眼斑光鞘步甲 *Lebidia bimaculata* (Jordan, 1894)

Sarothrocrepis bimaculata Jordan, 1894: 106 .

鉴别特征: 体长 7.00 ~ 9.50mm。头、前胸背板棕黄色, 口器、触角 1 ~ 4 节黄色，5～11 节棕色，前胸背板侧边黄色，鞘翅棕红色，每翅后部各具 1 个白色大斑，白斑周围无深色区域，白斑内部具褐色至黑色斑。头顶被细刻点，具较浅的网状微纹。前胸背板半圆形，宽为长的 1.40～1.60 倍；侧边中部弧圆，在后角之前直或略弯曲；后角明显呈直角，不向外突出，部分标本前胸背板梯形，侧缘几乎直，在后角处最宽；中线浅，不达前后缘；盘区平坦，密被粗刻点。鞘翅向后稍加宽，表面具网状微纹，盘区无明显凹陷。

采集记录：1 头，佛坪凉风垭，1750～2150m，1999. Ⅵ. 28；1 头，宁陕火地塘，1580m，1998. Ⅶ. 27；1 头，宁陕火地塘，2008. Ⅶ. 08；1 头，黄龙，1979. Ⅵ. 13。

分布：陕西（佛坪、宁陕、黄龙）、宁夏、甘肃、浙江、湖北、台湾、广东、贵州、重庆、四川、西藏；东南亚。

41. 盗步甲属 *Leistus* Frölich, 1799

Leistus Frölich, 1799: 9. **Type species**: *Leistus testaceus* Frölich, 1799 (= *Carabus ferrugineus* Linnaeus, 1758).

属征：体小型，扁平。头大；眼突出，内侧具眉毛 1 根；上颚基半部向外侧极度膨扩，呈薄片状，上颚外沟有毛 1 根；触角自第 5 节起密被绒毛；咽部有多根粗长刚毛；口须特别细长。前胸背板一般心形，具侧缘毛 1 根。鞘翅卵圆形，行距平或微隆；条沟深，一般具粗刻点。足细长，爪简单。

分布：中国。中国记录 70 多种，秦岭地区发现 1 种。

（101）厚畛子盗步甲 *Leistus houzhenzi* Farkač, 1999

Leistus houzhenzi Farkač, 1999: 25.

鉴别特征：体长 9.00～9.50mm，体宽 3mm。体黑色，无金属光泽，触角、口须、足跗节黄色，足腿节和胫节棕黑色。头顶隆起，具细微刻点；额沟极浅；复眼半球形，突出；眼后颊很短；咽部具 1 排刚毛，有 5～7 根。前胸背板心形，长为宽的 1.50 倍；侧缘在后角之前直；后角直角；基凹很浅。鞘翅长卵形，长为宽的 1.70 倍；行距微纹不清晰，第 3 行距具 4 个毛穴；条沟浅，具粗大刻点。

采集记录：5 头，眉县大爷海，3590m，2011. Ⅷ. 08；1 头，宁陕平河梁，2124m，2015. Ⅶ. 13。

分布：陕西（周至、眉县、宁陕）。

42. 劫步甲属 *Lesticus* Dejean, 1828

Lesticus Dejean, 1828: 189. **Type species**: *Lesticus janthinus* Dejean, 1828.

Triplogenius Chaudoir, 1852: 71. **Type species**: *Trigonotoma bicolor* Laporte de Castelnau, 1834 [= *Lesticus viridicollis* (MacLeay, 1825)].

Trigonomina Motschulsky, 1865: 349. **Type species**: *Trigonomina politocollis* Motschulsky, 1864.

属征：体长 20 ~ 30mm。体黑色或具金属光泽。额沟略深；复眼半球形，强烈突出；颊于眼后不膨大；上唇宽短，端部略凹，中间具 2 根或 4 根刚毛；雄性下唇须末节三角形，雌性较窄，端部明显平截；中唇舌端部具 2 根刚毛；颏齿短宽，端部平截或略分叉，颏具深小孔；亚颏每侧具 1 根刚毛。前胸背板后角通常钝圆，基凹很浅。鞘翅微纹较清晰，呈等直径网格。鞘翅小盾片毛穴存在，小盾片条沟完整；第 3 行距一般具 3 个毛穴，第 1 个近第 3 条沟，后 2 个靠近 2 条沟，第 9 行距毛穴列接近连续。后胸前侧片长大于宽或长宽近等，后翅发达或退化；雄性末腹板每侧具 1 根刚毛，雌性每侧具 2 根刚毛。中足腿节后缘具 3 根刚毛；后足基节具 2 根刚毛；后足转节无刚毛；后跗节外侧脊通常明显，第 5 跗节腹面多具刚毛。

分布：东洋区，澳洲界。中国已记录 13 种，秦岭地区发现 1 种。

(102) 大劫步甲 *Lesticus magnus* (Motschulsky, 1860)

Omoseus magnus Motschulsky, 1860: 5.

Omoacus ingens Morawitz, 1863: 54.

鉴别特征：体长 20 ~ 27mm。体全黑色，无金属光泽。额沟较深，其后具少量皱纹。前胸背板略宽，侧边在中部略圆弧，之后近直，后角钝圆，略呈角状；基凹浅，凹外侧略隆起，凹内具较多的细刻点，有时具皱纹。鞘翅狭长，行距平坦，第 3 行距具 3 个毛穴；条沟内具很细的刻点。后胸前侧片长大于宽；前胸侧片前部具少量细刻点，中、后胸侧片具少量粗大刻点。

采集记录：9 头，太白，1980. Ⅸ；1 头，眉县汤峪口，2011. Ⅷ. 07。

分布：陕西（太白、眉县）、辽宁、北京、河北、山东、甘肃、江苏、安徽、浙江、江西、湖北、湖南、四川；朝鲜，日本。

43. 蕈步甲属 *Lioptera* Chaudoir, 1869

Lioptera Chaudoir, 1869: 208. **Type species**: *Lioptera quadriguttata* Chaudoir, 1869.

属征：体长15mm左右，体宽6mm左右。虫体光洁。头大；眼大而突出，眉毛2根；上唇横宽，端部平截，有6根毛；颈区稍缢缩；触角自4节起密被绒毛；口须端节棒状，端部平截；颏无中齿。前胸背板横宽，侧区加宽；基部中央平截，不向后突出呈柄；侧边具2根刚毛。鞘翅宽大；行距平，表面具刻点，第3行距有毛穴，第5行距无毛穴；后端平截；外后角圆；条沟浅或仅由刻点组成。跗节不加宽，第4跗节微裂，爪有短小梳齿。

分布：东南亚，巴布亚新几内亚。世界已知10种，中国记录1种，秦岭地区发现1种。

(103) 花蕈步甲 *Lioptera erotyloides* Bates, 1883

Lioptera erotyloides Bates, 1883: 208.

鉴别特征：体长12.50~15.00mm，体宽6.00~6.50mm。体黑色，每个鞘翅有前后两条黄色的锯齿状横带，占据2~8行距。头顶平，有横皱，无刻点和毛；眼内侧有纵沟；触角第3节长度等于第4节。前胸背板横宽，宽为长的2倍；盘区有横皱，无毛，微纹清晰，呈等直径的网格；后角略呈钝角，顶端尖；侧边在后角之前直；基凹深。鞘翅宽大，长是宽的1.40倍；行距平，表面具细密刻点，第3行距有4个毛穴；条沟很浅。雌性和雄性末腹板均具2对刚毛。

采集记录：1头，佛坪，900m，1999.Ⅵ.27。

分布：陕西（佛坪）、福建、台湾、广西、云南；俄罗斯，日本，越南，老挝，柬埔寨。

44. 寡行步甲属 *Loxoncus* Schmidt-Göbel, 1846

Loxoncus Schmidt-Göbel, 1846: pl. 3. **Type species**: *Loxoncus elevatus* Schmidt-Göbel, 1846.

Anoplogenius Chaudoir, 1852: 88. **Type species**: *Stenolophus alacer* Dejean, 1831.

Megrammus Motschulsky, 1858a: 26. **Type species**: *Megrammus circumcinctus* Motschulsky, 1858.

Neolissus Landin, 1955: 455. **Type species**: *Coleolissus* (*Neolissus*) *unipunctatus* Landin, 1955 (= *Anoplogenius planicollis* Bates, 1892).

属征：体小型至中等，体长5.50~10.00mm，表面光洁无毛。头部大，眼半球形；额沟浅，常伸达眼部；颊很短；颏的中齿非常浅钝或缺失；中唇舌长，超端部加宽；唇须亚端节具毛2根，端部1~2根短毛。前胸背板近方形，前缘具完整的边，基缘无边；基角圆，顶端一般钝；基凹光洁或具少量刻点。鞘翅侧边在亚端部稍弯曲；肩部圆，无齿突；条沟完整，沟内无刻点；小盾片沟缺失；第3行距具1个毛穴。雄性末腹板具1对刚毛，雌性具2对。雌性外生殖器端基片外缘具1排粗刺。

分布：古北区，东洋区，非洲区，澳洲区。世界已知约30种，中国记录5种，秦岭地区仅发现1种。

(104) 环带寡行步甲 *Loxoncus circumcinctus* (Motschulsky, 1858)

Megmammus circumcinctus Motschulsky, 1858a: 27.
Harpalus cyanescens Hope, 1845: 15 [HN].

鉴别特征：体长7.50~9.50mm，体宽2.80~4.00mm。体黄色至棕黑色，光亮，鞘翅有虹彩光泽，口须、触角1~2节、前胸背板侧缘、鞘翅侧缘3条(7~9)行距、足棕黄色。头隆，光洁无刻点；额沟深，近眼处渐浅；上颚宽短，端部稍尖；下唇须亚端节内缘具毛2根；颏无中齿或具极不明显的突起；中唇舌端部中度加宽；触角细长，超过鞘翅肩部；微纹由等直径的网格组成。前胸背板隆，光洁无毛；宽约为长的1.30~1.40倍，最宽处在中部略前；侧缘弧圆，具侧缘毛1根；盘区隆，光洁无刻点；中线极细，不明显；基凹浅，密布刻点；后角宽圆；表面微纹明显，由横向网格组成。鞘翅近长方形，长为宽的1.60~1.70倍；条沟深，不具刻点；行距平坦，无毛及刻点，第3行距具毛穴1个；翅缝角具1根短刺；表面微纹很不清晰，由横向网格组成。足细长，雄虫前中足跗节第4节凹，呈双叶状。

采集记录：1头，宁陕火地塘，2015.Ⅶ.15。

分布：陕西(佛坪、宁陕)、吉林、内蒙古、河南、江苏、安徽、浙江、湖北、江西、湖南、福建、广东、四川、贵州、云南；蒙古，俄罗斯，朝鲜，日本。

45. 盘步甲属 *Metacolpodes* Jeannel, 1948

Metacolpodes Jeannel, 1948: 516. **Type species**: *Colpodes buchannani* Hope, 1831.

属征：体长13mm左右。体棕黄色，有时具深绿色光泽。头大，头顶略隆；眼大，眉毛2根；口须棒状；颏具中齿；亚颏两侧各具长短2根刚毛；触角节自第4节起被绒毛。前胸背板盘状，横宽，最宽处在前1/3，光洁无刻点；基缘宽度略大于前缘；后角近直角，端部略钝；侧缘在后角之前微弯曲，侧缘毛2根。鞘翅侧缘在前部近平行，在翅端部狭收，缝角具小短刺；条沟无刻点；行距平坦，第3行距具毛穴。前足胫节有纵沟；跗节第4节分2叶；爪简单，无梳齿。

分布：东南亚，巴布亚新几内亚。世界已知20多种，中国记录4种，秦岭地区发现1种。

(105) 布氏盘步甲 *Metacolpodes buchanani* (Hope, 1831)

Colpodes buchanani Hope, 1831: 21.

Colpodes amaenus Chaudoir, 1859: 326.

Colpodes pryeri Bates, 1883: 289.

Dyscolus splendens Morawitz, 1862a: 324.

鉴别特征：体长9.50～13.50mm。体棕黄色，光亮，鞘翅有深绿色光泽。头顶略鼓，在近眼处有细皱纹；眼大，后眉毛位于眼后缘水平线之前；额沟浅，到达前眉毛处；口须端节和亚端节长度相等；颏中齿端部窄而圆；触角第1和第4节长度相等，稍短于第3节。前胸背板隆，略呈心形，前1/3处最宽，光洁无刻点；前缘和基缘近等宽；盘区有细皱纹，微纹横向排列，但不很清晰；后角钝角；侧缘和后角各具毛1根。鞘翅侧缘在翅端部均匀狭收，第1～3行距末端平截，缝角具小短刺；条沟无刻点；行距平坦，第3行距具毛穴3个。

分布：陕西（秦岭）、吉林、河北、山东、甘肃、新疆、江苏、安徽、浙江、湖北、江西、湖南、福建、台湾、广东、四川、云南；朝鲜，日本，缅甸，印度，尼泊尔，斯里兰卡，马来西亚，菲律宾，印度尼西亚。

46. 长跗步甲属 *Morphodactyla* Semenov, 1889

Morphodactyla Semenov, 1889b: 366. **Type species**: *Morphodactyla potanini* Semenov, 1889.

属征：体长13mm左右。体黑色，无金属光泽。头部大；眼中等大小；眉毛2根；触角细长，自第4节起密被绒毛；上颚长，外沟无刚毛。前胸略呈心形，侧缘中部有1根毛，后角处有1根毛；盘区光洁无毛。鞘翅近方，两侧缘近平行；各行距宽度大概相等；小盾片旁具基部毛穴。中足基节窝关闭，中胸前侧片不达中足基节。足细长，跗节细长，1～5节长度之和近等于胫节；爪细长，具梳齿。

分布：古北区，新北区。世界已知4种，中国记录2种，秦岭地区发现1种。

（106）波氏长跗步甲 *Morphodactyla potanini* Semenov, 1889

Morphodactyla potanini Semenov, 1889b: 367.

鉴别特征：体长12.00～14.50mm，体宽4.20～5.20mm。体黑色，触角棕色。头大，头顶光洁，无毛和刻点；眼中等大小，不很外突；眼后颊短，长度约为眼纵径的1/3。前胸略呈心形，宽约为长的1.10倍；侧缘在后角之前微微内凹；后角直角，顶端钝圆；基凹深，凹内光，或具少量刻点和横皱。鞘翅长为宽的1.60倍；行距微隆，微纹很明显，呈等直径的网格，第3行距具2个毛穴；条沟浅，沟内有少量刻点。

采集记录：1头，周至厚畛子，2008.Ⅴ.11；1头，眉县大爷海，2011.Ⅷ.08；23头，宁陕平河梁，2015.Ⅶ.15；5头，宁陕平河梁，2015.Ⅶ.17；3头，宁陕平河梁林场，2015. Ⅶ. 08-15。

分布： 陕西（周至、眉县、宁陕）、甘肃。

47. 心步甲属 *Nebria* Latreille, 1802

Nebria Latreille, 1802: 89. **Type species**: *Carabus brevicollis* Fabricius, 1792.

属征： 体长 10 ~ 18mm。体黑色、棕黄色、红黄色或黄色，有些种类头顶有红斑。头部大，眼中等大小；眉毛一般 2 根；触角细长，自第 5 节起密被绒毛；上颚长，外沟有 1 根刚毛。前胸心形，侧缘中部有 1 根或多根毛，后角处有 1 根毛；盘区光洁无毛。鞘翅近方，两侧缘平行或侧缘稍弧圆；各行距宽度大概相等。中足基节窝开放，中胸前侧片到达中足基节；前胸基节窝开放。足细长，爪简单，无梳齿。

分布： 古北区，新北区。世界记录超过 500 种，中国已知 100 种左右，秦岭地区发现 2 种。

分种检索表

鞘翅肩方；行距有细刻点 …………………………………………………… **中华心步甲 *N. chinensis***

鞘翅肩圆；行距光，无刻点 …………………………………………………… **李心步甲 *N. gemina***

（107）中华心步甲 *Nebria chinensis* Bates, 1872

Nebria chinensis Bates, 1872: 52.

Nebria lividipes Fairmaire, 1886: 306.

Nebria chinensis tsushimae Habu, 1981: 67.

鉴别特征： 体长 13.50 ~ 15.00mm，体宽 5.50 ~ 6.00mm。体黑色，头顶具 1 块红色横斑，触角、口器及足棕黄色。头较宽，眼突出，眼间距宽，隆起；额沟浅，刻点较细，头顶及二额凹之中区刻点极少；上颚强壮，外沟前部有毛 1 根；触角从第 5 节起被绒毛；前胸背板心形；前角突伸；基角直角，端部锐；前、后横沟及中沟以及基凹均较深；盘区光洁，具横纹，刻点密集在周缘。鞘翅略宽，肩方，翅二侧微膨，每翅端圆形；条沟中有细刻点；行距隆，被细刻点，第 3 行距具毛穴 5 ~ 6 个。后翅发达。足细长，无净角距。

采集记录： 6 头，佛坪，950m，1998. Ⅶ. 23；27 头，宁陕火地塘，1580m，1998. Ⅶ. 26-Ⅷ. 20。

分布： 陕西（佛坪、宁陕）、吉林、河北、山东、甘肃、新疆、江苏、安徽、浙江、湖北、江西、湖南、福建、台湾、广东、四川、贵州、云南；朝鲜，日本，缅甸，印度，尼泊尔，斯里兰卡，马来西亚，菲律宾，印度尼西亚。

（108）孪心步甲 *Nebria gemina* Ledoux, Roux *et* Wrase, 1996

Nebria gemina Ledoux, Roux *et* Wrase, 1996: 134.

鉴别特征：体长 15 ~ 16mm，体宽 5.50 ~ 6.00mm。体黑色，头顶具红色斑，触角 5 ~ 11 节及口器棕黑色。头较宽，眼小，略突出，眼间距宽，隆起；额沟浅，刻点较细，头顶及二额凹之中区刻点极少；上颚强壮，外沟前部有毛 1 根；触角从第 5 节起被绒毛；眉毛 1 根。前胸背板心形；前角突伸；基角直角，端部锐；前、后横沟及中沟以及基凹均较深；盘区光洁，具横纹，刻点密集在前区和基区。鞘翅略宽，肩圆，翅两侧微膨，每翅端圆形；条沟中有细刻点；行距微隆，光洁无刻点，第 3 行距具毛穴 5 ~ 6 个。后翅退化。足细长，无净角距。

采集记录：1 头，周至，无采集时间和采集人；8 头，眉县太白山，2012. Ⅶ. 01。

分布：陕西（周至、眉县）。

48. 瀛步甲属 *Nipponoharpalus* Habu, 1973

Nipponoharpalus Habu, 1973: 194. **Type species**: *Harpalus discrepans* A. Morawitz, 1862.

属征：体长 11 ~ 13mm，体宽 4.80 ~ 5.20mm。体黑色。头大，触角短，自第 3 节起被毛；眼大，眉毛 1 根；上颚粗短，端部钝；额沟向眼内侧稍突伸，但不达到眼内侧缘（介于 Harpalus 和 Trichotichnus 之间）；下唇须次末节内有 3 根以上的毛；颏具中齿。前胸背板横方，盘区光洁，无后角毛。鞘翅行距平，第 3 行距无毛穴。足跗节表面光洁，后腿节毛 2 根，雄性前足跗节粘毛 2 列。

分布：中国中部和北部；俄罗斯，朝鲜，日本。秦岭地区发现 1 种。

（109）分瀛步甲 *Nipponoharpalus discrepans* (Morawitz, 1862)

Harpalus discrepans Morawitz, 1862b: 327.

Harpalus niponensis Bates, 1883: 239.

鉴别特征：体长 11 ~ 13mm，体宽 4.80 ~ 5.20m。体黑色，口须、触角、跗节棕色或棕黑色。头顶稍隆，光洁，无毛和刻点；眼后的颊很短。前胸背板基凹狭而浅，基凹外稍隆起，密被刻点；基部全部密被刻点；后角近直角，角端部略钝圆。鞘翅行距平，光洁无毛，被稀疏的细刻点；条沟深，沟内无刻点。足第 5 跗节腹面有 2 ~ 3 根细刚毛。雌虫和雄虫末腹板后缘均有 4 根刚毛。

采集记录：4 头，宁陕火地塘，2015. Ⅶ. 06-17。

分布：陕西（宁陕）、辽宁、北京、江苏、四川；俄罗斯，朝鲜，日本。

49. 湿步甲属 *Notiophilus* Duméril, 1806

Notiophilus Duméril, 1806: 194. **Type species**: *Cicindela aquatica* Linnaeus, 1758.
Latviaphilus Barševskis, 1994: 1. **Type species**: *Elaphrus biguttatus* Fabricius, 1779.
Makarovius Barševskis, 1994: 1. **Type species**: *Notiophilus rufipes* Curtis, 1829.

属征：体长 5.50 ~ 8.00mm。体黑色，一般具微弱的金属光泽，有些种类鞘翅边缘黄色，足黑色或黄色，或仅胫节和跗节黄色，触角 1 ~ 4 节颜色常常比 5 ~ 11 节淡。头较宽，眼大而突出，眼间有 6 ~ 8 条纵隆脊；唇基表面有皱褶；上唇前缘平直、圆或中间凹陷（如凹陷，则上唇端部分成两叶）；上颚短，端部尖，外沟前部有毛 1 根；触角从第 4 节起被绒毛；眉毛 1 根。前胸背板心形；前角突伸；基角锐角，端部向外突；盘区有细刻点或中央光洁。鞘翅长方形，肩方；条沟中有细刻点；行距平或微隆，第 2 行距加宽，宽度等于第 3 和 4 或 3 ~ 5 行距宽度之和，表面光洁，呈镜面状，第 3 行距有 3 ~ 4 个毛穴；条沟深或浅，有时组成条沟的刻点退化消失。

分布：全北区。世界已知 60 种左右，中国大约有 10 种，秦岭地区发现 1 种。

（110）凹唇春步甲 *Notiophilus impressifrons* Morawitz, 1862

Notiophilus impressifrons Morawitz, 1862a: 238.
Notiophilus acaticollis Putzeys, 1866b: 164.
Notiophilus niponicus Lewis, 1879a: 1.

鉴别特征：体长 6.50mm，体宽 2.10mm。体黑色，被微弱的红铜色金属光泽，胫节和触角 2 ~ 4 节棕黄色，触角第 1 节棕红色，其余黑色。头大，眼半球形；上唇端缘中部凹陷。前胸背板盘区光洁无刻点，周缘密被大刻点。鞘翅长方形，第 2 行距宽度稍大于第 3 和 4 行距之和，第 3 行距有毛穴 4 个，靠端部有 2 个毛穴；条沟深，第 4 ~ 7 条沟距刻点粗大，第 8 条沟基部 1/5 深，后部 4/5 不显。

分布：陕西（华山）、吉林、北京、山西；蒙古，俄罗斯，朝鲜，日本。

50. 爪步甲属 *Onycholabis* Bates, 1873

Onycholabis Bates, 1873b: 329. **Type species**: *Onycholabis sinensis* Bates, 1873.

属征：体长 10 ~ 15mm。体黑色，光亮，触角和足淡黄色或黄白色。眼大而突出，眉毛2根；上颚细长，端部钩状；触角细长，第3节长度是第2节的3倍，自第3节起密被绒毛。前胸心形；后角尖，有或无后角毛，或具毛1根。鞘翅行距平，光洁，无毛和刻点，第3行距有毛穴2个，有时减少为1个；条沟细，沟内有刻点，缝角圆或尖锐。足细长，爪简单，无梳齿。

分布：中国；朝鲜，日本，越南，印度。世界已知6种，秦岭地区仅发现1种。

（111）中华爪步甲 *Onycholabis sinensis* Bates, 1873

Onycholabis sinensis Bates, 1873b: 329.

Onycholabis uenoi Paik *et* Lafer, 1995: 253.

Onycholabis vitnamica Kasahara, 1995: 27.

鉴别特征：体长10.50～11.00mm，体宽4mm。体背黑色，腹面棕褐色，上颚、上唇棕黄色，口须、触角、足黄色。眼大突出，眉毛2根；头在眼后收缩，眼间隆起，光洁无刻点；上颚细长，端部尖，口须细长；颏具毛1对，颏齿前端钝；触角长达鞘翅基1/3，自第3节起被绒毛，第3节极长，约为第2节长度的4倍。前胸背板心形，前角钝圆，基角小于直角，角端锐；盘区光洁，侧缘具缘边，被刻点；中沟明显，基凹纵向沟状；侧缘前部及后角各具毛1根。鞘翅长方形，两侧缘微膨，每翅后端狭圆，缝角具小刺；刻点细，排列整齐，行距平坦，第3行距具毛穴2～3个。胸侧片光洁。雄虫第6腹板末端有2对毛，雌虫一般有4对毛。足细长，具净角距，跗节第4节前缘微凹。

采集记录：1头，留坝庙台子，1470m，1999.Ⅶ.01；3头，佛坪，870～1000m，1998.Ⅶ.23-25，1999.Ⅵ.26；3头，宁陕火地塘，1580m，1998.Ⅷ.14，1999.Ⅵ.26；1头，宁陕火地塘林场，1554m，2015.Ⅶ.11。

分布：陕西（留坝、佛坪、宁陕）、山东、甘肃、安徽、湖北、湖南、台湾、四川、贵州；日本。

51. 偏须步甲属 *Panagaeus* Latreille, 1802

Panagaeus Latreille, 1802: 91. **Type species**: *Carabus cruxmajor* Linnaeus, 1758.

属征：体长9.00～12.50mm，体宽3.50～4.50mm。体长形，黑色，每鞘翅前后各有1块棕红色大斑。头方形，眼大突出；后部横凹较深；口须末节膨扩，下颚须亚端节端缘倾斜，末节接在前节的侧端。前胸背板一般宽大于长，二侧弧圆。鞘翅较隆，被毛。足被毛，跗节第4节背缘稍凹；雄虫基部2节膨扩，腹面被长毛；爪简单。

分布：亚洲，欧洲，美洲。世界已知14种，中国有2种，秦岭地区仅发现1种。

（112）日本偏须步甲 *Panagaeus japonicus* Chaudoir, 1861

Panagaeus japonicus Chaudoir, 1861: 356.

Craspedophorus japonicus Jedlička, 1962: 1.

Panagaeus rubripes Morawitz, 1862b: 323.

鉴别特征：体长 12.00～12.50mm，体宽 4.00～4.50mm。体黑色，有光泽，鞘翅具两个橘红色斑，前斑呈长方形，位于第 2 行距至翅缘之间，部分缘折呈橘红色，后斑圆形，位于第 3～8 行距间，翅斑被橘红色毛，上颚棕黑色，端部棕红色，口须第 1～2节橘红色，触角第 1 节橘红色，余节从棕褐色向棕红色渐浅，足橘红色。头方形，两额沟达眼中部；唇基、后头光洁；额区在眼间具粗刻点和棕褐色长毛；上颚粗壮；上唇前缘凹；口须末节斧形，端部斜截；颏齿大，末端平截；触角 11 节，第 3 节长度为第 2 节的 2 倍，自第 4 节起密被绒毛。前胸背板近圆形，密被棕黄色长毛；后缘宽于前缘，最宽处位于基部的 1/3 处；侧缘弧形，向后收缩较强，后角近直角，基凹深。小盾片三角形，光洁。鞘翅长卵形，被棕黑色毛，有浅细刻点行 9 行，刻点直径小于行距的 1/3；行距略隆。腹面胸部和腹部两侧有粗而圆的刻点，腹节中部被皱褶和细毛。

采集记录：1 头，周至厚畛子，1271m，2007. Ⅴ. 25。

分布：陕西（周至）、黑龙江、吉林、河北、湖北、重庆；俄罗斯，朝鲜，日本。

52. 宽颚步甲属 *Parena* Motschulsky, 1859

Parena Motschulsky, 1859: 31. **Type species**: *Parena bicolor* Motschulsky, 1859.

Bothynoptera Schaum, 1863: 75. **Type species**: *Bothynoptera dorsigera* Schaum, 1863.

Crossoglossa Chaudoir, 1872: 177. **Type species**: *Crossoglossa testacea* Chaudoir, 1872.

Phloeodromius Macleay, 1871: 85. **Type species**: *Piloeodromius picans* Macleay, 1871.

Umgenia Péringuey, 1896: 324. **Type species**: *Umgenia formidulosa* Péringuey, 1896 (= *Parena plagiata* Motschulsky, 1864).

Prymira Fairmaire, 1899: 76 [HN]. **Type species**: *Prynira stigmatica* Fairmaire, 1899.

Euprymira Fairmaire, 1901: 122 [RN]. **Type species**: *Prymira stigmatica* Fairmaire, 1899.

属征：体长 5～12mm。体棕黑色、棕色或黄色。头顶平坦；复眼很大，突出，半球形；具 2 根眉毛；唇基方形，两侧各具 1 根刚毛；触角接近或略超过前胸背板基缘，自第 4 节起密被绒毛；第 1 节端部膨大，第 2 节短，第 3 节略短于第 1 节；上唇横方，端部具 6 根刚毛；上颚极度加宽，外沟宽且平，外缘圆弧状；口须末节筒形，不膨扩，下唇须亚端节内缘具 2 根刚毛；中唇舌末端具 4 根刚毛；颏通常具 1 对刚毛，颏无中齿；亚颏具 4 根刚毛；颊在复眼之下通常具 1 根刚毛，偶有 2 根或消失。前胸背板略隆起，光洁无刻点；侧边具 2 根刚毛，位于后角和中部；中线及基横线均不明显，基凹浅。鞘翅长方形，后部略膨大，侧缘于前1/3附近略凹入；条沟内具刻点；第3行距具3或4个毛穴，第9行距的毛穴列连续，由20～30个毛穴组成；雌性和雄性腹板端部均具2或3对刚毛，雄性末腹板中部无明显凹缺。足较短，跗节加宽成双叶状，爪具梳齿；雄性前足1～3跗节具粘毛。

分布：亚洲，非洲。世界已知约50种，中国记录20种，秦岭地区发现4种。

分种检索表

1. 前胸背板明显横宽，宽于复眼，宽为长的1.60～1.70倍；侧缘在后角之前强烈弯曲；颏无刚毛 …………………………………………………………………… **凹翅宽颚步甲 *P. cavipennis***
   前胸背板略横宽，狭于复眼，宽为长的1.50倍之下；侧缘在后角之前直；颏有刚毛 ……… 2
2. 第3行距的第1个毛穴远离鞘翅基部，位置相当远离小盾片端部；雄性中足第1跗节无粘毛，仅2、3跗节具粘毛；头部和前胸背板较窄 ……………………… **黑带宽颚步甲 *P. nigrolineata***
   第3行距的第1个毛穴非常靠近鞘翅基部，位于小盾片端部略靠后的位置；雄性中足第1跗节端部1/2通常具粘毛，偶尔无粘毛；头和前胸背板略宽 ……………………………………… 3
3. 鞘翅第3行距具4个大毛穴，毛穴着生处强烈凹入；外角极显著，鞘翅后缘通常向内凹入；鞘翅行距平，条沟不明显，由极细刻点组成 ………………………… **光背宽颚步甲 *P. perforata***
   鞘翅第3行距具3个毛穴，毛穴着生处不明显；外角圆弧或略突出，鞘翅后缘直 …………… …………………………………………………………… **小宽颚步甲 *P. tripunctata***

（113）凹翅宽颚步甲 *Parena cavipennis*（Bates，1873）

Crossoglossa cavipennis Bates，1873a：316.

鉴别特征：体长8.80～10.50mm，体宽4.20～4.50mm。体背黄色至棕色，腹面棕黄色，触角第4～11节黑褐色。头顶平，眼大而鼓，颏无刚毛。前胸背板宽为长的1.65倍，最宽处位于中部略前；后角宽钝；后角之前的侧缘明显弯曲。鞘翅条沟浅，沟底具细刻点；行距略隆起，微纹不明显，具稀疏细刻点，第3～5行距中部具明显翅凹；鞘翅侧缘凹位于基部1/3附近；翅端平截明显，外角不明显；缝角不突出或微突出，不呈齿突。

采集记录：1头，留坝庙台子，1350m，1998.Ⅶ.21；1头，佛坪，900m，1999.Ⅵ.27。

分布：陕西（留坝、佛坪）、河北、山东、河南、甘肃、浙江、湖北、江西、湖南、福建、台湾、贵州；日本，印度尼西亚。

（114）黑带宽颚步甲 *Parena nigrolineata* Chaudoir，1852

Plochionus nigrolineata Chaudoir，1852：44.

Parena nigrolineata nipponensis Habu，1964：33，fig. 2.

鉴别特征：体长7.40～8.90mm，体宽3.50～4.00mm。体背黄色至橙色，触角、足、口器黄色，头顶无红色斑，鞘翅中部黄褐色，两侧具黑色条带，不具金属光泽。黑色条带的宽度变化较大，一般占据6～8行距，有时到达第5行距，有时条带很窄甚至消失；条带在鞘翅基部不相接，一般到达第5行距，条带最宽时可到达第2行距，条带在鞘翅端部相接，或中止于翅缝处，不覆盖第8行距末端。体腹面棕红色。头顶具稀疏细刻点；复眼内缘沟浅，到达复眼中部之后；颏短，侧叶内缘斜，外缘圆弧。前胸背板宽为长的1.30～1.50倍；中线浅，中线两侧具少量细皱纹；侧边在后角之前弯曲；后角钝圆，近直角，不向外突出。鞘翅条沟浅，沟底具细刻点；行距略隆起，具稀疏细刻点和等直径微纹，有时微纹很弱。腹部中区具稀疏刚毛，侧缘几乎无毛。雄性中足第1跗节端半部具粘毛。

采集记录：1头，佛坪，900m，1999.Ⅵ.27。

分布：陕西(佛坪)、江苏、福建、台湾；日本，越南，缅甸，印度，斯里兰卡。

(115) 光背宽颚步甲 *Parena perforata* (Bates, 1873)

Bothynoptera perforata Bates, 1873a: 313.

鉴别特征：体长9.00～10.50mm，体宽3.80～5.00mm。体通常棕红色至深褐色，偶尔黑色，口器、触角颜色略浅，上颚端部颜色加深，额部具三角形红斑。头顶平坦，光洁，偶尔具细刻点；复眼内缘沟略深，仅到达复眼中部；颊约为眼长的1/2；颏外缘圆弧形，具2根较长的刚毛，内侧有时还具2根较短刚毛；颊于复眼之下通常具1根刚毛，有时2根，有时颊下具较多的细毛。前胸背板近方形，宽为长的1.20～1.35倍；侧边于后角之前略弯曲；后角直角或略钝圆，不突出或略突出；中线浅；盘区明显隆起，光洁，偶尔稍具刻点。鞘翅向后明显加宽；盘区无凹陷；条沟完全由细刻点组成，有时于鞘翅端部接近消失；行距平坦，无微纹，具细刻点，刻点与组成条沟的刻点粗细相当，第3行距具4个毛穴，毛穴着生处强烈凹入，凹约占具1行距宽；鞘翅端部斜截或明显向内凹入且呈弧形，外角钝圆，明显向外突出。

分布：陕西(佛坪、宁陕)、北京、浙江、湖南、台湾、广西、四川、云南、西藏；俄罗斯，日本。

(116) 小宽颚步甲 *Parena tripunctata* (Bates, 1873)

Bothynoptera tripunctata Bates, 1873a: 314.

Ceroglossa piceola Chaudoir, 1877b: 232.

鉴别特征：体长6.50～7.50mm，体宽2.50～3.30mm。头部红棕色，触角、口器和足棕黄色，前胸背板棕色至棕黑色，侧边棕黄色，鞘翅棕色至棕黑色。头顶微隆起，具少量刻点；复眼内缘沟深，于复眼后缘之前消失；颊短于眼长的1/2；颏外缘略呈圆弧形，颏毛长。前胸背板心形，宽约为长的1.30倍；侧边在后角之前明显弯曲；后角直角，不突出；中线浅；盘区略隆起，具稀疏细刻点，中线两侧稍具横向皱纹。鞘翅向后略加宽；盘区无明显凹陷；条沟明显深，沟底具细刻点；行距隆起，具稀疏刻点，刻点与条沟底刻点粗细相当，第3行距具3个毛穴；端部圆弧状，外角不明显。

采集记录：1头，周至县厚畛子，1271m，灯诱，2007.Ⅷ.10；1头，宁陕火地塘，1276m，灯诱，2008.Ⅶ.08；1头，宁陕火地沟，1580～2000m，1998.Ⅷ.18；1头，宁陕旬阳坝，1350m，1998.Ⅶ.29；5头，宁陕旬阳坝，1369m，灯诱，2007.Ⅷ.20。

分布：陕西（周至、宁陕）、辽宁、北京、河北、山西、安徽、浙江、福建、云南；日本。

53. 印步甲属 *Paropisthius* Casey, 1920

Paropisthius Casey, 1920b: 148. **Type species**: *Opisthius indicus* Chaudoir, 1863.

属征：体长12mm左右，体宽5mm左右。体黑色，有绿色或蓝紫色金属光泽；体背面无绒毛。眼特别大，向外鼓出，眉毛2根；触角长，自第5节起密被绒毛；上颚外沟有1根刚毛。前胸背板近心形，侧边向外强烈突伸呈角状；表面密被粗刻点。鞘翅长方形，行距和条沟不清；有印斑和10多个光亮的镜面区。中胸前侧片伸达中足基节窝。足细长。

分布：东洋区。世界已知4种，中国记录2种，秦岭地区发现1种。

（117）印度印步甲 *Paropisthius indicus* (Chaudoir, 1863)

Opisthius indicus Chaudoir, 1863c: 449.

鉴别特征：体长11～13mm，体宽5.00～5.50mm。体黑色，体表有绿色金属光泽，腿节和跗节有强烈的蓝紫色光泽，胫节大部分棕黄色。头大，眼突出。前胸背板横宽，被粗而密的刻点；侧缘中部强烈向外突出，呈角状，角端平截，无侧缘毛；后角略呈锐角，向外突，无后角毛。鞘翅长方形；印斑粗糙，微纹明显，有10多个光亮的镜面区，光洁区和印斑交接处有粗刻点。身体腹面被粗刻点和毛。

采集记录：3头，周至厚畛子，无采集时间和采集人。

分布：陕西（周至）、湖北、四川、云南、西藏；印度，尼泊尔，东洋区。

54. 五角步甲属 *Pentagonica* Schmidt-Göbel, 1846

Pentagonica Schmidt-Göbel, 1846: 47. **Type species**: *Pentagonica ruficollis* Schmidt-Göbel, 1846.

Rhombodera Reiche, 1842: 313 [HN]. **Type species**: *Rhombodera virgata* Reiche, 1842 (= *Lebia trivittata* Dejean, 1831).

Didetus LeConte, 1853: 377. **Type species**: *Didetus flavipes* LeConte, 1853.

Elliotia Nietner, 1856: 524. **Type species**: *Elliotia pallipes* Nietner, 1856.

Trichothorax Montrouzier, 1860: 235. **Type species**: *Trichothorax cyaneus* Montrouzier, 1860.

Xenothorax Wollaston, 1867: 15. **Type species**: *Xenothorax hexagonus* Wollaston, 1867.

Wakefieldia Broun, 1880: 62. **Type species**: *Wakefieldia vittata* Broun, 1880 (= *Pentagonica vittipennis* Chaudoir, 1877).

属征: 体长 4 ~7mm。体黑色, 有些个体头和前胸背板橘黄色。头部小, 后头向后明显缢缩; 眼大, 眉毛 2 根; 触角长, 从第 4 节或第 5 节开始被绒毛; 口须细长, 下唇须次末节内缘有 2 根刚毛; 上唇宽大; 上颚短, 不发达, 端部略成钩状, 上颚沟在背面不可见, 无刚毛; 颏无毛, 无中齿; 中唇舌端具 2 根刚毛。前胸背板心形, 比头部略宽, 侧缘外突,略成角状, 侧缘毛 1 根; 基部收缩成柄。鞘翅方形, 最宽处在中部略后; 条沟由细刻点组成; 行距平或微隆, 第 3 行距具毛穴, 有些种类无此毛穴; 翅端缘斜截。足细长; 跗节表面光洁,无毛; 雄虫前跗节基部 3 节膨大, 腹面有两列粘毛; 爪简单,无梳齿。

分布: 东洋区, 热带区, 新热带区, 新北区, 澳洲区。世界记录 80 余种, 中国记录 10 多种, 秦岭地区发现 2 种。

分种检索表

前胸背板橘黄色, 有清晰的微纹; 触角自第 5 节起被绒毛; 雌性具 4 根刚毛 ………………………………………………………………………………………… **黛五角步甲 *P. daimiella***

前胸背板黑色, 无微纹; 触角自第 4 节起被绒毛; 雌性具 2 根刚毛 ……………………………………………………………………………… **似心五角步甲 *P. subcordicollis***

(118) 黛五角步甲 *Pentagonica daimiella* Bates, 1892

Pentagonica daimiella Bates, 1892b: 426.

鉴别特征: 体长 5 ~6mm, 体宽 2.00 ~2.50mm。头和鞘翅黑色, 触角、上唇和唇须棕黑色, 颈、前胸背板、小盾片、鞘翅侧缘和足橘黄色。头顶平, 具等直径微纹; 上唇横方, 具 6 根刚毛; 唇基微凹, 两侧各具 1 根刚毛; 眼大而鼓, 后眉毛在复眼后缘水平线之前；触角从第5节起被绒毛。前胸背板横宽，约为头部宽度的1.20倍；中线细；盘区隆，具等直径微纹；侧缘在中部向外突出，呈角状，再向后直线收窄；后角圆；无基凹。鞘翅长方形，两侧缘近平行，最宽处在中部略后；条沟浅，无刻点；行距平，具清晰的等直径微纹；外后角钝，缝角近直角。雄性末腹板后缘具2根刚毛，雌性具4根刚毛。

采集记录： 1头，周至厚畛子，1350m，1999. Ⅵ. 22。

分布： 陕西（周至）、浙江、湖北、湖南、福建、台湾、四川、云南；俄罗斯，日本。

（119）似心五角步甲 *Pentagonica subcordicollis* Bates, 1873

Pentagonica subcordicollis Bates, 1873a: 321.

鉴别特征： 体长4.50～5.00mm，体宽2.10～2.40mm。头、前胸背板和鞘翅黑色，触角、上唇和唇须棕黑色，小盾片、鞘翅边缘和足橘黄色。头顶平，具等直径微纹；上唇横方，具6根刚毛；唇基微凹，两侧各具1根刚毛；眼大而鼓，后眉毛在复眼后缘水平线之前；触角从第4节起被绒毛。前胸背板横宽，约为头部宽度的1.20倍；中线细；盘区隆，不具微纹；侧缘在中部向外突出，呈角状，再向后直线收窄；后角圆；无基凹。鞘翅长方形，两侧缘近平行，最宽处在中部略后；条沟浅，无刻点；行距平或微隆，具清晰的等直径微纹；外后角钝，缝角近直角。雌性、雄性末腹板后缘均具2根刚毛。

采集记录： 2头，宁陕旬阳坝，2007. Ⅷ. 29。

分布： 陕西（宁陕）、台湾、广东、海南、广西。

55. 角胸步甲属 *Peronomerus* Schaum, 1854

Peronomerus Schaum, 1854: 440. **Type species**: *Peronomerus fumatus* Schaum, 1854.

属征： 体黑色，足棕红色，被黄色毛。长卵形，头方形；眼大，圆形，十分突出；头顶稍隆，颈区具横凹；唇基隆起，光洁，几乎无刻点；上颚端部细；口须末节稍膨，端部平截。前胸背板宽度稍大于长度，侧缘突出成角。鞘翅隆，行距皱，被刻点；条沟深，沟内具刻点。足跗节第4节背缘深裂成双叶状，雄虫前跗节第1节内端角扩伸，爪简单。

分布： 东南亚，巴布亚新几内亚。世界已知6种，中国记录3种，秦岭地区仅发现1种。

（120）黄毛角胸步甲 *Peronomerus fumatus* Schaum, 1854

Peronomerus fumatus Schaum, 1854: 440.

Peronomerus aeratus Chaudoir, 1861: 345.

鉴别特征: 体长8.00～8.50mm, 体宽3～4mm。体黑色, 口须黄色, 触角和足棕红色。头近方形; 头顶隆, 被稍密的粗大刻点; 唇基隆起, 光洁无毛; 颏齿端钝圆。触角第1节粗大, 第3节为第4节长度的1.20倍, 4～11节近等长。前胸背板六边形, 表面被粗点和毛; 侧缘角突圆, 约在基部1/3处最宽; 后角稍小于直角, 外突; 基凹明显深。鞘翅行距隆, 被刻点和浅黄色毛; 行距深。胸部腹面和腹板两侧布粗刻点和毛。

采集记录: 1头, 户县, 1980. Ⅷ; 1头, 城固, 1981。

分布: 陕西(户县、城固)、黑龙江、吉林、辽宁、河北、河南、甘肃、江苏、浙江、湖北、江西、湖南、广西、四川; 俄罗斯(远东), 日本。

56. 屁步甲属 *Pheropsophus* Solier, 1833

Pheropsophus Solier, 1833: 461. **Type species**: *Brachinus madagascariensis* Dejean, 1831.

属征: 体长15～20mm。体黑色, 很多种类有黄色的斑, 足和触角黄色或棕黑色。头大, 额稍隆; 眼中等大小, 眉毛1根; 口须末节圆柱状。前胸背板长方形, 中线略深; 基凹不显。鞘翅近长方形, 侧缘向后略扩展, 翅端部平截; 有8条脊状隆起; 行距光洁无毛。腹板可见8～9节。防御腺发达, 遇到干扰时可放出烟雾状的防御液。

分布: 东洋区, 澳洲区。中国已知10多种, 秦岭地区仅发现1种。

(121) 耶屁炮步甲 *Pheropsophus jessoensis* Morawitz, 1862

Pheropsophus jessoensis Morawitz, 1862b: 322.

鉴别特征: 体长15～20mm。头、胸部的大部分和附肢棕黄色, 头顶有黑斑, 前胸背板前后缘和中线黑色; 鞘翅大部分棕黑色, 肩和翅端黄色, 中部具黄色横带。头顶略鼓, 有浅皱纹, 黑斑呈倒三角形, 其前缘平或微凹; 触角第1节毛稀疏, 2～11节密被绒毛。前胸背板近方形, 最宽在前部1/3处; 前缘和基缘近等宽; 侧缘在后角前弯曲; 基角直角。鞘翅近方形, 翅中部黑斑带前后缘齿突不明显; 纵脊8条; 表面光洁无毛, 但有细纵皱; 翅端平截。雄虫前足1～3跗节扩大, 且腹面有粘毛。

采集记录: 1头, 太白, 1980. Ⅴ.01; 1头, 宁陕旬阳坝, 1983. Ⅵ.12。

分布: 陕西(太白、宁陕)、黑龙江、吉林、辽宁、河北、山东、甘肃、江苏、浙江、湖北、江西、湖南、福建、广东、广西、四川、贵州、云南; 朝鲜, 日本, 越南, 老挝, 柬埔寨。

57. 锯步甲属 *Pristosia* Motschulsky, 1865

Pristosia Motschulsky, 1865: 311. **Type species**: *Pristosia picea* Motschulsky, 1865.
Eucalathus Bates, 1883: 253. **Type species**: *Pristonychus aeneolus* Bates, 1873.
Kanoldia Jedlička, 1931: 27. **Type species**: *Kanoldia jureceki* Jedlička, 1931.
Laemostenopsis Jedlička, 1931a: 28. **Type species**: *Laemostenopsis purkynei* Jedlička, 1931.
Paradolichus Semenov, 1889b: 368. **Type species**: *Paradolichus przewalskii* Semenov, 1889.

属征：体长 11～20mm，体宽 6.00～6.50mm。鞘翅黑色，略光亮，一些种类有鲜艳的绿色或紫色金属光泽。头部小；头顶微隆；眼小，微突出；触角细长；颏具齿，齿端两裂；口须端部不扩。前胸近方形，宽略微大于长，少数种类近心形；侧缘在中部和后角之前近直，中部和后角之前各有 1 根刚毛；后角圆或近直角。鞘翅长卵形；行距隆起程度不一，无刻点和毛；条沟内有刻点。后翅大部分种类退化。足细长，第 5 跗节腹面有刚毛。该属和其他步甲显著的不同点是雄性外生殖器露出时向左边弯曲，左侧叶减小。

分布：东亚，南亚。世界已知 60 多种，中国有 30 多种，秦岭地区发现 3 种。

分种检索表

1. 前胸背板后角直角，顶端尖；肩齿大，向外突出 ………………………… **直角锯步甲 *P. elevata***
   前胸背板后角钝角，顶端或多或少圆，不尖锐 ……………………………………………………… 2
2. 后角宽圆；鞘翅行距隆，有虹彩，微纹不明显 ………………………… **沟翅锯步甲 *P. sulcipennis***
   后角略钝，顶端圆；鞘翅行距平，无虹彩，有微弱的绿色金属光泽，微纹非常明显 …………
   ……………………………………………………………………………… **波氏锯步甲 *P. potanini***

(122) 直角锯步甲 *Pristosia elevata* Lindroth, 1956

Pristosia elevata Lindroth, 1956: 541.

鉴别特征：体长 12.50～14.00mm，体宽 4.50～5.00mm。体黑色，口器、触角和跗节棕色，胫节棕黑色。头顶隆，具稀疏的极细刻点；眼小，不隆；眼后颊微隆，长度略超过眼纵径的 1/2。前胸背板近方形，宽为长的 1.10 倍；两侧边在基半部近平行，在后角之前直，或稍内弯，或稍圆(个体差异较大)；后角上翘，近直角，角顶端一般呈小齿状，向外突；基凹大而深，具粗密刻点；两侧凹之间的区域无刻点；侧沟内具粗大刻点。鞘翅长约为宽的 1.50 倍；基边非常弯曲；侧边略平行；肩齿很大，向外突伸；行距隆，微纹不很明显，呈横向线条状，第 3 行距中后部各有 1 个毛穴；条沟深，沟内有大刻点。后翅退化，不能飞翔。该种和 *Pristosia nitidula* Morawitz,

1862 相近，但后者的后翅发达，前胸背板后角之前也比该种更圆。

采集记录：6 头，宁陕平河梁，2015. Ⅶ.15；9 头，宁陕秦岭草甸，2015. Ⅶ.17。

分布：陕西（眉县、宁陕）、上海。

（123）波氏锯步甲 *Pristosia potanini*（Semenov, 1889）

Calathus potanini Semenov, 1889b: 360.

鉴别特征：体长 11.50～12.50mm，体宽 4.20～4.50mm。体黑色，口器、触角和跗节棕黄色，胫节棕黑色。头顶隆，具稀疏的极细刻点，微纹明显，呈等直径网格；眼小，不隆；眼后颊微隆，长度略等于眼纵径。前胸背板近方形，宽为长的 1.10 倍；两侧边在基半部近平行，在后角之前稍内弯；后角略大于直角，角顶端圆，不向外突；基凹大而深，具密刻点，刻点略小；两侧凹之间的区域无刻点；侧沟内光洁，或稍具刻点。鞘翅长约为宽的 1.50 倍；基边非常弯曲；侧边略平行；肩齿小，不向外突伸；行距平，微纹很明显，呈网格状（雌性更强烈），有些个体行距还具稀疏的小刻点，第 3 行距中后部各有 1 个毛穴；条沟深，沟内有细刻点。后翅退化，不能飞翔。该种和 *Pristosia elevata* Lindroth 相近，但前胸背板后角比后者圆，鞘翅微纹非常明显，且具微弱的绿色金属光泽。

采集记录：65 头，眉县太白山，2012. Ⅵ.30-Ⅶ.02。

分布：陕西（眉县）、甘肃、青海、四川。

（124）沟翅锯步甲 *Pristosia sulcipennis* Fairmaire, 1889

Pristonychus sulcipennis Fairmaire, 1889: 8 .

鉴别特征：体长 15.50～17.00mm，体宽 6.00～6.50mm。鞘翅黑色，略光亮。头小；头顶微隆；眼小，微突出；触角细长。前胸近方形，宽略微大于长；侧边沟宽，沟内有少量刻点；基凹宽圆，略深，沟内密布粗刻点；侧缘在中部和后角之前近直，中部和后角之前各有 1 根刚毛；后角圆。鞘翅长卵形；行距隆，无刻点和毛，第 3 行距有 2 个毛穴；条沟深，沟内有刻点。足细长，第 5 跗节腹面有刚毛。

采集记录：1 头，周至厚畛子，2005. Ⅴ.11；2 头，宁陕火地塘，2007. Ⅷ.20；1 头，宁陕平河梁，2015. Ⅶ.13。

分布：陕西（周至、宁陕）、安徽、四川。

58. 寒步甲属 *Psychristus* Andrewes, 1930

Psychristus Andrewes, 1930: 21. **Type species**: *Psychristus liparops* Andrewes, 1930.

Taiwanobradycellus Ito, 1985: 61. **Type species**: *Bradycellus shibatai* Ito, 1985.

属征：体长 3～8mm。体黑色，身体光洁无毛。眼大，眉毛 1 根；上颚外沟无刚毛；额沟深；触角自第 4 节起密被绒毛；口须末节纺锤状，端部细尖，下唇须亚端节具刚毛 2 根；颏明显具中齿；侧唇舌和中唇舌稍分离，长度超过中唇舌。前胸背板无后角毛，基凹一般较深。小盾片毛穴存在。鞘翅第 3 行距毛穴存在；条沟深，小盾片条沟存在。后足腿节具 2 根毛；跗节表面光洁；雄虫 1～4 节前足跗节稍膨扩，腹面有白色粘毛；中足跗节无粘毛。前胸腹板突无刚毛；后胸前侧片长，向后狭收。

分布：全北区。世界已知 130 余种，中国有 30 余种，秦岭地区发现 1 种。

（125）莱氏寒步甲 *Psychristus lewisi* (Schauberger, 1933)

Bradycellus lewisi Schauberger, 1933: 131.

鉴别特征：体长 5.00～5.50mm，体宽 2.10～2.30mm。体棕黑色，触角、口须、足棕黄色，鞘翅侧缘棕红色。眼大，半球形；头顶光洁，无刻点。前胸背板横宽，宽是长的 1.30 倍；侧缘在前半部呈圆弧形，后角之前直；后角钝角，端部尖，外突；基凹很深，凹内密被粗刻点；基区全部被粗刻点；盘区隆，光洁，无刻点；中线很深。小盾片毛穴存在。鞘翅行距微隆起，光亮，无刻点，第 3 行距具 1 个毛穴；条沟深，沟内有刻点，小盾片沟短。

采集记录：29 头，宁陕火地塘、旬阳坝，2007.Ⅶ.18-29；1 头，宁陕火地塘，1979.Ⅷ.07。

分布：陕西（宁陕）、四川、云南；日本。

59. 通缘步甲属 *Pterostichus* Bonelli, 1810

Pterostichus Bonelli, 1810: tab. syn. **Type species**: *Carabus fasciatopunctatus* Creutzer, 1799.

Arachnoidius Chaudoir, 1838: 9. **Type species**: *Carabus fasciatopunctatus* Creutzer, 1799.

属征：体长 5～30mm。体黑色或棕褐色，偶有金属光泽。体背光洁，有时雌性鞘翅具强烈的等直径微纹。复眼具 2 根眉毛；触角第 1 节不长于 2、3 节之和，第 1 节和第 2 节各具 1 根长刚毛，第 3 节无次生刚毛，第 4～11 节起被绒毛；上唇长方形，端部直或略凹，端部具 6 根刚毛；上颚直，端部尖；口须末节筒状，下唇须次末节内缘具 2 根长刚毛；中唇舌端部具 2 根刚毛，侧唇舌膜质，离生，长度超过中唇舌；颏中齿较窄，端部分开；亚颏每侧具 2 根刚毛，外侧的刚毛短。前胸背板侧缘具 2 根刚毛，1 根位于中部略前，另 1 根刚毛位于后角；后角直或圆；基凹深。鞘翅基边完整；基部毛穴存在；小盾片条沟完整；条沟深，有时沟内具刻点；各行距宽窄均匀，有些种类的微纹非常明显，第 3 行距具 1 ~ 3 个毛穴，第 5 行距无毛穴，第 9 行距的毛穴列中间稀疏；缘折端部具明显褶皱。腹面光洁，后胸前侧片长宽近等或长大于宽。雄性末腹板具 1 对刚毛，雌性具 2 对刚毛；雄性末腹板有时具特殊构造。雄性前足 1 ~ 3 跗节膨大，腹面具两列粘毛；中足基节具 2 根刚毛；中足腿节后缘具 2 根刚毛，腹面靠近端部具 1 根刺；中足胫节端部具清晰的栉齿列；后足基节具 2 根刚毛。

分布：东洋区，全北区。中国记录 200 多种，秦岭地区发现 22 种(含亚种)。

分种检索表

1. 中足腿节后缘具 4 ~ 10 根刚毛 ………… 2
   中足腿节后缘通常具 2 根刚毛，偶尔 3 根 ………… 3
2. 第 5 跗节腹面具毛，有时仅 1 ~ 2 对 ………… **刻纹通缘步甲 *Pt. scalptus***
   第 5 跗节腹面完全光洁 ………… **狭通缘步甲 *Pt. strigosus***
3. 后胸前侧片长宽近等或宽大于长，后翅完全退化 ………… 4
   后胸前侧片长大于宽，通常长度至少大于前缘宽度 2 倍，后翅通常发达 ………… 20
4. 后足基节具 3 根或更多的刚毛(内侧刚毛存在) ………… 5
   后足基节仅 2 根刚毛(内侧刚毛消失) ………… 14
5. 末跗节光洁 ………… 6
   末跗节具毛 ………… 7
6. 体狭长，两侧近平行；第 3 行距具 1 个毛穴 ………… **小胸通缘步甲 *Pt. parvicollis***
   体型略短宽，两侧不明显平行；第 3 行距具 2 个毛穴 ………… **格氏通缘步甲 *Pt. geberti***
7. 体小型，小于 7mm；亚颏每侧具 2 根刚毛 ………… 8
   体中型，大于 8mm；亚颏每侧具 1 根刚毛 ………… 10
8. 鞘翅第 3 行距具 4 个毛穴 ………… 9
   鞘翅第 3 行距具 3 个毛穴 ………… **明通缘步甲 *Pt. ming***
9. 第 3 行距前 3 个毛穴靠近第 3 条沟 ………… **孔子通缘步甲 *Pt. confucius***
   第 3 行距前 2 个毛穴靠近第 3 条沟 ………… **米罗通缘步甲 *Pt. miroslavi***
10. 前胸后角完全圆；阳茎腹面具较弱的脊，端片无钩 ………… **许氏通缘步甲 *Pt. schuelkei***
    前胸后角明显，接近直角；阳茎腹面具发达的脊，或端片具钩 ………… 11
11. 阳茎腹面无脊或具较弱的不完整的脊，端片左侧基部多少向背面翻折，因此从左侧面观端片基部具面向背面的小齿 ………… 12
    阳茎腹面具发达的脊，端片简单 ………… **亚氏通缘步甲 *Pt. janatai***
12. 触角第 3 节端部靠近内侧，具一些次生短毛(***Pt. dundai*** 刚毛较少，有时仅 1 ~ 2 根) ………… 13
    触角第 3 节除端部的毛环之外，不具次生短毛 ………… **岭山通缘步甲 *Pt. lingshanus***
13. 右侧叶端部强烈突出且弯曲；雄性末腹板中央具大且浅的凹，端部具 2 个小瘤突；外侧基凹正常，长度约为内侧基凹的 1/2 ………… **敦达通缘步甲 *Pt. dundai***
    右侧叶端部圆；雄性末腹板无特殊构造；外侧基凹几乎消失，仅余痕迹及少量刻点 ………… **砂琉通缘步甲 *Pt. clepsydra***
14. 前胸后角不同程度圆，后角不明显；后角刚毛明显位于后角之前；有时前胸后角完全圆，后角位置不易判断 ………… 15

前胸后角通常明显，后角刚毛恰好位于后角处 ………………………………………………… 16

15. 鞘翅基部毛穴消失；阳茎中叶不明显弯曲，端部上翘较弱 ……………………………………………………………… **宽颊通缘步甲指名亚种 *Pt. latitemporis latitemporis***

鞘翅基部毛穴存在；阳茎中叶明显弯曲，端部更加强烈上翘 ……………………………………………………………… **宽颊通缘步甲阔头亚种 *Pt. latitemporis inflaticeps***

16. 后足转节无刚毛 ………………………………………… **火鸡通缘步甲 *Pt. gallopavo***

后足转节具 1 根刚毛 ………………………………………………………………… 17

17. 各足末跗节具毛…………………………………………………… **重通缘步甲 *Pt. gravis***

各足末跗节光洁 ……………………………………………………………………… 18

18. 中足腿节腹面近端部仅 1 根短刺 ……………………… **克莱氏通缘步甲 *Pt. kleinfeldianus***

中足腿节腹面近端部具并列的 2 根短刺 ………………………………………………… 19

19. 外侧基凹约为内侧基凹 1/3 长 ……………………… **卡特通缘步甲指名亚种 *Pt. catei catei***

外侧基凹消失或仅余 1 个刻点 ……………… **卡特通缘步甲圆胸亚种 *Pt. catei rotundithorax***

20. 后足转节无刚毛 ……………………………………………………………………… 21

后足转节具刚毛 …………………………………………… **润通缘步甲 *Pt. laevipunctatus***

21. 鞘翅基部毛穴消失，鞘翅常具金属铜色或绿色光泽………… **铜绿通缘步甲 *Pt. aeneocupreus***

鞘翅基部毛穴存在，鞘翅无金属光泽 ……………………… **亮通缘步甲 *Pt. subovatus***

（126）铜绿通缘步甲 *Pterostichus*（*Bothriopterus*）*aeneocupreus*（Fairmaire，1887）

Platysma aeneocupreus Fairmaire, 1887: 95.

Bothriopterus kanssuensis Tschitschérine, 1889: 194.

Platysma yunnanus Fairmaire, 1887: 94.

Pterostichus smaragdinus Straneo, 1982: 140.

鉴别特征：体长 9.50 ~ 11.50mm。体背具强烈的绿色或红铜色金属光泽。前胸背板侧边在后角之前强烈弯曲，后角突出成锐角，基凹内多刻点。鞘翅基部无毛穴，第 3 行距具毛穴 3 个；条沟较浅，沟内具细刻点。

分布：陕西（宁陕）、甘肃、四川、云南、西藏；印度，尼泊尔，不丹。

（127）亮通缘步甲 *Pterostichus*（*Bothriopterus*）*subovatus*（Motschulsky，1860）

Pterostichus kirishimanus Habu, 1954: 290.

鉴别特征：体长 11 ~ 13mm。体全黑色，无金属光泽。前胸侧边在后角之前强烈弯曲，后角突出，呈锐角，基凹多刻点。鞘翅基部毛穴 1 个，第 3 行距毛穴 3 个；条沟深，沟内具刻点。

分布：陕西（宁陕）、黑龙江、吉林、北京、河北、山东、河南、甘肃、湖北、四川、云南；俄罗斯（远东），朝鲜，日本，不丹。

(128) 砂琉通缘步甲 *Pterostichus* (*Morphohaptoderus*) *clepsydra* Sciaky *et* Wrase, 1997

Pterostichus clepsydra Sciaky *et* Wrase, 1997: 1107.

鉴别特征: 体长 11 ~ 13mm。体黑色，有光泽。触角第 3 节除端部原生刚毛外，内侧具一些次生短毛。前胸背板近圆形；侧边圆弧；基部强烈变窄；后角略突出成小齿；外侧基凹沟很短，刻点状，内侧基凹深且直，基凹区刻点少。鞘翅条沟内无刻点，第 3 行距具 2 个毛穴。雄性末腹板无第二性征，雌性鞘翅具清晰的微纹。

分布: 陕西(周至、宁陕)。

(129) 孔子通缘步甲 *Pterostichus* (*Morphohaptoderus*) *confucius* Sciaky *et* Wrase, 1997

Pterostichus confucius Sciaky *et* Wrase, 1997: 1095.

鉴别特征: 体长 5.30 ~ 5.80mm。头部黑褐色，前胸红棕色，有光泽。亚颏每侧具 1 对刚毛；触角第 3 节除端部原生刚毛外，内侧具一些次生短毛。前胸背板略呈梯形；侧边中部略圆弧，于中部之后变窄；基缘略窄于前缘；后角接近直角，端部具不明显的齿突；基凹区具密刻点，刻点不集中于基凹沟内。鞘翅肩部齿非常小；小盾片沟完全消失；基部毛穴存在；第 3 行距 4 个毛穴，前 3 个毛穴靠近第 3 条沟，后 1 个毛穴靠近第 3 条沟；鞘翅条沟深，沟底具少量细刻点。

分布: 陕西(周至、宁陕)。

(130) 敦达通缘步甲 *Pterostichus* (*Morphohaptoderus*) *dundai* Sciaky, 1994

Pterostichus dundai Sciaky, 1994: 9.

鉴别特征: 体长 10 ~ 11mm。体黑褐色，有光泽。第 3 触角节内缘近端部具数根细刚毛。前胸背板近圆形；侧边圆弧；基部强烈变窄；后角略突出，呈小齿；内外侧基凹沟深，两沟之间隆起，基凹区具少量刻点。鞘翅条沟内无刻点；小盾片条沟无或很短；第 3 行距具 2 个毛穴；雌性鞘翅行距具清晰的等直径微纹。

分布: 陕西(周至、宁陕)、宁夏。

(131) 格氏通缘步甲 *Pterostichus* (*Morphohaptoderus*) *geberti* Sciaky *et* Wrase, 1997

Pterostichus geberti Sciaky *et* Wrase, 1997: 1099.

鉴别特征: 体长 10 ~ 11mm。体黑色，有光泽。亚颏每侧具 2 根刚毛；前胸外侧基凹极短，几乎消失。鞘翅第 3 行距具 2 个毛穴，分别靠近第 3 和第 2 条沟；雌性和雄性行距微纹类似。足末跗节腹面无毛。

分布：陕西（周至、宁陕）、宁夏。

（132）亚氏通缘步甲 *Pterostichus*（*Morphohaptoderus*）*janatai* Sciaky *et* Wrase, 1997

Pterostichus janatai Sciaky *et* Wrase, 1997: 1098.

鉴别特征：体长 8 ~ 9mm。复眼突出，亚颏具 2 对刚毛。前胸腹板近圆形，向基部变窄；侧缘在后角之前不弯曲；后角具小齿；外侧基凹十分浅或消失，内侧基凹长且浅，沿基凹具一些刻点，侧沟窄。鞘翅小盾片条沟通常存在，非常短；行距无微纹，第 3 行距通常具 2 个毛穴，偶尔 1 个或 3 个，均靠近第 2 条沟。足末跗节具两对细毛。

分布：陕西（周至、宁陕）。

（133）岭山通缘步甲 *Pterostichus*（*Morphohaptoderus*）*lingshanus* Sciaky *et* Wrase, 1997

Pterostichus lingshanus Sciaky *et* Wrase, 1997: 1097.

鉴别特征：体长 8 ~ 9mm。第 3 触角节光洁。前胸背板近梯形；侧边略圆弧；基部略变窄；后角轻微突出；内外侧基凹沟深，外侧沟略短，两沟间的区域隆起，基凹沟内略具刻点。鞘翅条沟内刻点很细，第 3 行距具 2 个毛穴。雄性末腹板无第二性征，雌性鞘翅行距具清晰的微纹。

分布：陕西（周至、宁陕）。

（134）明通缘步甲 *Pterostichus*（*Morphohaptoderus*）*ming* Sciaky *et* Wrase, 1997

Pterostichus ming Sciaky *et* Wrase, 1997: 1094.

鉴别特征：体长 6.20mm。头部深褐色，前胸及鞘翅红褐色。复眼突出，半球形；触角第 3 节具次生刚毛，覆毛区域占据基部 1/2。前胸背板略呈圆盘状，最宽处位于中部附近；侧边在后角之前直；后角近直角；内侧基凹约为前胸长度的 1/3，外侧基凹略短于内侧基凹的 1/2；刻点完全集中于基凹沟内。鞘翅基部齿非常小，略突出；基部毛穴存在；行距略隆起，光洁，第 3 行距具 3 个毛穴，前 2 个毛穴靠近第 3 条沟，后 1 个毛穴靠近第 3 条沟；鞘翅条沟明显，沟底具不明显的细刻点。

分布：陕西（洋县）。

(135) 米罗通缘步甲 *Pterostichus* (*Morphohaptoderus*) *miroslavi* Sciaky *et* Wrase, 1997

Pterostichus miroslavi Sciaky *et* Wrase, 1997: 1096.

鉴别特征: 体长6.60mm。头及前胸背板黑褐色；鞘翅褐色,略具虹彩光泽。触角第3节除端部原生刚毛外，内侧具次生短毛，覆毛区域占据基部1/2。前胸略呈圆盘状，最宽处位于中部附近；侧边在后角之前略弧；内侧基凹约为前胸长度的1/3，外侧基凹略短于内侧基凹的1/2，内外基凹之间及内侧基凹内侧区域具一些刻点。鞘翅基部齿非常小，略突出；基部毛穴存在；行距略隆起，光洁，第3行距4个毛穴，前两个毛穴靠近第3条沟，后两个毛穴靠近第3条沟；条沟明显，沟底具细刻点。

分布: 陕西(周至)。

(136) 许氏通缘步甲 *Pterostichus* (*Morphohaptoderus*) *schuelkei* Sciaky*et* Wrase, 1997

Pterostichus (*Circinatus*) *schuelkei* Sciaky *et* Wrase, 1997: 1102.

鉴别特征: 体长约11mm。体黑色，略具虹彩光泽。触角第3节光洁。前胸背板圆形；后角完全圆；内侧基凹沟明显，外侧基凹沟不可见，基凹区光洁。鞘翅行距微纹不显，第3行距具毛穴2个，均靠近第2条沟；具小盾片条沟。足末跗节腹面具毛。雄性末腹板简单。

分布: 陕西(周至、佛坪、宁陕)。

(137) 卡特通缘步甲指名亚种 *Pterostichus* (*Neohaploderus*) *catei catei* Sciaky *et* Wrase, 1997

Pterostichus catei catei Sciaky *et* Wrase, 1997: 1090.

鉴别特征: 体长11~12mm。体黑色，有光泽。触角第3节除端部原生刚毛外，内侧不具次生短毛。前胸圆形，后角完全圆；前胸基凹线状；外侧基凹沟短，约为内侧基凹1/4长；内侧基凹沟内有不明显刻点。鞘翅肩部具较小的齿；鞘翅基部毛穴消失；行距略隆起，第3行距具1个毛穴，位于中部之后，靠近第2条沟，第9行距毛穴列部分中断；鞘翅条沟深，沟底无刻点。足末跗节腹面光洁，中足腿节端部2根刺。雄性末腹板具浅凹。

分布: 陕西(华山)。

(138) 卡特通缘步甲圆胸亚种 *Pterostichus* (*Neohaploderus*) *catei rotundithorax* Sciaky *et* Wrase, 1997

Pterostichus catei rotundithorax Sciaky *et* Wrase, 1997: 1092.

鉴别特征： 体长 11～12mm。体黑色，有光泽。触角第 3 节除端部原生刚毛外，内侧不具次生短毛。前胸圆形，后角完全圆；前胸基凹线状；外侧基凹沟几乎完全消失；内侧基凹沟内有不明显刻点。鞘翅肩部具较小的齿；鞘翅基部毛穴消失；第 3 行距 1 个毛穴，靠近第 2 条沟，位于中部之后；鞘翅条沟明显，沟底无刻点，行距略隆起；第 9 行距毛穴列部分中断。

分布： 陕西（周至、宁陕、柞水）。

讨论： 该亚种与指名亚种非常相似，但前胸向基部变窄程度更加明显，外侧基凹沟几乎完全消失，鞘翅肩部齿更大。

（139）克莱氏通缘步甲 *Pterostichus*（*Neohaploderus*）*kleinfeldianus* Sciaky *et* Wrase, 1997

Pterostichus kleinfeldianus Sciaky *et* Wrase, 1997: 1092.

鉴别特征： 体长 12.50～14.00mm。体黑色，有光泽。触角第 3 节除端部原生刚毛外，内侧不具次生短毛。前胸略呈心形，向基部强烈变窄；侧边于后角之前略弯曲，后角明显突出；前胸基凹线状；基凹区具少量刻点。鞘翅肩部具短而宽的齿；鞘翅基部毛穴存在；行距略隆起，第 3 行距 1 个毛穴，位于中部之后，靠近第 2 条沟，第 9 行距毛穴列部分中断；条沟深，沟底无刻点。各足末跗节光洁，中足腿节端部 1 根刺。雄性末腹板无第二性征。

分布： 陕西（眉县）、宁夏。

（140）重通缘步甲 *Pterostichus*（*Neohaptoderus*）*gravis* Jedlička, 1939

Pterostichus gravis Jedlička, 1939: 3.

鉴别特征： 体长 11～13mm。体黑色，有光泽。触角第 3 节除端部原生刚毛外，内侧不具次生短毛。前胸略呈心形；侧边于后角之前强烈弯曲；后角强烈突出；前胸基凹线状；基凹区具少量刻点。鞘翅肩部具明显的齿；鞘翅基部毛穴存在；第 3 行距 1 个毛穴，位于中部之后，靠近第 2 条沟，第 9 行距毛穴列部分中断；鞘翅条沟明显，沟底具细刻点。足末跗节腹面具毛，中足腿节端部 1 根刺。雄性末腹板无明显第二性征。

分布： 陕西（周至）、宁夏、甘肃。

（141）火鸡通缘步甲 *Pterostichus*（*Orientostichus*）*gallopavo* Sciaky *et* Wrase, 1997

Pterostichus gallopavo Sciaky *et* Wrase, 1997: 1106.

鉴别特征： 体长 20～22mm。体黑色，有光泽。触角第 3 节除端部原生刚毛外，具次生短毛，多位于端部毛环区内。前胸背板后角略向外侧突出，侧边于后角之前略弯曲。鞘翅基部毛穴存在；行距端部无横向皱纹，第3行距具1个毛穴。足末跗节腹面具毛，中足腿节端部具两根刺。雄性末腹板具1条强烈的纵脊，纵脊后半段尖锐，基部半段端部加宽呈砧状。

分布：陕西(周至、华山)、河南。

(142) 润通缘步甲 *Pterostichus* (*Rhagadus*) *laevipunctatus* (Tschitschérine, 1889)

Pseudadelosia laevipunctatus Tschitschérine, 1889: 198.

鉴别特征：体长9.50～11.00mm。前胸背板圆形；前角略尖，中等程度突出；后角钝圆，端部略呈钝角；基凹外侧脊不明显。小盾片条沟消失。鞘翅第3行距具2个毛穴，均靠近第2条沟；鞘翅条沟略深，沟底具很细的刻点。后翅通常退化。

分布：陕西(宁陕)、宁夏、甘肃、四川、云南。

(143) 刻纹通缘步甲 *Pterostichus* (*Sinoreophilus*) *scalptus* Sciaky *et* Wrase, 1997

Pterostichus scalptus Sciaky *et* Wrase, 1997: 1103.

鉴别特征：体长14～16mm。体背黑色，雄性鞘翅具光泽，略有金属光泽；雌性鞘翅暗淡，具极为清晰的微纹。复眼较大，突出。前胸背板心形；侧边在后角之前强烈弯曲；后角直角，略向外侧突出；盘区多横向皱纹；基凹具粗糙皱纹。鞘翅条沟浅，沟底无刻点；行距间具强烈横向皱褶；第3行距具3～4个毛穴。后胸前侧片有明显的刻点。足第5跗节腹面具刚毛。

分布：陕西(眉县、宁陕)。

(144) 狭通缘步甲 *Pterostichus* (*Sinoreophilus*) *strigosus* Sciaky *et* Wrase, 1997

Pterostichus strigosus Sciaky *et* Wrase, 1997: 1104.

鉴别特征：体长16～18mm。体背黑色，雄性鞘翅具光泽，略呈金属色；雌性鞘翅暗淡，具清晰的微纹。复眼较大，突出。前胸背板心形；侧缘在后角之间强烈弯曲，后角呈直角，略向外突；盘区光洁；基凹具细密刻点。鞘翅条沟略深，沟底无刻点；行距光洁，第3行距具3个毛穴。足第5跗节光洁无毛。雄性末腹板第二性征明显，为1个横向的瘤突，位于腹板中部。

分布：陕西(周至、眉县、宁陕)、宁夏。

（145）宽颊通缘步甲指名亚种 *Pterostichus*（*Sinosteropus*）*latitemporis latitemporis* Sciaky *et* Wrase，1997

Pterostichus latitemporis latitemporis Sciaky *et* Wrase，1997：1088.

鉴别特征： 体长 9.00～9.80mm。体全黑色，无金属光泽。复眼小，颊于眼后强烈肿胀；前胸背板后角完全圆；鞘翅基部毛穴消失；第 9 行距毛穴列中部完全中断；各足末跗节腹面具少量细刚毛。

分布： 陕西（周至）。

（146）宽颊通缘步甲阔头亚种 *Pterostichus*（*Sinosteropus*）*latitemporis inflaticeps* Sciaky *et* Wrase，1997

Pterostichus latitemporis inflaticeps Sciaky *et* Wrase，1997：1089.

鉴别特征： 体长 9.20～9.30mm。体全黑色，有光泽，无金属色泽。复眼小，颊于眼后强烈肿胀。前胸背板后角完全圆。鞘翅基部毛穴存在；第 9 行距毛穴列中部完全中断。足末跗节腹面具少量细刚毛。

分布： 陕西（宁陕）。

（147）小胸通缘步甲 *Pterostichus*（*Tschitscherinea*）*parvicollis* Sciaky *et Wrase*，1997

Pterostichus（*Morphohaptoderus*）*parvicollis* Sciaky *et* Wrase，1997：1101.

鉴别特征： 体长 8.50mm。体红棕色，口须黄色。头顶微纹明显，等径。前胸长宽近等，侧边中前部略膨出，于中部之后变窄；侧边在后角之前几乎不弯曲；后角明显直角，端部不突出；内侧基凹内侧以及原外侧基凹所在位置具少量细刻点。鞘翅肩部具齿，齿小，但明显突出，小盾片沟接近完全消失；基部毛穴存在；第 3 行距具 1 个毛穴，位于 2/3 位置，靠近第 2 条沟；第 9 行距毛穴列中部稀疏。第 5 跗节无毛。

分布： 陕西（洋县）。

讨论： 根据原描述（Sciaky & Wrase，1997），模式标本采自 107.56°E，33.45°N，1650m，108km S Xi′an，Zhouzhi，根据此经纬度推算，模式产地应该位于洋县茅坪镇。

60. 掘步甲属 *Scalidion* Schmidt-Göbel，1846

Scalidion Schmidt-Göbel，1846：63. **Type species**：*Scalidion hilare* Schmidt-Göbel，1846.

属征：体长13～15mm。体黑色或棕黄色。眼大，半球形，眉毛2根；上颚狭，端部钩状；触角自第4节起密被绒毛；上唇横方，前缘有6根毛；后头向后收缩。前胸背板横宽，略大于头部宽度；前角圆。鞘翅宽阔，条沟深；行距稍隆，第3行距有4个毛穴，第8行距在后段加宽，并分为两行；缝角尖锐，外角尖锐且呈刺状。跗节加宽，腹面有毛，第4跗节深裂，爪有梳齿。

分布：中国；越南，印度，缅甸。世界已知2种，中国都有分布，秦岭地区发现1种。

(148) 黄掘步甲 *Scalidion xanthophanum* (Bates, 1888)

Lebia xanthophanum xanthophanum Bates, 1888: 382.

鉴别特征：体长13～14mm，体宽6.00～6.50mm。头部黑色，前胸背板和鞘翅棕黄色，前胸背板侧边黄色。头顶有细刻点；眼后颊极短，不膨。前胸背板横宽，宽为长的1.40倍，宽度为头部宽度的1.30倍；前角圆；侧边加宽(黄色部分)，边上有稀疏的细刻点；基部有边。鞘翅宽阔，条沟深，沟内有刻点；行距稍隆，光洁无毛，具稀疏的细刻点。

采集记录：1头，宁陕火地塘林场，2015.Ⅶ.11。

分布：陕西(宁陕)、浙江、湖北、江西、湖南、福建、广东、广西、四川、贵州、云南；越南。

61. 蝼步甲属 *Scarites* Fabricius, 1775

Scarites Fabricius, 1775: 249. **Type species**: *Scarites subterraneus* Fabricius, 1775.

Glyptomorphus Motschulsky, 1858b: 95. **Type species**: *Scarites excavatus* Kirby, 1818.

Paramecomorphas Motschulsky, 1858b: 96. **Type species**: *Scarites cylindronotus* Faldermann, 1836.

Scaritolius Fairmaire, 1905: 115. **Type species**: *Scaritolius politus* Fairmaire, 1905 (= *Scarites fairmairei* Bänninger, 1933).

属征：体中到大型，体长10～50mm。体狭，两侧近于平行。头部大，触角短，不达身体的1/2，第1节触角较长，约等于2～4节之和；眼中等大小，眉毛1根。前胸背板一般方形。中胸柄状，小盾片位于其上。中足基节窝开放，中胸后侧片伸达中足基节。前足开掘式，强壮有力。

分布：古北界，东洋区，非洲区。中国有10多种，秦岭地区发现1种。

(149) 单齿蝼步甲 *Scarites terricolapacificus* Bates, 1873

Scarites terricolapacificus Bates, 1873a: 238.

Scarites coreanus Kolbe, 1886: 171.

鉴别特征: 体长 20mm 左右,体宽 5.50mm 左右。体黑色,表面光亮。触角短,不达前胸后角,第 1 节触角加长,约等于 2 ~4 节之和;眼小,眉毛 1 根。前胸背板方,近六边形;两侧缘平行;后角有毛 1 根。鞘翅长方形,两侧缘平行;条沟深,沟内有刻点;行距微隆,表面光洁,无毛和刻点,第 3 行距有毛穴 2 个,分别在中部和后部1/4处,有时毛穴消失。中足胫节外侧近端部有长棘 1 个。

采集记录: 2 头,周至厚畛子,1271m,2007. Ⅴ.23-25,史宏亮采。

分布: 陕西(周至)、黑龙江、吉林、辽宁、内蒙古、河北、山东、河南、甘肃、新疆、江苏、安徽、浙江、湖北、湖南、福建、台湾、广东、广西、四川、贵州;俄罗斯,朝鲜,日本。

62. 狭胸步甲属 *Stenolophus* Dejean, 1821

Stenolophus Dejean, 1821: 15. **Type species**: *Carabus vaporariorum* Linnaeus sensu Fabricius, 1787 (= *Carabus teutonus* Schrank, 1781).

Notiocharis Gistel, 1856: 359. **Type species**: *Carabus vaporariorum* Linnaeus sensu Fabricius, 1787 (= *Carabus teutonus* Schrank, 1781).

属征: 体长 6 ~12mm。一般黑色或棕黄色,少数有绿色、蓝色或紫色金属光泽。额沟长,伸达复眼内缘;唇基前缘具 2 根刚毛;复眼突出,内侧具 1 对刚毛;触角自第 3 节起被绒毛;上颚外沟无刚毛;颏与亚颏之间横沟完整,颏无齿;口须端节纺锤形,下唇须亚端节内侧具刚毛 2 根。前胸背板横方形,隆起;侧缘前半部分具 1 对刚毛,即前缘毛,无后缘毛,后角一般圆。鞘翅长方形,一般无虹彩光泽,小盾片条沟存在;侧缘在近翅端处的端凹不明显;行距光洁,第 3 行距有 1 个毛穴,第 9 行距的毛穴分成2 ~3 组;后翅膜质,完整,具有飞翔功能。后足腿节近后缘有2 根刚毛,跗节背面无毛;雄虫前中跗节 2 ~4 节多少膨大,腹面有两列粘毛,第 5 跗节腹面刚毛有或无。

分布: 东洋区。中国已知 25 种左右,秦岭地区发现 1 种。

(150) 背黑狭胸步甲 *Stenolophus connotatus* Bates, 1873

Stenolophus connotatus Bates, 1873b: 327.

鉴别特征: 体长6.50 ~7.50mm,体宽2.40 ~2.80mm。体棕黄色,头顶、前胸背板中部、鞘翅1~4行距大部黑色。头略平，光洁无毛，眼大；眼后颊不隆起。前胸背板横方形，宽为长的1.30~1.40倍；盘区光洁无毛，无刻点，基凹附近有极稀疏的刻点；前缘凹，缘边在中部中断；前角突出，钝圆；后角钝圆，顶角不显；侧边在后角前圆弧状；中线很细，不达前后缘；基凹浅平，凹内有刻点。鞘翅长为宽的1.60倍；基边倾斜，和侧缘相交成圆弧状；肩角钝圆，无齿突；条沟较深，沟内刻点细；行距较隆，无绒毛和刻点，微纹不明显；鞘翅缝尖，呈短刺状。前足胫节外端角具刺2~3根，跗节表面光洁无绒毛，末跗节腹面无毛，雄虫中足第1跗节端半部具粘毛。

采集记录：1头，周至厚畛子，2007. Ⅴ.24；6头，宁陕旬阳坝。

分布：陕西(周至、宁陕)、河北、山西、河南、新疆、江苏、湖北、江西、福建、广西、四川；日本。

63. 长颚步甲属 *Stomis* Clairville, 1806

Stomis Clairville, 1806: 46. **Type species**: *Carabus pumicatus* Panzer, 1796.

Eustomis Semenov, 1889b: 378. **Type species**: *Stomis formosus* Semenov, 1889.

Stobeus Fairmaire, 1888: 8. **Type species**: *Stobeus collucens* Fairmaire, 1888.

Stomatomius Gistel, 1856: 358. **Type species**: *Carabus pumicaus* Panzer, 1796.

属征：体长9~12mm。体黑色，有些种类具强烈的金属光泽。额沟浅或略深；复眼突出至略退化；上唇端部强烈内凹，具6根刚毛，中央4根位置接近；触角第1节加长，等于或长于第2和第3节之和；上颚强烈延长，有时内侧面具大齿；下颚须亚端节具5~6根细刚毛；下唇须末节略呈纺锤形；中唇舌端部具2根刚毛；颏齿圆或略分叉；亚颏每侧具1根刚毛。前胸背板通常心形，向基部强烈变窄，在后角之前弯曲；后角通常明显；基凹浅。鞘翅条沟清晰，沟内通常具刻点；小盾片条沟消失或不完整，鞘翅基部毛穴存在或消失；第3行距无毛穴。后胸前侧片长大于宽或长宽近等，后翅发达或退化。中足腿节后缘具2根刚毛；后足基节具2根刚毛；后足转节具1根刚毛；第5跗节腹面具刚毛；后跗节基部2或3节外侧具脊。

分布：古北区，新北区。中国已知20多种，秦岭地区记录4种(含张良长颚步甲 *Stomis fallettii* Facchini, 2003和太白长颚步甲 *Stomis taibashanensis* Lassalle, 2003)，本志记述秦岭地区2种。

分种检索表

身体较细长，前胸背板长为宽的1.10~1.20倍，端宽为基宽的1.10倍 …… **细长颚步甲 *S. exilis***

身体较粗短,前胸背板长等于宽,端宽为基宽的 1.30 倍 ……………………………………………………………………………………… **德氏长颚步甲陕西亚种 *S. deuvei shaanxianus***

(151) 细长颚步甲 *Stomis exilis* Sciaky *et* Wrase, 1997

Stomis exilis Sciaky *et* Wrase, 1997: 1117.

鉴别特征: 体长 10.50 ~ 11.00mm, 体宽 3.50mm。体黑色,鞘翅有微弱的绿色光泽,口须、触角、足胫节棕黄色,腿节棕黑色。眼小,不突出,眼后颊长仅等于眼纵径,上颚无凹缺。前胸背板长宽近等;端宽为基宽 1.10 倍;后角略呈钝角,顶端略圆。鞘翅长卵圆形,长为宽的 1.60 倍;行距平,无刻点;条沟略深,沟有粗刻点。

采集记录: 5 头,宁陕平河梁、火地塘,2015. Ⅶ. 13-14,沈彤、邹静怡、赵靖凯采。

分布: 陕西(华山、宁陕)。

讨论: 采自宁陕的个体比原始文献描述的体长要短(12.80mm),但身体其他特征相同。

(152) 德氏长颚步甲陕西亚种 *Stomis deuvei shaanxianus* Sciaky *et* Wrase, 1997

Stomis deuvei shaanxianus Sciaky *et* Wrase, 1997: 1118.

鉴别特征: 体长 9.50 ~ 10.00mm, 体宽 3.30mm。体黑色,鞘翅有微弱的绿色光泽,口须、触角、足胫节棕黄色,腿节棕黑色。眼小,不突出,眼后颊长度仅等于眼纵径,上颚无凹缺。前胸背板杯状,长为宽 1.10 ~ 1.20 倍;端宽为基宽 1.30 倍;后角略呈钝角,顶端略圆。鞘翅长卵圆形,长为宽的 1.40 ~ 1.50 倍;行距平,无刻点;条沟略深,沟内有细刻点。

采集记录: 3 头,宁陕平河梁,2015. Ⅶ. 13,沈彤、邹静怡、刘漪舟采。

分布: 陕西(周至,宁陕)。

64. 斯步甲属 *Straneostichus* Sciaky, 1994

Straneostichus Sciaky, 1994: 190. **Type species**: *Straneostichus vignai* Sciaky, 1994.

属征: 体长 9 ~ 15mm。体黑色,具强烈的铜绿色或紫红色金属光泽。头部大,复眼发达,眉毛 2 根;头顶具刻点;亚颏每侧具 2 根刚毛;下唇须末节纺锤状,次末节端部具 1 根细刚毛,内侧具长刚毛 2 根;触角 1 ~ 3 节棒状。前胸横宽,侧边在后角之前弯曲或不弯曲，侧边中部附近具刚毛 1 至多根；基凹深，内外侧基凹界限不清晰，外基凹沟有时消失，基凹与侧边之间不隆起。鞘翅略呈长卵形；基部毛穴存在或消失；小盾片条沟存在；行距微纹清晰，第 3 行距无毛穴，第 9 行距毛穴列不中断。后胸前侧片长宽近等，后翅退化。中足腿节和后足基节均具2 根刚毛，后足转节无刚毛，第 5 跗节腹面具毛。雄性末腹板无第二性征。

分布：中国。中国已知 8 种，秦岭地区发现 3 种。

分种检索表

1. 头顶光洁，前胸基凹外侧沟消失，前胸侧边具 3 ~4 根刚毛 ………………………………………………………………………… **维氏斯步甲紫色亚种 *S. vignai violaceus***

   头顶具刻点，前胸基凹外侧沟存在，前胸侧边仅 1 根刚毛 ……………………………… 2

2. 前胸侧边在后角之前突然弯曲，后角端部具强烈突出的小齿；鞘翅十分短，长宽比小于 1.50 ……………………………………………………………… **黑氏斯步甲 *S. haeckeli***

   前胸侧边在后角之前弯曲，而后直，后角明显，但端部不突出呈齿状；鞘翅略短，长宽比大于1.50 …………………………………………………… **皮茨斯步甲 *S. puetzi***

（153）黑氏斯步甲 *Straneostichus haeckeli* Sciaky *et* Wrase, 1997

Straneostichus haeckeli Sciaky *et* Wrase, 1997: 1109.

鉴别特征：体长 10 ~11mm。体黑色，背面具铜绿色或紫铜色金属光泽，触角和足棕黑色，口须棕黄色。复眼突出；头顶微隆，具密刻点。前胸背板近心形，向基部强烈变窄；侧边在后角之前突然弯曲，中部具 1 根刚毛；后角略呈锐角，明显向外突伸；基凹外侧沟深，外侧沟之外略隆起，内外沟之间强烈凹陷，基凹区及前胸基部具粗密刻点。鞘翅肩部具很小的齿突；小盾片条沟长，基部毛穴存在；行距平坦；条沟浅，沟底具细刻点。

采集记录：2 头，眉县大爷海，3590m，2011. Ⅷ. 08，吴超采。

分布：陕西（眉县）。

（154）皮茨斯步甲 *Straneostichus puetzi* Sciaky *et* Wrase, 1997

Straneostichus puetzi Sciaky *et* Wrase, 1997: 1108.

鉴别特征：体长 13mm。体黑色，背面具紫铜色金属光泽。复眼突出；头顶平，具少量细刻点。前胸背板近心形，向基部强烈变窄；侧边在后角之前强烈弯曲，中部具1根毛；后角近直角，端部不向外突；基凹的外侧沟存在，外侧沟之外不隆起，内外侧沟之间强烈凹陷，基凹区无刻点。鞘翅肩部具很小的齿突；小盾片条沟长；基部毛穴存在，远离鞘翅基部；条沟浅，沟底具细刻点；行距轻微隆起。

分布：陕西(洋县、镇安)。

(155) 维氏斯步甲紫色亚种 *Straneostichus vignai violaceus* Sciaky *et* Wrase, 1997

Straneostichus vignai violaceus Sciaky *et* Wrase 1997: 1110.

鉴别特征：体长12～13mm。体黑色，体背具紫色金属光泽。复眼突出，头顶无刻点。前胸背板心形，向基部变窄；侧边在后角之前强烈弯曲，具3～4根刚毛；后角近直角；基凹外侧沟消失，内侧沟长而强烈向外侧弯曲，外侧沟之外略凹陷，基凹区光洁无刻点。鞘翅肩部钝角，具小齿突；小盾片条沟长，基部毛穴存在；条沟略深，沟底无刻点，行距略隆起。

分布：陕西(周至、宁陕)。

65. 梨须步甲属 *Synuchus* Gyllenhal, 1810

Synuchus Gyllenhal, 1810: 77. **Type species**: *Carabus vivalis* Illiger, 1798.

Taphria Dejean, 1821: 10. **Type species**: *Carabus vivalis* Illiger, 1798.

Pristodactyla Dejean, 1828: 82. **Type species**: *Pristodactyla americana* Dejean, 1828 (= *Feronia impunctata* Say, 1823).

Crepidactyla Motschulsky, 1861: 4. **Type species**: *Crepidactyla nitida* Motschulsky, 1861.

Fuerthius Jedlička, 1953: 106. **Type species**: *Pristodactyla cyclodera* Bates, 1873.

Parcalathus Jedlička, 1953: 105. **Type species**: *Parcalathus testaceus* Jedlička, 1940.

Semenovia Jedlička, 1953: 107. **Type species**: *Calathus pseudomorphus* Semenov, 1889.

属征：体长8～17mm。体黑色，略光亮，不具金属光泽。头部大；头顶微隆；眼大，突出；触角细长，自第4节起密被绒毛；颏具齿，齿端两裂；口须端部一般膨扩，有时扩大呈斧状。前胸圆盘状，宽略大于长；侧缘在后角之前圆，中部有1根刚毛；后角圆，大部分具1根刚毛，极少数刚毛缺失。鞘翅长卵形；行距隆起程度不一，第3行距具毛穴；条沟内有刻点；有小盾片毛穴。后翅大部分种类退化。足细长，中后足跗节表面有纵沟，第5跗节腹面有刚毛；爪极少数简单无齿，大部分都具梳齿。该属和*Pristosia*显著的不同点是雄性外生殖器右侧叶减小，呈棒状。

分布: 东亚，南亚。世界已知80多种，中国有40多种，秦岭地区发现2种。

分种检索表

雌性和雄性口须都强烈膨大，呈斧状 …………………………………………… **大梨须步甲 *S. major***

仅雄性口须强烈膨大，呈斧状 ………………………………… **网纹梨须步甲 *S. nitidus reticulatus***

(156) 大梨须步甲 *Synuchus major* Lindroth, 1956

Synuchus major Lindroth, 1956: 495.

鉴别特征: 体长14~16mm，体宽5.00~6.50mm。体黑色，略光亮。头顶隆，无刻点，有少量横皱；眼大而突出；雌性和雄性下唇须末节均膨大,呈斧状。前胸圆盘状，宽是长的1.30倍，基宽近等于端宽；侧边从前到后均匀弧圆；基凹宽圆，深，沟内具稀疏的粗刻点和横皱；后角圆，有毛1根。鞘翅长卵形；行距隆，微纹不明显，呈横向网格状，第3行距有2个毛穴；条沟深，沟内有细微刻点。足细长，后跗节表面内侧光洁无沟，第5跗节腹面每侧有4根刚毛；爪有梳齿。

采集记录: 6头，宁陕火地塘，2015. Ⅶ. 13；1头，宁陕平河梁，2015. Ⅶ. 15。

分布: 陕西(宁陕)、河北、山东、安徽、浙江、湖南。

(157) 网纹梨须步甲 *Synuchus nitidus reticulatus* Lindroth, 1956

Synuchus nitidus reticulatus Lindroth, 1956: 501.

鉴别特征: 体长11.50~12.50mm，体宽4.50~5.00mm。体黑色，略光亮。头顶隆，无刻点，有少量横皱；眼大而突出；雄性下唇须末节膨大呈斧状，雌性口须略膨大。前胸圆盘状，宽是长的1.20倍，基宽略大于端宽；侧边从前到后均匀弧圆；基凹宽圆，深，沟内近光洁；后角圆，有毛1根。鞘翅长卵形；行距隆，微纹不明显，呈横向网格状，第3行距有2个毛穴；条沟深，沟内有细微刻点。足细长，后跗节表面内侧光洁无沟，第5跗节腹面每侧有4根刚毛；爪有梳齿。

采集记录: 2头，宁陕平河梁附近，2015. Ⅶ. 17；2头，宁陕火地塘，2015. Ⅶ. 18。

分布: 秦岭(宁陕)、吉林、河北、江苏、安徽、浙江、湖北、江西、福建。

66. 苔步甲属 *Taicona* Bates, 1873

Taicona Bates, 1873a: 314. **Type species**: *Taicona aurata* Bates, 1873.

属征：体长6.50～8.00mm。体扁平，表面光洁无毛；复眼半球形，大而突出，上颚基部明显加宽；前胸背板长稍大于宽，前角处具一些很短的细刚毛；鞘翅方形，端缘平截，第1行距基部具毛穴，第3行距及第5行距具毛穴4个以上，第7行距无毛穴。

分布：中国；日本。世界已记录2种，中国都有分布，秦岭地区发现1种。

（158）金绿苔步甲 *Taicona aurata* Bates, 1873

Taicona aurata Bates, 1873a: 315.

鉴别特征：体长6.50～8.00mm。头、前胸背板棕黄色，鞘翅外部行距具强烈的绿色金属光泽，中间棕红色；头顶光洁无刻点，眼大而突出；前胸背板略呈心形，宽度稍大于头部宽度，表面光洁无刻点，侧边在后角之前弯曲，后角尖锐，常外突；鞘翅平，表面具等直径微纹，第3行距具毛穴4～7个，第5行距具毛穴3～5个；腿短，跗节宽，腹面有密毛，适合树栖；爪具梳齿。

分布：陕西（佛坪）、台湾、广东；日本。

67. 列毛步甲属 *Trichotichnus* Morawitz, 1863

Trichotichnus Morawitz, 1863: 63. **Type species**: *Trichotichnus longitarsis* Morawitz, 1863.

Iridessus Bates, 1883: 240. **Type species**: *Harpalus lucidus* Morawitz, 1863.

Asmerinx Tschitschérine, 1898b: 183. **Type species**: *Carabus brevicollis* Duftschmid, 1812.

Episcopellus Casey, 1914: 220. **Type species**: *Feronia autumnalis* Say, 1823.

Ptemapalus Casey, 1914: 64. **Type species**: *Harpalus vulpeculus* Say, 1823.

Carbanus Andrewes, 1937b: 27. **Type species**: *Carbanus flavipes* Andrewes, 1937 (= *Trichotichnus claripes* Lorenz, 1998).

Velimius Jedlička, 1952: 51. **Type species**: *Velimius edai* Jedlička, 1953.

属征：体长6～13mm。体黑色或棕黄色，一般具虹彩光泽，无金属光泽。额沟长，伸达复眼内缘；唇基前缘具2根刚毛；复眼突出，内侧具1对刚毛；触角自第3节起被绒毛；上颚外沟无刚毛；颏与亚颏之间横沟完整，颏无齿；口须端节纺锤形，下唇须亚端节内侧具刚毛3根以上。前胸背板横方形，隆起；侧缘前半部分具1对刚毛，即前缘毛，无后缘毛，后角一般圆。鞘翅长方形，小盾片条沟存在；侧缘在近翅端处的端凹不明显；行距光洁，第3行距有1个毛穴，第9行距的毛穴连续，不分组；后翅膜质，完整，具有飞翔功能。后足腿节近后缘有2根刚毛，跗节背面无毛；雄虫前中跗节2～4节多少膨大，腹面有两列粘毛，第5跗节腹面刚毛有或无。

分布：古北区，东洋区，新北区。世界已知约250种，中国记录近70种，秦岭地区发现4种。

分种检索表

1. 前胸后侧片宽大于长，后翅退化（**亚属 *Amaroschesis***）……………… 2
   前胸后侧片宽小于长，后翅发达（**亚属 *Trichotichnus***）……………… 3
2. 前胸背板在后角之前强烈弯曲，后角尖锐且外突，头和前胸一般棕红色 ……………… **尖胸列毛步甲 *T. acuricollis***
   前胸背板在后角之前微弯曲，后角直角，端部略外突，黑色 …… **渡边列毛步甲 *T. watanabei***
3. 前胸背板侧缘在后角之前略圆；后角钝角，顶端略尖，向外突出；基凹浅，凹及周围密被刻点；两凹之间有密刻点；前胸背板前区也具少量刻点；个体较大，9.50mm 以上 ……………… **普列毛步甲 *T. nishioi***
   前胸背板侧缘在后角之前略直；后角近直角，不向外突出；基凹略深，刻点多限于凹内；两凹之间和前胸背板前区无刻点；个体较小，8.50mm 以下 …… **雅列毛步甲 *T. pseudocongruus***

（159）尖胸列毛步甲 *Trichotichnus*（*Amaroschesis*）*acuricollis* Ito，2001

Trichotichnus（*Amaroschesis*）*acuricollis* Ito，2001：94.

鉴别特征：体长11.50～12.00mm，体宽4.50～5.00mm。头、胸部棕黄色，鞘翅棕色或棕黑色；腹面胸部棕黄色，腹部棕黑色，无金属光泽。复眼小，不突出；眼后颊很短。前胸背板方形，宽是长的1.40倍；侧缘在后角之前直；后角略小于直角，端部很尖长，向外突出；基凹浅，凹内及周围具密刻点。鞘翅长方形，长是宽的1.40～1.50倍；行距平，无刻点，第3行距具1个毛穴；小盾片条沟存在；条沟略深，沟内有细微刻点。后胸前侧片宽是长的1.20倍。后足第5跗节腹面具4根刚毛。

采集记录：25头，宁陕秦岭草甸，2372m，2015. Ⅶ. 17，刘漪舟、沈彤、赵靖凯采。

分布：陕西（宁陕、镇坪）。

（160）渡边列毛步甲 *Trichotichnus*（*Amaroschesis*）*watanabei* Ito，2002

Trichotichnus watanabei Ito，2002：169 .

鉴别特征：体长 11.00～12.60mm，体宽 4.70～5.10mm。体黑色，无金属光泽。复眼小，不突出；眼后颊长。前胸背板略呈心形，宽是长的 1.40 倍；侧缘在后角之间直；后角略大于直角，端部尖，不向外突出。鞘翅长方形，长是宽的 1.40 倍；行距平，无刻点，第 3 行距无毛穴；小盾片条沟存在；条沟略深，沟内有细微刻点。后胸前侧片宽是长的 1.30 倍。后足第 5 跗节腹面具 4 根刚毛。

分布：陕西（宁陕）。

（161）普列毛步甲 *Trichotichnus*（*Trichotichnus*）*nishioi* Habu，1961

Trichotichnus nishioi Habu，1961：141.

鉴别特征：体长 9.50～10.50mm，体宽 4.50～5.00mm。体黑色，触角、口须和足棕黄色，有虹彩。复眼大，不很突出；眼后颊很短。前胸背板方形，宽是长的 1.50 倍；侧缘在后角之前内缩；后角钝角，顶端有小齿，略向外突出；基凹浅，凹内及周围具密刻点，两凹之间也密具刻点；前区具少量刻点。鞘翅长方形，长是宽的 1.40～1.50 倍；行距平，无刻点，第 3 行距后半部具 1 个毛穴；小盾片条沟存在；条沟略深，沟内有刻点。后胸前侧片长为宽的 1.50 倍。后翅发达。后足第 5 跗节腹面每侧具 3 根刚毛。Ito 记述宁陕县旬阳坝还有一种 *Trichotichnus*（*Trichotichnus*）*norikoae* Ito，2001，可能是此种的同物异名，进一步确认，有待检视模式标本。

采集记录：1 头，周至楼观台，2008.Ⅵ.25；17 头，留坝，1998.Ⅶ.18-22；20 头，佛坪，1998.Ⅶ.22-25；2 头，宁陕火地塘，1979.Ⅶ.29-Ⅷ.04；27 头，宁陕火地塘，1998.Ⅶ.26-Ⅷ.18；9 头，宁陕火地塘，2007.Ⅷ.19；4 头，宁陕火地塘，2015.Ⅶ.11-15。

分布：陕西（周至、留坝、佛坪、宁陕）、北京，中国东部广布；日本。

（162）雅列毛步甲 *Trichotichnus*（*Trichotichnus*）*pseudocongruus* Ito，2001

Trichotichnus（*Trichotichnus*）*pseudocongruus* Ito，2001：98.

鉴别特征：体长 7.80～8.50mm，体宽 3.20～3.50mm。体黑色，触角、口须和足棕黄色，有虹彩。复眼大，不很突出；眼后颊很短。前胸背板方形，宽是长的 1.50 倍；侧缘在后角之前；后角微大于直角，顶端略尖，不向外突出；基凹浅，凹内及周围具刻点，两凹之间无刻点或仅具少数几个刻点；前区不具刻点。鞘翅长方形，长是宽的 1.40～1.50 倍；行距平，无刻点，第 3 行距后半部具 1 个毛穴；小盾片条沟存在；条沟略深，沟内有或无刻点。后胸前侧片长为宽的 1.50 倍。后翅发达。后足第 5 跗节腹面每侧具 3 根刚毛。

采集记录：1 头，周至老县城，2007.Ⅷ.12；1 头，佛坪，1998.Ⅶ.23；1 头，佛

坪，2007.Ⅷ.15；7 头，宁陕火地塘，1979.Ⅷ.04；13 头，宁陕火地塘，1998.Ⅶ.26-Ⅷ.19；2 头，宁陕火地塘，2007.Ⅷ.19；1 头，宁陕火地塘，2015.Ⅶ.12。

分布：陕西（周至、佛坪、宁陕）。

68. 艳步甲属 *Trigonognatha* Motschulsky, 1858

Trigonognatha Motschulsky, 1858a: 25. **Type species**: *Trigonognatha cuprescens* Motschulsky, 1858.

Aurisma Fairmaire, 1888: 9. **Type species**: *Aurisma delavayi* Fairmaire, 1888.

Neomyas Allen, 1980: 17. **Type species**: *Myas cyanescens* Dejean, 1828.

属征：体长 10～35mm。体黑色，背面常具强烈的绿色、紫色或铜色金属光泽。额沟通常较深；复眼大，半球形；颊于眼后不膨肿；上唇端部直或略凹，中央 4 根刚毛位置靠近；下唇须末节明显加宽，呈三角形或斧状，次末节端部外侧具 1 根短的刚毛；中唇舌端部具 4 根或 6 根刚毛；颏齿端部平截或分叉；亚颏每侧具 1 或 2 根刚毛。前胸背板宽大，表面光洁无刻点；侧沟深而窄，侧边厚，侧缘中部具 1 根刚毛；内外侧基凹沟存在，有时内基凹沟很浅，外基凹沟之外通常强烈隆起呈脊。鞘翅行距明显隆起，奇偶数行距等宽或奇数行距较宽，微纹呈等直径网格，第 3 行无毛穴或具 1～2 个毛穴，基部的毛穴靠近第 3 条沟，端部的毛穴靠近第 2 条沟，第 9 行距毛穴列中部稀疏或完全连续；条沟清晰；小盾片条沟完整，鞘翅基部毛穴通常存在，偶尔消失。后胸前侧片长宽近等或长略大于宽，后翅退化；雄性末腹板无第二性征，雄性每侧具 1～2 根或更多的刚毛，雌性每侧具 2 根或更多刚毛。中足腿节后缘具 2～3 根刚毛，后足基节具 2 根刚毛，后足转节无刚毛，第 5 跗节腹面具刚毛。

分布：东亚、东南亚地区及北美洲。世界已知 32 种，中国有 26 种，秦岭地区发现 5 种。

分种检索表

1. 鞘翅第 3 行距具毛穴；亚颏每侧具 2 根刚毛；后足跗节外侧至少第 1 节基部具脊；鞘翅肩部多少具小齿突；个体较小 …………………………………………………………………… 2
   鞘翅第 3 行距无毛穴；亚颏每侧具 1 根刚毛；后足跗节外侧无脊；鞘翅肩部完全无齿突；个体较大，通常 13mm 以上 …………………………………………………………………… 3
2. 前胸背板基部宽，后缘明显宽于前缘；后足跗节 1～2 节外侧具脊 ……………………………………………………………… **宽胸艳步甲 *Tr. latibasis***
   前胸背板基部明显变窄，后缘略窄于前缘；后足跗节仅第 1 节外侧具脊 ……………………………………………………………… **心胸艳步甲 *Tr. cordicollis***
3. 前胸背板近似长方形，侧边在后角之前不弯曲，后角钝圆 ………… **朝鲜艳步甲 *Tr. coreana***
   前胸背板近似心形，侧边在后角之前多少弯曲，后角近直角 …………………………………… 4
4. 鞘翅缘折于端褶处突然弯曲，端褶非常明显；额沟略浅；体型巨大；体背紫铜色 ……………

………………………………………………………………………… 库氏艳步甲 *Tr. kutscherai*

鞘翅缘折于端褶处逐渐弯曲，端褶略明显；额沟通常深；体型略小，通常 25mm 以下；体背金属绿色 ……………………………………………………… 斯氏艳步甲 *Tr. straneoi*

（163）心胸艳步甲 *Trigonognatha cordicollis* Sciaky *et* Wrase, 1997

Trigonognatha cordicollis Sciaky *et* Wrase, 1997: 1114.

鉴别特征： 体长 10 ~ 11mm。体背具铜色至绿色金属光泽。头顶具较多的细刻点；触角第 3 节光洁，第 4 节自 1/4 起具毛；额沟浅。前胸背板心形，后角明显突出；基凹内外侧沟均倾，基凹区不同程度具刻点。鞘翅基部毛穴消失；小盾片条沟存在，有时不清晰；肩部齿小，但明显；条沟底微具刻点；第 3 行距通常具 1 个毛穴，位于中部之后，有时具 2 个毛穴。后足第 1 跗节外侧的脊占据跗节基部长度的 1/2。

分布： 陕西（华山、宁陕）、河南、宁夏、甘肃。

讨论： 在原描述里，模式产地为 Huashan，110. 06°E，34. 27°N. valley，1200 ~ 1400m；118km E Xi′an，110. 04°E，34. 30°N。按经纬度是洛南县北马河滩—闹子湾之间。有可能纬度记录有误，纬度可能为 34. 47°N，在华阴市南华山的一条步行沟里，位于白雀寺和张没沟之间，这才符合西安东 118km 的说法。

（164）朝鲜艳步甲 *Trigonognatha coreana*（Tschitschérine, 1895）

Feronia coreana Tschitschérine, 1895: 165.

鉴别特征： 体长 18 ~ 20mm。头、前胸背板多为黑色，鞘翅具紫色金属光泽。头顶光洁；复眼强烈突出；触角第 3 节光洁，第 4 节仅于近端部具少量次生刚毛；额沟较浅，向后分叉。前胸背板近方形；后角完全钝圆；基凹内外侧沟不清晰，基凹内几乎光洁。鞘翅基部毛穴通常存在；条沟略深；行距略隆起，第 9 行距毛穴列中部略稀疏；缘折端部折皱很浅。

采集记录： 1 头，宁陕火地塘林场，1554m，2015. Ⅶ. 19，刘漪舟采。

分布： 陕西（宁陕）、辽宁；朝鲜，日本。

（165）库氏艳步甲 *Trigonognatha kutscherai* Sciaky *et* Wrase, 1997

Trigonognatha kutscherai Sciaky *et* Wrase, 1997: 1112.

鉴别特征： 体长约 26mm。体背有紫铜色金属光泽。触角第 3 节光洁，第 4 节自端部 1/3 起被绒毛。前胸背板向基部略变窄；后角钝圆；基凹深，基凹内具一些粗皱纹，基凹外侧强烈隆起。鞘翅基部毛穴通常存在；鞘翅条沟深；鞘翅近端部具少量皱纹；第3、5、7行距于鞘翅端部相连，第9行距毛穴列不深凹形成条沟。

分布：陕西（略阳）。

（166）宽胸艳步甲 *Trigonognatha latibasis* Sciaky *et* Wrase，1997

Trigonognatha latibasis Sciaky *et* Wrase，1997：1115.

鉴别特征：体长12.50～13.50mm。体背有紫铜色或绿色金属光泽。头顶光洁或具一些细刻点，触角自第4节端部1/3起被密毛，额沟浅。前胸背板近梯形，向基部基本不变窄；侧边于后角之前略弯曲；后角略突出；内外侧沟均倾斜；基凹区光洁或略具刻点。鞘翅基部毛穴消失；小盾片条沟很短；肩部齿较宽，端部略向后方弯曲；条沟底光洁；第3行距通常具1个毛穴，位于中部之后，有时毛穴消失。后足跗节外侧脊在第1节近完整，第2节约占基部长度的1/2。

分布：陕西（周至）。

（167）斯氏艳步甲 *Trigonognatha straneoi* Sciaky *et* Wrase，1997

Trigonognatha straneoi Sciaky *et* Wrase，1997：1113.

鉴别特征：体长17～19mm。体背具绿色金属光泽。头顶除额沟之外几乎无皱纹；触角第3节光洁，第4节自端部1/4起具绒毛；额沟深，向后不明显具分支。前胸背板向基部略变窄；侧边于后角之前通常明显弯曲；后角接近直角，顶端略突出；基凹内外侧沟不清晰，基凹内有时具少量皱纹或刻点。鞘翅基部毛穴通常存在；小盾片条沟略长；肩部略方，向端部略加深；条沟深；行距明显隆起，第9行距毛穴列中部略稀疏。

采集记录：1头，佛坪，2150～1750m，1999.Ⅵ.28；2头，宁陕平河梁，2124m，2015.Ⅶ.19，刘漪舟、于地美采。

分布：陕西（佛坪、宁陕）、宁夏、湖北。

参考文献

Acloque，A. 1896. *Faune de France，contenant la description de toutes les espèces indigènes disposées en tableaux analytiques et illustreé defigures représentant les types caracteristiques des genres et des sous-genres. Coléoptères*. J. B. Baillière and Fils，Paris，466 pp.

Allen，R. T. 1980. A review of the subtribe Myadi：description of a new genus and species，phylogenetic relationships，and biogeography（Coleoptera：Carabidae：Pterostichini）. *The Coleopterists Bulletin*，34（1）：1-29.

Andrewes，H. E. 1925. Notes on Oriental Carabidae Ⅶ. *Entomologist's Monthly Magazine*，61：49-58.

Andrewes, H. E. 1930. The Carabidae of the third Mount Everest expedition 1924. *Transactions of the Entomological Society of London*, 1930 (78): 1-44 + 1 map.

Andrewes, H. E. 1939. Papers on Oriental Carabidae XXXV. On the types of some India genera. *Annals and Magazine of Natural History*, (11) 3: 128-139.

Baliani, A. 1932. Nuove specie asiatiche del genere *Amara* (Col. ,Carab.). *Memorie della Società Entomologica Italiana*, 11: 5-16.

Baliani, A. 1934a. Studi sulle *Amara* asiatiche 7 (Coleopt. , Carab.). *Memorie della Società Entomologica Italiana*, 13: 110-112.

Baliani, A. 1934b. Studi sulle *Amara* asiatiche (Col. , Carab.) con descrizioni di nuove specie. *Memorie della Società Entomologica Italiana*, 12 [1933]: 188-208.

Baliani, A. 1943. Studi sulle *Amara* asiatiche 14 (Coleopt. , Carabidae). *Memorie della Società Entomologica ltaliana*, 22: 38-50.

Barševskis, A. 1994. [The beetle genus *Notiophilus* Dumeril, 1806 (Col. , Carabidae) in Latvia]. *Dabas Izpètes Vèstis*, 1(2): 1-13 (in Latvian).

Barševskis, A. 2010. New species of *Broscosoma* Rosenhauer, 1846 (Coleoptera: Carabidae) from China. *Baltic Journal of Coleopterology*, 10: 19-22.

Bates, H. W. 1873a. On the Geodephagous Coleoptera of Japan. Fam. Carabidae. *The Transactions of the Entomological Society of London*, 1873: 219-322.

Bates, H. W. 1873b. Description of Geodephagous Coleoptera from China. *Transactions of Entomological Society of London*, 1873: 323-334.

Bates, H. W. 1883. Supplement of the geodephagous Coleoptera of Japan, chiefly from the collection of Mr. George Lewis, made during his second visit, from February 1880 to September 1881. XI. *The Transactions of the Entomological Society of London*, 1883: 205-290, pl. viii.

Bates, H. W. 1888b. On some new species of Coleoptera from Kiu-Kiang, China. *Proceedings of the Scientific Meetings of the Zoological Society of London*, 56: 380-383.

Bates, H. W. 1892. Viaggio di Leonardo Fea in Birmania e Regioni Vicini XLIV. List of the Carabidae. *Annali del Museo Civico di Storia Naturale di Genova*, (2) 32: 267- 428.

Bates, H. W. 1878. On new species of coleopterous insects (Geodephaga and Longicomia) taken by Dr. Stoliczka during the Forsyth Expedition to Kashgar in 1873-74. *Proceedings of the Scientific Meetings of the Zoological Society of London*, 46: 713-721.

Bates, H. W. 1889. On new species of the Coleopterous families Cicindelidae and Carabidae, taken by Mr. Pratt in Chang-Yang, near Ichang on the Yang-tsze, China. *Proceedings of the Zoological Society of London*, 57: 216-219.

Bates, H. W. 1872. Notes on Cicindelidae and Carabidae and description of new species (No. 16). *Entomological Monthly Magazine*, 9[1872-1873]: 49-52.

Bedel, L. 1902. Pp. 209-220. *In Catalogue raisonné des Coléoptères du nord de l' Afrique. (Maroc, Algérie, Tunisie et Tripolitaine) avec notes sur la faune des Îies Canaries et de Madère, premiere partie.* Société Entomologique de France, Paris, 402 pp.

Billberg, G. J. 1820. *Enumeratio Insectorum in Museo Gust. Joh. Billberg.* Gadelianis, Stockholm, 138 + [2] pp.

Bonelli, F. A. 1810. *Observations entomologiques. Première partie (cicindélètes et portion des carabiques)* [*with the "Tabula synoptica exhibens genera carabicorum in sectiones et stirpes disposita"*]. Turin, 58 pp. + 1 table. [Reissued in 1812 in: Memorie della Reale Accademia della Science di Torino, 18: 21-78.]

Born, P. 1909. *Calosoma maximowiczi sauteri* nov. subspec. *Societas Entomologica*, 24 [1909-1910]: 99.

Breuning, S. 1932. *Monographieder Gattung Carabus L. Bestimmungs-Tabellen dereuropäischen Coleopteren.* 104. *Heft*. Emmerich Reitter, Troppau, 288 pp.

Breuning, S. 1933. *Monographie der Gattung Carabus L.* (Ⅳ. *Teil*). *Bestimmungs-Tabellen der europäischen Coleopteren.* 107. *Heft*. Emmerich Reitter, Troppau, pp. 707-912.

Brezina, B. and Imura, Y. 1997. A new subgenus and two new species of *Carabus* from Shaanxi and Sichuan, China. *Gekkan Mushi*, 312: 4-9.

Broun, T. 1880. *Manual of the New Zealand Coleoptera. Part* 1. James Hughes, Wellington, xix + 651 pp.

Casey, T. L. 1914. *A Revision of the Nearctic Harpalinae. Pp.* 45-305. *In Memoirs on the Coleoptera.* Ⅴ. The New Era Printing Company, Lancaster. 387 pp.

Casey, T. L. 1918d. Miscellaneous notes and corrections. 413- 416. *In Memoirs on the Coleoptera.* Ⅷ. The New Era Printing Company, Lancaster. 427 pp.

Casey, T. L. 1920a. A revisional study of the American Pl atyninae. 1-132. *In Memoirs on the Coleoptera.* Ⅸ. The New Era Printing Company, Lancaster. 529 pp.

Casey, T. L. 1920b. Random studies among the American Caraboidea. 133-299. *In Memoirs on the Coleoptera. IX.* The New Era Printing Company, Lancaster. 529 pp.

Cavazzuti, P. 1997. Descrizione di Cychrus (Kryptocychrus) loccai, nuovo sottogenere e nuova specie della tribu Cychrini, endemici della Cina (Coleoptera, Carabidae). *Lambillionea*, 97: 75-80.

Chaudoir, M. de. 1838. Tableau dúne nouvelle subdivision du genre *Feronia* Dejean suivi d' une caracteristique de trois nouveaux genres de carabiques. *Bulletin de la Société Impériale des Naturalistes de Moscou*, 11: 3-32.

Chaudoir, M. de. 1844. Trois memoires sur la famille des Carabiques. *Bulletin de la Société Impériale des Naturalistes de Moscou*, 17: 415-479.

Chaudoir, M. de. 1852. Mémoire sur la famille des carabiques. 3e partie. *Bulletin de la Société Impériale des Naturalistes de Moscou*, 25(1): 3-104.

Chaudoir, M. de. 1856. Mémoire sur la famille des Carabiques. 6-e partie. *Bulletin de la Société Impériale des Naturalistes de Moscou*, 29(3): 187-291.

Chaudoir, M. de. 1859. Monographie du genre Colpodes MacLeay. *Annales de la Société Entomologique de France*, (3) 7: 287-364.

Chaudoir, M. de. 1861. Révision des espèces qui rentrent dans l' ancien genre *Panagaeus. Bulletin de la Société Impériale des Naturalistes de Moscou*, 34(4): 335-360.

Chaudoir, M. de. 1863a. Descriptions de cicindélètes et de carabiques nouveaux. *Revue et Magasin de Zoologie Pure et Appliquée*, (2) 15: 11-120, 187-188, 223-225.

Chaudoir, M. de. 1863b. Enumération des cicindélètes et des carabiques recueillis dans la Russie méridionale, dans la Finlande septentrionale et dans la Sibérie orientale par M. M. Alexandre et Artur de Nordmann. *Bulletin de la Société Impériale des Naturalistes de Moscou*, 36(1): 201-232.

Chaudoir, M. de. 1863c. Description de quelques nouvelles espèces de cicindélètes et de carabiques. *Annales de la Société Entomologique de France*, (4) 3: 447- 450.

Chaudoir, M. de. 1869. Mémoire sur les Coptoderides. *Annales de la Société Entomologique de Belgique*, 12[1868-1869]: 163-256.

Chaudoir, M. de. 1871. Monographie des Lébiides. *Bulletin de la Société Impériale des Naturalistes de Moscou*, 43[1870](3): 111-255.

Chaudoir, M. de. 1872. Monographie des callidides. *Annales de la Société Entomologique de Belgique*, 15: 97-204.

Chaudoir, M. de. 1876. Chaudoir M. 1876. *Monographie des Chléniens. Annali del Museo Civico di Storia Naturale di Genova*, 8: 5-315.

Chaudoir, M. de. 1877a. Note sur quelques espèces de Carabes plats du Caucase. *Deutsche Entomologische Zeitschrift*, 21: 69-76.

Chaudoir, M. de. 1877b. Genres nouveaux et espèces inédites de la famille des Carabiques. *Bulletin de la Société Impériale des Naturalistes de Moscou*, 52(2): 188-268.

Clairville, J. P. de. 1806. *Entomologie Helvétique ou catalogue des insectes de la Suisse ranges d'après une nouvelle méthode [Helvetische Entomologie oder Verzeichniss der Schweizerischen Insekten nach einer neuen Methode geordnet]. Zweiter Theil.* Orell and Füssli, Zürich, xliii + 251 pp. + 32 pl.

Dejean, P. F. M. A. 1821. *Catalogue de la collection de coléoptères de M. le Baron Dejean.* Crevot, Paris, viii + 136 pp.

Dejean, P. F. M. A. 1828. *Species général des coléoptères de lacollection de M. le Comte Dejean. Tome troisieme.* Méquignon-Marvis, Paris, vii + 556 pp.

Dejean, P. F. M. A. 1829. *Species général des coléoptères de lacollection de M. le Comte Dejean. Tome quatrieme.* Méquignon-Marvis, Paris, vii + 520 pp.

Desbrochers des Loges, J. 1867. Notice sur l' entomologie du Bourbonnais. Suivie de la description de trois espèces nouvelles. *Assises scientitiques du Bourbonnais*, 44 pp.

Deuve, T. 1988. Trois espèces nouvelles du genre *Carabus* Linne, de la province du Hubei, Chine (Coleoptera, Carabidae). *L' Entomologiste*, 44: 323-327.

Deuve, T. 1989a. Nouveaux Carabidae des collections de l' Institut Zoologique de l' Académia Sinica de Pékin (Coleoptera). *Nouvelle Revue d' Entomologie*, (N. S.), 6: 159-171.

Deuve, T. 1989b. Carabidae et Trechidae nouveaux des collections entomologiques de la North-West Agricultural University de Yangling, Shaanxi (Coleoptera). *Entomotaxonomia*, 11: 227-235.

Deuve, T. 1990. Nouveaux Carabus d' Asie (Coleoptera, Carabidae). *Bulletin de la Société Sciences Nat*, 66: 25-28.

Deuve, T. 1991. Nouveaux *Carabus* des collections de l' Institut Zoologique de Pékin (Coleoptera, Carabidae). *Nouvelle Revue d' Entomologie (N. S.)*, 8: 101-108.

Duméril, A. M. C. 1806. *Zoologie analytique, ou méthode naturelle de classification des animaux, rendue plus facile à l' aide de tableaux synoptiques*. Allais, Paris, xxxii + 343 pp.

Erichson, W. F. 1837. *Die Käfer der Mark Brandenburg. Erster Band. Erste Abtheilung*. F. H. Morin, Berlin, viii + 384 pp.

Eschscholtz, J. F. 1829. *Zoologischer Atlas, enthaltend Abbildungen und Beschreibungen neuer Thierarten, während des Flottcapitains v. Kotzebue zweiter Reise um die Welt, auf der Russisch-Kaiserlichen Kriegss-*

chlupp Predpriaetië in den Jahren 1823-1826. *Erstes Heft.* Reimer, Berlin, iv + 17 pp.

Fabricius, J. C. 1775. *Systema entomologiae, sistens insectorum classes, ordines, genera, species, adiectis synonymis, locis, descriptionibus, observationibus.* Libraria Kortii, Flensburgi et Lipsiae, xxxii + 832 pp.

Fabricius, J. C. 1787. *Mantissa insectorum, sistens eorum species nuper detectas adiectis characteribus genericis, differentiis specificis, emendationibus, observationibus. Tom.* 1. C. G. Proft, Hafniae, xx + 348 pp.

Fabricius, J. C. 1794. *Entomologia systematica emendata et aucta, secundum classes, ordines, genera, species adjectis synonimis, locis, observationibus, descriptionibus. Tom.* Ⅳ. C. G. Proft, Hafniae, [6] + 472 + [5] pp.

Fairmaire, L. 1886b. Descriptions de coléoptères de l'intérieur de la Chine. *Annales de la Société Entomologique de France*, (6) 6: 303-356.

Fairmaire, L. 1887. Coléoptères de l'intérieur de la Chine. *Annales de la Société Entomologique de Belgique*, 31: 87-136.

Fairmaire, L. 1888. Coléoptères de l'intérieur de la Chine. (suite). Annales de la Société Entomologique de Belgique, 32: 7-46.

Fairmaire, L. 1889. Coléoptères de l'intérieur de la Chine. 5e partie. *Annales de la Société Entomologique de France*, (6) 9: 5-84.

Fairmaire, L. 1899. Description de coléoptères nouveaux de Madagascar. *Bulletin de la Société Entomologique de France*, 1899: 76-78.

Fairmaire, L. 1901. Matériaux pour la faune coléoptères de la région Malgâche (Ⅱ Note). Revue *d'Entomologie*, 20: 101-248.

Fairmaire, L. 1905. Matériaux pour la faune coléoptères Malgâche. 1ge note. *Annales de la Société Entomologique de Belgique*, 49: 114-138.

Farkač, J. 1999. Check-list of the genus *Leistus* (Coleoptera: Carabidae: Nebriini) from China with description of twenty-three new species. *Folia Heyrovskyana*, Suppl. 5: 19-59.

Fischer von Waldheim, G. 1820. *Entomographie de la Russie* [*Entomographia imperii Russici*]. *Volumen* 1. Semen, Moscou, 26 pl.

Fischer von Waldheim, G. 1829. *Museum Historiae Naturalis Universitatis Caesareae Mosquensis. Pars* Ⅱ. *Insecta.* Typis Universitatis Caesareae, Mosquae, 147 pp.

Frölich, F. A. 1799. Einige neue Gattungen und Arten von Kafem. *Der Naturforscher*, 28: 1-65.

Ganglbauer, L. 1891. *Die Käfer von Mitteleuropa. Die Käfer der österreichisch-ungarischen Monarchie, Deutschlands, der Schweiz, sowiedes französischen und italienischen Alpengebietes. Erster Band. Familienreihe Caraboidea.* C. Gerold's Sohn, Wien, iii + 557 pp.

Gistel, J. F. N. X. 1848. *Naturgeschichte des Thierreichs für höhere Schulen.* Hoffmann, Stuttgart, xvi + 216 pp. + 32 Tab.

Gistel, J. F. N. X. 1856. *Die Mysterien der europaischen Insektenwelt.* Danuheimer, Kempten, 532 pp.

Gistel, J. F. N. X. 1857. *Achthundert und zwanzig neue oder unbeschriebene wirbellose Thiere.* Schomer, Straubing, 94 pp.

Gozis, M. des. 1882. Mémoire sur les pores sétigères prothoraciques dans la tribu des carnivores. *Mittheilungen der Schweizerischen Entomologischen Gesellschaft*, 6[1880-1883]: 285-300.

Gozis, M. des. 1886. *Recherche de l'espèce typique de quelques anciens genres. Rectifications synonymiques et notes diverses*. Herbin, Montluçon, 36 pp.

Gyllenhal, L. 1810. *Insecta Suecica descripta. Classis* 1. *Coleoptera sive Eleuterata. Tomi I. Pars II.* F. J. Leverentz, Scaris, xx + 660 pp.

Habu , A. and Inouye H. 1963. On *Cymindis daimio* Bates var. *nigrifemoris* Habu (Coleoptera, Carabidae). *Kontyü*, 31: 68-70.

Habu , A. 1954. Descriptions of some new carabid-beetles (Coleoptera) from Japan. *The Bulletin of the National nstitute of Agricultural Sciences*, (C) 4: 281-294.

Habu , A. 1961. Revisional study of the species of the *Trichotichnus*, the subtribe ofthe tribe Harpalini from Japan. *Bulletin of the National Institute of Agricultural Sciences (Series C)*, 13: 127-169.

Habu, A. 1964. On *Parena nigrolineata* (Chaudoir) from Japan. *Akitu*, 11: 33-34.

Habu , A. 1973. *Fauna Japonica. Carabidae: Harpalini (Insecta, Coleoptera)*. Keigaku Publishing Co. , Tokyo, xiii + 430 pp.

Habu , A. 1978. *Fauna Japonica. Carabidae: Platynini (Insecta: Coleoptera)*. Keigaku Publishing Co. , Tokyo, vii + 447 pp. + xxxvi pl.

Habu , A. 1981. A geographic race of *Nebria (Paranebria) chinensis* Bates (Coleoptera, Carabidae). *The Entomological Review of Japan*, 35: 67- 69.

Hatch, M. H. 1949. Studies on the Coleoptera of the Pacific Northwest. Ⅲ. Carabidae: Harpalini. *Bulletin of the Brooklyn Entomological Society*, 44: 80-88.

Hauser, G. 1913. Species novae generis *Apotomopterus* Reitter (Col.). *Deutsche Entomologische Zeitschrift*, 1913: 464-471.

Hope , F. W. 1831. Synopsis of the new species of Nepal insects in the collection of Major General Hardwicke. *Zoological Miscellany*, 1: 21-32.

Hope , F. W. 1845. On the entomology of China, with descriptions of the new species sent to England by Dr. Cantor from Chusan and Canton. *The Transactions of the Entomological Society of London*, 4 [1845-1847]: 4-17.

Huang, T. 1992. Four new species of the genus *Harpalus* Latreille (Coleoptera: Carabidae). *Entomotaxonomia*, 14: 59- 65.

Huang, T. 1993. Three new species of the genus *Harpalus* from China (Coleoptera: Carabidae). *Acta Zootaxonomica Sinica*, 18: 451- 455.

Huang, T. 1995. [new species]. *In* Huang T. and Zhang J. , *Three new species of the genus Harpalus Latreille (Coleoptera: Carabidae)*. *Entomotaxonomia*, 17: 113-117.

Huang, T. , Hu J. and Sun D. 1994. Four new species of the genus *Harpalus* Latreille (Coleoptera: Carabidae) from China. *Entomotaxonomia*, 16: 263-268.

Huang, T. , Lei H. , Yan G. and Hu J. 1996. A new subgenus and two new species of the genus *Harpalus* Latreille (Coleoptera: Carabidae) from China. *Entomotaxonomia*, 18: 120-124.

Imura, Y. 1993a. A new subgenus and species of carabid beetle from the Qinling mountains in Shaanxi province, central China. *Gekkan Mushi*, 270: 14-18.

Imura, Y. 1993b. New or little known *Carabus* and *Cychrus* (Coleoptera, Carabidae) from the Qinling Mountains in Shaanxi province, central China. *Elytra*, 21: 363-377.

Imura, Y. 1993c. A new *Oreocarabus* (Coleoptera, Carabidae) from the Qinling mountains in Shaanxi Province, central China. *Elytra*, 21: 379-382.

Imura, Y. 1995. A new *Pseudocranion* from Mt. Taibai Shan on the Qinling mountains in Shaanxi province, central China. *Elytra*, 23: 129-132.

Ito, N. 1985. Descriptions and notes of the genus *Bradycellus* in Taiwan (Coleoptera, Carabidae). *The Entomological Review of Japan*, 40: 59-64.

Ito, N. 2001. Description of seven new species and redescriptions of two species of the genus *Trichotichnus* from China (Harpalini: Carabidae: Coleoptera). *Entomological Review of Japan*, 56(2): 81-100.

Ito, N. 2002. A new speies of the subgenus *Amaroschesis* (Carabidae, Harpalini) from Shaanxi in China, with description of *Trichotichnus* (*Amaroschesis*) cordaticollis. *Special Bulletin of the Japanese Society of Coleopterology*, 5: 167-173.

Ito, Noboru. 2003. Note on species of the Harpalini subtribe Anisodactylina (Coeloptera, Carabidae) from China. *Special Bulletin of the Japanese Society of Coleopterology*, (6): 79-86.

Jaeger, B. and Wrase, D. W. 1996. Drei neue Arten der *Bradycellus*-Untergattung *Tachycellus* aus Süd- und Zentralchina (Col., Carabidae). *Entomologische Nachrichten und Berichte*, 40: 149-156.

Jeannel, R. 1937. Notes sur les carabiques (deuxieme note). 4. Revision des genres des Sphodrides. *Revue Française d' Entomologie*, 4: 73-100.

Jeannel, R. 1948. Faune de l' empire français. X. Coléoptères carabiques de la région Malgâche (deuxième partie). Office de la recherche scientifique coloniale, Paris, pp. 373-765.

Jedlička, A. 1928a. Neue paläarktische Carabiciden. *Entomologische Mitteilungen*, 17: 44- 46.

Jedlička, A. 1928b. Neue paläarktische Carabiciden, Ⅱ. (Coleopt.). *Wiener Entomologische Zeitung*, 45: 92-96.

Jedlička, A. 1931. Novi Carabidi ze Secuanu v Cine. (Col.) Neue Carabiden aus China-Szetschuan. *Časopis Československé Společnosti Entomologické*, 28: 21-30.

Jedlička, A. 1934. Novi Carabidi z vychodni Asie (Ⅵ dil). Neue Carabiden aus Ostasien (Ⅵ. Teil). Sborník *Entomologického Oddělení při Zoologických Sbírkách Národního Musea v Praze*, 12: 116-124.

Jedlička, A. 1935. Neue Carabiden aus Ostasien. (10. TeiL). A. Jedlička, Prague, 20 pp.

Jedlička, A. 1936. O palearktických druzich rodu *Dolichus* Über palaearctische *Dolichus*-Arten. *Časopis Československé Společnosti Entomologické*, 33: 31-32.

Jedlička, A. 1939. *Neue Carabiden aus Ostasien.* (Ⅻ. *Teil.*). A. Jedlička, Praha, 8 pp.

Jedlička, A. 1952. Noví střevlíci z materiálu Slezského musea v Opavě. [Nouveaux carabides de la collection du Musée Silésien à Opava]. *Acta Musei Silesiae*, (A) 2: 51-53.

Jedlička, A. 1953. Revise tribu Pterostichini. Reviziya Tribyi Pterostichini. Revision der Tribus Pterostichini (Col., Carabidae). *Rocenka Ceskoslovenské Společnosti Entomologické*, 50: 85-112.

Jedlička, A. 1956. Přispěvek k poznání palearktických Carabidů. Beitrag zur Kenntnis derpalearktischen Carabiden. (Coleoptera). *Sborník Entomologického Oddelění při Zoologických Sbírkách Národního Musea v Praze*, 30[1955]: 207-220.

Jedlička, A. 1957. Beitrag zur Kenntnis der Carabiden aus der paläarktischen Region (Coleoptera). Über Amara-Arten aus der Gruppe *Cyrtonotus* aus Ostasien. *Acta Musei Silesiae*, 6: 22-34.

Jedlička, A. 1961. Novístřevlíci z palearktické oblasti. Neue Carabiden aus der palaearktischen Region (Coleoptera). *Sborník Entomologického Oddelění při Zoologickych Sbírkách Národního Musea v Praze*, 34: 155-166.

Jedlička, A. 1962. Zweiter Beitrag zur Kenntniss der Carabiden aus Japan. *Niponius*, 1(15): 1-7.

Jedlička, A. 1963. Monographie der Truncatipennen aus Ostasien. Lebiinae - Odacanthinae - Brachyninae (Coleoptera, Carabidae). *Entomologische Abhandlungen und Berichte aus dem Staatlichen Museum für Tierkunde in Dresden*, 28[1962-1964]: 269-579.

Jordan, K. 1894. New species of Coleoptera from The Indo- and Austro-Malayan region, collected by William Doherty. *Novitates Zoologicae: a Journal of Zoology in connection with the Tring Museum*, 1: 104-138.

Kasahara, S. 1995. Occurrence of Onycholabis (Coleoptera, Carabidae) in Northern Vietnam. *Bulletin of the National Science Museum, Tokyo*, 21: 27-32.

Kirschenhofer, E. 1989. Neue Bembidion-Arten aus Asien, vorwiegend aus dem Himalaya. *Entomofauna*, 10: 397- 423.

Kirschenhofer, E. 1997. Beitrag zur Faunistik und Taxonomie der Carabidae (Coleoptera) Koreas. *Annales Historico-Naturales Musei Nationalis Hungarici*, 89: 103-122.

Kleinfeld, F. 2001. Beitrag zur Kenntnis der *Carabus* Fauna der Provinzen Guangxi, Shaanxi und Guangdong, China (Coleoptera: Carabidae: Carabini). *Lambillionea*, 101: 43.

Kleinfeld, F., Korell, A. and Wrase, D. W. 1996. Ergebnisse entomologischer Reisen nach China, 16. Beitrag. Ober einige *Carabus* und *Cychrus*-Formen aus dem Qin-Ling-Shan, Provinz Shaanxi, China, nebst der Bechreibung des *Carabus* (*Oreocarabus*) *nanwutai* n. sp. und des *Cychrus puetzi* n. sp. (Coleoptera: Carabidae: Carabini). *Entomologische Zeitschrift mit Insektenhörse*, 106: 126-138.

Kolbe, H. 1886. Beiträge zur Kenntniss der Coleopteren-Fauna Koreas. *Archiv für Naturgeschichte*, 52: 139-157, 163-240.

Kraatz, G. 1881. Fünf neue chinesische *Carabus*. *Deutsche Entomologische Zeitschrift*, 25: 265-269.

Kryzhanovskij, O. L. 1951. *Eobroscus*, novyi rod zhuzhelits (Coleoptera, Carabidae) iz Primorskogo Kraya i iz Kitaya. *Entomologicheskoe Obozrenie*, 31[1950-51]: 538-540.

Kryzhanovsky, O. L. 1995. New and poorly known Carabidae from North, Central and East Asia (Coleoptera). *Zoosystematica Rossica*, 3: 265-272.

Kumakov, V. N. 1963. Novye vidy zhuzhelits triby Deltomerini (Coleoptera, Carabidae) iz Kitaya. *Entomologicheskoe Obozrenie*, 42: 410-414 (in Russian).

Kurnakov, V. N. 1963. New carabid species of the tribe Deltomerini (Coleoptera, Carabidae) from China. *Entomologicheskoe Obozrenie*, 42: 410- 414.

Lafer, G. 1989. 4. Semeystvo Carabidae - Zhuzhelitsy. Pp. 71-222. *In* Ler P. A. (ed.): Opredelitel' nasekomykh Dal'nego vostoka SSSR. Chast" 1. Zhestkokrylye, iii zhukii. Chast' 1. Nauka, Leningrad. 576 pp.

Landin, B. O. 1955. Entomological results from the Swedish expedition 1934 to Burma and British India. Coleoptera: Carabidae. Collected by Rene Malaise. *Arkiv för Zoologi*, (2) 8 [1955-1956]: 399-472.

Lapouge, G. de. 1924. Calosomes nouveaux ou mal connus (Col. Carabidae). *Miscellanea Entomologica*, 28[1924-1925]: 37- 44.

Latreille, P. A. 1802. *Histoire naturelle, générale et particulière des crustaces et des insectes. Ouvrage faisant suite à l' histoire naturelle générale et particulière, composée par Leclerc de Buffon, et rèdigée par C. S. sonnini, membre de plusieurs sociétés savantes. Familles naturelles des genres. Tome troisième.* Dufart, Paris:, xii + pp. 13-467 + [1 errata] pp.

Ledoux, G. and Roux, P. 1999. Description de nouveaux taxons d'*Archastes* et de *Nebria* d' Asie (Coleoptera, Nebriidae). *Revue Frantçaise d' Entomologie* (N. S.), 21: 65-76.

Ledoux, G., Roux, P. and Wrase, D. W. 1996. [new species]. *In* Ledoux G. and Roux P.: *Description de cinq espèces nouvelles de Nebria de Chine (Qinghai, Shaanxi et Sichuan) et du Tibet (Coleoptera, Nebriidae)*. *Coléoptères*, 2(13): 134-144.

Lewis, G. 1879a. A catalogue of Coleoptera from the Japanese Archipelago. London. 31 pp.

Lewis, G. 1879b. LIII. On certa in new species of Coleoptera from Japan. *The Annals and Magazine of Natural History*, (5) 4: 459- 467.

Liebke, M. 1931. Die afrikanischen Arten der Gattung *Colliuris* Degeer (Col. Car.). *Revue de Zoologie et de Botanique Africaines*, 20[1930-1931]: 280-301.

Liebke, M. 1938. Denkschrift tiber die Carabiden-Tribus Colliurini. Festschrift zum 60. *Geburtstage von Professor Dr. Embrik Strand*, 4: 37-141.

Lindroth, C. H. 1956. A revision ofthe genus *Synuchus Gyllenhal* (Coleoptera: Carabidae) in the widest sense, with notes on *Pristosia* Motschulsky (*Eucalathus* Bates) and *Calathus* Bonelli. *The Transactions of the Royal Entomological Society of London*, 108: 485-576.

Lindroth, C. H. 1968. The ground-beetles (Carabidae, excl. Cicindelinae) of Canada and Alaska Part 5. *Opuscula Entomologica Supplementum*, 33: 649-944.

Linné, C. von. 1761. Fauna Suecica sistens Animalia Sueciae Regni. Mammalia, Aves, Amphibia, Pisces, Insecta, Vermes. Ed. 2. Sumtu a Literis Direct Laurentii Salvii, Stockholmiae, 45 + 578 pp.

Lorenz, W. 1998: Nomina Carabidarum - a directory of the scientific names of ground beetles (Insecta, Coleoptera "Geadephaga": Trachypachidae and Carabidae incl. Paussinae, Cicindelinae, Rhysodinae). W. Lorenz, Tutzing, iv + 937 pp.

Lutshnik, V. N. 1922. O novykh ili malo izuchennych Harpalini (Coleptera, Carabidae). De Harpalinis novis vel parum cognitis. *Trudy Stavropol' skogo Sel" skokhozaystvennogo Instituta*, 1 [1921]: 51- 66.

Lutshnik, V. N. 1935. De speciebus novis generis *Amara* Bon. (Coleoptera) 3. *Folia Zoologica et Hydrobiologica*, 7: 257-269, 306.

Macleay, W. J. 1871. Notes on a collection of insects from Gayndah. *Transactions of the Entomological Society of New South Wales*, 2[1873]: 79-205.

Maindron, M. 1905. Notes synonymiques sur quelques coléoptères de la famille des Carabidae. *Bulletin de la Société Entomologique de France*, 1905: 94-95.

Maindron, M. 1910. Descriptions de deux *Dolichus* nouveaux du Yunnan (Col. Carabidae). *Bulletin de la Société Entomologique de France*, 1910: 15-17.

Marcilhac, J. 1993. Pterostichini nouveaux de Chine occidentale (Coleoptera, Caraboidea). *Bulletin de la Société Entomologique de France*, 98: 271-274.

Marsham, T. 1802. Entomologia Britannica, sis tens insecta Britanniae indigena, secundum methodum Linnaeanam disposita. Tomus I. Coleoptera. White, London, xxxi + 548 pp.

Mateu, J. 1954. Notas sobre carabidos espanoles (2a nota). *Bulletin de I'Institut Royal des Sciences Naturelles de Belgique*, 30(31): 1-8.

Montrouzier, P. 1860. Essai sur la faune entomologique de la Nouvelle-Calédonie (Balade) et des îles des Pins, Art, Lifu etc. *Annales de la Société Entomologique de France*, (3) 8: 229-308.

Morawitz, A. 1862. Vorlaufige Diagnosen neuer Coleopteren aus Südost-Sibiren. Bulletin de l' Académie Impériale des Sciences de St.-Pétersbourg, 5: 231-265 [Also issued the same year in Mélanges Biologiques tirés du Bulletin de l'Académie des Sciences de St. -Pétersbourg, 4: 180-228].

Morawitz, A. 1863. Beitrag zur Käferfauna der Insel Jesso. Erste Lieferung. Cicindelidae et Carabici. *Mémoires de l' Académie Imperiale des Sciences de St. -Pétersbourg*, (7) 6(3): 1-84.

Morawitz, A. 1862. Vorläufige Diagnosen neuer Carabiciden aus Hakodade. Bulletin de l' Académie Impériale des Sciences de St. -Pétersbourg, 5: 321-328 [Also issued the same year in Mélanges Biologiques tirés du Bulletin de l'Académie des Sciences de St. -Pétersbourg, 4: 237-247].

Morvan, P. [D]. 1997. Étude faunistique des coléoptères du Népal avec extension aux provinces chinoises du Yunnan et du Sichuan. Genre *Andrewesius* Jedlička et *Vachinius* Casale. *Loened Aziad Amprevaned Feuraskelleged C' Hwiledig*, 2: 1-23.

Motschulsky, V. de. 1862. Entomologie spéciale. Remarques sur la collection d' insectes de V. de Motschulsky. Coléoptères. *Études Entomologiques*, 11: 15-55.

Motschulsky, V. de. 1844. Insectes de la Sibérie rapportés d'un voyage fait en 1839 et 1840. *Mémoires de l' Académie Impériale des Sciences de St-Pétersbourg*, 5: 1-274, i-xv + 10 pl.

Motschulsky, V. de. 1848. Antwort an Dr. Gebler auf einige seiner Bemerkungen in den Nr. Ⅱ und Ⅳ dieses Bulletins (1847). Article Ⅱ. *Bulletin de la Société Impériale des Naturalistes de Moscou*, 21: 482-493.

Motschulsky, V. de. 1858a. Entomologie spéciale. Insectes du Japon. *Études Entomologiques*, 6 [1857]: 25-41.

Motschulsky, V. de. 1858b. Littérature. Ouvrages entomologiques, parus en Russie en 1855 et 1856. *Études Entomologiques*, 6[1857]: 93-100.

Motschulsky, V. de. 1859. Entomologie spéciale. Insectes des Indes orientales, et de contrées analogues. 2: de série. *Études Entomologiques*, 8: 25-118.

Motschulsky, V. de. 1860. Entomologie spéciale. Insectes du Japon [continuation]. *Études Entomologiques*, 9: 4-39.

Motschulsky, V. de. 1861. Entomologie spéciale. Insectes du Japon [continuation]. *Études Entomologiques*, 10: 3-24.

Motschulsky, V. de. 1864. Énumération des nouvelles espèces de Coléoptères rapportés de ses voyages. 4-eme article. Carabicines. Bulletin de la Société Impériale des Naturalistes de Moscou, 37: 171-240.

Motschulsky, V. de. 1865. Énumération des nouvelles espèces de Coléoptères rapportés de ses voyages. 4-eme article. (Suite). *Bulletin de la Société Impériale des Naturalistes de Moscou*, 37 [1864]: 297-355.

Motschulsky, V. de. 1866. Énumération des nouvelles espèces de Coléoptères rapportés de ses voyages. 4-eme article. (Suite). *Bulletin de la Société Impériale des Naturalistes de Moscou*, 38 [1865]: 227-313.

Netolitzky, F. 1920. Versuch einer neuartigen Bestimrnungstafel für die asiatischen Testediolum nebst neuen paläarktischen Bembidiini. (Col., Carabidae). *Entomologische Mitteilungen*, 9: 61-69, 112-119.

Netolitzky, F. 1935. Neue Bembidiini aus Vorderasien. *Koleopterologische Rundschau*, 21: 165-168.

Nietner, J. 1856. Entomological papers, being descriptions of new Ceylon Coleoptera with such observations on their habits as appear in any way interesting. *Journal of the Asiatic Society of Bengal*, 25

[1856]: 381-394, 523-554.

Noonan, G. R. 1973. The anisodactylines (Insecta: Coleoptera: Carabidae: Harpalini): classification, evolution, and zoogeography. *Quaestiones Entomologicae*, 9: 266-480.

Paik , J. C. and Lafer, G. S. 1995. A new species of *Onycholabis* (Coleoptera, Carabidae) from Jejudo, South Korea. *Special Bulletin of Japanese Society of Coleopterology*, 4: 253-257.

Panzer, G. W. F. 1796. Faunae Insectorum Germanicae initia; oder Deutschlands Insecten. [Heft 38.] Felsecker, Nürnberg, 24 pp. + 24 pl.

Péringuey, L. 1896. Descriptive catalogue of the Coleoptera of South Africa. Part Ⅱ. Cicindelidae supplement. Carabidae. *The Transactions of the South African Philosophical Society*, 7: 99-623, i-xiv.

Pic, M. 1895. A propos de variétés. *L' Échange*, *Revue Linéenne*, 11: 106-108.

Pic, M. 1922. Notes diverses, descriptions et diagnoses. *L' Échange*, *Revue Linnéenne*, 38: 25-28.

Putzeys, J. A. A. H. 1846. *Broscosoma*, carabidum genus novum. D. Raes, Bruxelles, 7 pp. + 1 pl.

Putzeys, J. A. A. H. 1861. Postcriptum ad Clivinidarum monographiam atque de quibusdam aliis. Leodii, Dessain, 78 pp.

Putzeys, J. A. A. H. 1866a. Révision générale des clivinides. *Annales de la Société Entomologique de Belgique*, 10: 1-242.

Putzeys, J. A. A. H. 1866b. Note sur les *Notiophilus*. *Mémoires de la Société Royale des Sciences de Liége*, (2) 1: 153-169.

Putzeys, J. A. A. H. 1866c. Étude sur les *Amara* de la collection de Mr. Ie Baron de Chaudoir. *Mémoires de la Société Royale des Sciences de Liége*, (2) 1: 171-283.

Putzeys, J. A. A. H. 1875a. *In* Piochard de la Brûlerie C. J. and Sauley F.: Catalogue raisonnee des coléoptères de la Syrie et de l' Île de Chypre. *Annales de la Société Entomologique de France*, (5) 5: 97-160.

Putzeys, J. A. A. H. 1875b. *In* Putzeys J. A. A. H., Reitter E., de Sauley F. and Weise J.: Neue Käferarten aus Ungam. *Deutsche Entomologische Zeitschrift*, 19: 355-364.

Putzeys, J. A. A. H. 1875c. Notice sur les carabiques recueillis par M. Jean van Volxem à Ceylan, à Manille, en Chine et au Japon (1873-1874). *Bulletin de la Société Entomologique de Belgique*, 1875: xlv-liii.

Redtenbacher, L. 1844. [new species]. *In* Kollar V. and Redtenhacher L.: Coleoptera. Pp. 497-564. *In* Hugel C.: Kashmir und das reich der Siek von Carl Freiherrn von Hügel in vier Banden. Aufzahlung und Beschreibung der von Freiherrn Carl v. Hügel auf seiner Reise durch Kaschmir und das Himaleyagebirge gesammelten Insecten, von Vincenz Kollar und Halbergersche Verlagshandlung. Bd. 4(2). Halberger, Stuttgart, pp. 395-585.

Reiche, L. 1842. Coléoptères de Colombie. *Revue Zoologique*, 5: 238-242, 272-276, 307-314, 374-378.

Reitter, E. 1894. Zehnter Beitrag zur Coleopteren-Fauna des russischen Reiches. *Wiener Entomologische Zeitung*, 13: 122-128.

Reitter, E. 1900. Bestimmungs-Tabellen der europäischen Coleopteren. XLI. Heft. Enthaltend Carabidae. Abtheilung: Harpalini und Licinini. *Verhandlungen des Naturforschenden Vereines in Brunn*, 38 [1899]: 33-155.

Reitter, E. 1901. Weitere Beitrage zur Coleopteren-Fauna des russischen Reiches. *Deutsche Entomologische Zeitschrift*, 1901: 65-84.

Reitter, E. 1908. Fauna Germanica. Die Käfer des Deutschen Reiches. 1. Band Schriften des Deutschen Lehrervereins für Naturkunde 22. K. G. Lutz, Stuttgart, viii + 248 pp. + 40 pl.

Rosenhauer, W. G. 1846. *Broscosoma* und *Laricobius*, zwei neue Käfergattungen. T. Blaesing, Erlangen, 8 pp. + 1 pI.

Rossi, P. 1792. Mantissa Insectorum exibens species nuper in Etruria collectas a Petro Rossio adiectis faunae Etruscae illustrationibus ac emendationibus. [Tomus primus]. Polloni, Pisis, 148 pp.

Roubal, J. 1928. *Broscus lutshniki* sp. n. (Coleopt. Carab.). *Wiener Entomologische Zeitung*, 45: 90-91.

Sainte-Claire Deville, J. 1905. Description d'un harpalide nouveau des Pyrénées (Col.). *Bulletin de la Société Entomologique de France*, 1905: 113-115.

Schaller, J. G. 1783. Neue Insecten beschrieben. *Schrijien der Naturforschenden Gesellschafl zu Halle* 1: 217-328.

Schauberger, E. 1929. Beitrag zur Kenntnis der paläarktischen Harpalinen, V. *Coleopterologisches Centralblatt*, 3[1928-1929]: 179-196.

Schauberger, E. 1930. Zur Kenntnis der paläarktischen Harpalinen. (Ⅶ. Beitrag.). *Coleopterologisches Centralblatt*, 4[1929-1930]: 169-218.

Schauberger, E. 1933. Zur Kenntnis der paläarktischen Harpalinen (13. Beitrag). *Koleopterologische Rundschau*, 19: 123-133.

Schaum, H. R. 1854. Quelques observations sur le groupe des Panagéites, et description de sept nouvelles espèces. *Annales de la Société Entomologique de France*, (3) 1[1853]: 429-441.

Schaum, H. R. 1863. Descriptions of four new genera of Carabidae. *The Journal of Entomology, Descriptive and Geographical*, 2[1866]: 74-78.

Schilsky, J. 1888. Beitrag zur Kenntniss der deutschen Käferfauna. *Deutsche Entomologische Zeitschrift*, 1888: 177-190.

Schmidt-Göbel, H. M. 1846. Faunula eoleopterorum Birmaniae, adjectis nonnulis Bengaliae indigenis. Med. Dr. Johann Wilhelm Helfer's hinterlassene Sammlungen aus Vorder- und Hinter-Indien. Nach seinem Tode im Auftrage des böhm. National Museums unter Mitwirkung Mehrerer. 1. Lfg. Prag: G. Haase Sohne, viii + 94 pp., pl. 1-3.

Sciaky, R. and Wrase, D. W. 1997. Twenty-nine new taxa of Pterostichinae from Shaanxi (Coleoptera, Carabidae). *Linzer Biologische Beitrage*, 29: 1087-1139.

Sciaky, R. and Wrase, D. W. 1998. Two new genera of Sphodrini Dolichina from China (Coleoptera, Carabidae). *Bollettino della Societá Entmologica Italiana*, 130(3): 221-232.

Sciaky, R. 1994. *Straneostichus* gen. n., a new genus and four new species from China (Coleoptera: Carabidae: Pterostichinae). *Annalen Naturhistorischen Museums in Wien*, 96B: 189-198.

Semenov, A. P. 1887. Insecta in itinere cl. G. N. Potanin in China et in Mongolia novissime lecta. I. Tribus Carabidae. *Horae Societatis Entomologicae Rossicae*, 21: 390-427.

Semenov, A. P. 1889a. Note sur le *Chlaenius gracilicollis* Jak. *Horae Societatis Entomologicae Rossicae*, 23: 295-297.

Semenov, A. P. 1889b. Diagnoses coleopterorum novorum ex Asia centrali et orientali. *Horae Societatis Entomologicae Rossicae*, 23: 348-403.

Semenov, A. P. 1895. De speciebus ad gregem *Cymindis Faldermanni* Chaud. spectantibus. *Horae Societatis Entomologicae Rossicae*, 29[1894-1895]: 328-335.

Semenov, A. P. 1898. Symbolae ad cognitionem generis Carabus (L.) A. Mor. Ⅱ. *Horae Societatis Entomologicae Rossicae*, 31[1896-1897]: 315-541.

Solier, A. J. J. 1833. Observations sur les deux genres *Brachinus* et *Aptinus* du Spécies de M. le comte Dejean, et description d' une nouvelle espèce de *Gyrinus*. *Annales de la Société Entomologique de France*, 2: 459-463.

Solsky, S. M. 1875. Matériaux pour l' entomographie des provinces asiatiques de la Russie. *Horae Societatis Entomologicae Rossicae*, 11: 253-272.

Stephens, J. F. 1833. The nomenclature of British Insects; together with their synonymes; being a compendious list of such species as are contained in the Systematic Catalogue of British Insects, and of those discovered subsequently to its publication; forming a guide to their classification, & c. & c. Second edition. Baldwin and Cradock, London, 136 columns on 68 pp.

Straneo, S. L. 1982: *Pterostichus* nouveaux de l' Himalaya (Col. Carabidae). *Entomologica Basiliensia*, 7: 127-141.

Tschitschérine, T. 1889. Insecta, a CI. G. N. Potanin in China et in Mongolia novissime lecta. Insectes rapportés par Mr. Potanin de son voyage fait en 1884-85-86. Ⅵ. Genre *Pterostichus*. *Horae Societatis Entomologicae Rossicae*, 23: 185-198.

Tschitschérine, T. 1894. Note sur quelques espèces de la tribu des Scaritides. *Horae Societatis Entomologicae Rossicae*, 28[1893-1894]: 224-235.

Tschitschérine, T. 1897a. Sur quelques coléoptères nouveaux ou peu connus de la famille des carabiques. *L' Abeille, Journal d' Entomologie*, 29[1896-1900]: 21-34.

Tschitschérine, T. 1897b. Carabiques nouveaux ou peu connus. *L' Abeille, Journal d' Entomologie*, 29 [1896-1900]: 45-75.

Tschitschérine, T. 1898a. Matériaux pour servir ὰ l' étude des feroniens. Ⅳ. *Horae Societatis Entomologicae Rossicae*, 32[1898-1899]: 1-224.

Tschitschérine, T. 1901. Genera des Harpalini des region Paléarctique et Paléanarctique. *Horae Societatis Entomologicae Rossicae*, 35: 217-251.

Tschitschérine, T. 1895. Supplément ὰ la faune des carabiques de la Corée. *Horae Societatis Entomologicae Rossicae*, 29[1894-1895]: 154-188.

Tschitschérine, T. 1898b. Notes sur divers Harpalini paléarctiques. *Annales de la Société Entomologique de France*, 67: 168-188.

Westwood, J. O. 1837. A collection of insects collected at Manilla by Mr. Cuming. *Proceedings of the Zoological Society*, 5: 127-130.

Zamotajlov, A. S. and Wrase, D. W. 1997. New species of the genus *Chinapenetretus* Kumakov, 1963 (Coleoptera, Carabidae, Patrobinae) from China. *Linzer Biologische Beitrage*, 29: 1069-1077.

Zamotajlov, A. S. 1992. Notes on classification of the subfamily Patrobinae (Coleoptera, Carabidae) of the Palaearctic region with description of new taxa. *Mitteilungen der Schweizerischen Entomologischen Gesellschaft*, 65: 251-281.

多食亚目 Polyphaga

分总科检索表

1. 腹部第 2 节腹板呈小骨片状，位于后足基节外侧；前足胫节外侧通常有齿或刺；触角多为丝状，若为棒状，则由末端 5 节组成；马氏管多为 4 条，个别为 6 条，非隐肾形；幼虫腹端具有关节的尾突 ………………………………………………………………………………………… 2
   腹部第 2 节一般不存在；跗式多样；触角若为棒状，不由端部 5 节组成；马氏管为隐肾形；幼虫无具关节的尾突 ………………………………………………………………………………… 4
2. 触角 8 ~ 11 节和端部 3 ~ 8 节形成鳃片状；马氏管 4 条；幼虫无尾突；体粗壮，前足适于开掘 ……………………………………………………………………… **金龟总科 Scarabaeoidea**
   触角不形成鳃片状，马氏管 6 条，幼虫具有关节的尾突，足不适宜开掘 ……………………… 3
3. 下颚须长于或与触角等长；触角端部数节棒状，具毛；幼虫下颚内外颚叶明显分离 …………………………………………………………………………………… **牙甲总科 Hydrophiloidea**
   下颚须短于触角；触角丝状，或由端部 3 节组成球杆状；鞘翅端部多平截；幼虫下颚内外颚叶愈合，形成合颚叶……………………………………………………… **隐翅虫总科 Staphylinoidea**
4. 后足基节下侧形成沟槽，容纳腿节；前足基节窝开放；跗式 5-5-5；触角丝状、锯齿状或栉状；腹部第 8 气门明显；幼虫无尾突…………………………………………………………………… 5
   后足基节一般无容纳腿节的沟槽；前足基节窝部分或完全关闭；跗式多样；触角多为丝状或棒状；腹部第 8 气门明显；幼虫具尾突 ……………………………………………………………… 9
5. 前足基节稍隆凸；上唇明显；腹部可见 5 节；后翅径室短；臀室若存在，外端只有 1 条脉；幼虫上颚具臼齿；下颚外颚叶骨化，非指状；冠缝中干不存在或很短 ……… **花甲总科 Dascilloidea**
   前足基节若隆凸，则上唇退化；后翅径室长；幼虫上颚无明显臼齿；下颚外颚叶指状 ……… 6
6. 前足基节横形，中足基节相距较远；头部无明显的额唇基沟；幼虫上颚粗短，无臼叶；气门开放；无气管鳃 ……………………………………………………………… **丸甲总科 Byrrhoidea**
   前足基节非横形，若为横形，则中足基节相距较近；头部具明显的额唇基沟；幼虫上颚细长，若粗短则具臼叶；气门关闭，有气管鳃 ……………………………………………………………… 7
7. 后胸腹板具横缝；前胸腹板突伸至中胸基节沟；前胸不可动；触角短，锯齿状；腹部背板骨化强烈，马氏管隐肾形；幼虫有上唇，气门筛状；无足 …………………… **吉丁甲总科 Buprestoidea**
   后胸腹板无横缝；前胸可动；腹部背板骨化弱，马氏管非隐肾形；幼虫上唇与头壳愈合；气门非筛状；有足……………………………………………………………………………………… 8
8. 后足基节具明显的完整腿盖；腹部可见 5 节；前胸腹板突发达，直达中足基节间；幼虫上颚内缘无槽；体形较圆，足退化 ……………………………………………… **叩甲总科 Elateroidea**
   后足基节腿盖窄，不完全或缺失；前胸腹板突不发达，腹部可见 6 ~ 7 节；幼虫上颚内缘无槽；体形扁，足发达 ……………………………………………………… **花萤总科 Cantharoidea**
9. 腹部第 8 节气门正常；前足基节突出，后足基节凹洼，跗式为 5-5-5；马氏管末端游离或在后肠一侧埋入成束状；幼虫下颚具明显的外颚叶和距状的内颚叶；足 4 节，具跗爪节 ……………

…………………………………………………………………………………… 长蠹总科 Bostrichoidea

腹部第 8 气门退化；前足基节一般不突出，若突出，则跗节为 5-5-4；马氏管隐肾形；幼虫下颚内外颚叶多愈合；足 5 节 …………………………………………………………………………… 10

10. 跗节伪 4 节 …………………………………………………………………………………………… 11

跗节非伪 4 节 ………………………………………………………………………………………… 12

11. 额区延长成喙，喙的两端各有 1 个触角窝；触角膝状或棒状，无外咽片；幼虫无胸足，触角 1～2节 …………………………………………………………………………… 象甲总科 Curculionoidea

额区不延长成喙；触角多为丝状，个别有锯齿状；有外咽片；幼虫具胸足，触角 3 节 ……… …………………………………………………………………………… 叶甲总科 Chrysomeloidea

12. 跗式 5-5-5 …………………………………………………………………………………………… 13

跗式非 5-5-5 ………………………………………………………………………………………… 14

13. 触角多为棒状；足具爪间突；鞘翅非细长，表面多毛；幼虫具尾突 … 郭公甲总科 Cleroidea

触角多为锯齿状；足无爪间突；鞘翅细长，表面毛稀疏或无；幼虫无尾突 ………………… 14

14. 前足基节突出；雌雄跗式均为 5-5-4；幼虫冠缝发达；复眼 4 对或无 ………………………… …………………………………………………………………………… 拟步甲总科 Tenebrionoidea

前足基节多不突出；跗式非 5-5-4，或仅雄虫为 5-5-4；幼虫冠缝无或不发达；复眼 6 对 …… …………………………………………………………………………………… 扁甲总科 Cucujoidea

Ⅰ. 牙甲总科 Hydrophiloidea

八、牙甲科 Hydrophilidae

姬兰柱 边冬菊

（中国科学院沈阳应用生态研究所，沈阳 110016）

鉴别特征：成虫体长 1.50～32.00mm。体黑色或褐黑色。外形似龙虱，但背部隆起更显著，腹面较平。触角短，6～9 节，端部 3～4 节膨大，呈锤状；下颚须细长，线状，与触角等长或更长；足 3 对，被长毛，跗节 5 节；腹部一般可见 5 节腹板，胸、腹两侧有短绒毛。部分种类中胸腹板有 1 条长的中脊突。

分类：世界已知 9 亚科 168 属 2803 种，中国已知 43 属 252 种。陕西秦岭地区发现 3 属 4 种。

分属检索表

1. 腹部可见 6 节，下颚须是头部宽度的 1/2 ……………………………… 长节牙甲属 *Laccobius*

腹部可见 5 节 …………………………………………………………………………………………… 2

2. 体长 4.00～9.50mm；鞘翅边缘锯齿状，前胸背板具大小两类刻点 …… 水龟甲属 *Hydrocassis*

体长 1.70～3.60mm；鞘翅边缘不呈锯齿状；至少具有以下三个特征中的一个特征，即眼突出，前胸背板后缘具二曲，鞘翅具成列的系统刻点 …………………………… **平胸牙甲属 *Crenitis***

69. 平胸牙甲属 *Crenitis* Bedel, 1881

Crenitis Bedel, 1881: 306. **Type species**: *Hydrobius punctatostriatus* Letzner, 1840.

属征： 体小型，体长 1.70～3.60mm。体卵圆形至宽卵形，中度到强烈拱起，前胸背板与鞘翅间不间断。触角 9 节，部分种类 8 节。前胸背板前角几乎不向前突出。鞘翅具 10 列仅前部明显或整体都清晰的刻点列，鞘翅缝刻线仅存在于鞘翅后半部。前胸腹板仅略微突起，无隆脊；中胸腹板不与中胸侧片结合；后胸腹板略隆起，两个中足基节突起部分并不向前伸展；除在中后部具 1 片光滑区域外，其余部分具有拒水绒毛。

分布： 古北区，新北区，新热带区。中国分布 7 种，秦岭地区发现 2 种。

分种检索表

体宽卵形；鞘翅刻点列明显刻入，刻点列间隙略拱起；阳基侧突端部宽圆 ……… **茎突平胸牙甲 *C. convexa***

体卵圆形；鞘翅刻点列刻入浅，刻点列间隙平；阳基侧突端部尖 ……… **陕西平胸牙甲 *C. shaanxiensis***

(168) 茎突平胸牙甲 *Crenitis* (s. str.) *convexa* Ji *et* Komarek, 2003(图 26；图版 2：1)

Crenitis cordula Hebauer, 1994: 18 (ex parte).

Crenitis convexa Ji *et* Komarek, 2003: 402.

鉴别特征： 体长 2.80～3.30mm。体宽卵形，背部略拱起。背部表面光亮，头部黑色，前胸背板红棕色至深棕色，前缘及侧缘黄褐色至红褐色，鞘翅红棕色至深棕色。唇基及额具细而浅的刻痕，密被不均匀分布的粗糙刻点，越向侧缘刻点越密集。触角 9 节。下颚须红棕色，第 2 节膨大，第 4 节略带褐色，几乎对称。前胸背板近中央具明显的浅刻痕，侧缘刻痕则不明显；表面具浓密的粗糙刻点，越向侧缘则变得更加粗糙而密集；刻点间隙光滑发亮。鞘翅缝刻线刻入明显；刻点列间隙略隆起；间隙表面略粗糙；具细小的不规则分布的刻点，越向端部刻入越深，分布在 10 个明显的刻点列间。中胸腹板中部明显拱起，中后部具明显的横脊；后胸腹板明显拱起，中部具无毛区域。阳茎伸长，端部圆，短于阳基侧突。阳基侧突内缘直，端部宽圆。

采集记录： 2♂，周至，1650m，1995，M. Schülke 采；1♂1♀，周至，1650m，1995，A. Pütz 采；1♂，秦岭，2400m，1995，M. Schülke 采；1♂，宁陕，1900m，

1998，王淼采。

分布：陕西(周至、宁陕)、四川、云南。

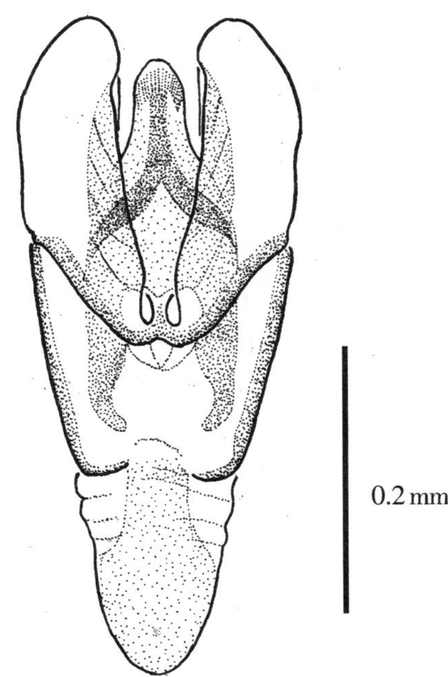

图 26　茎突平胸牙甲 *Crenitis*（s. str.）*convexa* Ji *et* Komarek
雄性外生殖器腹面观

(169) 陕西平胸牙甲 *Crenitis*（s. str.）*shaanxiensis* Ji *et* Komarek, 2003

（图 27；图版 2：2）

Crenitis shaanxiensis Ji *et* Komarek, 2003: 408.

鉴别特征：体长 3.20～3.60mm。体卵圆形，略拱起。头部、前胸背板及鞘翅红棕色至黑色，发亮。唇基及额无刻痕，密被粗糙刻点，且越向侧缘刻点分布越密集。额唇沟明显刻入。触角 9 节。下颚须红棕色，第 2 节膨大，第 4 节颜色暗，几乎对称。前胸背板近中部具浅的刻痕，近边缘的刻痕更浅；具密集的粗糙刻点。鞘翅向端部略收缩。中胸腹板中部膨大，中后部具小的横脊；后胸腹板明显膨大，中部部分区域光滑无毛。阳茎伸长，略短于阳基侧突，端部具棱角；阳基侧突内缘直，端部尖。

采集记录：2♂4♀，秦岭，2400m，1995，M. Schülke 采。

分布：陕西(秦岭)、四川。

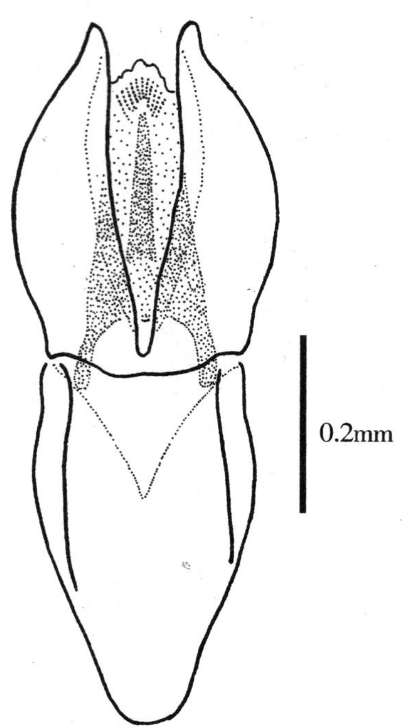

图 27 陕西平胸牙甲 *Crenitis* (s. str.) *shaanxiensis* Ji *et* Komarek
雄性外生殖器腹面观

70. 水龟甲属 *Hydrocassis* Fairmaire, 1878

Hydrocassis Fairmaire, 1878: 88. **Type species**: *Hydrocassis scapulata* Fairmaire, 1878.

属征: 体长 6.00 ~9.50mm。体卵形，强烈拱起，身体在前胸背板与鞘翅间略中断。头部附器、胫节、跗节及前胸背板侧缘淡黄色至淡红棕色，腹面密被拒水绒毛。头部深褐色至黑色，侧缘颜色淡。眼内缘刻点多皱；上唇在唇基前完全可见，前缘中部内凹；下颚须瘦长；触角 9 节，末端 3 节膨大成棒状。前胸背板上具大小两类刻点，刻点间光滑发亮；侧缘通常具不明显的小锯齿。鞘翅侧缘锯齿不明显，具 10 列发达的刻点列；刻点列间隙具细小刻点。前胸腹板具纵向隆脊，前中部具 1 个齿状突起；中胸腹板具 1 个钝的横向强突起；后胸腹板短，中部拱起，前部在中足基节间具突起。

分布: 古北区，东洋区。中国分布 13 种，秦岭地区发现 1 种。

(170) 条纹水龟甲 *Hydrocassis scapulata* **Fairmaire, 1878**(图 28; 图版 2: 3)

Hydrocassis scapulata Fairmaire, 1878: 89.

鉴别特征： 体长7.20～8.00mm。体卵形，强烈拱起。体黑色或棕色。头部及前胸背板密被粗糙刻点；前胸背板侧缘淡黄色至红棕色，侧缘锯齿状；后角圆。鞘翅条纹明显，间隙略隆起；间隙小，刻点脐状。第1刻点列间隙从基部到端部逐渐升高。生殖器粗壮，阳茎明显短于阳基侧突，从基部到端部明显变狭，端点圆；阳基侧突基部宽，中部突然开始急剧变狭，端点圆。

采集记录： 4♂10♀，周至厚畛子，1546m，2005. Ⅵ. 15，王淼采；2♂6♀，周至厚畛子，1546m，2005. Ⅵ. 15，边冬菊采；1♂3♀，凤县火车站，1800～1900m，1998. Ⅵ. 10，魏玉莲采；10♂3♀，佛坪龙草坪，1190m，2005. Ⅵ. 16，边冬菊采；5♂15♀，佛坪龙草坪，1190m，2005. Ⅵ. 16，王淼采；1♂2♀，宁陕火地塘，1650m，1998. Ⅵ. 05，魏玉莲采；3♂8♀，宁陕火地塘，1874m，2005. Ⅵ. 11，王淼采；1♂1♀，宁陕火地塘，1874m，2005. Ⅵ. 11，边冬菊采；9♂24♀，宁陕大茨沟，1437m，2005. Ⅵ. 12，王淼采；1♂3♀，宁陕大茨沟，1437m，2005. Ⅵ. 12，边冬菊采。

分布： 陕西(周至、凤县、佛坪、宁陕)、甘肃、四川。

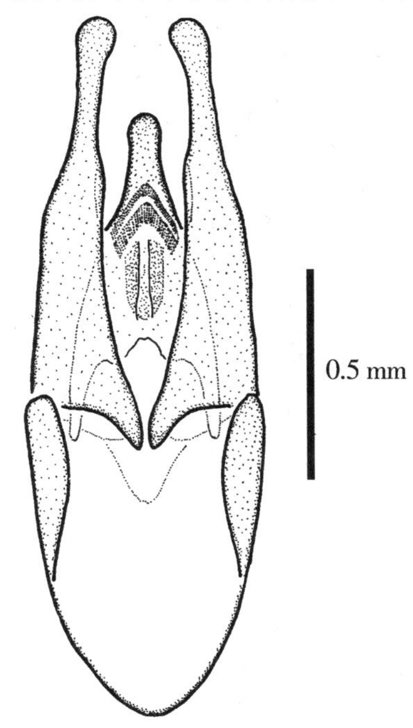

图28 条纹水龟甲 *Hydrocassis scapulata* Fairmaire
雄性外生殖器腹面观

71. 长节牙甲属 *Laccobius* Erichson, 1837

Laccobius Erichson, 1837: 202. **Type species**: *Laccobius affinis* (Knisch, 1927).

属征：体长 1.50～4.50mm。体卵圆形至宽卵形，拱起明显，虫体连续，在前胸背板与鞘翅间不中断。唇基拱起，边缘不向下弯曲，不具系统刻点。前胸背板通常无系统刻点，后角不向后形成长刺。鞘翅无鞘翅缝刻线，通常具有 20 条刻点列，刻点列通常交替显著。前胸腹板发达，中部略膨大，具1 个细小的隆脊。中胸腹板中央具窄脊。后胸腹板中部拱起相对较弱，除中部光滑区域外具有拒水绒毛。腹部具明显的6 节，前5 节光滑，拒水绒毛稀疏，末腹节可伸缩，拒水绒毛密集。

分布：世界广布(除新热带界)。中国已知26 种，秦岭地区发现1 种。

(171) 哈氏长节牙甲 *Laccobius hammondi* Gentili, 1984（图 29；图版 2：4）

Laccobius hammondi Gentili, 1984: 31-32.

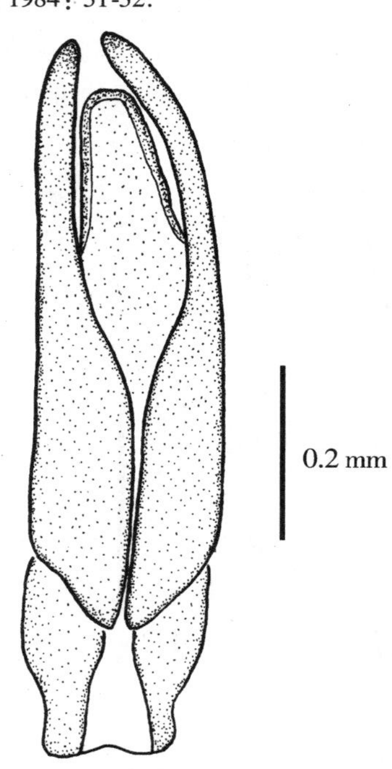

图 29　哈氏长节牙甲 *Laccobius hammondi* Gentili
雄性外生殖器腹面观

鉴别特征：体长2.10～2.50mm，体宽1.30～1.60mm。体卵圆形，拱起。头部黑色，在"Y"形额缝前端具1 个黄色斑点，额基部具相对较大的刻点。前胸背板黑色，两侧淡黄色，表面光滑发亮；刻点相对较大，与头部近似，主要集中在背部，稀疏分布，两侧几乎无刻点分布。鞘翅黑色，边缘淡黄色；约 20 条清晰可见的刻点列交替出现，第 1～10 刻点列上的刻点规则，排列成直线，其他刻点列上的刻点则排列不整齐。前胸腹板中央具纵脊；中胸腹板隆脊明显，前端呈箭头状。后胸腹板隆起，不形成脊状，除中央具1 块光滑无毛区域外，其他区域密布拒水绒毛。

采集记录： 2♂1♀，宁陕，680m，2005. Ⅵ. 13，边冬菊、王淼采。

分布： 陕西（宁陕）、辽宁、山东、甘肃、安徽、浙江、湖南、福建、台湾、广东、四川、贵州。

参考文献

Bedel, L. 1881. *Faune des Coleopteres du bassin de la Seine*. App. to Annales de la Societe entomologique de France Vol. I. 1-360 (Only pp. i-xxiv + 257-360 issued in 1881).

Hebauer, F. 1994. The *Crenitis* of the Old World (Coleoptera: Hydrophilidae). *Acta coleopterologica*, 10 (2): 3-40.

Fairmaire, L. 1878. *Hydrocassis*, nov. gen., *H. scapulata* F., pp. 88-89. In: Deyrolle, H. and Fairmaire, L.: Descriptions de Coleopteres recueillis par M. l'abbe David dans la Chine centrale (1. partie). *Annales de la Societe entomologique de France*, (5) 8: 87-140.

Erichson, W. F. 1837. *Die Käfer der Mark Brandenburg*. Vol. 1. F. H. Morin, Berlin. 1-384.

Gentili, E. 1984. Nuove specie e nuovi dati zoogeografici sul genere *Laccobius* (Coleoptera: Hydrophilidae). *Annuario Osservatoriodi Fisica terrestree Museo Antonio Stoppani del Seminario Arcivescovilledi Milano* (N. S.), 5 (1982): 31-32.

Gentili, E. 2003. Hydrophilidae: Ⅲ. Additional notes on the genus *Laccobius* Erichson in China and neighbouring areas (Coleoptera). 411-429. In Jäch, M. A., Ji, L. (Eds.). *Water beetles of China*. Volume 3. Zoologich-Botanische Gesellschaft in Osterreich and Wiener Coleopterologenverein, Wien. 1-572.

Ji, L. and Komarek, A. 2003. Hydrophilidae Ⅱ. The Chinese species of *Crenitis* Bedel, with descriptions of two new species. 397-409. In Jäch, M. A., Ji, L. (Eds.). *Water beetles of China*. Vol. 3. Zoologisch-Botanische Gesellschaft in Österreich and Wiener Coleopterologenverein, Wien. 1-572.

Ji, L. and Schödl, S. 1998. Hydrophilidae: Faunistic notes on *Hydrocassis* Deyrolle & Fairmaire and Amtor Semenov, with description of new species (Coleoptera). 207-218. In: Jäch, M. A., Ji, L. (Eds.). *Water beetles of China*. Vol. 2. Zoologisch-Botanische Gesellschaft in Österreich and Wiener Coleopterologenverein Wien. 1-371.

Schödl, S. and Ji, L. 1995. Hydrophilidae. 2. Synopsis of *Hydrocassis* Deyrolle & Fairmaire and *Ametor* Semenov, with description of three new species. 221-244. In: Jäch, M. A., Ji, L. (Eds.). *Water beetles of China*. Vol. 1. Zoologisch-Botanische Gesellschaft in Österreich and Wiener Coleopterologenverein, Wien. 1-410.

Ⅱ. 隐翅虫总科 Staphylinoidea

九、葬甲科 Silphidae

黄正中　杨星科
(中国科学院动物进化与系统学重点实验室，中国科学院动物研究所，北京 100101)

鉴别特征：体小型至大型。体色多为暗色，黑色或者褐色，部分种类腹部具强烈的金属光泽，大多数体表光滑无密毛；触角 11 节，端部 4~6 节膨大成锤状或者棒状，末端 3 节常呈橘黄色；鞘翅背面或具鲜艳的橘红色斑纹或色带，末端平截或波形，或延伸呈齿或角形；腹部末端 2~3 背板常露出鞘翅之外；前足基节窝开放，跗节 5 节，爪成对且简单。

生物学：是一类典型的腐食性昆虫，绝大多数成虫或幼虫均以动物尸体为食。

分类：世界共记录葬甲 186 种，陕西秦岭地区发现 8 属(含 2 亚属) 12 种。

分属检索表

1. 有额唇基沟；外咽缝渐近，合为 1 条；腹背板具音锉 ………… 2
   无额唇基沟；外咽缝渐宽，不合为 1 条；腹背板无音锉 ………… 3
2. 前胸背板前端具有 1 条横形沟痕；触角锤状各节并不紧密连接，基部第 1 节明显较粗 ………… **覆葬甲属** ***Nicrophorus***
   前胸背板前端无横形沟痕；触角锤状各节紧密连接，基部第 1 节略粗于其他各节 ………… **冥葬甲属** ***Ptomascopus***
3. 体形近长方形；复眼较大，复眼间距近似或小于复眼直径；雄性后足腿节膨大；鞘翅明显具 3 条直达末端的强肋，翅末多平截或凹截 ………… 4
   体形多扁圆；复眼较小，复眼间距明显大于复眼直径；雄性后足腿节正常；鞘翅上肋不明显或者不为 3 条，如果是 3 条强肋则皆不达鞘翅末端，鞘翅末端鲜有平截 ………… 5
4. 小盾片极大，或超过鞘翅长度的 1/3 ………… **盾葬甲属** ***Diamesus*** *
   小盾片正常，明显不及鞘翅长度的 1/3 ………… **尸葬甲属** ***Necrodes***
5. 额区常具 3 个三角形排列的小凹，前胸背板与鞘翅光洁无毛 ………… **丧葬甲属** ***Necrophila***
   额区无凹或仅 1 个浅凹，前胸背板与鞘翅被毛或光滑 ………… 6
6. 头在复眼后陡然缢缩 ………… **亡葬甲属** ***Thanatophilus***
   头在复眼后逐渐收窄 ………… 7
7. 触角末端 3 节膨大不显著，复眼后缘无直立刚毛 ………… **葬甲属** ***Silpha***
   触角末端 3 节膨大明显，复眼后缘具 1 排直立刚毛 ………… **媪葬甲属** ***Oiceoptoma***

---

* 盾葬甲属 *Diamesus* 在书中未记录。

72. 丧葬甲属 *Necrophila* Kirby *et* Spence, 1828

Necrophila Kirby *et* Spence, 1828: 509. **Type species**: *Silpha americana* Linnaeus, 1758.

Necrobora Hope, 1840: 151(unnecessary name).

Necrotropha Gistel, 1848: 121. **Type species**: *Silpha americana* Linnaeus, 1758.

Necrophila (*Chrysosilpha*) Portevin, 1921a: 538. **Type species**: *Silpha formosa* Laporte, 1832.

Necrophila (*Calosilpha*) Portevin, 1920: 396. **Type species**: *Silpha ioptera* Kollar *et* Redtenbacher, 1844.

Necrophila (*Eusilpha*) Semenov-Tian-Shanskij, 1891: 299. **Type species**: *Silpha japonica* Motschulsky, 1861.

属征: 体中型，扁平，近圆形。前胸背板橘红色，鞘翅黑色，或整体皆黑色。常具蓝绿色或紫色金属光泽。鞘翅内表面金属光泽极强。头在复眼后缩缢，复眼后缘具1排直立刚毛。额区具有3个凹坑，相邻，三角形排列。触角端锤由末4~6节组成，但多数种类由末5节组成。前胸背板盘区微隆，两侧具均匀而紧密的细刻点，后缘刻点则较粗大。中足基节相距较远，或相距较近，但不相接。鞘翅翅面哑光，或弱金属光泽，刻点细而紧密。鞘翅常具宽的侧缘展边，缘折极发达且具强金属光泽。鞘翅侧展边与翅面交界处，具有隆起，使鞘翅看上去具有4条肋。爪具小齿。

分布: 全北区，东洋区。中国已知11种，秦岭地区发现2种。

(172) 红胸丽葬甲 *Necrophila* (*Calosilpha*) *brunnicollis* (Kraatz, 1877)(图版3: 1)

Silpha brunnicollis Kraatz, 1877: 106.

Silpha bicolor Fairmaire, 1899: 616.

Calosilpha brunnicollis: Portevin, 1926: 115.

Necrophila (*Calosilpha*) *brunnicollis*: Ji, 2012: 35.

鉴别特征: 体长18~24mm。体扁宽。前胸背板橘红色。鞘翅具肋，隆突。鞘翅末端平截。鞘翅黑色或具暗淡的蓝绿色金属光泽，腹部蓝绿色金属光泽则较强。

采集记录: 3♂1♀，周至厚畛子；1271m，2007. Ⅷ. 10，史宏亮、杨干燕采，扫网，振布；1♀，留坝韦驮沟，1600m，1998. Ⅶ. 21，廉振民采。

分布: 陕西(周至、留坝)、黑龙江、吉林、辽宁、内蒙古、北京、河北、山西、甘肃、浙江、湖北、江西、湖南、台湾、广东、海南、广西、四川、贵州、云南。

(173) 蓝带真葬甲 *Necrophila* (*Eusilpha*) *cyaneocincta* (Fairmaire, 1878)

Silpha cyaneocincta Fairmaire, 1878a: 92.

Eusilpha cyaneocincta: Portevin, 1926: 102.

Necrophila (*Eusilpha*) *cyaneocincta*: Růžička, 2015: 294.

鉴别特征: 体长16～18mm。体扁宽，近乎圆形。头部黑色，额区具3个三角形凹；触角黑色，稍具蓝色金属光泽，末端5节组成棒状，而末端3节密被绒毛；前胸背板盘区黑色，周缘具青蓝色金属光泽；前胸背板盘区微隆，盘区中纵不明显；鞘翅黑色，微具青蓝色金属光泽，鞘翅缘折则具强烈的金属光泽；腹部具强烈的蓝绿色金属光泽。

采集记录: 2♀，留坝庙台子紫柏山，1596m，2012. Ⅵ.22，华谊采。

分布: 陕西(留坝)、四川。

73. 尸葬甲属 *Necrodes* Leach, 1815

Necrodes Leach, 1815: 88. **Type species**: *Silpha littoralis* Linnaeus, 1758.

Asbolus Bergroth, 1884: 229 (unnecessary replacement name for *Necrodes* Leach).

Protonecrodes Portevin, 1922b: 508. **Type species**: *Silpha surinamensis* Fabricius, 1775.

属征: 体中型。虫体较长。头近三角形，复眼大，眼间距与复眼直径大小约等。触角端锤状部分由末4节组成，且末节淡橘色。前胸背板椭圆，光滑，刻点细密。鞘翅具3条强肋，直达末端，鞘翅末端平截或凹截，腹末背板4节露出。小盾片较大，长度不达鞘翅长度的1/4。鞘翅黑色，个别具橘红色点状斑。雄性后足腿节强烈膨大，内缘具齿，胫节弯曲。

分布: 古北区，东洋区。中国已知2种，秦岭地区发现1种。

(174) 滨尸葬甲 *Necrodes littoralis* (Linnaeus, 1758) (图版3: 2)

Silpha littoralis Linnaeus, 1758: 360.

Silpha rufoclavatus Degeer, 1774: 176.

Silpha clavipes Sulzer, 1776: 28.

Peltis femoratus Muller, 1776: 64.

Peltis contusus Bergstrasser, 1778: 66.

Silpha lividus Herbst, 1783: 34.

Peltis gibbosus Geoffroy, 1785: 30.

Necrodes littoralis: Leach, 1815: 87.

Necrodes curtisi Leach, 1815: 89.

Necrodes asiaticus Portevin, 1922b: 507.

鉴别特征: 体长17～35mm。体型通常较大。体黑色或棕红色，触角末端3节橘红色。上唇光裸，仅前缘具黄毛；前胸背板刻点细密而均匀，近乎光滑；鞘翅黑色，刻点较前胸背板强，具强肋 6 条，鞘翅末端平截。雄性后足腿节下方具 1 排小齿，而雌性光洁。

采集记录：5♀1♂，周至厚畛子，1271m，2007. Ⅷ. 10，史宏亮、杨干燕采，灯诱；1♀2♂，佛坪，950m，1998. Ⅶ. 23，姚建采；4♀3♂，宁陕火地塘，1580m，1998. Ⅷ. 14-27，袁德成、姚建、张学忠采。

分布：陕西(周至、佛坪、宁陕)、黑龙江、吉林、辽宁、北京、天津、河北、甘肃、青海、新疆、安徽、浙江、湖北、江西、湖南、福建、广东、广西、四川、贵州、云南、西藏。

74. 媪葬甲属 *Oiceoptoma* Leach, 1815

Oiceoptoma Leach, 1815: 89. **Type species**: *Silpha thoracica* Linnaeus, 1758.

Oiceoptoma: Agassiz, 1847: 256, 257 (unjustified emendation of *Oiceoptoma* Leach, 1815).

Isosilpha Portevin, 1920: 398. **Type species**: *Eusilpha hypocrita* Portevin, 1903.

属征：小至中型。扁宽，近椭圆形。体黑色、橙色，或者兼具两色。头在复眼之后渐渐收狭，复眼后缘具 1 排直立的刚毛。额区平，无凹坑。触角末端 4 节膨大呈锤状。头和前胸背板常被毛，前胸背板前窄后宽，略呈梯形；前段平整，仅盘区微微隆起。中足基节相距较远，间距约等于腿节宽度。鞘翅稍具光泽，有刻点。鞘翅翅肩外端或具 1 个小齿突，侧缘展边从略窄至极宽。鞘翅最外侧 1 条肋止于端突。中、后足跗节末节长度长于 2～4 节之和。雄性前足爪节基部无长齿。

分布：古北区，东洋区。中国已知 5 种，秦岭地区发现 1 种。

(175) 红胸媪葬甲 *Oiceoptoma subrufum* (Lewis, 1888)(图版 3：3)

Silpha subrufum Lewis, 1888a: 9.

Thanatophilus thoracicus var. *davidi* Portevin, 1903: 331.

Oiceoptoma subrufum: Portevin, 1914: 222.

鉴别特征：体长 12.10～14.70mm。体扁平。前胸背板橘红色至红褐色，腹部、头、触角黑色。鞘翅深褐色，表面平滑，端部具横向皱褶，具刻点。鞘翅缘折明显，末端弧圆。头部额区及后部具明显的橙色刚毛，触角末 4 节呈锤状。

采集记录：7♀6♂，周至厚畛子，1271m，2007. Ⅷ. 10-11，扫网，杨干燕、史宏亮采；1♀，留坝紫柏山，1596m，2012. Ⅵ. 22，华谊采；1♀，留坝韦驮沟，1600m，1998. Ⅶ. 21，廉振民采。

分布：陕西(周至、留坝)、黑龙江、吉林、辽宁、内蒙古、北京、河北、甘肃、浙江、四川；俄罗斯，朝鲜，日本。

75. 亡葬甲属 *Thanatophilus* Leach, 1815

Thanatophilus Leach, 1815: 89. **Type species**: *Silpha sinuata* Fabricius, 1775.

Pseudopelta Bergroth, 1884: 229 (unnecessary nomen nudum).

Philas Portevin, 1903b: 331. **Type species**: *Silpha truncata* Say, 1823.

Silphosoma Portevin, 1903b: 333. **Type species**: *Silpha metallescens* Fairmaire, 1887.

Chalcosilpha Portevin, 1926a: 31. **Type species**: *Silpha micans* Fabricius, 1794.

属征：体小型。扁平，长椭圆形。体色暗淡，绝大多数无金属光泽，体背常被浓密长毛。头在复眼后缢缩，上唇前缘中部弧凹浅而缓。触角末端锤状部分由末 4 节组成，末端3 节被浓密的毛。前胸背板略呈六边形。中足基节离生，间距约等于腿节宽度。鞘翅一般具 3 条肋，翅肩有时具齿；中、后足跗节末节长度短于 2 ~4 节长度之和。

分布：全北区，非洲区，新热带区。中国已知 11 种，秦岭地区发现 1 种。

(176) 皱亡葬甲 *Thanatophilus rugosus* (Linnaeus, 1758)(图版 3：4)

Silpha rugosa Linnaeus, 1758: 361.

Silpha scaber Scopoli, 1763: 21.

Silpha grossulus Bergstrasser, 1778: 57.

Peltis complicatus Geoffroy, 1785: 30.

Silpha parimaribous Herbst, 1793: 205.

Silpha intricatus Menetries, 1832: 169.

Silpha vestita Kuster, 1851a: no. 12.

Thanatophilus rugosus: Netolitzky, 1912: 159.

Thanatophilus subrugosus Portevin, 1919: 221.

Thanatophilus distinctus Portevin, 1926a: 37.

Thanatophilus rugosus tuberculatus Depoli, 1931: 13.

Thanatophilus rubripes Portevin, 1943: 47.

鉴别特征：体长 10 ~12mm。虫体扁宽。前胸背板被毛且呈斑驳状。触角、足及腹部黑色。鞘翅翅肩浑圆，翅面具 3 条强肋，肋间具瘤突或横向褶皱。头部黑色，被黄色长毛，触角末端 3 节密被微毛；腹部具细刻点，被黄灰色短刚毛。

采集记录：1♀，周至厚畛子，1500m，2008. Ⅶ. 02，崔俊芝采。

分布：陕西(周至)、黑龙江、辽宁、北京、宁夏、甘肃、青海、新疆、四川、云南、西藏。

76. 覆葬甲属 *Nicrophorus* Fabricius, 1775

Nicrophorus Fabricius, 1775: (13), 71. **Type species**: *Silpha vespillo* Linnaeus, 1758.

Nicrophorus Thunberg, 1789: 7 (unjustemend. *Nicrophorus*).

Nicrophagus Leach, 1815: 88 (subseq. missp. *Necrophorus*).

Cyrtoscelis Hope, 1840: 149. **Type species**: *Silpha vespillo* Linnaeus, 1758.

Nicrophorus (*Acanthopsilus*) Portevin, 1914c: 223. **Type species**: *Necrophorus concolor* Kraatz, 1877.

Nicrocharis Portevin, 1923a: 68. **Type species**: *Silpha carolina* Linnaeus, 1771.

Necroxenus Semenov-Tian-Shanskij, 1926: 46. **Type species**: *Necrophorus przewalskii* Semenov-Tian-Shanskij, 1894.

Nicrophorus (*Eunecrophorus*) Semenov-Tian-Shanskij, 1933: 152. **Type species**: *Nicrophorus atnericanus* Olivier, 1790.

Nicrophorus (*Necrophoriscus*) Semenov-Tian-Shanskij, 1933: 152. **Type species**: *Necrophorus lunatlls* Fischer von Waldheim, 1842.

Nicrophorus (*Nesonecrophorus*) Semenov-Tian-Shanskij, 1933: 153. **Type species**: *Necrophorus podagricus* Portevin, 1920.

Nicrophorus (*Necrophorindus*) Semenov-Tian-Shanskij, 1933: 153. **Type species**: *Necrophorus validus* Portevin, 1920.

Nicrophorus (*Necrocleptes*) Semenov-Tian-Shanskij, 1933: 153. **Type species**: *Silpha humator* Gleditsch, 1767.

Nicrophorus (*Nesonecropter*) Semenov-Tian-Shanskij, 1933: 154. **Type species**: *Necrophorus distinctus* Grouvelle, 1885.

Nicrophorus (*Necropter*) Semenov-Tian-Shanskij, 1933: 154. **Type species**: *Necrophorus investigator* Zetterstedt, 1824.

Nicrophorus (*Stictonecropter*) Semenov-Tian-Shanskij, 1933: 154. **Type species**: *Necrophorus pustulatus* Herschel, 1807.

Nicrophorus (*Neonicrophorus*) Hatch, 1946: 99. **Type species**: *Silpha gercnunicu* Linnaeus, 1758.

属征：体中型，浑厚，少有扁平。体表光滑，前胸背板和后胸腹板或被毛。体多为黑色，鞘翅上常具两条橘红色斑纹或者条带。头中等大小，略呈三角形，额区有时具有 1 块红斑。触角末端极为膨大，略呈卵圆形或球形。复眼较大。前胸背板通常圆形或近梯形，具完整侧边，前胸背板盘区大多显著隆拱。小盾片三角形。鞘翅末端平截，臀板或前臀板外露。鞘翅表面光滑，无皱褶或瘤突。常具有斑纹，斑纹的形状是否相连是不同种类的分类特征。后胸后侧片从前到后逐渐收窄，光裸或具毛，也是重要的鉴别特征。

分布：全北区，东洋区，澳洲区。中国已知 28 种，秦岭地区发现 3 种。

(177) 黑覆葬甲 *Nicrophorus concolor* Kraatz, 1877

Nicrophorus concolor Kraatz, 1877: 100.

Nicrophorus (*Acanthopsilus*) *rotundicollis* Portevin, 1923a: 227.

鉴别特征: 体长24～40mm。体大型，浑厚。头部黑色，额区无红斑；触角除末端3节橘黄色且膨大外，其余黑色。前胸背板光裸，椭圆形，极其隆凸，似倒扣的锅底。鞘翅黑色，弱光泽，末端平截。

采集记录: 4♀1♂，周至厚畛子，1271m，2007.Ⅷ.10，灯诱，史宏亮、杨干燕采；1♂，周至厚畛子，1300m，2007.Ⅷ.10，李文柱采。

分布: 陕西(周至)、黑龙江、吉林、辽宁、内蒙古、北京、天津、河北、山西、山东、河南、宁夏、甘肃、青海、新疆、江苏、安徽、浙江、湖北、江西、湖南、福建、台湾、广东、海南、广西、重庆、四川、贵州、云南、西藏。

(178) 尼覆葬甲 *Nicrophorus nepalensis* Hope, 1831 (图版3: 5)

Nicrophorus nepalensis Hope, 1831: 21.

Nicrophorus ocellatus Deyrolle *et* Fairmaire, 1878: 90.

Nicrophorus benguetensis Arnett, 1946b: 207.

鉴别特征: 体长15～24mm。是一种常见的覆葬甲，体中型，头部黑色，额区具1块红斑，触角末端3节橘黄色且膨大。前胸背板隆起，被横向和纵向的沟分割成6块，均光裸无毛。鞘翅基部和端部各有两条橘黄色条纹，两侧条纹独立，在中缝处不相连；基部和端部的条纹中各有1块黑斑，或被包含于条纹内，或末端开口融入鞘翅的黑色之中。后胸腹板被较密的暗褐色长毛，后足转节具有1个短小的齿突。腹部各节端部具有并不明显的刚毛。

采集记录: 1♀，周至厚畛子镇，1271m，2007.Ⅷ.14；5♀2♂，宁陕火地塘，1580m，1998.Ⅷ.14-20，袁德成采，灯诱；3♀1♂，宁陕火地塘，1580m，1998.Ⅶ.29，张学忠采；1♀宁陕火地塘，2007.Ⅷ.18，史宏亮、杨干燕采，灯诱；3♀，史宏亮、杨干燕采，灯诱；3♀，宁陕旬阳坝，1368m，2007.Ⅷ.20，史宏亮、杨干燕采，灯诱；1♀，柞水老林村，1050m，2007.Ⅵ.03，崔俊芝采。

分布: 陕西(周至、宁陕、柞水)、黑龙江、吉林、辽宁、内蒙古、北京、天津、河北、山西、山东、河南、甘肃、青海、新疆、江苏、安徽、浙江、湖北、江西、湖南、福建、台湾、广东、海南、广西、四川、贵州、云南、西藏。

(179) 史氏覆葬甲 *Nicrophorus schawalleri* Sikes *et* Madge, 2006

Nicrophorus schawalleri Sikes *et* Madge, 2006: 355.

鉴别特征：体长 15.50～26.00mm。体中型。头部黑色，额区具 1 个小红斑，触角末端 3 节橘黄色且膨大。前胸背板光裸而隆起，盘区被横沟和纵沟分割为 6 块，端部 4 块并列且较小，基部 2 块较大。鞘翅两侧红斑在中缝不相连，每一侧的红斑在鞘翅缘折前后连接。基部红斑中常见 1 个黑色小圆斑，不游离，而端部则无黑斑。后胸腹板密被金黄色或暗褐色长毛，腹板光洁，仅端部具 1 排黑褐色短刚毛。

采集记录：1♀，Taibai Shan above Houshenzi，elev. 2500～2600m，9 vi；3. Ⅷ. 1998（coll. P. Jager & J. Martens）SMNS080911Nic。

分布：陕西（周至）、甘肃、青海、四川。

77. 冥葬甲属 *Ptomascopus* Kraatz，1876

Ptomascopus Kraatz，1876：396. **Type species**：*Ptomascopus morio* Kraatz，1877.

属征：体中等偏小，梭形，扁平，不浑厚。鞘翅相对较短，与一些大型隐翅虫类似。体表光滑，某些种类在前胸背板和后胸腹板显著被毛。体大部黑色，鞘翅或具橘红色斑纹或者条带。头中等大小，三角形。触角端锤部分发达，呈长卵形，触角端锤各节连接紧密。复眼较大。前胸背板盘区隆凸不显著。小盾片发达，三角形。鞘翅末端平截，至少臀板和前臀板外露。鞘翅表面光滑，从不具褶皱或者瘤突。鞘翅基部于缘折不达处有时具浓密刚毛。

分布：古北区，东洋区。中国已知 3 种，秦岭地区发现 1 种。

（180）黑冥葬甲 *Ptomascopus morio* Kraatz，1877（图版 3：6）

Ptomascopus morio Kraatz，1877：104.

Ptomascopus carbunculus Lewis，1879：460.

Ptomascopus morio var. *lewisi* Portevin，1914b：223.

Ptomascopus morio var. *villosus* Portevin，1923：70.

鉴别特征：体长 11～19mm。体瘦长，梭形。头部黑色，额侧沟完整，向后延伸超过复眼后缘，头部中央在额侧沟间隆凸。触角黑色，末端 3 节被微毛。触角柄节亦具毛。前胸背板黑色，前缘和侧缘具毛，其余部分光裸，具有一定光泽。鞘翅黑色，无斑纹，缘折黑色，密被黄褐色短刚毛。鞘翅盘区无肋痕，鞘翅具有细腻的刻点，兼有少量大刻点排列成列。腹部黑色，节间略显棕红，密被黄褐色刚毛。

采集记录：1♀，留坝庙台子，1350m，1998. Ⅶ. 22，廉振民采。

分布：陕西（留坝）、黑龙江、北京、河北、台湾。

78. 葬甲属 *Silpha* Linnaeus, 1758

Silpha Linnaeus, 1758: 359. **Type species**: *Silpha obscura* Linnaeus, 1758.

Parasilpha Reitter, 1885a: 76. **Type species**: *Silpha carinata* Herbst, 1783

Carpatosilpha Smetana, 1952a: 65. **Type species**: *Silpha tatrica* Smetana, 1951.

属征：体小至大型，椭圆形或长椭圆形。体色通常偏暗(除 *S. quinlinga* 外)。头在复眼后渐窄，复眼后缘无刚毛；触角末几节膨大并不显著，末端 3 节密被微毛；前胸背板前窄后宽，呈梯形；鞘翅肩部无齿，末端弧圆；跗节末端爪微弯曲，基部无小齿。

分布：古北区，非洲区，少数扩散到古北区与东洋区交界处。中国已知 6 种，秦岭地区发现 3 种。

(181) 隆葬甲 *Silpha businskyorum* Hava, Schneider *et* Ruzicka, 1999

Silpha businskyorum Hava, Schneider *et* Ruzicka, 1999: 78.

鉴别特征：体长 15.20 ~ 18.10mm。体拱凸，长椭圆形。前胸背板和鞘翅具暗褐色光泽，头、足和体腹面黑色，触角末端 3 节橙红色。头部具不规则刻点和黄色短伏毛，顶部有 1 个凹，但不明显；触角和足较细长；前胸背板略呈梯形，近光裸，肩角处有短毛，侧后缘强烈隆起；鞘翅具光泽，拱凸，呈椭球形，3 条强肋不达鞘翅末端，翅面具不规则刻点，无后翅；腹部刻点细而密。

采集记录：1♂ (Holotype) "China: S-Shaanxi[prov.], Qinling Mts. -S slope, Xunyangba-S + W env., 1400 ~ 2100m, 9.6.1995, L. + R. Businsky lgt." 1♀ (Allotype), the same data. 28♂ 148♀ (Paratypes), "CHINA, Shaanxi prov., Zhouzhi Co., [Qin Ling Shan mts] Houzhenzi env., 1200m, 18-25. Ⅶ. 1998, V. Benes leg." 28♂ 37♀ "CHINA(Shaanxi [prov.]) Qin Ling Shan [mts], Hua Shan [mt] 100km E Xian, 1500m, 7-14. Ⅶ. 1996"。

分布：陕西(周至、华阴、宁陕)。

(182) 隧葬甲 *Silpha perforata* Gebler, 1832

Silpha perforata Gebler, 1832: 49.

Silpha perforata var. *mongolica* Faldermann, 1835b: 365.

Silpha perforata var. *sculptipennis* Faldermann, 1835b: 366.

Silpha porosa Kraatz, 1876a: 373.

Silpha venatoria Harold, 1877: 346.

Silpha perforata var. *lateralis* Portevin, 1926: 70.

Silpha lateralis Portevin, 1926: 70.

Silpha perforata mandli Portevin, 1932: 59.

Silpha perforata elongata Portevin, 1943: 48.

鉴别特征: 体长 15 ~20mm。体型较大,长椭圆形。微具蓝紫色金属光泽,虫体近乎黑色。头部刻点细密,后部密被褐色短刚毛;触角第8 节较第9 节横宽,三角形;前胸背板近梯形,两侧圆弧;鞘翅具 3 条强肋,几乎均达翅末;强肋间具粗大刻点,侧缘则刻点较细弱;腹面具蓝紫色金属光泽,刻点细密。

采集记录: 1♂, Huangling County, 17. Ⅷ. 1992, Guo-Dong Ren leg.; 1♂2♀, Taibaishan, 20 km S Wangzhuangbu, 1200m, 23-26. Ⅷ. 1998, Bolm leg。

分布: 陕西(太白、黄陵)、黑龙江、辽宁、内蒙古、北京、河北、山西、江西。

(183) 秦岭葬甲 *Silpha quinlinga* Schawaller, 1996

Silpha quinlinga Schawaller, 1996: 140.

鉴别特征: 体长 11 ~12mm。体小型,狭长而扁平。头、足和体腹面黑褐色,前胸背板和鞘翅褐色或淡褐色,无光泽。后翅缺;头部额区具 1 个凹,顶部刻点粗糙;前胸背板侧后端显著翘起,基部波浪状;鞘翅刻点不规则,具 3 条肋,外肋最短,但是较为隆起,中肋最长;无后翅;体腹面刻点较鞘翅细;足细长。

采集记录: 1♂1♀, Qingling Shan mts, S slope, S and W of Xunyangba, 1400 ~ 2100m, 5-9. Ⅵ. 1995, L. & R. Businský leg.; 2♂, Qingling Shan mts, track Hou Zen Zi vill. [= Houzhenzi] to Taibai Shan mt., 2500 m, 27-29. Ⅵ. 1998, mixed forest, O. Šafrúnek & M. Trýzna leg.; 1♀, Qingling Shan mts, Foping Nature Reserve, 1600 m, 8. Ⅳ. 1999, Ⅴ. Siniaev & A. Plutenko leg.; same locality, 1♂1♀, 15. Ⅷ-15. Ⅹ. 1999, Ⅴ Siniaev & A. Plutenko leg.; 1♂3♀, Qingling Shan mts, 105 km SW Xi'an, pass on road Zhouzhi-Foping [= Yuanjiazhuang], N slope, 1990 m, 2-4. Ⅷ. 2001, D. Wrase leg., small creek valley, mixed deciduous forest, bamboo and small meadows; 2♀, Qingling Shan mts, 45 km SSW Xi'an, mountain range W pass on road Xi'an-Shagoujie, N slope, 2675m, 25. Ⅷ. 2001, M. Schülke leg., Abies, Betula, Larix, Rhododendron forest and subalpine meadows, sifted。

分布: 陕西(周至、宁陕、佛坪)、湖北。

参考文献

Arnett, R. H., Jr. 1946. A new species of Nicrophorus from the Philippine Islands (Coleoptera, Silphidae). *Proceedings of the Entomological Society of Washington*, 48: 207-209.

Bergsträsser, J. A. B. 1778. Nomenclatur und Beschreibung der Insecten in der Graffschaft *Hanau-*

Münzenberg wie auch der Wetterau und der angränzenden Nachbarschaft dies-und jenseits des Mainz, 1: (4) + 88pp., 14pls.

Depoli, G. 1931. Revisione dei Coleotteri della collezione Leoni. *Bollettino del Laboratorio di Entomologia Bologna*, 4: 13-17.

De Geer, Ch. 1774. *Mémoires pour servir à lťhistoire des Insects*. Stockholm, 4, 456 pp., 12 pls.

Deyrolle, H. F., L. 1878. Descriptions de Coleéopteères recueillis par M. l'abbeé David dans la Chine centrale. *Annales de la Société Entomologique de France*, 5: 87-140.

Fabricius, J. C. 1775. *Systema Entomologiae Sistens Insectorvm Classes, Ordines, Genera, Species, Adiectis Synonymis, Locis, Descriptionibus, Observationibus*. Libraria Kortii, Flensburgi et Lip-siae. 30 + 832 pp.

Fairmaire, L. 1899. Descriptions de Coleopteres nouveaux recueillis en Chine par M. de Latouche. *Annales de la Societe Entomologique de France*, 68: 616-643.

Geoffroy, E. 1785. New species. A. Fourcroy, Entomologia Parisiensis; sive catalogus insectorum quae in agro Parisiensi reperiuntur Paris, 1: 231.

Gistel, J. 1848. *Naturgeschichte de Thierreichs* : für höhere Schulen. Scheitlin & Krais, Stuttgart. 16: 216 + (4) pp.

Hatch, M. H. 1928. Silphidae Ⅱ. In: Schenkling, S. (ed.). *Coleopterorum Catalogus*. Berlin Pars, 95: 63-244.

Hatch, M. H. 1946. Mr. Ross H. Arnett's "Revision of the Nearctic Silphini and Nicrophorini." *Journal of the New York Entomological Society*, 54: 99-103.

Hava, J., J. Schneider, and J. Ruzicka. 1999. Four new species of carrion beetles from China (Coleoptera: Silphidae). *Entomological Problems*, 30: 67-83.

Herbst, J. 1793. *Natursystem aller bekannten in und ausländischen Insecten, als eine Fortsetzung der von Buffonschen Naturgeschichte*. Der Käfer, 5: 230 pp., 221pls.

Herbst, J. F. W. 1783. Kritisches Verzeichniss meiner Insektensammlung. *Archiv der Insectengeschichte*, 4: 1-72.

Hope, F. W. 1831. Synopsis of the new species of Nepal insects in the collection of Major General Hardwicke. *Zoological Miscellany*, 1: 21-32.

Hope, F. W. 1840. *The Coleopterist's Manual, Part the Third, containing various Families, Genera, and Species of Beetles, recorded by Linnaeus and Fabricius. Also, Descriptions of Newly Discovered and Unpublished Insects*. J. C. Bridgewater, and Bowdery and Kerby, London. 191pp., pls. 1-3.

Ji, Yun. 2012. The carrion beetles of China. Beijing: China Forestry Press. 309 pp. [计云. 2012. 中华葬甲, 北京: 中国林业出版社, 309]

Kraatz, G. 1876. Ueber Systematik und geographische Verbreitung der Gattung Silpha L. und verwandten Genera. *Deutsche Entomologische Zeitschrift*, 20: 353-374.

Kraatz, G. 1877. Japanische Silphidae. In: Kraatz *et al.*, Beiträge zur Käferfauna von Japan, meist auf R. Hiller's Sammlungen basirt. *Deutsche Entomologische Zeitschrift*, 21: 100-108.

Küster, H. C. 1851. *Die Käfer Europa's*. Nach der Natur Beschrieben. Zweiundzwanzigstes Heft. 100 pp., 3pls.

Lewis, G. 1888. Notes on the Japanese species of Silpha. *Entomologist*, 21: 7-10.

Linnaeus, C. 1758. *Systema Naturae per Regna Tria Naturae, secundum Classes, Ordines, Genera, Spe-*

cies, cum Characteribus, Differentiis, Synonymis, Locis. Vol. 1. : 824 + iii pp.

Ménétriés, E. 1832. *Catalogue raisonné des objets de Zoologie recueillis dans un voyage au Caucase et jusqu' aux frontières actuelles de la Perse entrepris par ordre de S. M. l' Empereur.* St. Pétersbourg: Académie Impériale des Sciences: 271 + iv pp.

Portevin, G. 1903a. Clavicornes nouveaux du groupe des Necrophages. *Annales de la Societe Entomologique de France*, 72: 156-168.

Portevin, G. 1903b. Note sur quelques Choleviens du Museum. *Bulletin du Museum Paris*, 8: 512-513.

Portevin, G. 1914a. Silphides et Liodides nouveaux. *Annales de la Societe Entomologique de Belgique Bruxelles*, 58: 190-198.

Portevin, G. 1914b. Revision des Silphides, Liodides et Clambldes du Japon. *Annales de la Societe Entomologique de Belgique Bruxelles*, 58: 212-236.

Portevin, G. 1922. Notes sur quelques Silphides et Liodides de la collection Grouvelle. *Bulletin du Muséum National d'Histoire Naturelle*, 28: 54-58.

Portevin, G. 1923. Revision des Necrophorini du Globe. *Bulletin du Muséum National d'Histoire Naturelle*, 29: 64-71, 145-150, 186-192, 287-293, 374-377.

Portevin, G. 1925. Revision des Necrophorini du Globe. *Bulletin du Muséum National d'Histoire Naturelle*, 31: 165-170.

Portevin, G. 1943. Silphides nouveaux ou peu connus (Coleoptera). *Revue Francaise d'Entomologie*, 10: 47-48.

Reitter, E. 1885. Bestimmungs-Tabellen der Europäischen Coleopteren, XII. Necrophaga (Platypsyllidae, Leptinidae, Silphidae, Anisotomidae und Clambidae). *Verhandlungen des Naturforschenden Vereines Brünn*, 23: 3-122.

Ruzicka, J. 2002. Taxonomic and nomenclatorial notes on Palaearctic Silphinae (Coleoptera: Silphidae). *Acta Societatis Zoologicae Bohemicae*, 66(4): 303-320.

Ruzicka, J., and J. Schneider. 1996. Faunistic records of Silphidae (Coleoptera) from China. *Klapalekiana*, 32: 77-83.

Ruzicka, J., and J. Schneider. 2002. Distributional records of carrion beetles (Coleoptera: Silphidae) from Iran, Afghanistan, Pakistan and north-western India. *Klapalekiana*, 38: 227-253.

Ruzicka, J., and J. Schneider. 2003. Interesting distributional records of Agyrtidae and Silphidae (Coleoptera) from the Palaearctic and Oriental regions. *Klapalekiana*, 39: 307-311.

Schawaller, W. 1996. A new Silpha species from China (Coleoptera: Silphidae). *Entomologische Zeitschrift*, 106: 139-143.

Semenov-Tian-Shanskij, A. 1933. De tribu Necrophorini (Coleoptera, Silphidae) classificanda et de ejus distributione geographica. *Trudy Zoologicheskogo Instituta Akademii Nauk SSSR*, 1: 149-160.

Sikes, D. S., R. B. Madge, and A. F. Newton. 2002. A catalog of the Nicrophorinae (Coleoptera: Silphidae) of the world. *Zootaxa*, 65: 1-304.

十、隐翅虫科 Staphylinidae

李利珍　汤亮　胡佳耀　殷子为　彭中　宋晓斌
(上海师范大学，上海 200234)

鉴别特征：体长 1 ~ 35mm。虫体狭长至卵形。体黄色、红棕色、棕色或黑色，某些部位兼具虹彩色。整体骨质化较强，光滑至多(刚)毛，体表有或无微刻纹。头多型，前口式或下口式；颈或无，或具口上沟。通常具复眼，有时具 1 对侧单眼。触角通常 11 节，一些类群仅 10 节、9 节或 3 节，常呈丝状，有时呈微弱至中度棒状。前胸形状极多样，常具侧缘。小盾片常可见，三角形。鞘翅平截，常短，暴露第 5 ~ 6 腹节，偶更长(短)，完全覆盖腹部。鞘翅有时直。鞘翅缘折有或无。常具后翅，后翅通过翅痣旁结脉槽之运动紧密折叠于鞘翅下。翅脉适度至极度退化，缺横脉及翅室。前、后足基节大小不定，形状多样。基节窝常临近，或适度至显著分离。前足基节窝常开放，转节外露或被遮盖。跗式多为 5-5-5，蚁甲及少量亚科具 3-3-3 跗式，也有 4-4-4、2-2-2 或异跗式。常具 1 对跗爪，爪间突具 0 ~ 2 根刚毛。腹部延长，可见腹节明显骨质化，腹板通常 6 ~ 7 节外露，腹背板通常可见 7 节。阳茎形态多样，雌性生殖器通常不可见。

分类：世界已知 62800 余种，隶属 32 个亚科，中国已记录 22 亚科，560 属，6126 种，陕西秦岭地区发现 108 属 382 种(亚种)。

分亚科检索表

1. 体形宽圆；每枚鞘翅具 9 排纵刻点列 ………………………… **拟葬隐翅虫亚科 Apateticinae**
   不同时具备上述特征 …………………………………………………………………… 2
2. 腹部完全或绝大部分被鞘翅覆盖 ………………………………………………………… 3
   鞘翅短，腹部外露 ……………………………………………………………………… 4
3. 体舟形 ………………………………………………………… **出尾蕈甲亚科 Scaphidiinae**
   体蚁形 ………………………………………………………………… **苔甲亚科 Scydmaeninae**
4. 腹部相对固定，无法自由活动 ……………………………………… **蚁甲亚科 Pselaphinae**
   腹部可自由活动 ………………………………………………………………………… 5
5. 触角着生于头顶复眼之间 ……………………………………………………………… 6
   触角着生于头前缘或侧缘 ……………………………………………………………… 7
6. 复眼巨大，占据头侧大部分 ……………………………… **突眼隐翅虫亚科 Steninae**
   复眼正常，长度小于头部长度的 1/2 ………………… **前角隐翅虫亚科 Aleocharinae**
7. 头顶具假单眼 ……………………………………………… **四眼隐翅虫亚科 Omaliinae**
   头顶不具假单眼 ………………………………………………………………………… 8

8. 头部及前胸具网格状凹坑 …… **铠甲亚科 Micropeplinae**
头部及前胸不具网格状凹坑 …… 9
9. 下颚须第 1 节长，至少为第 2 节的 1/2 …… **丽隐翅虫亚科 Euaesthetinae**
下颚须第 1 节短，不超过第 2 节的 1/3 …… 10
10. 腹背板各节具 1 条斜刻纹 …… **背脊隐翅虫亚科 Pseudopsinae**
腹背板无上述刻纹 …… 11
11. 下颚须末节短于亚末节的 1/2，常呈锥状或乳突状 …… **毒隐翅虫亚科 Paederinae**
下颚须末节等于或长于亚末节的 1/2 …… 12
12. 头部在眼后收缩，形成颈部 …… 13
头部在眼后连续汇聚，不呈明显的颈部 …… 14
13. 腹部具基侧脊 …… **异形隐翅虫亚科 Qxytelinae**
腹部无基侧脊 …… **隐翅虫亚科 Staphylininae**
14. 触角 3～11 节丝状 …… **片足隐翅虫亚科 Habrocerinae**
触角 3～11 节非丝状 …… **尖腹隐翅虫亚科 Tachyporinae**

（一）前角隐翅虫亚科 Aleocharinae

鉴别特征： 多数种类体型微小，体长一般 3～5mm。体色多变，多为深棕至红棕色。触角窝通常着生于头顶复眼之间。后足基节侧向延展，伸达腿节下方。跗式多变，常为 5-5-5，也有 4-5-5 或 4-4-5。阳茎侧叶大，结构复杂，由数枚骨片组成。

分类： 世界已知约 1200 属，16000 余种，中国记录约 186 属 1677 种，陕西秦岭地区发现 33 属 108 种。

79. 艾拉隐翅虫属 *Aloconota* Thomson, 1858

Aloconota Thomson, 1858: 33. **Type species**: *Tachyusa immunita* Erichson, 1839 (= *Homalota gregaria* Erichson, 1839).

Glossola Fowler, 1888: 66. **Type species**: *Homalotagregaria* Erichson, 1839.

鉴别特征： 体长 2.70～5.00mm。体表光洁。体深棕色至黑色。触角深棕色，第 2 节比第 1、3 节长，基部 3 节红棕色，第 6～10 节横宽。头及前胸背板具不明显的刻纹，鞘翅刻纹较发达，腿红棕色或黄色。

分布： 古北区，东洋区，非洲区。中国已知 31 种，秦岭地区发现 1 种。

（184）厚畛子艾拉隐翅虫 *Aloconota houzhenziensis* Pace, 2011

Aloconota houzhenziensis Pace, 2011b: 197.

鉴别特征：体长2.80mm。体光洁。体深棕色，触角深棕色，基部3节红棕色，腿红棕色。触角柄节长于梗节，第3节短于梗节，第4～5节长于宽，第6节长等于宽，第7～10节横宽。头及前胸背板具不明显的刻纹，鞘翅刻纹发达。

分布：陕西(周至)。

80. 赤首隐翅虫属 *Apimela* Mulsant *et* Rey, 1874

Apimela Mulsant *et* Rey, 1874: 36. **Type species**: *Homalota macella* Erichson, 1839.

Gyronychina Casey, 1911: 218. **Type species**: *Calodera attenuata* Casey, 1885.

Gampsonycha Bernhauer, 1912: 108. **Type species**: *Homalota pallens* Mulsant *et* Rey, 1852 (= *Apimela mulsanti* Ganglbauer, 1895).

鉴别特征：体长1.70～3.00mm。体表光洁。体红棕或黄棕色，头部红色，腹背板4～5节基部棕色。触角棕色或褐色，基部2节黄色，第1节较2、3节短；腿黄色至黄褐色。腹部具微刻纹。

分布：东洋区。中国已知10种，秦岭地区发现1种。

(185) 粗粒赤首隐翅虫 *Apimela glarearum* Pace, 2012

Apimela glarearum Pace, 2012c: 129.

鉴别特征：体长1.90mm。体光洁。体红棕色，头部红色，腹背板4～5节基部棕色，触角棕色，基部2节黄色，腿黄色。头及前胸背板不具微刻纹，腹部微刻纹不明显，腹背板3～4节具横向网格状刻纹。

分布：陕西(周至)。

81. 暗纹隐翅虫属 *Atheta* Thomson, 1858

Atheta Thomson, 1858: 36. **Type species**: *Aleochara graminicola* Gravenhorst, 1806.

Megista Mulsant *et* Rey, 1874a: 591. **Type species**: *Aleochara graminicola* Gravenhorst, 1806.

Elytrusa Casey, 1906: 334. **Type species**: *Homalota granulata* Mannerheim, 1846 (= *Aleochar agraminicola* Gravenhorst, 1802).

Hypatheta Fenyes, 1918: 23. **Type species**: *Bolitochara castanoptera* Mannerheim, 1830.

Callicerodes Iablokoff-Khnzorian, 1960: 1883. **Type species**: *Callicerus velox* Iablokoff-Khnzorian, 1960.

属征：体长1.40～2.80mm。体深黄色至褐色，密被柔毛，有光泽。头近似正方形，腿黄色至黄褐色，头部、第7腹背板及第8腹背板颜色比其他部分深，触角基部

3 节颜色稍浅。前胸背板具微刻纹，鞘翅具刻点，中叶椭圆形。

分布：古北区，东洋区。中国已知 282 种，秦岭地区发现 2 种。

（186）异首暗纹隐翅虫 *Atheta*（*Microdota*）*elisa* Assing，2002

Atheta（*Microdota*）*elisa* Assing，2002b：959.

鉴别特征：体长 2.20 ~ 2.70mm，体锈色至棕色，头部、第 7 腹背板及第 8 腹背板端部黑色，触角深棕色，基部 3 节颜色稍浅，腿砖红色。头部半圆形，横宽，1.09 ~ 1.16mm；后角不明显，弧形；前胸背板具发达微刻纹；鞘翅具明显刻点；第 4 腹背板基部具浅凹槽。

采集记录：2♂3♀，镇坪，2850m，2001. Ⅶ. 14。

分布：陕西（镇坪）。

（187）普氏暗纹隐翅虫 *Atheta*（*Microdota*）*puetzi* Pace，1999

Atheta（*Microdota*）*puetzi* Pace，1999c：381.

鉴别特征：体长 2.20mm。体表粗糙，腹部较光洁。体黄棕色，腹背板 3 ~ 5 节浅棕色，触角深棕色，基部 3 节黄色，腿黄色。头部及前胸背板刻点清晰，鞘翅刻点模糊，腹部具发达刻点。

分布：陕西（周至）。

82. 奥塔隐翅虫属 *Autalia* Leach，1819

Autalia Leach，1819：177. **Type species：***Staphylinus impressus* Olivier，1795.

属征：体长 2.20 ~ 2.90mm。体深棕色至黑色。头部和鞘翅红褐色至黑色，鞘翅侧缘凸起；前胸背板深棕色至褐色，基部具“U”形凹槽，腹部具刻点；触角红色或红褐色，向尖端颜色稍变淡；腿黄色或红棕色。

分布：东洋区。中国已知 10 种，秦岭地区发现 1 种。

（188）狭肩奥塔隐翅虫 *Autalia imbecilla* Assing，2003

Autalia imbecilla Assing，2003：47.

鉴别特征：体长 2.20 ~ 2.60mm。体深棕色，鞘翅颜色略浅，触角及腿浅棕色。

身体前部具直立长刚毛，不具微刻纹。前胸背板基部具“U”形凹槽，鞘翅侧缘凸起，腹部不具微刻纹，刻点细密，第3～5背板具细隆脊。

分布：陕西(镇坪)。

83. 带隐翅虫属 *Cordalia* Jacobs, 1925

Cardiola Mulsant *et* Rey, 1874: 38 [Homonym]. **Type species**: *Aleochara obscura* Gravenhorst, 1802.

Cordalia Jacobs, 1925: 82. **Type species**: *Aleochara obscura* Gravenhorst, 1802.

Strandiodes Bernhauer, 1930: 191 [Replacement name]. **Type species**: *Aleochara obscura* Gravenhorst, 1802.

Cardiolita Strand, 1933: 123 [Replacement name]. **Type species**: *Aleochara obscura* Gravenhorst, 1802.

属征：体长2.40～3.80mm。体红褐色或黑褐色。触角长0.97～1.23mm；头部深棕色至黑褐色，略横宽，长0.33～0.45mm；前胸背板横宽，侧缘直；鞘翅浅棕色或褐色，具细刻点；腹部3～5节棕色；腿浅棕色至黄棕色。

分布：古北区，东洋区。中国已知10种，秦岭地区发现1种。

(189) 舒克带隐翅虫 *Cordalia schuelkei* Assing, 2001

Cordalia schuelkei Assing, 2001: 116.

鉴别特征：触角长0.97mm，头部长0.33mm、宽0.36mm，前胸背板长0.32mm、宽0.38mm，鞘翅长0.34mm。头部深棕色，略横宽；前胸背板及鞘翅浅棕色，前胸背板横宽，侧缘直，鞘翅具细刻点；腹部3～5节棕色，6～7节黑色，具密集的细刻点；腿部黄棕色。

分布：陕西(秦岭)。

84. 宽隐翅虫属 *Encephalus* Stephens, 1832

Encephalus Stephens, 1832: 163. **Type species**: *Encephalus complicans* Stephens, 1832.

属征：体长2.40～3.00mm。体黄棕色或红棕色。头部棕色至黑色；腹部3～5节多红色；触角黄棕色或红色，基部3节与其他节颜色不同，第5～10节触角宽大于长；腿黄棕色或微红色。头及前胸背板具刻点，鞘翅粗糙且刻点分布不均。

分布：东洋区。中国已知9种，秦岭地区发现2种。

(190) 中华宽隐翅虫 *Encephalus sinensis* Pace, 2003

Encephalus sinensis Pace, 2003: 656.

鉴别特征：体长2.70mm。体表光洁。体棕色。头部深棕色；前胸背板红棕色；腹部第3~5节红色；触角黄棕色，基部3节红色；腿黄棕色。头及前胸背板具发达刻点，鞘翅刻点分布不均，后缘不具刻点，腹部缺刻点。

分布：陕西(周至)。

(191) 盾宽隐翅虫 *Encephalus umbonatus* Pace, 2003

Encephalus umbonatus Pace, 2003: 656.

鉴别特征：体长2.70mm。体棕褐色，光泽不明显，足棕色。头部略呈三角形，眼凸出。前胸背板表面具稀疏刻点和短刚毛，鞘翅方形，腹部扁平且呈长椭圆形，第5腹节最宽。

分布：陕西(秦岭)、四川。

85. 宽胸隐翅虫属 *Euryusa* Erichson, 1837

Euryusa Erichson, 1837: 371. **Type species**: *Euryusa sinuata* Erichson, 1837.

Thamiosoma Thomson, 1858: 34. **Type species**: *Oxypoda laticollis* Thomson, 1855.

Ectolabrus Sharp, 1888: 370 [Subgenus]. **Type species**: *Ectolabrus laticollis* Sharp, 1888.

Austriusa Assing, 1995: 80. **Type species**: *Silusa pipitzi* Eppelsheim, 1887.

属征：体长2.50~4.50mm。体表较为光洁。虫体常为黄褐色，腹部末端颜色较深，腿棕色。触角细长且非膝状，头部横宽远远窄于前胸背板，前胸背板明显横宽且短；鞘翅方形，鞘翅和腹部表面具刻点。

分布：亚洲，欧洲。中国已知3种，秦岭地区发现1种。

(192) 微宽胸隐翅虫 *Euryusa* (*Ectolabrus*) *minor* Maruyama *et* Hlavaĉ, 2002

Euryusa minor Maruyama *et* Hlavaĉ, 2002: 178.

鉴别特征：体长2.85~2.90mm。体棕黄色，头部和腹部端部颜色较深。头部宽度略大于头部长度，眼大。前胸背板端部平截且密布刻点和短毛。鞘翅长小于宽，端部缢缩。腹部扁平。

分布: 陕西(秦岭); 日本。

86. 法拉隐翅虫属 *Falagria* Leach, 1819

Falagria Leach, 1819: 177. **Type species**: *Staphylinus sulcatus* Paykull, 1789 (= *Falagria caesa* Erichson, 1837).

Coenobiotes Gistel, 1856: 387. **Type species**: *Staphylinus sukatus* Paykull, 1789 (= *Falagria caesa* Erichson, 1837).

属征: 体长 3.50 ~4.50mm。虫体常为黑褐色, 鞘翅和足末端颜色较浅。头部近方形, 触角细长且非膝状。前胸背板中央具沟, 表面具光泽; 鞘翅方形, 后翅发达。腹部修长, 表面具刻点和柔毛。

分布: 古北区, 东洋区, 非洲区, 新北区。中国已知 6 种, 秦岭地区发现 1 种。

(193) 卡萨法拉隐翅虫 *Falagria caesa* Erichson, 1837

Staphylinus sulcatus Paykull, 1789: 32[HN].

Falagria caesa Erichson, 1837: 295.

Falagria atra Hochhuth, 1872: 86.

Falagria sicula Jekel, 1873: 33.

鉴别特征: 体长 3.80 ~4.30mm。体黑色, 鞘翅端部颜色较浅, 足黄色。头部宽度略大于头部长度, 触角细长。前胸背板前缘宽度大且后缘缢缩。鞘翅长大于宽, 后翅发达; 足细长。腹部扁平且表面具刚毛。

分布: 陕西(秦岭)、辽宁、北京、河北、山东、甘肃、新疆、广东、香港; 俄罗斯, 朝鲜, 日本, 印度, 尼泊尔, 中亚地区, 以色列, 欧洲, 非洲, 北美洲。

87. 壳隐翅虫属 *Gastropaga* Bernhauer, 1915

Gastropaga Bernhauer, 1915a: 127. **Type species**: *Gastropaga bakeri* Bernhauer, 1915.

Rougemontia Pace, 1986: 450 [Subgenus]. **Type species**: *Rougemontia siamensis* Pace, 1986.

属征: 体长近 2mm。虫体常为棕褐色, 头部和腹部颜色较深, 足和触角颜色较浅。头部近卵圆形, 触角细长且第 1 节最长。前胸背板横宽且呈不规则椭圆形, 表面具细刻点; 鞘翅方形且略微横宽。腹部修长。

分布: 东洋区。中国已知 3 种, 秦岭地区发现 1 种。

(194) 中华壳隐翅虫 *Gastropaga* (*Rougemontia*) *siamensis* (Pace, 1986)

Rougemontia siamensis Pace, 1986: 450.
Gastropaga (*Rougemontia*) *siamensis*: Pace, 1993: 76.

鉴别特征: 体长1.80mm。头部和腹部为黑色，前胸背板和鞘翅颜色较浅，足和触角呈棕黄色。头部表面具细刻点，触角细长。前胸背板哑光且表面具较细刻点；鞘翅方形，后翅发达。腹部修长，表面具刻点和柔毛。

分布: 陕西(秦岭)、北京、广东、香港、四川；泰国。

88. 鳗长隐翅虫属 *Gyrophaena* Mannerheim, 1830

Gyrophaena Mannerheim, 1830: 74. **Type species**: *Staphylinus nanus* Paykull, 1800.
Phaenogyra Mulsant *et* Rey, 1871: 76 [Subgenus]. **Type species**: *Gyrophaena strictula* Erichson, 1839.
Agaricophaena Reitter, 1909: 85 [Subgenus]. **Type species**: *Staphylinus boleti* Linnaeus, 1758.
Enkentrophaena Eichelbaum, 1913: 139 [Subgenus]. **Type species**: *Gyrophaena plicata* Fauvel, 1898.
Acanthophaena Cameron, 1934: 23 [Subgenus]. **Type species**: *Gyrophaena appendiculata* Motschulsky, 1858.
Leptarthrophaena Scheerpeltz, 1948: 164 [Subgenus]. **Type species**: *Gyrophaena affinis* Mannerheim, 1830.

属征: 体长1.50~2.80mm。虫体常为黄褐色至棕黑色，头部和腹部颜色较深，足和触角颜色较浅。头部横宽，触角细长，眼大且凸出。前胸背板横宽且呈长椭圆形；鞘翅方形且通常略微横宽。腹部扁平。

分布: 古北区，东洋区。中国记录125种，秦岭地区发现33种。

(195) 忆鳗长隐翅虫 *Gyrophaena absurdior* Pace, 2003

Gyrophaena absurdior Pace, 2003: 649.

鉴别特征: 体长2.50mm。体棕黄色，头部、前胸背板和腹部末端颜色较深。头部表面具稀疏细刻点，触角细长。前胸背板哑光且背盘具较稀疏的细刻点，鞘翅方形且密布细刻点。腹部修长，表面密布刻点和柔毛。

分布: 陕西(秦岭)、四川、云南。

(196) 质鳗长隐翅虫 *Gyrophaena aequalitatis* Pace, 2010

Gyrophaena aequalitatis Pace, 2010a: 137.

鉴别特征：体长 2.50mm。体黄褐色，头部颜色偏红，触角基部 3 节颜色偏黄，鞘翅黄棕色，足黄色。头部表面具较密集细刻点，前胸背板背盘具较密集细刻点，鞘翅方形且密布细刻点。腹部修长，第 3 腹节最宽。

分布：陕西(周至、佛坪)、湖北。

(197) 扩鳗长隐翅虫 *Gyrophaena amplificationis* Pace, 2010

Gyrophaena amplificationis Pace, 2010a: 159.

鉴别特征：体长 2.30mm。体棕色，鞘翅棕红色，触角和足偏黄色。头部表面具细刻点，触角第 1 节和第 3 节均短于第 2 节，第 5 节长大于宽，第 6 节长宽几乎相等。前胸背板无刻纹；鞘翅方形，密布细刻点。腹部较扁平，第 4 ~ 5 腹节最宽。

分布：陕西(秦岭，镇坪)、湖北。

(198) 黑鳗长隐翅虫 *Gyrophaena anguinea* Pace, 2003

Gyrophaena anguinea Pace, 2003: 632.

鉴别特征：体长 2.10mm。体色较深，鞘翅端部和足颜色较浅。头部表面哑光且具细刻点，触角细长。前胸背板背盘具较稀疏细刻点；鞘翅方形且密布细刻点和柔毛，后翅发达。腹部较为修长，表面密布刻点和柔毛。

分布：陕西(秦岭)、四川。

(199) 角鳗长隐翅虫 *Gyrophaena cervicornis* Pace, 2003

Gyrophaena cervicornis Pace, 2003: 649.

鉴别特征：体长 2.20mm。体色偏棕，鞘翅端部和触角前 3 节颜色较浅。头部表面具稀疏细刻点，眼大。前胸背板背盘具较均匀刻点；鞘翅方形且略微横宽，密布细刻点和柔毛。腹部较为修长，表面具较密集细刻点和柔毛。

分布：陕西(周至)。

(200) 牙鳗长隐翅虫 *Gyrophaena cervicornoides* Pace, 2010

Gyrophaena cervicornoides Pace, 2010a: 146.

鉴别特征：体长 2.20mm。体棕黄色，腹部暗黄色，触角棕色而基部两节黄色，足黄色。头部表面具细刻点，触角第 1 节短于第 2 节，第 4 节略微横宽，第 5 节长宽近相等。前胸背板无刻纹，鞘翅方形且密布较细刻点。腹部较扁平，第 4 腹节最宽。

分布：陕西(周至)。

(201) 华山鳗长隐翅虫 *Gyrophaena discoidea* Pace, 2003

Gyrophaena discoidea Pace, 2003: 624.

鉴别特征：体长 2.60mm。体红棕色，足末端颜色较浅。头部表面具稀疏细刻点，眼大且凸出。前胸背板背盘具分布较均匀且粗细不一的刻点；鞘翅方形且长略大于宽，密布细刻点和柔毛。腹部较为修长，表面具密集细刻点和柔毛。

分布：陕西(华阴)。

(202) 易鳗长隐翅虫 *Gyrophaena facilis* Pace, 1998

Gyrophaena facilis Pace, 1998a: 171.

鉴别特征：体长 2.20mm。体偏深棕色，触角和足颜色较浅。头部表面哑光且具细刻点，触角较短。前胸背板背盘较光泽且具较稀疏刻点；鞘翅方形且略微横宽，密布细刻点和柔毛。腹部较为扁平。

分布：陕西(秦岭)、四川。

(203) 靓鳗长隐翅虫 *Gyrophaena glareicola* Pace, 2010

Gyrophaena glareicola Pace, 2010a: 141.

鉴别特征：体长 2mm。体棕色，腹部基部棕红色，触角黄色而基部 3 节淡黄色，足黄红色。头部表面具细刻点，触角第 1 节和第 3 节短于第 2 节，第 4 节明显横宽，第 5 节长宽近相等，第 6 节之后均略微横宽。前胸背板粗壮，鞘翅方形且密布较细刻点。腹部较修长，第 4 腹节最宽。

分布：陕西(周至)。

(204) 滴鳗长隐翅虫 *Gyrophaena guttula* Pace, 2010

Gyrophaena guttula Pace, 2010a: 135.

鉴别特征：体长 2.50mm。体红棕色，触角棕黄色而基部 3 节淡黄色，足黄色。

头部表面具微纹和刻点，触角第1节和第3节短于第2节，第7~8节长宽近相等。前胸背板表面具较粗糙刻点，鞘翅方形且较平。腹部较扁平，第3~4腹节最宽。

分布：陕西(周至、佛坪)、四川。

(205) 腹鳗长隐翅虫 *Gyrophaena imperita* Pace, 2010

Gyrophaena imperita Pace, 2010a: 155.

鉴别特征：体长2.60mm。体红棕色，触角棕黄色而基部3节淡黄色，足黄色。头部表面具微纹和刻点，触角第1节和第3节短于第2节，第7~8节长宽近相等。前胸背板表面具较粗糙刻点，鞘翅方形且较平。腹部明显修长，第3~4腹节最宽。

分布：陕西(周至、佛坪)、四川。

(206) 马侬鳗长隐翅虫 *Gyrophaena monospina* Pace, 2003

Gyrophaena monospina Pace, 2003: 646.

鉴别特征：体长2.50mm。体深棕色，触角基部颜色较浅。头较小，明显窄于前胸背板，头部表面具较少的粗糙刻点，眼小。前胸背板背盘表面具少量较粗糙刻点；鞘翅方形且略微横宽。腹部明显修长，第3~4腹节最宽。

分布：陕西(秦岭)、四川。

(207) 蒙查鳗长隐翅虫 *Gyrophaena munca* Pace, 2010

Gyrophaena munca Pace, 2010a: 138.

鉴别特征：体长1.50mm。体红褐色且体表具光泽，触角黄褐色而基部3节淡黄色，足黄色。头部表面具刻点，触角第1节和第3节短于第2节，第4~10节横宽。前胸背板表面较光亮，鞘翅方形且较平。腹部明显扁平，第4~5腹节最宽。

分布：陕西(周至、佛坪)、湖北。

(208) 龙骨鳗长隐翅虫 *Gyrophaena osdraconis* Pace, 2010

Gyrophaena osdraconis Pace, 2010a: 147.

鉴别特征：体长2.70mm。体棕色，鞘翅和腹部颜色略浅，触角黄色而基部3节浅黄色，足黄色。头部表面具较粗糙刻点。前胸背板表面较光亮，鞘翅梯形且后翅发达。腹部较修长，第 3 腹节最宽。

分布：陕西（周至）、江西。

（209）帕鳗长隐翅虫 *Gyrophaena*（*Gyrophaena*）*pasniki* Assing, 2005

Gyrophaena koreana Pasnik, 2001: 190[HN].

Gyrophaena pasniki Assing, 2005: 26 (new name for *Gyrophaena koreana* Pašnik, 2001).

鉴别特征：体长 1.70mm。头部黑棕色，前胸背板红色，鞘翅黄棕色，腹部红色且第 5～6 背板黑色，足和触角黄色。头部横宽且表面具微刻纹。前胸背板表面具较粗糙刻点，鞘翅横宽。腹部表面刻点细且稀疏。

分布：陕西（秦岭）、黑龙江、湖北、云南；朝鲜。

（210）佩鳗长隐翅虫 *Gyrophaena pileusmeni* Pace, 2007

Gyrophaena pileusmeni Pace, 2007: 123.

鉴别特征：体长 1.70mm。体红褐色且体表具光泽，触角黄红色而基部 3 节黄色，足黄色。头部表面具较粗糙刻点。触角第 1 节和第 3 节明显短于第 2 节，第 8～10节横宽。前胸背板表面较光亮，鞘翅方形且后翅发达。腹部表面具细刻点。

分布：陕西（秦岭）、台湾。

（211）多齿鳗长隐翅虫 *Gyrophaena pluridenticulata* Pace, 2010

Gyrophaena pluridenticulata Pace, 2010a: 147.

鉴别特征：体长 2.50mm。体棕色，头部颜色较深，触角和前胸背板颜色较浅。头部表面具刻点，触角第 1 节明显短于第 2 节，第 4 节横宽，第 5～7 节近等宽。前胸背板表面较光亮，鞘翅方形且后翅发达。腹部修长，第 3～4 腹节最宽。

分布：陕西（秦岭）、湖北。

（212）舒克鳗长隐翅虫 *Gyrophaena schuelkei* Pace, 2003

Gyrophaena schuelkei Pace, 2003: 634.

鉴别特征：体长 2.70mm。体棕色，触角基部颜色较浅。头较小，明显窄于前胸背板，头部表面具较少的粗糙刻点，眼大。前胸背板略圆且背盘表面具少量较粗糙刻点，鞘翅方形且略微横宽。腹部明显修长，第 3 ~4 腹节最宽。

分布：陕西(周至)、北京、湖北。

(213) 红鳗长隐翅虫 *Gyrophaena schuelkeiana* Pace, 2010

Gyrophaena schuelkeiana Pace, 2010a: 139.

鉴别特征：体长 1.80mm。体色偏红，鞘翅和腹部颜色较深，触角黄褐色且前 3 节颜色较浅。头部表面具刻点，触角第 1 节明显短于第 2 ~3 节，第 4 ~10 节明显横宽。前胸背板表面较光亮，鞘翅方形且后翅发达。腹部较扁平，第 4 腹节最宽。

分布：陕西(周至、佛坪)。

(214) 森田鳗长隐翅虫 *Gyrophaena sentiens* Pace, 2003

Gyrophaena sentiens Pace, 2003: 646.

鉴别特征：体长 2.30mm。体棕红色，腹部和触角前 3 节颜色较浅。头部几乎与前胸背板等宽或略窄，眼大。前胸背板略圆且背盘表面具较密集粗糙刻点，鞘翅方形且翅长略大于翅宽。腹部明显修长，第 3 ~4 腹节最宽。

分布：陕西(周至)、四川。

(215) 陕西鳗长隐翅虫 *Gyrophaena shaanxiensis* Pace, 2003

Gyrophaena shaanxiensis Pace, 2003: 639.

鉴别特征：体长 2.20mm。体色偏红，触角棕色且前 3 节颜色较浅，足颜色较浅。头部表面具较稀疏的粗刻点，眼大且略微凸出。前胸背板背盘表面具较稀疏的粗糙刻点，鞘翅方形且明显横宽。腹部较修长，第 3 ~4 腹节最宽。

分布：陕西(周至)。

(216) 简鳗长隐翅虫 *Gyrophaena simplicitatis* Pace, 2003

Gyrophaena simplicitatis Pace, 2003: 624.

鉴别特征：体长 2.10mm。体棕红色且有光泽，腹部和触角前 3 节颜色较浅。头部几乎与前胸背板等宽或略窄，眼大且凸出。前胸背板略圆且背盘表面具较密集粗糙刻点，鞘翅方形且略微横宽。腹部明显扁平，第 4 ~5 腹节最宽。

分布：陕西(周至)、江西、湖北、四川。

(217) 须鳗长隐翅虫 *Gyrophaena sinoclaricornis* Pace, 2010

Gyrophaena sinoclaricornis Pace, 2010a: 156.

鉴别特征：体长 2.80mm。体红棕色，鞘翅端部颜色较浅且腹部微红色，触角黄色且前 3 节浅黄色。头部表面具较粗糙刻点，眼大且凸出，触角第 1、3 节明显短于第 2 节。前胸背板表面较光亮，鞘翅方形且翅长明显大于宽。腹部修长，第 4 腹节最宽。

分布：陕西(周至、佛坪)。

(218) 华鳗长隐翅虫 *Gyrophaena sinodilatata* Pace, 2010

Gyrophaena sinodilatata Pace, 2010a: 133.

鉴别特征：体长 2mm。体黄棕色，头部颜色微红且鞘翅后半部分呈褐色，触角黄褐色且前 3 节浅黄色。头部横宽且表面具较粗糙刻点，触角第 1、3 节短于第 2 节。前胸背板表面较光亮，鞘翅方形且表面具细刻点。腹部修长，第 3 ~4 腹节最宽。

分布：陕西(周至、佛坪)、四川。

(219) 渺鳗长隐翅虫 *Gyrophaena sinoplicatella* Pace, 2010

Gyrophaena sinoplicatella Pace, 2010a: 154.

鉴别特征：体长 2.50mm。体浅棕色，鞘翅端部棕红色且腹部基部颜色略浅，触角黄色且前 3 节黄色，足红黄色。头部表面具较粗糙刻点，眼大且凸出，触角第 1、3 节明显短于第 2 节，第 4 节略微横宽。前胸背板表面具粗糙刻点且光亮，鞘翅方形且翅长略微大于宽。腹部修长，第 3 ~4 腹节最宽。

分布：陕西(周至)。

(220) 纹鳗长隐翅虫 *Gyrophaena* (*Gyrophaena*) *vidua* Pace, 1998

Gyrophaena (*Gyrophaena*) *vidua* Pace, 1998a: 173.

鉴别特征：体长 2.70mm。体红棕色，足偏黄色，触角红棕色且前 3 节颜色较浅。头部表面具较密集刻点，触角较短。前胸背板背盘较光泽且具较密集刻点；鞘翅方形且略微横宽，密布细刻点和柔毛。腹部较为扁平。

分布：陕西(秦岭)、甘肃。

(221) 镐鳗长隐翅虫 *Gyrophaena xianensis* Pace, 2003

Gyrophaena xianensis Pace, 2003: 623.

鉴别特征：体长 2.60mm。体偏红色且有光泽，触角棕色且前 3 节颜色较浅，足颜色较浅。头部明显窄于前胸背板且表面具较密集刻点，眼大且凸出。前胸背板背盘表面具较密集的粗糙刻点，鞘翅方形且翅长略大于翅宽。腹部较扁平，第 4 ~5 腹节最宽。

分布：陕西(周至)、湖北、四川。

(222) 中华鳗长隐翅虫 *Gyrophaena* (*Gyrophaena*) *xinlongensis* Smetana, 2004

Gyrophaena chinensis Pace, 1998a: 173[HN].

Gyrophaena xinlongensis Smetana, 2004: 32 (new name for *Gyrophaena chinensis* Pace, 1998).

鉴别特征：体长 2.60mm。体棕色，腹部端部颜色略浅，触角微红且前 3 节颜色较浅。头部横宽且表面具粗糙刻点。前胸背板表面具较密集的粗糙刻点，鞘翅横宽。腹部明显扁平，第 4 ~5 腹节最宽，表面刻点细且稀疏。

分布：陕西(秦岭)、甘肃。

(223) 萨氏鳗长隐翅虫 *Gyrophaena zanettii* Pace, 2010

Gyrophaena zanettii Pace, 2010a: 152.

鉴别特征：体长 2.40mm，体红褐色，腹部末端颜色偏深，触角红黄色且前 3 节浅黄色，足红黄色。头部表面具较粗糙刻点，眼大且凸出，触角第 1、3 节明显短于第 2 节，第 4 ~10 节明显横宽。前胸背板表面具粗糙刻点，鞘翅方形且翅长明显大于宽。腹部修长，第 4 腹节最宽。

分布：陕西(周至)、四川。

(224) 扎噶鳗长隐翅虫 *Gyrophaena zhagaensis* Pace, 2003

Gyrophaena zhagaensis Pace, 2003: 643.

鉴别特征：体长 1.90mm。体偏棕色且有光泽，触角棕色且前 3 节颜色较浅，足颜色明显较浅。头部明显横宽且窄于前胸背板，表面具较密集刻点，眼大。前胸背板背盘表面具较密集的粗糙刻点，鞘翅方形且明显横宽。腹部较扁平，第 3 ~ 4 腹节最宽。

分布：陕西(秦岭)、湖北、四川。

(225) 镇坪鳗长隐翅虫 *Gyrophaena zhenpingensis* Pace, 2010

Gyrophaena zhenpingensis Pace, 2010a: 157.

鉴别特征：体长 2.60mm。体棕色，鞘翅基部黄棕色，腹部双色，触角棕色且前 3 节黄色，足红黄色。头部横宽，眼大且凸出，触角第 1、3 节较短于第 2 节。前胸背板表面光亮且具粗糙刻点，鞘翅方形。腹部较扁平，第 4 腹节最宽。

分布：陕西(镇坪)、湖北、四川。

(226) 棕翅鳗长隐翅虫 *Gyrophaena zhouzhicola* Pace, 2010

Gyrophaena zhouzhicola Pace, 2010a: 145.

鉴别特征：体长 2.30mm。体红褐色，鞘翅呈棕色，触角和足黄色。头部较圆，眼较小，触角第 1 节较短，第 6 ~ 10 节横宽。前胸背板表面较光亮且具较粗糙的刻点，鞘翅方形且翅长明显大于宽。腹部较扁平，第 4 ~ 5 腹节最宽。

分布：陕西(周至、佛坪)、湖北。

(227) 周至鳗长隐翅虫 *Gyrophaena zhouzhiensis* Pace, 2003

Gyrophaena zhouzhiensis Pace, 2003: 629.

鉴别特征：体长 2.70mm。体偏红棕色，触角棕色且前 3 节颜色较浅，足颜色明显较浅。头部明显横宽且略窄于前胸背板，表面具较密集的粗糙刻点，眼大。前胸背板背盘表面具较密集的粗糙刻点，鞘翅方形且略微横宽。腹部较扁平，第 4 ~ 5 腹节最宽。

分布：陕西(周至)。

89. 短跗隐翅虫属 *Hydrosmecta* Thomson, 1858

Hydrosmecta Thomson, 1858: 33. **Type species**: *Homalota longula* Heer, 1839.

Thinoecia Mulsant *et* Rey, 1873: 184. **Type species**: *Thinoecia libitina* Mulsant *et* Rey, 1873 (=

Homalota gracilicornis Erichson, 1839).

Hydrosmectina Ganglbauer, 1895: 145. **Type species**: *Homalota subtilissima* Kraatz, 1854.

属征: 体长 2.18 ~2.57mm。体光洁。鞘翅黄棕色, 腹部棕色, 腿黄棕色。触角柄节长于梗节, 头部刻纹极不明显, 具密集的细刻点, 前胸背板及鞘翅具较明显刻纹, 不具刻点。

分布: 东洋区。中国已知 5 种, 秦岭地区发现 1 种。

(228) 中华短跗隐翅虫 *Hydrosmecta sinica* Pace, 2011

Hydrosmecta sinica Pace, 2011a: 158.

鉴别特征: 体长 2.18mm。体光洁。鞘翅黄棕色, 腹部棕色, 腿黄棕色。触角柄节长于梗节, 第 3 节短于梗节, 4 ~10 节长大于宽。头部刻纹极不明显, 具密集的细刻点, 前胸背板及鞘翅具较明显刻纹, 不具刻点。

分布: 陕西(周至)。

90. 屈爪隐翅虫属 *Hygrochara* Cameron, 1939

Hygrochara Cameron, 1939: 43. **Type species**: *Hygrochara indica* Cameron, 1939.

属征: 体长 2.40mm。体光洁。体黄棕色, 头部红棕色, 触角黄棕色, 基部红色, 鞘翅棕色, 基部红色, 腿黄色。触角柄节短于梗节, 头部刻纹明显, 具明显刻点, 前胸背板及腹部微刻纹, 刻点不明显。

分布: 东洋区。中国已知 1 种, 发现于秦岭地区。

(229) 中华屈爪隐翅虫 *Hygrochara sinica* Pace, 2012

Hygrochara sinica Pace, 2012c: 127.

鉴别特征: 体长 2.40mm。体光洁。头部黄棕色, 腹部 4 ~5 节红色, 鞘翅棕色, 基部红色, 触角黄棕色, 腿黄色。触角柄节短于梗节, 第 3 节长于梗节, 4 ~9 节长大于宽。头部刻纹明显, 具明显刻点, 前胸背板及腹部刻纹较浅。

分布: 陕西(华阴)。

91. 柔隐翅虫属 *Lasiosomina* Pace, 1990

Lasiosomina Pace, 1990: 91. **Type species**: *Lasiosomina collaris* Pace, 1990.

属征：体长1.60~1.80mm。腹部光亮。体黄棕色，头部黑色，鞘翅后缘黄色，触角黄棕色，基部2节深黄色，腿黄色。触角柄节长于梗节，头部及前胸背板刻纹明显，具不明显刻点，腹部缺刻纹。

分布：古北区。中国已知2种，秦岭地区发现1种。

(230) 魏柔隐翅虫 *Lasiosomina weiensis* Pace, 2011

Lasiosomina weiensis Pace, 2011a: 157.

鉴别特征：体长1.60mm。腹部光亮。体黄棕色，头部黑色，鞘翅后缘黄色，腹背板3~5节深棕色，触角黄棕色，基部2节深黄色，腿黄色。触角柄节长于梗节，第3节短于梗节，4~10节强烈横宽。头部及前胸背板刻纹明显，具不明显刻点，腹部缺刻纹。

分布：陕西(西安)。

92. 纤隐翅虫属 *Leptusa* Kraatz, 1856

Leptusa Kraatz, 1856: 60. **Type species**: *Bolitochara pulchella* Mannerheim, 1830 (= *Aleocharaanalis sensu* Gyllenhal, 1810).

属征：体长1.80~3.80mm。体光亮。体棕红色，触角黄棕色，基部与腿红棕色，鞘翅棕色。头部具微刻纹，前胸背板表面密布细颗粒，鞘翅刻点发达，腹部微刻纹，刻点不发达。

分布：东洋区。中国已知70种，秦岭地区发现12种。

(231) 滑纹纤隐翅虫 *Leptusa* (*Akratopisalia*) *limata* Assing, 2002

Leptusa (*Akratopisalia*) *limata* Assing, 2002c: 992.

鉴别特征：体长3.10~3.50mm。头部深棕色，前胸背板棕色，侧缘颜色较浅，鞘翅棕色，端部及后缘颜色较浅，触角、腹部及腿浅棕色。头近圆形，略横宽，具稀疏的浅刻点；前胸背板刻点近似头部，鞘翅刻点较明显，腹部窄于鞘翅，具密集细刻点。

采集记录: 1♂3♀，洋县，1700m，2001. Ⅶ. 03-04。

分布: 陕西(周至、佛坪、洋县)、北京、湖北。

(232) 秦岭纤隐翅虫 *Leptusa* (*Akratopisalia*) *qinlingensis* Pace, 1999

Leptusa (*Akratopisalia*) *qinlingensis* Pace, 1999a: 375.

鉴别特征: 体长 2.10mm。体光洁。头部红色，鞘翅棕色，侧缘红色，触角及腿黄棕色。头及前胸背板具明显刻纹，鞘翅不具刻纹，头不具发达刻点，前胸背板短板刻点不发达，盘区不具刻点，鞘翅刻点较明显。

采集记录: 1♀，宁陕，2500 ~ 2600m，1995. Ⅷ. 26；1♂，洋县，1700m，2001. Ⅶ. 23。

分布: 陕西(周至、宁陕、洋县)。

(233) 镐纤隐翅虫 *Leptusa* (*Akratopisalia*) *xianensis* Pace, 1999

Leptusa (*Akratopisalia*) *xianensis* Pace, 1999c: 373.

鉴别特征: 体长 2.90mm。体表光洁。体青黑色，触角棕色，基部 2 节红色，腿红棕色。头及前胸背板具不明显刻纹，刻点发达；鞘翅不具刻纹，具粗刻点；腹部刻纹较明显。

采集记录: 1♀，宁陕，2200 ~ 2500m，1995. Ⅷ. 26；2♂，宁陕，2600m，2001. Ⅶ. 25。

分布: 陕西(长安、宁陕)。

(234) 中华纤隐翅虫 *Leptusa* (*Aphaireleptusa*) *chinensis* Pace, 1997

Leptusa (*Aphaireleptusa*) *chinensis* Pace, 1997: 753.

鉴别特征: 体长 2.80 ~ 3.80mm。体色多变，通常棕色或黑色，前胸背板和鞘翅边缘颜色较浅，足亮棕色，触角第 5 ~ 11 节颜色较为黯淡。头部长度近等于头部宽度且眼大，前胸背板刻点密集，鞘翅刻点较头部稀疏且后翅发达。

采集记录: 1♂1♀，宁陕，2675m，2001. Ⅶ. 26；1♀，宁陕，2600m，2001. Ⅶ. 25。

分布: 陕西(宁陕、镇坪)、四川、云南。

(235) 米卡纤隐翅虫 *Leptusa* (*Aphaireleptusa*) *michai* Assing, 2002

Leptusa (*Aphaireleptusa*) *michai* Assing, 2002c: 980.

鉴别特征：体长3.20mm。前体深棕色，前胸背板侧缘及鞘翅后缘颜色较浅，腹部亮锈色，腿及触角基部砖红色。头部长度等于宽度，具粗糙大刻点；前胸背板长等于宽，刻点与头部相似；鞘翅长度1.25倍于宽，刻点较稀疏；腹部末节具微刻纹。

采集记录：1♂，周至至佛坪路上，1990m，2001.Ⅶ.02。

分布：陕西(周至、佛坪)。

(236) 舒克纤隐翅虫 *Leptusa* (*Chondrelytropisalia*) *schuelkei* Pace, 1999

Leptusa (*Chondrelytropisalia*) *schuelkei* Pace, 1999c: 370.

鉴别特征：体长2.20mm。体光洁。体棕红色，触角黄棕色，基部3节红棕色。头部具微刻纹，前胸背板强烈横宽，不具微刻纹，头部及前胸刻点不明显，鞘翅刻点发达。

分布：陕西(周至)。

(237) 蓉纤隐翅虫 *Leptusa* (*Drepanoleptusa*) *chengduensis* Pace, 2001

Leptusa (*Drepanoleptusa*) *chengduensis* Pace, 2001: 157.

鉴别特征：体长2.20mm。体色较黑，头和前胸背板颜色较鞘翅颜色稍深，腹部光亮。头部和前胸背板具密集浅刻点且腹部刻点较稀疏，鞘翅刻点较为粗糙。阳茎侧叶端部钝圆。

采集记录：2♂2♀，长安南五台，2003.Ⅳ.04。

分布：陕西(长安)、四川。

(238) 密点纤隐翅虫 *Leptusa* (*Dysleptusa*) *sinorum* Pace, 2001

Leptusa (*Dysleptusa*) *sinorum* Pace, 2001: 158.

鉴别特征：体长1.80~1.90mm。整体暗淡，腹部较光亮。体黄色，头部及鞘翅红色，触角棕色，基部2节红棕色，腿黄色。头部具密集浅刻点，前胸背板表面密布细颗粒，鞘翅刻点较为明显。

分布：陕西(周至)。

(239) 刺茎纤隐翅虫 *Leptusa* (*Heteroleptusa*) *flagellate* Assing, 2002

Leptusa (*Heteroleptusa*) *flagellata* Assing, 2002c: 995.

鉴别特征: 体长2.10~2.50mm。体红棕色，腹部第6节黑色，腿及触角黄棕色。头部半圆形，略横宽；触角较短；前胸背板强烈横宽；鞘翅与前胸背板约同宽；腹部宽于鞘翅，第3~5背板具粗糙刻点。

采集记录: 1♂4♀，洋县，1990m，2001.Ⅶ.02-04。

分布: 陕西(洋县)。

(240) 刺凸纤隐翅虫 *Leptusa* (*Heteroleptusa*) *hastate* Assing, 2002

Leptusa (*Heteroleptusa*) *hastata* Assing, 2002c: 994.

鉴别特征: 体长2.70~2.70mm。头及腹部深棕色至黑色，前胸背板棕色至深棕色，腿及触角基部砖红色，触角第4~9节深棕色。头部宽度1.15倍于长，具密集粗刻点，前胸背板横宽，端半部膨大，鞘翅比前胸背板略窄，刻点较小。腹部宽度1.25~1.30倍于鞘翅，刻点较为明显。

采集记录: 4♂3♀，镇坪，2850m，2001.Ⅶ.14。

分布: 陕西(镇坪)。

(241) 陕西纤隐翅虫 *Leptusa* (*Heteroleptusa*) *shaanxiensis* Pace, 1999

Leptusa (*Heteroleptusa*) *shaanxiensis* Pace, 1999c: 371.

鉴别特征: 体长3.30mm。腹部光亮。体青黑色，末节红棕色，触角棕色，基部3节红色，腿红棕色。头及前胸背板刻纹发达，鞘翅不具刻纹，头部具发达刻点，鞘翅刻点呈网状。

分布: 陕西(周至)、四川。

(242) 盲纤隐翅虫 *Leptusa excaecata* Assing, 2002

Leptusa excaecata Assing, 2002c: 999.

鉴别特征: 体长2.30mm。整体黄棕色。头部明显横宽，半圆形，刻点极不明显，前胸背板强烈横宽，刻点较头部更明显。鞘翅与前胸背板等宽，具粗刻点，腹部略宽于鞘翅，具稀疏细刻点。

采集记录： 1♂，镇坪，2850m，2001.Ⅶ.14。

分布： 陕西（镇坪）。

93. 隐头隐翅虫属 *Leucocraspedum* Kraatz, 1859

Leucocraspedum Kraatz, 1859: 51. **Type species**: *Leucocraspedum pulchellum* Kraatz, 1859.

Barronica Blackburn, 1895: 202. **Type species**: *Barronica scorpio* Blackburn, 1895.

Euryglossa Motschulsky, 1860: 82 [HN]. **Type species**: *Euryglossa flavocincta* Motschulsky, 1860.

Kyrtoxyna Pace, 1999b: 150. **Type species**: *Oxypoda contractula* Erichson, 1840.

Chariusa Pace, 2003b: 166. **Type species**: *Chariusa antennaria* Pace, 2003.

属征： 体型较小。体棕黄色或黑色，触角、足和腹部末端颜色较浅。触角末节最长，前胸背板和鞘翅表面密被细小柔毛和刻点，腹部端部最宽且端部具数根长刚毛。

分布： 东洋区。中国已知14种，秦岭地区发现1种。

(243) 中华隐头隐翅虫 *Leucocraspedum sinofestivum* Pace, 2010

Leucocraspedum sinofestivum Pace, 2010b: 84.

鉴别特征： 体长2.20mm。体黄棕色，前胸背板偏红色，鞘翅棕色，触角黄棕色，基部3节黄色。触角第3节短于第2节，第4节长大于宽，第5节长等于宽。柔毛遍布全身。

分布： 陕西（秦岭）、四川。

94. 异腹隐翅虫属 *Liogluta* Thomson, 1858

Liogluta Thomson, 1858: 35. **Type species**: *Homalota umbonata* Erichson, 1839 (= *Aleochara longiuscula* Gravenhorst, 1802).

Hypnota Mulsant *et* Rey, 1874a: 591. **Type species**: *Homalota pagana* Erichson, 1839

Pseudomegista Bernhauer, 1907d: 390. **Type species**: *Atheta nigropolita* Bernhauer, 1907.

属征： 体长2.80～5.40mm。体两侧近平行，略扁平。体深棕色至红棕色。头眼后脊不完整，触角6～10节近四方形；侧面观可见完整前背缘折；后足基节突短而锐利；足长，后足跗节基部3节明显延长；跗式5-5-5。

分布： 全北区。中国已知40种，秦岭地区发现6种。

(244) 岸异腹隐翅虫 *Liogluta lacustris* Pace, 1998

Liogluta lacustris Pace, 1998b: 445.

鉴别特征: 体长3.70mm。体光洁。体黑色，鞘翅黄棕色，触角黑色，腿红黄色。头部刻点比前胸背板密集且较稀疏，鞘翅密被柔毛且具后翅，腹部修长。

分布: 陕西(秦岭)、四川、云南。

(245) 孔茎异腹隐翅虫 *Liogluta magnumforamen* Pace, 2011

Liogluta magnumforamen Pace, 2011b: 210.

鉴别特征: 体长3mm。体光洁。体棕色，鞘翅黄棕色，触角棕色，基部3节及腿棕红色。触角柄节等长于梗节，第3节短于梗节，第4节长等于宽，5~10节横宽。头部及鞘翅刻点较浅，前胸背板刻点明显。

分布: 陕西(周至)。

(246) 秦岭异腹隐翅虫 *Liogluta qinlingensis* Pace, 2011

Liogluta qinlingensis Pace, 2011b: 209.

鉴别特征: 体长3.20mm。体光洁。体深棕色，触角棕色，腿棕黄色。触角柄节长于梗节，梗节短于第3节，4~7节长大于宽，第8~9节长等于宽，第10节横宽。头部刻点粗糙，鞘翅缺刻点。

分布: 陕西(周至)。

(247) 钩茎异腹隐翅虫 *Liogluta rostrumaquilae* Pace, 2011

Liogluta rostrumaquilae Pace, 2011b: 211.

鉴别特征: 体长4.15mm。体光洁。鞘翅棕黄色，触角棕色，腿棕红色。触角柄节短于梗节，第3节等长于梗节，4~6节长大于宽，第7节长等于宽，8~10节横宽。头部刻纹发达；头部及腹部刻点明显，前胸背板不具刻点。

分布: 陕西(周至)。

(248) 洁鞘异腹隐翅虫 *Liogluta sinoclaripennis* Pace, 2011

Liogluta sinoclaripennis Pace, 2011b: 211.

鉴别特征：体长3mm。体光洁。体黑色，鞘翅深黄色，触角黑色，腿棕红色。触角柄节及第3节等长于梗节，第4节长大于宽，第5节长等于宽，6~10节横宽。头部刻纹较浅，前胸背板及鞘翅刻纹明显。头部、前胸背板及鞘翅具不明显刻点。

分布：陕西（周至）。

（249）夏河腹隐翅虫 *Liogluta xiaheorum* Pace, 1998

Liogluta xiaheorum Pace, 1998b: 443.

鉴别特征：体长3.30mm。体光洁。体黑色，鞘翅黄棕色，触角黑色，腿暗黄色。头部刻点稀疏而前胸背板刻点明显密集，鞘翅密被柔毛且具后翅，腹部修长。阳茎侧叶端部钝圆。

分布：陕西（秦岭）、甘肃。

95. 绒隐翅虫属 *Myllaena* Erichson, 1837

Myllaena Erichson, 1837: 382. **Type species:** *Aleochara dubia* Gravenhorst, 1806.

Centroglossa Matthews, 1838: 194. **Type species:** *Centroglossa conuroides* Matthews, 1838 (= *Aleochara dubia* Gravenhorst, 1806).

属征：体长2.50~3.90mm。体光洁。体棕色，鞘翅红棕色，触角棕色，基部红棕色，腿红色。触角柄节短于梗节，第3节长于梗节，4~10节横宽。头部缺刻纹，前胸背板及鞘翅刻纹模糊，体被密集的丝状柔毛。

分布：东洋区。中国已知30种，秦岭地区发现5种。

（250）华山绒隐翅虫 *Myllaena huamontis* Pace, 2010

Myllaena huamontis Pace, 2010b: 90.

鉴别特征：体长2.57mm。体光洁。体黄棕色，鞘翅红棕色，触角1~7节、腹部及腿黄色，触角8~11节黄棕红色。触角柄节短于梗节，第3节短于梗节，第4节长等于宽，5~10节横宽。头部缺刻纹，前胸背板及鞘翅刻纹模糊，腹部被密集的丝状柔毛。

分布：陕西（华阴）。

（251）硕绒隐翅虫 *Myllaena major* Pace, 2010

Myllaena major Pace, 2010b: 91.

鉴别特征：体长3.90mm。体光洁。体棕色，触角棕色，基部3节红色，腿红色。触角柄节短于梗节，第3节长于梗节，4~10节横宽。体被密集的丝状柔毛。

分布：陕西(华阴)。

(252) 舒克绒隐翅虫 *Myllaena schuelkei* Pace, 2010

Myllaena schuelkei Pace, 2010b: 92.

鉴别特征：体长3.40mm。体光洁。体棕色，前胸背板棕红色，触角基部4节棕红色，腿红色。触角柄节短于梗节，第3节长于梗节，4~10节长于宽。体背具密集的丝状柔毛，不具刻纹。

分布：陕西(华阴)。

(253) 美绒隐翅虫 *Myllaena speciosa* Pace, 1998

Myllaena speciosa Pace, 1998a: 160.

鉴别特征：体长2.40mm。体光洁。体棕色，腹部略红；触角基部3节和第11节为棕红色，其余部分为棕色；腿棕红色。体表覆细毛。

分布：陕西(镇坪)、湖北、四川、云南。

(254) 云南绒隐翅虫 *Myllaena yunnanensis* Pace, 1993

Myllaena yunnanensis Pace, 1993: 78.

鉴别特征：体长2.70mm。体表光亮。体棕色，触角基部黄红色。体表覆细且短的绒毛。本种与 *M. himalayica* Cameron, 1939 极为相似，但这两种的阳茎结构极为不同。

分布：陕西(镇坪)、湖北、四川、云南。

96. 蚁隐翅虫属 *Myrmecocephalus* MacLeay, 1873

Myrmecocephalus MacLeay, 1873: 134. **Type species**: *Myrmecocephalus cingulatus* MacLeay, 1873.

Stilicioides Broun, 1880: 95. **Type species**: *Stilicioides micans* Broun, 1880

Stenagria Sharp, 1883: 237. **Type species**: *Stenagria gracilipes* Sharp, 1883.

Lorinota Casey, 1906: 238. **Type species**: *Falagria cingulata* LeConte, 1866.

属征： 虫体常为棕色或黑色。触角共 11 节，一般第 7 节到第 10 节横宽（强烈变宽），眼大，颚短，颈细且窄于头宽的 1/4，前胸背板中线具纵向凹痕；跗式 5-5-5。

分布： 东洋区。中国已知 22 种，秦岭地区发现 1 种。

（255）浙江蚁隐翅虫 *Myrmecocephalus zhejiangensis*（Pace，1998）

Falagria（*Myrmecocephalus*）*zhejiangensis*：Pace，1998b：402.

Myrmecocephalus zhejiangensis：Smetana，2004c：425.

鉴别特征： 体长 4.10mm。体棕色，且腹部末端颜色明显偏深。头部长度大于头部宽度，眼大，触角细长；前胸背板表面具细刻点；鞘翅方形且后翅发达；足细长；第 6 腹节最宽。

分布： 陕西（长安）、浙江。

97．适热隐翅虫属 *Nehemitropia* Lohse，1971

Hemitropia Mulsant *et* Rey，1874：179. **Type species**：*Oxypoda melanaria* Mannerheim，1830（ = *Oxypoda lividipennis* Mannerheim，1830）.

Nehemitropia Lohse，1971：83. **Type species**：*Staphylinus sordidus* Marsham，1802（ = *Oxypoda lividipennis* Mannerheim，1830）.

属征： 中等体型。体较为光洁。常为棕色。触角柄节等于或稍长于梗节，第 3 节长于梗节，第 4～10 节横宽，第 11 节较长。体被密集丝状柔毛，头部较圆，前胸背板横宽。

分布： 古北区，东洋区，非洲区。中国已知 5 种，秦岭地区发现 1 种。

（256）黄翅适热隐翅虫 *Nehemitropia lividipennis*（Mannerheim，1830）

Staphylinus sordidus Marsham，1802：514.

Oxypoda lividipennis Mannerheim，1830：70.

Aleochara curvipes Stephens，1832：147.

Homalota livida Erichson，1837：337.

Oxypoda nitidula Heer，1839：319.

Homalota fulvipennis Kolenati，1846：7.

Oxypoda pallidipennis Motschulsky，1858：243.

Homalota flavicans Motschulsky，1858：256.

Homalota squalidipennis Fairmaire *et* Germain，1862：422.

Oxypoda fallaciosa Saulcy，1865：632.

Colpodota emarginata Mulsant *et* Rey, 1873: 183.

Nehemitropia lividipennis: Zerche, 1991: 79.

鉴别特征: 体较光洁。体棕色,鞘翅黄色,腹部节间及末端颜色较浅,腿黄棕色。头部表面具密集柔毛且眼大,前胸背板明显横宽且表面具较密集刻点,鞘翅呈方形且后翅发达,腹部较宽扁。

分布: 陕西(秦岭)、北京、河北、河南、甘肃、浙江、台湾、云南;朝鲜,日本,印度,阿富汗,中亚地区,欧洲,非洲。

98. 新隐翅虫属 *Neoleptusa* Cameron, 1939

Neoleptusa Cameron, 1939: 215. **Type species**: *Neoleptusa brunnea* Cameron, 1939.

属征: 身体明显呈圆柱形,短翅种稍微向前呈锥形。触角纤细,从第5节开始逐渐增宽。头部后端不收缩,眼突出,前胸背板宽大于长,向后缩短至1/2左右,末端突出明显。鞘翅短于前胸背板。前足和中足跗节前3节短,第4节超过前3节总长,后足跗节第1节稍长于其余几节,其余几节近乎等长。

分布: 东洋区。中国已知1种,发现于秦岭。

(257) 舒克新翅虫 *Neoleptusa schuelkei* Pace, 2004

Neoleptusa schuelkei Pace, 2004: 73.

鉴别特征: 体长2.80mm。体光洁。体棕色,鞘翅及腹部末端红色,触角棕色,基部2节红色,腿黄棕色。头部刻点明显,鞘翅及腹部刻点极浅。

分布: 陕西(华阴)。

99. 蝎隐翅虫属 *Nepalota* Pace, 1987

Nepalota Pace, 1987a: 127. **Type species**: *Nepalota franzi* Pace, 1987.

Nepalota Pace, 1987b: 410 [HN]. **Type species**: *Nepalota franzi* Pace, 1987.

属征: 体光洁,身体大体呈圆柱形,前胸背板宽大于长,并从后向前收窄。触角2~3节长,从第4节往后变宽。鞘翅与前胸背板近乎等长。跗节5-5-4,后足跗节第1节长于其余几节,其余几节近乎等长。

分布: 东洋区。中国已知24种,秦岭地区发现3种。

(258) 中华蝎隐翅虫 *Nepalota chinensis* Pace, 1998

Nepalota chinensis Pace, 1998c: 947.

鉴别特征: 体长4.60mm。体光洁且虫体呈棕黑色，触角棕黑色且基部偏红色。头及前胸背板刻纹明显，前胸背板明显窄于鞘翅，腹部修长且刻纹较弱。

采集记录: 1♀，周至至佛坪路上，1990m。2001. Ⅶ. 02，Schülke 采（cSch）；4♂2♀，华阴华山，1950～2000m，1995. Ⅷ. 19，Schülke & Pütz 采（cSch，cAss）。

分布: 陕西(周至、华阴、佛坪、镇坪)、浙江、云南。

(259) 甘肃蝎隐翅虫 *Nepalota gansuensis* Pace, 1998

Nepalota gansuensis Pace, 1998c: 943.
Nepalota qinlingmontis Pace, 2011b: 170.

鉴别特征: 体长3.90mm。体光洁。头部棕红色，鞘翅黄棕色，触角棕色，基部2节黄棕色，腿红棕色。触角梗节短于柄节，第3节长于梗节，4～6节长大于宽，第7节长等于宽，8～10节横宽。头及前胸背板刻纹明显。腹背板第6节具2个半圆形突起。

采集记录: 3♂3♀，眉县，1870m，2012. Ⅶ. 26，Assing，Schülke & Wrase 采（cAss，cSch，MNHUB）；1♂，宁陕，2300m，1995. Ⅷ. 26，Pütz 采(cPüt)；1♀，华阴华山，1995. Ⅷ. 19。

分布: 陕西(周至、眉县、华阴、佛坪、宁陕、镇坪)、甘肃、湖北、四川。

(260) 斯氏蝎隐翅虫 *Nepalota smetanai* Pace, 1998

Nepalota smetanai Pace, 1998c: 945.

鉴别特征: 体长3.50～3.80mm。体红褐至褐色，光亮。头部、前胸背板有凹，鞘翅近中缝有1对"J"形凹。头窄于前胸背板，触角第2节长于第3节，第4节长明显大于宽，第5～10节长宽几乎相等；前胸背板窄于鞘翅基部，盘区刻点稀疏；鞘翅是前胸背板长的4/5，翅面刻点密集。

采集记录: 1♀，周至，1900m，2012. Ⅶ. 25，Assing 采（cAss）。

分布: 陕西(周至、眉县、华阴、佛坪、宁陕、镇坪)、甘肃、湖北、四川、云南。

100. 脊隐翅虫属 *Ocalea* Erichson, 1837

Ocalea Erichson, 1837: 298. **Type species**: *Ocalea castanea* Erichson, 1837 (= *Aleochara picata*

Stephens, 1832).

Isoglossa Casey, 1893: 304. **Type species**: *Isoglossa arcuata* Casey, 1893.

Rheobioma Casey, 1906: 180. **Type species**: *Rheobioma disjuncta* Casey, 1906.

属征：体光洁。虫体多为棕色。触角梗节短于柄节，第 2 节短于第 1 节和第 3 节，第 4～10 节长大于宽。眼后颊短，头与前胸背板具密集的浅刻点。鞘翅具有序的颗粒状刻点。前胸背板后部具弱的网格状刻纹。

分布：古北区，东洋区。中国已知 10 种，秦岭地区发现 4 种。

(261) 中脊隐翅虫 *Ocalea intermediides* Newton, 2015

Ocalea intermedia Pace, 2012c: 137[HN].

Ocalea intermediides Newton, 2015: 10(new name for *Ocalea intermedia* Pace, 2012).

鉴别特征：体长 4.10mm。体光洁。头部深棕色，触角基部 2 节棕色，腿红色。触角梗节短于柄节，5～10 节横宽。头部网格状刻纹不明显，前胸背板及鞘翅刻纹较明显，腹部缺刻纹。

分布：陕西(镇坪)。

(262) 片脊隐翅虫 *Ocalea lobifera* Pace, 2012

Ocalea lobifera Pace, 2012c: 135.

鉴别特征：体长 4.50mm。体光洁。体深棕色，触角基部 3 节红棕色，腿红色。前胸背板具不明显中缝，后缘具横槽。

分布：陕西(周至、佛坪)。

(263) 巨脊隐翅虫 *Ocalea magna* Pace, 2012

Ocalea magna Pace, 2012c: 137.

鉴别特征：体长 5.20mm。体光洁。体深棕色，触角基部 2 节红棕色，腿黄棕色。触角梗节短于柄节，7～10 节横宽。头部及前胸背板刻纹明显，腹部缺刻纹。前胸背板具中缝。

分布：陕西(镇坪)。

(264) 陕西脊隐翅虫 *Ocalea shaanxiensis* Pace, 2012

Ocalea shaanxiensis Pace, 2012c: 138.

鉴别特征：体长3.30mm。体光洁。体红棕色，触角及腿黄棕色。触角梗节短于柄节，与第3节等长，4～8节长大于宽。体表不具刻纹。头部及前胸背板刻点极不明显，鞘翅具明显粗刻点，腹部刻点密集。

分布：陕西（周至）。

101. 暗隐翅虫属 *Orphnebius* Motschulsky, 1858

Orphnebius Motschulsky, 1858: 263. **Type species:** *Orphnebius ventricosus* Motschulsky, 1858.

属征：体小型。眼大，眼长于后颊。触角第2节短于第1节，第3节短于第2节。从第4节到第7节长大于宽，第8节到第10节宽大于长。体表除第5腹节之外具刻纹。明显横宽，头部与前胸背板有大小不等的刻点。腹部于基部最宽，端部渐收狭。

分布：东洋区。中国已知13种，秦岭地区发现3种。

（265）锥角暗隐翅虫 *Orphnebius conicornis* Assing, 2006

Orphnebius conicornis Assing, 2006b: 80.

鉴别特征：体长3.60mm。头部深棕色，前胸背板棕色，鞘翅两色，端部黄色，腿浅棕色，触角棕色，基部3节黄棕红色。头部明显横宽，长度约1.45倍于宽；前胸背板长度1.55倍于宽，宽度1.35倍于头部。鞘翅长度1.45倍于宽。腹部于基部最宽，端部渐收狭。

分布：陕西（镇坪）、四川。

（266）峰暗隐翅虫 *Orphnebius gibber* Assing, 2006

Orphnebius gibber Assing, 2006a: 16.

鉴别特征：体长4.70～5.00mm。体棕色。头部明显横宽且眼较大，触角每节较其他种类横宽，腹部第8背板上具长柔毛。阳茎中叶较小且侧叶较短。

分布：陕西（太白山）、云南。

（267）舒克暗隐翅虫 *Orphnebius schuelkei* Assing, 2006

Orphnebius schuelkei Assing, 2006b: 75.

鉴别特征：体长4.50mm。前体黑色，腹部亮红色，腿红棕色。触角两色，1～4节黄棕红色，5～11节深棕色。头部宽度1.20倍于长，前胸背板宽度1.20～1.25倍于长，侧缘扩展。鞘翅宽度1.55～1.60倍于长，缺微刻纹。腹部于基部最宽，端部渐收狭。

分布：陕西(镇坪)、四川。

102. 锐足隐翅虫属 *Oxypoda* Mannerheim, 1830

Oxypoda Mannerheim, 1830: 69. **Type species**: *Aleochara spectabilis* Märkel, 1845

Hylota Casey, 1906: 318. **Type species**: *Hylota ochracea* Casey, 1906.

属征：体光洁，小型。身体呈纺锤形，额缝弱但可见。眶下强烈隆起，隆缘侧视不可见。鞘翅后缘向外强烈曲折。跗式5-5-5，第1跗节长于之后几节。头部及前胸背板具刻纹，鞘翅刻纹显著。

分布：东洋区。中国已知102种，秦岭地区发现11种。

(268) 双拱锐足隐翅虫 *Oxypoda* (*Bessopora*) *bisinuata* Pace, 1999

Oxypoda bisinuata Pace, 1999b: 138.

鉴别特征：体长2.80mm。体光泽。棕色且腹部末端偏红，触角棕色且基部3节为黄色，足黄色。体表面具明显刻纹。

分布：陕西(秦岭)、甘肃、四川、云南。

(269) 连锐足隐翅虫 *Oxypoda* (*Bessopora*) *connexa* Cameron, 1939

Oxypoda connexa Cameron, 1939: 615.

鉴别特征：体长3mm。体光泽。头部黑色，前胸背板和鞘翅红棕色，腹部棕黑色，触角棕黑色且基部3节为红黄色，足红黄色。前胸背板横宽，鞘翅和前胸背板近等长。

分布：陕西(秦岭)、湖北、四川、云南；印度，尼泊尔。

(270) 丰锐足隐翅虫 *Oxypoda* (*Bessopora*) *festiva* Pace, 1999

Oxypoda festiva Pace, 1999b: 144.

鉴别特征：体长 3.70mm。体表光亮且呈棕色偏红，触角棕色且基部 3 节为黄色，足黄色。本种与 *O. subsericea* Cameron，1939 极为相似，但本种的触角第 4～5 节较为横宽且两种的阳茎内囊不尽相同。

分布：陕西（秦岭）、北京。

（271）贡嘎锐足隐翅虫 *Oxypoda*（*Bessopora*）*gonggaensis* Pace，1999

Oxypoda gonggaensis Pace，1999b：148.

鉴别特征：体长 2.70mm。体表光亮。体棕色且腹部末端偏红，触角棕色且基部为棕黄色，足棕黄色。头部和前胸背板表面具微纹。

分布：陕西（秦岭）、四川。

（272）宽锐足隐翅虫 *Oxypoda*（*Bessopora*）*latesentiens* Pace，2012

Oxypoda latesentiens Pace，2012b：402.

鉴别特征：身体纺锤形。棕色。头小，表面具明显刻纹。前胸背板宽大且表面具微刻纹。鞘翅后缘向外强烈曲折，表面的翅刻纹显著。

分布：陕西（秦岭）、四川。

（273）小黄锐足隐翅虫 *Oxypoda*（*Bessopora*）*microlutea* Pace，2012

Oxypoda microlutea Pace，2012b：405.

鉴别特征：小型，身体纺锤形。棕色偏黄。头部明显窄于前胸背板，表面具微刻纹。前胸背板横宽且表面具微刻纹。鞘翅表面的翅刻纹明显且被柔毛。

分布：陕西（周至）。

（274）棕红锐足隐翅虫 *Oxypoda*（*Bessopora*）*mutella* Pace，1999

Oxypoda mutella Pace，1999b：142.

鉴别特征：体长 2.80mm。体表微光洁。体棕红色且腹部暗红色，触角棕色且基部 3 节偏红色，腹部末端颜色较浅。头部横宽，前胸背板与鞘翅近等宽，腹部修长。

分布：陕西（长安）、四川。

(275) 南五台锐足隐翅虫 *Oxypoda* (*Bessopora*) *nanwutaiensis* Pace, 2012

Oxypoda nanwutaiensis Pace, 2012b: 397.

鉴别特征: 小型，身体纺锤形且呈棕色。头部明显窄于前胸背板，表面具明显微刻纹。前胸背板横宽且表面具明显微刻纹。鞘翅呈长方形且表面被柔毛。腹部较为修长。

分布: 陕西(长安)。

(276) 比邻锐足隐翅虫 *Oxypoda* (*Bessopora*) *proxima* Cameron, 1939

Oxypoda proxima Cameron, 1939: 603.

鉴别特征: 体长3mm。体光泽。体棕黑色，触角棕红色。头部表面具微刻纹，前胸背板横宽，鞘翅密被柔毛，腹部柔毛较其他种略微稀疏。

分布: 陕西(秦岭)、四川；印度，尼泊尔，巴基斯坦。

(277) 陕西锐足隐翅虫 *Oxypoda* (*Bessopora*) *saanxicola* Pace, 1999

Oxypoda saanxicola Pace, 1999b: 140.

鉴别特征: 体长2.70mm。体光泽。体红棕色，头部黑青色，腹部深棕色。触角红棕色，基部3节黄棕色，腿红棕色。头部及前胸背板刻纹极不明显，鞘翅刻纹显著。

分布: 陕西(西安)。

(278) 太白锐足隐翅虫 *Oxypoda* (*Bessopora*) *taibaimontis* Pace, 2012

Oxypoda taibaimontis Pace, 2012b: 404.

鉴别特征: 小型，身体纺锤形且呈棕色。头部表面具明显微刻纹，眼较平且不突出。前胸背板横宽且表面具微刻纹。鞘翅呈方形且表面密被柔毛。腹部修长。

分布: 陕西(周至)。

103. 网纹隐翅虫属 *Pelioptera* Kraatz, 1857

Pelioptera Kraatz, 1857a: 55. **Type species**: *Pelioptera micans* Kraatz, 1857.

Termitopora Motschulsky, 1860a: 91. **Type species**: *Termitopora adustipennis* Motschulsky, 1860 (= *Pelioptera micans* Kraatz, 1857).
Pseudotetrasticta Eichelbaum, 1913: 109. **Type species**: *Pseudotetrasticta polita* Eichelbaum, 1913.
Geostibida Pace, 1984: 317. **Type species**: *Geostibida himalayiensis* Pace, 1984.

属征：体光洁，小型，多呈棕色，圆柱形。触角柄节长于梗节，第 3 节短于梗节，第 4 节长大于宽。腹部具不规则网状刻纹。前胸背板与鞘翅具深浅不同的刻点。

分布：东洋区。中国已知 17 种，秦岭地区发现 2 种。

(279) 陕西网纹隐翅虫 *Pelioptera* (*Geostibida*) *shaanxiensis* Pace, 2011

Pelioptera (*Geostibida*) *shaanxiensis* Pace, 2011b: 177.

鉴别特征：体长 3.80mm。体光洁。体深棕色，触角棕色，基部 2 节深棕色，腿黄色。触角柄节长于梗节，第 3 节短于梗节，第 4 节长大于宽。头部刻纹不明显，前胸及鞘翅刻点显著。

分布：陕西(周至、佛坪)。

(280) 云南网纹隐翅虫 *Pelioptera* (*Geostibida*) *yunnanensis* Pace, 1993

Pelioptera (*Geostibida*) *yunnanensis* Pace, 1993: 110.

鉴别特征：体长 3.50mm。体光洁。体红棕色，触角棕色。头部较窄于前胸背板，眼大；前胸背板近圆形；鞘翅横宽且密被柔毛；腹部修长。

分布：陕西(镇坪)、云南。

104. 锤角隐翅虫属 *Rhopalocerina* Reitter, 1909

Rhopalocera Ganglbauer, 1895: 192 [Homonym]. **Type species**: *Homalota clavigera* W. Scriba, 1859.
Rhopalocerina Reitter, 1909: 55 (new name for *Rhopalocera* Ganglbauer, 1895).

属征：头部前宽后窄，触角端部数节扁宽或膨大；前胸背板盘区有凹窝和刻点；鞘翅明显长于前胸背板，具刻点。

分布：中国；欧洲。中国已知 1 种，发现于秦岭地区。

(281) 中华锤角隐翅虫 *Rhopalocerina sinica* Assing, 2012

Rhopalocerina sinica Assing, 2012c: 1007.

鉴别特征：体长 2.20 ~ 2.90mm。头部褐色，触角黑褐色，基部两节颜色较浅；前胸背板和鞘翅浅褐色，腹部红褐色，第 6 ~ 7 节颜色较深；足黄褐色。头部前宽后窄，具细刻点；触角明显长于第 3 节，4 ~ 10 节宽扁；前胸背板两侧圆，盘区具明显刻点和凹窝；鞘翅长度是前胸背板的 1.40 倍，具细刻点。

采集记录：3♂2♀，眉县，1870m，2012. Ⅶ. 26。

分布：陕西(眉县)。

105. 仰鼻隐翅虫属 *Silusa* Erichson, 1837

Silusa Erichson, 1837: 377. **Type species**: *Silusa rubiginosa* Erichson, 1837.

属征：体小型，光亮，多为棕色。眼大，前胸背板横宽，并且向前收窄。头部与第 4、5 腹节背板基部有横向分布的刻点与网状纹，鞘翅具刻点，前胸背板与腹部刻点成纵列分布。

分布：古北区，东洋区。中国已知 13 种，秦岭地区发现 2 种。

(282) 颚仰鼻隐翅虫 *Silusa mandibulata* Assing, 2011

Silusa mandibulata Assing, 2011: 295.

鉴别特征：体长 3.40mm。头部黑色，前胸背板红棕色，鞘翅红色，腹部深色，3 ~ 4节深棕色，腿红色，腿节色略深。触角红棕色，基部 3 节红色。头横宽，刻点粗大且密集。前胸背板宽度 1.40 倍于长。鞘翅约与前胸等长，后缘波浪状。腹部前端具稀疏刻点。

分布：陕西(镇坪)。

(283) 陕西仰鼻隐翅虫 *Silusa shaanxiensis* Pace, 2004

Silusa shaanxiensis Pace, 2004: 68.

鉴别特征：体长 2.80mm。体红棕色，触角基部 2 节及腿红色。头背刻点清晰；前胸背板中央具突起，鞘翅刻点较深；阳茎短。

分布：陕西(华阴)。

106. 喵隐翅虫属 *Sinofeluva* Pace, 2012

Sinofeluva Pace, 2012c: 132. **Type species**: *Sinofeluva qinlingmontis* Pace, 2012.

属征：触角共 11 节，第 4 节到第 10 节横宽(强烈变宽)。眼大，颚短，无颞上沟，颈较细，下颌骨短，唇须有 3 节，侧唇舌突出，下颏呈不规则形状，齿较长，跗式5-5-5，第 5 腹节基部有密集的刻点。

分布：中国。目前已知 1 种，发现于秦岭地区。

(284) 秦岭喵隐翅虫 *Sinofeluva qinlingmontis* Pace, 2012

Sinofeluva qinlingmontis Pace, 2012c: 132.

鉴别特征：体长 2.70mm。体较光洁。体黑色，触角黑色，第 1 至第 3 节棕色；腿黑色，跗节红色。触角第 2 节较第 1 节长，第 3 节短于第 2 节，第 4 节至第 10 节横行(强烈变宽)。复眼长度小于眼后缘。头部具较微弱刻点，前胸背板与鞘翅刻点密集，腹部具较密集刻纹。前胸背板中线具明显压痕。

分布：陕西(周至)。

107. 壮颚隐翅虫属 *Sternotropa* Cameron, 1920

Sternotropa Cameron, 1920: 220. **Type species**: *Sternotropa nigra* Cameron, 1920.

属征：颚短而粗壮，内缘中间有小钝齿。触角呈淡黄色，第 1 节粗壮且长度适中，第 1 节较第 2 节长，第 3 节短于第 2 节，第 3 节与第 4 节长大于宽，第 4 ~ 10 节宽大于长，跗式 4-4-5。鞘翅凹缘内部的后侧在外部呈角度，侧缘直；鞘翅表面和前胸背板刻纹较浅，鞘翅刻点模糊。

分布：东洋区。中国已知 3 种，秦岭地区发现 1 种。

(285) 大巴山壮颚隐翅虫 *Sternotropa dabamontis* Pace, 2010

Sternotropa dabamontis Pace, 2010a: 168.

鉴别特征：体长 2.90mm。体较光洁。体棕色，触角与腿橙黄色。触角第 1 节较第 2 节长，第 3 节短于第 2 节，第 3 节与第 4 节长大于宽。体表除前胸背板外缺刻纹，前胸背板刻纹较浅。头部除中线外具较深刻点，鞘翅刻点分布不规则。本种与产自中国台湾的 *G. anmamontis* Pace, 2007 相似，可以通过阳茎中叶形状加以区分。

分布：陕西(镇坪)。

108. 宽角隐翅虫属 *Tetrabothrus* Bernhauer, 1915

Tetrabothrus Bernhauer, 1915c: 240. **Type species**: *Tetrabothrus clavatus* Bernhauer, 1915.

属征: 体光亮。体棕色。眼大, 触角棒状。前胸背板向前收窄。触角第1节长于第2节, 第4到10节强烈横宽。复眼与眼后缘等长。体表缺刻纹。身体各部刻点状态不一。

分布: 东洋区。中国已知5种, 秦岭地区发现1种。

(286) 中华宽角隐翅虫 *Tetrabothrus chinensis* Pace, 2012

Tetrabothrus chinensis Pace, 2012a: 79.

鉴别特征: 体长5.50mm。体较光洁。体深棕色, 腹部橙红色, 触角黑色; 腿黑色, 腿节末端黄色。触角第1节较第2节长, 第3节长于第2节, 第4节至10节横行(强烈变宽)。复眼与眼后缘等长。体表缺刻纹。头部与前胸背板具较弱刻点, 鞘翅几乎无刻点。本种与 *T. validus* Maruyama *et* Kishimoto, 1999 最为相似, 最主要区别在于其性特征。

采集记录: 1♂, 镇坪, 2001. Ⅶ. 12。

分布: 陕西(镇坪)、湖北、重庆。

109. 角隐翅虫属 *Trichoglossina* Pace, 1987

Trichoglossa Pace, 1984: 154 [HN]. **Type species**: *Trichoglossa nepalicola* Pace, 1984.

Trichoglossina Pace, 1987b: 434 [RN]. **Type species**: *Trichoglossa nepalicola* Pace, 1984.

属征: 体型小, 光亮。触角棒状, 触角第5节至10节横宽。复眼长度小于眼后缘。前胸背板通常略横宽, 且向前收窄, 头与前胸背板连接处狭窄。腹部有凸角。

分布: 东洋区。中国已知19种, 秦岭地区发现2种。

(287) 九角隐翅虫 *Trichoglossina nona* Pace, 2012

Trichoglossina nona Pace, 2012c: 144.

鉴别特征: 体长2.40mm。体深棕黄色, 腹背板第4与第5节基部棕色; 触角黑色, 第1至第4节淡黄色, 第5至第6节橙红色; 腿黄色, 腿节末端橙黄色。触角第

1 节较第 2 节长，第 2 节长于第 3 节，第 4 节长等于宽，第 5 节至 10 节横行(强烈变宽)。复眼长度小于眼后缘。体表除鞘翅外缺刻纹。头与前胸具刻点，鞘翅具较弱刻点。本种与产自云南玉龙雪山的 *T. parasmetanai* Pace，1999 相似，最主要区别在于两者阳茎内囊结构不同。

分布： 陕西(镇坪)。

(288) 太白角隐翅虫 *Trichoglossina taibaiensis* Pace，2012

Trichoglossina taibaiensis Pace，2012c：147.

鉴别特征： 体长 3mm。体较光洁。体棕色，腹部深棕色；触角前 3 节红棕色；腿棕黄色，腿节末端黄色。触角第 1 与第 2 节等长，第 3 节较第 2 节短，第 4 节长等于宽，第 5 节至 10 节横行(强烈变宽)。复眼长度小于眼后缘。体表除腹背板第 4 节末端外缺刻纹。头部刻点较弱。前胸背板与鞘翅具刻点。本种与 *T. parasmetanai* 相似，但本种触角第 1 节较短，长度约是第 2 与第 3 节之和(*T. parasmetanai* 触角第 1 节长度约是第 2 至第 4 节之和)，最主要区别在于其性特征。

分布： 陕西(周至)。

110. 弯翅隐翅虫属 *Tropimenelytron* Pace，1983

Tropimenelytron Pace，1983：187. **Type species**：*Homalota tuberiventris* Eppelsheim，1880.

属征： 体棕色；触角第 1 节微红，第 3 节棕色，第 11 节微红；腿橙红色。触角第 1 节较第 2 节长，第 2 节长于第 3 节，复眼与眼后缘等长，头部和鞘翅具明显刻点，身体各部分刻点状态不一。

分布： 东洋区。中国已知 13 种，秦岭地区发现 1 种。

(289) 秦岭弯翅隐翅虫 *Tropimenelytron qinlingmontis* Pace，2011

Tropimenelytron qinlingmontis Pace，2011b：179.

鉴别特征： 体长 3.30mm。体较光洁。体棕黄色；头部黑色；前胸背板棕色；触角黑色，第 1 与第 2 节棕黄色；腿橙红色。触角第 1 节较第 2 节长，第 2 节长于第 3 节，第 4 节长等于宽，第 5 节至 10 节横行(强烈变宽)。复眼与眼后缘等长。头部具粗刻点，前胸背板刻点较弱，鞘翅缺刻点。头部具刻点，前胸背板及鞘翅具较弱刻点，腹部缺刻点。本种与中国湖北产的 *P. lii* Pace，1998 相似，可以通过雌性受精囊形状不同加以区分。

分布：陕西(周至)。

111. 箭胸隐翅虫属 *Zyras* Stephens, 1835

Zyras Stephens, 1835: 430. **Type species**: *Aleochara haworthi* Stephens, 1832.

Platyusa Casey, 1885: 305. **Type species**: *Platyusa sonomae* Casey, 1885.

属征：体型较大。上唇和头部前缘明显突出；鞘翅棕色且略具光泽，刻点深而明显；触角第1节端部膨大，第2节极短且短于第3节；前胸长宽等长，背部刻点密而深，足粗壮；鞘翅略宽于前胸，刻点比前胸小，密度比前胸大；腹部与鞘翅肩部等宽，雄性个体第4、5、7背板上具性征，阳茎两端具侧突。

分布：东洋区。中国已知46种，秦岭地区发现2种。

(290) 黑角箭胸隐翅虫 *Zyras* (*Zyras*) *nigricornis* Assing, 2016

Zyras shaanxiensis: Pace, 2012a, misidentification.

Zyras wei: Pace, 2012a, misidentification.

Zyras (*Zyras*) *nigricornis* Assing, 2016: 141.

鉴别特征：体长5.70～8.20mm。体黑褐色到黑色，触角黑色；鞘翅缝颜色较浅；腹部黑褐色，但各节后缘红褐色或红色；足黄褐色。头顶无刻点，两侧具刻点；触角第2～3节细长，7～10节扁，长宽约相等，第11节粗大，长；前胸背板宽是长的1.20倍，具密集的刻点；鞘翅刻点间距短于刻点直径。

采集记录：1♂，宁陕，2675m，2001. Ⅶ. 25-26，Schülke 采。

分布：陕西(宁陕、镇坪)、甘肃、青海、湖北、四川。

(291) 陕西箭胸隐翅虫 *Zyras* (*Zyras*) *shaanxiensis* Pace, 1998

Zyras shaanxiensis Pace, 1998c: 971.

鉴别特征：体长6.40mm。体较光洁。头与前胸背板黑色；鞘翅橙红色，后角黑色；腹部棕色，腹背板后缘橙黄色；触角黑色，第3到第11节橙红色；腿黄色。前体具粗刻点。前胸背板后缘中央具1条圆形压痕。本种与 *Z. chinkiangensis* Bernhauer, 1939 相似，但本种触角第11节颜色较浅，可以与之区别，二者最主要的差异在于其性特征。

采集记录：1♂，长安南五台，1995. Ⅸ. 17，Rougemont 采；1头，周至到佛坪路上，1700m，2001. Ⅶ. 30，Schülke 采；1头，华阴华山，1200～1400m，1995. Ⅷ. 18-

20, Wrase 采。

分布: 陕西(长安、周至、华阴、佛坪、镇坪)、甘肃、湖北、四川、云南。

(二)拟葬隐翅虫亚科 Apateticinae

鉴别特征: 多数种类体型较大,体长 4 ~ 13mm。身体粗壮。虫体常为黑色,某些种类颜色鲜艳,具色斑或金属光泽。头小且触角窝通常着生于头前缘;前胸背板明显横宽,且通常呈梯形;鞘翅发达,通常具刻点列;腹部通常可见 3 ~ 4 节。

分类: 世界已知 2 属 25 种,中国记录 2 属 2 种,陕西秦岭地区发现 1 属 1 种。

112. 节隐翅虫属 *Nodynus* Waterhouse, 1876

Nodynus C. Waterhouse, 1876a: 12. **Type species**: *Nodynus nitidus* C. Waterhouse, 1876.

属征: 通体黑色,前胸和鞘翅具强烈的金属光泽。前胸半圆形,前胸背板宽大于长,且远宽于头部,侧缘具边框;触角着生于复眼前边,第 1 节圆柱形,前 5 节长大于宽;腹部尾端延长,伸出鞘翅。

分布: 古北区,东洋区。中国已知 1 种,发现于秦岭地区。

(292) 卡氏节隐翅虫 *Nodynus kasaharai* Hayashi, 2002

Nodynus kasaharai Hayashi, 2002c: 303.

鉴别特征: 体长 11.00 ~ 12.70mm。体黑色。头较前胸背板窄;前胸背板横宽且光亮;鞘翅盘区具黄色条带及细的线形微刻纹;鞘翅缘折无条带;阳茎基突狭长,几乎与阳茎整体等长。

分布: 陕西(宁陕)。

(三)丽隐翅虫亚科 Euaesthetinae

鉴别特征: 多数种类体型微小,体长一般 1 ~ 3mm。虫体常为红棕色。上唇前缘具齿;上颚长,镰刀状;触角端部膨大;后足基节不延展;腹部侧缘不具区分背、腹板的缝线,每腹节呈紧密相连的环状,腹部圆柱形。

分类: 世界已知 26 属 730 余种,中国记录 6 属 120 余种,陕西秦岭地区发现 3 属 4 种。

113. 壤隐翅虫属 *Edaphosoma* Scheerpeltz, 1976

Edaphosoma Scheerpeltz, 1976: 25. **Type species**: *Edaphosoma janetscheki* Scheerpeltz, 1976.

Orosthetus Puthz, 1979a: 9. **Type species**: *Orosthetus coriaceus* Puthz, 1979.

属征: 体红棕色且有光泽，足浅棕色。额头在触角基部后边，比鞘翅稍窄。前胸背板宽大于长，后缘向内凹；鞘翅刻点细密且排列不规则；腹部扁平，第5和第6腹板前缘有刺状突起。

分布: 东洋区。中国已知16种，秦岭地区发现2种。

(293) 舒克壤隐翅虫 *Edaphosoma schuelkei* Puthz, 2010

Edaphosoma schuelkei Puthz, 2010b: 301.

鉴别特征: 体长1.70~2.50mm。体较光洁，红色。头窄于鞘翅，且鞘翅梯形；足亮棕色；腹部刚毛密集。本种与 *E. sinense* 极其相似，但本种体色较亮，体型较小且身体较为扁平，最主要的区别在于其性特征。

分布: 陕西(宁陕)。

(294) 中华壤隐翅虫 *Edaphosoma sinense* Puthz, 2010

Edaphosoma sinense Puthz, 2010b: 300.

鉴别特征: 体长1.90~2.50mm。体暗栗色。头和前胸背板具密集刻点；眼凸出；鞘翅较平，呈梯形；腿红棕色；腹部具细密刻点。本种与 *E. corniventris* 相似，但本种体型较大，鞘翅及腹部表面具清晰的网状刻纹，其性特征区别较大。

分布: 陕西(宁陕)。

114. 土隐翅虫属 *Edaphus* Motschulsky, 1856

Edaphus Motschulsky, 1856: 7. **Type species**: *Edaphus nitidus* Motschulsky, 1856.

Edaphus LeConte, 1861: 67 [Synonymic Homonym]. **Type species**: *Edaphus nitidus* LeConte, 1861.

Tetratarsus Schaufuss, 1877a: 24. **Type species**: *Tetratarsus plicatulus* Schaufuss, 1877.

Tetrameres Schaufuss, 1877b: 460. **Type species**: *Tertrameres plicatulus* Schaufuss, 1877.

Edaphellus Fauvel, 1878c: 220. **Type species**: *Edaphellus novaeguineae* Fauvel, 1878.

Microphthartus Blattny, 1925: 185. **Type species**: *Microphthartus luridus* Blattny, 1925.

Rhenanus Wüsthoff, 1935: 48. **Type species**: *Rhenanus rosskotheni* Wüsthoff, 1935 (= *Edaphus beszedesi* Reitter, 1914).

Hawkeswoodedaphus Makhan, 2007: 1. **Type species**: *Edaphus aschnaae* Makhan, 1995.

属征：体红棕色且有光泽，足浅棕色。额头在触角基部后边，比鞘翅稍窄。前胸背板宽大于长，后缘向内凹；鞘翅刻点细密且排列不规则；腹部扁平，第 5 和第 6 腹板前缘有刺状突起。

分布：东洋区。中国已知 85 种，秦岭地区发现 1 种。

(295) 日本土隐翅虫 *Edaphus japonicus* Sharp, 1889

Edaphus japonicus Sharp, 1889: 325.

鉴别特征：体长 1.30mm。头部小，比鞘翅宽度的 1/2 窄，头顶中部纵凹；前胸明显宽大于长，窄于鞘翅，基部具横槽，端部收缩；鞘翅具微刻纹和细密刚毛，刻点小；腹部短，端部收狭，第 1 可见背板明显长于第 2 节。

分布：陕西（秦岭）、山西、上海、江苏、安徽、浙江、福建、湖北、贵州；俄罗斯，朝鲜，日本。

115. 窄头隐翅虫属 *Stictocranius* LeConte, 1866

Stictocranius LeConte, 1866: 374. **Type species**: *Stictocranius puncticeps* LeConte, 1866.

属征：头部黑褐色，比鞘翅窄；额头宽阔，刻点粗；前胸背板刻点密集且宽大于长；触角黄褐色，有致密的针刺，第 5 节长度约是宽的两倍；足浅棕色，跗节棕黄色。

分布：东洋区。中国已知 3 种，秦岭地区发现 1 种。

(296) 密点窄头隐翅虫 *Stictocranius sparsepunctatus* Puthz, 2011

Stictocranius sparsepunctatus Puthz, 2011: 14.

鉴别特征：体长 2.40mm。体红棕色且光洁，足红黄色。头远窄于鞘翅，头、前胸背板和鞘翅刻点粗糙且密集，腹部刻点较细。本种与 *S. chensis* 和 *S. schillhammeri* 不同在于粗大的鞘翅刻点；与前者不同在于阳茎，与后者不同在于较长的触角第 5 节。

分布：陕西（周至、佛坪）。

(四)片足隐翅虫亚科 Habrocerinae

鉴别特征:多数种类体型较小,体长一般2~5mm。虫体多为深棕至黑色。头部侧缘平行或均匀向基部收狭,背面观不形成明显的颈;某些种类触角3~11节极细,丝状;前胸及鞘翅不具脊或龙骨;前足转节不膨大且基节较大,基节前面观较长。

分类:世界已知2属20余种,中国记录1属4种,陕西秦岭地区发现1属1种。

116. 片足隐翅虫属 *Habrocerus* Erichson, 1839

Habrocerus Erichson, 1839: 400. **Type species**: *Tachyporus capillaricornis* Gravenhorst, 1806.

属征:身体形状、大小与尖腹隐翅虫(*Tachyporus*)相似,头、前胸背板和鞘翅表面光而无毛,触角3~11节丝状,唇须3节,多无唇舌;雄虫第8、9腹节高度修饰,不具备阳茎结构。

分布:东洋区。中国已知4种,秦岭地区发现1种。

(297)舒克片足隐翅虫 *Habrocerus schuelkei* Assing *et* Wunderle, 1996

Habrocerus schuelkei Assing *et* Wunderle, 1996: 375.

鉴别特征:体长2.60~3.20mm。头、前胸背板、腹部、触角和下颚须为暗棕色或棕黑色,触角长而粗壮,鞘翅和腹部后缘颜色较浅,足为棕黄色,腹部刻点相对其他种类明显。本种与*H. schwarzi*不同在于较大体型和较黑体色,与*H. tichomirovae*和*H. tropicus*相似;雄性第7背板、第7腹板和第8腹板与*H. schwarzi*相似,但第8侧片具6~8根刚毛,第9腹节端部侧面较弯;阳茎内囊具两组长且强烈骨质化的骨刺。

分布:陕西(周至)。

(五)铠甲亚科 Micropeplinae

鉴别特征:体型微小,体长一般1~3mm。体棕色至深棕色。体表常常具粗大隆脊。头小,触角9节,最末节明显膨大;前胸背板两侧显著扩展;鞘翅表面具数条纵隆脊。各足基节均远离,跗式式为4-4-4,第1跗节很小。

分类:世界已知6属80余种,中国记录3属26种,陕西秦岭地区发现1属1种。

117. 脊铠甲属 *Cerapeplus* Löbl *et* Burckhardt, 1988

Cerapeplus Löbl *et* Burckhardt, 1988: 59. **Type species**: *Cerapeplus siamensis* Löbl *et* Burckhardt, 1988.

属征：身体长椭圆形，背面略平，腹侧凸起。前胸背板、鞘翅和腹部侧缘具粗短的刚毛和连接腺体的深孔；头部在眼之后骤然凹进，下颚须第2节相对纤细，第3节宽，第4节基部膨大端部变细；前胸背板宽而平，侧缘微隆，中部略凸，具坑；每个鞘翅具两条脊，鞘翅缘折与伪鞘翅缘折被1条明显的线分开；前足基孔相接；中胸腹板具短的前突和窄的后突，后足基孔略分离；腹部无龙骨，侧背板宽且具有侧缘脊，可见第1背板具深槽，2～4背板基部内凹。

分布：东洋区。中国已知1种，秦岭地区发现1种。

(298) 中华脊铠甲 *Cerapeplus sinensis* Löbl, 1997

Cerapeplus sinensis Löbl, 1997: 138.

鉴别特征：体长2.40～2.50mm。头部黑色且中部光滑；触角3～8节黄色；前胸背板黑色，具红棕色侧缘；鞘翅黑棕色且宽于前胸背板；腹部第4～7背板光洁。本种与*C. siamensis*不同在于前胸背板的形状且前胸背板压痕无明显微刻纹；较大体型；触角嵌入处无突出；前背折缘具压痕和半透明区域；腹部具较长的压痕；触角第3节较弯；第4～6背板基部具片状结构；两者阳茎较为相似，但本种阳茎侧叶近顶点处最宽且内囊里具较细骨刺。

分布：陕西(华山)。

(六) 四眼隐翅虫亚科 Omaliinae

鉴别特征：中小型种类，体长一般1～6mm。虫体宽而扁，腹部短，鞘翅长，能盖住大部分腹部。体色多变，多为棕色至深棕色。头部背面近后缘常具1对假单眼；前足基节窝开放；跗式5-5-5。

分类：世界已知125属1400余种，中国记录20属146种，陕西秦岭地区发现8属10种。

118. 异茎隐翅虫属 *Caloboreaphilus* Zerche, 1990

Caloboreaphilus Zerche, 1990: 166. **Type species**: *Caloboreaphilus hammondi* Zerche, 1990.

属征：身体粗壮，表面具长毛；头大而圆拱，与前胸背板等宽，眼突出，触角略长；前胸背板明显圆拱；鞘翅肩突出，翅发达；腹部比鞘翅略窄，具毛；腿修长；雄虫前足附节略微延长，第 8 背板呈三角形内缩，阳茎小，高度不对称。

分布：中国。中国已知 1 种，秦岭地区发现 1 种。

(299) 哈氏异茎隐翅虫 *Caloboreaphilus hammondi* Zerche, 1990

Caloboreaphilus hammondi Zerche, 1990: 167.

鉴别特征：体长 3.15mm。体浅棕色。头宽，眼凸出且黑色；触角较修长；前胸背板与头同宽但比鞘翅窄，刻点较头部粗糙；鞘翅具圆斑；足修长；腹部第 5 背板两侧几乎平行且略窄于鞘翅。

分布：陕西(长安)。

119. 刺颚隐翅虫属 *Coryphium* Stephens, 1834

Harpognatus Wesmael, 1833: 120. **Type species**: *Harpognatus robynsii* Wesmael, 1833 (= *Coryphium angusticolle* Stephens, 1834).

Coryphium Stephens, 1834: 344. **Type species**: *Coryphium angusticolle* Stephens, 1834.

Macropalpus Cussac, 1852: 613. **Type species**: *Macropalpus pallipes* Cussac, 1852 (= *Coryphium angusticolle* Stephens, 1834.

属征：触角自基部至端部逐渐变粗，基节最大且粗壮；触须短，下颚须倒数第 2 节圆，末节强烈增大，棍棒状，端部缩短；上唇短，下颌骨内弯，单齿；头三角形，眼突出，胸倒心形；身体内陷；腹部宽阔，具侧背板；腿修长，腿节线形，胫节无修饰，附节 5 节，丝状。

分布：东洋区。中国已知 2 种，秦岭地区发现 1 种。

(300) 太白刺颚隐翅虫 *Coryphium taibaiensis* Li, Li *et* Zhao, 2007

Coryphium taibaiensis Li, Li *et* Zhao, 2007: 90.

鉴别特征：体长 1.67 ~ 1.70mm。身体修长且呈黑红色。头部亚方形，具较粗密刻点；触角较为修长；前胸背板梯形且凸出；鞘翅刻点较前胸背板粗糙。本种与 *C. balcanicum*相似，但本种雄性第 8 腹板后缘凹痕较深。

采集记录：1♂1♀，太白山，3600m，2004. Ⅶ. 13。

分布：陕西(太白山)。

120. 藏尾隐翅虫属 *Deinopteroloma* Jansson, 1947

Deinopteroloma Jansson, 1947: 15. **Type species**: *Deinopteroloma diabolicum* Jansson, 1947.
Mathrilaeum Moore, 1966: 53. **Type species**: *Lathrimaeum pictum* Fauvel, 1878.

属征：头部后颊突出成小齿，前胸边缘具后弯而不规则的刺；跗节短于胫节的1/2，1～4节跗节在前中足宽胜于长；触角1～3节具有长而稀疏的毛，4～11节具浓密的软毛。

分布：东洋区。中国已知4种，秦岭地区发现1种。

(301) 细藏尾隐翅虫 *Deinopteroloma gracile* Smetana, 2001

Deinopteroloma gracile Smetana, 2001b: 55.

鉴别特征：体长3.20～3.60mm。身体和足呈砖红色，但头部颜色较暗。头部无微刻纹；触角第9节和第10节长大于宽；前胸背板较为光滑；鞘翅具暗色斑纹，窄而长。本种与 *D. notabile* 相似，但本种性特征与其不同且体型较为细长；眼后脊距眼后缘较远；鞘翅上脊棱较少；鞘翅上较黑的斑从颜色和范围均有变化，某些个体完全消失，某些个体较多；前胸背板背盘或多或少较黑。

采集记录：1♂1♀，周至，1650m，1995.Ⅸ.01-02。

分布：陕西(周至)。

121. 长跗隐翅虫属 *Eusphalerum* Kraatz, 1857

Eusphalerum Kraatz, 1857b: 1003. **Type species**: *Anthobium triviale* Erichson, 1839.
Abinothum Tottenham, 1939: 225. **Type species**: *Anthobium longipenne* Erichson, 1839.
Onibathum Tottenham, 1939: 225. **Type species**: *Silphaminuta* Fabricius, 1792.
Pareusphalerum Coiffait, 1959: 216, 248. **Type species**: *Omaliumatrum* Heer, 1839.

属征：身体粗壮，头四方形，眼大而突出，下颌骨残缺，似镰状；下颚内叶内侧膜状，外侧尖端向内膨大；胫节通常具小齿，跗节前4节短而等长；腹部中部微隆，具侧背板。

分布：古北区，东洋区。中国已知49种，秦岭地区发现1种。

(302) 马氏长跗隐翅虫 *Eusphalerum michaeli* Zanetti, 2004

Eusphalerum michaeli Zanetti, 2004: 58.

鉴别特征: 体长2.60~2.90mm。身体呈黄色,但腹部为暗棕色。头部刻点粗糙且不规则;眼凸出;触角第1节呈椭圆形;前胸背板凸出且横宽;鞘翅修长;腹部刚毛稀疏。本种与*E. jizuense*相似,但本种鞘翅小而短,前胸背板刻点较稀疏且阳茎形状不同。本种与*E. makaluense*具相似的阳茎,但本种具眼下脊,前胸背板刻点较稀疏且阳茎中叶较窄。

分布: 陕西(秦岭,大巴山)。

122. 地隐翅虫属 *Geodromicus* Redtenbacher, 1857

Geobius Heer, 1839: 193 [HN]. **Type species**: *Staphylinus plagiatus* Fabricius, 1798.

Geodromus Heer, 1841: 572 (new name for *Geobius* Heer, 1839).

Psephidonus Gistel, 1856: 29. **Type species**: *Geobius kunzei* Heer, 1839.

Geodromicus Redtenbacher, 1857: 244 (new name for *Geodromus* Heer, 1841).

属征: 体型较大,呈纺锤形。鞘翅多为黑褐色,泛有金属光泽,部分为黄色。下颚须次末节长大于宽;两单眼之间通常有1对或3个深的倾斜的"U"形或"W"形沟;后翅较发达,飞行能力强。

分布: 古北区,东洋区。中国已知14种,秦岭地区发现1种。

(303) 黄纹地隐翅虫 *Geodromicus cupreostigma* Rougemont *et* Schillhammer, 2010

Geodromicus cupreostigma Rougemont *et* Schillhammer, 2010: 38.

鉴别特征: 体长5.20mm。身体呈黑色且鞘翅后缘具黄色斑纹。头、前胸背板和鞘翅刻点粗糙,触角修长,前胸背板横宽且背盘中线具纵向压痕,鞘翅较宽,腹部刻点细密。

分布: 陕西(周至)。

123. 凸胸隐翅虫属 *Haida* Keen, 1897

Haida Keen, 1897: 285. **Type species**: *Haida keeni* Keen, 1897.

属征: 身体深红棕色,具毛。头略呈三角形,触角第1节最为粗壮,其后自基部至端部逐渐加粗;前胸背板中部圆拱;鞘翅表面光亮,其后具有1条深色的宽条纹。

分布: 东洋区。中国已知2种,秦岭地区发现1种。

(304) 佐藤凸胸隐翅虫 *Haida satoi* Smetana, 2003

Haida satoi Smetana, 2003b: 141.

鉴别特征: 体长 2.00 ~2.20mm。头部呈沥青色，小；触角较为粗壮；前胸背板背盘呈棕黑色且略窄于鞘翅；鞘翅横宽；腹部无微刻纹且刻点较细；阳茎内囊具多根骨刺。

分布: 陕西(秦岭，镇坪)。

124. 盗隐翅虫属 *Lesteva* Latreille, 1797

Lesteva Latreille, 1797: 75. **Type species**: *Lesteva punctulata* Latreille, 1804 (= *Staphylinus longoelytratus* Goeze, 1777).

Tevales Casey, 1893: 399. **Type species**: *Tevales cribratulus* Casey, 1893.

Pseudolesteva Casey, 1893: 399 [HN]. **Type species**: *Lesteva pallipes* LeConte, 1863.

Paralesteva Casey, 1905: 164 (new name for *Pseudolesteva* Casey, 1893).

Lestevella Jeannel *et* Jarrige, 1949: 315. **Type species**: *Lesteva pubescens* Mannerheim, 1830.

Lestevidia Jeannel *et* Jarrige, 1949: 313, 315. **Type species**: *Lesteva punctata* Erichson, 1839.

Lesta Blackwelder, 1952: 218 (new name for *Lesteva* Latreille, 1797).

Lestevina Bordoni, 1999: 119. **Type species**: *Lesteva sbordonii* Bordoni, 1973.

属征: 身体纺锤形，几乎没有刻纹。通常呈深褐色至黑色，少数黄褐色至棕色。头亚三角形，后面变窄形成一个颈，背面稍有些下凹；眼后部分一般非常突出；触角间的额区呈亚梯形凹下；单眼位于后缘前左右每半边的中间；触角长，每一节长都大于宽。下颚须第 3 节很短，第 4 节非常长且大部分长度平行；下唇须 3 节；颏横宽，梯形；前胸背板拱起且似心形，在后半部分突然变窄。前胸缘折大且呈亚三角形；鞘翅平并且后部膨大，鞘翅缘折简单；腹部相对宽且粗壮，且朝着臀部末端变窄；雄性第 8 腹板的后缘有深浅不一的弓形凹缘；足中等长，前足基节短粗且加长，中足基节半椭圆形，后足基节亚三角形；腿节长，前腿节比中腿节和后腿节稍短粗；胫节细；胫节外缘没有针；跗节 5 节短，前跗节在两性中都较细，中足跗节末节虽比其他几节之和要短，但也较长。后足跗节前 4 节短，长度大致相等，最末跗节长度小于前 4 节之和；雄性生殖器三叶且对称。

分布: 东洋区。中国已知 23 种，秦岭地区发现 3 种。

(305) 大巴山盗隐翅虫 *Lesteva dabashanensis* Rougemont, 2000(图版 4: 1)

Lesteva dabashanensis Rougemont, 2000: 153.

鉴别特征：体长3.60～3.80mm。身体呈黑色。头部刚毛短且刻点粗糙，前胸背板刻点与头部相似，鞘翅长约为前胸背板长度的两倍，腹部背板光洁，阳茎侧叶较为修长。

采集记录：2♂2♀，岚皋，1910m，1997. Ⅸ. 27。

分布：陕西(岚皋)。

(306) 红边盗隐翅虫 *Lesteva rufimarginata* Rougemont, 2000(图版4：2)

Lesteva rufimarginata Rougemont, 2000：168.

鉴别特征：体长3.90mm。身体呈沥青色。前体刚毛较长，头部刻点细密，触角较短，前胸背板刻点较头部稀疏且细，鞘翅隆起，腹部刻点十分细小。

采集记录：1♀，宁陕，2300～2500m，1995. Ⅷ. 26。

分布：陕西(宁陕)。

(307) 七斑盗隐翅虫 *Lesteva septemmaculata* Rougemont, 2000(图版4：3)

Lesteva septemmaculata Rougemont, 2000：167.

鉴别特征：体长5mm。身体呈沥青色，触角第4～11节和小盾片为黄色。头部刻点细密且具细刻纹，触角较短，前胸背板具两条浅的压痕，鞘翅具7个斑纹且背盘下陷，腹部第3和第4背板具毛斑。

采集记录：1♀，洛南，1200～1400m，1995. Ⅷ. 18。

分布：陕西(洛南)。

125. 弧翅隐翅虫属 *Trigonodemus* LeConte, 1863

Trigonodemus LeConte, 1863：56. **Type species**：*Trigonodemus striatus* LeConte, 1863.
Arimimelus Kraatz, 1877：105. **Type species**：*Arimimelus lebioides* Kraatz, 1877.
Klapperichianellia Hlisnikovský, 1962：456. **Type species**：*Klapperichianellia mirabilis* Hlisnikovský, 1962.

属征：下颚短，触须末节长，触角2～4节细，第3节长，5～11节长大于宽；鞘翅宽大，具刻点列，多有斑纹；腿细长。

分布：古北区，东洋区。中国已知10种，秦岭地区发现1种。

(308) 舒克弧翅隐翅虫 *Trigonodemus schuelkei* Smetana, 1996

Trigonodemus schuelkei Smetana, 1996a：244.

鉴别特征：体长4.10mm。身体呈棕黑色或黑色。头部刻点细密且眼大而凸出，前胸背板较窄，鞘翅刻点多而粗糙，雄性第8背腹板后缘具明显凹陷。本种与*T. lebioides*不同在于阳茎形状。本种与*T. fungicola*和*T. audax*不同在于阳茎构造和短且呈球状的第4节触角。

分布：陕西(周至)。

(七) 异形隐翅虫亚科 Oxytelinae

鉴别特征：中小型种类，一般体长2~6mm。虫体宽而扁。通常颈的最窄处大于眼睛后头部宽的1/2。触角着生于头部前侧，隐藏在三角区域下。形状多样的前胸背板横宽。前胸背板具一到两对侧背片。第2腹板极短并且与第3腹板的前端愈合，具7个可见腹板。第9背板具腺体。前基节窝分裂或闭合。前转节裸露或隐藏。跗式通常为3-3-3或5-5-5，极少数种类为4-4-4或2-2-2。

分类：世界已知48属2000余种，中国记录11属205种，秦岭地区发现3属12种。

126. 喜高隐翅虫属 *Ochthephilus* Mulsant *et* Rey, 1856

Ochthephilus Mulsant *et* Rey, 1856: 1. **Type species**: *Ochthephilus flexuosus* Mulsant *et* Rey, 1856.

Ancyrophorus Kraatz, 1857b: 886. **Type species**: *Trogophloeus omalinus* Erichson, 1840.

Misancyrus Gozis, 1886: 15. **Type species**: *Ancyrophorus emarginatus* Fauvel, 1871.

Psilotrichus Luze, 1904: 69. **Type species**: *Psilotrichus elegans* Luze, 1904.

Ochthephilinus Eichelbaum, 1915: 104. **Type species**: *Ochthephilus flexuosus* Mulsant *et Rey*, 1856.

Stictancyrus Scheerpeltz, 1950: 65. **Type species**: *Ochthephilus flexuosus* Mulsant *et* Rey, 1856.

属征：下颚须末节小，呈锥形，基部宽度大于之前1节的2/3，下颚须末节比亚末节窄且短，呈锥形或针状，广泛分布。第3~7节背板不具弯曲的基侧脊。跗式为3-3-3，4-4-4，或5-5-5。前足基节缝长，开放并暴露出转节或封闭。前足胫节外缘或多或少直，具细小的刚毛但不具明显的刺。

分布：古北区，新北区。中国已知22种，秦岭地区发现4种。

(309) 阿辛喜高隐翅虫 *Ochthephilus assingi* Makranczy, 2014

Ochthephilus assingi Makranczy, 2014: 610.

鉴别特征：体长3.35~3.90mm。头部、前胸背板和腹部均为棕黑色且略红，鞘翅略红至暗棕色，足红棕色。头部和前胸背板表面具浅刻点，鞘翅表面刻点较深且具微刻纹。

分布：陕西(留坝)、湖北、云南。

(310) 迷喜高隐翅虫 *Ochthephilus enigmaticus* Makranczy, 2014

Ochthephilus enigmaticus Makranczy, 2014: 562.

鉴别特征：体长3.04～3.42mm。身体棕黑色，鞘翅颜色偏浅，足暗棕色。头部、前胸背板和鞘翅表面均具微刻纹和柔毛，鞘翅表面柔毛较其他部位密集且短，鞘翅后缘处具长刚毛。

分布：陕西(周至)。

(311) 混喜高隐翅虫 *Ochthephilus vulgaris* (Watanabe *et* Shibata, 1961)

Ancyrophorus vulgaris Watanabe *et* Shibata, 1961: 7.

Ochthephilus vulgaris: Herman, 1970: 385.

Ochthephilus masatakai Watanabe, 2007: 55.

鉴别特征：体长3.43～4.21mm。身体棕黑色，触角暗棕色，足颜色偏浅。头部、前胸背板和鞘翅表面刻点细且密集，头部和前胸背板柔毛较密集，腹部柔毛较长。

分布：陕西(秦岭)、山西、青海、台湾；朝鲜，日本。

(312) 泽氏喜高隐翅虫 *Ochthephilus zerchei* Makranczy, 2014

Ochthephilus zerchei Makranczy, 2014: 562.

鉴别特征：体长3.47～4.15mm。身体暗棕色，头部明显较黑且近黑色，触角和足暗棕色。头部和前胸背板表面刻点较浅，鞘翅表面刻点细且密集，腹部表面柔毛较鞘翅长且细。

分布：陕西(秦岭)、四川；尼泊尔。

127. 背筋隐翅虫属 *Oxytelus* Gravenhorst, 1802

Oxytelus Gravenhorst, 1802: 101. **Type species**: *Staphylinus piceus* Linnaeus, 1767.

Epomotylus Thomson, 1859: 43 [Subgenus]. **Type species**: *Oxytelus sculptus* Gravenhorst, 1806.

Tanycraerus Thomson, 1859: 43 [Subgenus]. **Type species**: *Oxytelus luteipennis* Erichson, 1839 (= *Staphylinus laqueatus* Marsham, 1802).

Caccoporus Thomson, 1859: 43. **Type species**: *Staphylinus piceus* Linnaeus, 1767.

Anisopsis Fauvel, 1904: 108. **Type species**: *Anisopsis flexuosa* Fauvel, 1904.

Hoplitodes Fauvel, 1904: 109. **Type species**: *Hoplitodes echidne* Fauvel, 1904.

Paroxytelopsis Cameron, 1933: 36. **Type species**: *Paroxytelopsis dorylina* Cameron, 1933.

Basilewskyorus Fagel, 1957: 41. **Type species**: *Oxytelus rugegensis* Cameron, 1956.

Anisopsidius Fagel, 1960: 8. **Type species**: *Anisopsis quadricollis* Bernhauer, 1932.

属征：颈最窄处大于头宽的1/2，前胸背板盘区低且不均匀凸起上有纵向凹痕。小盾片上具有菱形的凹痕，腹部第2背板具有弯曲的基侧脊。腹部第3~7节背板每节都具弯曲的基侧脊，前背折缘宽。前足基节缝缺失，转节不可见。

分布：世界广布。中国已知21种，秦岭地区发现4种。

(313) 哀牢山背筋隐翅虫 *Oxytelus ailaoshanicus* Lü *et* Zhou, 2012

Oxytelus ailaoshanicus Lü *et* Zhou, 2012: 12.

鉴别特征：体长4.60~4.70mm。头部黑色，前胸背板和腹部黑褐色，鞘翅亮褐色，但内缘和后缘颜色变黑，触角基部4节和足褐色。头顶具密集刻点；前胸背板较头宽，盘区具1条中纵沟，中部两侧各具1条基半部直、到端部向外弯曲的纵沟，近两侧各具1条纵沟，刻点稀疏。

采集记录：3♂1♀，眉县太白山，2400m，2007. Ⅵ.05。

分布：陕西(眉县)、四川、云南。

(314) 八戒背筋隐翅虫 *Oxytelus bajiei* Lü *et* Zhou, 2012

Oxytelus bajiei Lü *et* Zhou, 2012: 14.

鉴别特征：体长5.00~5.30mm。身体黑色，鞘翅颜色偏浅。雄性头最宽处在后颊，上颚强壮且弯曲；前胸背板横宽，最宽在1/3处，背面具3条沟；鞘翅具粗糙刻点；腹部最宽处在第5腹节。

采集记录：1♂2♀，宁陕火地塘，1580m，1999. Ⅶ.07。

分布：陕西(宁陕)、湖北、湖南、广西、四川、云南。

(315) 黑背筋隐翅虫 *Oxytelus* (*Oxytelus*) *piceus* (Linnaeus, 1767)

Staphylinus piceus Linnaeus, 1767: 686.

Staphylinus sulcatus Müller, 1776: 97.

Oxytelus piceus: Gravenhorst, 1802: 105.

Oxytelus humilis Heer, 1839: 204.

Oxytelus sulcatus Gebler, 1848: 79.

Oxytelus mamillatus Hochhuth, 1851: 53.

Oxytelus japonicus Motschulsky, 1862: 10.

Oxytelus piceus defectivus Normand, 1947: 5.

鉴别特征：体长4mm。身体棕黑色或黑色，鞘翅和腹部末端颜色偏浅。雄性头最宽处在眼部，上颚粗短且弯曲；前胸背板横宽，最宽处在1/3处，背面具5条沟；鞘翅具粗糙刻点；腹部最宽处在第5腹节。

采集记录：1♀，太白山，2350～3350m，2004.Ⅶ.12。

分布：陕西(太白山)、黑龙江、吉林、辽宁、内蒙古、北京、河北、天津、陕西、宁夏、新疆、江苏、上海、安徽、浙江、江西、福建、广西、重庆、四川、贵州、云南、西藏；蒙古，俄罗斯，朝鲜，日本，中亚地区，欧洲，非洲。

(316) 点背筋隐翅虫 *Oxytelus* (*Tanycraerus*) *punctipennis* Fauvel, 1905

Oxytelus punctipennis Fauvel, 1905: 113.

Oxytelus discalis Cameron, 1930: 222.

鉴别特征：体长3.70～4.00mm。头部黑色，前胸背板和腹部棕黑色，鞘翅偏黄色，触角前4节和腿均为亮黄色。雄性头最宽处在眼部，上颚弯曲且尖锐；前胸背板横宽，最宽在1/3处，背面具5条沟；鞘翅具较细刻点；腹部具密集柔毛，最宽处在第5腹节。

采集记录：2♂1♀，长安翠华山，1980.Ⅸ.19。

分布：陕西(长安)、湖北、四川、西藏；缅甸，印度，孟加拉国，巴基斯坦。

128. 脊胸隐翅虫属 *Anotylus* Thomson, 1859

Anotylus Thomson, 1859: 44. **Type species**: *Oxytelus sculpturatus* Gravenhorst, 1806.

Styloxys Gozis, 1886: 15. **Type species**: *Staphylinus rugosus* Fabricius, 1775.

Oxytelopsis Fauvel, 1895b: 199. **Type species**: *Oxytelopsis cimicoides* Fauvel, 1895.

Oxytelodes Bernhauer, 1908b: 290. **Type species**: *Oxytelodes holdhausi* Bernhauer, 1908.

Emopotylus Bernhauer, 1910c: 359. **Type species**: *Oxytelus cuernavacanus* Bernhauer, 1910.

Boettcherinus Bernhauer, 1936c: 82. **Type species**: *Oxytelus planaticollis* Bernhauer, 1936.

Oncoparia Bernhauer, 1936d: 214. **Type species**: *Oncoparia parasita* Bernhauer, 1936.

Paracaccoporus Steel, 1948: 188. **Type species**: *Oxytelus ocularis* Fauvel, 1877.

Oxytelosus Cameron, 1950b: 92. **Type species**: *Oxytelus abnormalis* Cameron, 1938.

Microxytelus Fagel, 1956: 272. **Type species**: *Oxytelus nitidifrons* Wollaston, 1871.

Oxytelops Fagel, 1956: 273. **Type species**: *Staphylinus tetracarinatus* Block, 1799.

Pseudodelopsis Fagel, 1957a: 3. **Type species**: *Pseudodelopsis scotti* Fagel, 1957.

Anotylops Fagel, 1957a: 8. **Type species**: *Anotylops seydeli* Fagel, 1957.

Metoxytelus Coiffait *et* Saiz, 1968: 422. **Type species**: *Oxytelus sulcicollis* Gemminger *et* Harold, 1868.

Pseudopyctocraerus Abdullah *et* Qadri, 1970: 125. **Type species**: *Platystethus mahmoodi* Abdullah *et* Qadri, 1970.

Neopyctocraerus Abdullah *et* Qadri, 1970: 126. **Type species**: *Neopyctocraerus shafqati* Abdullah *et* Qadri, 1970.

Neoplatystethus Abdullah *et* Qadri, 1970: 127. **Type species**: *Neoplatystethus hameedi* Abdullah *et* Qadri, 1970.

Pseudoplatystethus Abdullah *et* Qadri, 1970: 129. **Type species**: *Neoplatystethus meccii* Abdullah *et* Qadri, 1970.

属征：体长 1 ~ 6mm。体形多样，多狭长而扁平。头部横宽，前胸背板基部窄，端部宽，盘区具"川"字形沟；鞘翅具缘折，后翅发达；腹部第 3 ~ 7 节背板具基侧脊。

分布：古北区，东洋区。中国已知 46 种，秦岭地区发现 4 种。

(317) 额缝脊胸隐翅虫 *Anotylus armifrons* (Cameron, 1940)

Oxytelus armifrons Cameron, 1940: 182.

Anotylus armifrons: Herman, 1970: 417.

鉴别特征：体长 2.70 ~ 3.30mm。头部红褐色，触角第 1 ~ 5 节黄色，余红褐色；前胸背板、鞘翅前缘及中缝黄色，后半部红褐色；腹部及足黄色。头部横宽，明显窄于前胸背板；触角向后延伸可达前胸背板中部；前胸背板长是宽的 0.70 倍，盘区除 3 条沟外，具细刻点；鞘翅是前胸背板长的 1.10 倍，表面具粗刻点，无刻纹。

采集记录：1♂，佛坪，1250 ~ 1400m，2004. Ⅶ. 18。

分布：陕西（佛坪）、浙江、香港、云南。

(318) 粗毛脊胸隐翅虫 *Anotylus hirtulus* (Eppelsheim, 1895)

Oxytelus hirtulus Eppelsheim, 1895: 68.

Anotylus hirtulus: Herman, 1970: 418.

鉴别特征：体长 3.70 ~ 4.50mm。体红褐色，鞘翅及足黄褐色。头略宽于前胸背板，表面密布刻点；触角向后延伸可达前胸背板的 1/3；前胸背板宽大于长，表面具 3 条沟，盘区密布粗刻点及刻纹。

采集记录：4 头，华山，1200 ~ 1400m，1995. Ⅷ. 18-20。

分布: 陕西(华阴)、江苏、浙江、四川、云南;缅甸,印度,尼泊尔,巴基斯坦。

(319) 钻纹脊胸隐翅虫指名亚种 *Anotylus latiusculus latiusculus* (Kraatz, 1859)

Oxytelus pusillus Boheman, 1848: 296 [HN].
Oxytelus latiusculus latiusculus Kraatz, 1859: 176.
Oxytelus sulcifrons Fauvel, 1875a: xi.
Oxytelus m-elevatus Lea, 1906: 206.
Oxytelus ganglbaueri Bernhauer, 1907a: 375.
Oxytelus boehmi Bernhauer, 1910b: 256.
Anotylus latiusculus latiusculus: Herman, 1970: 418.

鉴别特征: 体长2mm。头部后颊不膨大,宽度小于复眼;触角第1~4节光滑,5~11节密被柔毛,第10节横宽,宽是长的2倍;前胸背板宽大于长;腹部表面具革质刻纹。

分布: 陕西(秦岭)、吉林、辽宁、河北、山东、江苏、上海、浙江、福建、台湾、广东、香港、广西;日本,巴基斯坦,菲律宾,印度尼西亚,中亚地区,欧洲,非洲,南美洲。

(320) 钝脊胸隐翅虫 *Anotylus myrmecophilus* (Cameron, 1914)

Oxytelus myrmecophilus Cameron, 1914: 526.
Anotylus myrmecophilus: Herman, 1970: 419.

鉴别特征: 体长2mm。体黑色。头部后颊膨大,宽度大于复眼;头部及前胸背板具稀疏刻点,但具纵刻纹;鞘翅刻点与其相似,中缝长于前胸背板。

分布: 陕西(秦岭),中国西南地区广布;印度,巴基斯坦。

(八) 毒隐翅虫亚科 Paederinae

鉴别特征: 中到大型,一般体长4~12mm。体色多变,多为棕或黑色。头后缘常缢缩;触角窝通常着生于头前缘;颈部可见,无颈片;下颚须末节微小,呈针状或疣状;前胸背板较发达;鞘翅通常为方形或长方形;腹部可见6节且有侧背板。

分类: 世界已知约225属6000种,中国记录52属841种,陕西秦岭地区发现10属48种。

129. 拟截隐翅虫属 *Hypomedon* Mulsant *et* Rey, 1878

Hypomedon Mulsant *et* Rey, 1878: 152. **Type species**: *Lithocharis debilicornis* Wollaston, 1857.

Chloecharis Lynch, 1884: 257. **Type species**: *Chloecharis rufula* Lynch, 1884 (= *Lithocharis debilicornis* Wollaston, 1857).

Lena Casey, 1886: 211. **Type species**: *Lena testacea* Casey, 1886.

Asteria Fauvel, 1889: 120 [Homonym]. **Type species**: *Asteria effluens* Fauvel, 1889 (= *Lithocharis debilicornis* Wollaston, 1857).

Hemimedon Casey, 1905: 160. **Type species**: *Hemimedon angustus* Casey, 1905.

Euastenus Fiori, 1915: 10. **Type species**: *Euastenus pallidus* Fiori, 1915 (= *Lithocharis debilicornis* Wollaston, 1857).

属征：身体细长。颜色棕黄色至黑色，少数鞘翅异色。头部方形至梯形，四角钝圆；眼小而不突出，触角较粗短，11 节，各节密布柔毛。前胸背板方形，具粗糙刻点。鞘翅横宽或纵长，表面被刻点及柔毛。腹部细长，侧缘几乎笔直，背板密布柔毛。

分布：古北区，东洋区，非洲区。中国已知 1 种，发现于秦岭地区。

(321) 黄拟截隐翅虫 *Hypomedon debilicornis* (Wollaston, 1857)

Lithocharis debilicornis Wollaston, 1857: 194.

Lithocharis aegyptiaca Motschulsky, 1858: 644.

Lithocharis pallida Motschulsky, 1858: 644.

Lithocharis brevicornis Allard, 1858: 747.

Lithocharis occulta Waterhouse, 1876a: 108.

Chloecharis rufula lynch Arribálzaga, 1884: 259.

Asteria effluens Fauvel, 1889: 120.

Euastenus pallidus Fiori, 1915: 11.

Hypomedon debilicornis: Duff, 1995: 6.

鉴别特征：身体细长。身体呈黄棕色。鞘翅颜色较浅。头呈亚梯形且表面具较密集刻点，眼较大。前胸背板方形且四角钝圆，表面密布刻点。鞘翅呈长方形且刻点密集。腹部修长且背板具密集细刻点。

分布：陕西(秦岭)、河北、台湾、四川；韩国，日本，印度，尼泊尔，不丹，伊朗，欧洲，非洲。

130. 隆线隐翅虫属 *Lathrobium* Gravenhorst, 1802

Lathrobium Gravenhorst, 1802: 51. **Type species**: *Staphylinus elongatus* Linnaeus, 1767.

Lathrobius Billberg, 1820: 16. **Type species**: *Staphylinus elongatus* Linnaeus, 1767.

Centrocnemis Joseph, 1868: 366. **Type species**: *Lathrobum krniense* Joseph, 1868.

Hypophylladobius Fauvel, 1885: 34. **Type species**: *Staphylinus elongatus* Linnaeus, 1767.

Bathrolium Gozis, 1886: 14. **Type species**: *Staphylinus punctatus* Geoffroy, 1785 (= *Paederus brunnipes* Fabricius, 1793).

Centrocnemiella Strand, 1934: 276. **Type species**: *Lathrobium krniense* Joseph, 1868.

属征: 身体细长，适度凸起。身体棕黄色至黑色，少数红棕色。鞘翅有些有黄斑，有些则无；头部方形至梯形，四角钝圆，与前胸背板等宽或比之窄；眼小而不突出，触角细长，着生于复眼内缘后侧，11 节，各节密布柔毛，第 1 节最长，最末节流线型；头部表面被有密集或稀疏的刻点及柔毛，一般中间区域略稀疏；前胸背板长方形至椭圆形，有些前角处略宽，侧缘直或弓形，刻点密度或稀疏或密集，刻纹不明显且明显长于头部，小盾片呈三角形，刻点稀疏；鞘翅横宽或纵长，背板侧缘平行或向后稍变宽，后缘中部微凹，表面密集分布刻点及柔毛，鞘翅缘褶具隆线；足细长，前足腿节加厚，腿节膨大，雄性一般第 1 跗节膨大；腹部细长，侧缘几乎笔直，第 6 或第 7 节处最宽，往后变窄，一节背板密布柔毛；雄性第 7、8 腹板通常后缘有凹陷及修饰刚毛，且凹陷程度、刚毛修饰方式因种而异；雌性腹部末端一般不修饰，其他形态特征与雄性相似。

分布: 东洋区。中国已知 206 种，秦岭地区发现 15 种。

(322) 短叶隆线隐翅虫 *Lathrobium* (*Lathrobium*) *brevilobatum* Assing, 2013

Lathrobium (*Lathrobium*) *brevilobatum* Assing, 2013a: 59.

鉴别特征: 体长 7.50 ~ 7.70mm。身体呈棕色或暗棕色。头呈亚梯形且眼小；前胸背板修长且较为光亮；鞘翅呈亚梯形且刻点密集；雄性第 8 腹板后缘具小凹陷；阳茎侧叶细长。本种与 *L. huaense* 体形相似，但本种雄性阳茎侧叶细长且弯曲。

采集记录: 2♂3♀，宁陕，2600 ~ 2700m，2001. Ⅶ. 26。

分布: 陕西(周至、宁陕)。

(323) 短片隆线隐翅虫 *Lathrobium* (*Lathrobium*) *brevitergale* Assing, 2013

Lathrobium (*Lathrobium*) *brevitergale* Assing, 2013a: 58.

鉴别特征: 体长 7.50 ~ 9.20mm。身体呈棕色或棕黑色。头呈四角钝圆的方形且眼小；前胸背板修长且无刻纹；鞘翅呈亚梯形且刻点密集；雄性第 8 腹板后缘凹陷不明显；阳茎侧叶细长且弯曲。本种属于 *L. varisternale* 种组，但本种组其他种类区别在于雄性第 8 腹板后缘凹陷不明显且阳茎侧叶较短。

采集记录：1♂2♀，洋县，1880m，2001. Ⅶ. 04；3♂3♀，宁陕，2300～2500m，1995. Ⅷ. 26-29。

分布：陕西（洋县、佛坪、宁陕）。

（324）弯片隆线隐翅虫 *Lathrobium*（*Lathrobium*）*concameratum* Assing，2013

Lathrobium（*Lathrobium*）*concameratum* Assing，2013a：61.

鉴别特征：体长6.00～7.60mm。身体呈棕色或暗棕色。头呈四角钝圆的方形且眼较小；前胸背板较粗壮且具光泽纹；鞘翅呈亚梯形且刻点较密集；雄性第7腹板后缘平截；雄性第8腹板后缘凹陷不明显；阳茎侧叶细长且弯曲。本种属于*L. varisternale*种组，但本种组其他种类区别在于雄性第7腹板后缘平截。

采集记录：1♀，周至，1650m，1995. Ⅸ. 01-02；2♂3♀，洋县，1990m，2001. Ⅶ. 02-04。

分布：陕西（周至、洋县）。

（325）弯刺隆线隐翅虫 *Lathrobium*（*Lathrobium*）*crassispinosum* Assing，2013

Lathrobium（*Lathrobium*）*crassispinosum* Assing，2013a：75.

鉴别特征：体长6.00～7.20mm。身体呈棕黑色。头呈亚梯形且眼小；前胸背板修长且刻点较稀疏；鞘翅呈亚梯形且刻点密集；雄性第7腹板无修饰；雄性第8腹板具大量黑色钉状刚毛且后缘平截；阳茎侧叶二裂。本种属于*L. fissispinosum*种组，但本种组其他种类区别在于雄性第7腹板无修饰且雄性第8腹板具大量黑色钉状刚毛。

采集记录：1♂，南郑黎坪，1400～1600m，2012. Ⅶ. 12。

分布：陕西（南郑、汉中）。

（326）楠隆线隐翅虫 *Lathrobium*（*Lathrobium*）*declive* Assing，2013

Lathrobium（*Lathrobium*）*declive* Assing，2013a：40.

鉴别特征：体长5.40mm。身体呈浅棕色。头呈四角钝圆的方形且略微横宽，眼小；前胸背板修长且刻点稀疏；鞘翅呈亚梯形且刻点较密集；雄性第7腹板后缘略微不对称；雄性第8腹板后缘凹陷深且明显不对称；阳茎侧叶呈片状。本种属于*L. gansuense*种组，但本种组其他种类区别在于雄性第8腹板后缘凹陷深且明显不对称，阳茎侧叶呈片状。

采集记录：1♂，周至厚畛子，3500m，1998. Ⅷ. 02-04。

分布：陕西(周至)。

(327) 赤翅隆线隐翅虫 *Lathrobium* (*Lathrobium*) *dignum* Sharp, 1874

Lathrobium (*Lathrobium*) *dignum* Sharp, 1874a: 55.

鉴别特征：体长7.00～9.50mm。身体呈棕色，鞘翅呈棕红色且足黄色。头呈四角钝圆的方形且哑光，眼大且略微凸出；前胸背板修长且刻点较密集；鞘翅呈长方形且刻点密集，后翅发达；雄性第8腹板后缘凹陷较小且明显对称；阳茎侧叶修长。

采集记录：1♀，西安，400m，1995. Ⅷ. 22。

分布：陕西(西安)、辽宁、甘肃、江苏、湖北；俄罗斯，朝鲜，日本。

(328) 迷离隆线隐翅虫 *Lathrobium* (*Lathrobium*) *effeminatum* Assing, 2013

Lathrobium (*Lathrobium*) *effeminatum* Assing, 2013a: 40.

鉴别特征：体长5.00～5.30mm。身体呈棕色或暗棕色。头呈亚梯形且略微横宽，眼小；前胸背板粗壮且略微宽于头部；鞘翅呈亚梯形且刻点较密集；雄性第7腹板后缘略微不对称；雄性第8腹板修饰不明显；阳茎侧叶呈片状。

采集记录：1♂，周至厚畛子，1450m，2001. Ⅶ. 05；1♀，周至厚畛子，1900m，2012. Ⅶ. 25；1♂1♀，洋县，1700～1990m，2001. Ⅶ. 03；6♂7♀，佛坪，1400～1800m，2004. Ⅶ. 18；6♂5♀，宁陕火地塘，1500～1700m，2012. Ⅶ. 12。

分布：陕西(周至、洋县、佛坪、宁陕)。

(329) 异形隆线隐翅虫 *Lathrobium* (*Lathrobium*) *heteromorphum* Chen, Li *et* Zhao, 2005(图版4：4)

Lathrobium (*Lathrobium*) *heteromorphum* Chen, Li *et* Zhao, 2005: 102.

鉴别特征：体长6.30～6.50mm。身体呈红棕色或暗棕色。头呈亚梯形且眼小；前胸背板修长且刻点稀疏；鞘翅呈亚梯形且刻点密集；雄性第8腹板后缘具不对称凹陷；阳茎侧叶宽大。本种与 *L. yinae* 体形相似，但本种雄性第7和第8腹板后缘具不对称凹陷。

采集记录：1♂，宝鸡，2350～2750m，2004. Ⅶ. 14。

分布：陕西(宝鸡太白山)。

(330) 华隆线隐翅虫 *Lathrobium* (*Lathrobium*) *huaense* Assing, 2013

Lathrobium (*Lathrobium*) *huaense* Assing, 2013a: 56.

鉴别特征：体长 8.20 ~ 9.20mm。身体呈棕黑色或暗棕色。头呈四角钝圆的方形且表面具微刻纹，眼较小；前胸背板修长且较为光亮；鞘翅呈亚梯形且刻点密集；雄性第 8 腹板后缘具小凹陷；阳茎侧叶弯曲。本种与 *L. brevilobatum* 体形相似，但本种雄性阳茎侧叶较粗且较弯曲。

采集记录：2♂，华阴华山，1950 ~ 2000m，1995. Ⅷ. 19。

分布：陕西（华阴）。

（331）马氏隆线隐翅虫 *Lathrobium*（*Lathrobium*）*mawenliae* Peng *et* Li, 2013

Lathrobium（*Lathrobium*）*mawenliae* Peng *et* Li, 2013：158.

鉴别特征：体长 7.10 ~ 7.50mm。身体呈浅棕色。头呈四角钝圆的方形且表面哑光，眼较小；前胸背板修长且刻点较稀疏；鞘翅呈亚梯形且刻点细密；雄性第 8 腹板后缘具“U”形凹陷；阳茎侧叶刀片状。

采集记录：4♂，宁陕火地塘，1500 ~ 1700m，2012. Ⅶ. 12。

分布：陕西（宁陕）。

（332）陕西隆线隐翅虫 *Lathrobium*（*Lathrobium*）*shaanxiensis* Chen, Li *et* Zhao, 2005（图版 4：5）

Lathrobium（*Lathrobium*）*shaanxiensis* Chen, Li *et* Zhao, 2005：104.

鉴别特征：体长 6.10 ~ 6.20mm。身体呈红棕色或暗棕色。头长略大于头宽；前胸背板呈长方形；鞘翅呈亚梯形且略微横宽；雄性第 8 腹板后缘具不明显的不对称凹陷；阳茎侧叶基部宽大且端部尖细。

采集记录：1♂，宝鸡，2350 ~ 2750m，2004. Ⅶ. 14；2♂2♀，眉县，1870m，2012. Ⅶ. 26。

分布：陕西（宝鸡、眉县）。

（333）中华隆线隐翅虫 *Lathrobium*（*Lathrobium*）*sinense* Herman, 2003

Lathrobium（*Lathrobium*）*chinense* Bernhauer, 1938：36.

Lathrobium sinense Herman, 2003：6.

鉴别特征：体长 4.90 ~ 6.30mm。身体呈红棕色。头长略大于头宽且刻点较为密集；前胸背板呈长方形且表面较光亮；鞘翅长方形且呈二型现象；雄性第 8 腹板后缘具较小凹陷；阳茎侧叶短且端部平截。

采集记录：2♀，西安，600m，1995. Ⅷ. 31；1♀，周至，1900m，2012. Ⅶ. 25；7♂

7♀，洋县，1880～2000m，2001. Ⅶ. 03-04；1♂2♀，宁陕火地塘，1500～1700m，2012. Ⅶ. 12；1♂1♀，南郑黎坪，1400～1600m，2012. Ⅶ. 12。

分布： 陕西(西安及周至、佛坪、洋县、宁陕、南郑)、甘肃、江苏、浙江、湖北、四川；日本。

(334) 普隆线隐翅虫 *Lathrobium* (*Lathrobium*) *sociabile* Assing, 2013

Lathrobium (*Lathrobium*) *sociabile* Assing, 2013a: 58.

鉴别特征： 体长6.70～8.20mm。身体呈棕红色或浅棕色。头呈四角钝圆的方形且眼较小；前胸背板较粗壮且较为光亮；鞘翅呈亚梯形且刻点较密集；雄性第8腹板后缘具密集黑色刚毛；阳茎侧叶细长且弯曲。本种属于 *L. varisternale* 种组，但本种组其他种类区别在于雄性第8腹板后缘具密集的黑色刚毛。

采集记录： 6♂8♀，长安，2300～2600m，1995. Ⅷ. 26-30。

分布： 陕西(长安、佛坪)。

(335) 盖隆线隐翅虫 *Lathrobium* (*Lathrobium*) *tectiforme* Assing, 2013

Lathrobium (*Lathrobium*) *tectiforme* Assing, 2013a: 63.

鉴别特征： 体长6.50～8.20mm。身体呈棕黑色或暗棕色。头呈四角钝圆的方形且表面具微刻纹，眼较小；前胸背板修长且光亮；鞘翅呈亚梯形且刻点密集；雄性第8腹板后缘具较小凹陷和较浅压痕；阳茎侧叶较细长且略微弯曲。

采集记录： 4♂2♀，周至，1650m，1995. Ⅸ. 01-02；4♂4♀，洋县，1990m，2001. Ⅶ. 02-04；1♂，佛坪，1600m，1999。

分布： 陕西(周至、洋县、佛坪)。

(336) 异节隆线隐翅虫 *Lathrobium* (*Lathrobium*) *varisternale* Assing, 2013

Lathrobium (*Lathrobium*) *varisternale* Assing, 2013a: 50.

鉴别特征： 体长7.50～8.00mm。身体呈棕黑色且偏暗红。头呈四角钝圆的长方形且表面具微刻纹，眼小；前胸背板明显修长且光亮；鞘翅呈亚梯形且刻点细密；雄性第8腹板后缘具较小凹陷和密集的黑色刚毛；阳茎侧叶较细长且弯曲。

采集记录： 3♂6♀，眉县，1870～1880m，2012. Ⅶ. 26。

分布： 陕西(眉县)。

131. 黑首隐翅虫属 *Lithocharis* Dejean, 1833

Lithocharis Dejean, 1833: 65. **Type species**: *Paederus ochraceus* Gravenhorst, 1802.

Metaxyodonta Casey, 1886: 29. **Type species**: *Metaxyodonta alutacea* Casey, 1886 (= *Paederus ochraceus* Gravenhorst, 1802).

属征: 身体左右对称，狭长，两侧平行。头部黑色，前胸背板和鞘翅颜色明显较浅，腹部较头部颜色浅。头呈四角钝圆的方形，下颚须末节细小，锥状；触角 11 节；前胸背板长近等于宽；腹部两侧平行且延长。

分布: 古北区，东洋区，非洲区，新北区，澳洲区。中国已知 6 种，秦岭地区发现 1 种。

(337) 黯黑首隐翅虫 *Lithocharis nigriceps* Kraatz, 1859

Lithocharis nigriceps Kraatz, 1859: 193.

Lithocharis parviceps Sharp, 1874a: 66.

Lithocharis ardena Sanderson, 1945: 94.

鉴别特征: 头部黑色，前胸背板和鞘翅呈棕黄色，腹部棕黑色，触角和足为暗黄色。头部表面刻点较粗糙，眼大，触角第 1 节最长；前胸背板刻点类似于头部；鞘翅长远大于宽且后翅发达；腹部第 7 腹节最宽。

分布: 陕西(秦岭)、浙江、台湾、四川；朝鲜，日本，印度，斯里兰卡，哈萨克斯坦，欧洲，北美洲。

132. 双线隐翅虫属 *Lobrathium* Mulsant *et* Rey, 1878

Lobrathium Mulsant *et* Rey, 1878: 78. **Type species**: *Lathrobium multipunctum* Gravenhorst, 1802.

Lathrotaxis Casey, 1905: 122. **Type species**: *Lathrobium longiusculum* Gravenhorst, 1802.

Lathrobiella Casey, 1905: 133. **Type species**: *Lathrobium collare* Erichson, 1840.

属征: 身体左右对称，狭长，两侧平行。色泽多变，多为黑色显蓝、褐色、棕黄色等；鞘翅常具斑。头卵形或方形，下颚须末节细小，锥状；触角 11 节，丝状，着生于头部前缘；胸长方形，有光泽；前胸背板具中线，中线两侧具粗刻点，鞘翅缘折处有两条隆起的线；腹部两侧平行且延长，具背板和腹板，腹节 10 节，第 3 ~ 7 腹节两侧具侧背板，结构和刻点相似，第 8 腹节无侧背板，第 8 ~ 10 节结构特异，第 10 节仅具背板；末 2 节形成外生殖器；第 7 腹板具修饰，第 8 腹板强修饰性，阳茎无侧叶，内部无强骨质化骨刺，中叶具刀状或齿状突起；雌性无明显修饰性征。

分布： 古北区，东洋区。中国已知61种，秦岭地区发现6种。

分种检索表

1. 身体整体黑色 ………………………………………………………………………… 2
   身体仅头、前胸背板和腹部黑色……………………………………………………… 3
2. 鞘翅后缘具黄色斑纹，阳茎侧叶端部平截………………………… **舒克双线隐翅虫 *L. schuelkei***
   鞘翅后缘不具黄色斑纹，阳茎侧叶端部弧形 ……………………… **棒针双线隐翅虫 *L. configens***
3. 鞘翅不具蓝色光泽 ………………………………………………………………… 4
   鞘翅具蓝色光泽 …………………………………………………………………… 5
4. 鞘翅末端具红色斑点 ……………………………………………… **钝双线隐翅虫 *L. hebeatum***
   鞘翅末端具黄色斑点………………………………………………… **扭双线隐翅虫 *L. tortile***
5. 鞘翅颜色多变，微显蓝色；触角褐红色 ……………………… **香港双线隐翅虫 *L. hongkongense***
   鞘翅黑色，具明显的蓝色光泽；触角深棕色 …………………… **铲双线隐翅虫 *L. spathulatum***

（338）棒针双线隐翅虫 *Lobrathium configens* Assing, 2012（图版 4：6）

Lobrathium configens Assing, 2012a: 93.

鉴别特征： 体长 6.00 ~ 7.20mm。身体呈黑色，鞘翅具金属光泽，触角暗棕色。头部长宽相等，刻点较密集；前胸背板修长且刻点与头部相似；鞘翅长且明显宽于前胸背板；腹部窄于鞘翅；雄性第 8 腹板后缘具三角形的对称凹陷；阳茎侧叶端部弧形。

采集记录： 1♂，周至厚畛子，1450m，2001. Ⅶ. 04。

分布： 陕西（周至）、四川、云南。

（339）钝双线隐翅虫 *Lobrathium*（*Lobrathium*）*hebeatum* Zheng, 1988

Lobrathium hebeatum Zheng, 1988: 189.

鉴别特征： 体长 6.50 ~ 7.50mm。头、前胸背板、腹部黑色；鞘翅黑色，不显蓝，末端具红色斑点，斑大小、颜色可变，中等大小，亮红色，与鞘翅剩余部分对比明显，且显得小，深红色且边界弱；触角深棕色，第 1 节略带褐色。

采集记录： 1♂，洋县，1700m，2001. Ⅶ. 03。

分布： 陕西（佛坪、洋县）、河南、甘肃、宁夏、四川、云南。

（340）香港双线隐翅虫 *Lobrathium*（*Lobrathium*）*hongkongense*（Bernhauer，1931）

Lathrobium（*Lobrathium*）*hongkongense* Bernhauer，1931：127.

Lobrathium sibynium Zheng，1988a：186.

Lobrathium ryukyuense Ito，1996e：114.

Lobrathium hongkongense：Assing，2012a：86.

鉴别特征：体长6.30～7.30mm。头、前胸背板、腹部黑色；鞘翅颜色多变，常黑色微显蓝，末端具浅橙色或深橙黄色斑点，斑小，横宽，边界弱且延至后缘未达中缝；触角、跗节褐红色；腿节黑色。

采集记录：1♀，略阳，2004.Ⅵ.23。

分布：陕西（长安、略阳）、江苏、浙江、湖北、福建、台湾、香港、广西、四川、贵州、云南；日本。

（341）舒克双线隐翅虫 *Lobrathium schuelkei* Assing，2012

Lobrathium schuelkei Assing，2012a：101.

鉴别特征：体长7.80mm。身体呈黑色。鞘翅后缘具黄色斑纹；头部刻点较密集且粗糙；前胸背板刻点与头部相似；鞘翅无微刻纹且光洁；腹部明显窄于鞘翅；雄性第8腹板后缘具粗短黑刚毛；阳茎侧叶端部平截。

采集记录：1♂，周至厚畛子，1450m，2001.Ⅶ.04。

分布：陕西（周至）。

（342）铲双线隐翅虫 *Lobrathium spathulatum* Assing，2012

Lobrathium spathulatum Assing，2012a：95.

鉴别特征：体长6.00～6.80mm。头、前胸背板、腹部黑色；鞘翅显蓝，末端具浅橙色或深橙黄色斑点，斑边界延至后缘未达侧缘；触角深棕色，第1节略呈黑色；腿黑色，跗节和转节褐红色。

采集记录：1♂，略阳，2000.Ⅴ.22。

分布：陕西（略阳、南郑）、浙江、湖北、四川。

（343）扭双线隐翅虫 *Lobrathium*（*Lobrathium*）*tortile* Zheng，1988

Lobrathium（*Lobrathium*）*tortile* Zheng，1988：95.

鉴别特征：体长 6.50 ~ 7.50mm。头、前胸背板及腹部黑色；鞘翅黑色不显蓝，末端 1/3 具黄色斑点；触角深棕色，基部略带褐色。头近方形；前胸背板细长，具光泽，无微刻纹；鞘翅长且后翅发达。

采集记录：5♀，周至厚畛子，1450m，2001. Ⅶ. 05；1♂，镇坪，2001. Ⅵ. 26。

分布：陕西(周至、太白、南郑)、甘肃、湖北、四川、贵州。

133. 离中隐翅虫属 *Medon* Stephens, 1833

Medon Stephens, 1833a: 103. **Type species**: *Medon ruddii* Stephens, 1833 (= *Paederus castaneus* Gravenhorst).

Paramedon Casey, 1905: 166. **Type species**: *Paramedon arizonicus* Casey, 1905.

Oxymedon Casey, 1905: 177. **Type species**: *Oxymedon rubrum* Casey, 1905.

属征：身体细长，通常为棕红色至黑色，体表密布粗大刻点和刚毛。头部大，呈近四角钝圆的方形，下颚须末节呈针状；前胸背板近方形或略微横宽；鞘翅呈方形且密被刻点。

分布：古北区，东洋区，新北区。中国已知 12 种，秦岭地区发现 1 种。

(344) 陕西离中隐翅虫 *Medon shaanxiensis* Assing, 2013

Medon shaanxiensis Assing, 2013e: 247.

鉴别特征：体长 5mm。头部棕黑色，前胸背板、鞘翅和腹部均为暗棕色，足红棕色，触角偏红。头部横宽，刻点密集且粗糙；前胸背板略微横宽，刻点近似头部；鞘翅长方形且后翅发达；腹部密布细刻点。

分布：陕西(华阴)。

134. 四齿隐翅虫属 *Nazeris* Fauvel, 1873

Nazeris Fauvel, 1873: 298. **Type species**: *Sunius pulcher* Aubé, 1850.

Mesunius Sharp, 1874a: 68. **Type species**: *Mesunius wollastoni* Sharp, 1874.

属征：身体细长，通常为棕色至深棕色，体表密布粗大刻点和刚毛。头部大，近圆形；上唇横宽，前缘中部具 4 个齿突，居中 2 个齿及两个外侧齿间各有 1 个凹缘；上颚很细长，基半部具 3 个齿，远端的齿延长，近基部的齿很短；下颚须第 2 节细长，第 3 节稍粗，第 4 节十分短小且呈疣状；触角着生于复眼之前的头部侧缘下，近头部外角，细长；前胸背板椭圆形，长大于宽，端部最宽，中间后具 1 条不很明显的纵隆脊；前胸腹板中间明显具1条纵隆脊；小盾片近三角形；密布粗大刻点；鞘翅基部狭窄，向端部逐渐变宽，后缘圆弧形内凹；后翅退化不可见；腹部细长，第3~6腹节向端部逐渐变宽，第7节之后逐渐变窄；第3~6背板近基部具1个横向的浅凹，密布粗刻点，刻点向端部逐渐变细；雄性第7腹板后缘中部通常凹入，部分种类凸出；第8腹板后缘中部明显凹入；阳茎无刚毛，中叶两侧具1对侧叶；雌性第8腹板后缘圆弧形；足细长，第4跗节二分叶。

分布：东洋区。中国已知139种，秦岭地区发现3种。

分种检索表

1. 体长5.00~5.80mm，体暗棕色，雄性第8腹板后缘缺刻状 …………………………………… 2
   体长4.70~5.00mm，体棕色，雄性第8腹板后缘突出 ……… **陕西四齿隐翅虫 *N. shaanxiensis***
2. 雄性第8腹板后缘缺刻深"V"形 ……………………………………… **黄氏四齿隐翅虫 *N. huanghaoi***
   雄性第8腹板后缘缺刻浅"U"形 ……………………………………… **侧突四齿隐翅虫 *N. cultellatus***

(345) 侧突四齿隐翅虫 *Nazeris cultellatus* Assing, 2013

Nazeris cultellatus Assing, 2013f: 23.

鉴别特征：体长5.00~5.80mm。体褐色或黑褐色，腹部颜色更深，触角及足黄褐色。头部具明显刻点，触角很短，1.50mm左右；前胸背板长大于宽，盘区刻点较头顶稀疏；鞘翅是前胸背板长的1/2，刻点密集，后翅退化。

采集记录：1♂，周至，1650m，1995. Ⅸ. 02；1♂，华山，1200~1400m，1995. Ⅷ. 18；4♂6♀，佛坪，1250~1400m，2004. Ⅴ. 18；1♂，洋县，1700m，2001. Ⅶ. 03；9♂6♀，宁陕火地塘，1724m，2008. Ⅴ. 24-25。

分布：陕西(周至、华阴、佛坪、洋县、宁陕)、河南、安徽。

(346) 黄氏四齿隐翅虫 *Nazeris huanghaoi* Hu *et* Li, 2010(图版4：7)

Nazeris huanghaoi Hu *et* Li, 2010: 112.

鉴别特征：体长5.00~5.70mm。身体修长且呈暗棕色，触角红黄色。头部近椭圆形，刻点粗糙；前胸背板卵圆形且长宽相同；鞘翅宽略大于长，刻点与前胸背板相似；腹部修长，具粗糙且密集的刻点；阳茎中叶端部尖锐，侧叶延伸稍短于中叶。本种与*N. canaliculatus*相似，但本种前胸背板较圆，雄性第8腹板后缘缺刻较深且阳茎侧叶短于中叶端部。

采集记录：1♂1♀，周至，1900m，2008. Ⅴ. 04；1♂，眉县太白山，1875m，2012. Ⅶ. 24；3♂3♀，宁陕，1990m，2001. Ⅶ. 02-04。

分布：陕西(周至、眉县、宁陕)。

(347) 陕西四齿隐翅虫 *Nazeris shaanxiensis* Hu *et* Li, 2010(图版4：8)

Nazeris shaanxiensis Hu *et* Li, 2010：109.

鉴别特征：体长4.70～5.00mm。身体呈棕色。头被棕色刚毛；触角细长；前胸背板长大于宽，刻点极其粗糙；鞘翅长宽相同，窄于前胸背板；腹部无微刻纹；雄性第8腹板后缘突出，阳茎腹面观中叶宽阔，近端部变窄，侧叶较直，略长于中叶，端部钝圆。

采集记录：1♀，周至厚畛子，1336m，2008.Ⅴ.17；1♂，佛坪，1250～1400m，2004.Ⅶ.18。

分布：陕西(周至、佛坪)。

135．毒隐翅虫属 *Paederus* Fabricius, 1775

Paederus Fabricius, 1775：268. **Type species**：*Staphylinus riparius* Linnaeus, 1758.

Geopaederus Gistel, 1848：x (new name for *Paederus* Fabricius, 1775). **Type species**：*Staphylinus riparius* Linnaeus, 1758.

Paederillus Casey, 1905：62. **Type species**：*Paederus littorarius* Gravenhorst, 1806.

Leucopaederus Casey, 1905：67. **Type species**：*Paederus ustus* LeConte, 1858.

Gnathopaederus Wendeler, 1927：1 [HN]. **Type species**：*Paederus turrialbanus* Wendeler, 1927.

Paederognathus Wendeler, 1928：37 (new name for *Gnathopaederus* Wendeler, 1927). **Type species**：*Paederus turrialbanus* Wendeler, 1927.

Neopaederus Blackwelder, 1939：97. **Type species**：*Paederus morio* Mannerheim, 1830.

属征：身体修长，多颜色鲜艳。头呈卵圆形，触角第1节最长，非膝状；下颚须末节呈疣状；前胸背板通常呈球形，侧缘具弧度，刻点稀疏，具光泽；鞘翅通常刻点较密集，且具金属光泽；足修长，跗节末节非二裂；雄性阳茎侧叶通常对称。

分布：东洋区。中国已知45种，秦岭地区发现6种。

(348) 果毒隐翅虫 *Paederus* (*Harpopaederus*) *apfelsinicus* Willers, 2001

Paederus apfelsinicus Willers, 2001b：294.

鉴别特征：体长9.50mm。雌性略大于雄性。头部及末2腹节黑色；前胸背板、腹基部4节褐红色；鞘翅深蓝色且具金属光泽；触角基部2节及第3～7节基部褐黄色，其余褐色。

分布：陕西（镇坪）、湖北。

（349）连毒隐翅虫 *Paederus*（*Harpopaederus*）*agnatus* Eppelsheim, 1889

Paederus agnatus Eppelsheim, 1889b: 180.

Paederus dangchangensis Li *et* Zhou, 2007: 227.

鉴别特征：体长7.40～7.80mm。头部黑色；触角基部3节黄褐色，端部4节变黑；前胸背板和腹部1～4节红褐色，端部2节黑色；鞘翅蓝黑色，具金属光泽；腿节端部1/2红褐色，跗节基部3节黑褐色。头部具不规则刻点，头顶光滑；触角丝状，可达前胸背板后缘；前胸背板中部光滑，两侧具刻点；鞘翅刻点较前胸背板大而密。

采集记录：1♀，周至，1900m，2012.Ⅶ.25；3♂3♀，洋县，2001.Ⅶ.04。

分布：陕西（周至、洋县）、甘肃。

（350）短突毒隐翅虫 *Paederus*（*Harpopaederus*）*brevior* Li, Solodovnikov *et* Zhou, 2014

Paederus brevior Li, Solodovnikov *et* Zhou, 2014: 432.

鉴别特征：体长10.40～10.90mm。头部及末2腹节黑色；前胸背板、腹基部4节褐红色；鞘翅深蓝色且闪金属光泽，无后翅；触角基部4节颜色较浅；腿节末端颜色较深。

采集记录：2♂3♀，宁陕旬阳坝，1000～1300m，2000.Ⅴ.23-Ⅵ.13。

分布：陕西（宁陕）。

（351）细尖毒隐翅虫 *Paederus*（*Heteropaederus*）*gracilacutus* Li *et* Zhou, 2007

Paederus（*Heteropaederus*）*gracilacutus* Li *et* Zhou, 2007: 221.

鉴别特征：体长8.10～9.00mm。头部黑色；触角基部3节黄褐色，其余黑色；前胸背板和腹部1～4节红褐色，端部2节黑色；鞘翅蓝黑色；足红褐色，腿节端部1/3和跗节背面黑色。头部具刻点，头顶和额区中部光滑；触角长仅达前胸背板基部1/5；前胸背板中部光滑，两侧具刻点；鞘翅刻点排列基本成行，刻点间距大于刻点直径；后翅退化。

采集记录：1♂，周至，1450m，2001.Ⅶ.05。

分布：陕西（周至）、甘肃。

(352) 梭毒隐翅虫 *Paederus* (*Heteropaederus*) *fuscipes fuscipes* Curtis, 1826

Paederus fuscipes Curtis, 1826: 108.

Paederus longipennis Erichson, 1839: 517.

Paederus aestuans Erichson, 1840: 655.

Paederus fuscipes var. *peregrinus* Erichson, 1840: 656.

Paederus angolensis Erichson, 1843: 222.

Paederus corsicus Gautier des Cottes, 1862: 393.

Paederus erichsoni Wollaston, 1867: 247.

Paederus idae Sharp, 1874a: 75.

Paederus fennicus J. Sahlberg, 1876: 38.

Paederus breviceps Bernhauer, 1902: 37.

Paederus densipennis Bernhauer, 1916: 30.

Paederus kalalovae Roubal, 1932: 60.

Paederus mayumbeanus Cameron, 1939: 4.

Paederus abyssinicus Cameron, 1950: 186.

Paederus iliensis Coiffait, 1970: 102.

鉴别特征: 头和腹部末端2节呈黑色，前胸背板及腹节第3～6节呈黄红色，足黑色且腿节基部黄色，触角基部3节颜色较浅。头部光亮，刻点稀疏；前胸背板长方形；鞘翅长方形且具金属色，后翅发达。

分布: 陕西(太白山)、北京、湖北、台湾、香港、广西、四川、云南；朝鲜，日本，印度，尼泊尔，欧洲，非洲。

(353) 孔夫子毒隐翅虫 *Paederus* (*Harpopaederus*) *konfuzius* Willers, 2001(图版4: 9)

Paederus konfuzius Willers, 2001a: 3.

鉴别特征: 体长8.20～10.70mm。头、鞘翅、足及腹部末端2节呈黑色，前胸背板及腹节第3～5节呈黄红色。头部光亮，刻点稀疏；触角修长；前胸背板卵圆形，刻点极其稀疏；鞘翅具金属色，无后翅；腹部修长，无微刻纹；阳茎中叶背部具锯齿状脊。

采集记录: 2♂，周至，1650m，1995.Ⅸ.02；2♂，宁陕火地塘，2005.Ⅶ.03。

分布: 陕西(周至、眉县、佛坪、宁陕)。

136. 皱纹隐翅虫属 *Rugilus* Leach, 1819

Rugilus Leach, 1819: 173. **Type species**: *Staphylinus orbiculatus* Paykull, 1789.

Stilicus Berthold, 1827: 331. **Type species**: *Staphylinus orbiculatus* Paykull, 1789.

Sepedomorphus Gistel, 1834: 9. **Type species**: *Staphylinus orbiculatus* Paykull, 1789.

Stilicosoma Casey, 1905: 219. **Type species**: *Rugilus rufipes* Germar, 1836.

属征：身体细长，通常为深棕色。头部大，近圆形；复眼椭圆形，凸出；后颊向后方收缩，形成1个较细的颈；上唇横宽，前缘中部“U”形凹入，凹入两侧具1～2对齿突。上颚细长，向内侧弯曲。左侧上颚具3个臼齿，右侧上颚具3或4个臼齿；头部背面密布脐状刻点，部分种类的刻点间横隔消失，刻点连续成纵带；前胸背板椭圆形，长大于宽，表面刻点通常与头部相似；中间常具1条无刻点的光滑纵带；小盾片近三角形，表面具刻点；鞘翅近方形或长方形，表面密布刻点。部分种类鞘翅密布的细刻点间零星散布粗大刻点；腹部细长，第3～5节向端部逐渐变宽，第6节之后逐渐变窄。腹部密布刻点，刻点由基部向端部逐渐变细。雄性第7腹板后缘中部通常凹入，少数种类平截。第8腹板后缘中部明显凹入。阳茎具1对侧叶，不同种类的侧叶形状变化多样。雌性第7、8腹板后缘圆弧形；足细长，各跗节均不分叶。

分布：东洋区。中国已知35种，秦岭地区发现9种。

(354) 锡兰皱纹隐翅虫 *Rugilus* (*Eurystilicus*) *ceylanensis* (Kraatz, 1859)

Stilicus ceylanensis Kraatz, 1859: 126.

Rugilus ceylanensis: Nakane, 1955: 53.

鉴别特征：体长4.10～4.70mm。体深棕色，触角、足和鞘翅大部分区域浅棕色。头近圆形，密布脐状细刻点。前胸背板椭圆形，长大于宽，表面刻点与头部相似；鞘翅表面密布细刻点，细刻点之间无粗大刻点。腹部无微刻纹；雄性第6腹板后缘微凹；第8腹板后缘凹入宽而浅；阳茎侧叶略长于中叶，端部明显凸起，端部1/4处向背面变宽。

分布：陕西（秦岭）、江苏、安徽、福建、台湾、广西、四川、云南；朝鲜，日本，印度，尼泊尔，不丹，斯里兰卡，澳大利亚，北美洲。

(355) 红棕皱纹隐翅虫 *Rugilus* (*Eurystilicus*) *rufescens* (Sharp, 1874)

Stilicus rufescens Sharp, 1874a: 61.

Stilicus rufescens var. *indicus* Cameron, 1914: 542.

Rugilus rufescens: Smetana, 2004: 619.

Rugilus kamchaticus Ryabukhin, 2007: 2.

鉴别特征：体长3.90～4.40mm。体红棕色，触角、足、唇、鞘翅侧缘和端部浅棕色，腹部深棕色。头近圆形，密布脐状细刻点。前胸背板椭圆形，鞘翅短于前胸背板，表面密布细刻点，细刻点之间散布粗大刻点。腹部密布微刻纹；雄性第7腹板和第8腹板后缘均微凹；阳茎侧叶略长于中叶，端部近三角形。

采集记录： 2♂，佛坪，850～950m，2004.Ⅶ.20。

分布： 陕西(佛坪)、黑龙江、北京、河北、山西、江苏、浙江、湖北、湖南、台湾、广西；俄罗斯，朝鲜，日本，印度，缅甸。

(356) 西姆拉皱纹隐翅虫 *Rugilus* (*Eurystilicus*) *simlaensis* (Cameron, 1931)

Stilicus simlaensis Cameron, 1931: 106.

Rugilus simlaensis: Smetana, 2004: 620.

鉴别特征： 体长4.00～4.80mm。体深棕色，鞘翅、触角和足浅棕色。头近圆形，密布脐状细刻点。前胸背板椭圆形，鞘翅长于前胸背板，表面密布细刻点，细刻点之间无粗大刻点。腹部背板密布细刻点和微刻纹；雄性第7腹板后缘微凹或近平直；第8腹板后缘微凹；阳茎侧叶明显短于中叶，近端部向两侧变宽，端部具半圆形凹入。

采集记录： 1♀，宁陕火地塘，1500～1700m，2012.Ⅶ.12。

分布： 陕西(宁陕)、湖北、台湾、四川、云南；印度，尼泊尔，不丹。

(357) 柔毛皱纹隐翅虫 *Rugilus* (*Eurystilicus*) *velutinus* (Fauvel, 1895)

Stilicus velutinus Fauvel, 1895: 226.

Rugilus velutinus: Smetana, 2004: 620.

鉴别特征： 体长4.80～5.30mm。体深棕色，触角、足、唇、鞘翅后角浅棕色。头近圆形，长稍小于宽，密布脐状细刻点。前胸背板椭圆形，鞘翅稍短于前胸背板，明显宽于前胸背板，表面密布细刻点，细刻点之间无粗大刻点。腹部背板密布细刻点和微刻纹。雄性第7腹板后缘微凹；第8腹板后缘凹入宽而深；阳茎侧叶明显长于中叶，端部凸出，腹面近端部具钩状突起。

采集记录： 3♂，宁陕火地塘，1500～1700m，2012.Ⅶ.12；1♂，南郑黎坪，1400～1600m，2012.Ⅶ.16。

分布： 陕西(宁陕、南郑)、浙江、湖北、福建、台湾、广西、四川；越南，老挝，泰国，印度，缅甸，尼泊尔。

(358) 大巴山皱纹隐翅虫 *Rugilus* (*Rugilus*) *dabaicus* Assing, 2012

Rugilus (*Rugilus*) *dabaicus* Assing, 2012b: 136.

鉴别特征： 体长4.20～5.00mm。体黑色，鞘翅黑褐色且具红铜色金属光泽，触角及足黄棕色至棕色。头部刻点稀疏，中部近光滑；前胸背板长是宽的 1.10 倍，明显窄于头部；刻点与头部相同；鞘翅明显宽于前胸背板，刻点密集；后足第 1 跗节是第 2 和第 3 节长度之和。

采集记录： 15♀，佛坪，1250～1400m，2004. Ⅶ. 18；5♂16♀，宁陕火地塘，1724m，2008. Ⅴ. 24-25。

分布： 陕西（佛坪、宁陕）、湖北。

（359）甘肃皱纹隐翅虫 *Rugilus*（*Rugilus*）*gansuensis* Rougemont，1998

Rugilus（*Rugilus*）*gansuensis* Rougemont，1998：580.

鉴别特征： 体长 4.10～4.60mm。体深棕色，触角红棕色，足棕色。头近圆形，密布脐状粗刻点。前胸背板椭圆形，表面刻点与头部相似，中间后半部具宽而长的无刻点纵带。鞘翅表面密布粗刻点，雄性鞘翅与前胸背板等长，明显宽于前胸背板，后翅发达。雌性鞘翅短于前胸背板，稍宽于前胸背板，后翅退化。腹部背板密布细刻点，无微刻纹。阳茎侧叶明显长于中叶，基半部宽阔，端半部逐渐变尖。

采集记录： 1♂2♀，周至厚畛子，1336m，2008. Ⅴ. 17-19；1♂2♀，南郑黎坪，1400～1600m，2012. Ⅶ. 15。

分布： 陕西（周至、南郑）、甘肃、四川。

（360）细突皱纹隐翅虫 *Rugilus*（*Rugilus*）*fodens* Assing，2012（图版 4：10）

Rugilus（*Rugilus*）*fodens* Assing，2012b：138.

鉴别特征： 体长 4.80～5.30mm。头、前胸背板及腹部呈黑色，鞘翅呈暗棕色且具微弱金属色光泽，足红黄色或红色。头明显横宽且表面不具光泽；前胸背板中线无刻点，线长短不一；翅二型，刻点粗糙且密集；腹部刻点细密，第 6 背板具浅且不明显的刻痕。

采集记录： 4♂7♀，南郑黎坪，1400～1600m，2012. Ⅶ. 15-16。

分布： 陕西（南郑）、四川。

（361）黄氏皱纹隐翅虫 *Rugilus*（*Rugilus*）*huanghaoi* Hu，Song *et* Li，2015

Rugilus（*Rugilus*）*huanghaoi* Hu，Song *et* Li，2015：148.

鉴别特征： 体长 5.40～6.40mm。体黑褐色，鞘翅侧缘具宽的黄褐色边，触角及足红褐色。头部明显宽于前胸背板，具密集刻点；触角长不及前胸背板中部；前胸背板端部缩成柄状，长大于宽，盘区具明显刻点；鞘翅是前胸背板长的 1.20 倍，刻点较头部和前胸背板细。

采集记录： 1♂，周至厚畛子，2018m，2008. Ⅴ. 07；1♂1♀，眉县太白山，1853m，2008. Ⅴ.23。

分布： 陕西(周至、眉县)。

(362) 腹纹皱纹隐翅虫 *Rugilus* (*Rugilus*) *reticulatus* Assing, 2012(图版 4：11)

Rugilus (*Rugilus*) *reticulatus* Assing, 2012b: 132.

鉴别特征： 体长 4.70 ~ 5.80mm。头、前胸背板及腹部呈黑色，鞘翅呈棕色且具金属色光泽。头略微横宽，刻点粗糙且不规则排列；前胸背板中部具短而窄的无刻点带；翅二型，具光泽；雄性腹部窄于雌性。

采集记录： 2♂10♀，周至厚畛子，1900m，2008. Ⅴ. 04；1♂，眉县太白山，1843m，2008. Ⅴ.22；11♀，太白，1450 ~ 1750m，2004. Ⅶ. 15；3♀，佛坪，2065m，2004. Ⅶ.21。

分布： 陕西(周至、眉县、太白、佛坪)、河南。

137. 隆齿隐翅虫属 *Stilicoderus* Sharp, 1889

Stilicoderus Sharp, 1889: 320. **Type species**: *Stilicoderus signatus* Sharp, 1889.

Stilicoderopsis Scheerpeltz, 1965: 183. **Type species**: *Stilicoderopsis malaisei* Scheerpeltz, 1965.

属征： 体长 4 ~ 9mm。体棕色至深棕色，鞘翅常具红色斑块。头部近圆形，密布细刻点和棕黄色细刚毛；上唇前缘中间具 1 个齿，左右还各有 1 或 2 个齿；复眼发达，无眼下脊。前胸背板长椭圆形，密布颗粒状突起和棕黄色刚毛，中央具 1 条无刻点和刚毛的光滑纵带。鞘翅长方形，密布细小的具刚毛的刻点，并散布一些无刚毛的大刻点；后翅发达。各足第 4 跗节不分叶。

分布： 古北区，东洋区，澳洲区。中国已知 31 种，秦岭地区发现 4 种。

(363) 短角隆齿隐翅虫 *Stilicoderus angulatus* Assing, 2013

Stilicoderus angulatus Assing, 2013b: 65.

鉴别特征： 体长 5.30 ~ 6.60mm。体棕色至深棕色，腿节浅棕色且端部 1/4 黑色，鞘翅具两个黄色斑。头部刻点稀疏，前胸背板刻点密集，中间的光滑纵带窄而长。鞘翅长明显大于宽，具刚毛的刻点细小，疏布无刚毛大刻点。雄性第 7 腹板的后缘没有明显的凹入；第 8 腹板后缘具三角形凹入；阳茎侧叶较直，向端部变窄。

分布：陕西（秦岭）、甘肃、云南。

（364）日本隆齿隐翅虫 *Stilicoderus japonicus* Shibata, 1968

Stilicoderus japonicus Shibata, 1968: 8.

Stilicoderopsis malaisei Scheerpeltz, 1965: 183 [HN].

Stiliderus scheerpeltzi Rougemont, 1986: 185 (new name for *malaisei* Scheerpeltz, 1965).

鉴别特征：体长 6.90～7.30mm。体棕黑色，上唇、上颚、触角和足棕色。头部椭圆形，长明显大于宽；复眼小；头部背面密布细刻点；前胸背板端部 1/3 处最宽，向端部强烈变窄，向基部逐渐变窄；盘区表面密布颗粒状突起，中间的光滑纵带窄而长。鞘翅表面密布细小刻点，疏布粗大刻点。雄性第 8 腹板后缘中部呈"U"形凹入，深度可达腹板长的 1/2；阳茎粗壮，侧叶向端部逐渐变尖，近端部具 1 个大钩。

采集记录：1 头，周至厚畛子，1450m，2001. Ⅶ. 05；2 头，佛坪，1600m，1999. Ⅳ. 06-11；1 头，洋县，1700m，2001. Ⅶ. 03。

分布：陕西（周至、佛坪、洋县）、河南、甘肃、湖北、四川、云南；日本。

（365）曲喙隆齿隐翅虫 *Stilicoderus psittacus* Assing, 2013

Stilicoderus psittacus Assing, 2013b: 71.

鉴别特征：体长 4.50～5.00mm。体深棕色，鞘翅具红棕色大斑，足棕色。头部长等于宽，密布刻点；复眼大；前胸背板密布颗粒状突起，中间的光滑纵带窄而长；鞘翅与前胸背板等长，密布细小刻点，疏布粗大刻点。雄性第 8 腹板后缘具三角形深凹。阳茎侧叶近端部向两侧变宽。

采集记录：69♂76♀，周至厚畛子，1336m，2008. Ⅴ. 18-19。

分布：陕西（周至）、湖北、湖南、重庆、四川、云南。

（366）交错隆齿隐翅虫 *Stilicoderus signatus* Sharp, 1889

Stilicoderus signatus Sharp, 1889: 321.

Stilicus reitteri Bernhauer, 1938: 35.

鉴别特征：体长 5.70～6.60mm。体深棕色，鞘翅基半部具暗黄色椭圆斑，足黄色，触角红棕色。头部近圆形，密布刻点；前胸背板密布颗粒状突起，中间的光滑纵带宽而短；鞘翅长于前胸背板，密布细小刻点，疏布粗大刻点。雄性第 8 腹板后缘中间具宽三角形凹入；阳茎侧叶细长，端部稍膨大。

采集记录：1♂3♀，周至厚畛子，1650m，1995. Ⅸ. 01-02；1♂2♀，洋县，1990m，2001. Ⅶ. 02-04。

分布：陕西(周至、洋县)、甘肃、江苏、湖北、福建、四川；日本。

138. 苏隐翅虫属 *Sunius* Stephens, 1829

Sunius Stephens, 1829: 24. **Type species**: *Paederus melanocephalus* Fabricius, 1793.

Medonella Casey, 1905: 180. **Type species**: *Medonella minuta* Casey, 1905.

Micromedon Casey, 1905: 155. **Type species**: *Lithocharis seminigra* Fairmaire, 1860.

Oligopterus Casey, 1886: 12. **Type species**: *Oligopterus cuneicollis* Casey, 1886.

Xenocharis Bierig, 1934: 328. **Type species**: *Xenocharis occipitalis* Bierig, 1934.

Tetracanthognathus Scheerpeltz, 1963: 432. **Type species**: *Tetracanthognathus kuehnelti* Scheerpeltz, 1963.

属征：身体细长。体色通常较深。头部大，四方形；触角细长，念珠状；前胸背板略窄于头部，具刻点和刚毛；鞘翅近方形，表面密布刻点；腹部圆拱，有侧背板。

分布：古北区，东洋区。中国已知6种，秦岭地区发现2种。

(367) 心苏隐翅虫 *Sunius cordiformis* Assing, 2002

Sunius cordiformis Assing, 2002: 293.

鉴别特征：体长4.20～5.00mm。体黑色，鞘翅颜色较浅，触角及足褐色到黑褐色。头部刻点粗密；前胸背板长宽约相等，刻点与头部相似，但盘区中部有光滑区；鞘翅宽是前胸背板长的1.10倍，翅面刻点细密。

采集记录：1♂2♀，长安南五台，1995. Ⅸ. 17；1♀，华山，1995. Ⅷ. 18。

分布：陕西(长安、华阴)、北京、四川、云南。

(368) 叉苏隐翅虫 *Sunius furcillatus* Assing, 2002

Sunius furcillatus Assing, 2002a: 291.

鉴别特征：体长3.90～4.90mm。身体呈黑色，鞘翅颜色较浅，触角、唇及足呈棕黄色。头部呈亚方形或长方形，无微刻纹；前胸背板刻点粗糙且密集；鞘翅长大于宽，且光洁；腹部刻点细密且具微刻纹；阳茎内囊具黑且长的骨质化结构。

采集记录：20♂，西安，1980. Ⅸ. 19；1♀，临潼，1995. Ⅷ. 23；1♂，1200～1400m，1995. Ⅷ. 18。

分布：陕西(西安及临潼、华阴、镇坪)、湖北、四川。

（九）蚁甲亚科 Pselaphinae

鉴别特征：体型微小，一般体长 1～5mm。多为红或红棕色。体表光滑，或被直立或卧毛。触角于端部膨大。鞘翅短，末端平截。腹节相对固定，无法自由活动。可见 6 节腹板。跗节多为 3-3-3 式，偶见 2-2-2 式。

分类：世界已知约 1100 属 10000 种，中国记录 82 属约 380 种，陕西秦岭地区发现 4 属 5 种。

139. 拟蚁甲属 *Labomimus* Sharp, 1883

Labomimus Sharp, 1883: 300. **Type species**: *Labomimus reitteri* Sharp, 1883.

属征：体长 2.50～4.00mm。头部具额窝及顶窝，眼后颊简单且呈弧形，或向侧面略微至强烈扩展，扩展面常强烈内凹。触角 2～7 节延长，第 8 节一般最短，长宽近等长，9～11 节常具强烈修饰。下颚须 2～4 节对称至完全不对称，边缘常呈弧状隆起或具突起；前胸背板基部横槽有或无，中央及侧近基窝明显。鞘翅不具脊，具刻点及短金色柔毛。后胸腹突明显，突间区域凹陷；后胸腹板具中央窝。跗节第 2 节不强烈延展。

分布：东洋区。中国已知 18 种，秦岭地区发现 2 种。

（369）类突拟蚁甲 *Labomimus paratorus* Yin *et* Li, 2012

Labomimus paratorus Yin *et* Li, 2012a: 91.

鉴别特征：体长 3.60～3.90mm。身体呈棕红色。头长于宽，后颊弧形；每枚复眼约具 40 只小眼。触角 9～11 节膨大，第 9 节具修饰。前胸背板长宽近似，侧缘略呈角状扩展。鞘翅宽于长。前足基节腹缘具短刺，转节腹缘具小刺，腿节腹缘具巨大的钝刺，胫节具微小端突；中足转节腹缘具小刺，腿节膨大，胫节具短端突；后足基节及腿节光洁。腹部基部膨大，渐向端部收狭。

采集记录：3♂，宁陕旬阳坝，2500～2600m，1995. Ⅷ. 27。

分布：陕西（佛坪、宁陕）。

（370）舒克氏拟蚁甲 *Labomimus schuelkei* Yin *et* Li, 2012

Labomimus schuelkei Yin *et* Li, 2012a: 96.

鉴别特征：体长3.90mm。身体呈棕红色。头长于宽，后颊大幅度侧向扩展；每枚复眼约具20只小眼。触角9~11节膨大，9~10节具修饰。前胸背板略长于宽，侧缘近弧形。鞘翅宽于长。胸腹突短，前端狭窄。前足转节腹缘具微刺，腿节不具刺；中足转节腹缘具大小两枚刺；后足基节腹缘具长突起，转节及腿节光洁。腹部基部膨大，渐向端部收狭。

采集记录：1♂，华山，1200~1400m，1995.Ⅷ.18。

分布：陕西(华阴、洛南)。

140. 毛蚁甲属 *Lasinus* Sharp, 1874

Lasinus Sharp, 1874b: 106. **Type species**: *Lasinus spinosus* Sharp, 1874.

属征：体长2.50~4.30mm。头长于宽，额窝、顶窝明显；下颚须小，各节对称。触角基节明显长于梗节，末3节呈端锤状，雄性触角8~9节常具修饰。前胸背板中央及侧基窝明显，基部不具横槽。鞘翅具2枚基窝，不具隆脊，盘区具纵槽。后胸腹突粗短，后胸腹板端缘中部具浅凹，不具中央窝。足细长，具粗刻点，被短柔毛。前足、中足转节及腿节腹缘具刺，后足转节和腿节光洁。跗节第2节细长，不明显延展。

分布：中国；俄罗斯，日本，越南。中国已知2种，秦岭地区发现1种。

(371) 中华毛蚁甲 *Lasinus sinicus* Bekchiev, Hlavác *et* Nomura, 2013

Lasinus sinicus Bekchiev, Hlavác *et* Nomura, 2013: 31.

鉴别特征：体长3.30~3.50mm。身体呈棕红色。头长大于头宽，长为宽的1.15倍，后颊弧形。触角9~11节膨大，不具明显修饰。前胸背板长宽近似，侧缘弧形。鞘翅宽于长。后胸腹突粗短。前足转节及腿节腹缘具短刺；中足转节腹缘具小刺，腿节腹缘具微刺；后足转节及腿节光洁。腹部基部膨大，渐向端部收狭，长约为宽的3.50倍。

采集记录：1♂1♀，长安南五台，2003.Ⅳ.04。

分布：陕西(长安)、甘肃、湖北、广西。

141. 长角蚁甲属 *Pselaphodes* Westwood, 1870

Pselaphodes Westwood, 1870: 129. **Type species**: *Pselaphodes villosus* Westwood, 1870.

Atherocolpus Raffray, 1882: 15. **Type species**: *Pselaphodes heterocerus* Raffray, 1882.

Eulasinus Sharp, 1892: 240. **Type species**: *Eulasinus walkeri* Sharp, 1892.

属征：身体修长。虫体多为深棕色。头部长，三角形；触角结节明显；下颚须5节；触角11节，末端3节特化，3~8节延长；前胸背板长宽相等，表面通常光滑；鞘翅光亮，每个鞘翅具有两个基窝；腹部强烈凸起，第1腹节长；腿修长，表面粗糙且有毛，腿节棍棒状，前足转节、前足腿节、中足转节和中足腿节通常具有特化的小刺；雄虫触角、头、后胸腹板多有修饰。

分布：东洋区。中国已知45种，秦岭地区发现1种。

(372) 野村氏长角蚁甲 *Pselaphodes nomurai* Yin, Li *et* Zhao, 2010(图版4：12)

Pselaphodes nomurai Yin, Li *et* Zhao, 2010: 21.

鉴别特征：体长3.49~3.54mm。体红棕色，腹部颜色略深。头长于宽，额突端部窄；触角较长，末3节膨大，呈端锤状；前胸背板略长于宽，侧缘呈明显的角状突起，端部收狭；鞘翅基部收狭，每枚鞘翅基部具2枚基窝；足细长，前足转节腹缘具刺，腿节腹缘具三角形大刺。

采集记录：1♂，周至厚畛子，1450m，2001.Ⅶ.05；3♂1♀，洋县，1700m，2001.Ⅶ.03。

分布：陕西(周至、佛坪、洋县、镇坪)、河南、湖北。

142. 糙蚁甲属 *Sathytes* Westwood, 1870

Sathytes Westwood, 1870: 128. **Type species**: *Sathytes punctiger* Westwood, 1870.

Batoxylina Jeannel, 1957: 8. **Type species**: *Batoxylina clavalis* Jeannel, 1957.

属征：身体小而粗壮，圆润，均匀布满粗刻点与刚毛。前胸背板近球形，无横沟；鞘翅具有同头与前胸背板一样的粗刻点，每个鞘翅具有4个基窝；第4腹节圆柱形，侧背板不明显；雄虫阳茎结构不对称。

分布：东洋区。中国已知15种，秦岭地区发现1种。

(373) 长角糙蚁甲 *Sathytes longitrabis* Yin *et* Li, 2012(图版4：13)

Sathytes longitrabis Yin *et* Li, 2012(*in* Yin, Li *et* Zhao, 2012: 843).

鉴别特征：体长2.21mm。体红棕色。头宽略大于头长。顶窝不明显。触角柄节粗大，梗节长。前胸背板略长大于宽。鞘翅宽大于长。腹部宽大于长，第4背板长是宽的2.50倍。阳茎结构简单，长0.17mm。

分布：陕西(周至)。

（十）背脊隐翅虫亚科 Pseudopsinae

鉴别特征：体长2～3mm。体红棕色。头部、前胸及鞘翅具竖条形脊突；头胸具粗糙网状刻点；触角非或呈微弱棒状，触角窝着生于头顶两侧；鞘翅前缘具深缺刻；第8腹背板具端梳；前足转节暴露，跗式5-5-5；生殖节两侧具发音锉。

分类：世界已知4属约55种，中国已记录1属10种，秦岭地区分布1属2种。

143. 背脊隐翅虫属 *Pseudopsis* Newman, 1834

Pseudopsis Newman, 1834: 313. **Type species**: *Pseudopsis sulcata* Newman, 1834.

Pseudopsiella Bernhauer, 1939a: 204. **Type species**: *Pseudopsis arrowi* Bernhauer, 1939.

Chiliopseudopsis Coiffait *et* Saiz, 1968: 458. **Type species**: *Pseudopsis adustipennis* Fairmaire *et* Germaine, 1862.

属征：体狭长，鞘翅具隆脊。有些种类前胸背板甚至头部亦具脊；第9腹背板向背面愈合，侧缘具条状锉齿带。

分布：东洋区。中国已知1属10种，秦岭地区发现2种。

(374) 丝背脊隐翅虫 *Pseudopsis filum* Zerche, 2003

Pseudopsis filum Zerche, 2003: 162.

鉴别特征：体长4.34～4.90mm，头宽0.59mm。体黑色，触角、口器及腿棕红色。触角长0.87mm；前胸背板长0.65mm，宽0.93mm；鞘翅宽1.07mm，黑色；腹部宽1.05mm。

分布：陕西(周至、佛坪)。

(375) 珀氏背脊隐翅虫 *Pseudopsis puetzi* Zerche, 1998

Pseudopsis puetzi Zerche, 1998: 357.

鉴别特征：体长3.33～4.90mm，头宽0.50mm。体棕色，触角、口器及腿棕黄色。触角长0.75mm；前胸背板长0.56mm；鞘翅宽0.84mm，黑色；腹部宽0.91mm。

分布：陕西（宁陕）。

（十一）出尾蕈甲亚科 Scaphidiinae

鉴别特征：体船形，多数种类 1 ~ 11mm。口器特化，鞘翅较大，腹节无法扭动，仅末端少数几节露出鞘翅。阳茎具长而对称的侧叶，中叶内部内囊常具骨片。

分类：世界已知 45 属 1400 余种，中国记录 14 属 237 种，秦岭地区发现 7 属 21 种。

144. 脊出尾蕈甲属 *Ascaphium* Lewis, 1893

Ascaphium Lewis, 1893: 288. **Type species**: *Ascaphium sulcipenne* Lewis, 1893.

属征：额头后缘的刻点细密，前胸背板基部刻点横向密集。鞘翅棕色，有窄而深的纵向纹络；腹节褐色；口器和足红棕色；复眼长度小于眼后缘；触角第 1 ~ 6 节棕色，第 7 节之后逐渐变浅，第 11 节浅褐色。

分布：东洋区。中国已知 10 种，秦岭地区发现 3 种。

分种检索表

1. 鞘翅具 6 条长度各异的刻点列 …………………………………………………………………… 2
   鞘翅具 4 条刻点列，有时外侧还有 1 或 2 个额外的刻点 …………… **异脊出尾蕈甲 *A. alienum***
2. 体型较小，体长 4.30 ~ 4.80mm；前胸背板具清晰刻点；第 6 刻点列长，具 6 或 7 个刻点 ……
   ……………………………………………………………………………… **小脊出尾蕈甲 *A. parvulum***
   体型较大，体长 5.10 ~ 5.20mm；前胸背板刻点较不清晰；第 6 刻点列短，具 2 或 3 个刻点 …
   ……………………………………………………………………… **黄氏脊出尾蕈甲 *A. huanghaoi***

（376）异脊出尾蕈甲 *Ascaphium alienum* Tang *et* Li, 2009（图版 5：1）

Ascaphium alienum Tang *et* Li, 2009: 96.

鉴别特征：体长 5.60 ~ 6.10mm。体黑色，鞘翅末端具棕色光泽；腹部 1 ~ 4 节暴露，棕色，其余部分红棕色；前胸背板基部宽 2.20 ~ 2.40mm；刻点浅而相对密集，弧形分布，其余刻点比最高点刻点略小，刻点间距 2 倍于刻点直径；前胸背板基部有由粗糙刻点组成的横向刻点线。

分布：陕西（太白）、湖北。

(377) 黄氏脊出尾蕈甲 *Ascaphium huanghaoi* Tang *et* Li, 2009(图版5：2)

Ascaphium huanghaoi Tang *et* Li, 2009: 95.

鉴别特征：体长5.10～5.20mm。体黑色，鞘翅末端具棕色光泽；腹节棕色；口器和足为红褐色；触角1～6节红棕色，第7～11节颜色逐渐变浅，第11节浅棕色；前胸背板基部宽1.90～2.00mm，刻点相对浅而稀疏，弧形分布，比背板最高处刻点略小，刻点间距2～3倍于刻点直径；前胸背板基部有由粗糙的圆形刻点构成的横向刻点线。

分布：陕西(周至)。

(378) 小脊出尾蕈甲 *Ascaphium parvulum* Tang *et* Li, 2009(图版5：3)

Ascaphium parvulum Tang *et* Li, 2009: 93.

鉴别特征：体长4.30～4.80mm。体黑色，鞘翅末端具棕色光泽；腹节棕色；口器和足为红褐色；触角1～6节棕色，7～10节深棕色，第11节红棕色；前胸背板基部宽1.60～1.80mm，具相对密集的刻点，大小一致，间距与刻点直径基本相同；前胸背板基部刻点线侧面更深，中间部分浅而中断，刻点粗糙且长。

分布：陕西(周至)。

145. 背出尾蕈甲属 *Episcaphium* Lewis, 1893

Episcaphium Lewis, 1893: 290. **Type species**: *Episcaphium semirufum* Lewis, 1893.

Phenoscaphium Achard, 1922a: 35. **Type species**: *Phenoscaphium callosipenne* Achard, 1922.

属征：除口器为黄土色外，头部黑色，复眼大；前胸背板黄土色至暗红色，前缘黑色，中央部分有小的黑点；鞘翅黄土色至红褐色，中间有斜线点；腹部黄土色；触角第1～6节红褐色至黑褐色，顶端部分黑色；股骨和胫骨黑色，跗节红褐色。

分布：东洋区。中国已知6种，秦岭地区发现1种。

(379) 常卿背出尾蕈甲 *Episcaphium changchini* Sheng *et* Gu, 2009(图版5：4)

Episcaphium changchini Sheng *et* Gu, 2009: 36.

鉴别特征：体长4.60～4.80mm，前胸背板最大宽度2.00～2.20mm。头部黑色，口器棕红色；前胸背板棕红色或红色，前胸背板前缘深棕红色或黑色；前胸背板中线两边有 1 对小黑斑，靠近基部的刻点行；鞘翅和腹部棕红色或红色，腹部除前胸腹板之外皆棕红色或红色；触角 1 ~6 节棕红色到深棕色，末端颜色变淡；腿节与胫节黑色，跗节红褐色。

分布：陕西（周至）。

146. 出尾蕈甲属 *Scaphidium* Olivier, 1790

Scaphidium Olivier, 1790: (no. 20): 1. **Type species**: *Scaphidium quadrimaculatum* Olivier, 1790.
Ascaphidium Pic, 1915: 24. **Type species**: *Ascaphidium sikorai* Pic, 1915.
Cribroscaphium Pic, 1920: 93. **Type species**: *Scaphidium irregulare* Pic, 1920.
Hemiscaphium Achard, 1922: 12. **Type species**: *Scaphidium striatipenne* Gestro, 1879.
Pachyscaphidium Achard, 1922: 12. **Type species**: *Scaphidium arrowi* Achard, 1920.
Scaphidiolum Achard, 1922: 12. **Type species**: *Scaphidium basale* Laporte, 1840.
Scaphidopsis Achard, 1922: 12. **Type species**: *Scaphidium pardale* Laporte, 1840.
Falsoascaphidium Pic, 1923: 16. **Type species**: *Scaphidium subdepressum* Pic, 1921.
Parascaphium Achard, 1923: 97. **Type species**: *Scaphium obtabile* Lewis, 1893.

属征：体长 4.50 ~8.50mm，头宽 0.29mm，前胸背板长 1.98mm，前胸背板宽 2.85mm，鞘翅宽 3.18mm。体黑色，鞘翅黄色，鞘翅带有两个椭圆形的黑点。头部刻点小且密，触角第 1 ~6 节红棕色，7 ~11 节黑色，最后 1 节黄色。虫体宽且短小，腹部扁平，前胸背板呈宽矩形，腹背各具灰白色短毛，触角和腿呈黄褐色。

分布：古北区，东洋区。中国已知 59 种，秦岭地区发现 5 种。

分种检索表

1. 鞘翅大部分黑色，基部和亚端部具两对橙（黄）斑 ……………………………………………… 2
   鞘翅大部分黄色，缝缘及前后缘黑色，前缘各具两个半圆形斑点，鞘翅中部具 2 个黑色圆形斑点 ……………………………………………………………………… **周氏出尾蕈甲 *S. zhoushuni***
2. 鞘翅基部橙（黄）斑较大，内部包围 1 个完整的黑点 ………… **点斑出尾蕈甲 *S. stigmatinotum***
   鞘翅基部橙（黄）斑较小，内部无黑点 ……………………………………………………… 3
3. 雄性前足胫节端部 1/3 均匀膨大，具凹槽 ……………………………… **伪出尾蕈甲 *S. falsum***
   雄性前足胫节端部 1/3 强烈膨大，呈角状，不具凹槽 ……………………………………… 4
4. 鞘翅纹饰橙红色，不透明，亚基部纹饰较细；体长 7.20 ~7.50mm …… **伯仲出尾蕈甲 *S. frater***
   鞘翅纹饰橙黄色，透明，亚基部纹饰较粗；体长 6 ~7mm ……… **舒克出尾蕈甲 *S. schuelkei***

（380）伪出尾蕈甲 *Scaphidium falsum* He, Tang *et* Li, 2008（图版 5：5）

Scaphidium falsum He, Tang *et* Li, 2008d: 103.

鉴别特征： 体长6.20～7.00mm。触角棒状。腿节与胫节黑色；腹部黑色，边缘红褐色；触角1～6节与跗节深红棕色；鞘翅有红棕色或琥珀色斑块，从靠近腿节到接近鞘翅最高点均有分布，侧齿钝；额顶具浅而稀疏的刻点，额在两眼之间距离最短，0.32～0.34mm；前胸背板比鞘翅略高，刻点行由细而密集的刻点组成，密度大于额上刻点，刻点间隔多3～4倍于刻点直径。

采集记录： 9♂2♀，周至厚畛子，1260m，2008. Ⅴ.05-10；2♂1♀，周至厚畛子，1343m，2008. Ⅴ.26；柞水营盘镇，1160m，2005. Ⅵ.03。

分布： 陕西(周至、柞水)、北京。

(381) 伯仲出尾蕈甲 *Scaphidium frater* He, Tang *et* Li, 2008(图版5：6)

Scaphidium frater He, Tang *et* Li, 2008d：106.

鉴别特征： 体长7.20～7.50mm。触角棒状。腿节与胫节黑色；腹部黑色，边缘红褐色；触角1～6节与跗节深红棕色；鞘翅顶点与腿节之间有橙色条带；额顶刻点细而不规则，在两眼之间距离最短，0.38～0.40mm；刻点行均匀细密，刻点间距1～2倍于刻点直径。鞘翅微弱凸起，侧缘刻点列缺失，鞘翅刻点行的刻点较前胸背板粗糙而密集。

采集记录： 2♂2♀，周至厚畛子，1260m，2008. Ⅴ.05-10；1♀，周至厚畛子，1343m，2008. Ⅴ.26。

分布： 陕西(周至)。

(382) 周氏出尾蕈甲 *Scaphidium zhoushuni* He, Tang *et* Li, 2009(图版5：7)

Scaphidium zhoushuni He, Tang *et* Li, 2009：481.

鉴别特征： 体长4.95～6.00mm。触角棒状。腿节与胫节黑色；腹板、腹部黑色；触角1～6节和跗节深红棕色；鞘翅黄色，靠近鞘翅底部分别有两个椭圆形黑色斑块；额具密集且粗糙的刻点，额最窄处在两眼之间，宽0.31～0.36mm；前胸背板略高于鞘翅，侧缘强烈向前方内折，适度弯曲；前胸背板基部刻点行的刻点相对于额上浅而均匀。

采集记录： 4♂5♀，周至厚畛子，1336m，2008. Ⅴ.17-19；2♂2♀，户县桦树坪，1700m，2007. Ⅵ.24-28。

分布： 陕西(周至、户县)、重庆。

(383) 舒克出尾蕈甲 *Scaphidium schuelkei* Löbl, 1999

Scaphidium schuelkei Löbl, 1999：718.

鉴别特征： 体长 6～7mm。体黑色。鞘翅亚基部、亚端部具黄色或赭色纹饰，亚基部纹饰(近肩部)较大，后缘具 3 个齿；亚端部纹饰明显窄于亚基部纹饰，前缘具 2 个齿，后缘圆滑。雄性前足胫节自基部 1/3 至端部 1/4 强烈膨大，最宽处呈角状，向端部逐渐变窄。

采集记录： 42♂31♀，周至厚畛子，1260m，2008.Ⅴ.05-10；1♂，户县桦树坪，1700m，2007.Ⅵ.24；1♂，眉县，1853m，2008.Ⅴ.23。

分布： 陕西(周至、户县、眉县)、湖北、重庆、四川。

(384) 点斑出尾蕈甲 *Scaphidium stigmatinotum* Löbl, 1999(图版 5：8)

Scaphidium stigmatinotum Löbl, 1999: 719.

鉴别特征： 体长 6.50～8.40mm。鞘翅具红色肩部纹饰及亚端部纹饰，肩部纹饰形状不规则，后缘及侧缘共具 3～4 个齿，中部具 1 个黑色的圆形斑点；亚端部纹饰前缘具 4 个齿，中部具 1 个"U"形凹入，后缘适度波形。前足胫节波状，自基部 1/3 起膨大，端部 1/6 处最宽且呈角状，边缘呈脊状。

采集记录： 2♂6♀，周至，1336m，2009.Ⅶ.17-19；2♂，柞水营盘镇，1110m，2007.Ⅵ.03。

分布： 陕西(周至、柞水)、江苏、安徽、浙江、湖北、湖南、福建、广东、广西、四川、云南。

147. 尖须出尾蕈甲属 *Scaphisoma* Leach, 1815

Scaphisoma Leach, 1815: 89. **Type species**: *Silphaagaricina* Linnaeus, 1758.
Caryoscapha Ganglbauer, 1899: 343. **Type species**: *Scaphisoma limbatum* Erichson, 1845.
Scaphiomicrus Casey, 1900: 58. **Type species**: *Scaphisoma pusilla* LeConte, 1860.
Pseudoscaphosoma Pic, 1915a: 31. **Type species**: *Pseudoscaphosoma testaceomaculatum* Pic, 1915.
Scutoscaphosoma Pic, 1916: 3. **Type species**: *Scaphosoma rouyeri* Pic, 1916.
Scaphella Achard, 1924: 29. **Type species**: *Scaphosoma antennatum* Achard, 1920.
Macrobaeocera Pic, 1925: 195. **Type species**: *Scaphosoma phungi* Pic, 1922.
Mimoscaphosoma Pic, 1928: 49. **Type species**: *Scaphosoma bruchi* Pic, 1928.
Macroscaphosoma Löbl, 1970: 128. **Type species**: *Macroscaphosoma collarti* Löbl, 1970.
Metalloscapha Löbl, 1975: 384. **Type species**: *Metalloscapha papua* Löbl, 1975.

属征： 触角短且厚，眼间距较远，尤其是有更短更小的跗骨。腹部、臀部后板非常短，呈弧形向外延。鞘翅有两种颜色，黑色大约占基部的 1/2。

分布： 东洋区。中国已知 73 种，秦岭地区发现 5 种。

(385) 米卡尖须出尾蕈甲 *Scaphisoma michaeli* Löbl, 2003

Scaphisoma michaeli Löbl, 2003: 68.

鉴别特征: 体长2.00~2.30mm。体黑色。鞘翅有边缘明确带顶点的黄色条带；顶点条带长度约为条带横向长度的1/3~2/5，黄色条带前部呈波浪状；腹部和跗节浅红棕色，腿节与胫节暗褐色或褐色；前胸背板和鞘翅缺乏小刻点；鞘翅基部刻点与前胸背板刻点近似。

分布: 陕西(周至、佛坪)。

(386) 外来尖须出尾蕈甲 *Scaphisoma migrator* Löbl, 2000

Scaphisoma migrator Löbl, 2000: 643.

鉴别特征: 体长1.60~1.80mm。体暗棕色，鞘翅端部浅色。阳茎内囊缺少亚端部骨片和骨质化小棒，但整个内囊遍布小齿。

分布: 陕西(华阴)、湖北、四川。

(387) 变尖须出尾蕈甲 *Scaphisoma mutator* Löbl, 2000

Scaphisoma mutator Löbl, 2000: 644.

鉴别特征: 体长1.70~1.85mm。体暗红棕色，鞘翅末端色较浅，触角和腹部末端浅棕色至黄色。阳茎侧叶强烈弯曲，内囊具1对侧向的小叶。

分布: 陕西(秦岭)、四川。

(388) 寻常尖须出尾蕈甲 *Scaphisoma notatum* Löbl, 1986

Scaphisoma notatum Löbl, 1986: 154.

鉴别特征: 体长1.70~2.00mm。体红棕色，前胸背板前中部颜色稍深。前胸背板后中部具1对纵向的褐色条纹，条纹与前胸背板的深色后缘相连；鞘翅中域具1对长圆形褐斑，褐斑与深色的缝缘接触，鞘翅基部刻点列与缝缘刻点列相连；阳茎侧叶较直而粗细均一。

分布: 陕西(秦岭)、湖北、四川、云南；印度，尼泊尔，巴基斯坦。

(389) 巨蛇尖须出尾蕈甲 *Scaphisoma serpens* Löbl, 2000

Scaphisoma serpens Löbl, 2000: 630.

鉴别特征: 体长1.90mm。体深红棕色，腹部末端颜色较浅，腿节与胫节红棕色，跗节和触角黄色到淡褐色。前胸背板侧缘呈弧形，横向刻点带不明显，刻点浅而不明显，刻点间距约与刻点直径相等；鞘翅具纵向刻点行，近基部有横向延伸的刻点行，由不规则的粗糙的密集刻点组成，刻点较前胸背板的大，约与刻点间隔等宽。后胸前侧片平，向前方缩小，与胸部刺突几乎平行。

分布: 陕西(周至)。

148. 凸背出尾蕈甲属 *Scaphobaeocera* Csiki, 1909

Scaphobaeocera Csiki, 1909: 341. **Type species**: *Scaphobaeocera papuana* Csiki, 1909.

Nesotoxidium Scott, 1922: 228. **Type species**: *Nesotoxidium typicum* Scott, 1922.

Baeotoxidium Löbl, 1971: 990. **Type species**: *Baeotoxidium lanka* Löbl, 1971.

属征: 体长1.10~1.60mm。体长卵形，向体侧和体背面强烈凸起。触角第3节延长，端部不明显变宽；中胸后侧片明显；鞘翅通常具微刻纹和缝缘刻点列；前足腿节具栉齿，后足基节窝接近。

分布: 东洋区。中国已知19种，秦岭地区发现1种。

(390) 似缘凸背出尾蕈甲 *Scaphobaeocera cognata* Löbl, 1984

Scaphobaeocera cognata Löbl, 1984a: 89.

鉴别特征: 体长1.30~1.40mm。体红褐色。触角第11节长于触角第10节，但短于触角第9、10节长度之和；阳茎中叶和侧叶无特殊结构，侧叶侧面观端部2/3适度变宽。

分布: 陕西(秦岭)、四川、云南；印度，尼泊尔。

149. 缩头出尾蕈甲属 *Cyparium* Erichson, 1845

Cyparium Erichson, 1845: 3. **Type species**: *Cyparium palliatum* Erichson, 1845.

Yparicum Achard, 1920a: 126. **Type species**: *Yparicum yunnanum* Achard, 1920.

属征: 体长2.30~6.00mm。体卵圆形，密布刻点。复眼不凹入，触角棒状部分对称，头部眼后部分缩入胸部，小盾片可见，鞘翅通常具4～6行刻点列，前足基节窝端部闭合。

分布： 古北区，东洋区。中国已知7种，秦岭地区发现2种。

（391）米卡缩头出尾蕈甲 *Cyparium mikado* Achard，1923

Cyparium mikado Achard, 1923：109.

鉴别特征： 体长4.50～6.00mm。体深褐色。前胸背板和鞘翅具微刻纹和虹彩状光泽，易与其他种类区分。

分布： 陕西（秦岭）、北京；韩国，日本。

（392）西伯利亚缩头出尾蕈甲 *Cyparium sibiricum* Solsky，1871

Cyparium sibiricum Solsky, 1871b：350.

鉴别特征： 体长3.50～4.80mm。体黑褐色。前胸背板和鞘翅不具微刻纹和虹彩状光泽，前背缘折具微刻纹，中胸腹板具微刻纹，后胸腹板侧部具粗大刻点。

分布： 陕西（秦岭）、四川、云南；俄罗斯（远东地区）。

150. 小出尾蕈甲属 *Baeocera* Erichson，1845

Baeocera Erichson, 1845：4. **Type species**：*Baeocera falsata* Achard, 1920.

Sciatrophes Blackburn, 1903：100. **Type species**：*Sciatrophes latens* Blackburn, 1903.

Cyparella Achard, 1924a：28. **Type species**：*Scaphisoma rufoguttatum* Fairmaire, 1898.

Amaloceroschema Löbl, 1967：1. **Type species**：*Baeocera freudei* Löbl, 1967.

Eubaeocera Cornell, 1967：2. **Type species**：*Baeocera abdominalis* Casey, 1900.

属征： 体长1.10～2.30mm。体向背面圆弧形强烈拱起；触角第3节长圆柱形，触角第7～9节对称，触角着生于近唇基缝合线；中胸后侧片脊明显，小盾片小而不可见；前足基节窝端部开放，中足、后足基节远离。

分布： 古北区，东洋区。中国已知34种，秦岭地区发现4种。

（393）弗郎小出尾蕈甲 *Baeocera franzi*（Löbl，1973）

Eubaeocera franzi Löbl, 1973：158.

Baeocera franzi：Löbl, 1997a：52.

鉴别特征：体长 1.10～1.20mm。后胸腹板的侧部具粗大刻点，鞘翅基部刻点列与侧缘刻点列不相接；后足跗节较长，长度接近后足胫节；阳茎侧叶具凹痕。

分布：陕西（秦岭）、江苏、湖北、福建、四川、云南；泰国。

（394）华山小出尾蕈甲 *Baeocera huashana* Löbl，1999

Baeocera huashana Löbl, 1999: 728.

鉴别特征：体长 2.10mm。体黑色，鞘翅末端和腹部末端暗棕色，触角浅棕色。触角第 6 节细长，稍短于第 7 节；前胸背板和鞘翅无微刻纹，前胸背板刻点非常小，前胸后侧片、中胸腹板和后胸腹板仅具极其微小的刻点，鞘翅基部刻点列和侧缘刻点列连接；阳茎侧叶端部强烈变宽。

分布：陕西（华阴）。

（395）弗氏小出尾蕈甲 *Baeocera freyi* Löbl，1966

Baeocera freyi Löbl, 1966: 129.

鉴别特征：体长 2.10mm。本种与 *Baeocera huashana* 极其相似，但阳茎侧叶端部不变宽，可以此与之区分。

分布：陕西（秦岭）；俄罗斯，朝鲜，韩国。

（396）哈氏小出尾蕈甲 *Baeocera hammondi* Löbl，1984

Baeocera hammondi Löbl, 1984b: 994.

鉴别特征：体长 2.10mm。本种与 *Baeocera freyi* 极其相似，仅能通过阳茎内囊结构区分，本种阳茎内囊的引导骨片中部凹入，然后向端部变宽，最后变窄形成较尖的顶端。

分布：陕西（长安）。

（十二）苔甲亚科 Scydmaeninae

鉴别特征：体型微小，多数种类体长 0.50～3.00mm。体棕红色至黑色。头、前胸和鞘翅之间常缢缩；鞘翅伸长，盖住腹部；腹板可见 6 节；腿节基部宽大。

分类：世界已知约 90 属 5250 种，中国记录 15 属 187 种，陕西秦岭地区发现 2 属 9 种。

151. 卵苔甲属 *Cephennodes* Reitter, 1884

Cephennodes Reitter, 1884: 420. **Type species**: *Cephennodes simonis* Reitter, 1884.

Chelonoides Croissandeau, 1894: 418. **Type species**: *Cephennium turgidum* Reitter, 1887.

Chelonoidum Strand, 1935: 285 [Replacement name]. **Type species**: *Cephennium turgidum* Reitter, 1887.

属征: 体卵圆形。前胸背板每侧具1个近基部的大窝; 鞘翅基部具1个内部布满刚毛的大窝; 前胸腹板突片向后超过前足基节窝, 侧面观其外轮廓呈向后弯折的钝角。

分布: 古北区, 东洋区。中国已知62种, 秦岭地区发现8种。

分种检索表

1. 虫体较大, 大于1.70mm …… 2
   虫体较小, 小于1.70mm …… 4
2. 头顶有1对极小瘤突 …… **光额卵苔甲 *C. lustrifrons***
   头顶不具瘤突 …… 3
3. 阳茎中叶对称 …… **扩胸卵苔甲 *C. transversicollis***
   阳茎中叶不对称 …… **斧形卵苔甲 *C. ascipenis***
4. 雄性第2、3腹板中部隆起 …… 5
   雄性第2、3腹板平坦 …… 6
5. 雄性第2腹板较短, 中部强烈隆起, 侧面观呈向后方伸出的锐角; 第3腹板亦在中部向后方隆起, 侧面观呈较第2腹板隆起更为尖锐的角状 …… **腹突卵苔甲 *C. abdominalis***
   雄性第2腹板中部稍隆起; 第3腹板向后下方伸出, 并在中部强烈隆起呈角状 …… **异腹突卵苔甲 *C. parabdominalis***
6. 鞘翅端部具突起和1个特化刚毛区 …… 7
   鞘翅端部无特化结构 …… **叶足卵苔甲 *C. kopeipes***
7. 雄性鞘翅末端有1个指向身体一侧的细长突起, 与身体轴线近呈直角; 鞘翅近突起区域稍平坦, 刚毛短而密 …… **矢尾卵苔甲 *C. caudatus***
   雄性每侧鞘翅末端有1个表面光滑的瘤突; 鞘翅近瘤突区域密布向后方倾斜的长刚毛 …… **突尾卵苔甲 *C. subcaudatus***

(397) 腹突卵苔甲 *Cephennodes* (*Cephennodes*) *abdominalis* Jałoszyński, 2007

Cephennodes (*Cephennodes*) *abdominalis* Jałoszyński, 2007: 171.

鉴别特征: 雄性体长1.24mm。虫体隆起, 较为细长。呈浅棕色。鞘翅及前胸背板被黄色刚毛；头部较大，头顶有 1 对小瘤突；后足胫节向末端强烈扩展，并在末端有 1 个椭圆形区域密布短刚毛；第 2 腹板较短，在中部强烈隆起，侧面观呈向后方伸出的锐角；第 3 腹板亦在中部向后方隆起，侧面观呈较第 2 腹板隆起更为尖锐的角状。阳茎中叶顶部骨片强烈弯曲。雌性特征未知。

采集记录： 1♂，镇坪，1700～1800m，2001. Ⅶ. 12。

分布： 陕西（秦岭、镇坪）、四川。

（398）矢尾卵苔甲 *Cephennodes*（*Cephennodes*）*caudatus* Jałoszyński, 2007

Cephennodes（*Cephennodes*）*caudatus* Jałoszyński, 2007：157.

鉴别特征： 雄性体长 1.57mm。虫体较细长。呈暗棕色。鞘翅及前胸背板被浅棕色刚毛；头部较大，头顶有 1 对小瘤突；每侧鞘翅末端有 1 个指向身体一侧的细长突起，与身体轴线近呈直角；每侧鞘翅近突起区域稍平坦，刚毛短而密。阳茎中叶细长，稍不对称，顶部向腹面强烈弯曲呈钩状。雌性特征未知。

采集记录： 1♂，华阴华山，1950～2000m，1995. Ⅷ. 19。

分布： 陕西（华阴）。

（399）叶足卵苔甲 *Cephennodes*（*Cephennodes*）*kopeipes* Jałoszyński, 2007

Cephennodes（*Cephennodes*）*kopeipes* Jałoszyński, 2007：168.

鉴别特征： 雄性体长 1.06mm。虫体隆起，较为细长。呈暗棕色。鞘翅及前胸背板被黄色刚毛；头顶与额较隆起；后足胫节在末端扩展为近梯形，并被粗短密集的刚毛。阳茎中叶顶部骨片宽短，与中叶顶部明显分离并倾斜于中叶轴线。雌性特征未知。

采集记录： 1♂，镇坪，1700～1800m，2001. Ⅶ. 09。

分布： 陕西（镇坪）、四川。

（400）异腹突卵苔甲 *Cephennodes*（*Cephennodes*）*parabdominalis* Jałoszyński, 2007

Cephennodes（*Cephennodes*）*parabdominalis* Jałoszyński, 2007：172.

鉴别特征： 雄性体长 1.21～1.34mm。虫体较为粗短。呈浅棕色。鞘翅及前胸背板被黄色刚毛；头部较小；后足胫节在后部强烈扩展，并在末端有 1 个椭圆形区域密布短刚毛；第 2 腹板中部稍隆起；第 3 腹板向后下方伸出，并在中部强烈隆起呈角状。阳茎中叶顶部骨片短而宽阔。雌性虫体稍小，腹板无特化。

采集记录：3♂10♀，华山，1200～1400m，1995. Ⅷ. 18-20。

分布：陕西(华阴)。

(401) 突尾卵苔甲 *Cephennodes* (*Cephtnnodes*) *subcaudatus* Jałoszyński, 2007

Cephennodes (*Cephennodes*) *subcaudatus* Jałoszyński, 2007: 160.

鉴别特征：雄性体长 1.41mm。虫体较细长。呈红棕色。鞘翅及前胸背板被浅棕色刚毛；头顶与额较隆起，头顶有 1 对小瘤突；每侧鞘翅末端有 1 个表面光滑的瘤突；每侧鞘翅近瘤突区域密布向后方倾斜的长刚毛。阳茎中叶粗短，稍不对称，顶部向腹面强烈弯曲呈钩状。雌性特征未知。

采集记录：1♂，宁陕，2300～2500m，1995. Ⅷ. 26。

分布：陕西(宁陕)。

(402) 斧形卵苔甲 *Cephennodes* (*Fusionodes*) *ascipenis* Jałoszyński, 2007

Cephennodes (*Fusionodes*) *ascipenis* Jałoszyński, 2007: 204.

鉴别特征：雄性体长 1.81mm。虫体强烈隆起。呈暗棕色。鞘翅及前胸背板被浅棕色刚毛；头顶与额较隆起。阳茎侧叶与中叶愈合，边缘清晰；中叶顶部由宽阔的盾形骨片与腹面近梯形的骨片组成。雌性特征未知。

采集记录：1♂，洋县，2001. Ⅶ. 04。

分布：陕西(周至、佛坪、洋县)。

(403) 光额卵苔甲 *Cephennodes* (*Fusionodes*) *lustrifrons* Jałoszyński, 2007

Cephennodes (*Fusionodes*) *lustrifrons* Jałoszyński, 2007: 190.

鉴别特征：雄性体长 1.79～1.86mm。虫体较细长。呈暗棕色。鞘翅及前胸背板被浅棕色刚毛；头顶与额较隆起，头顶有 1 对极小的瘤突；唇基、额中后部以及头顶中部光滑，无刻点；后翅退化。阳茎侧叶与中叶愈合，中叶顶部突起巨大，顶端不对称，侧面观呈斧状。雌性与雄性几乎一致，无后翅。

采集记录：2♂1♀，镇坪，2400m，2001. Ⅶ. 13。

分布：陕西(镇坪)。

(404) 扩胸卵苔甲 *Cephennodes* (*Fusionodes*) *transversicollis* Jałoszyński, 2007

Cephennodes (*Fusionodes*) *transversicollis* Jałoszyński, 2007: 195.

鉴别特征：雄性体长 1.71mm。虫体较细长。呈暗棕色。鞘翅及前胸背板被浅棕色刚毛；头顶与额较隆起；前胸背板极宽，近梯形。阳茎侧叶与中叶愈合，中叶顶部突起巨大，由近梯形的背面、腹面骨片包夹。雌性特征未知。

采集记录：1♂，镇坪，2400m，2001. Ⅶ. 13。

分布：陕西(镇坪)。

152. 钩颚苔甲属 *Stenichnus* Thomson, 1859

Stenichnus Thomson, 1859: 61. **Type species**: *Scydmaenus exilis* Erichson, 1837 [= *Stenichnus bicolor* (Denny, 1825)].

Cyrtoscydmus Motschulsky, 1869: 260. **Type species**: *Scydmaenus collaris* Muller *et* Kunze, 1822.

属征：虫体狭长，背面极隆。头部额前具沟，将额与唇基清楚地分离；上颚弯钩状，具均匀分布的小齿；前胸背板背面近后缘具成行的两个到多个大刻点；鞘翅基部具 1 个内部布满刚毛的大窝。

分布：古北区，东洋区，新北区，澳洲区。中国已知 7 种，秦岭地区发现 1 种。

(405) 大巴山钩颚苔甲 *Stenichnus* (*Stenichnus*) *dabanus* Jałoszyński, 2009

Stenichnus (*Stenichnus*) *dabanus* Jałoszyński, 2009: 31.

鉴别特征：雄性体长 1.70 ~ 1.75mm。虫体强烈隆起。呈红棕色，被棕色刚毛。前胸背板长宽一致，近后缘具 6 个大而深的刻点；鞘翅最宽处在中前部，其宽远胜前胸背板基部宽。阳茎侧叶宽阔，每侧顶端具 5 ~ 7 根刚毛；中叶内部有 1 对长形的强烈骨质化结构，近顶部有 1 个“T”形结构。雌性与雄性几乎一致，储精囊长水滴形。

采集记录：1♂，镇坪，1700 ~ 1800m，2001. Ⅶ. 09。

分布：陕西(秦岭、镇坪)、四川。

(十三) 隐翅虫亚科 Staphylininae

鉴别特征：体中至大型。触角基节窝位于头部前缘；头后通常具颈；前背缘折狭窄，通常不具明显基后突；跗式多为 5-5-5，偶见 5-5-4，鞘翅侧缘不具脊；腹部可见 6 节，每节具 1 对侧背板。

分类：世界已知 300 属 7000 余种，中国记录 124 属 1286 种，秦岭地区发现 29 属 103 种。

153. 异黄隐翅虫属 *Achemia* Bordoni, 2003

Achemia Bordoni, 2003: 254. **Type species**: *Achemia schuelkeiana* Bordoni, 2003.

属征: 体狭长。上颚侧面具沟, 下颚须和下唇须长, 具尖锐的端部; 前胸腹板前片愈合, 鞘翅上外缘线与下外缘线不相接; 中胸腹板不具沟, 后缘呈宽阔的圆形; 雄性生殖节特化。

分布: 中国。目前发现 1 种, 分布在陕西、四川。

(406) 舒克氏异黄隐翅虫 *Achemia schuelkeiana* Bordoni, 2003

Achemia schuelkeiana Bordoni, 2003: 255.

鉴别特征: 体长 8.50mm。整体棕黑色。头部呈椭圆形且具稀疏刻点, 眼小且平; 前胸背板狭长且刻点呈列; 鞘翅被柔毛且长于前胸背板; 腹部修长; 阳茎较小。

分布: 陕西(镇坪)、四川。

154. 圆翅隐翅虫属 *Amichrotus* Sharp, 1889

Amichrotus Sharp, 1889: 114. **Type species**: *Amichrotus apicipennis* Sharp, 1889.

属征: 体狭长。下颚须第 2 节向顶端膨大, 着生于第 2 节顶端具偏向一边, 表面密布长刚毛, 第 3 节明显着生于第 2 节且侧向顶端; 上颚内缘基部和中齿之间明显凹入, 腹面不具沟纹, 臼叶发达。

分布: 古北区, 东洋区。中国已知 3 种, 秦岭地区发现 1 种。

(407) 渡边氏圆翅隐翅虫 *Amichrotus watanabei* Hayashi, 2002

Amichrotus watanabei Hayashi, 2002a: 266.

鉴别特征: 体长 11.20 ~ 13.50mm。身体呈黑色。触角前 4 节颜色较浅。头略微横宽且中部区域无刻点, 眼大; 前胸背板亚心形且刻点稀疏; 鞘翅亚梯形且刻点粗大; 腹部修长; 阳茎侧叶端部具刻点和刚毛。

分布: 陕西(宁陕)。

155. 短须隐翅虫属 *Anisolinus* Sharp, 1889

Anisolinus Sharp, 1889: 113. **Type species**: *Anisolinus picticornis* Sharp, 1889.
Hesperodes Scheerpeltz, 1965: 265 [HN]. **Type species**: *Hesperodes malaisei* Scheerpeltz, 1965.
Amaurochlamys Scheerpeltz, 1965: 273. **Type species**: *Amaurochlamys malaisei* Scheerpeltz, 1965.
Blackwelderella Lundgren, 1987: 14(new name for *Hesperodes* Scheerpeltz, 1965).

属征：体狭长，头部通常宽稍胜于长。下颚须第 2 节短而极度膨大，表面密布长刚毛，第 3 节明显着生于第 2 节且侧向于顶端；上颚内缘不在基部和中齿之间凹入，腹面具沟纹；中足胫节有许多刺。

分布：古北区，东洋区。中国已知 1 种，分布在秦岭地区。

(408) 佐藤氏短须隐翅虫 *Anisolinus satoi* Hayashi, 2003

Anisolinus satoi Hayashi, 2003: 161.

鉴别特征：体长 10mm。身体呈黑色，唇部棕色，触角黑棕色，但前 4 节为白色。头部呈亚圆形，眼较大；前胸背板长方形，背盘凸出；鞘翅亚方形，后翅发达；腹部修长，刻点稀疏；阳茎瘦长。

分布：陕西(宁陕)。

156. 沟迅隐翅虫属 *Aulacocypus* Müller, 1925

Aulacocypus Müller, 1925: 40. **Type species**: *Ocypus gloriosus* Sharp, 1874.

属征：体狭长，头部近四方形。上颚窄长，端部尖，内缘中部各具 1 个齿，近基部不明显凹入；下颚须末节短且无刚毛，长度和第 3 节相近，端部窄平截；下唇须末节具刚毛，前部稍膨大，端部窄，斜横截。

分布：古北区，东洋区。中国已知 7 种，秦岭地区发现 3 种。

(409) 卡氏沟迅隐翅虫 *Aulacocypus cavazzutii* Smetana, 2003

Aulacocypus cavazzutii Smetana, 2003b: 115.

鉴别特征：体长 14 ~ 15mm。身体呈青黑色或黑色，足颜色较暗。头部四角钝圆，眼较大且凸出；触角修长；前胸背板长大于宽且中线光滑；后翅发达；腹部刻点

密集；阳茎结构较为简单

分布： 陕西(柞水)、湖北。

(410) 熊猫沟迅隐翅虫 *Aulacocypus panda* Smetana, 2003

Aulacocypus panda Smetana, 2003b: 117.

鉴别特征： 体长 17 ~ 18mm。身体呈黑色，鞘翅和腹部青黑色。头部四角钝圆，眼大而凸出；前胸背板长略大于宽且刻点较细；鞘翅相当长，后翅发达；腹部第 2 背板无刻点，雄性第 8 腹板后缘具很深的缺刻。

采集记录： 1♂，宁陕旬阳坝，1900 ~ 2250m，2000. Ⅵ. 14-16。

分布： 陕西(佛坪、宁陕、镇坪)。

(411) 普氏沟迅隐翅虫 *Aulacocypus puetzi* Smetana, 2003

Aulacocypus puetzi Smetana, 2003b: 120.

鉴别特征： 体长 16 ~ 18mm。身体呈黑色，鞘翅和触角末节颜色较浅，足颜色较深。头部四角钝圆，具细刻点；前胸背板刻点细；鞘翅密被柔毛，后翅发达；腹部刻点密集；阳茎中叶端部平截。

采集记录： 1♂，镇坪，2200 ~ 2600m，2004. Ⅵ. 18-24。

分布： 陕西(华阴、镇坪)、湖北、四川。

157. 伊里隐翅虫属 *Erichsonius* Fauvel, 1874

Erichsonius Fauvel, 1874: 201. **Type species**: *Staphylinus cinerascens* Gravenhorst, 1802.

Actobius Fauvel, 1875: xxix. **Type species**: *Staphylinus cinerascens* Gravenhorst, 1802.

Sectophilonthus Tottenham, 1949: 358 [Subgenus]. **Type species**: *Philonthus biparamerosus* Tottenham, 1949.

Parerichsonius Coiffait, 1963: 9. **Type species**: *Philonthus signaticornis* Mulsant & Rey, 1853.

属征： 体狭长。头部近四方形且背面中央刻点稀疏，上颚发达；触角 11 节，非膝状；前胸背板狭长，中央刻点较为均匀排列；鞘翅具密集刻点和刚毛；腹部修长，粗细较均匀。

分布： 古北区，东洋区。中国已知 11 种，秦岭地区发现 1 种。

(412) 日本伊里隐翅虫 *Erichsonius* (*Sectophilonthus*) *japonicus* (Cameron, 1933)

Actobius japonicus Cameron, 1933: 170.

Erichsonius japonicus: Watanabe, 1963: 9.

鉴别特征: 体长4.75mm。头和前胸背板黑色且亮，头部呈方形；触角细长且黄红色；前胸背板细长且较窄，表面刻点稀疏；鞘翅和腹部哑光，表面具密集的黑色柔毛；足黄色。

分布: 陕西(秦岭)、北京、新疆；俄罗斯，朝鲜，日本。

158. 佳隐翅属 *Gabrius* Stephens, 1829

Gabrius Stephens, 1829: 23. **Type species**: *Staphylinus aterrimus* Gravenhorst, 1802 (= *Staphylinus nigritulus* Gravenhorst, 1802).

属征: 体狭长。两性前足跗节第1~4节腹面仅具未修饰的规则的边缘刚毛，每节不膨大；前胸背板侧刻点具长刚毛，与前背折缘上侧隆线很近，碰到上线或离上线的距离等于刻点直径；下唇须最后1节细，明显窄于前节；腹部第9生殖节具不缩减的对称的基部，具不同程度的高度修饰的顶部。

分布: 东洋区。中国已知52种，秦岭地区发现3种。

(413) 红佳隐翅虫 *Gabrius hong* Li, Schillhammer *et* Zhou, 2010

Gabrius hong Li, Schillhammer *et* Zhou, 2010: 14.

鉴别特征: 体长5.30~6.94mm。头、触角、鞘翅和腹部呈红棕色，前胸背板较头部颜色较浅。头部卵圆形且表面具微纹，头长略微大于头宽；前胸背板两侧平行且具微刻纹；鞘翅密被柔毛和细刻点；腹部刻点细密且雄性第8腹板具较深的后缘缺刻。

采集记录: 1头，周至，1650m，1995. Ⅸ. 02；1头，佛坪，1990m，2001. Ⅶ. 04；20头，宁陕，2500~2600m，1995. Ⅷ. 26-30。

分布: 陕西(周至、佛坪、宁陕、镇坪)、宁夏。

(414) 拟佳隐翅虫 *Gabrius invisus* Li, Schillhammer *et* Zhou, 2012

Gabrius invisus Li, Schillhammer *et* Zhou, 2012: 959.

鉴别特征：体长 5.88 ~6.53mm。头和前胸背板呈黑色且具光泽，触角黑色且基部 3 节红棕色，鞘翅暗棕色，腹部黑色且第 3 ~7 背板末缘红棕色。头部呈四角钝圆形，前胸背板略宽于头部，鞘翅密被柔毛和细刻点，腹部密布细刻点。

采集记录：4♂1♀，西安，1995. Ⅷ. 18-20；2♀，长安南五台，1995. Ⅷ. 31；1♂，周至厚畛子，1450m，2001. Ⅶ. 05；1♂1♀，佛坪，1990m，2001. Ⅶ. 04。

分布：陕西(太白、长安、周至、佛坪，西安)、北京、河南、浙江、湖北、湖南、四川。

(415) 曲茎佳隐翅虫 *Gabrius tortilis* Li, Schillhammer *et* Zhou, 2010

Gabrius tortilis Li, Schillhammer *et* Zhou, 2010: 19.

鉴别特征：体长 8.32 ~8.98mm。头、触角、前胸背板和鞘翅呈黑色，腹部具蓝色金属光泽，足黑棕色。头部刻点粗大且稀疏；前胸背板两侧平行，具微刻纹；鞘翅密被细刻点；腹部刻点细密且雄性第 8 腹板具宽的后缘缺刻。

采集记录：1♂，太白山，1800m，2005. Ⅴ. 27；1♀，宁陕旬阳坝，1900 ~2250m，2000. Ⅵ. 14。

分布：陕西(太白、宁陕)、宁夏、湖北、四川、云南、西藏。

159. 歧隐翅虫属 *Hesperosoma* Scheerpeltz, 1965

Hesperosoma Scheerpeltz, 1965: 270. **Type species**: *Hesperosoma malaisei* Scheerpeltz, 1965.

属征：体狭长。下颚须向顶部膨大，顶部背部表面具刚毛；下唇须第 2 节中部具成簇向内侧生长并垂直于该节的长刚毛。

分布：古北区，东洋区。中国已知 8 种，秦岭地区发现 1 种。

(416) 中华歧隐翅虫 *Hesperosoma* (*Hesperosoma*) *chinense* Hayashi, 2002

Hesperosoma (*Hesperosoma*) *chinense* Hayashi, 2002b: 175.

鉴别特征：体长 14.00 ~16.70mm。前体呈蓝色，具金属光泽；腹部前 4 节为红棕色，后几节颜色由深变浅；触角前 5 节为黄白色。头部略微横宽，具粗密刻点；前胸背板背盘凸出；鞘翅呈亚方形，刻点之间无微刻点；腹部宽于鞘翅；阳茎瘦长。

采集记录：1 头，周至，1990m，2001. Ⅶ. 02；2 头，宁陕，1000 ~1300m，2000. Ⅵ. 13。

分布：陕西(周至、佛坪、宁陕、镇坪)、湖北、四川。

160. 狭须隐翅虫属 *Heterothops* Stephens, 1829

Heterothops Stephens, 1829: 23. **Type species**: *Staphylinus binotatus* Gravenhorst, 1802.
Trichopygus Nordmann, 1837: 137. **Type species**: *Tachyporus dissimilis* Gravenhorst, 1802.

属征：体狭长。头部近圆形。头部背面通常仅具少量有刚毛的刻点，前、后额刻点之间具有刚毛的刻点，两前额刻点之间通常无具刚毛的刻点；触角非膝状；下颚须和下唇须末节锥状，明显窄于次末节，无柔毛。前胸背板稍向端部变窄；小盾片三角形，密布刚毛。鞘翅稍向端部变宽。腹部向端部逐渐变窄。前足第1～4跗节膨大，第2节最宽。

分布：亚洲。中国已知4种，秦岭地区发现2种。

(417) 黄缘狭须隐翅虫 *Heterothops cognatus* Sharp, 1874

Heterothops cognatus Sharp, 1874a: 20.

鉴别特征：体长3.30～5.20mm。身体呈棕色至深棕色，触角第1～3节、鞘翅后缘、腹部各节和足黄色至棕色。头长等于头宽；复眼长是后颊长的1.47倍；前、后额刻点之间具1个有刚毛的刻点；两前额刻点间无具刚毛的刻点。前胸背板长稍小于宽，背排刻点每列1个。小盾片密布刚毛和横波状微刻纹。鞘翅宽于前胸背板。后翅发达。腹部各节密布横波状微刻纹。

分布：陕西（秦岭）、辽宁；韩国，日本。

(418) 石原狭须隐翅虫 *Heterothops ishiharai* Ito, 1994

Heterothops ishiharai Ito, 1994: 177.

鉴别特征：体长4.00～4.40mm。身体呈黑色，前胸背板和鞘翅棕黑色，足红棕色。头长略微大于头宽；头部表面刻点较为稀疏，具横纹。前胸背板长明显大于宽，基部较圆滑。鞘翅具细且密集的刻点。后翅发达。腹部各节密布横波状微刻纹。

分布：陕西（秦岭）、四川；日本。

161. 拟短须隐翅虫属 *Hybridolinus* Schillhammer, 1998

Hybridolinus Schillhammer, 1998b: 146. **Type species**: *Hybridolinus daliensis* Schillhammer, 1998.

属征：体狭长。头部近梯形或四边形，下颚须节外向外扩展呈片状；前胸背板长宽相等，近四边形，前胸侧缘在前1/3转向腹面，与下侧线相交汇。

分布：东洋区。中国已知13种，秦岭地区发现1种。

(419) 斯氏拟短须隐翅虫 *Hybridolinus smetanai* Schillhammer, 2003

Hybridolinus smetanai Schillhammer, 2003a: 387.

鉴别特征：体长11.30mm。头和前胸背板呈黑色，鞘翅微红，腹部前4节为红棕色至黑棕色。头部略微呈梯形，具微刻纹；前胸背板长宽相等，具不明显的微刻纹；鞘翅长于前胸背板；雄性第8腹板具浅的后缘缺刻；阳茎中叶极短。

采集记录：1♂，周至厚畛子，1450m，2001. Ⅶ. 05。

分布：陕西(周至)。

162. 宽颈隐翅虫属 *Hypnogyra* Casey, 1906

Hypnogyra Casey, 1906: 394. **Type species**: *Xantholinus gularis* LeConte, 1880.

Phalacrolinus Coiffait, 1972: 214. **Type species**: *Staphylinus glaber* Gravenhorst, 1802 (= *Xantholinus angularis* Ganglbauer, 1895).

属征：体狭长。头部长，近四边形，表面光洁，具明显的额上沟和眼前沟，颈部宽度达头部的1/2；前胸背板近四边形，两中部具1对刻点列；前足跗节不膨大。

分布：东洋区。中国已知7种，秦岭地区发现1种。

(420) 四川宽颈隐翅虫 *Hypnogyra sichuanica* Bordoni, 2003

Hypnogyra sichuanica Bordoni, 2003: 262.

鉴别特征：体长9mm。头和前胸背板呈黑色，鞘翅颜色较浅，腹部黑棕色。头部狭长，具光泽；前胸背板修长，无微刻纹；鞘翅较长，具较深刻点；腹部密被柔毛；雄性第8腹板具较窄的后缘缺刻。

分布：陕西(周至、佛坪)、四川、云南。

163. 印度肩隐翅虫属 *Indoquedius* Blackwelder, 1952

Indoquedius Blackwelder, 1952: 199. **Type species**: *Quedius oculatus* Fauvel, 1895.

属征：体狭长，头部近圆形。复眼十分大而凸出，头部背面通常仅具少量有刚毛的刻点，前、后额刻点之间具有刚毛的刻点，两前额刻点之间通常无具刚毛的刻点；后额刻点与头后缘之间具1～2个有刚毛的刻点；触角非膝状；下颚须和下唇须末节具柔毛。前胸背板稍向端部变窄，具背排刻点；小盾片三角形，密布刻点和刚毛。鞘翅稍向端部变宽，表面密布刻点和刚毛，刻点之间无微刻纹。腹部向端部逐渐变窄，背板上密布刻点和刚毛。

分布：东洋区。中国已知19种，秦岭地区发现2种。

（421）双角印度肩隐翅虫 *Indoquedius bicornutus* Zhao *et* Zhou, 2010

Indoquedius bicornutus Zhao *et* Zhou, 2010: 33.

鉴别特征：体长9.50mm。头部呈黑色，前胸背板黑色偏红且后缘颜色较浅，鞘翅红黑色且较前胸背板颜色浅，腹部红棕色。头部圆且具光泽，眼大且凸出；前胸背板较粗壮且前缘略微缢缩；鞘翅横宽且具较密集刻点；腹部密被柔毛和细刻点。

分布：陕西（秦岭）、四川、云南。

（422）朱诺印度肩隐翅虫 *Indoquedius juno*（Sharp, 1874）

Quedius juno Sharp, 1874a: 24.

Indoquedius juno: Smetana, 1988: 300.

Indoquedius aculeus Zhao *et* Zhou, 2010: 31.

鉴别特征：体长10.50mm。头部呈黑色，身体其余部分呈红棕色且颜色较暗。头部圆且略微横宽，眼大且凸出；前胸背板横宽且后缘略微扩张；鞘翅方形且具密集刻点；腹部密被柔毛和细刻点。

采集记录：2头，周至厚畛子，1336m，2008. V. 17-19；2头，佛坪，1700m，2008. V. 17；1头，宁陕旬阳坝，1000～1300m，2000. V. 23。

分布：陕西（周至、佛坪、宁陕）、河北、湖北、重庆、四川；韩国，日本。

164. 瘦首隐翅虫属 *Medhiama* Bordoni, 2002

Medhiama Bordoni, 2002: 663. **Type species**: *Xantholinus pauper* Sharp, 1889.

属征：体修长。常为棕色或黑色。头部狭长，后颊较圆，表面具粗糙刻点，眼小；前胸背板修长且表面具粗糙刻点；鞘翅较为发达，表面具密集的细刻点和柔毛；腹部修长。

分布：东洋区。中国已知 16 种，秦岭地区发现 2 种。

(423) 普氏瘦首隐翅虫 *Medhiama puetzi* Bordoni, 2003

Medhiama puetzi Bordoni, 2003: 276.

鉴别特征：体长 7mm。身体呈黑色，腹部末端颜色较浅，触角棕色。头部狭长，眼小且较平，触角第 2 节略微短于第 3 节；前胸背板较为光洁；鞘翅长方形，后翅发达；腹部表面密被细刻点和微刻纹。

分布：陕西(秦岭)、湖北、四川。

(424) 四川瘦首隐翅虫 *Medhiama sichuanica* Bordoni, 2003

Medhiama sichuanica Bordoni, 2003: 270.

鉴别特征：体长 9.80mm。身体呈暗棕色，触角前 3 节颜色略浅。头部亚长方形，眼小且较凸出；前胸背板表面具粗糙刻点和微刻纹；鞘翅表面刻点与前胸背板类似，但更加密集；腹部修长，表面具细密刻点。

分布：陕西(秦岭)、四川、云南。

165. 硕黄隐翅虫属 *Megalinus* Mulsant *et* Rey, 1877

Megalinus Mulsant *et* Rey, 1877: 261. **Type species**: *Staphylinus glabratus* Gravenhorst, 1802.

Metacyclinus Reitter, 1908d: 115. **Type species**: *Staphylinus glabratus* Gravenhorst, 1802.

Leptophallus Coiffait, 1956: 57, 59 [Homonym]. **Type species**: *Xantholinus flavocinctus* Hochhuth (= *Xantholinus relucens* sensu Kraatz).

Lepidophallus Coiffait, 1956: 58, 59. **Type species**: *Xantholinus hesperius* Erichson.

属征：体狭长，呈长圆柱形，中大型。头部近四边形，被大而稀疏的刻点，额上沟和眼前沟长而深；前胸背板一般具有两列近中线的刻点，有时具多列刻点；前胸腹板前片具沟纹，左右鞘翅在鞘缝处交叠，鞘翅被数列刻点；前足跗节不膨大。

分布：东洋区。中国已知 36 种，秦岭地区发现 2 种。

(425) 波氏硕黄隐翅虫 *Megalinus boki* (Bordoni, 2000)

Lepidophallus boki Bordoni, 2000: 131.

Megalinus boki: Bordoni, 2008: 58.

鉴别特征：体长 10mm。身体呈青黑色，头部具铜色金属光泽，前胸背板具红色金属光泽，鞘翅略呈棕黄色。头部较大且呈亚方形；前胸背板微宽且长于头部，刻点规则排布；鞘翅亚方形且刻点密集；腹部密被细刻点；阳茎侧叶较短。

采集记录：8♂3♀，长安南五台，1995. Ⅸ. 17；1♀，华山，1992. Ⅵ. 2；1♂，佛坪，1992. Ⅵ. 07。

分布：陕西(长安、华阴、佛坪)、山西、浙江、四川、贵州、云南。

(426) 高山硕黄隐翅虫 *Megalinus montanicus* (Bordoni, 2003)

Lepidophallus montanicus Bordoni, 2003: 260.

Megalinus montanicus: Bordoni, 2008: 58.

鉴别特征：体长 10.50mm。身体呈黑色，触角颜色较浅，鞘翅黑棕色。头部长远大于宽，刻点较细；前胸背板狭长且具光泽；鞘翅方形，后翅发达；腹部密被细刻点；阳茎结构简单。

采集记录：3♂3♀，宁陕旬阳坝，1200m，2000. Ⅴ. 20-Ⅵ. 10；1♂，洛南，1997. Ⅴ. 25。

分布：陕西(周至、佛坪、宁陕、洛南)、河南、湖北、四川。

166. 长迅隐翅虫属 *Miobdelus* Sharp, 1889

Miobdelus Sharp, 1889: 111. **Type species**: *Miobdelus brevipennis* Sharp, 1889.

属征：体大型，狭长。上颚内侧缘遍布纤毛；雌性和雄性前足 1～4 跗节强烈膨大，二叶状；雄性第 7 腹板上缘呈波浪状。

分布：东洋区。中国已知 25 种，秦岭地区发现 4 种。

(427) 黑角星点隐翅虫 *Miobdelus atricornis* Smetana, 2001

Miobdelus atricornis Smetana, 2001a: 184.

鉴别特征：体长 11～14mm。体黑色，头部和前胸背板略具金属光泽，鞘翅色污，有时肩部颜色稍浅，足棕色。腹部第 2～5 背板具黑棕色毛斑，第 6 背板中部具明显的金色毛斑；触角较粗短，第 8～10 节宽大于长；头部“Y”形的头盖缝不明显；唇基密布刻点。

分布：陕西(秦岭)、甘肃、四川、云南。

(428) 埃氏星点隐翅虫 *Miobdelus eppelsheimi* (Reitter, 1887)

Ocypus eppelsheimi Reitter, 1887: 214.

Miobdelus montivagus Smetana, 2001a: 196.

Miobdelus eppelsheimi: Smetana, 2009a: 25.

鉴别特征：体长 8.80～12.90mm。体黑色，头部和前胸背板具铜色光泽，鞘翅暗棕色，肩部颜色稍浅。第 3～5 腹背板中部具 1 对黑色小毛斑，第 6 腹背板中部具 1 块黄色毛斑，多数标本中第 7 腹背板后缘无白色栅栏状组织；触角较粗短，第 8～10 节宽大于长；头部"Y"形的头盖缝明显。

分布：陕西(秦岭)、黑龙江、甘肃、青海、四川、云南、西藏。

(429) 硕长迅隐翅虫 *Miobdelus insignitus* Smetana, 2011

Miobdelus insignitus Smetana, 2011: 399.

鉴别特征：体长 13～17mm。身体呈黑色，头和前胸背板具光泽，触角和足颜色较浅。头部四角钝圆且眼大而凸出；前胸背板长略大于宽且背盘无光滑中线；鞘翅较长，后翅极度发达；雄性第 8 腹板后缘缺刻深且宽；阳茎侧叶修长。

分布：陕西(秦岭、镇坪)、四川。

(430) 纤长迅隐翅虫 *Miobdelus tenuis* Smetana, 2005

Miobdelus tenuis Smetana, 2005a: 580.

鉴别特征：体长 11～13mm。身体修长且呈暗棕色。头部四角钝圆且刻点较为不明显；前胸背板刻点与头部相似；鞘翅较短，几乎与前胸背板等长；腹部修长，密布刻点；阳茎中叶不对称，端部具刚毛。

分布：陕西(秦岭、大巴山)。

167. 窄颈隐翅虫属 *Nepalinus* Coiffait, 1975

Nepalinus Coiffait, 1975: 157. **Type species**: *Xantholinus aculeatus* Coiffait, 1975.

属征：身体细长。头部近长方形至卵形；颈部窄，等于或小于头宽的 1/2；前胸背板狭长，呈四角钝圆的长方形，中央具两列刻点；鞘翅刻点分布较为规律；前足跗节不膨大。

分布：古北区，东洋区。中国已知4种，秦岭地区发现1种。

（431）束翅窄颈隐翅虫 *Nepalinus parcipennis*（Bernhauer，1933）

Xantholinus parcipennis Bernhauer，1933：29.

Nepalinus parcipennis：Bordoni，2000：125.

鉴别特征：体长7.20mm。身体呈黑色，鞘翅颜色略浅，触角红棕色，足红黄色。头宽几乎等于前胸背板宽；前胸背板略微窄于鞘翅，具粗糙刻点；鞘翅短于前胸背板，后翅发达。

采集记录：1♂，长安，南五台，1995.Ⅸ.17。

分布：陕西（长安）、山西、甘肃、四川。

168. 并线隐翅虫属 *Nudobius* Thomson，1860

Nudobius Thomson，1860：188. **Type species**：*Staphylinus lentus* Gravenhorst，1806.

Calontholinus Reitter，1908：114. **Type species**：*Xantholinus fasciatus* Hochhuth，1849.

Pedinolinus Bernhauer，1912a：479. **Type species**：*Nudobiusa fricanus* Bernhauer，1912.

属征：体极细长。头部近四边形至梯形；颈部窄，不达头宽的1/2；前胸背板前半部分向外侧凸出，中央具两列刻点；鞘翅密布大刻点；前足跗节不膨大。

分布：东洋区。中国已知10种，秦岭地区发现3种。

（432）临安并线隐翅虫 *Nudobius linanensis* Bordoni，2009

Nudobius linanensis Bordoni，2009：106.

鉴别特征：体长10mm。头部黑色，前胸背板和腹部呈棕黑色，触角棕色，腿呈砖红色。头部呈四角钝圆的方形，表面光亮；前胸背板窄于头部，表面光亮；鞘翅宽大。

分布：陕西（秦岭）、浙江、湖北。

（433）异茎并线隐翅虫 *Nudobius mirificus* Bordoni，2003

Nudobius mirificus Bordoni，2003：256.

鉴别特征：体长7.50mm。身体呈黑色，鞘翅中缝为棕色，唇部和触角颜色较浅。

头部呈卵圆形，刻点深且密集；前胸背板前部最宽，刻点与头部相似；鞘翅远长于前胸背板，刻点规则排布；腹部具光泽，刻点稀疏；阳茎内囊具特殊的管状结构。

分布：陕西(秦岭、镇坪)、四川。

(434) 黑腹并线隐翅虫 *Nudobius nigriventris* Zheng, 1994

Nudobius nigriventris Zheng, 1994a: 471.

鉴别特征：体长 6.00～7.40mm。头部黑色，上颚黑褐色；触角、下颚须红褐色；前胸红褐色，后2/3 有 1 个大黑斑；鞘翅黑褐色，后缘黄色，二肩角处各具 1 个黄斑；腹部黑色。

采集记录：2 头，周至厚畛子，2018m，2008. V.07。

分布：陕西(周至)、河南、重庆、四川、云南。

169. 迅隐翅虫属 *Ocypus* Leach, 1819

Ocypus Leach, 1819: 172. **Type species**: *Staphylinus cyaneus* Paykull, 1789 (= *Staphylinus ophthalmicus* Scopoli, 1763).

Goerius Westwood, 1827: 58. **Type species**: *Staphylinus olens* O. Müller, 1764.

Isopterum Gistel, 1856: 388, 420. **Type species**: *Staphylinus cyaneus* Paykull, 1789 (= *Staphylinus ophthalmicus* Scopoli, 1763).

Xanthocypus J. Müller, 1925: 40. **Type species**: *Ocypusweisei* Harold, 1877.

Nudabemus Coiffait, 1982: 74. **Type species**: *Nudabemus caerulescens* Coiffait, 1982.

属征：体狭长，颚背外侧的背脊不甚清楚的远离侧缘。臼叶长，被披针状的刚毛；至少左上颚具两个齿且基部无明显凹陷，上颚后的背脊很短或不存在；一般唇须末节纺锤形，顶部平截；前背折缘的上下隆脊在前方接近平行，或者沿着前胸腹板边缘渐渐融合；前胸后侧片不存在；前胸腹板的前中部均匀地向端部倾斜。

分布：古北区，东洋区。中国已知 60 种，秦岭地区发现 8 种。

(435) 刺迅隐翅虫 *Ocypus* (*Pseudocypus*) *dolon* Smetana, 2007

Ocypus (*Pseudocypus*) *dolon* Smetana, 2007: 32.

鉴别特征：体长 16～20mm。体黑色且无光泽，触角青黑色，足棕黑色。头呈圆形且刻点较细，触角第 3 节长于第 2 节；前胸背板长远大于宽，盘区刻点线不明显；鞘翅短且后翅几乎退化；腹部密布刻点；雄性第 8 腹板后缘缺刻呈三角形；阳茎小且不对称。

采集记录：107♂77♀，周至厚畛子，3200m，1998. Ⅶ. 18-25；17♂3♀，岚皋，1800m，2000. Ⅴ. 24-Ⅵ. 04。

分布：陕西（周至、岚皋）。

（436）格氏迅隐翅虫指名亚种 *Ocypus*（*Pseudocypus*）*graeseri graeseri* Eppelsheim，1887

Ocypus graeseri Eppelsheim，1887：424.

Staphylinus（*Pseudocypus*）*rambouseki* J. Müller，1925：46.

Pseudocypus fuscatoides Coiffait，1964a：97.

Ocypus（*Pseudocypus*）*graeseri graeseri*：Smetana & Davies，2000：44.

鉴别特征：体长 12 ~ 15mm。体黑褐色，具金属光泽。头部密布刻点，但沿中线两侧具较宽的无刻点带；前胸背板密布刻点，但沿中线具明显的无刻点带，刻点间区光亮；鞘翅密布刻点和长刚毛，无明显光泽区域；腹部第 2 背板基半部光滑，无刻点。

分布：陕西（秦岭）、黑龙江、北京、河北、青海；蒙古，俄罗斯（远东）。

（437）贾氏迅隐翅虫 *Ocypus*（*Pseudocypus*）*jelineki* Smetana，2009

Ocypus（*Pseudocypus*）*jelineki* Smetana，2009b：691.

鉴别特征：体长 17 ~ 19mm。体黑色且无明显光泽，密布刻点，刚毛黑棕色。腹部第 2 背板密布刻点和刚毛，腹部第 3 ~ 5 背板的棕黑色毛斑变化较大，有时毛斑完全缺失，第 6、7 背板中部具或不具金色毛斑。

采集记录：1♂，长安，1900m，1993. Ⅴ. 09；53 头，周至厚畛子，1500 ~ 2000m，2000. Ⅳ-Ⅵ.；2♂，周至，1820m，2008. Ⅴ. 18；3♂，户县，1300 ~ 1500m，1993. Ⅴ. 11；2♂，佛坪，1600m，1999. Ⅳ. 20。

分布：陕西（长安、周至、户县、佛坪）、河南、湖北。

（438）米氏迅隐翅虫 *Ocypus*（*Pseudocypus*）*menander* Smetana，2007

Ocypus（*Pseudocypus*）*menander* Smetana，2007：33.

鉴别特征：体长 15 ~ 18mm。身体呈红褐色或黑棕色，足颜色较浅。头部四角钝圆且雄性触角较长，眼大；前胸背板刻点与头部相似，具光泽；鞘翅较短；雄性第 8 腹板后缘缺刻较窄；阳茎中叶修长。

采集记录：19♂3♀，周至厚畛子，1200m，1998. Ⅶ. 18-25；7♂♀，岚皋，1800 ~ 2100m，2000. Ⅴ. 25-Ⅵ. 14。

分布: 陕西(周至、岚皋)、四川。

(439) 尼氏迅隐翅虫 *Ocypus* (*Pseudocypus*) *neocles* Smetana, 2007

Ocypus (*Pseudocypus*) *neocles* Smetana, 2007: 26.

鉴别特征: 体长 11 ~ 14mm。身体呈青黑色或黑色，无光泽；触角和足青黑色。头部四角钝圆，眼小且平；前胸背板两侧平行；鞘翅极短，刻点细且密集；腹部背板微刻纹不规则；雄性第 8 腹板后缘缺刻较深；阳茎中叶端部钝圆。

采集记录: 9♂10♀，周至厚畛子，1900m，1999. Ⅷ. 01-12；4♂♀，佛坪，1990m，2001. Ⅶ. 02-04.

分布: 陕西(周至、佛坪、柞水)、河南。

(440) 棕黑迅隐翅虫 *Ocypus* (*Pseudocypus*) *nigroaeneus* Sharp, 1889

Ocypus nigroaeneus Sharp, 1889: 109.

鉴别特征: 体长 12 ~ 15mm。头部和前胸背板黑褐色，较光亮；鞘翅和腹部褐色，几乎无光泽。腹部第 2 背板无刻点和刚毛，前胸背板两前侧角之后区域具明显的纵向微刻纹，腹部第 2 背板光滑且无刻点和刚毛。

分布: 陕西(秦岭)、黑龙江、吉林、辽宁、内蒙古、甘肃、四川；蒙古，俄罗斯，朝鲜，日本。

(441) 罗氏迅隐翅虫 *Ocypus* (*Pseudocypus*) *rhinton* Smetana, 2007

Ocypus (*Pseudocypus*) *rhinton* Smetana, 2007: 31.

鉴别特征: 体长 10.00 ~ 13.00mm。身体呈青黑色或黑色。头部四角钝圆且略微横宽，刻点细且密集；前胸背板呈四角钝圆的长方形；鞘翅短且无光泽，刻点细且密集；雄性第 10 背板窄且端部略尖；阳茎小且中叶端部较宽。

采集记录: 1♂1♀，周至厚畛子，2600m，1996. Ⅶ.；1♀，佛坪，2400 ~ 2900m，1995. Ⅵ. 09；1♂1♀，宁陕旬阳坝，1400 ~ 2100m，1995. Ⅵ. 05-09。

分布: 陕西(周至、佛坪、宁陕)。

(442) 赛氏迅隐翅虫 *Ocypus* (*Pseudocypus*) *semenowi* Reitter, 1887

Ocypus semenowi Reitter, 1887: 213.

鉴别特征: 体长 12 ~ 15mm。体红褐色；头部和前胸背板颜色较深，较不光泽。头部密布刻点，正中部刻点相对较疏；前胸背板密布刻点，沿中线具 1 条无刻点带；鞘翅基部明显凹入，长小于宽；腹部刚毛褐色，无毛斑。

采集记录: 1 头，周至厚畛子，3500m，1998. Ⅶ. 04。

分布: 陕西(周至)、甘肃、青海、四川。

170. 直缝隐翅虫属 *Othius* Stephens, 1829

Othius Stephens, 1829: 23. **Type species**: *Staphylinus punctulatus* Goeze, 1777.

Othiellus Casey, 1906: 422. **Type species**: *Othius laeviusculus* Stephens, 1833.

Othiogeiton Scheerpeltz, 1976: 31. **Type species**: *Othiogeiton nepalensis* Scheerpeltz, 1976 (= *Othius loeffleri* Scheerpeltz, 1976).

属征: 体狭窄，边缘几乎平行。头部通常近四边形，后颊圆；侧面观眼小；额前具两条短沟，颈宽大于头宽的 1/2；前胸背板长而光滑，具一系列有毛的刻点，刻点分布多靠近边缘，中央区域几乎无刻点；前足跗节第 1 ~ 4 节通常明显膨大，膨大程度多样。

分布: 东洋区。中国已知 52 种，秦岭地区发现 7 种(亚种)。

(443-1) 宽腹直缝隐翅虫指名亚种 *Othius latus latus* Sharp, 1874

Othius latus Sharp, 1874a: 51.

Othius stoetzneri Bernhauer, 1931a: 1.

Othius latus ozakii Ito, 1993b: 143.

Othius chongqingensis Zheng, 1995d: 343, 346.

鉴别特征: 体长 9.80 ~ 15.60mm。体黑褐色，足褐色，整个跗节及腿节、胫节边缘和端部红褐色。第 7 腹背板后缘具白色栅栏状组织；头部相对同属其他大型种类较宽短，并在后侧角处向后凸出；雄性第 7、8 腹板后中部具密集的长刚毛。

分布: 陕西(秦岭)、辽宁、青海、上海、浙江、湖南；俄罗斯，日本。

(443-2) 宽腹直缝隐翅虫甘肃亚种 *Othius latus gansuensis* Assing, 1999

Othius latus gansuensis Assing, 1999: 27.

鉴别特征: 体型和特征同指名亚种，但鞘翅红褐色，足红褐色，前胸背板更向背面凸出，雄性第 8 腹板具更多的长刚毛，阳茎内部骨片相对更细长。

分布: 陕西(秦岭)、甘肃、青海。

(444) 中直缝隐翅虫 *Othius medius* Sharp, 1874

Othius medius Sharp, 1874a: 50.

Othius medius kusuii Ito, 1993b: 147.

Othius medius yakushimanus Ito, 1993b: 148.

鉴别特征: 体长 10.00 ~ 13.10mm。体黑褐色，鞘翅和腹部末端颜色稍浅，足红褐色。第 7 腹背板后缘具白色栅栏状组织，以及雄性第 9 背板后侧突呈长刺状为其最明显的特征。

分布: 陕西(秦岭)、辽宁、甘肃、上海；韩国，日本。

(445) 刻点直缝隐翅虫 *Othius punctatus* Bernhauer, 1923

Othius puncticeps Bernhauer, 1916: 26 [HN].

Othius punctatus Bernhauer, 1923: 124 (new name for *puncticeps* Bernhauer, 1916).

Othiellus arisanus Shibata, 1973d: 126.

Othius goui Zheng, 1995d: 342.

鉴别特征: 体长 8.70 ~ 9.50mm。体黑褐色，鞘翅明显较浅，足褐色。头部刻点较粗大而密集，并具 1 对额后刻点；鞘翅无微刻纹；第 7 腹背板后缘具白色栅栏状组织，雄性第 7 腹板后中部平坦或稍凹入，第 8 腹板后中部具较多长刚毛。

分布: 陕西(秦岭)、山东、甘肃、浙江、湖北、湖南、台湾、四川、贵州。

(446) 红尾直缝隐翅虫 *Othius rufocaudatus* Assing, 2013

Othius rufocaudatus Assing, 2013d: 85.

鉴别特征: 体长 14.60 ~ 16.10mm。体黑褐色，但腹部末端较浅，足暗棕色，跗节红褐色。头部较长，两侧较平行，额部具两对刻点；头部和前胸背板的微刻纹很浅，仅高倍镜下可见。雄性第 7 腹板后缘前凹入，后中部具黄色长刚毛；第 8 腹板后缘凹入，后中部具黄色长刚毛。

分布: 陕西(秦岭)、浙江。

(447) 舒克直缝隐翅虫 *Othius schuelkei* Assing, 2003

Othius schuelkei Assing, 2003c: 81.

鉴别特征: 体长 7.70 ~ 12.30mm。体黑褐色，鞘翅明显稍浅，足红褐色。复眼较小；头部和前胸背板具微刻纹；鞘翅较小，基部略缢缩；后翅退化；雄性第 7 腹板后中部平坦或稍凹入，第 8 腹板后中部具较多长刚毛。

分布：陕西（秦岭）、湖北。

(448) 长唇直缝隐翅虫 *Othius longilabris* Assing, 2003

Othius longilabris Assing, 2003a: 86.

鉴别特征：头、前胸背板和腹部呈棕黑色，鞘翅呈锈色，触角和足暗棕色。头部略微横宽，具明显微刻纹；前胸背板粗壮，微刻纹与头部相似；鞘翅极短，刻点略微粗糙且模糊；腹部密被细小刻点，微刻纹模糊。

分布：陕西（秦岭，镇坪）。

171. 菲隐翅虫属 *Philonthus* Stephens, 1829

Philonthus Stephens, 1829: 23. **Type species**: *Philonthus splendens* Fabricius, 1793.

Laxobates Gistel, 1834: 8. **Type species**: *Staphylinus splendens* Fabricius, 1793.

Philonthopsis Cameron, 1932: 261. **Type species**: *Philonthopsis antennalis* Cameron, 1932 (= *Philonthus distincticornis* Cameron, 1932).

Cephalonthus Blackwelder, 1952: 96. **Type species**: *Philonthus caffer* Boheman, 1848.

Spatulonthus Tottenham, 1955: 154. **Type species**: *Philonthus longicornis* Stephens, 1832.

Kenonthus Coiffait, 1960: 361. **Type species**: *Philonthus montivagus* Heer, 1839.

Paragabrius Coiffait, 1963: 12. **Type species**: *Staphylinus micans* Gravenhorst, 1802.

Trionthus Coiffait, 1963: 14. **Type species**: *Staphylinus lepidus* Gravenhorst, 1802.

Kirschenblatia Bolov *et* Kryzhanovskij, 1969: 512. **Type species**: *Kirschenblatia kabardensis* Bolov *et* Kryzhanovskij, 1969 (= *Philonthus spinipes* Sharp, 1874).

Palaeophilonthus Coiffait, 1972: 50. **Type species**: *Sectophilonthus rossicus* Coiffait, 1965 (= *Philonthus decorus* Gravenhorst, 1802).

Metagabrius Coiffait, 1974: 86. **Type species**: *Philonthus juvenilis* Peyron, 1858.

Paralionthus Ádám, 1996: 236. **Type species**: *Staphylinus punctus* Gravenhorst, 1802.

属征：体狭长，两侧平行。头和前胸背板光洁，具稀疏大刚毛和粗大刻点，表面通常具精细的微刻纹；前胸背板通常具两列背排刻点，每列至少有 1 ~ 3 个刻点；鞘翅刻点和柔毛因种而异，刻点之间无微刻纹；腹部背板表面具精细而浓密的横向细沟状微刻纹。

分布：古北区，东洋区。中国已知 104 种，秦岭地区发现 11 种。

(449) 银腹菲隐翅虫 *Philonthus fasciventris* Schillhammer, 2003

Philonthus fasciventris Schillhammer, 2003b: 114.

鉴别特征: 体长6.50~8.50mm。头部长宽相等或宽略大,复眼等长于后颊;前胸背板长宽比为0.95~1.05。该种和 *P. mercurii* 很像,除了其背板上银色的刚毛覆盖了第1块可见背板。阳茎的形状跟 *P. mercurii* 一样,但是还要短一点,侧叶明显比较长。

分布: 陕西(周至)、四川。

(450) 亮毛菲隐翅虫 *Philonthus* (*Philonthus*) *aeneipennis* Boheman, 1858

Philonthus aeneipennis Boheman, 1858: 30.

Philonthus erythropus Kraatz, 1859: 88.

Philonthus kuluensis Schubert, 1908: 617.

Philonthus punctatissimus Schubert, 1908: 619.

鉴别特征: 身体修长。黑色,体表具光泽。头部近似椭圆形且表面刻点粗糙;前胸背板呈卵形,表面无微刻纹且具稀疏的粗糙刻点;鞘翅长方形且后翅发达,鞘翅表面具柔毛和密集刻点;腹部狭长。

分布: 陕西(秦岭)、辽宁、北京、河北、江苏、浙江、台湾、香港、海南、四川、云南;韩国,日本,印度,尼泊尔,不丹,印度尼西亚,巴基斯坦,阿富汗,伊朗,非洲,澳大利亚。

(451) 蓝毛菲隐翅虫 *Philonthus* (*Philonthus*) *azuripennis* Cameron, 1928

Philonthus azuripennis Cameron, 1928: 563.

Philonthus stoetzneri Bernhauer, 1929: 109.

Philonthus trisulensis Coiffait, 1982a: 60.

鉴别特征: 身体黑色,鞘翅为蓝、绿混合色,附肢黑色,前跗节和触须末节浅棕色。头宽大于头长,眼大且复眼纵径大于或等于上颊;前胸背板长小于宽。

分布: 陕西(秦岭)、甘肃、青海、四川、云南、西藏;印度,尼泊尔,不丹。

(452) 褪色菲隐翅虫 *Philonthus* (*Philonthus*) *decoloratus* Kirshenblat, 1933

Philonthus decoloratus Kirshenblat, 1933: 101.

鉴别特征：身体黑色，鞘翅基部亦呈黑色。头长小于头宽；前胸背板长小于宽，具两列背排刻点，每列有 4 个刻点；雄性第 8 腹板顶端中部凹入深且窄；阳茎侧叶感觉瘤排列规则，呈纵向两个单列。

分布：陕西(秦岭)、黑龙江、山西、甘肃、四川、云南、西藏；蒙古，俄罗斯，朝鲜，日本。

(453) 吉氏菲隐翅虫 *Philonthus* (*Philonthus*) *ghilarovi* Tikhomirova, 1973

Philonthus ghilarovi Tikhomirova, 1973: 167.

鉴别特征：身体狭长且呈黑色，表面哑光。头部刻点较为粗糙，触角第 8～10 节非横宽；头部和前胸背板侧缘具明显微刻纹；鞘翅长方形，后翅发达；腹部具浓密柔毛。

分布：陕西(秦岭)、北京、河北、山西；俄罗斯(远东地区)。

(454) 混色菲隐翅虫 *Philonthus* (*Philonthus*) *ildefonso* Schillhammer, 2003

Philonthus ildefonso Schillhammer, 2003b: 111.

鉴别特征：身体黑色，鞘翅多呈褐或棕色，鞘翅不同颜色分界明显，且范围较大。头部呈长方形，头长小于头宽；前胸背板卵形；鞘翅表面具密集刻点和柔毛，后翅发达。

分布：陕西(秦岭)、北京、河北、山西；俄罗斯(远东地区)。

(455) 日本菲隐翅虫 *Philonthus* (*Philonthus*) *japonicus* Sharp, 1874

Philonthus japonicus Sharp, 1874a: 40.
Philonthus bernhaueri Roubal, 1909: 374.
Philonthus binderi Roubal, 1910: 263.
Philonthus seishinensis Bernhauer, 1936: 308.

鉴别特征：身体黑色，鞘翅颜色偏浅。头部近方形；前胸背板呈亚卵形，表面具粗糙刻点且较为光亮；鞘翅表面具密集刻点和柔毛，后翅发达；腹部略宽于鞘翅。

分布：陕西(秦岭)、黑龙江、辽宁、北京、山西、甘肃、新疆；俄罗斯，朝鲜，日本。

(456) 蓝菲隐翅虫 *Philonthus* (*Philonthus*) *lan* Schillhammer, 1998

Philonthus lan Schillhammer, 1998a: 107.

鉴别特征: 体长 11 ~ 16mm。身体呈黑色，鞘翅具明显的金属蓝色光泽。头部明显横宽，眼大；前胸背板长略微大于其宽，表面具粗糙刻点及明显微刻纹；鞘翅长几乎与宽相等；腹部具浓密柔毛。

分布: 陕西(秦岭)、北京、河北、山西；俄罗斯(远东地区)。

(457) 大黑菲隐翅虫 *Philonthus* (*Philonthus*) *oberti* Eppelsheim, 1889

Philonthus oberti Eppelsheim, 1889a: 174.

Philonthus beckeri Bernhauer, 1933: 30.

Philonthus diffusiventris Bernhauer, 1933: 41.

Philonthus pseudojaponicus Bernhauer, 1936: 307.

Philonthus reflexiventris Tikhomirova, 1973: 164.

鉴别特征: 体长约 13mm。体黑色；头、前胸背板和鞘翅具较强的金属光泽，腹部具蓝色金属闪光；足黑褐色。头部长方形，上颊具较密的粗大刻点；前胸背板具两列背排刻点(每列 4 个)和两列侧排刻点(每列 2 个)。雄性第 8 腹板后缘中部凹入浅且宽；第 9 腹板端部深凹；阳茎宽且长；中叶顶端变窄稍尖；侧叶较长，背面具两列粗大的感觉瘤，每列 14 ~ 16 个。

分布: 陕西(秦岭)、黑龙江、辽宁、北京、山西、甘肃、浙江、福建、重庆、四川、云南；蒙古，俄罗斯，朝鲜，日本。

(458) 红毛菲隐翅虫 *Philonthus* (*Philonthus*) *purpuripennis* Reitter, 1887

Philonthus purpuripennis Reitter, 1887b: 214.

Philonthus poephagus Cameron, 1928: 562.

Philonthus magnificus Bernhauer, 1933: 39.

Philonthus coiffaiti Hromádka, 1992: 97.

鉴别特征: 体长 13.00 ~ 13.50mm。体黑色，头和前胸背板具较强金属光泽，鞘翅具明显紫色光泽。头部呈矩形，后角明显，上颊具较密的粗大刻点；头部背面粗糙，刻纹不规则。前胸背板长小于宽，微刻纹与头部相似；具两列背排刻点，每列 3 个；两列侧排刻点，每列 1 个。雄性第 8 腹板端部具较深的三角形凹入；第 9 腹板顶端深凹；阳茎中叶顶端稍变窄；侧叶背面端部密布尖锥状感觉瘤，约 26 个。

分布: 陕西(秦岭)、甘肃、青海、新疆、湖北、四川、云南、西藏；印度，尼泊尔。

(459) 矩菲隐翅虫 *Philonthus* (*Philonthus*) *rectangulus* Sharp, 1874

Philonthus rectangulus Sharp, 1874a: 42.

Philonthus bernhaueri Csiki, 1901: 104.

Philonthus tetragonocephalus Notman, 1924: 271.

Philonthus rufipennis Wüsthoff, 1936: 236.

Philonthus mequignoni Jarrige, 1938: 206.

鉴别特征: 体长 7.70 ~8.70mm。体黑色或黑褐色。头部和前胸背板具明显的金属光泽；腹部具蓝色闪光；下颚须、下唇须和触角褐色，足红棕色。头部呈矩形，后角明显，宽略大于长，基部、后颊和复眼周围具稀疏刻点。前胸背板长宽相等，比头略宽；具两列背排刻点（每列 5 个）和两列侧排刻点（每列 2 个）。雄性第 8 腹板后缘具三角形浅凹入；第 9 腹板顶端宽凹；阳茎中叶顶端部分变尖；侧叶延长，分叉；两分叶平行，各分叶背面顶端具感觉瘤簇。

分布: 陕西（秦岭）、黑龙江、吉林、北京、河北、山西、甘肃、新疆、浙江、台湾、香港、广西、四川、云南；蒙古，俄罗斯，韩国，日本，尼泊尔，不丹，阿富汗，中亚地区，欧洲，非洲，北美洲。

172. 原迅隐翅虫属 *Protocypus* Müller, 1923

Protocypus Müller, 1923: 136. **Type species**: *Staphylinus fulvotomentosus* Eppelsheim, 1889.

Ascialinus Bernhauer, 1933: 34. **Type species**: *Staphylinus beckeri* Bernhauer, 1933.

属征: 体狭长，头近四方形。上颚窄长，端部尖，内缘中部各具两齿，并在近基部明显凹入；下颚须末节短且无刚毛，长度和第 3 节相近，端部窄平截；下唇须末节具刚毛，前部稍膨大，端部窄，斜横截；前胸背板后侧片消失或仅留残痕，刚毛多样；鞘翅短，沿着基部有宽的压痕。

分布: 古北区，东洋区。中国已知 12 种，秦岭地区发现 6 种。

(460) 猫原迅隐翅虫 *Protocypus felis* Smetana, 2005

Protocypus felis Smetana, 2005b: 290.

鉴别特征: 体长 17 ~20mm。从各方面的特征来看，该新种与 *P. lupus* 比较像，但是与其相比，没有腹背板上的小块金黄色绒毛，而且阳茎的特征也完全不同。雄性阳茎中等大小，并且顶端有明显的突起；从腹面看，阳茎中叶顶端部分有尖、长、斜且不规则的隆线；阳茎中叶右边在顶端下面一点儿有弓状的弯曲；阳茎侧叶很长，顶端部分包裹着阳茎的左侧，有凸出的纵向隆线，侧叶的顶端并没有到达中叶的顶端。

采集记录: 5♂1♀，岚皋，1800m，2000. Ⅴ.25-Ⅵ.14。

分布：陕西(秦岭，岚皋)。

(461) 宽腹原迅隐翅虫 *Protocypus lativentris* Smetana, 2005

Protocypus lativentris Smetana, 2005b: 295.

鉴别特征：体长19～23mm。体黑色，有的鞘翅为暗棕色，上颌、唇须、腿和触角棕色或沥青色，跗节的颜色较淡，背部刚毛棕色或沥青色。第1～3背板上有1对可见的小而不明显的绒状软毛，第4、5背板中间部位上没有可见的金黄色的具软毛的刻点。头呈圆角四边形状，后颊圆且钝，头宽大于长(HW/HL = 1.33)，眼小而平，后颊比眼长。前胸背板长宽相等，刻点、刚毛和微网结构与头上的相似；鞘翅短，全长只有前胸背板的3/4，而鞘翅中缝线只有前胸背板的63%；腹部宽，刻点比鞘翅上的浓密。雄性第8腹板宽而深，阳茎大且坚硬。

采集记录：32♂♀，岚皋，1500～1800m，2000. V.25-VI.14。

分布：陕西(秦岭，岚皋)。

(462) 狼原迅隐翅虫 *Protocypus lupus* Smetana, 2005

Protocypus lupus Smetana, 2005b: 284.

鉴别特征：体长18～23mm。体黑色，有些鞘翅暗棕色，触角和腿沥青或黑色。头呈圆角的四边形状，宽大约是长的1.69倍，眼小而平，后颊是复眼长的1.87倍。前胸背板长宽比为1.04～1.07，鞘翅短中缝与前胸长度比为0.53，而鞘翅全长与前胸长度比为0.73；腹部背板的刻点、刻纹都比鞘翅上的浓密。雄性阳茎大，中叶顶端明显往左边弯曲。

采集记录：7♂7♀，周至厚畛子，2500m，1998. VI.25-27；5♂♀，佛坪，1990m，2001. VII.02-04；4♂1♀，宁陕，2008. V.25；1♂1♀，镇坪，2685m，2001. VII.13。

分布：陕西(长安、周至、户县、太白、佛坪、宁陕、镇坪)、甘肃、湖北、重庆、四川。

(463) 獾原迅隐翅虫 *Protocypus meles* Smetana, 2005

Protocypus meles Smetana, 2005b: 287.

鉴别特征：体长18～23mm。很多特征与*P. lupus*相似，但是*P. meles*与其不同是腹部背板上没有金黄色软绒毛和完全不同的阳茎特征。雄性第9腹板短宽；阳茎中等大小，腹面观中叶顶部不对称。

采集记录：84♂♀，岚皋，1800m，2000. Ⅴ.25-Ⅵ.14。

分布：陕西（秦岭，岚皋）。

（464）狐原迅隐翅虫 *Protocypus vulpes* Smetana，2005

Protocypus vulpes Smetana，2005b：275.

鉴别特征：体长 18～20mm。体型大。触角粗壮；前胸背板折缘具刚毛的刻点多，主要分布在折缘的前半部分。雄性第 8 腹板一般宽而深，第 10 背板更大一些。阳茎与 *P. fulvotomentosus* 相似，但是明显大，将近 3mm。

采集记录：1♂1♀，华山，1200～1400m，1995. Ⅷ.18-20。

分布：陕西（华阴）。

（465）沃氏原迅隐翅虫 *Protocypus wrasei* Smetana，2005

Protocypus wrasei Smetana，2005b：280.

鉴别特征：体长 16.50～17.50mm。体型较小，身体较窄。触角细长。头与前胸的刻点深，鞘翅上的刻点浓密。腹部第 1～3 可见背板每节具 1 对黑色绒毛斑，雄性第 8 腹板中等大小，阳茎中叶顶端尖，没有隆线。

采集记录：3♂，镇坪，2850m，2001. Ⅶ.13。

分布：陕西（秦岭，镇坪）。

173. 球茎隐翅虫属 *Sphaerobulbus* Smetana，2003

Sphaerobulbus Smetana，2003a：67. **Type species**：*Sphaerobulbus bisinuatus* Smetana，2003.

属征：体狭长。上颚长，边缘中部无或仅具轻微的基部凹陷，在中部具 1 个简单而尖锐的齿，上颚的臼叶披针形，纤毛由中部至端部逐渐变长；下颚须末节不具刚毛，与第 3 节同长，端部窄平截；下唇须末节具刚毛，向前稍膨大，端部窄的斜平截；无前胸后侧片，前背折缘光滑无刚毛，前背折缘上下隆线在前端平行，且非常近；沿着前胸腹板逐渐合并，上隆线明显的向腹侧倾斜，且侧面观，其端部位置明显低于基部；鞘翅适度长，密布绒毛和刻点，不具明显的基部凹痕；后胸腹板长，具细的无刻点中线。

分布：东洋区。中国已知 16 种，秦岭地区发现 2 种。

(466) 黄斑球茎隐翅虫 *Sphaerobulbus ornatus* Smetana, 2006

Sphaerobulbus ornatus Smetana, 2006: 45.

鉴别特征: 体长 18 ~ 19mm。体黑色。鞘翅大，腹部第 4 ~ 5 可见背板上有银黄色的柔毛；背上大部分的柔毛棕色，腿上的比较淡且呈黄色；触角黑色；腿沥青或黑色。头呈圆角四边形，宽大于长，复眼小且略凸出。前胸长宽相等，后缘略宽，柔毛和刻点与头上相似，但略浓密。鞘翅一般长，后缘略长；柔毛沥青色或黑色，有后翅，却基本没有功能。雄性第 8 腹板后缘有不明显的凹陷，第 10 背板呈窄的三角状。阳茎短，中叶中部直，顶部有突起；侧叶与中叶相称，但是并不对称。

采集记录: 1♂2♀，周至厚畛子，1500 ~ 2000m，2000. Ⅳ-Ⅴ。

分布: 陕西(周至)、四川。

(467) 黑足球茎隐翅虫 *Sphaerobulbus rex* Smetana, 2005

Sphaerobulbus rex Smetana, 2005c: 56.

鉴别特征: 体长 18 ~ 19mm。体黑色，前体有光泽。背面上的柔毛沥青色或黑色。触角和腿很长。头圆，长宽相等；复眼小，稍凸；前胸长于宽。刻点和柔毛与头上相似，但更长且稀疏。鞘翅长，刻点浓密；后翅折叠于鞘翅中，可能没有功能。雄性第 8 腹板狭窄，第 10 背板一般大小。阳茎中叶顶端不对称，端部下方右侧膨大，端部比较尖；侧叶不对称，端部不对称。

采集记录: 2♂，镇坪，2200 ~ 2600m，2004. Ⅵ. 18-27。

分布: 陕西(镇坪)、湖北、四川。

174. 肩隐翅虫属 *Quedius* Stephens, 1829

Velleius Leach, 1819: 172. **Type species**: *Staphylinus dilatatus* Fabricius, 1787.

Quedius Stephens, 1829: 22. **Type species**: *Quedius levicollis* Brae, 1832.

Raphirus Stephens, 1829: 23. **Type species**: *Staphylinus attenuatus* Gravenhorst, 1802.

Microsaurus Dejean, 1833: 61. **Type species**: *Staphylinus lateralis* Gravenhorst, 1802.

Aemulus Gistel, 1834: 8. **Type species**: *Staphylinus fuliginosus* Gravenhorst, 1802.

Thanatomanes Gistel, 1856: 388. **Type species**: *Staphylinus impressus* Panzer, 1796.

Quedionuchus Sharp, 1884: 336. **Type species**: *Quedius impunctus* Solsky, 1868.

Paraquedius Casey, 1915: 397, 400. **Type species**: *Quedius puncticeps* Horn, 1878.

Quediellus Casey, 1915: 398, 402. **Type species**: *Quedius debilis* Horn, 1878.

Quediochrus Casey, 1915: 398, 420. **Type species**: *Quedius spelaeus* Horn, 1871.

Distichalius Casey, 1915: 398, 404. **Type species**: *Staphylinus capucinus* Gravenhorst, 1806.

Megaquedius Casey, 1915: 421. **Type species**: *Quedius explanatus* LeConte, 1858.
Anastictodera Casey, 1915: 421. **Type species**: *Quedius compransor* Fall, 1912.

属征：体狭长。头部具眼下脊；触角非膝状，触角前节缺少短柔毛；前额前后刻点之间无或至多具1个有刚毛的刻点；前胸腹板明显短于前胸背板；前足附节背面具鬃毛，且第2节最宽。

分布：古北区，东洋区。中国已知246种，秦岭地区发现32种。

(468) 代氏肩隐翅虫 *Quedius* (*Distichalius*) *daedalus* Smetana, 2008

Quedius (*Distichalius*) *daedalus* Smetana, 2008b: 235.
Quedius xian Zheng, Wang *et* Liu, 2008: 669.

鉴别特征：体长4.80～6.00mm。头和前胸背板黑色；触角黄褐色，基部3节颜色较深；鞘翅浅褐色到黄褐色；腹部漆黑色，端部两侧颜色较浅；足黄褐色，前足胫节外侧及中足、后足腿节和胫节黑色。头部具细刻纹；触角第2、3节约等长，4～6节长大于宽；前胸背板长宽约相等，背面具刻点行；鞘翅刻点细密。

采集记录：1♂，眉县太白山，1853m，2008.Ⅴ.22-23；1♂，佛坪，2065m，2004.Ⅷ.21。

分布：陕西(眉县、佛坪)、四川、云南。

(469) 尖肩隐翅虫 *Quedius* (*Distichalius*) *iaculifer* Smetana, 2015

Quedius (*Distichalius*) *iaculifer* Smetana, 2015: 913.

鉴别特征：体较短窄。触角深黑色，基部3节颜色较浅；腹部背板深黑色到黑色，端缘较浅。其他特征与 *Quedius quinectius* Smetana, 1998 相似，主要区别在雄性阳茎和雌虫第10背板特征。雄性阳基侧突尖锐，第10背板窄，端部具大量长毛；雌虫第10背板端部尖，具大量长毛。

采集记录：2♂，眉县，1875m，2012.Ⅶ.26。

分布：陕西(眉县)、甘肃。

(470) 裘氏肩隐翅虫 *Quedius* (*Distichalius*) *gyges* Smetana, 2008

Quedius (*Distichalius*) *gyges* Smetana, 2008b: 238.

鉴别特征：与代氏肩隐翅虫 *Quedius* (*Distichalius*) *daedalus* Smetana, 2008 非常相似，主要区别是本种体型较小，雌雄两型也不相同。

采集记录：1♂，周至，1900m，2008. Ⅴ.04。

分布：陕西(周至、紫阳、镇坪)、甘肃、青海、云南。

(471) 黄肩肩隐翅虫 *Quedius* (*Distichalius*) *quinctius* Smetana, 1998

Quedius (*Distichalius*) *quinctius* Smetana, 1998b: 323.

鉴别特征：体长5.80～6.80mm。体深棕色，鞘翅肩部、中缝和后缘棕黄色，各足腿节和跗节浅棕色。头部长小于宽，复眼十分发达，头部表面密布横波状微刻纹。前胸背板背排刻点每列3个，亚背排刻点每列3个，微刻纹与头部类似。鞘翅明显宽于前胸背板，刻点稀疏，排成数条纵列，无微刻纹。雄性第8腹板端部具三角形凹入，第9腹板端部圆弧形凸出。阳茎细长，中叶近端部膨大，端部具1对叶状突起，侧叶延伸明显超过中叶，底面的感觉瘤刚毛排成较规则的两纵列，每列8～10根。

采集记录：1♂3♀，周至，1650m，1995. Ⅸ.01-02。

分布：陕西(周至)、北京、四川。

(472) 强肩隐翅虫 *Quedius* (*Distichalius*) *stouraci* Hromádka, 2003

Quedius (*Microsaurus*) *stouraci* Hromádka, 2003: 135.

鉴别特征：雄虫前足跗节明显膨大，呈盘状，第2跗节明显宽于胫节端部；雌虫前足跗节不膨大，第2跗节约与胫节端部等宽；雌虫腹部第10背板细长，端部变窄，中央有两根较粗的刚毛。

采集记录：5头，周至厚畛子，2600～3500m，1996. Ⅶ.07，1998. Ⅶ.04；1头，宁陕，2500～2600m，1995. Ⅷ.26-27。

分布：陕西(周至、宁陕)、青海。

(473) 邻肩隐翅虫 *Quedius* (*Microsaurus*) *adjacens* Cameron, 1926

Quedius (*Microsaurus*) *adjacens* Cameron, 1926: 368.

鉴别特征：体长9.50～11.20mm。体黑色，鞘翅浅红色，足红棕色。头部长小于其宽，密布横波状微刻纹。前胸背板背排刻点每列3个，亚背排刻点每列3～4个，微刻纹与头部类似。鞘翅密布刻点，无微刻纹。雄性第8腹板端部具宽而浅的圆弧形凹入。阳茎中叶端部圆弧形，腹面近端部具3个小齿突；侧叶狭窄，稍不对称，底面近端部具2列感觉瘤刚毛，每列3～4根。

采集记录：2♀，长安南五台，1995. Ⅸ.17；4♂6♀，宁陕旬阳坝，1000～1300m，

2000. Ⅴ.23-Ⅵ.13。

分布：陕西（长安、宁陕）、湖南、四川；印度。

（474）须肩隐翅虫 *Quedius*（*Microsaurus*）*antennalis* Cameron, 1932

Quedius（*Microsaurus*）*antennalis* Cameron, 1932：285.

Quedius birmanus Cameron, 1932：284.

Quedius（*Microsaurus*）*noboruitoi beichuanensis* Zheng, Li *et* Yang, 2008：491.

Quedius（*Microsaurus*）*noboruitoi piankouatilis* Zheng, Li *et* Yang, 2008：493.

Quedius（*Microsaurus*）*noboruitoi erlangshanus* Zheng, Li *et* Yang, 2008：494.

鉴别特征：体长约13mm。体黑色，触角颜色向端部逐渐变浅，端部4节棕色，各足跗节红棕色。头部长小于宽，密布横波状微刻纹。前胸背板背排刻点每列3个，亚背排刻点每列2个，微刻纹与头部类似。鞘翅稍窄于前胸背板，密布刻点，无微刻纹。雄性第8腹板端部具浅且宽的圆弧形凹入，第9腹板端部具三角形凹入。阳茎中叶端部1/3膨大；侧叶明显短于中叶，底面无感觉瘤刚毛。

采集记录：1♂，镇坪，1680m，2001.Ⅶ.11。

分布：陕西（秦岭，镇坪）、河南、甘肃、湖北、福建、海南、四川、贵州；印度。

（475）毕氏肩隐翅虫 *Quedius*（*Microsaurus*）*beesoni* Cameron, 1932

Quedius（*Microsaurus*）*beesoni* Cameron, 1932：285.

Quedius（*Microsaurus*）*mimeticus* Cameron, 1932：286.

Quedius（*Microsaurus*）*notabilis* Cameron, 1932：286.

Quedius peraffinis Cameron, 1932：286.

Quedius sungkangensis Hayashi, 1992：11.

鉴别特征：体长8.60～10.80mm。体黑色，触角和足颜色稍浅。头部长小于宽，密布横波状微刻纹。前胸背板背排刻点每列3个，亚背排刻点每列3个，微刻纹与头部类似。鞘翅密布刻点，无微刻纹。雄性第8腹板端部具三角形凹入，第9腹板端部具圆弧形凹入。阳茎中叶近端部明显膨大，侧叶细长，底面无感觉瘤刚毛。

采集记录：1♀，秦岭，1904.Ⅳ-Ⅴ。

分布：陕西（秦岭，镇坪）、上海、浙江、湖北、福建、台湾、广西、重庆、四川、贵州、云南；印度，尼泊尔。

（476）克里肩隐翅虫 *Quedius*（*Microsaurus*）*chremes* Smetana, 1996

Quedius（*Microsaurus*）*chremes* Smetana, 1996b：10.

鉴别特征：体长9.00～9.80mm。体黑色，触角和足颜色稍浅。头部长小于宽，密布横波状微刻纹。前胸背板背排刻点每列3个，亚背排刻点每列2个，微刻纹与头部类似。鞘翅密布刻点，无微刻纹。雄性第8腹板端部具圆弧形深凹，第9腹板端部具圆弧形浅凹。阳茎中叶近端部稍膨大；侧叶十分细长，中间稍膨大，底面近端部边缘具2根感觉瘤刚毛。

采集记录：1♂3♀，周至厚畛子，2600～3300m，1996.Ⅵ.29-Ⅶ.02；1♀，宁陕，2300～2500m，1995.Ⅷ.26-30。

分布：陕西(周至、宁陕)、山西、甘肃、湖北、四川。

(477) 狄库斯肩隐翅虫 *Quedius* (*Microsaurus*) *decius* Smetana, 1996

Quedius (*Microsaurus*) *decius* Smetana, 1996b: 12.

鉴别特征：体长约9.80mm。体深棕色，触角端部4节黄白色，鞘翅具蓝色金属光泽，腹部第7节后缘和第8节黄色。头部长小于宽，密布横波状微刻纹。前胸背板背排刻点每列3个；亚背排刻点每列2个，微刻纹与头部类似。鞘翅明显宽于前胸背板，密布刻点，无微刻纹。雄性第8腹板端部具浅且宽的圆弧形凹入，第9腹板端部圆弧形凸出。阳茎中叶近端部稍膨大，端部具圆弧形凹入，侧叶十分细长，延伸明显超过中叶，端部稍膨大；底面无感觉瘤刚毛。

分布：陕西(秦岭)、湖北、四川。

(478) 妒肩隐翅虫 *Quedius* (*Microsaurus*) *duh* Smetana, 2001

Quedius (*Microsaurus*) *duh* Smetana, 2001a: 186.

鉴别特征：体长7.60～7.80mm。本种与 *Q. erythras* 相似，但与之不同的是本种体色更浅，前胸背板棕色或沥青色，鞘翅棕色；复眼更小；雄性阳茎侧叶延伸稍超过中叶，腹面观近中部向两侧变宽，盖住大部分的中叶，侧叶端部具"V"形凹入，凹入两侧各具10～12根感觉瘤刚毛。

采集记录：1♂1♀，宁陕，2300～2600m，1995.Ⅷ.26-30。

分布：陕西(宁陕)。

(479) 宽叶肩隐翅虫 *Quedius* (*Microsaurus*) *germanorum* Smetana, 1997

Quedius (*Microsaurus*) *germanorum* Smetana, 1997: 457.

鉴别特征：体长7.00～8.60mm。体深棕色至黑色，前胸背板、鞘翅端部和中缝、腹部背板端部颜色稍浅。头部长宽相等，眼大而且凸出，长于后颊；前胸背板长等于宽，微刻纹比头部的密；鞘翅密布刻点，无微刻纹，后翅发达；雄性第8腹板后缘中间稍凹入；阳茎侧叶宽阔，端部具"V"形小缺刻，具大量感觉瘤刚毛。

采集记录： 2♂1♀，周至，1990m，2001. Ⅶ. 04；6♂4♀，宁陕，2300～2600m，1995. Ⅷ. 26～30.

分布： 陕西（周至、宁陕）。

(480) 贵肩隐翅虫 *Quedius* (*Microsaurus*) *guey* Smetana, 2001（图版 5：9）

Quedius (*Microsaurus*) *guey* Smetana, 2001a: 188.

鉴别特征： 体长 7.80～8.00mm。本种与 *Q. koei* 十分相似，不同的是本种足为深棕色，雄性第8腹板两侧各具5根长刚毛。阳茎侧叶宽阔，两侧平行，延伸不超过中叶，端部近平截，中间具1个极窄的"V"形凹入，近端部具8根刚毛；侧叶底面的感觉瘤刚毛沿"V"形凹入边缘排列，每列3根。

采集记录： 1♂1♀，周至，1650m，1995. Ⅸ. 01-02。

分布： 陕西（周至、留坝）。

(481) 郝氏肩隐翅虫 *Quedius* (*Microsaurus*) *holzschuhi* Smetana, 1999

Quedius (*Microsaurus*) *holzschuhi* Smetana, 1999b: 220.

鉴别特征： 体长约 10.30mm。体黑色，各足跗节深棕色。头部长小于宽，密布横波状微刻纹。前胸背板背排刻点每列3个；亚背排刻点每列3个，微刻纹与头部类似。鞘翅宽于前胸背板，密布刻点，无微刻纹。雄性第8腹板端部具浅且宽的圆弧形凹入，第9腹板端部圆弧形凸出。阳茎中叶端部呈弯钩状，向腹部弯曲；侧叶细长，延伸不超过中叶，端部呈背向的弯钩状，弯入中叶端部之下，底面近端部具8根十分细小的感觉瘤刚毛。

采集记录： 1♂，宁陕旬阳坝，1000～1300m，2000. Ⅴ. 23-Ⅵ. 13。

分布： 陕西（宁陕）、四川、贵州；老挝。

(482) 混肩隐翅虫 *Quedius* (*Microsaurus*) *huenn* Smetana, 2002

Quedius (*Microsaurus*) *huenn* Smetana, 2002a: 146.

鉴别特征： 体长 5.40～6.00mm。本种与 *Q. liau* Smetana, 1999 十分相似，不同的是体型更大，颜色更深，头更宽，头的后缘更窄，略宽于长；腹部背板刻点稀疏。

雄性前足第4跗节明显膨大；第9腹板基部狭长；阳茎中叶和侧叶均明显不对称，中叶端部分离成两个大小不同的突起；侧叶具4列感觉瘤刚毛。

采集记录：1♂3♀，镇坪，2850m，2001.Ⅶ.14。

分布：陕西(镇坪)。

(483) 续肩隐翅虫 *Quedius* (*Microsaurus*) *inquietus* (Champion, 1925)

Velleius inquietus Champion, 1925: 107.
Quedius leptocephalus Coiffait, 1982b: 276.
Quedius inquietus: Smetana, 1988: 189.

鉴别特征：体长8.60～11.10mm。体黑色。头部长稍小于宽，密布横波状微刻纹。前胸背板背排刻点每列3个；亚背排刻点每列2个，微刻纹与头部类似。鞘翅宽于前胸背板；密布刻点，无微刻纹。雄性第8腹板端部具浅且宽的圆弧形凹入。第9腹板端部圆弧形微凹。阳茎中叶向腹面弯曲，端部1/4处向腹面突出，端部1/3膨大；侧叶宽阔，延伸不超过中叶，底面端部近侧缘各具3根感觉瘤刚毛。

采集记录：5♂5♀，宁陕旬阳坝，1900～2250m，2000.Ⅵ.14-18。

分布：陕西(宁陕)、湖北、四川、云南；印度，尼泊尔。

(484) 傀肩隐翅虫 *Quedius* (*Microsaurus*) *koei* Smetana, 1999

Quedius (*Microsaurus*) *koei* Smetana, 1999a: 544.

鉴别特征：体长7.50～7.80mm。头部黑色，前胸背板和腹部深棕色，鞘翅褐黄色。头圆，长稍大于宽。前胸宽大于长，背排刻点每列3个，微刻纹比头部的更密。鞘翅很短，肩部比前胸窄，后翅退化。雄性第8腹板两侧各具4根长刚毛，后缘中部凹入宽而浅。阳茎侧叶向端部逐渐变窄，与中叶等长。

采集记录：1♂3♀，宁陕，2500～2600m，1995.Ⅷ.26-30.

分布：陕西(宁陕)。

(485) 斜肩隐翅虫 *Quedius* (*Microsaurus*) *liau* Smetana, 1999

Quedius (*Microsaurus*) *liau* Smetana, 1999b: 229.

鉴别特征：体长5.10mm。体黑色，前胸背板边缘棕色，触角基部3节和足棕黄色。头部长等于宽，密布横波状微刻纹。前胸背板背排刻点每列3个；亚背排刻点每列2个，微刻纹与头部类似。鞘翅密布刻点，无微刻纹。后翅较退化。雄性第8腹板端部具浅且宽的三角形凹入。第9腹板端部圆弧形微凹。阳茎左右极不对称，中叶端半部明显变窄并向一边偏斜；侧叶宽阔，端部1/3明显变窄，向一边偏斜，底面近端部侧缘密布感觉瘤刚毛。

采集记录： 1♂，宁陕，2500～2600m，1995. Ⅷ. 26-27。

分布： 陕西（宁陕）。

（486）挪威肩隐翅虫 *Quedius*（*Microsaurus*）*norvegorum* Smetana，2015

Quedius（*Microsaurus*）*norvegorum* Smetana，2015：1848.

鉴别特征： 体黑褐色，头部黑色，触角及足褐色，腹部具彩色光泽。头部具细密刻纹和微小刻点；触角很短，第3节稍长于第2节，第4、5节长大于宽，其余各节长宽相等；前胸背板宽大于长，端部稍窄，盘区刻纹与头部相同；小盾片无刻点；鞘翅相当短，刻点沿侧缘到端部逐渐变细变稀；后翅退化。

采集记录： 2♂1♀，眉县太白山，2350～2750m，2004. Ⅶ. 14。

分布： 陕西（眉县）。

（487）细肩隐翅虫 *Quedius*（*Microsaurus*）*puer* Smetana，2014

Quedius（*Microsaurus*）*puer* Smetana，2014：26.

鉴别特征： 体长约7mm。头部黑色，前胸背板和鞘翅深棕色，腹部棕色，触角基部3节红棕色，足浅棕色。头部长等于宽，密布横波状微刻纹。前胸背板背排刻点每列3个；亚背排刻点每列2个，微刻纹与头部类似。鞘翅密布刻点，无微刻纹。雄性第8腹板端部具窄的圆弧形凹入。第9腹板端部圆弧形凸出。阳茎中叶中部稍变窄；侧叶狭窄，延伸不超过中叶，底面近端部中间具5根感觉瘤刚毛。

分布： 陕西（秦岭）。

（488）然肩隐翅虫 *Quedius*（*Microsaurus*）*raan* Smetana，2002

Quedius（*Microsaurus*）*raan* Smetana，2002a：142.

鉴别特征： 体长7.80～8.00mm。头部深棕色至黑色，鞘翅肩部、腹部背板端部灰色，足棕色。头部长宽相等；复眼大而凸出；前胸背板长宽相等，刻纹比头部密；鞘翅长，基部窄于前胸背板；柔毛棕色，无微纹；后翅发达。雄性第8腹板两侧各有5根长刚毛，端部具半圆形浅凹；第10背板呈三角形；阳茎细长，侧叶延伸不超过中叶。

采集记录： 1♂2♀，华山，1950～2000m，1995. Ⅷ. 19。

分布：陕西(华阴)。

(489) 舒克肩隐翅虫 *Quedius* (*Microsaurus*) *schuelkei* Smetana, 1997

Quedius (*Microsaurus*) *schuelkei* Smetana, 1997: 455.

鉴别特征：体长6.80~9.10mm。体深棕色，触角和足红棕色。头部长小于宽，表面密布横波状微刻纹，复眼稍长于后颊；前胸背板长小于宽，背排刻点每列3个，刻纹与头部相似；鞘翅宽于前胸背板，密布刻点，无微刻纹；腹部各节密布微刻纹。雄性第8腹板端部具三角形凹入；阳茎侧叶延伸与中叶等长，中部明显变窄。

采集记录：4♂3♀，临潼，1000~1200m，1995.Ⅷ.23-25；1♂8♀，华山，1200~1400m，1995.Ⅷ.18-20；6♂8♀，宁陕旬阳坝，1000~1300m，2000.Ⅴ.23-Ⅵ.13。

分布：陕西(临潼、华阴、宁陕)。

(490) 祖肩隐翅虫 *Quedius* (*Microsaurus*) *tzwu* Smetana, 2002

Quedius (*Microsaurus*) *tzwu* Smetana, 2002a: 145.

鉴别特征：体长6.70~6.90mm。本种与 *Q. epytus* Smetana 相似，不同的是本种体型较小，触角和腿细长，鞘翅更短。雄性前4跗节膨大；第8腹板两边各具3根刚毛，后缘端部具宽而浅的圆弧形凹入；阳茎更细长；侧叶腹面观两侧近平行，端部中间稍凹入，感觉瘤刚毛每列仅1~2根。

采集记录：1♂1♀，镇坪，2850m，2001.Ⅶ.14。

分布：陕西(镇坪)。

(491) 红须肩隐翅虫 *Quedius* (*Raphirus*) *barbarossa* Smetana, 2002(图版5:10)

Quedius (*Raphirus*) *barbarossa* Smetana, 2002b: 126.

鉴别特征：体长5.60~6.30mm。头、前胸背板和腹部黑色，鞘翅具蓝色金属光泽，腹部第3背板具1对红色毛簇，足及腿节黄色，其余部分黑色。头部和前胸背板具大量排列不规则的粗大刻点。头宽略大于长；前胸背板宽略大于长，背排刻点十分粗大，每列10个；前胸背板刻纹与头部相似；鞘翅密布刻点，无微刻纹。腹部各节密布微刻纹。雄性第8腹板后缘凹入宽而浅，阳茎侧叶明显不对称。

采集记录：14♂5♀，周至厚畛子，1450m，2001.Ⅶ.03-05；4♂2♀，镇坪，1680m，2001.Ⅶ.11。

分布：陕西(周至、镇坪)、湖北。

(492) 双斑肩隐翅虫 *Quedius* (*Raphirus*) *bisignatus* Smetana, 2002(图版 5: 11)

Quedius (*Raphirus*) *bisignatus* Smetana, 2002b: 132.

鉴别特征: 体长 5.40 ~ 5.90mm。本种与 *Q. barbarossa* 十分相似，不同的是鞘翅端部近中缝具 1 个红黄色大斑，腹部背板上柔毛黑色，侧背板上具细的银黄色柔毛簇。头部长宽相等。前胸背板每列背排刻点 6 ~ 8 个。鞘翅窄，刻纹稀疏。雄性第 8 腹板两侧各具 2 ~ 3 根长刚毛。阳茎中叶近端部突然变窄，侧叶对称。

采集记录: 2♂1♀，周至厚畛子，1450m，2001. Ⅶ. 05。

分布: 陕西(周至)。

(493) 丽翅肩隐翅虫 *Quedius* (*Raphirus*) *caelestis* Smetana, 1996

Quedius (*Raphirus*) *caelestis* Smetana, 1996c: 54.

鉴别特征: 体长 5.80 ~ 6.70mm。体黑色，鞘翅亮蓝绿色，足深棕色。头部长小于宽，密布横波状微刻纹。前胸背板背排刻点每列 3 个；亚背排刻点每列 2 个，微刻纹与头部类似。鞘翅刻点细而稀疏，无微刻纹。雄性第 8 腹板端部具三角形深凹入。第 9 腹板端部圆弧形凸出。阳茎中叶粗壮，端部变尖；侧叶延伸不超过中叶，端部分叉，底面无感觉瘤刚毛。

采集记录: 2♂2♀，宁陕旬阳坝，2250m，2000. Ⅵ. 14-18。

分布: 陕西(宁陕)、湖南、四川、云南。

(494) 金德拉肩隐翅虫 *Quedius* (*Raphirus*) *jindrai* Smetana, 1998

Quedius (*Raphirus*) *jindrai* Smetana, 1998a: 110.

鉴别特征: 体长 5.20 ~ 6.40mm。头、前胸背板蓝绿色且具金属光泽，鞘翅蓝黑色且具金属光泽，腹部黑色，触角 1 ~ 3 节和足黄色，触角 4 ~ 11 节棕色，腹部第 3 背板具 1 对黄色毛簇。头部长小于宽，复眼十分发达；头部背面除头顶外，具大量粗大刻点，密布横波状微刻纹。前胸背板背排刻点十分粗大，每列 8 ~ 10 个；亚背排刻点每列 4 个，刻纹与头部相似。鞘翅密布刻点，无微刻纹。雄性第 8 腹板端部具浅而宽的圆弧形凹入。第 9 腹板端部圆弧形微凹。阳茎中叶端部钝圆；侧叶延伸明显超过中叶，底面的感觉瘤刚毛排成较规则的两纵列，每列 13 ~ 15 根。

采集记录: 2♂，周至，1990m，2001. Ⅶ. 02-04；2♂2♀，镇坪，1680m，2001. Ⅶ. 11。

分布: 陕西(周至、镇坪)、湖北、四川。

(495) 艾俄肩隐翅虫 *Quedius* (*Raphirus*) *io* Smetana, 2008

Quedius (*Raphirus*) *io* Smetana, 2008a: 186.

鉴别特征: 体长 3.20 ~4.20mm。本种与 *Q. ruoh* 比较相似，但可通过以下几点与之区分：本种体型更小，更细长，体色更浅，鞘翅上的刻点更密，腹部背板上的柔毛更长且更密。雄性阳茎更小，中叶与侧叶有小而短的隆线相连。

采集记录: 18 头，宁陕，2675m，2001. Ⅶ.26。

分布: 陕西(宁陕)。

(496) 广肩隐翅虫 *Quedius* (*Raphirus*) *maculiventris* Bernhauer, 1934

Quedius (*Raphirus*) *maculiventris* Bernhauer, 1934: 12.

Quedius (*Raphirus*) *zhaoi* Zheng, 2001: 326.

鉴别特征: 体长 4.80 ~5.40mm。体黑色，前胸背板和鞘翅深棕色，足红棕色。头部长小于宽，密布横波状微刻纹，复眼十分发达，后颊极短。前胸背板背排刻点每列 3 个；亚背排刻点每列 2 个，微刻纹与头部类似。鞘翅密布刻点，无微刻纹。雄性第 8 腹板端部具三角形深凹入。第 9 腹板端部圆弧形凸出。阳茎细长，中叶中部两侧平行，端部变尖；侧叶延伸不超过中叶，底面近端部具 2 列感觉瘤刚毛，每列 15 ~20 根。

分布: 陕西(秦岭)、浙江、湖北、福建、重庆、四川、贵州、云南。

(497) 普氏肩隐翅虫 *Quedius* (*Raphirus*) *puetzi* Smetana, 1998

Quedius (*Raphirus*) *puetzi* Smetana, 1998a: 106.

鉴别特征: 体长 7.60mm。本种与 *Q. chrysogonus* 相似，但可从以下几点予以区别：体型较小，头和前胸金属青铜色，鞘翅靓丽的青铜色；头更小，复眼大；前胸更短，略宽于长，5 个刻点组成左边背排刻点，6 个组成右边的；鞘翅更短，后缘较宽。腹部刻点浓密，柔毛长，暗棕色。

采集记录: 1♂，华山，1950 ~2000m，1995. Ⅷ.19。

分布: 陕西(华阴)、湖北、云南。

(498) 齿角肩隐翅虫 *Quedius* (*Velleius*) *dilatatus* (Fabricius, 1787)

Staphylinus dilatatus Fabricius, 1787: 220.

Staphylinus serraticornis Schrank, 1798: 641.

Velleius dilatatus: Leach, 1819: 172.

Quedius dilatatus: Erichson, 1839b: 484.

鉴别特征：体长19mm。体黑褐色，前胸背板和鞘翅红褐色，鞘翅肩角和端部黄褐色。头部近方形，具稀疏的细小刻点；触角第4~10节延伸呈齿状；前胸背板在中前部具细刻纹；小盾片具密毛；鞘翅明显宽大于长，表面具毛和刻纹。

采集记录：1♂，太白山，1981.Ⅷ.15。

分布：陕西(太白山)、辽宁、北京；俄罗斯，韩国，日本，土耳其，欧洲。

(499) 叉角肩隐翅虫 *Quedius* (*Velleius*) *sagittalis* Zhao *et* Zhou, 2015

Quedius (*Velleius*) *sagittalis* Zhao *et* Zhou, 2015: 261.

鉴别特征：体长14mm。体黑褐色，头部几乎黑色，前胸背板红褐色，鞘翅肩角及端部黄色。头部近方形，具细刻点；触角5~9节叉状；前胸背板刻点不明显；小盾片具毛；鞘翅宽大于长，表面具毛。

采集记录：1♂，眉县太白山，1800m，2001.Ⅵ.04。

分布：陕西(眉县)。

175. 伪东方隐翅虫属 *Pseudorientis* Watanabe, 1970

Pseudorientis Watanabe, 1970: 70. **Type species**: *Pseudorientis shinobuae* Watanabe, 1970.

属征：头部近圆形，复眼较小，长度明显短于后颊，头背面仅具少量有刚毛的刻点，密布微刻纹；下颚须和下唇须末节密布柔毛，下唇须基节长于第2节，顶节非常大，呈短柄斧形。前胸背板具背排刻点，密布微刻纹；小盾片无刻点和刚毛，密布微刻纹。鞘翅密布刻点和刚毛，无微刻纹。腹部向端部逐渐变窄；背板上密布刻点和刚毛，密布微刻纹。前足第1~4跗节膨大，第2节最宽。

分布：东洋区。中国已知3种，秦岭地区发现1种。

(500) 圆头伪东方隐翅虫 *Pseudorientis rotundiceps* Smetana, 2002

Pseudorientis rotundiceps Smetana, 2002c: 154.

鉴别特征：体长约4.50mm。体棕色，腹部各节后缘红棕色，触角和足黄色。头部近圆形，密布横波状微刻纹。前胸背板长等于宽；背排刻点每列5个；亚背排刻点每列5个，微刻纹与头部类似。鞘翅宽于前胸背板，密布刻点，无微刻纹。腹部各节密布横波状微刻纹。雄性第 8 腹板端部具三角形深凹。第 9 腹板端部圆弧形凸出。阳茎中叶向端部逐渐变尖；侧叶宽阔，两侧平行，近端部明显变尖，延伸不超过中叶，底面近端部密布感觉瘤刚毛，约 30 根。

分布：陕西(秦岭)、湖北。

176. 沟颚隐翅虫属 *Trichocosmetes* Kraatz, 1859

Trichocosmetes Kraatz, 1859: 69. **Type species**: *Staphylinus leucomus* Erichson, 1839.

属征：体大型，长形。头部近四边形至梯形，刻点密集；上颚具宽而平坦的沟；前足跗节双叶状，第 5 节延长；前足腿节腹面缺隆线。

分布：东洋区。中国已知 6 种，秦岭地区发现 1 种。

(501) 黑沟颚隐翅虫 *Trichocosmetes inexspectatus* Schillhammer, 2001

Trichocosmetes inexspectatus Schillhammer, 2001: 74.

鉴别特征：体长 17.60mm。体黑色，前体稍具绿色金属光泽，腿节红棕色。头部稍横宽；复眼小，短于后颊；头顶密布刻点，部分刻点相连，形成纵向的褶皱，无微刻纹；前胸背板长宽相等，刻点非脐状，前部和后部中间各具 1 条无刻点的光滑带；鞘翅密布粗大刻点。

采集记录：1♀，宁陕旬阳坝，1300m，2000. Ⅴ.23-Ⅵ.13。

分布：陕西(宁陕)。

177. 云隐翅虫属 *Yunnella* Bordoni, 2002

Yunnella Bordoni, 2002: 327. **Type species**: *Yunnella hayashii* Bordoni, 2002.

属征：体狭长。上颚具侧沟，上唇中间具深凹，咽前沟平行但不愈合；前片分为两片，非愈合；鞘翅上外缘线与下外缘线不相接，刻点密集；前胸腹板短。

分布：东洋区。中国已知 2 种，秦岭地区发现 1 种。

(502) 多刺云隐翅虫 *Yunnella spinosa* Bordoni, 2003

Yunnella spinosa Bordoni, 2003: 259.

鉴别特征：体长 11mm。体黑色，触角和足棕色。头部具粗大刻点和多边形微刻纹；前胸背板宽阔，向前部变宽，具粗大刻点；腹部具横波状微刻纹。本种体型较小，体色较深，头部不明显变宽。

采集记录： 8♂6♀，佛坪，2065m，2004. Ⅷ. 21。

分布： 陕西（周至、佛坪）、四川。

178. 圆头隐翅虫 *Dinothenarus* Thomson, 1858

Dinothenarus Thomson, 1858: 29. **Type species**: *Staphylinus pubescens* de Geer, 1774.

Parabemus Reitter, 1909: 118 [Subgenus]. **Type species**: *Staphylinus fossor* Scopoli, 1771.

Parocypus Bernhauer, 1915b: 52. **Type species**: *Staphylinus dehradunensis* Bernhauer, 1915.

Hypabemus Scheerpeltz, 1966b: 112. **Type species**: *Staphylinus chrysocomus* Mannerheim, 1830.

Protabemus Scheerpeltz, 1966b: 114. **Type species**: *Staphylinus xanthocephalus* Kraatz, 1859.

属征： 体长15～21mm。体黑色、红褐色或黄褐色。密布刚毛，鞘翅和腹部常具多种颜色刚毛组成的毛簇；下颚臼叶中部的内缘整个密布纤毛，具扩大的基部毛簇和稀疏的末梢毛簇，两毛簇分别着生在分离的延长的臂上，因而多少看上去是分两叶甚至是多叶的；中胸腹板的长刚毛列，每根着生在扩大且多少呈深坑状的刻点中。

分布： 东洋区。中国已知12种。秦岭地区发现1种。

(503) 斯氏圆头隐翅虫 *Dinothenarus* (*Dinothenarus*) *smetanai* Hayashi, 2012

Dinothenarus (*Dinothenarus*) *smetanai* Hayashi, 2012: 437.

鉴别特征： 体长16.50～20.50mm。体密布刚毛，黄褐色，具众多黑色毛斑。小盾片外缘和中线黄褐色，中部具1对黑色毛斑；第6、7腹背板中部具金色毛斑。

分布： 陕西（秦岭）、四川。

179. 嗜肉隐翅虫属 *Creophilus* Leach, 1819

Creophilus Leach, 1819: 172. **Type species**: *Staphylinus maxillosus* Linnaeus, 1785.

Saprophilus Streubel, 1839: 136. **Type species**: *Staphylinus maxillosus* Linnaeus, 1785.

属征： 体长17～23mm。虫体多为黑色。鞘翅和腹部具各色刚毛斑块；前胸背板光滑，几乎无刻点和刚毛；中足基节窝被中胸腹板宽圆形的端部分开；前背折缘的上缘线在肩部消失，不与下缘线相交。

分布： 除澳洲区外，世界广布。中国已知2种，秦岭地区发现1种。

(504) 大嗜肉隐翅虫 *Creophilus maxillosus maxillosus* (Linnaeus, 1758)

Staphylinus maxillosus Linnaeus, 1758: 421.
Staphylinus anonymus Sulzer, 1761: 17.
Staphylinus balteatus de Geer, 1774: 18.
Staphylinus fasciatus Füessly, 1775: 21 [HN].
Staphylinus nebulosus Geoffroy, 1785: 165.
Creophilus maxillosus: Leach, 1819: 172.
Creophilus ciliaris Stephens, 1832: 202.
Staphylinus cinerarius Erichson, 1839: 350.
Staphylinus bicinctus Mannerheim, 1843b: 229 [HN].
Staphylinus orientalis Motschulsky, 1858c: 67.
Creophilus fulvago Motschulsky, 1860b: 120.
Creophilus imbecillus Sharp, 1874a: 28.
Creophilus medialis Sharp, 1874a: 28.
Creophilus subfasciatus Sharp, 1874a: 28.
Creophilus pulchellus Meier, 1899: 99.
Creophilus canariensis Bernhauer, 1908c: 334.
Creophilus acuticollis Bernhauer, 1910c: 377.
Creophilus sikkimensis Wendeler, 1927b: 8.
Creophilus ciliaroides Hatch, 1938: 149.

鉴别特征：体长 18～23mm。体黑色。前胸背板中央大部光滑无刚毛，鞘翅和腹部具黑色和白色刚毛组成的毛斑。触角第 7～10 节强烈横宽。性两型，雄性头部更宽，上颚更发达而体型更大。

分布：陕西(西安)、黑龙江、吉林、辽宁、内蒙古、北京、山西、香港、四川、云南；蒙古，俄罗斯，朝鲜，日本，印度，尼泊尔，不丹，巴基斯坦，阿富汗，中亚地区，欧洲，非洲，北美洲，南美洲。

180. 狭胸隐翅虫属 *Apostenolinus* Bernhauer, 1934

Apostenolinus Bernhauer, 1934: 9. **Type species**: *Staphylinus cariniceps* Bernhauer, 1934.

属征：体长 23mm。体黑色，具蓝色金属光泽。触角末 4 节黄白色，前胸背板向前(朝头部) 变窄，左右上颚中部仅具 1 个齿，眼后刚毛距离复眼后缘较头后缘近。

分布：东洋区。中国已知 1 种，秦岭地区有分布。

(505) 脊头狭胸隐翅虫 *Apostenolinus cariniceps* (Bernhauer, 1934)

Staphylinus cariniceps Bernhauer, 1934: 9.

Apostenolinus cariniceps: Blackwelder, 1952: 59.

鉴别特征：该属唯一的种，外形特征同属征。雄性第 7 腹板后缘中部稍凹入，第 8 腹板后缘中部圆弧形浅凹入，凹入之前具半圆形密集毛簇；阳茎中叶端部钝平，侧叶向端部变尖，稍短于中叶。

分布：陕西(秦岭)、四川、云南。

181. 尖胸隐翅虫属 *Bisnius* Stephens, 1829

Bisnius Stephens, 1829a: 23. **Type species**: *Staphylinus cephalotes* Gravenhorst, 1802.

Gefyrobius Thomson, 1859: 24. **Type species**: *Staphylinus nitidulus* Gravenhorst, 1802.

属征：下颚须端节纺锤状，长于倒数第 2 节；无爪间突；前背折缘端部向下弯折；腹部 1 ~3 可见节具基线。

分布：古北区，新北区，东洋区，澳洲区。中国已知 6 种，秦岭地区发现 2 种。

(506) 弓尖胸隐翅虫 *Bisnius parcus* (Sharp, 1874)

Philonthus parcus Sharp, 1874a: 40.

Philonthus subaereipennis Bernhauer, 1939c: 97.

Bisnius parcus: Smetana, 1995b: 532.

鉴别特征：体长 8.00 ~8.90mm。头部具细刻纹；前胸背板仅前、后角具细刻纹，其他部位没有；腹部背板具密集刻点。

采集记录：6♂9♀，眉县太白山，1800m，2007. Ⅵ. 03-08。

分布：陕西(眉县)、辽宁、北京、山东、宁夏、江西、四川、云南；蒙古，俄罗斯，韩国，日本，澳大利亚，北美洲。

(507) 徐氏尖胸隐翅虫 *Bisnius xuae* Li *et* Zhou, 2010

Bisnius xuae Li *et* Zhou, 2010c: 108.

鉴别特征：体长 7.60 ~8.90mm。头和前胸背板黑色，具紫铜色光泽；触角黑色，鞘翅红褐色，具蓝色光泽；腹部黑色，具蓝色光泽；足黑色。头部具明显的刻纹；触角第 1 节长，第 3 节长于第 2 节；前胸背板稍宽于头部，表面微隆，每侧具 4 个大刻点，盘区有与头部一样的刻纹；鞘翅长宽几乎相等，是前胸背板长的 1.30 倍。

采集记录：12 头，周至太白山，1600 ~1800m，2005. Ⅴ. 21-30。

分布: 陕西(周至)、宁夏、湖北、四川。

(十四)突眼隐翅虫亚科 Steninae

鉴别特征: 体圆筒形,多数种类体长2~10mm。虫体通常为黑色,有时带蓝绿色或黄铜色金属光泽。多数种类复眼巨大,触角窝位于两复眼之间;阳茎通常具有长而对称的侧叶,部分种类中叶内部具骨质化的外翻钩。

分类: 世界已知3属2900余种,中国记录2属551种,秦岭地区发现2属46种。

182. 突眼隐翅虫属 *Stenus* Latreille, 1797

Stenus Latreille, 1797: 77. **Type species**: *Staphylinus juno* Paykull, 1789.

Zolmaenus Stephens, 1829: 291. **Type species**: *Staphylinus juno* Paykull, 1789.

Hemistenus Motschulsky, 1860a: 557. **Type species**: *Stenus gilvipes* Motschulsky, 1858 (= *Stenus impressus* Germar, 1824).

Nestus Rey, 1884: 246. **Type species**: *Stenus boops* Ljungh, 1810 (= *Stenus buphthalmus* sensu Gravenhorst, 1802).

Mutinus Casey, 1884: 146. **Type species**: *Stenus dispar* Casey, 1884.

Areus Casey, 1884: 150. **Type species**: *Stenus flavicornis* Erichson, 1840.

Tesnus Rey, 1884: 315. **Type species**: *Stenus opticus* Gravenhorst, 1806.

Mesostenus Rey, 1884: 326. **Type species**: *Stenus impressus* Germar, 1824.

Hypostenus Rey, 1884: 390. **Type species**: *Stenus kiesenwetteri* Rosenhauer, 1856.

Stenosidotus Lynch, 1884: 338. **Type species**: *Stenus aenescens* Lynch, 1884.

Astenus Lynch, 1884: 341. **Type species**: *Stenus speculifrons* Fauvel, 1877.

Parastenus Heyden, 1905: 262. **Type species**: *Stenus impressus* Germar, 1824.

Systenus Eichelbaum, 1913: 124. **Type species**: *Stenus amaniensis* Eichelbaum, 1913.

Metastenus Ádám, 1987: 135. **Type species**: *Stenus binotatus* Ljungh, 1804.

Adamostenus Hüseyin Özdikmen *et* Mustafa Darllmaz, 2008: 303. **Type species**: *Stenus binotatus* Ljungh, 1804.

属征: 体长1.60~8.00mm。体圆筒形。复眼巨大,后颊短,下唇特化为可弹射的捕食器官,阳茎内囊常具骨质化外翻钩。

分布: 全北区,东洋区。中国已知386种,秦岭地区发现41种。

分种检索表

1. 足第4跗节不分叶 ………………………………………………………… 2
 足第4跗节分叶(部分小型短翅种分叶较弱) ………………………… 3

2. 腹部各节具明显侧背板，体小至大型（突眼隐翅虫亚属 ***Stenus***） ………………………… 4
   腹部无侧背板，体通常很小，黑色（小突眼隐翅虫亚属 ***Tesnus***） ………………………… 23
3. 腹部至少第 3 ~4 腹节具可见的侧背板（缘突眼隐翅虫亚属 ***Hemistenus***） ………………… 24
   腹部至多第 3 腹节具侧背板（筒腹突眼隐翅虫亚属 ***Hypostenus***） ……………………… 34
4. 腹部无明显的基纵脊 ……………………………………………………………………… 5
   腹部具明显的基纵脊 ……………………………………………………………………… 13
5. 第 9 腹板后侧角尖锐 ……………………………………………………………………… 6
   第 9 腹板后侧角锯齿状 …………………………………………………………………… 9
6. 体较小，体表具明显密的银灰色披毛，后足第 1 跗节长与末节长相等 ……………………… 7
   体多数较大，体表无明显密的披毛，后足第 1 跗节明显长于末节 …………………………… 8
7. 阳茎中叶端部具纵脊 ………………………………………… **东方突眼隐翅虫 *S. eurous***
   阳茎端部无纵脊 ……………………………………………… **微毛突眼隐翅虫 *S. pubiformis***
8. 体长 3 ~4mm，具金属铅色光泽 ………………………… **伪铅色突眼隐翅虫 *S. plumbivestis***
   体长 4.60 ~5.30mm，无金属光泽 ………………………… **伯仲突眼隐翅虫 *S. fraterculus***
9. 鞘翅橙斑较大，到达侧缘 …………………………………… **华北突眼隐翅虫 *S. huabeiensis***
   鞘翅橙斑较小，远离侧缘 …………………………………………………………………… 10
10. 足红棕色 ………………………………………………………… **异突眼隐翅虫 *S. alienus***
    足黑色 ……………………………………………………………………………………… 11
11. 头部刻点较稀疏，刻点间区可达刻点直径 ………………… **伪骗突眼隐翅虫 *S. deceptiosus***
    头部刻点较密，刻点间区小于刻点直径 …………………………………………………… 12
12. 阳茎内骨片端部较长，后部具多而密的毛簇 ………………… **伪赝突眼隐翅虫 *S. falsator***
    阳茎内骨片端部较短，后部具明显少的毛簇 ………………………… **斑突眼隐翅虫 *S. comma***
13. 第 3 腹背板具 3 条基纵脊 ………………………………………………………………… 14
    第 3 腹背板具 4 条基纵脊 ………………………………………………………………… 20
14. 后足第 1 跗节长明显大于末节，第 10 背板无白色毛斑 ……………………………………… 15
    后足第 1 跗节长约等于末节，第 10 背板具白色毛斑 ……………… **性突眼隐翅虫 *S. sexualis***
15. 腹部近圆筒形，具窄而下倾的侧背板 ……………………………………………………… 16
    腹部较扁，具宽而平（或上升）的侧背板 …………………………………………………… 18
16. 鞘翅具 1 对明显的红斑 …………………………………… **腹毛突眼隐翅虫 *S. lanuginosipes***
    鞘翅不具黄斑（偶尔具模糊的红斑） ………………………………………………………… 17
17. 腹部刻点间区清晰且强烈光亮（尤其是后部的），鞘翅中央常有不明显的红色小斑点 ………
    ……………………………………………………………………… **丽额突眼隐翅虫 *S. calliceps***
    腹部刻点间区较不光亮（尤其是后部的），鞘翅无斑点 ……………… **分离突眼隐翅虫 *S. distans***
18. 体较无光泽，具极度密的相互愈合的刻点 …………………… **隐秘突眼隐翅虫. *S. secretus***
    体较光泽，具较密的相对较好定界而较少愈合的刻点 ……………………………………… 19
19. 腹部侧背板较平，第 7 腹板无明显微刻纹 …………… **阑氏突眼隐翅虫 *S. lewisius pseudoater***
    腹部侧背板上升，第 7 腹板具明显微刻纹 ………………………… **拟尊贵突眼隐翅虫 *S. paradoxus***
20. 体较小的无翅种，鞘翅梯形，长宽之比为 0.80 ……………………… **壮股突眼隐翅虫 *S. pernanus***
    体较大的具翅种，鞘翅长约等于宽 …………………………………………………………… 21
21. 下颚须第 1 节黑色 ………………………………………………… **郊野突眼隐翅虫 *S. ruralis***
    下颚须第 1 节黄色 ……………………………………………………………………………… 22

22. 额中线隆起明显 ………………………… 小黑突眼隐翅虫指名亚种 ***S. melanarius melanarius***
额中线无明显隆起 ……………………………………………………… 晦色突眼隐翅虫 ***S. morio***
23. 体表光亮，无刻纹；鞘翅长稍小于宽 ………………………………… 竖毛突眼隐翅虫 ***S. hirtiventris***
体表具较弱的微刻纹；鞘翅长等于宽 ……………………………… 多毛突眼隐翅虫 ***S. pilosiventris***
24. 鞘翅具橙斑 ……………………………………………………………………………………… 25
鞘翅无橙斑 ……………………………………………………………………………………… 26
25. 鞘翅长等于宽，鞘翅斑点较圆 …………………………… 阿里山突眼隐翅虫 ***S. arisanus***
鞘翅长大于宽，鞘翅斑点狭长 ………………………… 污色突眼隐翅虫 ***S. contaminatus***
26. 后足第 4 跗节分叶较弱，短翅种 …………………………………………………………… 27
后足第 4 跗节分叶强烈，多为长翅种 ……………………………………………………… 29
27. 头部宽于鞘翅 ……………………………………………… 同黑突眼隐翅虫 ***S. conseminiger***
头部窄于鞘翅 …………………………………………………………………………………… 28
28. 体型较小，体长 2mm 左右 …………………………………… 幸运突眼隐翅虫 ***S. fortunatoris***
体型较大，体长 3mm 左右 …………………………………… 喇叭突眼隐翅虫 ***S. bucinifer***
29. 鞘翅刻点强烈愈合成特殊的涡状皱纹 ……………………………………………………… 30
鞘翅刻点愈合或良好定界，绝不成涡状皱纹 ……………………………………………… 32
30. 前胸背板刻点愈合成涡状皱纹；体黑色，无明显金属光泽 ……………………………… 31
前胸背板刻点不愈合成涡状皱纹，体具明显的蓝色金属光泽 … 闪蓝突眼隐翅虫 ***S. viridanus***
31. 较不光亮的种，足呈不明显的双色，鞘翅涡纹更强烈 …………… 刺腹突眼隐翅虫 ***S. scopulus***
较光亮的种，足明显双色，鞘翅涡纹相对弱 …………………… 变茎突眼隐翅虫 ***S. variunguis***
32. 腹部至多在第 3 节具明显侧背板，之后腹节具极窄的线状侧背板 ………………………… 33
第 3 ~ 6 腹节具宽或窄的具刻点列的侧背板 …………………… 暗腹突眼隐翅虫 ***S. rugipennis***
33. 体非常光亮，具金属铜光泽，前体刻点良好定界 ………… 太白山突眼隐翅虫 ***S. taibaishanus***
体暗至适度光亮，无金属铜光泽，前体刻点相互愈合 ……… 异腹突眼隐翅虫 ***S. alioventralis***
34. 短翅种，第 4 ~ 6 腹背板分离，具明显的接缝 ……………………………………………… 35
长翅种，第 4 ~ 6 腹背板完全愈合 …………………………………………………………… 37
35. 体型较小，2.70 ~ 3.20mm ………………………………………………………………… 36
体型较大，3.80 ~ 4.70mm ……………………………………………… 胡氏突眼隐翅虫 ***S. hui***
36. 体黑色，或杂有红棕色，腹部具短而倒伏的刚毛 ………………… 黑头突眼隐翅虫 ***S. nigriceps***
体黑色，腹部具长而竖立的刚毛 ……………………………………… 漆黑突眼隐翅虫 ***S. nigritus***
37. 鞘翅具极巨大的橙斑 ……………………………………………… 亲缘突眼隐翅虫 ***S. frater***
鞘翅无橙斑 ……………………………………………………………………………………… 38
38. 体遍布极度密的刻点，第 10 背板后侧具明显刺突，体型较小 …… 密点突眼隐翅虫 ***S. confertus***
体不具极度密的刻点，第 10 背板后侧无明显刺突，体型较大 ………………………………… 39
39. 前胸背板较粗短，长宽之比小于 1.03 ………………………… 虎突眼隐翅虫 ***S. cicindeloides***
前胸背板较细长，长宽之比大于 1.07 ……………………………………………………… 40
40. 足为单一的黄色 ………………………………………………… 特氏突眼隐翅虫 ***S. turnai***
足黄色，膝部黑色 ……………………………………………… 莫卡托突眼隐翅虫 ***S. mercator***

(508) 幸运突眼隐翅虫 *Stenus* (*Hemistenus*) *fortunatoris* Tang *et* Puthz, 2009(图版 6：1)

Stenus fortunatoris Tang *et* Puthz, 2009：195

鉴别特征：体长 1.80～2.40mm。体黑色。头部额前区疏布刻点，刻点间区具密网状微刻纹；触角短，向后可达前胸背板约 1/2 处；前胸背板刻点与头侧部刻点大小相当，正中部的刻点间距大于刻点直径的 1/2；鞘翅长远小于宽，基部明显缢缩，无后翅；腹部近圆柱形，密布刻点。

采集记录：1♀，太白山自然保护区，2750m，2004. Ⅶ. 14。

分布：陕西（太白）。

（509）异腹突眼隐翅虫 *Stenus*（*Hemistenus*）*alioventralis* Tang *et* Puthz, 2009（图版 6：2）

Stenus alioventralis Tang *et* Puthz, 2009：194.

鉴别特征：体长 3.90mm。体黑色略带棕色。头部额前区密布刻点，刻点间区光滑；触角短，向后可达前胸背板基部 1/5 处；前胸背板和鞘翅刻点强烈愈合，皱纹状，刻点间区几乎光滑，仅具浅微刻纹；鞘翅基部明显缢缩，后翅退化缩短；腹部刻点粗大而非常密；雄性中足、后足胫节内缘端部具齿突。

采集记录：1♂1♀，太白山自然保护区，2350～2750m，2004. Ⅶ. 15；3♂3♀，眉县太白山，1883m，2008. Ⅴ. 22-23。

分布：陕西（太白、眉县）。

（510）阿里山突眼隐翅虫 *Stenus*（*Hemistenus*）*arisanus* Cameron, 1949

Stenus arisanus Cameron, 1949：462.

鉴别特征：体长 4.00～4.50mm。体黑色，足红黄色。鞘翅具 1 对橙色小圆斑，虫体刻点较密，腹部具明显的侧背板，后足第 4 跗节分叶。雄性第 7 腹板后半部具较宽压痕，压痕后缘轻微凹入；第 8 腹板后缘中部具很深的三角形凹入。

分布：陕西（秦岭）、甘肃、青海、湖北、台湾、四川、云南。

（511）喇叭突眼隐翅虫 *Stenus*（*Hemistenus*）*bucinifer* Puthz, 2012（图版 6：3）

Stenus bucinifer Puthz, 2012：104.

鉴别特征：体长 1.90～2.40mm。外形与 *S. fortunatoris* Tang *et* Puthz 非常相似，可以通过较强愈合的鞘翅刻点，以及很深的鞘翅缝缘压痕与之区分。

分布：陕西（周至）。

(512) 同黑突眼隐翅虫 *Stenus* (*Hemistenus*) *conseminiger* Zhao et Zhou, 2006

Stenus conseminiger Zhao *et* Zhou, 2006: 285.

鉴别特征: 体长2.80mm。体黑色，足红黄色。头部刻点粗大，刻点间区光滑；前胸背板具明显的约与前胸等长的无刻点的中纵沟；鞘翅表面较平，缝缘压痕非常浅，无后翅；腹部粗壮，侧背板完整而凸出；阳茎端部骨质化区呈尖锐的三角形；外翻钩明显；侧叶稍长于中叶，端部稍膨大，内缘疏布刚毛。

采集记录: 2♂，太白山，1800~2000m，2004. Ⅴ.31-Ⅵ.02。

分布: 陕西(太白山)。

(513) 污色突眼隐翅虫 *Stenus* (*Hemistenus*) *contaminatus* Puthz, 1981

Stenus contaminatus Puthz, 1981: 158.

Stenus spiculus Zheng, 1993: 227.

鉴别特征: 体长3.20~4.00mm。体黑色。鞘翅后侧具长的黄斑，触角、下颚须和足黄棕色，刻点间区具网状刻纹。头部略微窄于鞘翅，前胸背板具1条弱的短中纵沟，腹部具窄的侧背板，后足第4跗节分叶。雄性后足胫节具小而明显的亚端部刺突，第8腹板后缘具很浅的宽凹入，第9腹板端侧角齿状。

分布: 陕西(秦岭)、湖北、广西、四川、云南；越南，泰国，缅甸。

(514) 暗腹突眼隐翅虫 *Stenus* (*Hemistenus*) *rugipennis* Sharp, 1874

Stenus rugipennis Sharp, 1874a: 85.

Stenus conformis Eppelsheim, 1886: 44.

Stenus sharpianus Cameron, 1930b: 205.

Stenus namazu Hromádka, 1979b: 101.

鉴别特征: 体长3.50~4.10mm。体红黑色，下颚须、触角、足红黄色。刻点紧密，刻点间区具微刻纹。腹部具明显的侧背板，后足第4跗节分叶。雄性第8腹板后缘中部圆弧形凹入，第9腹板端侧角锐尖。

分布: 陕西(秦岭)、山西、福建、台湾、四川、贵州；俄罗斯，朝鲜，日本，土库曼斯坦。

(515) 刺腹突眼隐翅虫 *Stenus* (*Hemistenus*) *scopulus* Zheng, 1992(图版6: 4)

Stenus scopulus Zheng, 1992: 294.

鉴别特征：体长4.40～4.70mm。体黑色，足红黄色，但腿节端部和胫节基部颜色明显较深。头部宽是鞘翅的86%，眼间区具1对宽而深的纵沟，密布圆形至椭圆形刻点，中域刻点稍大于近眼缘的刻点，纵沟底部、触角基瘤处的刻点强烈愈合，刻点间区密布清晰的网状刻纹。前胸背板具1条约2/3前胸背板长的宽而深的中纵沟。鞘翅刻点非常密，相互愈合强烈，刻点间区呈不规则皱纹状。

采集记录：4♂♀，佛坪，2350～2750m，2004.Ⅶ.14-15。

分布：陕西（佛坪）、四川、云南。

（516）太白山突眼隐翅虫 *Stenus*（*Hemistenus*）*taibaishanus* Tang *et* Puthz，2009（图版6：5）

Stenus taibaishanus Tang *et* Puthz，2009：196.

鉴别特征：体长2.60～3.50mm。体黑色，具黄铜光泽。通体刻点粗大，披毛明显且倒伏，刻点间区光滑且无任何微刻纹；鞘翅基部明显缢缩，后翅退化缩短；阳茎细长，中叶端部骨质化区端部具圆头的突起，沿中线具1条纵脊，外翻钩小而明显骨质化；侧叶超出中叶端部，端部扩大且具褶皱，内缘约具20根刚毛。

采集记录：13♂12♀，太白山自然保护区，2350～2750m，2004.Ⅶ.14；11♂11♀，眉县太白山，2831m，2008.Ⅴ.23。

分布：陕西（太白、眉县）。

（517）变茎突眼隐翅虫 *Stenus*（*Hemistenus*）*variunguis* Feldmann，2007

Stenus variunguis Feldmann，2007：836.

鉴别特征：体长4.40～5.40mm。头部黑色，前胸背板和腹部暗棕色，鞘翅棕色，触角红棕色，足红黄色，腿节端部红棕色，胫节基部和端部红棕色，跗节红棕色。前胸背板和鞘翅刻点强烈融合，刻点间区水纹状，具微刻纹；前胸背板很不平坦，腹部具明显的侧背板；后足第4跗节分叶，雄性腿节明显较雌性粗，中足和后足胫节亚端部内缘具1个齿突；第4～6腹板后缘中部具非常微弱的凹入，凹入之前较平坦，第7腹板后缘中部轻微凹入，凹入之前具纵长的压痕，第8腹板后缘中部相对较深的凹入，凹入之前较平坦，第9腹板后侧角长而尖锐。

采集记录：8♂12♀，宁陕旬阳坝，2300～2500 m，1995.Ⅷ.26-30。

分布：陕西（宁陕）、青海、四川、云南。

（518）闪蓝突眼隐翅虫 *Stenus*（*Hemistenus*）*viridanus* Champion，1925（图版6：6）

Stenus viridanus Champion，1925：169.

鉴别特征：体长5.50~7.10mm。体黑色，具较强烈的蓝色金属光泽；触角、下颚须、足红棕色，但腿节端半部颜色明显较深，腿节基半部红黄色。前体刻点粗大且强烈愈合，刻点间区窄而呈皱纹状，尤其在鞘翅上呈漩涡状；腹部前部刻点紧密。

分布：陕西(秦岭)、湖北、四川、贵州；印度、不丹、巴基斯坦。

(519) 虎突眼隐翅虫 *Stenus* (*Hypostenus*) *cicindeloides* (Schaller, 1783)

Staphylinus cicindeloides Schaller, 1783: 324.

Stenus cicindeloides: Gravenhorst, 1802: 155.

Stenus scabrior Stephens, 1833b: 282.

Stenus hydropathicus Wollaston, 1857: 197.

Stenus cicindela Sharp, 1874a: 85.

Stenus polypterus Bernhauer, 1938: 30.

Stenus coomani Cameron, 1940: 250.

鉴别特征：体长4.70~6.80mm。体黑色，具光泽；下颚须、触角红棕色；腿节基半部、胫节端半部、跗节大部红棕色，腿节端半部、胫节基半部、第1~3及5跗节端部烟褐色。头部明显窄于鞘翅，刻点具白色刚毛，刻点间区无微刻纹；腹部无侧背板；后足第4跗节分叶；雄性第8腹板后缘中部具较浅的抛物线形凹入。

分布：陕西(秦岭)、黑龙江、辽宁、吉林、北京、江苏、湖北、江西、湖南、福建、台湾、香港、广西、四川、贵州、云南；蒙古，俄罗斯，朝鲜，日本，越南，哈萨克斯坦，中亚地区，欧洲。

(520) 密点突眼隐翅虫 *Stenus* (*Hypostenus*) *confertus* Sharp, 1889

Stenus confertus Sharp, 1889: 331.

鉴别特征：体长3.00~3.30mm。体黑色，下颚须、触角和足红黄色，但足的膝部颜色较深。头明显窄于鞘翅，刻点非常规则的圆形，排列非常密集，刻点具明显的白色短刚毛；腹部无侧背板；后足第4跗节分叶；雄性第8腹板后缘中部圆弧形凹入。

分布：陕西(秦岭)、浙江；朝鲜，日本。

(521) 亲缘突眼隐翅虫 *Stenus* (*Hypostenus*) *frater* Benick, 1916

Stenus frater Benick, 1916: 247.

Stenus cinctiventris Cameron, 1938b: 149.

鉴别特征：体长5.30～5.60mm。头部黑色，前胸背板黑棕色。鞘翅、腹部除第5、6腹节以及第7节基部亮橙色外，均红褐色。鞘翅具1对巨大的达鞘翅侧缘的橙斑；触角基部红黄色，向端部逐渐加深；棒节红褐色；下颚须黄色；足浅红棕色，膝部较深，跗节端部明显褐色，刻点规则密集，刻点间区具网状刻纹；腹部圆筒形，仅第3节基半部有窄的具少数刻点的侧背板；后足第4跗节分叶；雄性第7腹板后缘中部浅凹入，凹入之前浅压入，第8腹板后缘中部深而窄的凹入。

分布：陕西（秦岭）、湖南、广东、香港、四川、云南；越南，印度尼西亚。

（522）胡氏突眼隐翅虫 *Stenus*（*Hypostenus*）*hui* Tang *et* Puthz, 2009（图版6：7）

Stenus hui Tang *et* Puthz, 2009: 192.

鉴别特征：体长3.80～4.70mm。体黑棕色，触角黄色，棒节烟褐色，下颚须黄色，腿亮棕色。头宽是鞘翅宽的1.12倍，刻点圆形，部分愈合呈皱纹状，中域刻点较近眼缘的大而稀疏。前胸背板具1条深的中纵沟，刻点愈合呈皱纹状，稍大于头部刻点。鞘翅刻点强烈愈合呈皱纹状。腹部圆筒形，无明显的侧背板，但具未发展的侧缘，各节在后1/6处明显裂开，刻点圆形至椭圆形，向后逐渐变小。

采集记录：1♂，周至厚畛子，1300～1700m，1998.Ⅵ.09-Ⅶ.03；7♂10♀，眉县，1883m，2007.Ⅴ.22-23；1♂1♀，佛坪，2065m，2004.Ⅶ.19。

分布：陕西（周至、眉县、佛坪）。

（523）莫卡托突眼隐翅虫 *Stenus*（*Hypostenus*）*mercator* Sharp, 1889

Stenus mercator Sharp, 1889: 333.

Stenus azureus Krasa, 1945: 46 [HN].

Stenus krasai Puthz, 1965: 28 [new name for *azureus* Krasa, 1945].

Stenus yiae Zhao *et* Zhou, 2008: 89 [no holotype depository].

鉴别特征：体长4.60～5.50mm。体黑色略带棕色，具微弱的蓝色金属光泽；触角红黄色，棒节较深；下颚须红黄色；足红黄色，腿节端部和各跗节端部烟褐色。前体刻点较小，紧密，较好定界；腹部前部刻点相对较大且紧密，后部刻点相对较小且相对稀疏。披毛非常浓密且倒伏，腹部具明显的侧背板，后足第4跗节分叶。雄性第8腹板后缘中部具三角形凹入，第9腹板具1对尖锐的后侧角。

分布：陕西（秦岭）、辽宁、北京、内蒙古、山东、上海、江苏、浙江、江西、福建；蒙古，俄罗斯，朝鲜，日本。

(524) 黑头突眼隐翅虫 *Stenus* (*Hypostenus*) *nigriceps* Tang *et* Puthz, 2009(图版6：8)

Stenus nigriceps Tang *et* Puthz, 2009: 198.

鉴别特征：体长2.70~3.20mm。头暗棕色至黑色，前胸背板和鞘翅红棕色，腹部暗棕色，足亮棕色。头部刻点很密；体表披毛短，倒伏。鞘翅基部明显缢缩，后翅退化缩短；阳茎中叶端部骨质化区顶部具1个圆突，腹面具1条中纵脊；侧叶细长，端部1/3处起轻微膨大，之后又向端部变窄，稍超出中叶端部。

采集记录：2♂3♀，周至厚畛子，1300~1700m，1998. Ⅵ. 09-Ⅶ. 03；9♂2♀，太白山自然保护区，1450~1750m，2004. Ⅶ. 12；4♂9♀，眉县太白山，1883m，2008. Ⅴ. 22-23；1♀，佛坪，2065m，2004. Ⅶ. 19。

分布：陕西(周至、太白、眉县、佛坪)。

(525) 漆黑突眼隐翅虫 *Stenus* (*Hypostenus*) *nigritus* Tang, Li *et* Zhao, 2005(图版6：9)

Stenus nigritus Tang, Li *et* Zhao, 2005: 612.

鉴别特征：体长2.30~3.20mm。体黑色，足红黄色。前体具粗大而非常密的刻点，披毛(尤其腹部的)长而竖立；鞘翅基部明显缢缩，刻点间区具微刻纹；腹部仅第3腹节具很窄而光滑的侧背板；阳茎中叶端部骨质化区近三角形侧叶轻微短于中叶，端部稍膨大。

分布：陕西(太白)。

(526) 特氏突眼隐翅虫 *Stenus* (*Hypostenus*) *turnai* Puthz, 2013

Stenus turnai Puthz, 2013: 1334.

鉴别特征：体长4.50~5.30mm。体黑色，触角、下颚须和足黄色。头宽明显小于鞘翅宽，刻点较均匀和规则，具明显的白色刚毛；腹部无侧背板；后足第4跗节分叶。雄性第3~5腹板中部具宽而深的凹陷并具长刚毛，第8腹板后缘中部较深地凹入，第9腹板后侧角不凸出。

分布：陕西(秦岭)、湖北、四川。

(527) 异突眼隐翅虫 *Stenus* (*Stenus*) *alienus* Sharp, 1874(图版6：10)

Stenus alienus Sharp, 1874a: 81

鉴别特征：体长4.80～5.20mm。体黑色，鞘翅具1对橙色圆斑。本种属*S. comma*种组，可通过其足红棕色与种组内其他种类区分。

分布：陕西（秦岭）、北京、山西、青海、台湾；蒙古，俄罗斯，韩国，日本。

（528）丽额突眼隐翅虫 *Stenus*（*Stenus*）*calliceps* Bernhauer, 1916

Stenus calliceps Bernhauer, 1916: 28.

Stenus klapperichi L. Benick, 1941: 276.

鉴别特征：体黑色，有时鞘翅具极其模糊的红色小斑点，足红棕色。前体刻点非常密，刻点间区很窄；腹部具明显的侧背板，腹部刻点间区清晰而强烈的光亮（尤其是后部的）；后足第4跗节简单。雄性中足胫节端部内缘具明显的刺突，第4～6腹板后缘具细的三角形光亮区域，第6腹板后缘宽凹入；第7腹板后1/3部具1个清晰的宽压痕，侧缘突起成明显的脊。

采集记录：2♂，汉中，1090m，2012.Ⅷ.15。

分布：陕西（汉中）、北京、山东、甘肃、湖北、江西、福建；朝鲜，日本。

（529）斑突眼隐翅虫 *Stenus*（*Stenus*）*comma comma* LeConte, 1863

Stenus comma LeConte, 1863: 50.

Stenus punctiger Casey, 1884b: 13.

Stenus bipustulatus Stephens, 1833b: 303 [HN].

Stenus bipunctatus Erichson, 1839b: 530 [HN].

鉴别特征：体长5.10～5.50mm。体黑色，鞘翅中后部具1对橙色的圆斑，下颚须、触角及各足跗节深红褐色。头部较鞘翅窄，前胸背板具中纵沟，鞘翅斑点附近的刻点较为愈合，腹部具明显的侧背板，整体的刻点间区均具微刻纹，后足第4跗节简单。雄性第7腹板后缘中部圆弧形凹入，沿凹入之前具1条近半圆形压痕；第8腹板后缘中部倒“V”形凹入；第9腹板无明显端侧角。

分布：陕西（秦岭）、黑龙江、吉林、辽宁、河北、内蒙古、山西、甘肃、宁夏、青海、新疆、江苏、湖北、四川；蒙古，俄罗斯，朝鲜，日本，中亚地区，欧洲，北美洲。

（530）伪骗突眼隐翅虫 *Stenus*（*Stenus*）*deceptiosus* Puthz, 2008

Stenus deceptiosus Puthz, 2008: 184.

鉴别特征：体长4.40～5.60mm。体黑色，鞘翅具1对橙色圆斑。与*S. comma*很相似，但头背面中隆基两侧的刻点较稀疏，刻点间距与刻点直径相当。

分布：陕西(西安)、辽宁、北京、河北、山西、宁夏；朝鲜。

(531) 分离突眼隐翅虫 *Stenus* (*Stenus*) *distans* Sharp, 1889(图版 6：11)

Stenus distans Sharp, 1889：327.

Stenus beppuensis Bernhauer, 1939e：151.

鉴别特征：体长 4.50～4.90mm。体黑色，触角红棕色，下颚须、足红黄色，腿节端部颜色较深。本种与 *S. formosanus* Benick 较为相似，但体型明显较小，头宽与鞘翅宽之比几乎等于 1，而 *S. formosanus* 中明显小于 1。

采集记录：1♀，佛坪，850～959m，2004. Ⅶ. 20。

分布：陕西(佛坪)、北京、山西、河南、浙江、福建、台湾、四川、贵州；韩国，日本。

(532) 东方突眼隐翅虫 *Stenus* (*Stenus*) *eurous* Puthz, 1980

Stenus puberulus eurous Puthz, 1980：30.

Stenus eurous：Puthz, 2008a：151.

鉴别特征：体长 3.00～3.60mm。体黑色略具光泽，下颚须第 1、2 节黄色，末节红棕色，足红棕色，腿节端部以及胫节基部红黑色。腹部具侧背板，后足第 4 跗节简单，雄性第 8 腹板后缘中部浅凹入，与近似种准确区别唯有通过阳茎。

分布：陕西(秦岭)、山东、安徽、浙江、湖北、台湾、广东、海南、香港。

(533) 伪赝突眼隐翅虫 *Stenus* (*Stenus*) *falsator* Puthz, 2008

Stenus falsator Puthz, 2008b：182.

鉴别特征：体长 5.20～5.60mm。本种与 *S. comma* 极其相似，但体色相对更黑，少金属光泽，阳茎内骨片不同。

采集记录：16♂16♀，太白山，1200m，1998. Ⅶ. 26。

分布：陕西(太白山)、黑龙江、吉林、北京、内蒙古、宁夏；俄罗斯，朝鲜。

(534) 伯仲突眼隐翅虫 *Stenus* (*Stenus*) *fraterculus* Puthz, 1980

Stenus fraterculus Puthz, 1980：27.

鉴别特征：体长 4.60～5.30mm。体黑色，较光亮；触角、下颚须、足稍带红棕色。前体刻点适度粗大，非常密；腹部前部刻点紧密，后部较紧密，刻点间区具微刻纹。腹部具明显的侧背板，后足第4跗节简单。雄性第7腹板后缘浅凹入，凹入之前具非常深的纵向压痕；第8腹板后缘中部双波形凹入，凹入之前具明显的纵向压痕；第9腹板后侧角长而尖锐。

采集记录：1♀，眉县，1875m，2012.Ⅶ.26。

分布：陕西(眉县)、湖南、四川、云南。

(535) 竖毛突眼隐翅虫 *Stenus* (*Tesnus*) *hirtiventris* Sharp, 1889

Stenus hirtiventris Sharp, 1889: 328.
Stenus kinkiangensis Bernhauer, 1939g: 588.

鉴别特征：体长2.50～2.70mm。体黑色，下颚须、触角、足红棕色。刻点较密而规则；刚毛尤其是腹部的较为竖立，刻点间区光滑。鞘翅长略小于宽，腹部无侧背板，后足第4跗节简单。雄性第8腹板后缘较平直略圆弧形凹入，第9腹板端侧角锐突。

采集记录：1♀，南郑黎坪，1400～1600m，2012.Ⅶ.15。

分布：陕西(南郑)、山西、江苏、浙江；日本。

(536) 华北突眼隐翅虫 *Stenus* (*Stenus*) *huabeiensis* Rougemont, 2001(图版6：12)

Stenus huabeiensis Rougemont, 2001: 67.

鉴别特征：体长5.70～6.50mm。体黑色，鞘翅中部具1对非常大的橙色圆斑。头部刻点圆形至椭圆形，刻点间距远小于至等于刻点直径，具微刻纹。前胸背板中后部沿中纵线具1条深犁沟，密布近圆形刻点，常相互愈合呈横条状，较头部刻点大。鞘翅刻点卵圆形，强烈愈合呈斜条状，较前胸背板的大。

分布：陕西(秦岭)、北京、山西、湖北。

(537) 腹毛突眼隐翅虫 *Stenus* (*Stenus*) *lanuginosipes* Puthz, 2010(图版6：13)

Stenus lanuginosipes Puthz, 2010a: 67.

鉴别特征：体长5～6mm。体黑色，鞘翅具1对橙色小圆斑。腹背板第3～5节基部向后具3条纵脊；雄性后足腿节粗壮，内侧具长而密的毛。

采集记录：1♂1♀，镇坪，1700～1800m，2001.Ⅶ.11-12。

分布：陕西(镇坪)、四川。

(538) 阑氏突眼隐翅虫 *Stenus* (*Stenus*) *lewisius pseudoater* Bernhauer, 1938

Stenus lewisius pseudoater Bernhauer, 1938: 27.

Stenus latior Bernhauer, 1938: 27 [HN].

Stenus subnitidus Bernhauer, 1939g: 587.

鉴别特征: 体长3.70~4.40mm。体黑色。刻点较密，相互轻度愈合，前胸背板和鞘翅的刻点间区具微刻纹。腹部具明显的侧背板，第3~5腹背板基部向后具3条纵脊，后足第4跗节简单。雄性第8腹板后缘中部"U"形凹入，第9腹板端侧角锐突。

采集记录: 2♂2♀，周至厚畛子，400m，1995. Ⅷ. 24。

分布: 陕西(周至)、黑龙江、辽宁、北京、天津、河北、山西、河南、江苏、上海、浙江；朝鲜。

(539) 小黑突眼隐翅虫指名亚种 *Stenus* (*Stenus*) *melanarius melanarius* Stephens, 1833

Stenus melanarius Stephens, 1833b: 299.

Stenus cinerascens Erichson, 1839b: 539.

Stenus gracilentus Fairmaire *et* Laboulbene, 1856: 578.

Stenus nigripalpis Thomson, 1857: 224.

Stenus verecundus Sharp, 1874a: 81.

Stenus notatus Rey, 1884: 255.

Stenus rugulosus Rey, 1884: 268.

Stenus walkeri Bernhauer, 1931b: 126.

Stenus orientalis Bernhauer, 1931b: 127

鉴别特征: 体长3~4mm。体黑色。刻点较密，相互轻度愈合，刻点间区具微刻纹。腹部具明显的侧背板，第3~5腹背板基部向后具4条纵脊，后足第4跗节简单。雄性第8腹板后缘中部圆弧形凹入，第9腹板端侧角锐突。

采集记录: 1♂，西安，1995. Ⅷ. 06；23♂21♀，周至厚畛子，400m，1995. Ⅷ. 24；1♂，太白山，1200m，1998. Ⅶ. 23-26。

分布: 陕西(西安，太白山)、黑龙江、吉林、辽宁、北京、天津、山西、河南、宁夏、上海、江苏、安徽、浙江、江西、湖南、福建、台湾、广东、海南、广西、四川、贵州、云南；蒙古，俄罗斯，朝鲜，日本，伊朗，中亚地区，欧洲，北美洲。

(540) 晦色突眼隐翅虫 *Stenus* (*Stenus*) *morio* Gravenhorst, 1806

Stenus morio Gravenhorst, 1806: 230.

Stenus aequalis Mulsant *et* Rey, 1861: 154.

Stenus inaequalis Mulsant *et* Rey, 1861: 156.

Stenus albipilus Rey, 1884: 275.

Stenus arcuatus Rey, 1884: 282.

Stenus luculentus Casey, 1884b: 122.

Stenus haplus Casey, 1884b: 125.

Stenus subgriseus Casey, 1884b: 127.

Stenus dives Casey, 1884b: 127.

Stenus terricola Casey, 1884b: 128.

Stenus indistinctus Casey, 1884b: 130.

鉴别特征：体长2.80~3.60mm。与 *S. melanarius* 非常相似，但是较容易通过本种额部复眼之间整个宽而深的凹入与后者区分（*S. melanarius* 的额具1对纵沟，纵沟之前隆起）。

采集记录：3♂5♀，西安，1982. Ⅶ. 01；5♂10♀，太白山，1200m，1998. Ⅶ. 23-26。

分布：陕西（西安，太白山）、黑龙江、辽宁、河北、山西、甘肃、青海、湖北、西藏；蒙古，俄罗斯，朝鲜，伊朗，中亚地区，欧洲，北美洲。

（541）拟尊贵突眼隐翅虫 *Stenus* (*Stenus*) *paradoxus* Bernhauer, 1916

Stenus paradoxus Bernhauer, 1916: 29.

鉴别特征：体长3.60~3.90mm。体黑色。刻点尤其是鞘翅刻点较为相互愈合，刻点间区具微刻纹。鞘翅长等于宽，腹部具明显的侧背板，第3~5腹背板基部向后具3条纵脊，后足第4跗节简单。雄性第7腹板后缘弱凹入，凹入之前具明显的纵向压痕，压痕后部两侧具浓密的黄色毛簇；第8腹板后缘中部三角形凹入；第9腹板后侧角宽而尖锐。

分布：陕西（秦岭）、黑龙江、吉林、辽宁、北京、内蒙古、山西、青海；蒙古，俄罗斯。

（542）壮股突眼隐翅虫 *Stenus* (*Stenus*) *pernanus* Puthz, 2006

Stenus pernanus Puthz, 2006: 186.

鉴别特征：体长1.60~2.10mm。体黑色，极光亮。前体密布极粗大（额）至适度粗大（鞘翅）的刻点，腹部刻点细而密；披毛密而短，倒伏；前体具明显的网状刻纹，腹部仅端部具较浅的网状刻纹；阳茎中叶端部非常宽平，端侧角圆滑，具骨质化的外翻钩；侧叶长于中叶，端部稍膨大，内缘具较多的稀疏短刚毛。

分布： 陕西(周至、佛坪)。

(543) 多毛突眼隐翅虫 *Stenus* (*Tesnus*) *pilosiventris* Bernhauer, 1915

Stenus pilosiventris Bernhauer, 1915b: 70.

Stenus bodemeyeri Bernhauer, 1927a: 92 [HN].

Stenus bodemeyerianus Bernhauer, 1929c: 123 (new name for *bodemeyeri* Bernhauer, 1927).

鉴别特征： 体长 2.50～3.10mm。体黑色，下颚须、触角、足红棕色。与 *S. hertiventris* Sharp 非常相似，但可通过以下几点与后者区别：体披毛，但较后者短；鞘翅长等于宽；雄性第 8 腹板后缘几乎平直，无凹入。

采集记录： 12♂11♀，西安，400m，1995. Ⅷ. 22。

分布： 陕西(西安)、黑龙江、辽宁、北京、河北、山东、甘肃、宁夏、上海、江苏、浙江、江西、湖南、四川；俄罗斯，朝鲜，日本。

(544) 伪铅色突眼隐翅虫 *Stenus* (*Stenus*) *plumbivestis* Puthz, 2008(图版 6: 14)

Stenus plumbivestis Puthz, 2008: 189.

鉴别特征： 体长 3～4mm。体黑色，具较弱的沥青光泽；足深红褐色。前体刻点粗大，适度愈合；刻点间区窄而呈皱纹状；腹部前部刻点紧密。本种和 *S. plumbeus* Cameron(四川、云南)及 *S. plumbarius* Puthz(云南)在外形上几乎一致，仅能通过阳茎内部具有齿突的骨质化内囊与后两者区分。

分布： 陕西(佛坪)、山西、湖北、台湾。

(545) 微毛突眼隐翅虫 *Stenus* (*Stenus*) *pubiformis* Puthz, 2012(图版 6: 15)

Stenus pubiformis Puthz, 2012: 93.

鉴别特征： 体长 2.50～3.00mm。体黑色，足红黑色。头部明显窄于鞘翅，前体密布圆形刻点，腹部扁圆筒形，第 3～7 腹节具明显的侧背板。本种可以通过管状的内囊以及阳茎中叶明显超出侧叶与 *S. eurous* Puthz 以及 *S. fukiensis* L. Benick 区分。

分布： 陕西(秦岭)、辽宁、山西、山东、上海、浙江；俄罗斯，朝鲜。

(546) 郊野突眼隐翅虫 *Stenus* (*Stenus*) *ruralis* Erichson, 1840

Stenus ruralis Erichson, 1840: 697.

Stenus alpestris Heer, 1841: 577.

Stenus saxatilis Gistel, 1857: 66.

鉴别特征: 体长 3 ~4mm。本种与 *S. melanarius* 相似, 但是可通过本种明显很密且相互愈合的前胸背板及鞘翅刻点, 以及下颚须第 1 节黑色与后者区分。

采集记录: 1♂1♀, 太白山, 1200m, 1998. Ⅶ. 23-26。

分布: 陕西(太白山)、黑龙江、吉林、辽宁、山西; 蒙古, 俄罗斯, 朝鲜, 日本, 哈萨克斯坦, 欧洲。

(547) 隐秘突眼隐翅虫 *Stenus* (*Stenus*) *secretus* Bernhauer, 1915

Stenus secretus Bernhauer, 1915b: 70.

Stenus aureosetulus L. Benick, 1924: 252.

鉴别特征: 体长 4.40 ~4.70mm。体黑色, 上唇前缘、下颚须、腿节除端部以及胫节除基部红褐色。体具非常密且相对规则的刻点, 刻点间区具微刻纹; 腹部具明显的侧背板; 第 3 ~5 腹背板基部向后具 3 条纵脊; 后足第 4 跗节简单。雄性第 6 腹板后中部具 1 条压痕, 沿压痕两侧各着生 1 簇长毛; 第 7 腹板后缘中部圆弧形凹入, 凹入之前具 1 条压痕, 沿压痕两侧各着生 1 簇长毛; 第 8 腹板后缘中部近倒"V"形凹入; 第 9 腹板端侧角长而尖锐。

采集记录: 1♀, 西安, 1993. Ⅳ. 16。

分布: 陕西(西安)、黑龙江、吉林、辽宁、内蒙古、北京、河北、山西、河南、甘肃、宁夏; 蒙古, 俄罗斯, 朝鲜。

(548) 性突眼隐翅虫 *Stenus* (*Stenus*) *sexualis* Sharp, 1874

Stenus sexualis Sharp, 1874a: 84.

Stenus coniventris Bernhauer, 1938: 30.

鉴别特征: 体长 2.50 ~2.80mm。体黑色, 上唇前缘、触角红棕色, 下颚须、足红黄色。刻点较密, 刻点间区具微刻纹。腹部明显向端部变窄, 具明显的侧背板; 第 3 ~5腹背板基部向后具 3 条纵脊, 第 10 背板具明显的白色刚毛簇; 后足第 4 跗节简单。雄性第 8 腹板后缘中部倒"V"形凹入, 第 9 腹板端侧角尖锐。

采集记录: 1♀, 南郑黎坪, 1400 ~1600m。

分布: 陕西(南郑)、北京、河北、山西、上海、江苏、浙江、四川、贵州; 日本, 老挝。

183. 束毛隐翅虫属 *Dianous* Leach, 1819

Dianous Leach, 1819: 173. **Type species**: *Dianous coerulescens* Gyllenhal, 1810.

属征: 体长3.10～8.50mm。虫体通常黑色，部分种类具明显的金属光泽。鞘翅有时具1对橙色圆斑；复眼大，但通常不占据整个头侧(Group I的类群除外，陕西无分布)。触角窝位于复眼之间，下颏横短，不具可弹射的下唇，可据此与突眼隐翅虫属区分。总是生活在水流附近，部分种类跗节腹面具特化的疏水刚毛。

分布: 东洋区。中国已知110种，秦岭地区发现5种。

分种检索表

1. 鞘翅具灰色斑 …… **负债束毛隐翅虫 *D. aerator***
   鞘翅具橙色斑 …… 2
2. 鞘翅橙色斑大，到达鞘翅侧缘；后足第4跗节不分叶 …… **班氏束毛隐翅虫 *D. banghaasi***
   鞘翅橙色斑小，不达鞘翅侧缘；后足第4跗节至少轻度分叶 …… 2
3. 前体的刚毛长而竖立，单根刚毛约等于触角第4节的长度 …… **中华束毛隐翅虫 *D. chinensis***
   前体的刚毛短而较倒伏，单根刚毛明显短于触角第4节的长度 …… 3
4. 鞘翅斑点周围的刻点明显相互愈合，呈皱纹状 …… **钝尖束毛隐翅虫 *D. acutus***
   鞘翅仅斑点之间的部分刻点多少愈合，呈皱纹状 …… **疑束毛隐翅虫 *D. dubiosus***

(549) 钝尖束毛隐翅虫 *Dianous acutus* Zheng, 1994

Dianous acutus Zheng, 1994b: 479.

鉴别特征: 体长4.00～4.80mm。体黑色，具较弱的蓝色金属光泽；刚毛白色。鞘翅具1对圆形橙斑，鞘翅斑点周围的刻点较为愈合呈漩涡状；腹部具明显上升的侧背板；后足第4跗节二分叶。雄性第7腹板后缘中部略凹入，第8腹板后缘中部倒"V"形凹入，第9腹板后侧角明显；阳茎中叶端部三角形且具毛，侧叶明显高于中叶。雌性第8腹板后缘中部凸出。

分布: 陕西(秦岭)、湖北、四川。

(550) 负债束毛隐翅虫 *Dianous aerator* Puthz, 2016

Dianous aerator Puthz, 2016: 726.

鉴别特征: 体长4.00～4.50mm。体黑色，具蓝色金属光泽。额区宽大，具密集刻点；触角黑色；足黑褐色。前胸背板和鞘翅具细刻纹，鞘翅具灰斑。

采集记录： 10♂8♀，周至厚畛子，1450m，2001.Ⅶ.05；2♂1♀，佛坪，1700m，2001.Ⅶ.03。

分布： 陕西(周至、佛坪)、湖北、江西、湖南、广西、四川。

(551) 班氏束毛隐翅虫 *Dianous banghaasi* Bernhauer, 1916

Dianous banghaasi Bernhauer, 1916: 27.

Dianous pilosus Champion, 1919a: 54.

鉴别特征： 体长4.80~6.10mm。体黑色，具强烈的蓝色金属光泽。鞘翅具1对横圆形橙斑，背面观达鞘翅外缘，刚毛黑色，刻点间区光滑，刻点清晰且很少相互愈合；腹部具明显上升的侧背板；后足第4跗节简单。雄性第7腹板后缘中部浅圆弧形凹入，第8腹板后缘中部倒"V"形凹入，第9腹板后缘锯齿形且略凹入；阳茎中叶端部二分叶，侧叶明显高于中叶。雌性第8腹板后缘中部凸出。

分布： 陕西(秦岭)、山西、河南、山东、上海、浙江、江西、湖南、福建、广东、广西、四川、贵州；韩国。

(552) 中华束毛隐翅虫 *Dianous chinensis* Bernhauer, 1916

Dianous chinensis Bernhauer, 1916: 28.

鉴别特征： 体长5.70~6.10mm。体黑色，具明显的蓝色金属光泽。鞘翅具1对圆形橙斑，刚毛黄褐色，刻点间区具微刻纹，鞘翅斑点周围的刻点轻微愈合且略呈漩涡状；腹部具明显上升的侧背板；后足第4跗节较对称，弱二分叶。雄性第7腹板后缘中部浅圆弧形凹入，第8腹板后缘中部倒"V"形凹入，第9腹板后缘锯齿形且略凹入；阳茎中叶基部略膨大，端部二分叶，侧叶明显高于中叶。雌性第8腹板后缘中部凸出。

分布： 陕西(秦岭)、河南、山东、浙江、江西。

(553) 疑束毛隐翅虫 *Dianous dubiosus* Puthz, 2000

Dianous dubiosus Puthz, 2000: 467.

鉴别特征： 体长4.50~4.70mm。体黑色，具较弱的蓝色金属光泽。鞘翅具1对圆形橙斑，刚毛白色，刻点间区光滑无刻纹，前胸背板和鞘翅的刻点相互愈合呈旋涡状；腹部具明显上升的侧背板；后足第4跗节明显分叶。雄性第7腹板后缘中部浅圆弧形凹入，第 8 腹板后缘中部倒“V”形凹入，第 9 腹板后缘锯齿形且略凹入；阳茎中叶基部略膨大，端部凹入略呈二分叶，侧叶明显高于中叶。雌性第 8 腹板后缘中部凸出。

采集记录： 1♂1♀，周至，1700m，2001. Ⅶ. 03。

分布： 陕西(周至、岚皋)、湖北、广西、四川、贵州。

（十五）尖腹隐翅虫亚科 Tachyporinae

鉴别特征： 体中型，体长 3～8mm。虫体多为深棕至红棕色。头部短小，无明显颈部；触角窝位于两眼之前；背面可见；前胸背板和鞘翅宽阔，腹部逐步向端部变尖；鞘翅侧面具折缘；跗节 5-5-5。

分类： 世界已知46 属1500 余种，中国记录21 属243 种，陕西秦岭地区发现3 属 12 种。

184. 锥须隐翅虫属 *Bolitobius* Leach, 1819

Bolitobius Leach, 1819: 176. **Type species**: *Megacronus castaneus* Stephens, 1832 (= *Staphylinus analis* sensu Paykull, 1789).

Megacronus Stephens, 1829: 22. **Type species**: *Megacronus castaneus* Stephens, 1832 (= *Staphylinus analis* sensu Paykull, 1789).

Bolitoglyphus Gistel, 1834: 9. **Type species**: *Megacronus castaneus* Stephens, 1832 (= *Staphylinus analis* sensu Paykull, 1789).

Bryocharis Lacordaire, 1835: 502. **Type species**: *Megacronus castaneus* Stephens, 1832 (= *Staphylinus analis* sensu Paykull, 1789).

属征： 中后胫节端部各有 3 个长距，眼后刻点及刚毛很发达，刚毛至少与眼等长。鞘翅刻点较稀疏，至少有部分刻点排列成形。下颚须末节锥状，稍窄于或约等于第 3 节宽度。前胸和鞘翅在高倍镜下能看到粗波状横皱纹。

分布： 古北区，东洋区。中国已知 7 种，秦岭地区发现 1 种。

(554) 陕西锥须隐翅虫 *Bolitobius shaanxiensis* Schülke, 2000

Bolitobius shaanxiensis Schülke, 2000a: 897.

鉴别特征： 体长 7.20mm。体暗褐色，有光泽。头部黑色，鞘翅黄褐色，腹部各节后缘及足红褐色。头部表面疏布细刻点，密布横波状刻纹；前胸背板、鞘翅和腹部均无刻纹；雄性第 8 腹板具 1 对浓密的鬃毛块；阳茎中叶端部具三角形突起，侧叶明显长于中叶并向内弯曲。

采集记录：1♀，周至厚畛子，1300～1700m，1998. Ⅵ.09-Ⅶ.03。

分布：陕西(周至、太白)。

185. 长足隐翅虫属 *Derops* Sharp, 1889

Derops Sharp, 1889: 418. **Type species**: *Derops longicornis* Sharp, 1889.

Paraleaster Cameron, 1930a: 169. **Type species**: *Paraleaster longipennis* Cameron, 1889.

Rimulincola Sanderson, 1947: 131. **Type species**: *Rimulincola divalis* Sanderson, 1947.

属征：触角细长，共11节，均匀覆盖有刚毛。下颌骨没有牙齿。头水平，没有明显的颈部，且长度是前胸的1/4。尾部基节圆锥形。腿细长，鞘翅发达，后翅发达，但只延伸到第4腹节的前端。

分布：东洋区。中国已知11种，秦岭地区发现1种。

(555) 亮腹长足隐翅虫 *Derops nitidipennis* Schülke, 2000

Derops nitidipennis Schülke, 2000b: 913.

鉴别特征：体长2.90mm。体黑色，触角、腹部各节后缘及各足跗节红褐色。头部表面密布粗刻点和网状刻纹；前胸背板刻点较头部的粗大，无刻纹；鞘翅刻点较头部和前胸背板的粗大；腹部表面疏布刻点，较鞘翅上的细。雌性第8背板分叶之间具"U"形深凹入。

采集记录：1♀，周至厚畛子，1700～2600m，1998. Ⅵ.09-Ⅶ.03。

分布：陕西(周至)、湖南、贵州。

186. 毛须隐翅虫属 *Ischnosoma* Stephens, 1829

Ischnosoma Stephens, 1829: 22. **Type species**: *Tachinus splendidus* Gravenhorst, 1806.

Leichotes Gistel, 1834: 9. **Type species**: *Tachinus splendidus* Gravenhorst, 1806.

Myteroxis Gozis, 1886: 14. **Type species**: *Tachinus splendidus* Gravenhorst, 1806.

Ischnosomata Strand, 1935: 293 [Replacement name]. **Type species**: *Tachinus splendidus* Gravenhorst, 1806.

属征：体长2.50～7.00mm。体沥青色、淡棕色或红棕色，前胸背板一般棕黄色至红棕色，鞘翅上一般有红棕色至红黄色的斑，足、触角、唇须红褐色至深棕色。身体表面光滑闪亮，并有细微的横纹；鞘翅和腹部一般有明显的微刻点，只有极少数种类前胸上有微刻纹。

分布：东洋区。中国已知 19 种，秦岭地区发现 10 种。

分种检索表

1. 前胸背板前缘无卷刻 …………………………………………………………………… 2
   前胸背板前缘有浅凹状卷刻 …………………………………………………………… 3
2. 鞘翅愈合，眼后刚毛与前胸背板刚毛等长 ………………… **太白毛须隐翅虫 *I. taibaiensis***
   鞘翅不愈合，眼后刚毛短或消失 … **伪凸背毛须隐翅虫指名亚种 *I. quadriguttatum quadriguttatum***
3. 雄虫第 8 腹板端缘有空白区域，被圆弧形缝分开 ……………………………………… 4
   雄虫第 8 腹板端缘有空白区域，未被圆弧形缝分开 …………………………………… 5
4. 第 8 腹板光滑区有几列粗细均匀的刚毛排列 ……………… **肩斑毛须隐翅虫 *I. bolitobioides***
   第 8 腹板光滑区有浓密的短刚毛 ………………………………… **阿布毛须隐翅虫 *I. absalon***
5. 第 8 腹板有长柔毛，长度超过腹板边缘 …………………………… **伊娃毛须隐翅虫 *I. evae***
   第 8 腹板有不同的毛序；栅栏状结构区大，在端部相接 ……………………………… 6
6. 前胸背板前 1/3 黑色，后 2/3 黄色且透明 …………………… **波氏毛须隐翅虫 *I. bohaci***
   前胸背板颜色单一 ……………………………………………………………………… 7
7. 鞘翅颜色分三部分，中部褐色………………………………………………………… 8
   鞘翅颜色分两部分 ……………………………………………………………………… 9
8. 头部具刻点及刻纹 …………………………………………… **小斑毛须隐翅虫 *I. fusciventre***
   头部无刻点及刻纹 ……………………………………… **盘毛须隐翅虫 *I. discoidale discoidale***
9. 鞘翅黑褐色，基部及两肩橘红色 ………………………………… **黑角毛须隐翅虫 *I. maderi***
   鞘翅基部 2/5 红褐色，端部 3/5 褐色 ……………………… **双列毛须隐翅虫 *I. duplicatum***

(556) 阿布毛须隐翅虫 *Ischnosoma absalon* Kocian, 2003(图版 6：16)

Ischnosoma absalon Kocian, 2003：82.

鉴别特征：体长 4.10～4.50mm。体红褐色，鞘翅中部和基部较黑，触角、触须、前胸背板及足红黄色。头部和前胸背板表面具细而稀疏的刻点和刻纹；后翅退化；雄性第 8 腹板中部有 1 个长有浓密且较粗的扇形刚毛区域；后缘两边沿着缝缘各有 1 列栅栏状刚毛结构；阳茎中叶内部具 1 对“Y”形骨质化结构。

采集记录：13♂12♀，太白山自然保护区，2350～2750m，2004. Ⅶ. 14；1♂3♀，佛坪，2065m，2004. Ⅷ. 21。

分布：陕西(太白山，留坝、佛坪)。

(557) 波氏毛须隐翅虫 *Ischnosoma bohaci* Kocian, 2003

Ischnosoma bohaci Kocian, 2003：81.

鉴别特征：体长3.60～3.90mm。体褐色；头部黑色，有光泽；触角第1～2节和9～11节黄色透明；前胸背板前1/3黑色，后2/3黄色透明；鞘翅黑色，前、后缘黄色；腹部第1～2节黄褐色。头部窄于前胸背板，触角细长，向后达鞘翅1/4处；前胸背板长大于宽，表面光滑无刻点，前缘卷刻明显；鞘翅长小于宽，长于前胸背板，具3列成行刻点。

采集记录：5♂3♀，太白山自然保护区，1450～1750m，2004.Ⅶ.15；3♂5♀，佛坪，1400～1800m，2004.Ⅶ.19。

分布：陕西(太白山，佛坪)、甘肃、浙江、福建、台湾。

(558) 肩斑毛须隐翅虫 *Ischnosoma bolitobioides* (Bernhauer, 1923)

Mycetoporus bolitobioides Bernhauer, 1923: 126.

Ischnosoma bolitobioides: Herman, 2001: 15.

鉴别特征：体长3.60～4.40mm。体褐色；头部黑色，有光泽；前胸背板黄色；鞘翅黑色，近前缘和后缘黄色；腹部第1～2节黄色。

分布：陕西(秦岭)、浙江、台湾、四川；日本，泰国。

(559) 盘毛须隐翅虫指名亚种 *Ischnosoma discoidale discoidale* (Sharp, 1888)

Mycetoporus (*Ischnosoma*) *discoidalis* Sharp, 1888: 463.

Ischnosoma discoidale: Herman, 2001a: 15.

Ischnosoma discoidale discoidale: Kocian, 2003: 73.

鉴别特征：体长3.20～3.30mm。体色变化较大，多为黄褐色；前胸背板、鞘翅两肩及后缘橘红色，鞘翅中部及背板褐色。头小，无刻点及刻纹；前胸背板长小于宽，盘区具稀疏的不规则刻点及刻纹，前缘卷刻明显；鞘翅长于前胸背板，具3列刻点行，表面有横向刻纹；腹部第7背板后缘具栅栏状白色缨毛。

采集记录：3♂3♀，佛坪自然保护区，1250～1400m，2004.Ⅶ.18。

分布：陕西(佛坪)、黑龙江、贵州；日本、泰国。

(560) 双列毛须隐翅虫 *Ischnosoma duplicatum* (Sharp, 1888)

Mycetoporus (*Ischnosoma*) *duplicatus* Sharp, 1888: 464.

Bolitobius freyi Bernhauer, 1939g: 599.

Mycetoporus malaisei Scheerpeltz, 1965: 299.

Ischnosoma duplicatum: Herman, 2001a: 15.

鉴别特征: 体长5.50～5.10mm。体红棕色，触角第1～3节、11节及足橘红色，鞘翅前缘2/5及末端边缘红褐色，后端3/5褐色。头部窄于前胸背板，表面光滑；触角第10节达前胸背板后缘；前胸背板长小于宽，表面光滑且无刻点及刻纹，前缘卷刻明显；鞘翅长小于宽，长于前胸背板，具3列刻点行；腹部第7背板后缘具栅栏状白色短缨毛。

采集记录: 1♂，佛坪，1250～1400m，2004.Ⅶ.18。

分布: 陕西(佛坪)、浙江、台湾、贵州；俄罗斯，日本，泰国，印度，尼泊尔。

(561) 伊娃毛须隐翅虫 *Ischnosoma evae* Kocian, 2003

Ischnosoma evae Kocian, 2003: 80.

鉴别特征: 体长4.80～5.00mm。体棕褐色，触角及足黄褐色，鞘翅中部及腹部各节基部黑色。

采集记录: 2♂1♀，太白山自然保护区，2350～3350m，2004.Ⅶ.12，胡佳耀、汤亮采。

分布: 陕西(太白)、四川、云南。

(562) 小斑毛须隐翅虫 *Ischnosoma fusciventre* (Tichomirova, 1973)

Mycetiporus fusciventre Tichomirova, 1973: 160.
Ischnosoma paradiscoidale Li et Sakai, 1996: 77.
Ischnosoma fusciventre: Herman, 2001: 15.

鉴别特征: 体长6.10～6.20mm。头部棕褐色，前胸背板、鞘翅肩角及后缘黄褐色，鞘翅中部棕褐色。

分布: 陕西(秦岭)、吉林；俄罗斯，日本。

(563) 黑角毛须隐翅虫 *Ischnosoma maderi* (Bernhauer, 1943)

Mycetoporus (*Ischnosoma*) *maderi* Bernhauer, 1943: 76.
Ischnosoma maderi: Herman, 2001a: 15.

鉴别特征: 体长3.50～4.60mm。体黑褐色，触角第1～2节和前胸背板、鞘翅两肩及基部、背板各节后缘及足橘红色。头部窄于前胸背板，触角各节长大于宽；前胸背板长大于宽，表面具细微横刻纹及稀疏刻点，前缘卷刻明显；鞘翅长小于宽，长于前胸背板，表面有细刻纹，具3列刻点行。

采集记录: 1♂，佛坪，1250～1400m，2004.Ⅶ.18；2♀，佛坪自然保护区，1400～

1800m, 2004. Ⅶ. 19。

分布：陕西(佛坪)、黑龙江、北京、四川、云南。

(564) 伪凸背毛须隐翅虫指名亚种 *Ischnosoma quadriguttatum quadriguttatum* (Champion, 1923)

Mycetoporus quadriguttatus Champion, 1923: 47.

Ischnosoma quadriguttatum quadriguttatum: Kocian, 2003: 37.

鉴别特征：体长3.80~4.00mm。头部黑色；前胸背板红褐色；鞘翅褐色，靠近前缘有2个大黄斑，后缘黄色。

采集记录：1♂2♀，太白山自然保护区，1450~1750m，2004. Ⅶ. 15，胡佳耀、汤亮采；2♂，佛坪，1250~1400m，2004. Ⅶ. 18，胡佳耀、汤亮采；1♂1♀，佛坪，1400~1800m，2004. Ⅶ. 18，胡佳耀、汤亮采。

分布：陕西(太白、佛坪)、浙江、台湾、香港、四川、云南；泰国，缅甸，印度，尼泊尔，巴基斯坦，印度尼西亚。

(565) 太白毛须隐翅虫指名亚种 *Ischnosoma taibaiensis* Zhu, Li *et* Zhao, 2005(图版

Ischnosoma taibaiensis Zhu, Li *et* Zhao, 2005: 809.

鉴别特征：体长2.60~3.20mm。体红棕色，腹部颜色略深，触角、触须、足红黄色。头部和前胸背板表面无刻点和刻纹；后翅退化；雄性第8腹板后半部分有浓密的三角形刚毛区域，三角形区域两侧各有3根粗壮的刚毛；阳茎侧叶上有12根刚毛；中叶较短，端部三角形；内囊内部有3对骨质化结构。

采集记录：1♂3♀，太白山自然保护区，2350~2750m，2004. Ⅶ. 14。

分布：陕西(太白山)。

参考文献

Achard, J., 1923. Révision des Scaphidiidae de la faune japonaise. *Fragments Entomologiques* (Prague): 94-120.

Assing, V., 1999. A revision of Othius Stephens, 1829. Ⅶ. The species of the Eastern Palaearctic region east of the Himalayas. *Beitrage zur Entomologie*, 49: 3-96.

Assing, V., 2001. Two new species and a new name of Cordalia Jacobs, 1925 from Turkey and China Insecta: (Coleoptera: Staphylinidae: Aleocharinae). *Reichenbachia*, 34 [2001-2002]: 113-118.

Assing, V., 2002a. New species of Sunius Curtis from China and Iran (Coleoptera: Staphylinidae, Paederinae). *Linzer biologische Beitrage*, 34(1): 289-296.

Assing, V., 2002b. On some micropterous species of Athetini from Nepal and China (Coleoptera: Staphylinidae, Aleocharinae). *Linzer biologische Beitrage*, 34(2): 953-969.

Assing, V., 2002. New species and records of Leptusa Kraatz from the Palaearctic region (Coleoptera: Staphylinidae, Aleocharinae). *Linzer biologische Beitrage*, 34: 971-1019.

Assing, V., 2003. Review of Palaearctic Autalia. V. New species, additional records, and a key to species (Coleoptera: Staphylinidae, Aleocharinae). *Entomological Problems*, 33(1-2): 45-50.

Assing, V., 2005. New species and records of Staphylinidae from China (Coleoptera). Entomologische Blätter, 101(1): 21-42.

Assing, V., 2006a. A revision of the Palaearctic species of Orphnebius Motschulsky (Insecta: Coleoptera: Staphylinidae: Aleocharinae). *Entomological Problems*, 36(2): 1-26.

Assing, V., 2006c. On the Orphnebius species of China (Insecta: Coleoptera: Staphylinidae: Aleocharinae). *Entomological Problems*, 36(2): 75-84.

Assing, V., 2011. Six new species and additional records of Aleocharinae from China (Coleoptera: Staphylinidae: Aleocharinae). *Linzer biologische Beitrage*, 43(1): 291-310.

Assing, V., 2012a. A revision of the East Palaearctic Lobrathium (Coleoptera: Staphylinidae: Paederinae). *Bonn zoological Bulletin*, 61(1): 49-128.

Assing, V., 2012b. The Rugilus species of the Palaearctic and Oriental regions (Coleoptera: Staphylinidae: Paederinae). *Stuttgarter Beitrage zur Naturkunde* A, Neue Serie, 5: 115-190.

Assing, V., 2012c. On the genus Rhopalocerina Reitter (Coleoptera: Staphylinidae: Aleocharinae). *Linzer biologische Beitrage*, 44(2): 1005-1010.

Assing, V., 2013a. On the Lathrobium fauna of China I. The fauna of the Qinling Shan, the Daba Shan, and adjacent regions (Coleoptera: Staphylinidae: Paederinae). *Bonn zoological Bulletin*, 62(1): 30-91.

Assing, V., 2013b. New species and records of Stilicoderus and Stiliderus, primarily from the southern East Palaearctic region (Coleoptera: Staphylinidae: Paederinae). *Stuttgarter Beitrage zur Naturkunde* A (Neue Serie), 6: 57-82.

Assing, V., 2013c. A revision of Othiini XⅧ. Two new species from China and additional records (Coleoptera: Staphylinidae: Staphylininae). *Koleopterologische Rundschau*, 83: 73-92.

Assing, V., 2013d. A revision of Othiini XⅧ. Two new species from China and additional records (Coleoptera: Staphylinidae: Staphylininae). *Koleopterologische Rundschau*, 83: 73-92.

Assing, V., 2013e. A revision of Palaearctic Medon Ⅸ. New species, new synonymies, a new combination, and additional records (Coleoptera: Staphylinidae: Paederinae). *Entomologische Blätter und Coleoptera*, 109: 233-270.

Assing, V., 2013f. On the Nazeris fauna of China I. The species of the Qinling Shan, the Daba Shan, and adjacent mountain ranges (Coleoptera: Staphylinidae: Paederinae). *Bonn zoological Bulletin*, 62(1): 1-29.

Assing, V., 2016. A revision of Zyras Stephens sensu strictu of China, Taiwan, and Hong Kong, with records and (re-) descriptions of some species from other regions (Coleoptera: Staphylinidae: Aleocharinae: Lomechusini). *Stuttgarter Beiträge zur Naturkunde*, 9 (1): 87-175.

Assing, V. & Wunderle, P., 1996. A revision of the species of the subfamily Habrocerinae of the world. Supplement I. *Beitrage zur Entomologie*, 46: 373-378.

Bekchiev, R., Hlavčč, P. & Nomura, S., 2013. A taxonomic revision of Tyrini of the Oriental region. V. Revision of the genus Lasinus Sharp, 1874 (Coleoptera, Staphylinidae, Pselaphinae). *ZooKeys*,

340: 21-42.

Benick, L., 1916. Beitrag zur Kenntnis der Megalopinen und Steninen. *Entomologische Mitteilungen*, 5: 238-252.

Bernhauer, M., 1915a. Zur Staphylinidenfauna der Philippinen: Ⅵ. Beitrag zur Kenntnis der indo-malayischen Fauna. *The Philippine Journal of Science*, 10: 117-129.

Bernhauer, M., 1915b. Neue Staphyliniden des paläarktischen Faunengebietes. *Wiener Entomologische Zeitung*, 34: 69-81.

Bernhauer, M., 1915c. Neue Staphyliniden aus Java und Sumatra. (7. Beitrag zur indomalayischen Staphylinidenfauna). *Tijdschrift voor Entomologie*, 58: 213-243.

Bernhauer, M., 1916. Kurzflügler aus dem deutschen Schutzgebiete Kiautschau und China. *Archiv fur Naturgeschichte* (A), 81(8): 27-34.

Bernhauer, M., 1923. Neue Staphyliniden der palaearktischen Fauna. *Koleopterologische Rundschau*, 10 [1922]: 122-128.

Bernhauer, M., 1931. Zur Staphylinidenfauna des chinesischen Reiches. *Wiener Entomologische Zeitung*, 48: 125-132.

Bernhauer, M., 1933. Neuheiten der chinesischen Staphylinidenfauna. *Wiener Entomologische Zeitung*, 50: 25-48.

Bernhauer, M., 1934. Siebenter Beitrag zur Staphylinidenfauna Chinas. *Entomologisches Nachrichtenblatt* (Troppau), 8: 1-20.

Bernhauer, M., 1938. Zur Staphylinidenfauna von China u. Japan. *Entomologisches Nachrichtenblatt* (Troppau), 12: 17-39.

Bernhauer, M., 1943. Neue Staphyliniden der paläarktischen Fauna. *Koleopterologische Rundschau*, 29: 71-76.

Blackwelder, R. E., 1952. The generic names of the beetle family Staphylinidae, with an essay on genotypy. *United States National Museum Bulletin*, 200: i-iv, 1-483.

Boheman, C. H., 1858. *Coleoptera. Species novas descripsit*. Pp. 1-112. In: Virgin C. : *Kongliga Svenska fregatten Eugenies resa omkring jorden under befäl af C. A. Virgin*, *Åren* 1851-1853. *Vetenskapliga Jakttagelser pa H. M. Konung Oscart den Förstes befallning utgifna af K. Svenska Vetenskaps Akademien. Andra delen. Zoologi*. 1. *Insecta*. Stockholm: P. A. Norstedt & Söner, 614 pp. [issued in parts: 1858-1859].

Bordoni, A., 2000. Contribution to the knowledge of the Xantholinini from China. I (Coleoptera, Staphylinidae). *Mitteilungun aus dem Museum fur Naturkunde in Berlin* (Zoologische Reihe), 76: 121-133.

Bordoni, A., 2002. Xantholinini della Regione Orientale (Coleoptera: Staphylinidae). *Classificazione, filogenesi e revisione tassonomica. Museo Regionale di Scienze Naturali Torino, Monografie*, 33: 1-998.

Bordoni, A., 2003. Contributo alla conoscenza degli Xantholinini della Cina. Ⅳ. Un nuovo genere e nuove specie raccolti da Michael Schülke nello Shaanxi e nel Sichuan (Coleoptera, Staphylinidae). *Beitrage zur Entomologie*, 53(2): 253-275.

Bordoni, A., 2009. Contribution to the knowledge of the Xantholinini of China. XⅣ. Nudobius linanensis n. sp. from Zhejiang, notes and new records of some interesting species (Insecta Coleoptera

Staphylinidae). *Quaderno di Studi e Notizie di Storia Naturale della Romagna*, 28: 105-109.

Cameron, M., 1914. Descriptions of new species of Staphylinidae from India. *The Transactions of the Entomological Society of London*, 1913: 525-544.

Cameron, M., 1920. New species of Staphylinidae from India. *The Entomologist's Monthly Magazine*, 56: 141-148, 214-220.

Cameron, M., 1926. New species of Staphylinidae from India. Part Ⅱ. *The Transactions of the Entomological Society of London*, 1925: 341-372.

Cameron, M., 1928. The Staphylinidae (Coleoptera) of the Third Mount Everest Expedition. *The Annals and Magazine of Natural History*, (10) 2: 558-569.

Cameron, M., 1931. *The fauna of British India including Ceylon and Burma. Coleoptera. Staphylinidae.* Volume 2. London: Taylor and Francis, viii + 1-257 pp.

Cameron, M., 1932. *The fauna of British India including Ceylon and Burma. Coleoptera. Staphylinidae.* Volume 3. London: Taylor and Francis, xiii + 1-443 pp.

Cameron, M., 1933. New species of Staphylinidae (Col.) from Japan. *The Entomologist's Monthly Magazine*, 69: 168-175, 208-219.

Cameron, M., 1939. *Fauna of British India including Ceylon and Burma. Coleoptera Staphylinidae.* Volume Ⅳ. Parts I & Ⅱ. London: Taylor and Francis, xviii-691 pp.

Cameron, M., 1940. New species of Oriental Staphylinidae (Col.). *The Entomologist's Monthly Magazine*, 76: 181-184.

Cameron, M., 1949. New species and records of staphylinid beetles from Formosa, Japan, and South China. *Proceedings of the United States National Museum*, 99: 455-477.

Casey, T. L., 1906. Observations on the staphylinid groups Aleocharinae and Xantholinini chiefly of America. *Transactions of the Academy of Science of St. Louis*, 16: 125-434.

Champion, G. C., 1923. Some Indian Coleoptera (10). *The Entomologist's Monthly Magazine*, 59: 43-53, 77-80.

Champion, G. C., 1925. Some Indian [and Tibetan] Coleoptera (17). *The Entomologist's Monthly Magazine*, 61: 101-112, 169-181.

Chen, J., Li, L.-Z. and Zhao, M.-J., 2005. Two new species of the genus Lathrobium (Coleoptera: Staphylinidae) from Qinling Mountains, Northwest China, pp. 102-105. In: Ren G. D. (ed.): *Classification and diversity of insects in China.* China Agriculture Science and Technology Press, 402pp.

Coiffait, H., 1975. Xantholininae, Paederinae et Euaesthetinae récoltés au Népal par le Professeur Franz (Col. Staphylinidae). *Nouvelle Revue d'Entomologie*, 5: 153-186.

Csiki, E., 1909. Coleoptera nova in Museo nationali hungarico Ⅱ. *Annales Historico-Naturales Musei Nationalis Hungarici*, 7: 340-343.

Curtis, J., 1826. *British entomology, being illustrations and descriptions of the genera of insects found in Great Britain and Ireland: containing coloured figures from nature of the most rare and beautiful species, and in many instances of the plants upon which they are found.* Vol. Ⅲ. London: J. Curtis, plates 99-146 (+ 2 pp. per plate + [4] in each volume).

Dejean, P. F. M. A., 1833. Livraison 1. Pp. 1-96. In: *Catalogue des coleopteres de la collection de M. le comte Dejean.* Paris: Méquignon-Marvis Pere et Fils, 443 pp. [issued in parts: 1833-1836]

Eppelsheim, E., 1887. Neue Staphylinen vom Amur. *Deutsche Entomologische Zeitschrift*, 31: 417-430.

Eppelsheim, E., 1889a. Neue Staphylinen Europa's und der angrenzenden Ländern. *Deutsche Entomologische Zeitschrift*, 33: 161-183.

Eppelsheim, E., 1889b. Insecta, A Cl. G. N. Potanin in China et in Mongolia novissime lecta. V. Neue Staphylinen. *Horae Societatis Entomologicae Rossicae*, 23: 169-184.

Eppelsheim, E., 1895. Neue ostindische Staphylinen. *Wiener Entomologische Zeitung*, 14: 53-70.

Erichson, W. F., 1837. *Die Kafer der Mark Brandenburg*. Erster Band, Erste Abtheilung. Berlin: F. H. Morin, viii + 384 pp.

Erichson, W. F., 1839a. Erster Band. Pp. 1-400. In: *Genera et species Staphylinorum insectorum coleopterorum familiae*. Berlin: F. H. Morin, 954 pp.

Erichson, W. F., 1840. Zweiter Band. Pp. 401-954. In: *Genera et species Staphylinorum insectorum coleopterorum familiae*. Berlin: F. H. Morin, 954 pp.

Erichson, W. F., 1845. [I., II. Lieferungen], pp. 1-320. In: *Naturgeschichte der Insecten Deutschlands. Erste Abtheilung. Coleoptera*. Dritter Band. Berlin: Nikolaischen Buchhandlung, vii + 968 pp. [(III. Lief.) pp. 321-480 issued in 1846, (VI. Lief.) pp. 801-968 in 1848].

Fabricius, J. C., 1775. *Systema entomologiae, sistens insectorum classes, ordines, genera, species, adiectis synonymis, locis, descriptionibus, observationibus*. Flensburgi et Lipsiae: Libraria Kortii, [32] + 832 pp.

Fabricius, J. C., 1787. *Mantissa insectorvm sistens eorvm species nvper detectas adiectis characteribvs genericis, differentiis specificis, emendationibvs, observationibvs*. Tom. I. Hafniae: C. G. Proft, xx + 348 pp.

Fauvel, A., 1873. *Faune Gallo-Rhenane ou species des insectes qui habitent la France, la Belgique, la Hollande, le Luxembourg, la prusse Rhenane, la Nassau et la Valais avec tableaux synoptiques et planches gravees*. Tome 3. Livraison 4. Caen: Le Blanc-Hardel, pp. 215-390.

Fauvel, A., 1874. Faune Gallo-Rhénane ou species des insectes qui habitent la France, la Belgique, la Hollande, le Luxembourg, la prusse Rhenane, la Nassau et la Valais avec tableaux synoptiques et planches gravees. Bulletin de la Societe Linneenne de Normandie (2) 8: 167-340.

Fauvel, A., 1895. Staphylinides nouveaux de l'Inde et de la Malaisie. *Revue d'Entomologie*, 14: 180-286.

Fauvel, A., 1905. Staphylinides exotiques nouveaux. 3e Partie. *Revue d'Entomologie*, 24: 113-147.

Feldmann, B., 2007. On Stenus scopulus and allied species, with descriptions of seven new taxa (Coleoptera: Stapylinidae: Steninae). *Linzer biologische Beitrage*, 39(2): 829-852.

Gravenhorst, J. L. C., 1802. *Coleoptera Microptera Brunsvicensia nec non exoticorum quotquot exstant in collectionibus entomologorum Brunsvicensium in genera familias et species distribuit*. Brunsuigae: Carolus Reichard, lxvi + 206 pp.

Gravenhorst, J. L. C., 1806. *Monographia Coleopterorum Micropterorum*. Gottingae: Henricus Dieterich, 236 + [12] pp.

Hayashi, Y., 2002a. Revisional notes on the genus Amichrotus with description of a new species. *Special Bulletin of the Japanese Society of Coleopterology*, 5: 261-269.

Hayashi, Y., 2002b. Studies on the Asian Staphylininae (Coleoptera: Staphylinidae) V. Notes on the genus Hesperosoma Scheerpeltz, with descriptions of two new subgenera and a new species. *The Ento-*

mological Review of Japan, 57(2): 169-179.

Hayashi, Y., 2002c. A new species of Nodynus (Coleoptera: Staphylinidae) from China. *Elytra*, 30 (2): 303-306.

Hayashi, Y., 2003. A new Anisolinus species (Coleoptera: Staphylinidae) from China. *Special Bulletin of the Japanese Society of Coleopterology*, 6: 161-164.

Hayashi, Y., 2012. Description of a new species of Dinothenarus from China with some notes on the genus (Coleoptra: Staphylinidae). *Japanese Journal of Systematic Entomology*, 18(2): 437-442.

He, W.J., Tang, L. and Li, L.-Z., 2008. Three new species of the genus Scaphidium Olivier (Coleoptera: Staphylinidae: Scaphidiinae) from China. *The Entomological Review of Japan*, 63(2): 103-108.

He, W.J., Tang, L. and Li, L.-Z., 2009. A new species and a new record of the genus Scaphidium Olivier (Coleoptera: Staphylinidae: Scaphidiinae) from China. *Acta Zootaxonomica Sinica*, 34 (3): 481-484.

Herman, L. H., 2003. Nomenclatural changes in the Paederinae (Coleoptera: Staphylinidae). *American Museum Novitates*, 3416: 1-28.

Hromádka, L., 2003. Zwei neue Arten der Gattung Quedius aus Nepal und China (Insecta: Coleoptera: Staphylinidae: Staphylininae). *Entomologische Abhandlungen*, 60: 133-137.

Hu, J.Y. and Li, L.-Z., 2010. [new taxa]. In: Hu J. Y., Li L. Z., Tian M. X. & Cao G. H.: Additional Two New Species of the Genus Nazeris from China (Coleoptera, Staphylinidae). *Japanese Journal of Systematic Entomology*, 16(1): 109-114.

Hu, J.Y., Song, C. Z. and Li, L. Z., 2015. A new species and additional records of Rugilus Leach from Qinling, China (Coleoptera, Staphylinidae, Paederinae). *Zookeys*, (505): 147-152.

Ito, T., 1994. Notes on the species of Staphylinidae from Japan, V (Coleoptera). *Transactions of the Shikoku Entomological Society*, 20: 177-179.

Jacobs, W., 1925. Ueber den Gattungsnamen Cardiola Muls. et Rey (Col.). *Entomologische Zeitschrift* (Frankfurt a. M.), 38: 82.

Jałoszyński, P., 2007. The Cephenniini of China. Ⅲ. Cephennodes Reitter of Sichuan and Shaanxi (Coleoptera: Scydmaenidae). *Genus*, 18(2): 151-207.

Jałoszyński, P., 2009. Cephennomicrus Reitter (Coleoptera, Staphylinidae, Scydmaeninae) of Japan and Taiwan: taxonomic notes, ten new species and comparative morphology of nomurai and taiwanensis species groups. *Zootaxa*, 2145: 1-35.

Jansson, A., 1947. Entomological results from the Swedish Expedition 1934 to Burma and British India. Coleoptera: Staphylinidae (p. p.) et Silphidae (p. p.). Collected by René Malaise. *Arkiv för Zoologi*, (1946) (A) 38(19): 1-18.

Keen, J. H., 1897. Three interesting Staphylinidae from Queen Charlotte Islands. *The Canadian En tomologist*, 29: 285-287.

Kirshenblat, Y. D., 1933. Neue und wenig bekannte palaearktische Staphyliniden (Coleoptera). I. *Revue d'Entomologie de l'URSS*, 35: 101-103.

Kocian, M., 2003. Monograph oft he world species of the genus Ischnosoma (Coleoptera: Staphylinidae). *Acta Universitatis Carolinae*, 47(1-2): 1-153 pp.

Kraatz, G., 1856. *Naturgeschichte der Insecten Deutschlands. Erste Abtheilung Coleoptera*. Zweiter Band.

Lieferung 1 und 2. Berlin: Nicolai, viii + 376 pp.

Kraatz, G., 1857a. Beiträge zur Kenntniss der Termitophilen. *Linnaea Entomologica*, 11: 44-56, pl. 1.

Kraatz, G., 1857b. *Naturgeschichte der Insecten Deutschlands. Erste Abtheilung Coleoptera*. Zweiter Band. Lieferung 3-6. Berlin: Nicolai, pp. 377-1080.

Kraatz, G., 1859. Die Staphylinen-Fauna von Ostindien, insbesondere der Insel Ceylan. *Archiv fur Naturgeschichte*, 25(1): 1-196.

Kryzhanovskii O., Tikhomirova A. and Filatova L. 1973. *Stafilinidy (Coleoptera, Staphylinidae) Yuzhnogo Primoria*. Pp. 144-173. In: Giliarov M. (ed.): *Ekologiia pochvennykh bespozvonochnykh*. Moskva: Izdatelstvo Nauka, 226 pp.

Latreille, P. A., 1797. *Precis des caracteres generiques des insectes, disposes dans un ordre naturel*. Brive: F. Bourdeaux, xiv + 201 + 7 pp.

Leach, W. E., 1815. *Entomology*. Pp. 57-172. In: Brewster D. (ed.): *The Edinburgh encyclopaedia*. Vol. 9. Edinburgh: Balfour, 384 pp.

Leach, W. E., 1819. [new genera]. In: Samouelle G.: *The Entomologist's useful compendium; or an introduction to the knowledge of British insects, comprising the best means of obtaining and preserving them, and a description of the apparatus generally used; together with the genera of Linne, and the modern method of arranging the classes Crustacea, Myriapoda, spiders, mites, and insects from their affinities and structure, according to the views of Dr. Leach. Also an explanation of the terms used in entomology; a calendar of the times of appearance, and usual situations of near 3000 species of British insects; with instructions for collecting and fitting up objects for the microscope*. London: Thomas Boys, 496 pp.

LeConte, J. L., 1863. New species of North American Coleoptera. Part I (1). *Smithsonian Miscellaneous Collections*, No. 167: 1-92.

LeConte, J. L., 1866. Additions to the coleopterous fauna of the United States. No. 1. *Proceedings of the Academy of Natural Sciences of Philadelphia*, 19: 361-394.

Lewis, G., 1893. On some Japanese Scaphidiidae. *The Annals and Magazine of Natural History* (6), 11: 288-294.

Li, J.-W., Li, L.-Z. and Zhao, M.-J., 2007. A review on the genus Coryphium Stephens (Coleoptera, Staphylinidae) of China. Mitteilungen aus dem Museum fur Naturkunde Berlin. *Deutsche Entomologische Zeitschrift* (N. F.), 54(1): 89-93.

Li, L., Schillhammer, H. and Zhou, H.-Z., 2010. Fourteen new species of the genus Gabrius Stephens, 1829 (Coleoptera: Staphylinidae: Philonthina) from China. *Zootaxa*, 2572: 1-24.

Li, L., Schillhammer, H. and Zhou, H.-Z., 2012. Taxonomy of the genus Gabrius Stephens, 1829 (Coleoptera: Staphylinidae: Philonthina) from China, with description of two new species. *Journal of Natural History*, 46(15-16): 955-967.

Li, X.-Y., Solodovnikov, A. and Zhou, H.-Z., 2014b. Two new species and a new synonym of the genus Paederus Fabricius (Coleoptera: Staphylinidae: Paederinae) from China. *Zootaxa*, 3847 (3): 431-436.

Linnaeus, C., 1758. *Systema naturae per regna tria naturae, secundum classes, ordines, genera species, cum characteribus, differentiis, synonymis, locis*. Editio decima, reformata. Tomus I. Holmiae: Laurentii Salvii, [4] + 824 + [1] pp.

Linnaeus, C., 1767. *Systema naturae, per regna tria naturae, secundum classes, ordines, genera, species, cum characteribus, differentiis, synonymis, locis*. Editio Duodecima reformata. Tomus I. Pars Ⅱ. Holmiae: Laurentii Salvii, pp. 533-1327 + [37].

Löbl, I., 1966. Neue und interessante paläarktische Scaphidiidae aus dem Museum G. Frey (Col.). *Entomologische Arbeiten aus dem Museum Georg Frey*, 17: 129-134.

Löbl, I., 1973. Neue orientalische Arten der Gattung Eubaeocera Cornell (Coleoptera, Scaphidiidae). *Mitteilungen der Schweizerischen Entomologischen Gesellschaft*, 46: 157-174.

Löbl, I., 1984a. Les Scaphidiidae (Coleoptera) du nord-est de l'Inde et du Bhoutan I. *Revue suisse de Zoologie*, 91: 57-107.

Löbl, I., 1984b. Scaphidiidae (Coleoptera) de Birmanie et de Chine nouveaux ou peu connus. *Revue suisse de Zoologie*, 91: 993-1005.

Löbl, I., 1986. Les Scaphidiidae (Coleoptera) du nord-est de l'Inde et du Bhoutan Ⅱ. Revue suisse de Zoologie, 93: 133-212.

Löbl, I., 1997. Cerapeplus sinensis n. sp. (Coleoptera: Staphylinidae: Micropeplinae) from China. *Serangga*, 2: 137-142.

Löbl, I., 1999. A review of the Scaphidiinae (Coleoptera: Staphylinidae) of the People's Republic of China, I. *Revue suisse de Zoologie*, 106: 691-744.

Löbl, I., 2000. A review of the Scaphidiinae (Coleoptera: Staphylinidae) of the People's Republic of China, Ⅱ. *Revue suisse de Zoologie*, 107: 601-656.

Löbl, I., 2003. A supplement to the knowledge of the Scaphidiines of China (Coleoptera: Staphylinidae). *Mitteilungen der Munchener Entomologischen Gesellschaft*, 93: 61-76.

Löbl, I. and Burckhardt, D., 1988. Cerapeplus gen. n. and the classification of micropeplids (Coleoptera: Micropeplidae). *Systematic Entomology*, 13: 57-66.

Lohse, G. A., 1971. Über gattungsfremde Arten und Artenkreise innerhalb der "GroBgattung" Atheta Thomson. *Verhandulngen des Vereines fur die Naturwissenschaftliche Heimatforschung Hamburg*, 38: 67-83.

Lü, L. and Zhou, H.-Z., 2012. Taxonomy of the genus Oxytelus Gravenhorst (Coleoptera: Staphylinidae: Oxytelinae) from China. *Zootaxa*, 3576: 1-63.

Macleay, W. J., 1873. Notes on a collection of insects from Gayndah. The *Transactions of the Entomological Society of New South Wales*, 2: 79-205.

Makranczy, G., 2014. Revision of the genus Ochthephilus Mulsant & Rey, 1856 (Coleoptera: Staphylinidae, Oxytelinae). *Revue suisse de Zoologie*, 121(4): 457-694.

Mannerheim, C. G. von., 1830. *Précis d'un nouvel arrangement de la famille des brachélytres de l'ordre des insectes coléoptères*. St. Petersbourg, 87 pp.

Maruyama, M. & Hlaváč, P., 2002. Revision of the subgenus Ectolabrus of the genus Euryusa (Coleoptera: Staphylinidae: Aleocharinae). *Sociobiology*, 39[2001-2002] (2): 167-185.

Motschulsky, V. de., 1856. Voyages. Lettres de M. de Motschulsky a M. Menetries. *Études Entomologiques*, 5: 1-38.

Motschulsky, V. de., 1858. Énumeration des nouvelles especes de coléopteres rapportés de ses voyages. *Bulletin de la Societe Imperiale des Naturalistes de Moscou*, 31(3): 204-264.

Müller, J. [G.], 1923. Contributo alla conoscenze del genere Staphylinus L. *Bollettino della Societa En-*

tomologica Italiana, 55: 135-144.

Müller, J. [G.], 1925. Terzo contributo alla conoscenza del genere Staphylinus L. *Bollettino della Societa Entomologica Italiana*, 57: 40-48.

Mulsant, E. and Rey, C., 1856. Constitution d' un genre nouveau detache du genre Trogophloeus (famille des brachélytres). *Annales de la Societe Linneenne de Lyon*, (2)3: 1-4.

Mulsant, E. and Rey, C., 1874. Pp. 1-162. In: *Histoire naturelle des coleopteres de France. Brevipennes. Aleochariens. (Suite)*. Aleocharaires. Paris: Deyrolle, 565 pp.

Mulsant, E. and Rey, C., 1877. Histoire naturelle des Coléopteres de France. Tribu des brévipennes. Deuxieme famille. Xantholiniens. *Memoires de l' Academie des Sciences, Belles-Lettres et Arts de Lyon*, 22: 217-344.

Mulsant, E. and Rey, C., 1878. Tribu des Brévipennes. Troisième famille: Pédériens. Quatrième Famille: Euesthetiens. *Annales de la Société Linnéenne de Lyon* (N. S.), 24[1877]: 1-341, 6 pls.

Newman, E., 1834. Entomological notes. *The Entomological Magazine*, 2: 200-205, 313-315.

Newton, A. F., 2015. *New Nomenclatural and taxonomic acts, and comments. Staphylinidae*. pp. 5-24. In: Löbl, I. & Löbl, D. *Catalogue of Palearctic Coleoptera*. Volume 2/1 & 2/2. Revised and Updated Edition. Hydrophiloidea -Staphylinoidea. Brill, 1-1702.

Olivier, A. G., 1790. *Entomologie, ou histoire naturelle des insectes, avec leurs caracteres generiques et specifiques, leur description, leur synonymie, et leur figure enluminee. Coleopteres*. Tome second. Paris: de Baudouin, nos. 9-34.

Pace , R., 1983. Il genere Tropimenelytron Scheerpeltz (Coleoptera, Staphylinidae) (XXXIX contributo alla conoscenza delle Aleocharinae). *Nouvelle Revue d' Entomologie*, 13: 185-190.

Pace , R., 1986. Aleocharinae della Thailandia e della Birmania riportate da G. de Rougemont (Coleoptera, Staphylinidae) (LIX contributo alla conoscenza delle Aleocharinae). *Bollettino del Museo Civico di Storia Naturale di Verona*, 11[1984]: 427-468.

Pace , R., 1987a. Aleocharinae riportate dall'Himalaya dal Prof. Franz. Parte Ⅲ. (LTV contributo alla conoscenza delle Aleocharinae) (Coleoptera, Staphylinidae). *Nouvelle Revue d'Entomologie* (N. S.), 4: 117-131.

Pace , R., 1987c. Staphylinidae dell Himalaya Nepalese. Aleocharinae raccotte dal Prof. Dr. J. Martens (Insecta: Coleoptera). *Courier des Forschungsinstitutes Senckenberg*, 93: 383-441.

Pace , R., 1990. Aleocharinae delle Filippine. 82° contributo alla conoscenza delle Aleocharinae. In: Berti N. (ed.): Miscellanées sur les Staphylins. *Memoires du Museum National d' Histoire Naturelle* (A), 147: 57-113.

Pace , R., 1993a. Aleocharinae della Cina (Coleoptera, Staphylinidae). *Bollettino del Museo Civico di Storia Naturale di Verona*, 17[1990]: 69-125.

Pace , R., 1997. Specie del genere Leptusa in Cina. Monografia del genere Leptusa Kraatz: Supplemento VII (Coleoptera, Staphylinidae). *Revue suisse de Zoologie*, 104: 751-760.

Pace , R., 1998a. Aleocharinae della Cina: Parte I (Coleoptera, Staphylinidae). *Revue suisse de Zoologie*, 105: 139-220.

Pace , R., 1998b. Aleocharine della Cina: Parte II (Coleoptera, Staphylinidae). *Revue suisse de Zoologie*, 105: 395-463.

Pace , R., 1998c. Aleocharinae della Cina: Parte IV (Coleoptera, Staphylinidae). *Revue suisse de Zoolo-*

gie, 105: 911-982.

Pace, R., 1999a. Nuove Leptusa della Cina. Monografia del genere Leptusa Kraatz: Supplemento X (Coleoptera: Staphylinidae). *Beitrage zur Entomologie*, 49: 369-376.

Pace, R., 1999b. Aleocharinae della Cina: Parte V (conlusione) (Coleoptera, Staphylinidae). *Revue suisse de Zoologie*, 106: 107-164.

Pace, R., 1999c. Due nuove Aleocharinae orofile e microttere della Cina. *Beitrage zur Entomologie*, 49: 377-381.

Pace, R., 2001. Nuove species cinesi del genere Leptusa. Monografia del genere Leptusa Kraatz: Supplemento XII (Coleoptera, Staphylinidae) (161° contributo alla conoscenza delle Aleocharinae). *Bollettino del Museo Regionale di Scienze Naturali di Torino*, 18: 151-160.

Pace, R., 2003. Gyrophaenini della Cina (Coleoptera, Staphylinidae). *Revue Suisse de Zoologie*, 110 (3): 621-660.

Pace, R., 2004. Specie nuove o poco note di Homalotini, Silusini, Bolitocharini, Diestotini e Autaliini della Cina e della Thailandia (Coleoptera, Staphylinidae). *Revue Suisse de Zoologie*, 111 (1) 76: 63-76.

Pace, R., 2007. Le specie dei generi Gyrophaena Mann. e Brachida Muls. & Rey di Taiwan (Coleoptera, Staphylinidae). *Bollettino del Museo Civico di Storia Naturale di Verona*, 31: 103-129.

Pace, R., 2010a. Biodiversita delle Aleocharinae della Cina: Gyrophaenini (Coleoptera, Staphylinidae). *Beitrage zur Entomologie*, 60(1): 125-193.

Pace, R., 2010b. Biodiversita delle Aleocharinae della Cina: Hypocyphtini, Leucocraspedini e Pronomaeini (Coleoptera, Staphylinidae). *Beitrage zur Entomologie*, 60(1): 81-103.

Pace, R., 2011a. Biodiversita delle Aleocharinae della Cina: Athetini, Prima Parte, Generi Lasiosomina, Hydrosmecta, Amischa, Alomaina, Paraloconota, Bellatheta, Nepalota, Pelioptera, Tropimenelytron, Berca and Amphibolusa (Coleoptera, Staphylinidae). *Beitrage zur Entomologie*, 61(1): 155-192.

Pace, R., 2011b. Biodiversita delle Aleocharinae della Cina: Athetini, Parte seconda, Generi Aloconota e Liogluta (Coleoptera, Staphylinidae). *Beitrage zur Entomologie*, 61(1): 193-222.

Pace, R., 2012a. Biodiversita delle Aleocharinae della Cina: Lomechusini e Thamiareini (Coleoptera, Staphylinidae). *Beitrage zur Entomologie*, 62(1): 77-102.

Pace, R., 2012b. Biodiversita delle Aleocharinae della Cina: Il genere Oxypoda (Coleoptera, Staphylinidae). *Beitrage zur Entomologie*, 62(2): 375-417.

Pace, R., 2012c. Biodiversita delle Aleocharinae della Cina: Hygronomini e Oxypodini (Coleoptera, Staphylinidae). *Beitrage zur Entomologie*, 62(1): 125-163.

Peng, Z. and Li, L.-Z., 2013. [new taxon]. In: Peng Z., Li L.-Z. & Zhao M.-J.: A new species of Lathrobium Gravenhorst (Coleoptera: Staphylinidae: Paederinae) from Shaanxi, Central China. *Zootaxa*, 3608: 158-160.

Puthz, V., 1980. Die Stenus-Arten (Stenus s. str. und Nestus Rey) der Orientalis: Bestimmungstabelle und Neubeschreibungen. *Reichenbachia*, 18: 23-41.

Puthz, V., 1981. Die Gemakelten Stenus (Parastenus) -Arten der Orientalis: Bestimmungstabelle und Neubeschreibungen (Coleoptera, Staphylinidae). *Entomologische Blätter*, 76[1980]: 141-162.

Puthz, V., 2000. The genus Dianous Leach in China (Coleoptera, Staphylinidae). 261. Contribution to the knowledge of Steninae. *Revue suisse de Zoologie*, 107: 419-559.

Puthz, V., 2006. Ein Dutzend neuer paläarktischer Stenus-Arten (Coleoptera, Staphylinidae). *Entomologische Blätter*, 101(2-3): 171-196.

Puthz, V., 2008a. Stenus Latreille und die segensreiche Himmelstochter (Coleoptera, Staphylinidae). *Linzer biologische Beitrage*, 40(1): 137-230.

Puthz, V., 2008b. Revision der Stenus-Arten Chinas (1) (Staphylinidae, Coleoptera). *Philippia*, 13 (3): 175-199.

Puthz, V., 2010a. Neuer Beitrag über palaarktische Steninen (Coleoptera, Staphylinidae). 314. Beitrag zur Kenntnis der Steninen. *Zeitschrift der Arbeitsgemeinschaft Osterreichischer Entomologen*, 62(1): 59-74.

Puthz, V., 2010b. Die Gattung Edaphosoma Scheerpeltz, 1976 in China (Coleoptera, Staphylinidae). 107. Beitrag zur Kenntnis der Euaesthetinae. *Entomologische Blätter*, 106: 289-306.

Puthz, V., 2011. Neue and alte Euaesthetinen (Coleoptera: Staphylinidae) 108. Beitrag zur Kenntnis der Euaesthetinen. *Zeitschrift der Arbeitsgemeinschaft Oesterreichischer Entomologen*, 63(1): 13-31.

Puthz, V., 2012. Revision der Stenus-Arten Chinas (2) (Staphylinidae, Coleoptera). Beiträge zur Kenntnis der Steninen CCCXV. *Philippia*, 15(2): 85-123.

Puthz, V., 2013. Übersicht über die orientalischen Arten der Gattung Stenus Latreille 1797 (Coleoptera, Staphylinidae) 330. Beitrag zur Kenntnis der Steninen. *Linzer biologische Beitrage*, 45 (2): 1279-1470.

Puthz, V., 2016. Übersicht über die Arten der Gattung Dianous LEACH group II (Coleoptera, Staphylinidae) 347. Beitrag zur Kenntnis der Steninen. *Linzer biologische Beitrage*, 48(1): 705-778.

Redtenbacher, L., 1857. *Fauna austriaca*. Die Käfer. ed. 2. Wien: C. Gerold's Sohn, pp. 129-976.

Reitter, E., 1884. Beitrag zur Pselaphiden- und Scydmaeniden-Fauna von Java und Borneo. II. Stück. *Verhandlungen der Kaiserlich-Koniglichen Zoologisch-Botanischen Gesellschaft in Wien*, 33 [1883]: 387-428.

Reitter, E., 1887. Insecta in itinere Cl. N. Przewalskii in Asia centrali novissime lecta. VI. Clavicornia, Lamellicornia et Serricornia. *Horae Societatis Entomologicae Rossicae*, 21: 201-234.

Reitter, E., 1909. *Fauna Germanica. Die Kafer des Deutschen Reiches. Nach der analytischen Methode bearbeitet*. II Band. Schriften des Deutschen Lehrervereins fur Naturkunde 24. Stuttgart: K. G. Lutz, 392 pp., pls. 41-80.

Rougemont, G.-M. de, 1998. Rugilus Leach, subg. Tetragnathostilicus Scheerpeltz: Addenda. (Coleoptera: Staphylinidae, Paederinae). *Linzer biologische Beitrage*, 30: 579-593.

Rougemont, G.-M. de, 2000. New species of Lesteva Latreille, 1796 from China (Insecta: Coleoptera: Staphylinidae). *Annalen des Naturhistorischen Museums in Wien* (B), 102: 147-169.

Rougemont, G.-M. de, 2001. Two new species of palaearctic Stenus species (Col., Staphylinidae). *The Entomologist's Monthly Magazine*, 137: 67-70.

Rougemont, G.-M. de & Schillhammer, H., 2010. A new species of Geodromicus Redtenbacher, 1857, with iridescent elytral maculae from China (Insecta: Coleoptera: Staphylinidae). *Annalen des Naturhistorischen Museums in Wien Serie B Botanik und Zoologie*, 111: 37-41.

Schaller, J. G., 1783. Neue Insekten. *Abhandlungen der Hallischen Naturforschenden Gesellschaft*, 1: 217-332.

Scheerpeltz, O., 1965. Wissenschaftliche Ergebnisse der Schwedischen Expedition 1934 nach Indien und Burma. Coleoptera Staphylinidae (except Megalopsidiinae et Steninae). *Arkiv for Zoologi*, (2) 17: 93-371.

Scheerpeltz, O., 1976. Wissenschaftliche Ergebnisse der von Prof. Dr. H. Janetschek im Jahre 1961 in das Mt.-Everest-Gebiet Nepals unternommenen Studienreise (Col. Staphylinidae). *Khumbu Himal, Ergebnisse des Forschungsunternehmens Nepal Himalaya*, 5: 1-75.

Schillhammer, H., 1998a. Revision of the east Palaearctic and Oriental species of Philonthus Stephens-Part 1. The cyanipennis group (Coleoptera: Staphylinidae, Staphylininae). *Koleopterologische Rundschau*, 68: 101-118.

Schillhammer, H., 1998b. Hybridolinus gen. n. (Insecta: Coleoptera: Staphylinidae), a problematic new genus from China and Taiwan, with descriptions of seven new species. *Annalen des Naturhistorischen Museums in Wien* (B), 100: 145-156.

Schillhammer, H., 2001. Studies on the Eucibdelus lineage: 1. Trichocosmetes Kraatz, Sphaeomacrops gen. n., Guillaumius gen. n. & Rhyncocheilus Sharp (Coleoptera: Staphylinidae, Staphylininae). *Koleopterologische Rundschau*, 71: 67-96.

Schillhammer, H., 2003a. Hybridolinus smetanai sp. n. from China (Insecta: Coleoptera: Staphylinidae). *Annalen des Naturhistorischen Museums Wien* (B), 104: 387-389.

Schillhammer, H., 2003b. Revision of the East Palaearctic and oriental species of Philonthus Stephens - Part 5. The rotundicollis and sanguinolentus species groups (Coleoptera: Staphylinidae, Staphylininae). *Koleopterologische Rundschau*, 73: 85-136.

Schubert, K., 1908. Beitrag zur Staphylinidenfauna Ostindiens (West-Himalaya) (Col.). *Deutsche Entomologische Zeitschrift*, 1908: 609-625.

Schülke, M., 2000a. Zwei neue Arten der Gattung Bolitobius Leach in Samouelle 1819 aus China und Nepal (Coleoptera, Staphylinidae, Tachyporinae). *Linzer biologische Beitrage*, 32: 897-904.

Schülke, M., 2000b. Eine weitere neue Art der Gattung Derops Sharp aus China (Coleoptera, Staphylinidae, Tachyporinae). *Linzer biologische Beitrage*, 32: 913-916.

Sharp, D. S., 1874a. The Staphylinidae of Japan. *The Transactions of the Entomological Society of London*, 1874: 1-103.

Sharp, D. S., 1874b. The Pselaphidae and Scydmaenidae of Japan. *The Transactions of the Entomological Society of London*, 1874: 105-130.

Sharp, D. S., 1883. [Staphylinidae, in part], pp. 145-312. In: *Biologia Centrali-Americana. Insecta. Coleoptera*. Vol. 1. Part 2. London: Taylor & Francis, xvi + 824 pp., 19 pls. [1882-1887]

Sharp, D. S., 1888. The Staphylinidae of Japan. *The Annals and Magazine of Natural History*, (6) 2: 277-295, 369-387, 451-464.

Sharp, D. S., 1889. The Staphylinidae of Japan. *The Annals and Magazine of Natural History* (6) 3: 28-44, 108-121, 249-267, 319-334, 406-419, 463-476.

Sheng, C. & Gu, F.-K., 2009. Two new species of the genus Episcaphium Lewis (Coleoptera, Staphylinidae, Scaphidiinae) of China. *Zootaxa*, 2325: 35-38.

Shibata, Y., 1968. Description of a new species of the genus Stilicoderus Sharp from Japan (Coleoptera, Staphylinidae). *The Entomological Review of Japan*, 21: 7-10.

Smetana, A., 1996a. Two new species of Trigonodemus from China (Coleoptera: Staphylinidae: Omaliinae). *Klapalekiana*, 32: 241-245.

Smetana, A., 1996b. Contributions to the knowledge of the Quediina (Coleoptera, Staphylinidae, Staphylinini) of China. Part 3. Genus Quedius Stephens, 1829. Subgenus Microsaurus Dejean, 1833. Section 3. *Bulletin of the National Science Museum* (A), 22: 1-20.

Smetana, A., 1996c. Contributions to the knowledge of the Quediina (Coleoptera, Staphylinidae, Staphylinini) of China. Part 4. Genus Quedius Stephens, 1829. Subgenus Raphirus Stephens, 1829. Section 1. *Elytra*, 24: 49-59.

Smetana, A., 1997. Contributions to the knowledge of the Quediina (Coleoptera, Staphylinidae, Stahylinini) of China. Part 9. Genus Quedius Stephens, 1829. Subgenus Microsaurus Dejean, 1833. Section 7. *Elytra*, 25: 451-473.

Smetana, A., 1998a. Contributions to the knowledge of the Quediina (Coleoptera, Staphylinidae, Staphylinini) of China. Part 10. Genus Quedius Stephens, 1829. Subgenus Raphirus Stephens, 1829. Section 3. *Elytra*, 26: 99-113.

Smetana, A., 1998b. Contributions to the knowledge of the Quediina (Coleoptera, Staphylinidae, Staphylinini) of China. Part 11. Genus Quedius Stephens, 1829. Subgenus Distichalius Casey, 1915. Section 1. *Elytra*, 26: 315-332.

Smetana, A., 1999a. Contributions to the knowledge of the Quediina (Coleoptera, Staphylinidae, Staphylinini) of China. Part 16. Genus Quedius Stephens, 1829. Subgenus Microsaurus Dejean, 1833. Section 10. *Elytra*, 27: 535-551.

Smetana, A., 1999b. Contributions to the knowledge of the Quediina (Coleoptera, Staphylinidae, Staphylinini) of China. Part 13. Genus Quedius Stephens, 1829. Subgenus Microsaurus Dejean, 1833. Section 8. *Elytra*, 27: 213-240.

Smetana, A., 2001a. Contributions to the knowledge of the Quediina (Coleoptera, Staphylinidae, Staphylinini) of China. Part 19. Genus Quedius Stephens, 1829. Subgenus Microsaurus Dejean, 1833. Section 11. *Elytra*, 29: 181-191.

Smetana, A., 2001b. Revision of the subtribe Quediina and the tribe Tanygnathinini. Part Ⅲ. Taiwan. (Coleoptera: Staphylinidae). Supplement Ⅱ. *Special Publication of the Japan Coleopterological Society*, 1: 55-63.

Smetana, A., 2002a. Contributions to the knowledge of the Quediina (Coleoptera, Staphylinidae, Staphylinini) of China. Part 22. Genus Quedius Stephens, 1829. Subgenus Microsaurus Dejean, 1833. Section 12. *Elytra*, 30(1): 137-151.

Smetana, A., 2002b. Contributions to the knowledge of the Quediina (Coleoptera, Staphylinidae, Staphylinini) of China. Part 21. Genus Quedius Stephens, 1829. Subgenus Raphirus Stephens, 1829. Section 4. *Elytra*, 30(1): 119-135.

Smetana, A., 2002c. Contributions to the knowledge of the Quediina (Coleoptera, Staphylinidae, Staphylinini) of China. Part 23. Genus Strouhalium Scheerpeltz, 1962. Section 4. Genus Pseudorientis Watanabe, 1970. Section 2. *Elytra*, 30(1): 153-158.

Smetana, A., 2003a. Contributions to the knowledge of the genera of the "Staphylinus-complex" (Coleoptera: Staphylinidae) of China Part. 4. Key to Chinese genera, treatment of the genera Collocypus gen. n., Ocychinus gen. n., Sphaerobulbus gen. n., Aulacocypus and Apecholinus, and comments on the genus Protocypus. *Folia Heyrovskyana*, 11(2): 57-135.

Smetana, A., 2003b. Haida argonautarum sp. nov. and Haida satoi sp. nov., the first representativees of the genus Haida Keen, 1897 (Coleoptera, Staphylinidae, Omaliinae, Coryphiini) in the Palaearctic Region. *Special Bulletin of the Japanese Society of Coleopterology*, 6: 137-143.

Smetana, A., 2005a. Contributions to the knowledge of the "Staphylinus-complex" (Coleoptera: Staphylinidae, Staphylinini) of China. Part. 8. The genus Miobdelus. Section 2. *Elytra*, 33(2): 571-588.

Smetana, A., 2005b. Contributions to the knowledge of the genera of the "Staphylinus-complex" (Coleoptera: Staphylinidae) of China Part. 5. The genus Protocypus J. Müller, 1923. *Elytra*, 33(1): 269-301.

Smetana, A., 2005c. Contributions to the knowledge of the genera of the "Staphylinus-complex" (Coleoptera: Staphylinidae) of China Part. 7. The genus Sphaerobulbus Smetana 2003. Section 2. *Zootaxa*, 1006: 53-64.

Smetana, A., 2006. Contributions to the knowledge of the "Staphylinus-complex" (Coleoptera, Staphylinidae, Staphylinini) of China. Part 13. The genus Sphaerobulbus Smetana 2003. Section 3. *Zootaxa*, 1317: 41-47.

Smetana, A., 2007. Contributions to the knowledge of the "Staphylinus-complex" (Coleoptera: Staphylinidae: Staphylinini) of China. Part XX. The genus Ocypus Leach, 1819, subgenus Pseudocypus Mulsant & Rey, 1876. Section 1. *Zootaxa*, 1421: 1-72.

Smetana, A., 2008a. Contributions to the knowledge of the Quediina (Coleoptera, Staphylinidae, Staphylinini) of China. Part 29. Genus Quedius Stephens, 1829. Subgenus Raphirus Stephens 1829. Section 6. *Elytra*, 36(1): 181-198.

Smetana, A., 2008b. Contributions to the knowledge of the Quediina (Coleoptera, Staphylinidae, Staphylinini) of China. Part 32. Genus Quedius Stephens, 1829. Subgenus Distichalius Casey, 1915. Section 2. *Studies and reports of District Museum Prague-East Taxonomical Series*, 4(1-2): 223-240.

Smetana, A., 2009a. Contributions to the knowledge of the "Staphylinus-complex" (Coleoptera: Staphylinidae: Staphylinini) of China. Part 21. The genus Ocypus Leach, 1819, subgenus Pseudocypus Mulsant & Rey, 1876. Section 4. *Zootaxa*, 2286: 1-30.

Smetana, A., 2009b. Contributions to the knowledge of the "Staphylinus-complex" (Coleoptera: Staphylinidae: Staphylinini) of China. Part 19. The genus Ocypus Leach, 1819, subgenus Pseudocypus Mulsant & Rey, 1876. Section 3. *Acta Entomologica Musei Nationalis Pragae*, 49(2): 683-694.

Smetana, A., 2011. Contributions to the knowledge of the "Staphylinus-complex" (Coleoptera: Staphylinidae: Staphylinini) of China. Part 25. Various genera. Section 2. *Studies and Reports. Taxonomical Series*, 7(1-2): 397-414.

Smetana, A., 2014. Contributions to the knowledge of the Quediina (Coleoptera, Staphylinidae, Staphylinini) of China. Part 44. Genus Quedius Stephens, 1829. Subgenus Microsaurus Dejean, 1833. Section 22. *Folia Heyrovskyana*, *Series*, *A* 21(1-4): 1-39.

Smetana, A., 2015b. Contributions to the knowledge of the Quediina (Coleoptera: Staphylinidae: Staphylinini) of China. Part 56. Genus *Quedius* STEPHENS, 1829 Subgenus *Microsaurus* DEJEAN, 1833. Section 23. *Linzer biologische Beitrage*, 47(2): 1843-1854.

Solsky, S. M., 1871. Coléopteres de la sibérie orientale. *Horae Societatis Entomologicae Rossicae*, 7

[1870]: 334-406.

Stephens, J. F., 1829. *A systematic catalogue of British insects: Being an attempt to arrange all the hitherto discovered indigeneous insects in accordance with their natural affinities. Containing also the references to every English writer on entomology, and to the principal foreign authors. With all the published British genera to the present time. Insecta Mandibulata*. Ordo 1. Coleoptera. London: Baldwin and Cradock, xxxiv + 416 + 388 pp.

Stephens, J. F., 1832. Pp. 1-240. In: *Illustrations of British entomology; or, a synopsis of indigenous insects: containing their generic and specific distinctions; with an account of their metamorphoses, times of appearance, localities, food, and economy, as far as practicable. Mandibulata*. Vol. V. London: Baldwin & Cradock, 448 pp., pls. 24-27. [published in parts: 1832-1835]

Stephens, J. F., 1833a. *The nomenclature of British insects; together with their synonymes: being a compendious list of such species as are contained in the Systematic Catalogue of British Insects, and of those discovered subsequently to its publication; forming a guide to their classification*. &c. Second edition. London: Baldwin and Cradock, iv pp. + 136 columns.

Stephens, J. F., 1833b. Pp. 241-304. In: *Illustrations of British entomology; or, a synopsis of indigenous insects: containing their generic and specific distinctions; with an account of their metamorphoses, times of appearance, localities, food, and economy, as far as practicable. Mandibulata*. Vol. V. London: Baldwin and Cradock, 448 pp.

Stephens, J. F., 1834. Pp. 305-368. In: *Illustrations of British entomology; or, a synopsis of indigenous insects: containing their generic and specific distinctions; with an account of their metamorphoses, times of appearance, localities, food, and economy, as far as practicable. Mandibulata*. Vol. V. London: Baldwin and Cradock, 448 pp.

Stephens, J. F., 1835. Pp. 369-448. In: *Illustrations of British entomology; or, a synopsis of indigenous insects: containing their generic and specific distinctions; with an account of their metamorphoses, times of appearance, localities, food, and economy, as far as practicable. Mandibulata*. Vol. V. London: Baldwin and Cradock, 448 pp.

Tang, L. and Li, L. Z., 2009. Three new species of genus Ascaphium Lewis, 1893 from China (Coleoptera, Staphylinidae, Scaphidiinae). *Pan-Pacific Entomologist*, 85(2): 91-98.

Tang, L. and Puthz, V., 2009. [new taxa]. in Tang L., Zhao Y.-L. & Puthz V.: Brachypterous Stenus species (Coleoptera, Staphylinidae, Steninae) from West-Central China. *Entomologica Fennica*, 20 (3): 191-199.

Tang, L., Li, L. Z. and Zhao, M.-J. 2005. Two new species of Stenus from Anhui province, East China (Coleoptera, Staphylinidae). pp. 106-109. In: Ren G. D. (ed.): *Classification and diversity of insects in China*. China Agriculture Science and Technology Press, 402pp.

Thomson, C. G., 1858. Försök till uppställning af Sveriges Staphyliner. Öfversigt af Kongl. *Vetenskaps-Akademiens Förhandlingar*, 15: 27-40.

Thomson, C. G., 1859. *Skandinaviens Coleoptera, synoptiskt bearbetade*. Tom. I. Lund: Berlingska Boktryckeriet, [5] + 290 pp.

Thomson, C. G., 1860. *Skandinaviens Coleoptera, synoptiskt bearbetade*. Tom. II. Lund: Berlingska Boktryckeriet, 304 pp.

Watanabe, Y., 1970. Descriptions of a new genus and a new species of Quediini from Japan (Coleoptera:

Staphylinidae). *Kontyu*, 38: 70-74.

Watanabe, Y. and Shibata, Y., 1961. On the genus Ancyrophorus in Japan with descriptions of four new species (Col. Staphylinidae). *Journal of Agricultural Science* (Tokyo), 7: 6-9.

Waterhouse, C. O., 1876a. On various new genera and species of Coleoptera. *The Transactions of the Entomological Society of London*, 1876: 11-25.

Westwood, J. O., 1870. Descriptions of twelve new exotic species of the coleopterous family Pselaphidae. *The Transactions of the Entomological Society of London*, 1870: 125-132.

Willers, J., 2001a. Neubeschreibungen und Synonyme chinesischer Arten der Gattung Paederus s. l. (Coleoptera: Staphylinidae). *Stuttgarter Beitrage zur Naturkunde*, Serie A (Biologie), 625: 1-22.

Willers, J., 2001b. Neue asiatische Arten der Gattung Paederus Fabricius s. l. aus der Sammlung des Naturhistorischen Museums Basel (Coleoptera, Staphylinidae). *Entomologica Basiliensia*, 23: 287-309.

Wollaston, T. V., 1857. *Catalogue of the coleopterous insects of Madeira in the collection of the British Museum*. London: The Trustees of the British Museum, xvi + 234 pp.

Yin, Z. W. and Li, L. Z., 2012a. [new taxa]. In: Yin Z. W., Li L. Z. & Gu F. K.: Taxonomic study on the genus Pselaphodes Westwood (Coleoptera, Staphylinidae, Pselaphinae) from China. Part Ⅲ. *Zootaxa*, 3189: 29-38.

Yin, Z. W., Li, L. Z. and Zhao, M. J., 2010. Taxonomical study on the genus Pselaphodes Westwood (Coleoptera: Staphylinidae: Pselaphinae) from China. Part I. *Zootaxa*, 2512: 1-25.

Yin, Z. W., Li, L. Z. and Zhao, M. J., 2012. Taxonomic study on Sathytes Westwood (Coleoptera: Staphylinidae: Pselaphinae) from China. Part I. *Journal of Natural History*, 46(13-14): 831-857.

Zanetti, A., 2004. Contributions to the knowledge of Eastern Palaearctic Eusphalerum Kraatz, 1857 (Coleoptera, Staphylinidae: Omaliinae). On some groups with setose parameres. Bollettino del Museo Civivo di Storia Naturale di Verona. *Botanica Zoologia*, 28: 51-95.

Zerche, L., 1990. *Monographie der palaarktischen Coryphiini* (Coleoptera, Staphylinidae, Omaliinae). Berlin: Akademie der Landwirtschaftswissenschaften der Deutschen Demokratischen Republik, 413 pp.

Zerche, L., 1998. Sieben neue Pseudopsis-Arten aus China mit einer Bestimmungstabelle der paläarktischen Arten (Coleoptera: Staphylinidae, Pseudopsinae). *Beitrage zur Entomologie*, 48: 353-365.

Zerche, L., 2003. Pseudopsis-Studien 6: Neue Arten und neue Funde aus der Paläarktis, der Nearktis und der Neotropis (Insecta: Coleoptera: Staphylinidae: Pseudopsinae). *Entomologische Abhandlungen*, 60: 161-169.

Zhao, C.-Y. and Zhou, H.-Z., 2006. Three new species of the genus Stenus Latreille (subgenus Stenus s. str.) from China (Coleoptera, Staphylinidae, Steninae). Mitteilungen aus dem Museum fur Naturkunde Berlin. *Deutsche Entomologische Zeitschrift* (N. F.), 53(2): 282-289.

Zhao, Z.-Y. and Zhou, H.-Z., 2010. Taxonomy of the genus Indoquedius Blackwelder (Coleoptera: Staphylinidae: Staphylininae) of China with description of four new species. *Zootaxa*, 2619: 27-38.

Zhao, Z.-Y. and Zhou, H.-Z., 2012. Phylogeny and taxonomic revision of the subgenus Velleius Leach (Coleoptera: Staphylinidae: Staphylininae). *Zootaxa*, 3957 (3): 251-276.

Zheng, F.-K., 1988. [Five new species of the genus Lobrathium Mulsant et Rey from China (Coleoptera:

Staphylinidae, Paederinae)]. *Acta Entomologica Sinica*, 31: 186-193 (in Chinese).

Zheng, F.-K., 1992. [A new species of the genus Stenus (Coleoptera: Staphylinidae, Steninae) from Sichuan, China]. *Journal of Sichuan Teachers College* (Natural Science), 13: 294-295 (in Chinese).

Zheng, F.-K., 1994a. [A new species and a new record of the genus Nudobius Thomson from China (Coleoptera: Staphylinidae: Xantholininae)]. *Acta Zootaxonomica Sinica*, 19: 471-473 (in Chinese).

Zheng, F.-K., 1994b. [Notes on genus Dianous Leach from Dai Ba Mountains, Sichuan (Coleoptera: Staphylinidae, Steninae)]. *Acta Entomologica Sinica*, 37: 479-482 (in Chinese).

Zhu, J.-W., Li, L.Z. and Zhao, M.J., 2005. A new species of the genus Ischnosoma from China (Coleoptera, Staphylinidae, Tachyporinae). *Acta Zootaxonomica Sinica*, 30(4): 809-811.

Ⅲ. 金龟总科 Scarabaeoidea

白明　杨星科

(中国科学院动物进化与系统学重点实验室，中国科学院动物研究所，北京 100101)

鉴别特征：金龟总科又称鳃角类，种类繁多，食性复杂，栖境多样。金龟子头部通常较小，多为前口式，后部伸入前胸背板，口器发达。触角通常较短，8~11 节，鳃片部 3~8 节。前胸背板大，通常横阔，多数具小盾片，亦有不少种类缺如。前翅为鞘翅，后翅发达且使其善飞，少数种类后翅退化，甚至股金龟亚科 Pachypodinae 中的雌性鞘翅、小盾片和后翅均退化。前足基节窝后方不开放。足开掘式，前足胫节外缘具齿，具端距 1 枚，少数种类前足胫节端距或跗节缺失；跗式 5-5-5，少数种类跗节 3 或 4 节。腹部可见 5~7 节，腹部气门位于背板和腹板之间的联膜上，或腹板侧上端，或背板上；末背板形成臀板，水平或垂直；臀板被鞘翅覆盖或暴露。具 4 条马氏管。很多种类具性二型现象，雄虫头部、前胸背板具各式瘤突、脊或角突，或腹部肛节端部具凹，或足具齿，或触角鳃片部节数多于雌性等。幼虫"C"形，称为蛴螬，有胸足 3 对，无尾突，气门筛形，全发育过程 3 龄，少数种类多于 3 龄，土栖。

分类：世界已知 12 科约 2200 属 31 000 种，除了毛金龟科、重口金龟科和刺金龟科外，其他 9 科均在中国有分布，已知约 3000 种，陕西秦岭地区发现 4 科 66 属 132 种。

分科检索表

1. 触角 11 节 ······························ 2
   触角少于 11 节 ······························ 3
2. 触角膝状弯曲，体表被毛 ················ **粪金龟科 Geotrupidae（隆金龟亚科 Bolboceratinae）**
   触角非膝状弯曲，体表光裸 ················ **粪金龟科 Geotrupidae（粪金龟亚科 Geotrupinae）**
3. 触角鳃片部不紧密结合；触角膝状弯曲，第 1 节明显长于第 2 和 3 节之和 ················

………………………………………………………………………………… 锹甲科 **Lucanidae**

触角鳃片部紧密结合 ……………………………………………………………………… 4

4. 鞘翅短且端部分离，臀板裸露(除了 *L. lupina*)，第 8 腹板具气门 …… 绒毛金龟科 **Glaphyridae**

鞘翅不短且端部不分离，臀板裸露或不裸露，第 8 腹板无气门………… 金龟科 **Scarabaeidae**

十一、粪金龟科 Geotrupidae

鉴别特征：体长 5 ~45mm。身体卵形或圆形。身体黄色、褐色、红褐色、紫色。触角 11 节，鳃片部 3 节，被部分或完全分隔。唇基通常具角突或结节，上唇平截，突出。下颚须 4 节，下唇须 3 ~4 节。前胸背板强烈拱起，具或不具结节、角突、沟、脊等，基部宽于鞘翅基部或近等宽。鞘翅强烈拱起，具或不具刻点行。鞘翅完全覆盖臀板。小盾片可见，三角形。足基节窝横向，中足基节窝分离或邻接，前足胫节外缘具齿，有 1 枚端距；中、后足胫节具横脊，端部具 2 枚距，2 枚距均位于中线两侧(不被后足跗节分开)；跗式 5-5-5，爪等大，简单，爪间突可见，突出于第 5 跗节，具 2 根刚毛。腹部可见 6 个腹板，具 8 对功能性气门，第 1 ~7 气门位于侧联膜，第 8 气门位于背甲。后翅发育良好。

生物学：该科昆虫生活史复杂，食性多样，包括腐食性、粪食性、菌食性、植食性，甚至成虫绝食性。成虫通常生活于地下洞穴中，有些种类的洞穴可达地下 3 米。虽然成虫无育幼行为，但会为幼虫提供食物。某些种类有世代重叠现象。无明显经济意义，但其挖掘行为会对植物地下根系造成影响。多为夜行性，很多种类具趋光性。有些种类会受到发酵麦芽和废糖蜜气味的吸引。多数成虫和幼虫可发声。

分类：世界广布，Geotrupinae 和 Lethrinae 主要分布于全北区，Taurocerastinae 主要分布于南美，Bolboceratinae 在非洲和澳洲种类明显丰富。世界已知 108 属 1020 种，中国记录 2 亚科 7 族 13 属 114 种，陕西秦岭地区发现 2 亚科 4 属 6 种。

（一）隆金龟亚科 Bolboceratinae

鉴别特征：体长 5 ~25mm，是体宽的 1.25 ~1.45 倍。身体强烈拱起。触角 11 节，鳃片部 3 节；复眼被部分或全部分隔；内唇中部锯齿状或直，上唇根侧突1~2个，上唇根中突和侧梳有时可见；上颚不对称，臼齿表面圆钝，右上颚突起，左上颚凹陷，臼齿叶具上颚刷；外颚叶具长刚毛刷，下颚须 4 节；下唇须 4 节。鞘翅至少 5 条刻点行明显深；后翅发达，R 室退化或无；小盾片发达；中足基节窝间距少于基节窝最小直径，中足基节窝明显横向；腹部 6 节；臀板近水平方向；爪间突可见；腹部具 7 对功能性气门，第 8 气门位于侧联膜且退化；雄性生殖器对称或不对称，雌性每个卵巢具卵巢管 6 根，染色体组形 9 + Xyp。幼虫触角 3 节，额唇沟缺失，外颚叶和内颚叶分离，下颚须4节，下颚和上颚具发音区，上唇根愈合或无，对称或不对称，足变异较大，发音区可见或无，气门双孔。

生物学： 幼虫土栖，以真菌、粪便或腐殖质为食物。

分类： 世界广布，非洲和澳洲种类明显丰富。世界已知40属约400种，中国已知7属13种，秦岭地区发现1属1种。

187. 勒隆金龟属 *Bolbelasmus* Boucomont, 1911

Bolbelasmus Boucomont, 1911: 335. **Type species**: *Bolboceras gallicus* Mulsant, 1842.

Kolbeus Boucomont, 1911: 335. **Type species**: *Bolboceras coreanus* Kolbe, 1886.

属征： 小到中型，体长7～14mm。身体光裸，强烈拱起。头部具单角突，触角柄节光裸，复眼被眼眦分开。前胸背板通常具4个尖齿，疏布刻点，后缘具完整饰边或仅两侧具饰边。鞘翅具7条刻点行，行间拱起，第1刻点行起始于小盾片。前足胫节外缘具6～10个齿，中足基节窝邻接或略分离。雄性生殖器简单，基侧突叶状，无毛。

分布： 古北区，东洋区，新北区，非洲区。世界已知21种，中国已知3种，秦岭地区发现1种。

(566) 插勒隆金龟 *Bolbelasmus coreanus* (Kolbe, 1886)

Bolboceras coreanus Kolbe, 1886: 188.

Bolboceras conicifrons Fairmaire, 1896: 82.

Bolbelasmus kurosawai Masumoto, 1984: 76.

鉴别特征： 体长9.00～13.50mm，体宽6～8mm(前胸背板基部)。头、前胸背板和小盾片通常黑褐色，鞘翅红棕色。上唇前缘平截，无饰边，盘区疏布刻点和横向皱纹。额唇基沟可见，略弯。额在角突前近光滑，额两侧近复眼处疏布细刻点。前胸背板4个齿突呈直线状排列，侧齿略小。小盾片长三角形，表面光滑，疏布细刻点。鞘翅刻点行较浅，行间散布细刻点。前足胫节外缘具8个齿，端齿发达且圆钝。雄性生殖器长约1.90mm。约是基侧突长度的1.50倍；基侧突较扩展，基部1/3处略波曲，中叶三角形且骨化。

采集记录： 1♂1♀，周至厚畛子，1350m，1999. Ⅵ. 25，章有为采。

分布： 陕西(周至)、甘肃、安徽、浙江、福建、四川、贵州、云南、台湾；朝鲜，泰国，印度。

（二）粪金龟亚科 Geotrupinae

鉴别特征： 体长10～28mm。身体卵形或圆形，光裸无毛。身体黄色、褐色、红褐色、紫色。触角11节，不为膝状弯曲，鳃片部3节。唇基通常具角突或结节，上唇平截，突出。下颚须4节，下唇须3～4节。前胸背板强烈拱起，具或不具结节、角突、沟、脊等，基部宽于鞘翅基部或近等宽。鞘翅强烈拱起，具或不具刻点行。鞘翅完全覆盖臀板。小盾片可见，三角形。足基节窝横向，中足基节窝分离或邻接，前足胫节外缘具齿，具1枚端距；中、后足胫节具横脊，端部具2枚距，2枚距均位于中线两侧（不被后足跗节分开）；跗式5-5-5，常细弱，爪等大，简单。腹部可见6个腹板，具8对功能性气门，第1～7气门位于侧联膜，第8气门位于背甲。后翅发育良好。有些属种性二型现象显著，雄性个体头部和前胸背板具发达角突及横脊状突起。

生物学： 该亚科昆虫大多为腐食性、粪食性和菌食性。成虫通常生活于地下洞穴中，有些种类的洞穴可达地下3米。虽然成虫无育幼行为，但会为幼虫提供食物。某些种类有世代重叠现象。无明显经济意义，但其挖掘行为会对植物地下根系造成影响。*Lethrus* 属会将地表植物切断并搬运到地下洞穴中，把植物碎屑堆积形成的腐殖质和产生的真菌作为食物。多为夜行性，很多种类具趋光性。有些种类会受到发酵麦芽和废糖蜜气味的吸引。多数成虫和幼虫可发声。

分类： 主要分布于全北区和非洲北部。世界已知30属600种，中国已知6属101种，秦岭地区发现3属4种。

分属检索表

1. 雄性个体前胸背板具角突 ………………………………………… 武粪金龟属 *Enoplotrupes*
   雄性个体前胸背板无角突 ……………………………………………………………… 2
2. 雄性后足腿节无齿，眼眦发达，鞘翅无明显刻点行 ……………………… 奥粪金龟属 *Odontotrypes*
   雄性后足腿节通常具向后延伸的齿，眼眦不发达，鞘翅刻点行明显 ……………………………
   ……………………………………………………………………… 福粪金龟属 *Phelotrupes*

188. 武粪金龟属 *Enoplotrupes* Lucas, 1869

Enoplotrupes Lucas, 1869: 13. **Type species**: *Enoplotrupes sinensis* Lucas, 1869.

属征： 中大型，体长13～28mm。身体光裸，强烈拱起，常具金属光泽。头部和前胸背板具角突，触角柄节具毛，复眼被眼眦分开。前胸背板通常具发达角突，疏布刻点，有时皱纹状，后缘具完整饰边或仅两侧具饰边。鞘翅具刻点行或无。前足胫节外缘具6～10个齿，中足基节窝邻接或略分离。雄性生殖器简单，基侧突叶状。

分布：东洋区。世界已知61种，中国已知8种，秦岭地区发现1种。

(567) 华武粪金龟 *Enoplotrupes sinensis* Lucas, 1869（图版7：1）

Enoplotrupes sinensis Lucas, 1869: 13.

Enoplotrupes kumei Masumoto, 1991: 179.

鉴别特征：体长25mm左右。雄虫额头顶部有1个微弯的强大角突，雌体仅具短小锥形角突。前胸背板短阔，表面十分粗糙，雄虫于盘区有1个端部分叉的几乎平直前伸的粗壮角突，角突前方及两侧亮滑，雌虫则于前中段有1个前伸的端部微凹的突起。

采集记录：2♂，佛坪窑沟，870～1000m，1998.Ⅶ.25，陈军采。

分布：陕西（佛坪）、甘肃、湖南、四川、云南。

189. 福粪金龟属 *Phelotrupes* Jekel, 1866

Geotrupes (*Phelotrupes*) Jekel, 1866: 575. **Type species:** *Geotrupes orientalis* Hope, 1839.

Phelotrypes: Jacobsohn, 1892: 251.

Phelotrupes: Zunino, 1984: 39.

属征：中大型，体长15～21mm。身体光裸，强烈拱起。头部无角突，眼眦不发达。前胸背板无齿和角突，通常光滑无粗大刻点，或仅布细刻点，后缘具完整饰边或仅两侧具饰边。鞘翅刻点行明显，行间扁拱。雄性后足腿节通常具向后延伸的齿。

分布：古北区，东洋区。世界已知39种，中国已知36种，秦岭地区发现2种。

(568) 双色福粪金龟 *Phelotrupes* (*Chromogeotrupes*) *bicolor* (Fairmaire, 1888)

Geotrypes bicolor Fairmaire, 1888: 18.

Phelotrupes (*Chromogeotrupes*) *bicolor*: Kral, Maly *et* Schneider, 2001: 82.

鉴别特征：体黑色，具蓝或绿色金属光泽，通常鞘翅基半部为黄色或棕色，极少为均匀单色，中等光亮。唇基布皱纹状刻点或皱纹，唇基具小瘤突。前胸背板后缘平直或略弯，无饰边。鞘翅均匀拱起，具明显刻点行。生殖器对称形。

采集记录：1头，佛坪凉风垭，1750～2150m，1999.Ⅵ.28。

分布：陕西(佛坪)、四川、云南。

(569) 伊氏福粪金龟 *Phelotrupes* (*Phelotrupes*) *imurai* (Masumoto, 1995)

Geotrupes (*Odontotrupes*) *imurai* Masumoto, 1995: 383.

Phelotrupes (*Phelotrupes*) *imurai*: Král, Malý & Schneider, 2001: 106.

鉴别特征：体长 13～19mm。黑色，具微弱的蓝色金属光泽。前胸背板拱起，横阔，盘区光滑无刻点。鞘翅刻点行间扁拱，肩瘤不光亮，肩部明显窄于前胸背板基部，具 7 条深刻点行。

采集记录：1♂1♀，佛坪，870～1000m，1998. Ⅶ. 25。

分布：陕西(佛坪)。

190. 奥粪金龟属 *Odontotrypes* Fairmaire, 1887

Odontotrypes Fairmaire, 1887: 102. **Type species**: *Geotrypes impressiusculus* Fairmaire, 1887.

Odontotrupes Boucomont, 1905: 234. **Type species**: *Geotrupes orichalceus* Fairmaire, 1895.

Bootrupes Boucomont, 1911: 349. **Type species**: *Geotrypes cariosus* Fairmaire, 1886.

属征：中大型，体长 15～21mm。身体光裸，强烈拱起。头部无角突，眼眦发达。前胸背板无齿和角突，疏布粗大刻点或皱纹，后缘具完整饰边或仅两侧具饰边。鞘翅无明显刻点行。雄性后足腿节无齿。

分布：中国；缅甸，尼泊尔，不丹，锡金。世界已知 56 种，中国已知 46 种，秦岭地区发现 2 种。

分种检索表

前胸背板近基部最宽，密布粗大刻点，有时呈皱纹状；鞘翅无刻点行，密布无规则皱纹状刻点；后翅中度退化 ························ **秦岭奥粪金龟 *O. qinling***

前胸背板中部略后处最宽，疏布粗大刻点；鞘翅具 7 条深刻点行，刻点行间扁拱，布细皱纹状刻点；后翅发达 ························ **吴氏奥粪金龟 *O. uenoi***

(570) 秦岭奥粪金龟 *Odontotrypes qinling* Král, Malý *et* Schneider, 2001

Odontotrypes qinling Král, Malý *et* Schneider, 2001: 39.

鉴别特征：体长 18～21mm。通体黑色，中度光亮。唇基疏布皱纹状刻点。前胸背板横阔，中部略后处最宽，拱起，疏布粗大刻点。鞘翅刻点行间扁拱，布细皱纹状刻点，肩瘤不光亮，肩部明显窄于前胸背板基部，具 7 条深刻点行。后翅发达。

分布：陕西（长安）。

(571) 吴氏奥粪金龟 *Odontotrypes uenoi* (Masumoto, 1995)

Geotrupes (*Odontotrypes*) *uenoi* Masumoto, 1995: 382.

Odontotrypes uenoi: Král, Malý & Schneider, 2001: 54.

鉴别特征：体长 15～18mm。通体黑色，有时具微弱的蓝色金属光泽。唇基密布皱纹状刻点或皱纹。前胸背板横阔，近基部最宽，拱起，除基部饰边有中断外，饰边完整，密布粗大刻点，刻点大小、深浅和分布无规则，有时呈皱纹状。鞘翅无刻点行，密布无规则皱纹状刻点，肩瘤不光亮，肩部明显窄于前胸背板基部。后翅中度退化。

分布：陕西（秦岭）。

十二、绒毛金龟科 Glaphyridae

鉴别特征：体长 6～20mm。身体延长，砖红色到黑色，通常具金属光泽，密被中等长度、颜色（白、黄、红、褐或黑）多样的毛。触角 10 节，鳃片部 3 节。复眼被眼眦部分或完全分隔。唇基通常简单，前缘无或具齿；上唇顶端微凹、平截或圆弧状，明显比唇基突出；上颚明显突出于上唇端部；下颚平截，下颚须 4～5 节，下唇须 4 节。前胸背板拱起，近方形，通常具稠密的刻点和毛，无结节、脊或角突。鞘翅延长，通常近端部变窄和分裂，无刻点行，通常密被长毛。臀板通常突出于鞘翅，可见。小盾片可见，“U”形或三角形。前足基节窝圆锥形或横向，中、后足基节窝横向，中足基节窝分离或邻接，前足胫节外缘具齿，端部具 1 枚距；中、后足胫节通常简单，少数种类端部具凹或刺等变化，2 枚端距；跗式 5-5-5，古北区部分属前跗节具齿，爪等大，具 1 枚齿；爪间突可见，突出于第 5 跗节，背腹向平坦，具 2 根刚毛。腹部具 6 个腹板，8 对功能性气门。后翅发达。雄性生殖器基板骨化强烈，弓形。雌性每个卵巢具 6 根卵巢管。

生物学：该科昆虫多为白天活动，多具鲜艳的颜色和稠密的被毛，花斑和色形模拟蜜蜂和大黄蜂。飞行能力较强，通常在植物花和叶片附近盘旋。幼虫自由生活于沙壤地区，如河边或海边，多以腐烂落叶或者碎石下腐殖质为食。原产于北美洲东部的蔓生常绿灌木——蔓越橘(大果越橘，越橘属)，会受到 *Lichnanthe vulpina* (Hentz)幼虫的危害。

分类：世界广布，全北区为分布中心。世界已知 6 属约 215 种，陕西秦岭地区发现 1 属 1 种。

191．长角绒毛金龟属 *Amphicoma* Latreille, 1807

Amphicoma Latreille, 1807: 118. **Type species**: *Melolontha abdominalis* Fabricius, 1781.

Amphitriche Gistel, 1848: 162. [RN] **Type species**: *Melolontha abdominalis* Fabricius, 1781.

Toxocerus Fairmaire, 1891a: 7. **Type species**: *Toxocerus rothschildii* Fairmaire, 1891.

Arrhephora Fairmaire, 1891a: 8. **Type species**: *Arrhephora chalcochrysea* Fairmaire, 1891.

Anthypnoides Yawata, 1942: 34. **Type species**: *Anthypnoides splendens* Yawata, 1942.

Thypnia Endrodi, 1952: 4. **Type species**: *Anthypna carceli* Laporte, 1832.

属征：体中型，狭长，体表被柔毛，刚毛长度适中。雄性触角鳃片部延长，不为杯状，触角棒向外或向内弯曲；唇基部最宽。小盾片为细长三角形；腹部不明显延伸，臀板很少外露。前足胫节外缘具 2 个齿或 3 个齿，基齿较弱；雄性中足胫节端部具凹；后足腿节不明显变粗，metafemora 没有得到广泛扩大，后足胫节直，不向内弯曲；前足跗节 1 ~4 节无栉状刺突，第 5 节长于基部 3 节长度之和。

分布：中国；日本，越南，老挝，泰国，缅甸和欧洲。世界已知 48 种，中国已知 30 种，秦岭地区发现 1 种。

(572) 泛长角绒毛金龟 *Amphicoma fairmairei* (Semenov, 1891)

Toxocerus fairmairei Semenov, 1891: 330.

Amphicoma fairmairei: Bezdek *et al.*, 2005: 209.

鉴别特征：体长 11.30 ~13.00mm。体中型，狭长。体色金蓝、金绿，光泽颇强，腹部腹面及足褐色。全体多毛，头面、前胸背板、小盾片和鞘翅被黄褐色短毛，胸下密被灰白色细软长绒毛，腹部腹面密被黄褐色短细卧毛。雄虫头部显狭于前胸，头面狭长，简单平缓，唇基近长方形，前侧角弧圆，有边框，上唇发达且于背面可见；复眼鼓大，眼脊片发达，具长毛；触角 10 节，鳃片部 3 节，长大而外弯；前胸背板长宽近相等，鼓形，密布粗大刻点，前侧角锐而前伸，后侧角圆钝；小盾片三角形，鞘翅弧拱，无纵肋，肩突发达，刻点粗皱；臀板近三角形，被长毛，外露；前足短壮，胫节外缘 3 个齿，跗节 1 ~4 小节短而向一侧扩大，中足长，胫节末端内侧向下环形延伸，与端距相触。后足最长，后胫有 2 个端距。

采集记录： 1♂，留坝庙台子，1470m，1999. Ⅶ. 01。

分布： 陕西（留坝）、甘肃、山西。

十三、锹甲科 Lucanidae

万霞[1]　曹玉言[1]　白明[2]　杨星科[2]

（1. 安徽大学，合肥 230039；2. 中国科学院动物进化与系统学重点实验室，中国科学院动物研究所，北京 100101）

鉴别特征： 体长 2～100mm。虫体多呈棕褐、黑褐至黑色，也有一些种体色鲜艳并具金属光泽。多具显著的雌雄异型及雄性多型现象。体型多变，呈圆钝、狭长、扁平或向上隆凸，光滑或被毛。头部的形态多样，常在前缘、头顶、侧缘等位置出现特化结构，上颚明显发达。雄性的上颚多常特化为各种奇异的形态。额、唇基、上唇通常没有明显分区。复眼多为圆形，向外凸出或较平凹，复眼完整或被分为上下两部分。触角 10 节，膝状，鳃片部分 3～6 节，呈栉状。前胸背板多不窄于头部或鞘翅的宽；鞘翅略成铁锹状，多具短毛、刻点或纵脊。跗节 5 节，以第 5 节最长。通常雄性腹部第 5 节圆钝，端缘中部向内凹入而平截，雌性第 5 节圆而较尖，端缘中部不凹入。幼虫蛴螬形，但体节背面无皱纹，多生活在朽木或腐殖质中，肛门纵裂状并可与其他金龟子幼虫相区分。

生物学： 多数锹甲科成虫中至特大型（15～100mm），具飞行能力，夜出活动多于白昼，有趋光性，身体多具金属光泽。雄虫上颚尤为发达，外形俊美，为众多昆虫爱好者收藏或作为宠物饲养。也有少数种类个体较小（不足 2. 30mm），无发达上颚，营穴居生活而不能飞翔或在白天活动。成虫一般取食树汁液、花蜜或腐烂的水果，偶尔也危害幼嫩的枝条。幼虫以朽木或腐殖质为食，能帮助分解朽木，加速物质在生态系统中的循环。目前对于锹甲科的寄主植物的研究尚少。已有的观察数据表明，大多数中国常见锹甲种的雌虫在产卵时，对朽木的种类没有严格的选择，从而也决定了幼虫对食物的选择没有严格性，但是否为寡食性和多食性尚未有准确的实验数据。成虫多取食植物的茎液，如栎树、柑橘树、青冈树常有多种锹甲成虫来取食；对腐烂的水果，如菠萝、苹果、香蕉的味道相当敏感，我们能够用这样的气味来诱集锹甲成虫。作为一类观赏性昆虫，常见锹甲种类的人工养殖方法已相当完善，现已用各种发酵好的朽木或以朽木为主料配置的菌包为幼虫的食物，而以水果或果冻作为成虫的食物。锹甲属于完全变态类的昆虫，其发育经历卵、幼虫、蛹和成虫四个阶段。多以幼虫越冬，也有部分种类羽化为成虫后，不钻出蛹室，而在蛹室内长久蛰伏至次年出来活动。

分类：世界广布。目前世界已知 5 亚科 95 属 1250 种。陕西秦岭地区发现 14 属 23 种。

分属检索表*

1. 触角不呈典型的膝状；眼完整，不具眼眦 ······ 2
   触角呈典型的膝状；眼不完整，具眼眦 ······ 3
2. 体呈黑褐至红褐色，头约等宽于前胸背板，前胸两侧缘直 ······ **角锹甲属** ***Ceruchus***
   体呈青或蓝绿色，头明显窄于前胸背板，前胸两侧缘弯曲 ······ **璃锹甲属** ***Platycerus***
3. 眼眦将复眼分成上下两部分 ······ 4
   眼眦不将复眼分成上下两部分 ······ 7
4. 眼眦缘片非常宽大，背面观时不能看到眼的下半部 ······ **磙锹甲属** ***Nigidius***
   眼眦缘片狭窄，背面观时能看到眼的下半部 ······ 5
5. 体宽阔，卵圆形；体两侧不平行；前胸及鞘翅明显隆凸；鞘翅光滑，无纵线 ······ 6
   体短窄，长圆形；体两侧近平行；前胸及鞘翅平；鞘翅具清晰的背纵线 ······ **盾锹甲属** ***Aegus***
6. 雄性下唇光滑无毛，头部具眼后角突 ······ **奥锹甲属** ***Odontolabis***
   雄性下唇覆盖浓密的毛，头部不具眼后角突 ······ **新锹甲属** ***Neolucanus***
7. 眼的后侧方无纵沟；各足胫节粗壮，呈锯齿状或具细小的齿 ······ 8
   眼的后侧方具 5 条以上的纵沟脊；各足胫节纤细，光滑无齿 ······ **环锹甲属** ***Cyclommatus***
8. 后头区正常不特化，无向上翻翘或折卷的宽阔后头冠 ······ 9
   后头区特化，形成向上抬隆、翻卷或折卷的后头冠 ······ **锹甲属** ***Lucanus***
9. 大中型雄性上颚不短于头及前胸的总长；上颚上缘端部不具向上直立的尖锐的长齿；雄性外生殖器的外翻囊多样，端部三分叉或不分叉，如不分叉，则粗壮具毛 ······ 10
   大中型雄性上颚弯曲而短粗，短于头及前胸的总长；上缘端部具向上直立的尖锐的齿；雄性外生殖器的外翻囊端部无分叉，纤细光滑 ······ **柱锹甲属** ***Prismognathus***
10. 体钝圆、长圆，或长而粗壮；眼眦不长于眼直径的 1/2 ······ 11
    体宽扁，短而粗壮；眼眦长于眼直径的 1/2 ······ 12
11. 上颚基部的下侧光滑，无向下垂直或向前水平伸展的齿 ······ **半刀锹甲属** ***Hemisodorcus***
    上颚基部的下侧具向下垂直或向前水平伸展的齿 ······ **前锹甲属** ***Prosopocoilus***
12. 体背明显隆凸，眼眦约占眼直径的 4/5，眼眦末端凸出眼外 ······ **刀锹甲属** ***Dorcus***
    体背扁平，眼眦不到眼直径的 4/5，眼眦末端嵌入眼内 ······ **扁锹甲属** ***Serrognathus***

192. 角锹甲属 *Ceruchus* MacLeay, 1819

Ceruchus MacLeay, 1819: 115 (nec Scopoli, 1777). **Type species**: *Lucanus tenebroides* Fabricius, 1787.

Platycerus Latreille, 1807: 133(nec Geoffroy, 1762). **Type species**: *Platycerus tenebrioides* Latreille, 1807.

---

* 小刀锹甲属 *Falcicornis* Planet, 1894 未列入。

Tarandus Dejean, 1837: 194. **Type species**: *Lucanus tenebrioides* Fabricius, 1787.

属征：具显著的性二型现象，雄性多型现象不显著。小到中型，多有弱金属光泽。体背面稍隆凸，多有深而密的大刻点。头短阔，在眼后侧具刻点线形成的斜伸的沟槽。复眼小而完整，无眼眦。触角粗壮，不呈明显的膝状，鳃片3节。上颚多向上翻并有浓密的长毛。下颚须和下唇须相当长，几乎等长于触角。前胸多呈方形。鞘翅上有清晰的刻点形成的背纵线及细小的刚毛。足短小，胫节上有尖锐的侧齿。

分布：东洋区，古北区，新北区。世界已知13种，中国记录6种，秦岭地区发现1种。

(573) 米勒角锹甲 *Ceruchus minor* Tanikado *et* Okuda, 1994(图版8：1－2)

Ceruchus minor Tanikado *et* Okuda, 1994: 4.

鉴别特征：雄性黑褐至红褐色，体表均匀分布刻点。头部矩形，头顶中前部形成非常深而宽的近锥形凹陷。上颚弯曲，稍短于头部，端部尖，具齿。前胸背板强烈隆凸。小盾片三角形。鞘翅具11条纵带，肩角尖。前足胫节侧缘呈明显的锯齿状，具4个均匀分布的三角形锐齿；中、后足胫节侧缘具2排小齿。雌性黑红褐色，上颚小，稍短于头长，上颚上缘基部的拱板处无明显分离的3个齿；头顶中前部的凹陷不如雄性深而明显；中足各部位的毛丛也远不如雄性明显而浓密。其他特征与雄性相似。

采集记录：1♀(Paratype), Qinling Mountains, 1400～1600m, Hu Xian, Shaan Xi, China, 1993. Ⅵ. 27; 1♂1♀, Tabana coll. Shaan Xi Province, 1993. Ⅳ. 18-27; 1♂, Chang'an, Qinling Mts. 1400～1600m, 1993. Ⅳ. 11-24, M. Tabana coll. (In MNHN)。

分布：陕西(长安、户县)。

193. 璃锹甲属 *Platycerus* Geoffroy, 1762

Platycerus Geoffroy, 1762: 62. **Type species**: *Scarabaeus caraboides* Linneaus, 1758.

Systenocerus Weise, 1883: 93. **Type species**: *Scarabaeus caraboides* Linnaeus, 1758.

Systenus Sharp *et* Muir, 1912: 573. **Type species**: *Scarabaeus caraboides* Linnaeus, 1758.

属征：具性二型现象。体多具较强的蓝、绿、棕褐等金属光泽。上颚内侧、头、前胸背板侧缘、各足上多具稀疏的长毛，体腹面具浓密的长毛；体背腹面均具浓密的刻点。上颚短小，不长于头长，具简单的齿。头较小而平坦，近方形；明显窄于前胸背板、鞘翅的宽。触角较长而粗壮，呈明显的膝状；鳃片部分4节；第2节长于第3～6节，第7节细长，呈扁平的浅匙状，短细于第8～10节，第8～10节相当粗壮。

复眼大而突出，无眼眦；前胸背板中部向上隆凸，周缘内侧向下具很深的凹陷；前缘呈明显的波曲状，中部尖锐突出，后缘较平直。鞘翅闪亮无毛，覆盖着深而密的刻点；足细长，具浓密的刻点和毛，前足胫节外侧缘呈明显的锯齿状，具发达的小齿，端部向下弯伸，尖锐的二分叉；内侧缘端部无分叉；中足胫节外侧缘具1个尖锐的齿，端部呈细小的三分叉，后足胫节外侧缘端部无明显的三分叉，具1个微小的齿；爪和爪垫都相当发达。

分布：东洋区，古北区，新北区。世界已知11种，中国记录7种，秦岭地区发现7种。

分种检索表

1. 上颚短于头长 …… 2
   上颚不短于头长 …… 4
2. 体较窄，前胸背板侧缘呈较浅的弧形 …… 3
   体较宽，前胸背板侧缘呈较深的弧形 …… **永幡琉璃锹 *P. nagahatai***
3. 体背上有深而密的大刻点 …… **铁锈琉璃锹 *P. tabanai tabanai***
   体背上的刻点较小而稀疏 …… **巴山琉璃锹 *P. bashanicus***
4. 体黑褐色，体背的刻点大，深且密 …… **太白琉璃锹 *P. yingqii***
   体蓝绿或浅褐色，体背的刻点较小而稀疏 …… 5
5. 头较宽，约等宽于前胸背板的后缘 …… **细纹琉璃锹指名亚种 *P. rugosus rugosus***
   头较窄，窄于前胸背板的后缘 …… 6
6. 腿节橙黄色 …… **布氏琉璃锹甲 *P. businskyi***
   腿节红色 …… **洪氏琉璃锹秦岭亚种 *P. hongwonpyoi qinlingensis***

(574) 洪氏琉璃锹秦岭亚种 *Platycerus hongwonpyoi qinlingensis* Imura *et* Choe, 1993 (图版8：7–8)

Platycerus hongwonpyoi qinlingensis Imura *et* Choe, 1993: 12.

鉴别特征：雄性体小到中型，较窄，铜绿色，具金属光泽，密布刻点。体背无毛。头呈方形，具深而密的小刻点。上颚短小，约等长于头长；端部尖锐，分叉，基部具1个小齿。前胸背板中后部强烈向上隆凸，具较密的刻点，侧缘圆弧状。小盾片三角形。鞘翅具很深密的刻点。前足胫节外侧缘略呈锯齿状，有3~4个非常细小的齿；中、后足胫节相似，无齿；腿节红色。雌性同雄性非常相似，但可以通过以下特征来区分：体棕褐色，具金属光泽；上颚短小；较雄性粗壮；鞘翅较前胸背板更宽。

分布：陕西(长安、户县)。

(575) 铁锈琉璃锹 *Platycerus tabanai tabanai* Tanikado *et* Okuda, 1994(图版 8: 13 – 14)

Platycerus tabanai Okuda *et* Tanikado, 1994: 6.

鉴别特征: 雄性体小到中型，较窄，棕褐色，具金属光泽，密布刻点。体背无毛。头呈方形，具深而密的小刻点。上颚短小，短于头长；端部尖锐，分叉，基部具 1 个分叉小齿。前胸背板中后部强烈向上隆凸，具较密的刻点，侧缘圆弧状。小盾片三角形。鞘翅具很深密的刻点。前足胫节外侧缘呈强烈的锯齿状，有 3 ~ 4 个较尖锐的小齿；中、后足胫节相似，无齿；腿节红色。雌性同雄性非常相似，但可以通过以下特征来区分：头部较小，上颚短小；体较雄性粗壮，鞘翅更加宽阔。

分布: 陕西(长安、户县)。

(576) 布氏琉璃锹甲 *Platycerus businskyi* Imura, 1996(图版 8: 15 – 16)

Platycerus businskyi Imura, 1996: 42.

鉴别特征: 雄性体小到中型，较窄，铜绿色，具金属光泽，密布刻点。体背无毛。头呈方形，具深而密的小刻点。上颚短小，约等长于头长；端部尖锐，分叉，基部具 1 个小齿。前胸背板中后部强烈向上隆凸，具较密的刻点，侧缘圆弧状。小盾片三角形。鞘翅具很深密的刻点。前足胫节外侧缘锯齿状；中、后足胫节相似，无齿；腿节橙黄色。雌性同雄性很相似，但可以通过以下特征来区分：鞘翅棕褐色，具金属光泽；头部较小，上颚短小；体较雄性粗壮；鞘翅较前胸背板更宽。

分布: 陕西(宁陕)。

(577) 细纹琉璃锹指名亚种 *Platycerus rugosus rugosus* Okuda, 1997(图版 8: 9 – 10)

Platycerus rugosus Okuda, 1997: 9.

鉴别特征: 雄性体小到中型，较窄，浅铜绿色，具金属光泽，密布刻点。体背无毛。头呈方形，具深而密的小刻点。上颚短小，约等长于头长；端部分叉，具 1 个尖锐小齿，基部具 2 个小齿。前胸背板中后部强烈向上隆凸，具较密的刻点，侧缘圆弧状。小盾片三角形。鞘翅具很深密的刻点。前足胫节外侧缘锯齿状，中、后足胫节相似，无齿；腿节红色。雌性同雄性非常相似，但可以通过以下特征来区分：颜色棕褐色，具金属光泽；上颚短小；体较雄性粗壮；鞘翅较前胸背板稍宽。

分布: 陕西(大巴山、米仓山)、湖北、重庆。

(578) 巴山琉璃锹 *Platycerus bashanicus* Imura *et* Tanikado, 1998(图版 8：17－18)

Platycerus businskyi bashanicus Imura *et* Tanikado, 1998：93.

Platycerus bashanicus：Imura & Tanikado, 2006：132.

鉴别特征：雄性体小到中型，较窄，蓝绿色，具金属光泽，密布刻点。体背无毛。头呈方形，具深而密的小刻点。上颚短小，略短于头长；具1排小齿。前胸背板中后部强烈向上隆凸，具较密的刻点，侧缘圆弧状。小盾片三角形。鞘翅具很深密的刻点。前足胫节外侧缘锯齿状，中、后足胫节相似，无齿；腿节橙黄色。雌性同雄性非常相似，但可以通过以下特征来区分：鞘翅浅铜绿色，具金属光泽；头部较小，上颚短小；体较雄性粗壮；鞘翅较前胸背板更宽。

分布：陕西(秦岭)、四川、重庆。

(579) 永幡琉璃锹 *Platycerus nagahatai* Imura, 2008(图版 8：19－20)

Platycerus nagahatai Imura, 2008：109.

鉴别特征：雄性体小到中型，较窄，棕褐色，具金属光泽，密布刻点。体背无毛。头呈方形，具深而密的小刻点。上颚短小，短于头长，具1排小齿。前胸背板中后部强烈向上隆凸，具较密的刻点，侧缘圆弧状，具毛。小盾片三角形。鞘翅具很深密的刻点。前足胫节外侧缘锯齿状，中、后足胫节相似，无齿；腿节红色。雌性同雄性非常相似，但可以通过以下特征来区分：头部较小，上颚短小；体较雄性粗壮，鞘翅更加宽阔。

分布：陕西(周至、佛坪)。

(580) 太白琉璃锹 *Platycerus yingqii* Huang *et* Chen, 2009(图版 8：11－12)

Platycerus yingqii Huang *et* Chen, 2009：27.

鉴别特征：雄性体小到中型，较宽，深棕褐色，具金属光泽，密布刻点。体背无毛。头呈方形，具深而密的小刻点。上颚短小，约等长于头长；端部分叉，具1个尖锐小齿，基部具2个小齿。前胸背板中后部强烈向上隆凸，具较密的刻点，侧缘圆弧状。小盾片三角形。鞘翅具很深密的刻点。前足胫节外侧缘锯齿状，中、后足胫节相似，无齿；腿节红色。雌性同雄性非常相似，但可以通过以下特征来区分：上颚短小，体较雄性粗壮，鞘翅较前胸背板稍宽。

分布：陕西(眉县)。

194. 磙锹甲属 *Nigidius* MacLeay, 1819

Nigidius MacLeay, 1819: 108. **Type species**: *Nigidius cornutus* MacLeay, 1819.

Eudora Castelnau, 1840: 174. (Part). **Type species**: *Eudora midas* Castelnau, 1840.

Hadronigidius Kraatz, 1896: 65. **Type species**: *Hadronigidius bennigseni* Kraatz, 1896.

属征: 性二型现象不显著。体背相当隆凸，光滑而少毛。头部宽阔，前缘中部多平直，两侧向后倾斜，与眼眦形成形状各异的宽大缘片。多数种类上颚不长于头部，但在上颚的基部多具1个向上直伸的长而发达的齿，齿的端部常向下弯曲。触角相当短而粗壮，每节具稀疏的纤毛，第2～7各节几乎等长等粗，第8～10节显著膨大；棒状部分3节。复眼大而不十分突出，眼眦将复眼分成上下两部分。前胸背板多向上强烈隆起。鞘翅具刻点形成的清晰背纵线。足较短小。雌性与雄性难以区分，但通常体型较雄性更壮硕，体色更暗淡，第5腹节不如雄性圆钝。

分布: 东洋区，非洲区。世界已知72种，中国记录4种，秦岭地区发现1种。

(581) 长磙锹甲 *Nigidius elongatus* Boileau, 1902(图版8: 3)

Nigidius elongatus Boileau, 1902: 204.

鉴别特征: 雄性体小到中型，黑色，较闪亮。体背无毛，体腹、各足上具较短的毛。头呈六边形，具深而密的小刻点，唇基长方形，二分叉状。上颚短小，约等长于头长；端部尖锐，分叉，中部具1个小齿，基部各具1个向上直立的三角形长齿。前胸背板中后部强烈向上隆凸，具较密的刻点，背板中央的中后部具1个窄的纵向凹陷。小盾片三角形。鞘翅周缘具很深密的刻点，鞘翅背面具10条均匀分布的清晰刻点线。前足胫节外侧缘锯齿状，有5～7个较尖锐的小齿；中、后足胫节相似，各具1～2个微小的齿。雌性同雄性非常相似，但可以通过以下特征来区分：体较雄性粗壮而暗淡，前胸背板中央后半部的凹陷较雄性稍长而宽。

采集记录: 1头，紫阳城关，1973.Ⅵ.06，田畴、袁锋采。

分布: 陕西(紫阳)、四川、云南；缅甸。

195. 盾锹甲属 *Aegus* MacLeay, 1819

Aegus MacLeay, 1819: 112. **Type species**: *Aegus chelifer* MacLeay, 1819.

Alcimus Fairmaire, 1849: 416 (nec Loew 1848; nec Dallas, 1851). **Type species**: *Alcimus dilatatus*

Fairmaire, 1849.

Paraegus Gahan, 1888: 539. **Type species**: *Paraegus listeri* Gahan, 1888.

Xenostomus Boileau, 1898: 264. **Type species**: *Xenostomus ritsemae* Boileau, 1898.

Eubussea Zacher, 1913: 93. **Type species**: *Eubussea dilatata* (Fairmaire, 1849).

Elsion Kriesche, 1920: 105. **Type species**: *Elsion sepicanum* Kriesche 1920.

Malietoa Kriesche, 1920: 104. **Type species**: *Malietoa hindenburgi* Kriesche, 1920.

Odontaegus Kriesche, 1935: 174. Unavailable name.

属征：体小到中型，具明显的雌雄二型现象，黑褐或红褐色。体扁平或中等隆凸，头、胸、腹具刻点；鞘翅相对其他部分更闪亮，背面具6～12条明显的背纵线。雄性绝大多数种类头部平、微微下凹或中度隆凸。上唇多为长方形或短片状，端缘中部呈不同程度的凹陷或分叉。上颚短小而简单，一般不超过头长的2倍，端部不分叉，中前部的齿常随个体的变小而变小(直至仅见齿痕或完全消失)并更靠近上缘基部；基齿的大小及位置稳定，不随体型大小发生明显变化。眼不明显向外凸出，眼眦长。触角短，每节具稀疏的刚毛，膝状部分9节组成，第2～4节短，其他各节几乎等长，第5～6节稍宽，第8～10节显著膨大。前胸背板前缘呈明显的波曲状，侧缘平直或弧形，微弱或强烈锯齿状，周缘具密而深的刻点，多数种类背板中央凹陷或明显凹陷，并在凹陷处具刻点。足短而粗壮，腿节侧缘上常具稀疏的黄色刚毛。雌性体型明显小于雄性。头、前胸背板及鞘翅上常有更密而深的刻点。上颚多短于头长，多数种类上颚无明显的齿，端部尖，下缘具钝齿。鞘翅长于头、胸、上颚的总长。中、后足上一般都具1个以上的大锐齿。

分布：东洋区，澳洲区。世界已知220种，中国记录12种，秦岭地区发现1种。

(582) 粤盾锹甲 *Aegus kuangtungensis* Nagel, 1925(图版8：4－6)

Aegus kuangtungensis Nagel, 1925: 170.

鉴别特征：雄性体小至中型，红褐至黑褐色，头和前胸背板较鞘翅暗淡，体表具刻点。头顶中央微向下凹陷，上颚弯曲，端部较尖；上颚中部具1个尖锐的三角形大齿；基部有1个三角形小齿。前胸背板宽大于长，在背板中央后半部具短宽的纵向凹陷。小盾片近三角形。鞘翅背面可见明显纵条8条，具短而稀疏的白色刚毛。前足胫节侧缘呈锯齿状，有4～5个锐齿，中足胫节侧缘具2个尖锐的小齿；后足胫节侧缘上具1个很小的齿。雌性虫体较雄虫更隆起，具更深密的大刻点；额区两侧无角状突起；上颚短而弯曲；前胸背板中央微凹，不如雄虫明显。鞘翅比雄虫更光亮，各纵线处的刻点比雄虫更深密。

采集记录：3♂，镇巴，1996.Ⅶ.16，采集人不详。

分布：陕西（镇巴）、浙江、湖南、福建、广东、四川。

196. 柱锹甲属 *Prismognathus* Motschulsky, 1860

Prismognathus Motschulsky, 1860a: 138. **Type species**: *Prismognathus subaeneus* Motschulsky, 1860.

Cyclorasis Thomson, 1862: 397. **Type species**: *Lucanus platycephalus* Hope, 1842.

Eligmodontus Houlbert, 1915b: 17. **Type species**: *Eligmodontus arcuatus* Houlbert, 1915.

Gonometopus Houlbert, 1915b: 19. **Type species**: *Gonometopus triapicalis* Houlbert, 1915.

Tetrarthrius Didier, 1926: 29. **Type species**: *Tetrarthrius castaneus* Didier, 1926.

属征：小到中型个体，具明显的性二型现象。体多具金属光泽，体背光滑或具极短而稀疏的毛，腹面多具长而稀疏的黄褐色软毛，中胸腹板上的毛最长而浓密。雄性头宽大于头长；复眼大而突出；眼眦非常短，将复眼分成两部分。头顶中央凹陷，两侧隆起。上颚不长于头及前胸的总和，一般下缘明显宽于上缘，使上颚分成上下两层；下缘的小齿呈锯齿状排列。触角长，每节具稀疏的纤毛，棒状部分由 4 节组成；第 5、6 节端部向外延伸呈端部尖细的片状，7 ~ 9 节显著膨大变宽。前胸背板宽于或等宽于鞘翅，前后缘呈不等程度的波曲状。鞘翅表面光滑，无明显的刻点或背纵线。足细长，前足胫节较端部 2 ~ 3 个分叉，形成 2 ~ 3 个发达的大齿，分叉内侧有 1 个发达的距，侧缘具小齿。中足胫节端部 3 个分叉，形成 3 个尖锐的小齿，分叉内侧有大小两个不对称的距，较大的距的端部下弯；侧缘仅具 1 ~ 2 个尖锐的齿。后足胫节与中足相似，但侧缘上的齿更小。雌性体型明显小于雄性（少数雄性个体小于大的雌性）。头、前胸背板及鞘翅上较雄性具更深密的刻点。头窄而小，近方形，缘片不明显；上颚短于头长；多数种类仅在上缘中部具 1 个大齿，下缘的中部或基部具 1 个小齿。

分布：东洋区，古北区。世界已知 28 种及 8 亚种，中国记录 13 种及 1 个亚种，秦岭地区发现 1 种。

（583）戴维柱锹甲指名亚种 *Prismognathus davidis davidis* Deyrolle, 1878（图版 9：7 – 8）

Prismognathus davidis Deyrolle, 1878: 94.

鉴别特征：雄性体小到中型，红褐色至黑褐色。头宽大于长，前缘中部较强凹陷。上颚弯曲，下缘略宽于上缘；上缘较光滑，基部有 1 个稍向下倾斜的小齿，中部有 1 个平直的大齿，近端部有 1 个近直立的向上弯曲的长齿；下缘有 16 ~ 19 个小齿，锯齿状排列，靠近基部的 3 个齿较其他各小齿更粗壮。前胸背板中央中度凸出，前缘呈平缓的波曲状，后缘较平直，侧缘向后微微倾斜。小盾片近三角形。鞘翅窄于与前胸背板，肩角钝。前足胫节侧缘有4～5个发达的齿；中足胫节有2～3个小的锐齿；后足胫节有2个微小的齿。雌虫与雄虫较相似，但存在以下区别：头的前缘中部略内凹，端部稍向后倾斜；上颚短于头长，内弯，端部尖而简单，无分叉，下缘中部有1个小而前伸的弯齿，上缘中部有1个近直立的向上弯曲的长齿；鞘翅长于头、胸及上颚的总长；中后足上都具1个大的锐齿。

采集记录：1♂，太白山蒿坪寺，1200m，1982. Ⅴ.17，太白山昆虫考察组采；4♂2♀，宁陕火地塘，1620m，1979. Ⅶ.27-Ⅷ.07，韩寅恒采；6♂5♀，宁陕火地塘，1984. Ⅷ.14-17，吕林鼎等采。

分布：陕西(太白、宁陕)、北京、河北、河南、甘肃、青海、四川。

197. 环锹甲属 *Cyclommatus* Parry, 1863

Cyclommatus Parry, 1863: 448. **Type species**: *Lucanus tarandus* Thunberg, 1806.

Lucanus (*Cyclophthalmus*) Hope *et* Westwood, 1845: 5(nec Corda, 1835). **Type species**: *Lucanus tarandus* Thunberg, 1806.

Megaloprepes Thomson, 1862: 420(nec Rambu, 1842; nec Bigot, 1859). **Type species**: *Lucanus tarandus* Thunberg, 1806.

Cyclommatinus Didier, 1927: 103. **Type species**: *Cyclommatus strigiceps* Westwood, 1848.

Cyclommatellus Nagel, 1936: 292. **Type species**: *Cyclommatellus bucephalus* Nagel, 1936.

属征：具明显的性二型现象。多呈金褐、铜绿或灰褐色的金属光泽，体被腹面均光滑少毛。上颚相当发达。雄性体中至大型。头部多呈方形或倒梯形；额与上唇不能分开。复眼大而突出，眼眦约占眼直径的1/3，没有将复眼分成上下两部分。触角长，每节具稀疏的纤毛，第2节短于第3、4、5、6节；第7节向外延展，呈扁匙状，端部较尖细，8～10节显著膨大；棒状部分3节。前胸背板前缘明显的波曲状。足细长，各足胫节均光滑无齿，具褐色或黄褐色的绒毛。雌性体型明显小于雄性，通常不如雄性闪亮，头、前胸背板及鞘翅上常具比雄性更深密的刻点。头窄而小，较圆钝。上颚短于头长，多数种类上颚无明显的大齿，仅在上颚的中前部具1个小钝齿。鞘翅长于头、胸、上颚的总长。中后足上一般都具1个以上的小锐齿。

分布：东洋区，澳洲区。世界已知76种，中国记录7种，秦岭地区发现1种。

(584) 艾斯环锹甲 *Cyclommatus elsae* Kriesche, 1920(图版8: 21－24)

Cyclommatus elsae Kriesche, 1920: 95.

鉴别特征：雄性体长(包括上颚)30～45mm。虫体不是十分闪亮，呈黄棕色。头部和前胸背板比鞘翅更加暗淡。头部呈倒梯形。头部具明显的三角形凹陷，大颚型雄性在眼睛后缘具6～13条明显的皱纹；中小颚型雄性皱纹逐渐变浅，几乎不存在。上颚向内弯曲，长度约是头长的1.00～1.50倍。大颚型雄性上颚十分发达，上颚基部具1个三角形的大齿，中部具1个小齿，端部分叉。前胸背板近梯形，在前胸背板两侧具黑斑。小盾片半圆形。鞘翅黄棕色，密布刻点。肩角黑色。腿细长，前足胫节约3/5处具黄毛，胫节外缘无明显小齿。雌性体长(包括上颚) 20～25mm。头、前胸背板及鞘翅上具深而密的大刻点。头窄而小，头顶中央具方形的浅凹陷。前胸背板侧缘内侧的梯形黑斑较雄性的宽大而颜色更深。鞘翅表面无明显的长纵带。前足胫节外侧缘端部分叉；靠近外侧缘的中前部具2个锐齿及1个小齿；中足胫节外侧缘端部分叉，具1个小锐齿；后足胫节则具1个很小的齿。

采集记录：3♂，镇巴，1996. Ⅶ. 10，采集人不详。

分布：陕西(镇巴)、甘肃、浙江、湖北、湖南、福建、广东、广西、四川、贵州。

198. 锹甲属 *Lucanus* Scopoli, 1763

Lucanus Scopoli, 1763: 1. **Type species**: *Scarabaeus cervus* Linnaeus, 1758.

Hexaphyllus Mulsant, 1839: 119. **Type species**: *Hexaphyllus pontbrianti* Mulsant, 1839.

Pseudolucanus Hope *et* Westwood, 1845: 30. **Type species**: *Lucanus capreolus* Linnaeus, 1763.

属征：具明显的性二型现象。多数种类体背、腹面具排列整齐而顺贴的黄褐色毛，腹面的毛通常长而密，中胸腹板上更甚；体背的毛短而稀疏，有些种类体背少毛或非常光滑。雄性头部大，前缘明显隆起，多在中部向前凸出或向后内凹，形成不同形状的额脊；部分种类则具向上直立的盾片。额与上唇分开或不明显分开或愈合，有些种类的上唇向前显著延伸并形成分叉。头顶强烈隆起，后头区有形状各异的后头冠，在大型的雄性个体中，后头冠非常显著，表现出种的特异性；中小型个体常随体型变小而减弱，甚至完全消失。复眼大而突出，眼眦将复眼分成两部分。上颚长而非常发达。触角长，每节具稀疏的纤毛，棒状部分多为4节，也有些种类为5～6节。前胸背板前缘呈明显的波曲状，侧缘中部向外凸出。足细长，前足胫节端部二分叉，侧缘锯齿状或有很少的齿。中、后足胫节端部三分叉，形成3个小齿，侧缘具齿。雌性体型明显小于雄性(少数雄性个体小于大的雌性)。头、前胸背板及鞘翅上常有密而深的刻点。头窄而小，完全没有后头冠。上颚多短于头长，多数种类上颚无明显的齿，端部尖，下缘具钝齿。鞘翅长于头、胸、上颚的总长。中、后足上一般都具1个以上的大锐齿。

分布：东洋区，古北区，新北区。世界已知112种，中国记录48种，秦岭地区发现2种。

分种检索表

体被浓密的褐色短毛；上颚中部或中前部仅有稀疏的数个小齿，靠近上颚的基部则有 1 个发达的大齿 ………………………………………………… **斑股锹甲华北亚种 *L. maculifemoratus dybowskyi***

体明显光滑；上颚中部或中前部有 1 个发达的向前斜伸的大齿，靠近上颚的基部无大齿，仅有较均匀分布的小齿 ………………………………………………… **九峰锹甲 *L. szetschuanicus***

(585) 九峰锹甲 *Lucanus szetschuanicus* Hanus, 1932(图版 9：1－2)

Lucanus szetschuanicus Hanus, 1932：101.

鉴别特征：雄性体中到大型，上颚、头、前胸背板呈黑褐色，鞘翅暗红褐色，鞘翅边缘黑色。上颚基部、头顶及前胸背板上的毛短而稀疏，体腹的毛稍长而浓密。额脊微呈波曲状，中部微微向上凸出；头部后缘凹陷长而深；后头冠近钝圆形，明显向上翻翘。上唇宽大的三角形。上颚弯曲，长于头及前胸的总长，端部发达且分叉；无粗壮的基齿，靠近基部至上颚长 1/3 处具 6～7 个均匀分布的小齿；距离基部最远的 1 个小齿与中齿间有一小段无齿间隔；上颚中部的齿长而粗壮，三角形，向前斜伸而上翘；中齿与端部分叉间有 2～3 个很退化的小齿。前胸背板宽大于长，背板中央凸出，前缘呈明显波曲状，后缘较平直；侧缘向后倾斜延伸后内凹，与前后缘形成尖的前角及近钝角的后角。小盾片半圆形。鞘翅光滑，仅小盾片、肩角及缘折处具短而稀疏的毛。肩角尖。前足胫节侧缘有 4～5 个发达的齿，中足胫节有 3 个锐齿，后足胫节有 2 个很小的齿。雌性明显小于雄性，黑褐色，仅前足腿节腹侧中部、中后足腿节腹面中部具黄褐色长纵斑带；头、前胸背板有密而深的刻点。头窄而小，近方形，上颚短于头长。前足胫节侧缘有 2～3 个发达的齿，中足胫节有 2 个锐齿，后足胫节有 2 个小齿。

采集记录：1♂，太白山，2012. Ⅶ. 23，鲍荣采。

分布：陕西(太白)、湖南、四川、重庆。

(586) 斑股锹甲华北亚种 *Lucanus maculifemoratus dybowskyi* Parry, 1873(图版 9：3－6)

Lucanus maculifemoratus dybowskyi Parry, 1873：335.

Lucanus maculifemoratus jilinensis Li, 1992：68.

鉴别特征：雄性体中到大型，上颚、头、前胸背板呈暗红褐色，鞘翅红褐色。上颚弯曲，长于头及前胸的总长；端部分叉大；位于上颚长 1/4 处的基齿最长而尖锐，微向后倾斜；上颚中部有 3 个稍小于基齿；靠近端部分叉的，有 1 个小齿，小齿中央微有分叉。后头冠半椭圆形，明显向上翻翘。额梯形，唇基方形，上唇呈长的三角形。前胸背板宽大于长，背板中央凸出，前、后缘呈明显波曲状。小盾片心形。鞘翅光滑少毛。肩角钝。前、中、后足基节及腿节基部、端部黑色。前足胫节侧缘有3~4个大齿，中足胫节有3~4个锐齿，后足胫节有2个锐齿和1~2个小齿。雌性小于雄性，黑褐色，头窄而小，近方形。上颚短于头长，宽而钝，仅在下缘的中部具1个大的钝齿。头、前胸背板有密而深的刻点。仅前足腿节腹侧中部、中后足腿节腹面中部具黄褐色长纵斑带，前足胫节侧缘有3~4个发达的齿，中足胫节有3个锐齿，后足胫节有2个锐齿和1个小齿。

采集记录：1♀，周至厚畛子，1350m，1999.Ⅵ.22，章有为采；1♂，凤县，1984.Ⅴ.04，采集人不详；1♀，留坝庙台子，1470m，1999.Ⅶ.01，姚建采；1♀，佛坪，1984.Ⅶ.29，陈颖采；1♂，宁陕火地塘，1580m，1999.Ⅶ.03，袁德成采；1♂，铜川，采集人、时间不详。

分布：陕西(周至、凤县、留坝、佛坪、宁陕、铜川)、吉林、辽宁、北京、河北、甘肃、河南、安徽、湖北；俄罗斯，朝鲜。

199. 刀锹甲属 *Dorcus* MacLeay, 1819

Dorcus MacLeay, 1819: 111. **Type species**: *Scarabaeus parallelipipedus* Linneaus, 1735.

属征：性二型现象显著。体多较宽扁而圆钝，黑褐或红褐、灰褐色，无体色鲜艳的种类。体背光滑少毛，触角较短而粗壮，鳃片部分3节。复眼大而凸出，眼眦长，约占眼直径的4/5，没有将复眼完全分成上下两部分。雄性体中至大型，上颚多粗壮而较向内强烈弯曲，至多具1个发达的齿。大型个体上颚长于头及前胸的总长，中小型个体上颚不长于头及前胸的总长；头部宽而短，多近梯形或方形。前胸背板宽大于长，近长方形。鞘翅光滑无毛，大型雄性的鞘翅上无明显的纵线，在肩角周围及小盾片上多具深而密的刻点，随着体型变小，鞘翅纵线愈发明显；在小型雄性及雌性个体中，鞘翅上具不少于10条明显纵线。足较短细；前足胫节较宽扁，外侧缘端部宽大，呈向下弯伸的二分叉，内侧缘端部无分叉，外侧缘具5~10个不等的尖锐小齿；中、后足胫节外侧缘具1~2个微齿；端部呈较小的三分叉。雌性与小型的雄性较相似，但通常较小型雄性大，体具较强的金属光泽且光滑，上颚短小而尖细，短于头长，中部具1个小齿；头、前胸背板及鞘翅上具比雄性更深密的刻点。

分布：东洋区，古北区，新北区，澳洲区。世界已知24种，中国记录18种，秦岭地区发现3种。

分种检索表

1. 体表面粗糙，铁锈色……………………………………………………… **锈色刀锹甲 *D. velutinus***
   体表面光滑，黑色…………………………………………………………………………………… 2
2. 上颚靠近端部分叉，中前部有 1 个向上弯伸的锐齿 ……………………… **吴氏刀锹甲 *D. wui***
   上颚端部不分叉，中前部有 1 个向上近平伸的宽齿并在中部凹陷 ……… **双齿刀锹甲 *D. davidi***

(587) 锈色刀锹甲 *Dorcus velutinus* Thomson, 1862(图版 9：9－12)

Dorcus velutinus Thomson, 1862：426.

鉴别特征：雄性体小到中型，相当宽，头、前胸、鞘翅几乎等宽。铁锈色，相当黯淡；体背布满刻点，几乎每个刻点位置上都具褐色的短刚毛。上颚短于头长，较直，端部相当平截，向内稍弯曲；上颚基部宽，中前部窄，使得上颚从基部至 2/3 长的中前部呈三角形；基部外侧缘微微向外凸出；近邻上颚端部有 1 个向内前方斜伸的近方形的小钝齿。头部相当宽大，头顶微隆起；布满刻点，每个刻点位置几乎都具 1～2根褐色短刚毛。复眼大，眼眦长方形，宽大。前胸背板宽大于长，背板中央隆凸。小盾片心形。鞘翅边缘为浓密的褐色段刚毛所覆盖；鞘翅表面具 5 条由更长的刚毛列形成的毛序；几乎均匀地分布于鞘翅表面；鞘翅的其他部分则密布着刻点或具刚毛的刻点。整个鞘翅表面看起来非常粗糙。前足胫节较宽扁，前足胫节外侧呈强烈的锯齿状，约有 3～4 个小齿，较尖锐；中足胫节有两条较深的纵脊，沿纵脊分布着非常浓密的褐色长刚毛列及很短的褐色绒毛，外侧缘无齿；后足胫节与中足相似，外侧缘无齿，但在后足胫节腹面的内侧的中部至端部具黄褐色长绒毛形成的毛序。雌性稍小于雄性，与雄性非常相似；上颚短小，但上颚端部较尖锐，无分叉；下缘无齿。后足胫节腹面内侧无明显的毛序，仅分布着较长而稀疏的黄褐色毛。其他特征似雄虫。

采集记录：2♂，凤县，1974. Ⅶ. 27，采集人不详。

分布：陕西(凤县)、河北、甘肃、湖南、福建、台湾、广西、四川。

(588) 吴氏刀锹甲 *Dorcus wui* Huang *et* Chen, 2013(图版 9：13－14)

Dorcus wui Huang *et* Chen, 2013：378.

鉴别特征：雄性体小到中型，头、前胸、鞘翅几乎等宽。上颚长于头长，向内稍弯曲；端部具 1 个小齿，靠近端部有 1 个伸向前方的分叉大齿。头顶微隆起。复眼大，眼睛内侧微微隆起。前胸背板宽大于长，背板中央隆凸。小盾片心形。鞘翅光滑。前足胫节较宽扁，前足胫节侧呈强烈的锯齿状，约有 4～5 个小齿；中足胫节外侧缘具 1 个小齿；后足胫节与中足相似，外侧缘无齿。雌性稍小于雄性，与雄性非常相似；头部密布刻点，上颚短小，但上颚端部较尖锐，无分叉。后足胫节腹面内侧无明显的毛序，仅分布着较长而稀疏的黄褐色毛。其他特征似雄虫。

分布：陕西(西安、户县)。

(589) 双齿刀锹甲 *Dorcus davidi* (Séguy, 1954) (图版9：15－18)

Hemisodorcus davidi Séguy, 1954：187.

Macrodorcus davidi：Benesh, 1960：157.

Dorcus striatipennis continentalis Sakaino, 1997：12.

Dorcus davidi：Krajcik, 2001：45.

Dorcus emikoae Ikeda, 2001：31.

鉴别特征：雄性体小到中型，呈黑褐色；体背光滑无毛，体腹面具稀疏的黄褐色短毛，后胸腹板上的毛相对长而密。前、中后足的基节中部具黄褐色的刚毛刷，中后足腿节的腹面下侧具黄色的毛列。头近梯形，前缘宽于后缘，头顶中前部向下凹陷，呈三角形。上颚基、中部较粗壮而直，端部尖而强烈向内弯曲；上颚的中前部具1个向内近平伸的三角形小齿，靠近上颚端部有1个小的与上颚端部近垂直的小齿，在两侧之间的上颚部分向内侧拓宽呈板状并在端缘微凹，近刀片状；近邻上颚端部有1个非常小的钝齿(随着个体变小，上颚逐渐变短，上颚中部的齿愈变愈小，至小型个体中，仅在上颚中部具1个凸出)。前胸背板中央凸出，前缘呈明显波曲状，后缘较平直。小盾片心形。鞘翅较光滑，布满均匀的小刻点。前足胫节侧缘锯齿状，具2～3个较明显的小齿；中足胫节有1个小锐齿；后足胫节无齿或具1个极微小的齿。雌性较雄性小，头部密布刻点，上颚短小，但上颚端部较尖锐，无分叉。鞘翅表面具明显纵纹。其他特征似雄虫。

采集记录：1♂1♀，镇巴，1996.Ⅶ.15，采集人不详。

分布：陕西(镇巴)、四川。

200. 小刀锹甲属 *Falcicornis* Planet, 1894

Falcicornis Planet, 1894：44. **Type species**：*Falcicornis groulti* Planet, 1894.

Pogonodorcus Séguy, 1954a：189. **Type species**：*Prosopocoilus elegantulus* Albers, 1891：76.

属征：性二型现象显著。体小到中型，有较强的金属光泽。触角较细长，鳃片部分3节。复眼大而突出，眼眦约占直径的1/3；紧靠复眼后侧无明显的突出物。雄性头部短宽；上颚多长而单薄，端部一般尖锐，少有分叉。前胸背板宽大于长，呈梯形、半圆形或方形不等；前缘多呈波曲状，中部向前凸出，后缘近直线状。足较粗壮，前足胫节较宽扁，端部宽大，侧缘具多个尖锐小齿；中、后足胫节侧缘具1～2个极细小的齿。鞘翅光滑，无毛或纵线。雌性与小型的雄性较相似，上颚短小而尖细，短于头长，中部具1个小齿；头、前胸背板及鞘翅上具比雄性更深密的大刻点。

分布：古北区、东洋区。秦岭地区发现1种。

(590) 拟戟小刀锹甲 *Falcicornis taibaishanensis* (Schenk, 2008)（图版9：24）

Macrodorcas taibaishanensis Schenk, 2008: 9.

Falcicornis taibaishanensis: Huang & Chen, 2013: 279.

鉴别特征：雄性体小到中型，黑色，有一定的金属光泽。体背、腹面均光滑，几乎无毛。上颚基、中部较粗壮而直，端部强烈向内弯曲，端部尖；上颚的前部具1个向内侧斜伸的尖锐的三角形大齿。头部近梯形，前缘宽于后缘，头顶中央有凹陷，上唇近长方形，中央向下凹陷，端缘中部微微向外凸出。前胸背板中央微微凸出，前缘呈明显波曲状，中部凸出；后缘较平直；侧缘弧状。小盾片呈尖锐的三角形。鞘翅闪亮，具较细密的小刻点。肩角尖。前足胫节侧缘锯齿状，具3~4个较明显的小齿；中足胫节有1个小锐齿；后足胫节无齿或1个极微小的齿。未检视到雌性标本。

分布：陕西(太白山)、广西。

201. 扁锹甲属 *Serrognathus* Motschulsky, 1861

Serrognathus Motschulsky, 1861: 12. **Type species**: *Serrognathus castanicolor* Motschulsky, 1861.

Platyprosopus Hope *et* Westwood, 1845: 6(nec Mannerheim, 1830). **Type species**: *Lucanus titanus* Boisduval, 1835.

Dorcus Burmeister, 1847: 383(nec MacLeay, 1819). **Type species**: *Dorcus titanus* Boisduval, 1835.

Eurytrachelus Thomson, 1862: 421 (nec Motschulsky, 1850). **Type species**: *Dorcus semirugosus* Thomson, 1862.

Eurytrachellelus Didier, 1931: 185(new name for *Eurytrachelus* Thomson, 1862).

Telodorcus Didier, 1937: 196. **Type species**: *Eurytrachelus saiga* Olivier, 1789.

Brontodorcus Didier, 1937: 196. **Type species**: *Brontodorcus eurycephalus* Burmeister, 1847.

Eurydorcus Didier, 1937: 196 . **Type species**: *Serrognathus reichei* Hope, 1842.

Goniodorcus Didier, 1937: 196. **Type species**: *Eurytrachelus coranus* Gestro, 1881.

Lasiodorcus Didier, 1937: 196. **Type species**: *Lucanus gypaëtus* Castelnau, 1840.

属征：性二型现象显著。体多较宽扁而圆钝，黑褐或红褐、灰褐色，无体色鲜艳的种类。体背光滑少毛；触角相当细长，第4节稍长于第2、3、5、6节，第8~10节膨大，鳃片部分3节。复眼小而凹陷，眼眦约占眼直径的3/4；眼眦末端嵌入眼内。紧靠眼的后侧无角突，在后颊区有1个宽大的钝的三角形突出。雄性体中至大型，上颚多粗壮，平直或向内弯曲，至多具1个发达的齿，常有小齿呈锯齿状排列。大型个体上颚长于头及前胸的总长，中小型个体中，上颚不长于头及前胸的总长，具显著的雄性多型性。头部宽而长，多呈方形，相当平坦。前胸背板宽大于长，近长方形；前缘多呈波曲状，中部向前凸出，后缘近直线状；大型雄性的前胸背板侧缘多有程度、长短不同的凹陷，但中小型雄性中侧缘则表现完整，近相互平行的直线。足较短细；前足胫节较宽扁，外侧缘端部宽大，呈向下弯伸的二分叉，内侧缘端部无分叉，具1个向下弯伸的发达的距，外侧缘具5～10个不等的尖锐的小齿；中、后足胫节外侧缘具1～2个微齿；端部呈较小的三分叉；内侧缘端部具大小两个向外弯伸的不对称的发达的距。鞘翅光滑无毛，具细密的小突起，使得鞘翅表面显得粗糙。大型雄性的鞘翅上无明显的纵线，在肩角周围及小盾片上多具深而密的刻点，随着体型变小，鞘翅纵线愈发明显；在小型雄性及雌性个体中，鞘翅上有不少于10条的明显纵线。雄性外生殖器外翻囊相当粗壮，或具毛部分端部三分叉，外翻囊具毛部分端部三分叉，两侧支短小具毛，不长于外翻囊具毛部分的1/10；中间支长而粗壮，约是外翻囊总长的1/2；或呈单囊状，无分叉；阳基侧突端部具膜叶；基片多相当粗壮，长于阳基侧突；中突多细长。雌性与小型的雄性较相似，但通常较小型雄性大，体具较强的金属光泽且光滑，上颚短小而尖细，短于头长，中部具1个小齿；头、前胸背板及鞘翅上具比雄性更深密的刻点。雌性外生殖器中的半腹板呈长片状，端部宽大，基部细长；相当骨化；附管呈长宽的囊状；囊导管相当粗壮，受精囊近膨大的梨形；囊附腺细小。

分布：东洋区。世界已知25（亚）种，中国记录了11（亚）种，秦岭地区发现1种。

（591）大扁锹甲华南亚种 *Serrognathus titanus platymelus*（Saunders，1854）（图版9：19－22）

Platyprosapus platymelus Saunders，1854：50.

Dorcus obscurs Sanunders，1854：52.

Dorcus marginalis Saunders，1854：53.

Eurytrachelus platymelus：Parry，1864：87.

Eurytrachelus titanus platymelus：Kriesche，1921：117.

Eurytrachelus titanus hymir Kriesche，1935：173.

Serrognathus titanus platymelus：Benesh，1960：87.

Dorcus titanus platymelus：Mizunuma & Nagai，1994：269.

鉴别特征：雄性体中到大型，扁平，红褐至黑褐色，黯淡。体背几乎无毛，布满非常小的颗粒状物，鞘翅表面稍比上颚、头及前胸光滑。头较平，在头顶的前部靠近额区有1个横向的长条状凹陷。上颚稍短于或等于头及前胸的总长，较直，基部至中部相当宽阔，端部较细而平截，向内稍弯曲；上颚基部有1个向内的三角形小齿；沿该齿向前直至约紧邻上颚端部，有1个向内直伸、几乎与上颚端部垂直的三角形小齿（在小型个体中，该齿非常小或消失）。上唇呈四边形。前胸背板中央较平；前缘呈明显波曲状，后缘呈平缓的波曲状。小盾片近心形。鞘翅表面较光滑，具相当细小的刻点，鞘翅的中部更靠近鞘翅外缘，有1条较深而明显的纵带。前足胫节侧缘呈强烈的锯齿状，有5~7个较尖锐的小齿。中、后足胫节各有1个小齿。雌性小于雄性，体较雄性闪亮。头、前胸背板周缘及鞘翅周缘上具非常深且密的大刻点，头顶中央有2个近圆形的小隆凸。上颚短小，短于头长，基部宽大。上唇近五边形，围绕上唇有浓密的黄毛。前胸背板中央相当光滑，比雄性更隆凸；鞘翅上具明显的细小刻点形成的线，但无规则排列。其他特征似雄虫。

采集记录： 1♂，长安祥峪森林公园，2012. Ⅶ. 05，陈老虫采；2♂，镇巴，2011. Ⅵ. 28，罗建国采。

分布： 陕西(西安、镇巴)、河南、上海、江苏、安徽、浙江、湖北、江西、湖南、福建、广东、广西。

202. 半刀锹甲属 *Hemisodorcus* Thomson, 1862

Hemisodorcus Thomson, 1862: 421. **Type species**: *Lucanus nepalensis* Hope, 1831.

Macrognathus Heyne *et* Taschenberg, 1908: 54 (nec Lacepede, 1800; nec Hope *et* Westwood, 1845). **Type species**: *Lucanus nepalensis* Hope, 1831.

Digonophorus Waterhouse, 1895: 157(Part). **Type species**: *Digonophorus atkinsoni* Waterhouse, 1895.

Dorcus Arrow, 1950: 78(Part).

属征： 性二型现象显著。体多纤长，黑褐或红褐色，多具较强的金属光泽。体光滑少毛，触角较细长，第3节长于第2、4、5、6节，第8~10节膨大，鳃片部分3节。眼中等大小且突出，眼眦短，不超过眼直径的1/2；眼眦末端明显凸出眼外；紧靠复眼后侧无明显的突出物，眼眦缘片通常多呈长方形的薄片状。雄性体中至大型，上颚多长而稍向内弯曲，端部相当尖锐，上颚的齿多简单，小齿呈锯齿状；大型个体上颚长于头及前胸的总长，中小型个体中，上颚不长于头及前胸的总长；头部宽而长，前缘多宽于后缘且呈梯形。前胸背板近长方形；前缘多呈波曲状，中部向前凸出，后缘近直线状；大型雄性的前胸背板侧缘多有程度、长短不同的凹陷，但小型雄性中侧缘则表现完整，使得背板呈梯形。鞘翅光滑，无毛或纵线，多具较强的金属光泽。足细长；前足胫节较宽扁，外侧缘端部宽大，呈向下弯伸的二分叉，内侧缘端部无分叉，外侧缘具5~10个不等的尖锐小齿；中、后足胫节外侧缘具1~2个微齿；端部呈较小的三分叉。雌性与小型的雄性较相似，但通常较小型雄性大，体具较强的金属光泽且光滑，上颚短小而尖细，短于头长，中部具1个小齿；头、前胸背板及鞘翅上具比雄性更深密的刻点。

分布： 东洋区，古北区。世界已知10种，中国记录9种，秦岭地区发现1种。

(592) 锐齿半刀锹甲 *Hemisodorcus haitschunus* (Didier *et* Séguy, 1952)(图版10: 1-2)

Eurytrachelus haitschunus Didier *et* Séguy, 1952: 227.

Eurytrachellelus haitschunus: Didier & Séguy, 1953: 138.

Macrodorcas haitschunus: Benensh, 1960: 78.

Dorcus haitschunus: Krajcik, 2001: 46.

Hemisodorcus haitschunus: Bartolozzi & Sprecher-Uebersax, 2006: 72.

鉴别特征：雄性体中到大型，除各足腿节红褐色外，其他部分黑色(部分个体的鞘翅也呈红褐色)，具较强的金属光泽。体背、腹面均光滑，几乎无毛。上颚基、中部较粗壮而直，端部强烈向内弯曲，端部很尖；上颚的前部具1个向内侧斜伸的尖锐的三角形大齿；靠近上颚端部，具1个三角形的小齿，在该小齿与三角形大齿的中间，有1个稍小于三角形大齿但大于端部小齿的三角形齿，几乎与大齿平行排列。头部近梯形，前缘宽于后缘，头顶中央有1个近三角形的凹陷，上唇近长方形，中央向下凹陷，端缘中部微微向外凸出。前胸背板中央微微凸出，前缘呈明显的波曲状，中部凸出；后缘较平直；侧缘具曲折，靠近前缘的1/3侧缘具向内很深的凹陷。小盾片呈尖锐的三角形。鞘翅闪亮，具较细密的小刻点。肩角尖。前足胫节侧缘锯齿状，具4~5个较明显的小齿；中足胫节有1个小锐齿；后足胫节无齿或具1个极微小的齿。雌性与雄性较相似，但存在以下区别：头、前胸背板周侧及鞘翅周侧上有密而深的大刻点；头顶中央具两个向上凸出的小齿；上颚短小，端部钝，中部具1个小钝齿；唇基近梯形，端缘中部凹陷。

采集记录：1♀，周至厚畛子，1350m，1999. Ⅴ.22，章有为采；1♂，太白山黄柏塬，1980. Ⅶ.11，韩寅恒采；1♂，宁陕火地塘，1620m，1979. Ⅷ.05，韩寅恒采。

分布：陕西(周至、太白、宁陕)、浙江、湖北、福建。

203. 前锹甲属 *Prosopocoilus* Hope *et* Westwood, 1845

Lucanus (*Prosopocoilus*) Hope *et* Westwood, 1845: 4. **Type species**: *Lucanus cavifrons* Hope *et* Westwood, 1845.

Lucanus (*Macrognathus*) Hope *et* Westwood, 1845: 5(nec Lacepede, 1800). **Type species**: *Lucanus giraffa* Olivier, 1789.

Lucanus (*Metopodontus*) Hope *et* Westwood, 1845: 4. **Type species**: *Lucanus downesii* Hope, 1835.

Cladognathus Burmeister, 1847: 364[new name for *Lucanus* (*Macrognathus*) Hope *et* Westwood, 1845].

Metopodontus (*Hoplitocranum*) Jakowlew, 1896: 172. **Type species**: *Metopodontus calcaratus* Jakowlew, 1896.

Pelecognathus Houlbert, 1915a: 52. **Type species**: *Pelecognathus prosopocoeloides* Houlbert, 1915.

Metopotropus Oberthür *et* Houlbert, 1913: 416. **Type species**: *Metopotropus mohniki* Parry, 1873.

Cyclotropus Oberthür *et* Houlbert, 1913: 449. **Type species**: *Lucanus occipitalis* Hope *et* Westwood, 1845.

Homoderinus Kriesche, 1926: 384. **Type species**: *Homoderus variegatus* Boileau, 1904.

Cladognathinus Didier *et* Séguy, 1952: 225. **Type species**: *Cladognathinus decipiens* Parry, 1864.

Pseudodontolabis Maes, 1990: 6. **Type species**: *Prosopocoilus lumawigi* De Lisle, 1977.

Macrodorcinus Maes, 1990: 8. **Type species**: *Lucanus passaloides* Hope *et* Westwood, 1845.
Prosopocoelinus Maes, 1990: 8. **Type species**: *Lucanus curvipes* Hope *et* Westwood, 1845.
Dorcus Arrow, 1950: 77 (part).

属征: 具明显的性二型现象。体背、腹面均光滑少毛。多数种类大型雄性的上颚相当发达,长于头、前胸背板及鞘翅长的总和,但呈现出强烈的雄性多型性,上颚随个体变小而逐渐变得细小,在小型个体中,甚至短于或仅等长于头长。雄性的尺度多变,同一种类也呈小至大型。雄性头部多呈方形或倒梯形;头顶强烈隆起、平或凹陷;复眼大而突出,眼眦约占眼直径的1/3,没有将复眼分成两部分。触角长,每节具稀疏的纤毛,棒状部分3节。前胸背板前缘呈明显的波曲状,侧缘多平直或微呈弧状向外凸出。足细长,前足胫节端部外侧二分叉,侧缘锯齿状或具尖锐的小齿。中、后足胫节端部外侧三分叉,形成3个小齿,侧缘具1~3个微齿。雌性体型明显小于雄性(少数雄性个体小于大的雌性)。头、前胸背板及鞘翅上常有密而深的刻点。头窄而小,较圆钝。上颚短于头长,多数种类上颚无明显的大齿,仅在上颚的中前部具1个小钝齿。鞘翅长于头、胸、上颚的总长。中、后足上一般都具1个以上的小锐齿。

分布: 东洋区,澳洲区。世界已知216种,中国记录23种,秦岭地区发现1种。

(593) 黄褐前锹甲 *Prosopocoilus blanchardi* (Parry, 1873) (图版10: 3-6)

Metopodontus blanchardi Parry, 1873: 337.
Metopodontus blanchardi var. *thibetanus* Planet, 1899: 385.
Prosopocoilus blanchardi: Benesh, 1960: 63.

鉴别特征: 雄性体中到大型,黄色或黄褐色,体色较为鲜艳。头部近方形,前额明显凹陷,形成明显的额脊。上颚细长,上颚靠近基部具1个三角形齿;上颚的中前部具3~4个向前斜伸的三角形小齿。前胸背板中央较平,侧缘弧形,向后倾斜延伸,前胸背板两侧具黑色圆形斑点。盾片呈心形。鞘翅光滑,具金属光泽。前足胫节外侧缘具3~4个较尖锐的小齿;中、后足胫节外侧缘具1个小齿。雌性与小型雄性较相似,黑褐至红褐色,但存在以下区别:上颚、额、眼眦缘片和各足上具深而密的刻点;上颚稍短于头长;前足胫节较雄性更宽扁,侧缘有5~6个较钝的小齿,中、后胫节无齿。

采集记录: 1♂,秦岭,1993.Ⅶ.03,采集人不详;6♂3♀,佛坪,900m,1991.Ⅵ.27,姚建采;7♂8♀,佛坪,890m,1999.Ⅵ.26,章有为、贺同利采;1♀,汉中米仓山,1993.Ⅵ.17,采集人不详;6♂,镇巴,1996.Ⅶ.18,采集人不详;1♀,紫阳,1976.Ⅵ.23,马文珍采。

分布: 陕西(佛坪、汉中、镇巴、紫阳)、天津、北京、河北、河南、甘肃、江苏、浙江、湖北、广西、四川。

204. 新锹甲属 *Neolucanus* Thomson, 1862

Neolucanus Thomson, 1862: 415. **Type species**: *Odontolabis baladeva* Hope, 1842.

Lucanus (*Odontolabis*) Hope *et* Westwood, 1845: 5, 16 (Part). **Type species**: *Lucanus delesserti* Hope *et* Westwood, 1845 (nec Guérin, 1843) (= *Odontolabis cuvera* Hope, 1842: 127) (= *Lucanus bicolor* var. *delessertii* Guérin-Méneville, 1843) (nec Hope, 1842).

Anoplocnemus Burmeister, 1847: 357 (Part) (nec Stål, 1873). **Type species**: *Lucanus alces* Fabricius, 1775.

Odontolabris Saunders, 1854: 47. It was most likely a *clerical error* or a misprint.

Anodontolabis Parry, 1863: 447. **Type species**: *Odontolabis baladeva* Hope, 1842.

Calcodes Arrow, 1935: 107 (Part).

属征：具明显的雌雄二型现象。中到大型的个体。体背隆凸或非常隆凸，光滑少毛，仅在头与前胸、前胸与腹部连接处有浓密而规则排列的褐色或黄褐色毛丛；头及前胸腹面多具稀疏的褐色或黄褐色毛；部分种类具金属光泽，通常鞘翅更加闪亮。雄性上颚短，明显短于头及前胸的总长；多数种类的下缘宽于上缘，上缘端部多有1个近向上直立的齿；下缘的齿多呈锯齿状排列。头顶中央多向下凹陷。前胸背板宽大于长，背板中央一般明显凸出；前缘波曲状，中部呈不同程度的凸出；后缘多数较平直；侧缘呈不同程度的弧形。鞘翅中度隆凸，光滑无毛，鞘翅缘折处多有宽窄不同的下陷。足中等粗壮，光滑少毛；具不同程度的刻点，前足胫节宽扁，背面较光滑而腹面多具深而密的刻点；靠近内侧缘端部具不同程度的黄色刚毛，外侧缘具数量不等的侧齿(2～7个)；胫节基部到端部间常有2～3条明显的刻点线。中足胫节光滑无齿，有4条均匀分布的条状纵脊，沿脊分布着不同程度的刻点及刚毛列；后足与中足相似，但胫节端部片状物更窄而刚毛更短而稀疏。雌性与雄性相似，但存在一定的差别：体型明显较雄性宽而圆；体刻点较雄性更深密；上颚短宽，一般短于头长；上缘简单无齿，下缘多具3个明显的钝齿，呈锯齿状排列；眼眦缘片一般较雄性更窄而凸出；中、后足胫节侧缘端部外侧片状物很小，无非常明显的刚毛簇。

分布：东洋区。世界已知81种，中国记录36种，秦岭地区发现1种。

(594) 陕西新锹甲 *Neolucanus shaanxiensis* Schenk, 2008(图版10：11)

Neolucanus shaanxiensis Schenk, 2008: 11.

鉴别特征：雄性体小到中型。体背中度隆凸，橙红色，较闪亮。上颚、眼眦缘片上有细密的小刻点。上颚长于或等于头长，下缘宽于上缘，内侧具1排齿。头顶中央形成近三角形的凹陷，两侧则向后倾斜，与眼眦形成顶角呈锐角的三角形缘片。前胸背板宽大于长，背板中央明显凸出；前缘呈较缓的波曲状，后缘较直。盾片半圆形。鞘翅中度隆凸，光滑，橙红色。前足胫节具2个较大的锐齿及1个小齿，中足胫节光滑无齿，后足与中足相似。未检视到雌性标本。

分布：陕西(周至)。

205. 奥锹甲属 *Odontolabis* Hope, 1842

Odontolabis Hope, 1842: 247. **Type species**: *Odontolabis cuvera* Hope, 1842: 127.
Anoplocnemus Hope, 1843: 279 (Part). **Type species**: *Lucanus burmeisteri* Hope, 1841.
Anoplocnemus Burmeister, 1847: 357 (Part). **Type species**: *Lucanus alces* Fabricius, 1775.

属征：性二型现象显著。体中至大型，相当光滑闪亮，具不同程度的金属光泽。触角较长，鳃片部分3节。复眼大而突出，眼眦长，将复眼完全分成上下两部分，眼后缘上有1个刺突。雄性头宽阔而平，不窄于前胸及鞘翅宽；上颚发达，具强壮的大齿或繁复的小齿。前胸背板宽大于长，前缘波曲状，后缘较平直，侧缘多具尖锐的刺突。足较长而粗壮，前足胫节较宽扁，侧缘多具大小不等的锐齿；中、后足胫节侧缘光滑无齿。雌性与小型的雄性更相似，头、前胸背板及各足胫节上具更浓密的小刻点。上颚不长于头长，有锯齿状排列的小齿(不多于5个)。头短小，较雄性隆起；眼眦缘片相当宽大，端部紧挨着前胸的前缘。

分布：东洋区。世界已知56种，中国记录6种(亚种)，秦岭地区发现1种。

(595) 华美奥锹甲 *Odontolabis fallaciosa* Boileau, 1901 (图版10: 7-10)

Odontolabis cuvera fallaciosa Boileau, 1901: 284.
Odontolabis fruhstorferi Meyer-Darcis, 1901: 355.
Odontolabis salvazae Pouillaude, 1913: 334.

鉴别特征：雄性体中到大型，除鞘翅边缘黄褐色外，虫体其他部分黑色，鞘翅较头、前胸背板闪亮。头部近方形，头顶中央具倒三角形的微凹，眼后的刺突小而尖锐。上颚粗壮而弯曲，上颚基部具1个三角形齿；上颚的中前部具1个向下斜伸的长方形大齿，靠近上颚端部，具1个三角形大齿。中型个体中，上颚基部及中前部的齿变得更宽钝。小型个体中，具6~7个呈锯齿状排列的微小的齿。前胸背板中央较平，侧缘弧形，向后倾斜延伸，在占侧缘长的3/4处向外凸处形成尖锐的角突。盾片呈宽大的心形。鞘翅光滑，具较强的金属光泽，鞘翅边缘黄色，中部的黑斑近倒梯形。前足胫节外侧缘具3~4个较尖锐的小齿，中、后足胫节光滑。雌性与雄性较相似，黑褐至红褐色，但存在以下区别：上颚、额、眼眦缘片、各足上具深而密的刻点；上颚稍短于头长；前足胫节较雄性更宽扁，侧缘有5~6个较钝的小齿，中、后胫节无齿。

采集记录：1♂，紫阳米仓山，1993.Ⅷ.07，中科院动物所采。

分布：陕西(秦岭、紫阳)、湖北、湖南、广东、广西、贵州。

十四、金龟科 Scarabaeidae

白明　杨星科
（中国科学院动物进化与系统学重点实验室，中国科学院动物研究所，北京 100101）

鉴别特征： 体长 1.5 ~ 180mm。体形多样，颜色多变，具或无金属光泽。被毛或光裸。触角 8 ~10 节，鳃片部 3 ~7 节。眼眦可见，不完全分隔复眼；唇基具或无瘤及角突；上唇通常明显，突出或不突出于唇基；上颚多样，下颚须 4 节，下唇须 3 节。前胸背板多样，具或无脊和角突。鞘翅拱起或平坦，具或无刻点行。小盾片可见或无，三角形或抛物线形。足基节窝横向或圆锥形；前足胫节外缘具齿，有 1 枚端距；中、后足胫节细长或粗壮，具 1 ~2 枚端距；爪简单或具齿，或不等大。腹部可见 5 ~7 节，5 ~7 对功能性气门位于联膜、腹板或背板上。后翅发达或退化。雄性生殖器双叶状或愈合。

生物学： 金龟科昆虫的食性非常多样，包括粪便、腐肉、真菌、植物叶片、花粉、植物根部、水果及堆肥。有些种类生活于蚁穴、啮齿类或鸟类巢穴中。蜣螂亚科有复杂的制作粪球和育幼行为。花金龟为日行性昆虫，丽金龟和鳃金龟为夜行性昆虫。很多种类以农作物根部或叶片为食，具有重要的经济意义。很多种类为传粉昆虫，也有些种类可加速植物源废弃物和动物粪便的分解。

分类： 世界广布。目前有 21 亚科（其中两个化石亚科），包括约 1600 属 27000 种，代表了金龟总科 91% 的种类。陕西秦岭地区发现 7 亚科 49 属 102 种。

分亚科检索表

1. 雄性前足胫节极度延长，前足常与体长相当，前足胫节具 2 个长刺，即端部刺和中部刺，雌性前足胫节端距内侧距缺失；爪末端分叉且相等，前胸背板两侧向后强烈延伸，侧缘具细齿，后角钝且具较侧缘粗大的齿，盘区布细刻点或皱纹状刻点，浅褐色到黑色或青铜绿色 ………… ……………………………………………………………………………… **臂金龟亚科 Euchirinae**
   不同时具有以上特征 ……………………………………………………………………… 2
2. 臀板完全或近乎完全被鞘翅端部覆盖，上唇被唇基完全遮盖或缺失 ………………………… ……………………………………………………………………………… **蜉金龟亚科 Aphodiinae**
   臀板完全裸露 ……………………………………………………………………………… 3
3. 唇基侧面收缩，从而使触角基节背面可见 …………………………… **花金龟亚科 Cetoniinae**
   触角基节背面不可见 ……………………………………………………………………… 4
4. 各腹板从两侧向中部明显变窄，腹部中线长度短于后胸腹板，小盾片通常不可见 …………… ……………………………………………………………………………… **蜣螂亚科 Scarabaeinae**
   腹板正常，不向中部明显变窄；腹部中线长度长于后胸腹板；小盾片通常可见 ………… 5

5. 中后足爪大小不相等，且可以独立活动，但 *Leptohoplia* 属所有足仅具 1 个爪，或者具 2 个爪且 1 个爪极其退化 ························ **丽金龟亚科 Rutelinae**
中后足爪大小相等，且不可以独立活动，*Hoplia* 属仅具 1 个爪························ 6
6. 中后足爪简单，前胸背板基部和鞘翅宽度近相等，后足胫节具 2 个端距，上颚背面可见 ························ **犀金龟亚科 Dynastinae**
中后足爪分叉或具齿，有时简单，但其前胸背板基部明显窄于鞘翅，后足胫节具 1～2 个端距或无端距，上颚背面不可见 ························ **鳃金龟亚科 Melolonthinae**

（一）蜉金龟亚科 Aphodiinae

白明　杨星科
（中国科学院动物进化与系统学重点实验室，中国科学院动物研究所，北京 100101）

鉴别特征：体长 1.50～15.00mm。小型者居多，体常略呈半圆筒形。体多呈褐色至黑色，也有赤褐或淡黄褐等色；鞘翅颜色变化较多，有斑点，或与其余体部异色。唇基扩展且覆盖口器，通常端缘微凹。上颚骨化较弱，通常被唇基覆盖。触角 9 节，鳃片部 3 节。前胸背板盖住中胸后侧片。小盾片发达。中足基节窝邻接或近邻接，侧面开放。鞘翅多有刻点沟或纵沟线，臀板不外露。腹部可见 6 节。足粗壮，前足胫节外缘多有 3 齿，中、后足胫节均有端距 2 枚，各足有简单的成对爪。

生物学：蜉金龟占据多个生态位。常见种类属粪食性，有些种类则专食某种类型的粪便或特殊环境中的粪便（如动物巢穴中）。也有很多种类为腐食性，还有一些种类与蚂蚁共生。此外，动物尸体、垃圾堆及仓库尘土堆中也有一些种类生息，偶尔也有个别种类危害作物幼芽的记载。

分类：世界已知 179 属 3085 种，陕西秦岭地区发现 1 属 2 种。

206. 蜉金龟属 *Aphodius* Illiger, 1798

Aphodius Illiger, 1798: 15. **Type species**: *Scarabaeus fimetarius* Linnaeus, 1758.

属征：小到中型，体常略呈半圆筒形。体多呈褐色至黑色，鞘翅有时异色或具斑。上颚被唇基覆盖。触角 9 节，鳃片部 3 节。前胸背板盖住中胸后侧片。小盾片发达。后足胫节具 2 枚端距。鞘翅多有刻点沟或纵沟线，臀板不外露。腹部可见 6 节。

分布：广布。世界已知 1200 种，中国记录 46 种，陕西秦岭地区发现 2 种。

分种检索表

前足胫节端距端部不呈勺状扩展 ························ **雅蜉金龟 *A.*（*Aphodius*）*elegans***
前足胫节端距端部勺状扩展 ························ **后蜉金龟 *A.*（*Teuchestes*）*analis***

(596) 雅蜉金龟 *Aphodius* (*Aphodius*) *elegans* Allibert, 1847

Aphodius (*Aphodius*) *elegans* Allibert, 1847: 18.
Aphodius expletus Schmidt, 1909b: 20.
Aphodius plasoni Kaufel, 1914: 142.

鉴别特征: 体长 3 ~ 7mm。长椭圆形，光滑。头部黑色，前胸背板黑色且两侧具棕黄色条带，鞘翅棕黄色且每翅具 1 个圆形黑斑。头近半圆形，疏布细刻点。前胸背板短阔，两侧略向前收缩。鞘翅狭长，每翅具 9 条刻点沟，沟间带扁拱。前足胫节外缘具 3 个齿。

采集记录: 6♂1♀，镇巴，1996. Ⅶ. 17。

分布: 陕西(镇巴)、甘肃、浙江、湖北、江西、福建、台湾、四川、云南、西藏；俄罗斯(远东)，日本，越南

(597) 后蜉金龟 *Aphodius* (*Teuchestes*) *analis* (Fabricius, 1787)

Scarabaeus analis Fabricius, 1787a: 8.
Scarabaeus sorex Fabricius, 1792a: 23.
Aphodius (*Teuchestes*) *analis*: Harold, 1862: 155, 167.
Aphodius beckeri Mader, 1938: 56.

鉴别特征: 体长 9.00 ~ 10.50mm。长椭圆形，光滑。头近半圆形，疏布细刻点。前胸背板短阔，两侧略向前收缩。鞘翅狭长，每翅具 9 条刻点沟，沟间带扁拱。前足胫节外缘具 3 个齿，前足胫节端距端部勺状扩展。

采集记录: 1♂，周至厚畛子，1350m，1999. Ⅵ. 24；1♂2♀，佛坪龙草坪林场，1980. Ⅷ. 16。

分布: 陕西(周至、佛坪)、甘肃、上海、江苏、浙江、安徽、湖北、江西、湖南、福建、台湾、广东、广西、海南、四川、贵州、云南；朝鲜，日本，尼泊尔，埃塞俄比亚，澳大利亚，南非。

(二) 臂金龟亚科 Euchirinae

白明　杨星科
(中国科学院动物进化与系统学重点实验室，中国科学院动物研究所，北京 100101)

鉴别特征: 大型昆虫，体长 28 ~ 80mm。身体具金绿、墨绿、金蓝色艳丽光泽，或黄褐、栗褐单一色泽，或具橙色斑纹。口器为唇基遮盖，背面不可见。口器适合柔软多汁的食物；上唇中央具浅凹，两侧具长毛列；上颚内侧密布短毛；下颚端部具 2 或

3 个内缘齿，尖端具 1 丛长毛。触角 10 节，鳃片部由 3 节组成。前胸背板拱起，两侧向后强烈延伸，侧缘具细齿，后角钝且具较侧缘粗大的齿，盘区布细刻点或皱纹状刻点，浅褐色到黑色，或青铜绿色。雄性前足长与体长相当，前足胫节具 2 个长刺——端部刺和中部刺，雌性前足胫节端距 1 个，内侧距缺失；爪末端分叉且相等。腹部可见 6 节，气门列有折角，呈 2 列。

生物学：成虫具有趋光性，雌虫通常在夏季将卵产在朽木中，幼虫以朽木为食，至第二年夏天老熟化蛹渡过第二个冬天，第三年春天才羽化为成虫，并在夏初交尾。长臂金龟的起源时间估计为侏罗纪晚期（Lower Jurassic）（Krell，2000），目前化石种仅记录 1 种，即 *Cheirotonus otai* Ueda（1989），中新世（Miocene），日本。

分类：长臂金龟曾被视为科或亚科。目前世界已知仅 3 属 13 种，主要分布在亚洲和欧洲。中国确定分布 2 属 4 种，即戴氏棕臂金龟 *Propomacrus davidi* Deyrolle、阳彩臂金龟 *Cheirotonus jansoni*（Jordan）、台湾彩臂金龟 *C. formosanus* Ohaus、格氏彩臂金龟 *C. gestroi* Hope，另外麦氏彩臂金龟 *C. macleayi* Hope 也有可能在中国分布。陕西秦岭地区发现 1 属 1 种，同时确定了 1 个新异名。

207. 彩臂金龟属 *Cheirotonus* Hope, 1841

Cheirotonus Hope, 1841: 300. **Type species**: *Cheirotonus macleayi* Hope, 1841.

属征：雄性前足胫节内侧无成列的毛，前胸背板绿色，明显具刻点。鞘翅通常具黄色斑点，有时为均匀的暗褐色。

分布：中国；日本，印度，不丹，东南亚。世界已知 8 种，中国分布 3 种，秦岭地区发现 1 种。

（598）阳彩臂金龟 *Cheirotonus jansani* Jordan, 1898

Cheirotonus jansani Jordan, 1898: 419.

Cheirotonus szetshuanus Medvedev, 1960: 14.

Propomacrus nankinensis Yu, 1936: 1.

Cheirotonus fujiokai Muramoto, 1994: 2, 8. **New synonymy.**

鉴别特征：雄性体长 55～69mm，雌性体长 49～58mm。长椭圆形，背面拱起。头、前胸背板、小盾片呈光亮的金绿色，前足、鞘翅大部为暗铜绿色到深黑褐色，鞘翅肩部与缘折内侧有栗色斑点。腹面密被绒毛；前胸背板具中纵沟，密布刻点，侧缘锯齿形，基部内凹。雄性前足极度延长，明显超过体长。

采集记录：未见标本。

分布：陕西（秦岭）、安徽、江苏、浙江、江西、湖南、福建、广东、海南、广西、四川、贵州、云南、西藏；越南。

讨论： Muramoto 于 1994 年基于私人收藏的长臂金龟标本发表了新种 *Cheirotonus fujiokai* Muramoto, 1994。经过作者多方联系，并未检视到该模式标本。根据原始文献，该新种的产地只是笼统地写到陕西秦岭，没有更详细的地点和采集人信息。虽然该标本是否为通过标本公司购买所得的情况不得而知，但作者较为怀疑标本产地的可靠性。更进一步的是，通过比较该文章的描述，作者认为该标本的形态特征已经涵盖在阳彩臂金龟的形态变异区间内，当前已知的证据无法支持 *Cheirotonus fujiokai* Muramoto, 1994 种级地位的有效性。

（三）犀金龟亚科 Dynastinae

白明　杨星科
（中国科学院动物进化与系统学重点实验室，中国科学院动物研究所，北京 100101）

鉴别特征： 犀金龟亚科亦称独角仙亚科，是一个特征鲜明的类群，其上颚多少外露而于背面可见；上唇为唇基覆盖，唇基端缘具 2 个钝齿。触角 9 ~ 10 节，鳃片部由 3 节组成。前足基节窝横向，前胸腹板于基节之间生出柱形、三角形、舌形等垂突。多大型至特大型种类，性二态现象在许多属中显著（除 *Phileurini* 全部种类，*Cyclocephalini* 和 *Pentodontini* 部分种类），其雄虫头面、前胸背板有强大角突或其他突起和凹坑，雌虫则简单或可见低矮突起。

生物学： 犀金龟的生活习性，根据活动规律，多可分为夜出和日夜都活动两种类型。夜间活动的占多数，如双叉犀金龟 *Allomyrina dichotoma*；日夜都活动的较少，如阔胸禾犀金龟 *Pentodon mongolicus*，但该种还是主要在夜间活动，白天仅见少数个体爬行，且不飞翔。

中国犀金龟种类虽然不多，但其经济意义重大。已知 13 个属中有 7 属是重要的农林牧业害虫，如蔗犀金龟属（*Alissonotum*）严重危害甘蔗；异爪犀金龟属（*Heteronychu*）的一些种类在云南严重危害水稻、湿润秧苗和甘蔗等。另一方面，犀金龟亚科还是有待开发的药用甲虫资源，如双叉犀金龟（*Allomyrina dichotoma*）入药疗疾已近千年，它独具的独角仙素“Dichostatin”对实体瘤 W-256 癌瘤有很高的活性，对 P-388 淋巴白血病则具有边缘活性。此外，犀金龟由于个体巨大，雄虫角突发达，是很受欢迎的观赏性昆虫。加强人工养殖，积极开发它的观赏价值，也能创造很大的经济效益。

分类： 主要分布于非洲区和东洋区。世界已知约 1670 种，中国已记录 13 属 50 余种，陕西秦岭地区发现 2 属 2 种。

208．叉犀金龟属 *Allomyrina* Arrow, 1911

Myrina Redtenbacher, 1867: 78. **Type species**: *Myrina pfeifferi* Redtenbacher, 1867.

Allomyrina Arrow, 1911: 153. **Type species**: *Myrina pfeifferi* Redtenbacher, 1867.

Trypoxylus Minck, 1920: 216. **Type species**: *Scarabaeus dichotomus* Linnaeus, 1771.

Xyloscaptes Prell, 1934: 58. **Type species**: *Xylotrupes davidis* Deyrolle, 1878.

属征：上颚前缘简单，无明显凹切。后足跗节第1节简单，圆柱形。前臀板多无发音区。性二态现象显著；雄虫前足略延长，雌虫前足正常；雄性额上具1个角突，端部分叉呈2或4支；前胸背板具1个角突，端部分叉呈2支。雌性前胸背板无明显角突，前中部有低凹。

分布：中国；日本，印度，印度尼西亚，马来西亚。世界已知7种，中国记录2种，秦岭地区发现1种。

（599）双叉犀金龟指名亚种 *Allomyrina dichotoma dichotoma* (Linnaeus, 1771)（图版7：2）

Scarabaeus dichotoma Linnaeus, 1771: 529.

Trypoxylus septentrionalis Kôno, 1931: 160.

Trypoxylus polita Prell, 1934: 58.

鉴别特征：体长35.10～60.20mm，体宽19.60～32.50mm。体红棕、深褐至黑褐色。体上面被柔弱茸毛，雄虫因刻点微细且茸毛多蹭掉而较光亮，雌虫因刻点粗皱且茸毛较粗而晦暗。体型极大，粗壮，长椭圆形。性二态现象显著。头较小，唇基前缘侧端呈齿突形。前胸背板边框完整。小盾片短阔三角形，有明显的中纵沟。鞘翅肩突、端突发达，纵肋仅约略可辨。臀板十分短阔，两侧密布具毛刻点。胸下密被柔长绒毛。足粗壮，前足胫节外缘具3个齿。雄虫头上面有1个强大的双分叉角突，分叉部缓缓向后上弯指；前胸背板十分隆拱，表面刻纹十分致密，似沙皮；中央有1个短壮、端部燕尾状分叉的角突，角突端部指向前方。雌虫头上粗糙无角突，额头顶部隆起，顶部横列3个（中高侧低）小丘突；前胸背板刻纹粗大而挤皱，有短毛，无角突，中央前半有“Y”形洼纹。雄虫个体发育差异很大，弱小的个体仅见头、前胸角突的痕迹。

生物学：本种是中国常见种类。成虫危害桑、榆、无花果等树木的嫩枝，以及一些瓜类的花器。幼虫栖息于朽木、锯屑堆、肥料堆及垃圾堆中。雄成虫可入药，有镇惊、破淤止痛、攻毒及通便等功效。

采集记录：3♀，留坝县庙子台，1980.Ⅴ.06，留坝县病虫调查组采；1♀，佛坪，890m，1999.Ⅵ.26，章有为采；1♀，佛坪，900m，1999.Ⅵ.27，姚建采；5♂12♀，佛坪，950m，1998.Ⅶ.23，26，姚建、张学忠采；6♂31♀，宁陕火地塘，1580m，1998.Ⅶ.26，27，29，张学忠、姚建采；1♀，宁陕火地塘，1600m，1979.Ⅶ.23，韩寅恒采；1♂，宁陕火地沟，1600m，1999.Ⅶ.05，袁德成采。

分布：陕西（留坝、佛坪、宁陕）、吉林、河北、山西、山东、河南、甘肃、上海、江苏、安徽、浙江、湖北、江西、湖南、福建、台湾、香港、广东、海南、广西、四川、贵州、云南；朝鲜，日本，老挝。

209．禾犀金龟属 *Pentodon* Hope，1837

Pentodon Hope，1837：92. **Type species**：*Scarabaeus punctatus* Villers，1789.

属征：上颚端缘三齿形；后足跗节第1节扩大，呈三角形或喇叭形，后足胫节末端近平截，其周缘具均匀排列的锥刺；鞘翅隆拱，有成对刻点列，鞘翅端部无半透明角膜区；前臀板无成对发音锉。性二态现象不显著。

分布：中国；蒙古，俄罗斯（远东），印度，伊朗，欧洲，非洲。世界已知21种，中国记录9种，秦岭地区发现1种。

（600）阔胸禾犀金龟 *Pentodon quadridens mongolicus* Motschulsky，1894

Pentodon quadridens mongolicus Motschulsky，1894：111.

Pentodon patruelis Frivaldszky，1890：202.

Pentodon gobicus Endrodi，1965：198.

鉴别特征：体长17.00～25.70mm，体宽9.50～13.90mm。体黑褐或赤褐色，腹面着色常较淡。虫体油亮。体中至大型，短壮卵圆形，背面十分隆拱，显得厚实。头阔大，唇基长大梯形，布密集刻点，前缘平直，两端各呈1个上翘齿突，侧缘斜直；额唇基缝明显，由侧向内微向后弯曲，中央有1对疣突，疣突间距约为前缘齿距的1/3，额上刻纹粗皱。触角10节，鳃片部由3节组成。前胸背板宽，十分圆拱，散布圆大刻点，前部及两侧刻点皱密；侧缘圆弧形，后缘无边框，前侧角近直角形，后侧角圆弧形。鞘翅纵肋隐约可辨。臀板短阔微隆，散布刻点。前胸垂突柱状，端面中央无毛。足粗壮，前足胫节扁宽，外缘3个齿，基齿中齿间有1个小齿，基齿以下有2～4个小齿；后足胫节端缘有刺17～24枚。幼虫中型偏大，体长40～50mm。肛背片有1条由细缝围成的很大的臀板（骨化环）。肛腹片后部复毛区中间无尖刺列，只有钩状刚毛群和周围的细长毛。

生物学：在河北需2年多完成1代，以成虫和幼虫越冬。越冬成虫4月中、下旬出土活动，7月上旬至8月下旬为发生盛期。成虫趋光性强。幼虫全期约需370天，以老熟幼虫越冬，来年6月初开始化蛹，6月中旬开始羽化成虫，大部分成虫在土中越冬。

采集记录：未见标本。

分布：陕西（秦岭）、吉林、辽宁、内蒙古、湖北、山西、山东、河南、甘肃、新疆、江苏、安徽、浙江、湖北、湖南。

寄主：成虫危害玉米、高粱、小麦等作物的种子、芽和马铃薯等的地下部分，幼虫危害麦类和玉米、高粱、红薯、花生、大豆、胡萝卜、白菜、韭菜、葱等作物的根、茎、块根、种子等。

（四）鳃金龟亚科 Melolonthinae

刘万岗[1] 白明[2] 杨星科[2]

（1. 中国科学院地球环境所，西安 710061；2. 中国科学院动物进化与系统学重点实验室，中国科学院动物研究所，北京 100101）

鉴别特征：鳃金龟类型多样，体小到大型，体长 3～58mm，以中型种类为多。体卵圆形或椭圆形。体色相对较为单调，多棕、褐至黑褐，或全体一色，或有各式斑纹，光泽有强有弱，这与它们夜出活动的习性不无关系。头部口器位于唇基之下，基部等于或稍狭于鞘翅基部，头部通常无角突（除 *Chaunocolus* 属）。触角明显鳃叶状，7～10节，鳃片部 3～7 节。前胸背板无角突。中胸后侧片于背面不可见。小盾片显著，多呈三角形。鞘翅发达，常有 4 条纵肋可见，后翅多发达，能飞翔，亦有少数后翅退化不能飞翔的种类。臀板外露，不被鞘翅覆盖。腹部具不多于 7 对的气门，通常位于腹板侧上部，有时靠近腹端气门，位于背板或联膜上（*Acoma* 属或 *Podolasia* 属），末 1 对气门不为鞘翅盖住。前足胫节外缘有 1～3 个齿，内缘多有 1 枚距，中足、后足胫节通常各有端距 2 枚，有基本相同的爪 1 对，有时爪具齿；亦有些种类其前足、中足 2 个爪大小不一，其后足则仅有爪 1 枚。两性差异较小，雄性有些属触角鳃片部和跗节长于雌性，有些属（如 *Hypotrichia* 属）爪特化，有些属（Macrodactylini 族某些属）无前足胫节端距。

生物学：鳃金龟亚科成虫和幼虫通常均为植食性，是重要的农林害虫、地下害虫（如 *Amphimallon*，*Diplotaxis*，*Phyllophaga*，*Polyphylla*，*Maladera*，*Serica*），经济意义重大。有些种类的成虫为绝食型。有些种类的成虫具日行性，取食花或花粉（如 *Chnaunanthus*，*Gymnopyge*，*Hoplia*，*Macrodactylus*，*Oncerus*），绝大多数成虫为夜行性或喜在弱光下活动（如 *Diplotaxis*，*Phyllophaga*，*Polyphylla*，*Serica*）。幼虫土栖，蛴螬形。

分类：世界广布。世界已知约 750 属 11 000 种，中国记录种类达 74 属 895 种，陕西秦岭地区发现 15 属 38 种。

分属检索表

1. 后足爪仅单爪 ………………………………………………………… 2
   后足爪成对 ………………………………………………………… 3
2. 前臀板全部或几乎全部不为鞘翅所覆盖，鞘缝后部具刚毛群 …… **平爪鳃金龟属 *Ectinohoplia***
   前臀板全部或几乎全部为鞘翅所覆盖，鞘缝后部无刚毛群 ………… **单爪鳃金龟属 *Hoplia***
3. 上唇与唇基愈合为上唇基，后足胫节端部具两个距且分列跗节两侧 ………………… 4

上唇与唇基不愈合，后足胫节端部两个距在跗节同侧或仅具1个距 ………………………… 10

4. 眼眦退化，眼略突 ……………………………………………………………………………… 5

眼眦正常 ……………………………………………………………………………………………… 6

5. 臀板发达，不完全被鞘翅遮盖 ……………………………………… **臀绢金龟属 *Gastroserica***

臀板正常，完全被鞘翅遮盖 ………………………………………… **新绢金龟属 *Neoserica***

6. 体型小，多为黑色，鞘翅密布长刚毛，倒数两节腹板具中纵凹 … **毛绢金龟属 *Anomalophylla***

鞘翅多无长刚毛，倒数两节腹板无中纵凹 ……………………………………………………… 7

7. 前背折缘基部隆起 ……………………………………………………………………………… 8

前背折缘基部不隆起 ………………………………………………………………………………… 9

8. 中足基节间的中胸腹板与中足腿节等宽，触角10节，大部分种类触角鳃片部不长于余部长度之和(♂) ………………………………………………………………… **码绢金龟属 *Maladera***

中足基节间的中胸腹板窄于中足腿节，触角9或10节，触角鳃片部长于余部长度之和(♂) ………………………………………………………………………… **日本绢金龟属 *Nipponoserica***

9. 中足基节间的中胸腹板与中足腿节等宽，触角鳃片部4节(♂) …… **长角绢金龟属 *Tetraserica***

中足基节间的中胸腹板窄于中足腿节，触角鳃片部3节(♂) ………………… **绢金龟属 *Serica***

10. 眼眦发达，与唇基相连，前胸背板前缘具革质缘，体小型 …………… **阿鳃金龟属 *Apogonia***

眼眦不与唇基相连 …………………………………………………………………………………… 11

11. 雌性和雄性触角鳃片部均为3节 ……………………………………………………………… 12

雌性和雄性触角鳃片部为4节或更多 ……………………………………… **云鳃金龟属 *Polyphylla***

12. 前胸背板后缘中段正常且完整，无齿形缺刻 ………………………………………………… 13

前胸背板后缘中段具1对齿形缺刻 ………………………………………… **双缺鳃金龟属 *Diphycerus***

13. 爪中央或之后具大而垂直的爪齿 ………………………………………… **齿爪鳃金龟属 *Holotrichia***

爪在端部附近分裂，爪下面的齿与爪端同向或指向爪端 …………………………………… 14

14. 触角10节，体表被密长而直立的刚毛 …………………………………… **婆鳃金龟属 *Brahmina***

触角9节，体背光裸无毛，仅胸部腹板被长毛 ……………… **黄鳃金龟属 *Pseudosymmachia***

210. 毛绢金龟属 *Anomalophylla* Reitter, 1887

Anomalophylla Reitter, 1887: 231. **Type species**: *Anomalophylla tristicula* Reitter, 1887.

Melaserica Brenske, 1897: 355. **Type species**: *Melaserica thibetana* Brenske, 1897.

Xorema Reitter, 1902: 147. **Type species**: *Anomalophylla thibetana* Reitter, 1902.

属征：触角10节，触角鳃片部雄性5节，雌性3节。前胸背板基部具细边框。背侧密布长刚毛。腹部倒数两节中部具1个纵凹。前跗节内侧爪大于外侧爪。阳基左侧退化或微弱伸出。

分布：主要分布于青藏高原及云南北部，也有少量种类分布于中国北方各省及四川、湖南和湖北。世界已知24种，中国均有分布，秦岭地区仅发现2种。

分种检索表

后足跗节背侧无锯齿状脊 …………………………………………………… **秦岭毛绢金龟 *A. qinlingensis***
后足跗节背侧具锯齿状脊 …………………………………………………… **华山毛绢金龟 *A. huashanica***

(601) 华山毛绢金龟 *Anomalophylla huashanica* Ahrens, 2005(图版 11：1)

Anomalophylla huashanica Ahrens, 2005b：41.

鉴别特征：体长 5.40～6.70mm。体椭圆形。足黑色；鞘翅与前胸背板中部和两侧的 3 个斑点红褐色，背侧无光泽；头部与前胸背板密被棕色长刚毛；有的个体身体与足均为黑色或红褐色，或体红褐色，仅鞘翅端部黑色或红褐色，或体红褐色，仅前胸背板和鞘翅端部黑色。上唇基近矩形，前缘强烈上翻，额唇基沟明显，微弱弯曲。眼前光滑区宽与长相等。眼直径与眼间距之比为 0.44。触角 10 节，鳃片部 5 节，约为触角其他节长度的 2.50 倍(雄)或 3 节(雌)，雌性明显短于触角其他节长度。额区无光泽，密布大小不一的刻点，无中央凹陷。前胸背板后角适度圆，前角不前伸，端部强烈圆。前背折缘腹侧不隆起。后胸前侧片长度与后足基节长度之比为 5/8。臀板强烈弯曲，密布细刻点，中部无纵向光滑线。后足胫节适度细长，宽与长之比为 0.28。背侧边缘剧烈隆起，具两簇刺；基部一簇位于胫节的 1/3 处，端部一簇位于胫节的2/3处；腹侧边缘具小锯齿，着生 4 根相互等距的粗刺。后足跗节第 1 节略短于第 2 和第 3 跗节长度之和，是背侧距长的 1.30 倍。

采集记录：1♂, Shaanxi, Houzhenzi, 14. Ⅵ., 1350～2000m, Murzin leg(CDKC)；1♂, Shaanxi, pr. Hua Shan, 17-21. Ⅵ. 1991, R. Dunda lgt(Holotype)(ZSM)；39♂8♀, China, Shaanxi, Hua Shan, 17-21. Ⅵ. 1991, R. Dunda lgt(Paratypes)(CA, CN, CK, DEI)；1♀, China, Shaanxi, Hua Shan 18-27. Ⅶ. 90, R. Sauer lgt(CA)；1♂, China, 17-22. Ⅵ. 1991, Shaanxi, Hua Shan peek env. 100km E of Xi'an, Z. Kejval lgt(CA)；4♂7♀, C-China, Shaanxi, Qinling Shan, 6km E of Xunyangba 1000～1300m, 23. Ⅴ-13. Ⅵ. 2000, leg. C. Holzschuh, (TICB, CA)；13♂7♀, China, 1000～1300m, Shaanxi, Qinling mts. Xunyangba(6 km E), 23. Ⅴ-13. VIi. 1998 J. H. Marshal leg(CA, TICB)；2♂, China-Shaanxi, un-an, 26. Ⅴ. -1. Ⅵ. 2000 leg. E. Kucera(TICB, CA)；1♂, Chin-ling Mts. Shensi, E. B. Apr. -May, 1904/63/3(USNM)；4♂, S. Shensi, E. B. May, 1904(USNM)。

分布：陕西(周至、华阴、宁陕)、山西、四川。

(602) 秦岭毛绢金龟 *Anomalophylla qinlingensis* Ahrens, 2005

Anomalophylla qinlingensis Ahrens, 2005b：53.

鉴别特征：体长 6.30mm。体椭圆形。足黑色，背侧无光泽，头部与前胸背板密被棕色长刚毛，鞘翅上刚毛较之稀疏。上唇基近矩形，前缘强烈上翻，额唇基沟明显，微弱弯曲。眼前光滑区宽与长相等。眼直径与眼间距之比为0.47。触角10节，鳃片部5节，约为触角其他节长度的2.50倍。额区无光泽，密布大小不一的刻点，无中央凹陷。前胸背板后角适度圆，前角不前伸，端部强烈圆。前背折缘腹侧不隆起。后胸前侧片长度与后足基节长度之比为0.64。臀板强烈弯曲，密布细刻点，中部无纵向光滑线。后足胫节适度细长，宽与长之比为0.31。背侧边缘剧烈隆起，具两簇刺，基部一簇位于胫节的1/3处，端部一簇位于胫节的2/3处；腹侧边缘具小锯齿，着生4根相互等距的粗刺。后足跗节第1节略短于第2和第3跗节长度之和，比背侧距长出1/3。

采集记录：1♂，China，1000～1300m，Shaanxi，Qinling mts.，Xunyangba(6km E)，23. V-13. Ⅵ. 1998，J. H. Marshall leg(Holotype)(TICB)。

分布：陕西(宁陕)。

211. 臀绢金龟属 *Gastroserica* Brenske，1897

Gastroserica Brenske，1897b：355. **Type species**：*Serica marginalis* Brenske，1894.

属征：触角鳃片部雄性4节，雌性3或4节。颏圆。前胸背板前角不外凸，前背折缘向腹侧凸出。中足基节间的中胸腹板与中足腿节几乎同宽。臀板长，端部凸出，不完全为鞘翅遮盖。后足胫节侧缘具纵凹，密布大小适中的刻点，腹侧边缘具锯齿。前跗节短，具两枚齿，爪等大。

分布：东亚及东南亚地区。世界已知44种，中国已记录29种，秦岭地区发现1种。

(603) 陕西臀绢金龟 *Gastroserica shaanxiana* Ahrens *et* Pacholátko，2003(图版11：2)

Gastroserica shaanxiana Ahrens *et* Pacholátko，2003：4.

鉴别特征：体长6.90～7.80mm。体椭圆形，黄棕色，额区、触角鳃片部、鞘翅边缘及前胸背板盘区两个对称的点深褐色。背侧表面密布短刚毛，中间夹杂直立长刚毛。上唇基近矩形，前缘强烈上翘。额唇基沟明显，微向前凸出。眼前光滑区宽为长的1.50倍。眼直径与眼间距之比为0.53～0.58。触角10节，鳃片部4节，强烈弯曲，长度与触角其他节长度几乎相等。前胸背板长，前角端部略圆，不前伸；后角近直角。前背折缘基部强烈隆起。后胸前侧片长度与后足基节长度之比为1/2。臀板长，强烈下弯，密布小刻点，背侧中央无光滑线。后足胫节适度短宽，中部最宽，宽与长之比为1/3；背侧边缘剧烈隆起，具两簇刺，基部一簇位于胫节的1/3处，端部一簇位于胫节的2/3处；腹侧边缘具小锯齿，着生4根等距的刺。后足第1跗节与第

2 和第 3 跗节长度之和几乎相等，短于背侧距的两倍。

采集记录： 1♂，China，S Shaanxi，23. Ⅵ. road Wanyuan-Zhenba-30km，S Zhenba，32.3°N 108.0°E，1000m，Jaroslav Turna leg. 2000（Holotype）（TICB）；1♂3♀，China，S Shaanxi，23. Ⅵ. road Wanyuan-Zhenba-30km，S Zhenba，32.3°N 108.0°E，1000m，Jaroslav Turna leg. 2000（Paratypes）（TICB，CA）。

分布： 陕西（镇巴）。

212. 码绢金龟属 *Maladera* Mulsant *et* Rey，1871

Maladera Mulsant *et* Rey，1871：599. **Type species**：*Scarabaeus holosericea* Scopoli，1772.

Aserica Lewis，1895：394. **Type species**：*Autoserica secreta* Brenske，1897.

Maladera（*Aserica*）：Dalla Torre，1912：16.

Omaladera Reitter，1896：188. **Type species**：*Amaladera diffinis* Reitter，1896.

Maladera（*Omaladera*）：Ahrens，2004a：207.

Cephaloserica Brenske，1900：79. **Type species**：*Serica carinirostris* Brenske，1896.

Maladera（*Cephaloserica*）：Ahrens，2004a：192.

属征： 体长 4.50～12.00mm。体椭圆形，大小不一。体色多样，由黑色、红棕至黄褐色。鞘翅有时具黑斑或微弱的绿色光泽。背侧暗淡或具强烈光泽，有些种类具多彩闪光。大多数种类光滑无毛，部分种类密布刚毛。触角 10 节，鳃片部 3 节，多数种类触角短。前胸背板适度宽，前角明显前伸。前背折缘基部隆起。足在大部分种类中短宽。

分布： 东洋区，全北区。世界已知 523 种，中国已记录 83 种，秦岭地区发现 3 种。

分种检索表

1. 触角 9 节，体黑色或棕黑色……………………………… **东方码绢金龟 *M.*（*Omaladera*）*orientalis***
   触角 10 节，体红褐色或棕色 …………………………………………………………………… 2
2. 体红褐色，雄性触角鳃片部与余部等长 ………… **毁灭码绢金龟 *M.*（*Cephaloserica*）*perniciosa***
   体浅棕色或棕红色，雄性触角鳃片部长于余部 … **阔胫码绢金龟 *M.*（*Cephaloserica*）*verticalis***

（604）东方码绢金龟 *Maladera*（*Omaladera*）*orientalis*（**Motschulsky，1858**）（图版 11：3）

Serica orientalis Motschulsky，1858a：33.

Maladera cavifrons Reitter，1896：188.

Maladera diffinis Reitter，1896：188.

Serica famelica Brenske，1897a：391.

Serica pekingensis Brenske, 1897a: 366.

Maladera (*Omaladera*) *orientalis*: Ahrens, 2006: 14.

鉴别特征：体长6～9mm。体小型，近卵圆形。体黑褐或棕黑色，亦有少数淡黑色个体，体表较粗而晦暗，有微弱的丝绒般闪光。头大，唇基油亮，无丝绒般闪光，布挤皱刻点，有少量刺毛，中央微隆凸，额唇基缝钝角形后折；额上刻点较稀较浅，头顶后部光滑。触角9节，鳃片部由3节组成，雄虫触角鳃片部长，约为其前5节长之倍。前胸背板短阔，后缘无边框。小盾片长大三角形，密布刻点。鞘翅有9条刻点沟，沟间带微隆拱，散布刻点，缘折有成列纤毛。臀板宽大三角形，密布刻点。胸部腹板密被绒毛，腹部每腹板有1排毛。前足胫节外缘2个齿；后足胫节较狭厚，布少数刻点，胫端两个距着生于跗节两侧。

采集记录：1头，佛坪，890m，1999. Ⅵ.26，1(IZAS)；1♂，China，Chang Yang/Serica famelica type Brsk./Coll. Brenske/Typus/Maladera orientalis (Motsch.) Nikolaev det. (Syntype)(ZMHB)；1♀，China Donck. v./Serica famelica Brsk./Coll. Brenske/Typus(Syntype)(ZMHB)；1♀，China Tche-fou/ famelica Type Brsk./Coll. Brenske/Typus (Syntype)(ZMHB)；1♂，Nord China Chefoo/tschefuana Type Brsk./Typus/Maladera orientalis(Motsch.)Nikolaev det. (Syntype)(ZMHB)。

分布：陕西(佛坪)、吉林、辽宁、内蒙古、北京、河北、山西、山东、宁夏、甘肃、江苏、上海、安徽、浙江、湖北、湖南、福建、台湾、广东、海南；蒙古，俄罗斯，朝鲜，日本。

(605) 毁灭码绢金龟 *Maladera* (*Cephaloserica*) *perniciosa* (Brenske, 1898)(图版11：4)

Autoserica perniciosa Brenske, 1898: 336.

Maladera (*Cephaloserica*) *perniciosa*: Ahrens, 2004a: 265.

鉴别特征：体长7.60～9.70mm。体椭圆形。体浅红褐色至深红褐色，背侧暗淡或具少许光泽，上唇基与足具光泽。上唇基梯形，前缘微弱上翻，额唇基沟不明显，微弱弯曲。眼前光滑区长为宽的2倍。眼直径与眼间距之比为0.58。触角10节，鳃片部3节，雄性与触角其他节长度等长，雌性短于触角其他节长度。额区无光泽，密布小刻点，无中央凹陷。前胸背板后角钝，前角适度锐角，略前伸。前背折缘腹侧不隆起。后胸前侧片长度与后足基节长度之比为0.60。臀板强烈弯曲，布适度细刻点，中部无纵向光滑线。后足胫节短而宽，宽与长之比为0.38～0.40。背侧边缘剧烈隆起，具两簇刺，基部一簇位于胫节的中部，端部一簇位于胫节的3/4处；腹侧边缘具小锯齿，着生5根相互等距的粗刺。后足跗节第1节略短于第2、3跗节长度之和，略长于背侧距长度。

采集记录：2♂，宁陕火地塘，1999. Ⅵ.30，1580m，袁德成采(IZAS)。

分布：陕西(宁陕)、四川、云南；缅甸，尼泊尔。

(606) 阔胫码绢金龟 *Maladera* (*Cephaloserica*) *verticalis* (Fairmaire, 1888)(图版11：5)

Serica verticalis Fairmaire, 1888b：118.
Maladera castanea koreana Kim et Kim, 2003：90.
Maladera (*Cephaloserica*) *verticalis*：Ahrens, 2007a：5.

鉴别特征：体长6～9mm。体小型，长卵圆形，体浅棕或棕红色，体表颇平，刻点均匀，有丝绒般闪光。头阔大，唇基近梯形，布较深但不匀刻点，有较明显纵脊；额唇基缝弧形，额上布浅细刻点。触角10节，鳃片部3节组成，雄虫鳃片部长大，长于柄节之倍。前胸背板短阔，侧缘后段直，后缘无边框。小盾片长三角形。鞘翅有9条清楚刻点沟，沟间带弧隆，有少量刻点，后侧缘有较显折角。胸下杂乱被有粗短绒毛。腹部每腹板有1排短壮刺毛。前足胫节外缘2齿，后足胫节十分扁阔，表面几乎光滑无刻点，2端距着生在跗节两侧。

采集记录：1♂，周至厚畛子，1999.Ⅵ.21，1350m，章有为采(IZAS)；1♂，佛坪，1999.Ⅵ.27，900m，姚健采(IZAS)；1♂，佛坪，1999.Ⅵ.27，900m，贺同利采(IZAS)。

分布：陕西(周至、佛坪)、黑龙江、吉林、辽宁、北京、河北、山西、山东、河南、甘肃、浙江、湖北、福建、广东、四川、贵州、云南；蒙古，朝鲜，韩国。

213. 新绢金龟属 *Neoserica* Brenske, 1894

Neoserica Brenske, 1894：44. **Type species**：*Serica ursina* Brenske, 1894.

属征：体椭圆形。体浅褐色至黑色，有时具绿色闪光。除上唇基、跗节和爪外，其他部分背侧均暗淡，密布白色直立小刚毛。触角10节，雄性鳃片部4节，长于触角余部长度之和；雌性3节等于或短于余部长度之和。颏前部平坦，后部隆起。后足腿节前缘无齿状边缘线。后足跗节背侧具纵凹，侧面具1个明显纵凸。

分布：东亚及东南亚地区。世界已知162种，中国已记录31种，秦岭地区发现2种。

分种检索表

头在眼后略收窄，后足腿节前缘毛均向前生长 ………… **施秉新绢金龟 *N.* (s. str.) *shibingensis***
头在眼后不收窄，与眼前部分同宽；后足腿节前缘毛部分向前或全部向后生长 ……………………………………………………………… **太平新绢金龟 *N.* (s. l.) *taipingensi***

(607) 施秉新绢金龟 *Neoserica* (s. str.) *shibingensis* Ahrens, 2003

Neoserica shibingensis Ahrens, 2003: 198.

鉴别特征：体长8.00~8.10mm。体椭圆形。黑色至深红褐色，背侧隆起，具绿色光泽，头部及足无光泽。上唇基近矩形，前缘适度上翻，中央微弱凹陷。额唇基沟不明显，强烈弯曲。眼前光滑区长为宽的1.50倍。眼直径与眼间距之比为0.50。触角10节，鳃片部4节，与触角其他节长度等长(雄)或触角3节，短于触角其他节长度(雌)。额区前1/4具光泽，密布大刻点，无中央凹陷。前胸背板后角钝，端部适度圆形，前角适度圆，几乎不前伸。前背折缘腹侧不隆起。后胸前侧片长度与后足基节长度之比约为0.67。臀板适度弯曲，密布刻点，中部无纵向光滑线。后足胫节适度细长，宽与长之比约为0.29。背侧边缘剧烈隆起，具两簇刺，基部一簇位于锯齿状边缘附近，端部一簇位于胫节的4/5处；腹侧边缘具小锯齿，着生5根相互等距的粗刺。后足第1跗节与第2和第3跗节等长，比背侧距长出1/3。

采集记录：2♂6♀, C-China, Shaanxi, Qinling Shan; 6km E of Xunyangba 1000~1300m, 23. Ⅴ-13. Ⅵ. leg. C. Holzschuh 2000(Paratype)(CA)。

分布：陕西(宁陕)、湖北、贵州。

(608) 太平新绢金龟 *Neoserica* (s. l.) *taipingensis* Ahrens, Liu, Fabrizi *et* Yang, 2014 (图版11: 6)

Neoserica (s. l.) *taipingensis* Liu, Fabrizi, Yang *et* Ahrens, 2014a: 70.

鉴别特征：体长6.60~7.80mm。体椭圆形。体红棕色，触角鳃片部黄褐色。体表大部光裸无毛，仅上唇基及额区前2/3具光泽。上唇基近矩形，前缘适度上翘。额唇基沟明显，微弱隆起，中部适度向前凸出。眼前光滑区宽为长的1.50倍。眼直径与眼间距之比为0.85。触角10节，鳃片部4节，略长于触角其他节长度的2倍(雄)或3节，等于触角其他节长度(雌)。前胸背板短，前角钝角，微弱前伸，端部略圆；后角钝。前背折缘基部明显隆起。后胸前侧片长度与后足基节长度之比约为0.82。臀板强烈下弯，密布大小不一的刻点，背侧中央无光滑线。后足胫节细长，宽与长之比约为0.29；背侧边缘剧烈隆起，具两簇刺，基部一簇位于胫节中部，端部一簇位于胫节的3/4处；腹侧边缘具小锯齿，着生两枚相距较远的刺。后足第1跗节明显短于第2、3跗节长度之和，长于背侧距的两倍。

采集记录：1♂，陕西，眉县，Ⅷ. 1963，陈友光采(IZAS)；1♂, China-Shaanxi, SW Tsinling Mts., Taiping vill., 33°33′N, 106°43′E, June 2000, 1500~2000m, Siniaev&Plutenko leg. (Holotype)(CP)；12♂1♀, China-Shaanxi, SW Tsinling Mts., Taiping vill., 33°33′N, 106°43′E, June 2000, 1500~2000m, Siniaev&Plutenko leg.

(Paratypes)(CP, ZFMK)；2♂, China, Shaanxi, Tsingling Mts., 1600m, Nat. Res. Foping, 33°51′N, 107°57′E, 20. Ⅳ-11. Ⅴ. 1999, V. Siniaev & A. Plutenko lgt. (CP)；1♂, China, Shaanxi, Panda area, Nat. Res. Foping, 1600m, 6-11. Ⅳ. 1999, 33°45′N, 107°48′E, V. Siniaev & A. Plutenko lgt. (CP)。

分布：陕西（眉县、佛坪、泾阳）。

214. 日本绢金龟属 *Nipponoserica* Nomura, 1973

Nipponoserica Nomura, 1973: 120. **Type species**: *Serica similis* Lewis, 1895.

Pseudomaladera Nikolajev, 1980: 40. **Type species**: *Serica koltzei* Reitter, 1897.

属征：体中到大型，体长 8～12mm。体长椭圆形。体深色至红褐色，额区暗淡，背侧光滑。触角 9～10 节，雌性和雄性鳃片部均为 3 节，雄性触角更长。前背折缘基部凸出。中足基节间的中胸腹板与中足腿节几乎等宽。腹板中央具 1 个纵凹。足细长，后足腿节前缘无齿状刻纹，前跗节 2 枚齿。左右阳基侧突对称。

分布：主要分布于东亚，但在中国台湾地区和喜马拉雅地区也有分布。世界已知 18 种，中国已知 7 种，秦岭地区发现 2 种。

分种检索表

额区黑色，雄虫触角鳃片部长度为余部的 3 倍…………………… **沟腹日本绢金龟 *N. sulciventris***

额区黄色，雄虫触角鳃片部长度为余部的 4 倍 …………………… **克氏日本绢金龟 *N. koltzei***

(609) 沟腹日本绢金龟 *Nipponoserica sulciventris* Ahrens, 2004

Nipponoserica sulciventris Ahrens, 2004b: 9.

鉴别特征：体长 8.30～8.40mm。体椭圆形。体背除额区黑色外，其余部分黄色，触角黄色。体表光裸无毛，有光泽，腹侧黄褐色。上唇基近梯形，前缘微弱上翘。额唇基沟不明显，中部微弱向前凸出。眼前光滑区宽约为长的 3 倍。眼直径与眼间距之比为 0.70（雄性）或 0.46（雌性）。触角 9 节，鳃片部 3 节，长度约为触角其他节长度的 3 倍（雄性）或明显短于触角其他节长度（雌性）。前胸背板适度宽，前角钝角，适度前伸，端部圆；后角近直角，端部圆形；前缘强烈弯曲，具完整细边框，中部强烈向前凸出。前背折缘基部隆起。后胸前侧片长度与后足基节长度之比约为 0.83。臀板微弱下弯，无光泽，密布大小不一的刻点，背侧中央无光滑线。第 6、7 腹板中部具 1 个纵陷。后足胫节极度细长，端部最宽，宽与长之比约为 0.20；背侧边缘剧烈隆起，具两簇刺，基部一簇退化，端部一簇位于胫节的 5/6 处；腹侧边缘具小锯齿，着生5根等距的刺。后足第1跗节长于第2和第3跗节长度之和，略为背侧距的2倍。

采集记录： 1♂，China，Shaanxi S Taibaishan Tsinling Mts.，Houzhenzi vil.，15. Ⅷ-15. Ⅹ，local collector leg.，1999，1600m(Holotype)(DEI)；5♂1♀，China，Shaanxi，S Taibashan Tsinling Mts.，Houzhenzi vil.；15. Ⅷ-15. Ⅹ，local collector leg.，1999，1600m(Paratypes)(CP)；15♂2♀，China，Shaanxi，Tsinling Mts.，1600m，Nat. Res. Foping，20. IV-11. V. 1999，V. Siniaev&A. Plutenko lgt.（CP）；13♂6♀，China：Shaanxi prov. Houzhenzi，cnv. h = 1350 ~ 2000m，14-24. Ⅵ. 1999，S. Murzin leg.（CDKC，CA）；6♂1♀，Chine Shaanxi Houzhenzi，2000m，14. Ⅵ. MURZIN leg 99（CDKC）；285♂84♀，China，Shaanxi，V. -VI. 2000，Taibai Shan. Houzhenzi vil.，A. Plutenko leg.，1500 ~ 2000m(CP，CA，DEI，ZMHB，SMTD)；105♂13♀，China，Shaanxi，16-21. Ⅴ. 2000，South Taibai Shan，Tsinling Mts.，Houzhenzi vil.，leg. Siniaev&Plutenko，1500m（CP）；383♂133♀，China，Shaanxi，VI. 2000，SW Tsinling Mts.，Taping vil.，1500 ~ 2000m，leg. Siniaev & Plutenko(CP)。

分布： 陕西(周至、佛坪、泾阳)、甘肃、湖北、四川。

(610) 克氏日本绢金龟 *Nipponoserica koltzei* (Reitter, 1897)(图版11：7)

Serica koltzei Reitter, 1897：214.

Nipponoserica koltzei：Nomura, 1973：139.

Nipponoserica opacicarina Kim *et* Kim, 2003：76.

鉴别特征： 体长8.80mm。体椭圆形。体黄褐色，具黑斑。背侧光滑,有光泽。上唇基近梯形，前缘强烈上翘。额唇基沟不明显，中部微弱向前凸出。眼前光滑区宽约为长的3倍。眼直径与眼间距之比为0.87(雄性)。触角9节，鳃片部3节，长度约为触角其他节长度的4倍(雄性)。前胸背板宽，前角圆形，适度前伸；后角圆；前缘强烈弯曲，具完整宽边框，中部强烈向前凸出。前背折缘基部隆起。后胸前侧片长度与后足基节长度之比约为0.83。臀板微弱下弯，无光泽，密布细刻点，背侧中央无光滑线。第6、7腹板中部具1个浅纵陷。后足胫节细长，端部最宽，宽与长之比约为0.24；背侧边缘剧烈隆起，具两簇刺，基部一簇退化，端部一簇位于胫节的5/6处；腹侧边缘具小锯齿，着生3根等距的刺。后足第1跗节略长于第2和第3跗节长度之和，略为背侧距的3倍。

采集记录： 1♀，W/Wladivostok/coll. Reitter/Monotypus，1897，Serica koltzei，1♀，Reitter [handwritten label with red border by Kaszab]/Ser. koltzei m. 1897 (HNHM)；1♂，China(S-Shaanxi) Qinling Shan pass on rd. Zhouzhi-Foping，105km SW Xi′an，N-lope，1990m，(samll creek vall./ mix. decid. for. /bamboo/small meadows) 2./4. Ⅶ. 2001 Wrase[01](CA)。

分布：陕西（周至、佛坪）、甘肃、湖北、西藏；俄罗斯，韩国。

215. 绢金龟属 *Serica* MacLeay, 1819

Serica MacLeay, 1819: 146. **Type species**: *Scarabaeus brunnus* Linnaeus, 1758.

Trichoserica Reitter, 1896: 181. **Type species**: *Trichoserica fulvopubens* Reitter, 1896.

Ophthalmoserica Brenske, 1897b: 356. **Type species**: *Serica thibetana* Brenske, 1897.

Podoserica Breit, 1912: 202. **Type species**: *Podoserica reitteri* Breit, 1912.

Taiwanoserica Nomura, 1974: 82. **Type species**: *Taiwanoserica elongata* Nomura, 1974.

Serica (*Taiwanoserica*): Ahrens, 2007c: 464.

属征：体长6～12mm。常红色、黄色或黑褐色，偶尔黑色，背侧暗淡或有光泽，光滑，具稀疏刚毛或密布刚毛。触角9～10节，雌雄鳃片部均为3节，雄虫鳃片部更长且外翻。前背折缘基部不伸出，与前胸背板基部形成1个锐角，前胸背板前角前伸为锐角。足细长，后足跗节侧面或具脊。

分布：以古北区为主，在印度马来亚区的高山地区和新北区也有少量种类。世界已知194种，中国已记录121种，秦岭地区发现11种。

分种检索表

1. 上唇基边缘微弱上翘 …… 2
   上唇基边缘强烈上翘 …… 3
2. 鞘翅端部两侧各具1个黑斑，触角9节，臀板无光滑线 …… **格氏绢金龟 *S. feisintsiensis***
   鞘翅端部两侧无黑斑，触角10节，臀板中部具无毛光滑线 …… **成都绢金龟 *S.* (*Taiwanoserica*) *chengtuensis***
3. 唇基前角强烈圆，前缘中央具深凹 …… **海氏绢金龟 *S.* (s. str.) *heydeni***
   唇基前角微弱或适度圆，前缘中央凹陷浅 …… 4
4. 雄虫额区无光泽 …… 5
   雄虫额区有光泽 …… 6
5. 后足跗节背侧具纵向褶皱 …… **苏氏绢金龟 *S.* (s. str.) *sudhausi***
   后足跗节背侧仅具刻点，无褶皱 …… **太白山绢金龟 *S.* (s. str.) *taibashanica***
6. 体背至少部分有光泽，后足胫节侧缘无隆起 …… **秦岭绢金龟 *S.* (s. str.) *qinlingshanica***
   体背暗淡，后足胫节侧缘具隆起 …… 7
7. 触角10节 …… **普氏绢金龟 *S.* (s. str.) *puetzi***
   触角9节 …… 8
8. 额区中央无纵凹 …… **陕西绢金龟 *S.* (s. str.) *shaanxiensis***
   额区中央具纵凹 …… 9
9. 臀板中部无纵向光滑线，后足胫节适度细长，宽与长之比大于1/4 …… **似玫瑰绢金龟 *S.* (s. str.) *plutenkoi***

臀板中部具纵向光滑线，后足胫节细长，宽与长之比小于 1/4 ……………………………… 10

10. 鞘翅红褐色，后足胫节基部一簇刺位于胫节近中部 ………… **贝氏绢金龟 *S.* (s. str.) *benesi***

鞘翅黄色，后足胫节基部一簇刺位于胫节 1/3 处 … **黑斑绢金龟 *S.* (s. str.) *nigromaculosa***

(611) 贝氏绢金龟 *Serica* (s. str.) *benesi* Ahrens, 2005

Serica (*Serica*) *benesi* Ahrens, 2005a: 28.

鉴别特征：体长 8.30 ~ 10.10mm。体椭圆形。体红棕色，触角黄色，额区和鞘翅上的斑点深褐色，背侧无光泽，具稀疏软毛。上唇基近矩形，前缘微上翻，额唇基沟明显，横直不弯曲，眼前光滑区宽为长的 1.50 倍。眼直径与眼间距之比为 0.89(雄性)或 0.51(雌性)。触角 9 节，鳃片部 3 节，约为触角其他节长度的 2.50 倍(雄性)或等于触角其他节长度(雌性)。额区前半段具光泽，密布大小不一的刻点，中央具纵向微凹陷。前胸背板短，后角圆，前角微弱前伸，端部钝。前背折缘腹侧无隆起。后胸前侧片长度与后足基节长度之比约为 0.76。臀板强烈弯曲，密布细刻点，中部具 1 条纵向光滑线，微弱隆起。后足胫节细长，宽与之比为 0.21 ~ 0.25。背侧边缘剧烈隆起，具两簇刺，基部一簇近中部，端部一簇位于胫节的 3/4 处；腹侧边缘具小锯齿，着生两根粗刺。后足跗节第 1 节略短于第 2 和第 3 跗节长度之和，略长于背侧距长度的 2 倍。

采集记录：33♂15♀, China, Shaanxi, Taibaishan Range, 1900m, Houzhenzi vill. env., 1-12. Ⅶ. 1999, 33°53′N, 107°49′E; V. Sinaev & A. Plutenko lgt. (Paratypes) (CP, CA); 9♂, China, Shaanxi, Tsingling Mts., Houzhenzi vill., 33°53′N 107°49′E, June-July 2000, 1500m, Siniaev& Plutenko leg. (CP); 26♀, China, Shaanxi; S Taibaishan Tsinling Mts., Houzhenzi vil., 33°53′N, 107°49′E, 15. Ⅷ. -15. Ⅹ., local collector leg., 1999; 1600m(CP, CA)。

分布：陕西(周至)、甘肃、青海、四川。

(612) 海氏绢金龟 *Serica* (s. str.) *heydeni* (Reitter, 1896)

Trichoserica heydeni Reitter, 1896: 184.

Podoserica reitteri Breit, 1912: 202.

Serica (*Serica*) *heydeni*: Ahrens, 2005a: 100.

鉴别特征：体长 6.70 ~ 9.80mm。体椭圆形。体深褐色，触角与足红褐色，背侧无光泽，仅被稀疏刚毛。上唇基近梯形，前缘微上翻，额唇基沟明显，适度弯曲。眼前光滑区宽为长的 1.50 倍。眼直径与眼间距之比为 0.57(雄性)或 0.43(雌性)。触角 10 节，鳃片部 3 节，约为触角其他节长度的 2.50 倍(雄性)或明显短于触角其他节长度(雌性)。额区无光泽，密布细刻点，无中央凹陷。前胸背板后角略圆，前角前伸，端部近直角。前背折缘腹侧强烈隆起。后胸前侧片长度与后足基节长度之比约为0.78。臀板强烈弯曲，密布大小不一的刻点，中部具1条纵向光滑线。后足胫节适度细长，宽与长之比约为0.26。背侧边缘剧烈隆起，具两簇刺，基部一簇位于胫节的1/3处，端部一簇位于胫节的2/3处；腹侧边缘具小锯齿，着生两根粗刺。后足跗节第1节略短于第2和第3跗节长度之和，等于背侧距长度的2倍。

采集记录： 4 ex, China: Shaanxi 21-23. Ⅵ. 1998 Quing Ling Shan mts. road Baoji-Tabai pass 35km S of Baoji C. Safranek & M. Tryzna leg. (CP); 12 ex, China: Shanxi Prov. 21-23 June 1998, Quing Ling Shan road Baoji-Taibai vill. pass 40km S Baoji Zd. Jindra lgt. (CA); 1 ex., China: Shaanxi Prov. Taibai Shan above Houshenzi 2500 ~ 2600m, 9. Ⅵ-3. Ⅶ. 1998 leg. P. Jager & J. Martens (SMNS); 1 ex, China-Shaanxi Cun-Can [Čun-Čan] 26. Ⅴ-1. Ⅵ. 2000 lgt. E. Kucera (CP); 4 ex, C-China, Shaanxi, Qinling Shan, 1900 ~ 2250m, 12km SW of Xunyengba, 14-18. Ⅵ. 2000, leg. C. Holzschuh (CP); 1 ex, China: Shaanxi (Qinling Shan) mountain range W pass on rd. Xi'an-Shagoujie, 45 km SSW Xi'an, 33°52′N, 108°46′E, 2675 m, leg. M. Schulke [C01 ~ 20] /25. Ⅶ. 2001, N-slope, Abies, Betula, Larix, Rhododendron, subalpine meadows (sifted) (CAN)。

分布： 陕西(周至，宝鸡、太白、宁陕)、甘肃、青海、湖北、四川。

(613) 黑斑绢金龟 *Serica* (s. str.) *nigromaculosa* Fairmaire, 1891

Serica (*Serica*) *nigromaculosa* Fairmaire, 1891b: 196.

鉴别特征： 体长8.80 ~ 12.60mm。体椭圆形。体深棕色，触角与鞘翅均为黄色。鞘翅布不规则黑色斑点，背侧无光泽，具稀疏软毛。上唇基近梯形，前缘微上翻，额唇基沟不明显，微弱弯曲，眼前光滑区宽为长的1.50倍。眼直径与眼间距之比为0.84(雄性)或0.56(雌性)。触角9节，鳃片部3节，略长于触角其他节长度的2倍(雄性)或短于触角其他节长度(雌性)。额区具光泽，具细刻点，中央具纵向微凹陷。前胸背板显著短，后角圆，前角微弱前伸，端部略圆。前背折缘腹侧无隆起。后胸前侧片长度与后足基节长度之比为0.69。臀板强烈弯曲，密布大小不一的刻点，中部具1条纵向光滑线。后足胫节细长，宽与长之比为0.21 ~ 0.25。背侧边缘剧烈隆起，具两簇刺，基部一簇位于胫节1/3，端部一簇位于胫节的3/4处；腹侧边缘具小锯齿，着生两根粗刺。后足跗节第1节明显短于第2和第3跗节长度之和，约比背侧距长出1/3。

采集记录： 1♂, China, Shaanxi, Taibaishan Range, 1900m, Houzhenzi vill. env., 1-12. Ⅷ. 1999, 33°53′N, 107°49′E, V. Sinaev & A. Plutenko lgt. (Paratype) (CP)。

分布： 陕西(周至)、甘肃、四川。

(614) 似玫瑰绢金龟 *Serica* (s. str.) *plutenkoi* Ahrens, 2005

Serica (*Serica*) *plutenkoi* Ahrens, 2005a: 24.

鉴别特征: 体长8.10~9.40mm。体椭圆形。体深棕色，触角黄色，足、前胸背板边缘及鞘翅红褐色。鞘翅散布不规则黑色斑点，背侧无光泽，具稀疏软毛。上唇基近梯形，前缘微上翻，额唇基沟明显，微弱弯曲，眼前光滑区宽为长的2倍。眼直径与眼间距之比为0.89(雄性)。触角9节，鳃片部3节，约为触角其他节长度的2.50倍(雄性)。额区前半部具光泽，密布粗刻点，中央具纵向微凹陷。前胸背板短，后角略圆，前角微弱前伸，端部圆。前背折缘腹侧无隆起。后胸前侧片长度与后足基节长度之比约为0.69。臀板强烈弯曲，密布细刻点，中部无纵向光滑线。后足胫节适度细长，宽与长之比约为0.27。背侧边缘剧烈隆起，具两簇刺，基部一簇位于胫节1/3，端部一簇位于胫节的3/4处；腹侧边缘具小锯齿，着生两根粗刺。后足跗节第1节略短于第2、3跗节长度之和，约为背侧距长度的2倍。

采集记录: 1♂, China, Shaanxi, Taibaishan Range, 1900m, Houzhenzi vill. env., 1-12. Ⅷ. 1999, 33°54′N, 107°49′E, V. Siniaev [sic!] & A. Plotenko lgt. (Holotype) (TICB); 8♂, China, Shaanxi, Taibaishan Range, 1900m, Houzhenzi vill. env., 1-12. Ⅷ. 1999, 33°54′N, 107°49′E, V. Siniaev [sic!] & A. Plotenko lgt. (Paratypes) (CA, CP); 1♂, China, Shaanxi, Tsingling Mts., Houzhenzi vill., 33°53′N 107°49′E, June-July 2000, 1500m, Sinaev & Plutenko leg. (Paratypes) (CP)。

分布: 陕西(周至)、湖北。

(615) 普氏绢金龟 *Serica* (s. str.) *puetzi* Ahrens, 2005

Serica (*Serica*) *puetzi* Ahrens, 2005a: 94.

鉴别特征: 体长8.40~10.40mm。体椭圆形。体深褐色，触角黄色，足及前胸背板边缘红褐色，背侧无光泽，仅被稀疏刚毛。上唇基梯形，前缘微上翻，额唇基沟不明显，微弯曲。眼前光滑区宽为长的1.50倍。眼直径与眼间距为之比0.85(雄性)或0.63(雌性)。触角10节，鳃片部3节，约为触角其他节长度的2.50倍(雄性)或等于触角其他节长度(雌性)。额区无光泽，密布大小不一的刻点，无中央凹陷。前胸背板后角圆，前角微弱前伸，端部钝角。前背折缘腹侧无隆起。后胸前侧片长度与后足基节长度之比约为0.72。臀板适度弯曲，密布细刻点，中部具1条纵向光滑线。后足胫节细长，宽与长之比约为0.24。背侧边缘剧烈隆起，具两簇刺，基部一簇位于胫节的1/3处，端部一簇位于胫节的3/4处；腹侧边缘具小锯齿，着生两根粗刺。后足跗节第1节略短于第2和第3跗节长度之和，等于背侧距长度的2倍。

采集记录: 2♂1♀, China, Shaanxi, Taibaishan Range, 1900m, Houzhenzi vill.

env. , 1-12. Ⅷ. 1999, 33°53′N, 107°49′E, V. Sinaev & A. Plutenko lgt. (Paratypes) (CP); 1 ♀, China, Shaanxi; S Taibaishan Tsinling Mts. , Houzhenzi vil. , 33°53′N, 107°49′E; 15. Ⅷ. -15. Ⅹ. , local collector leg. , 1999; 1600m (Paratypes) (CA)。

分布：陕西（周至）、四川。

(616) 秦岭绢金龟 *Serica* (s. str.) *qinlingshanica* Ahrens, 2005

Serica (*Serica*) *qinlingshanica* Ahrens, 2005a: 40.

鉴别特征：体长 8.10 ~ 8.40mm。体椭圆形。体深黄褐色，头部颜色更深，前胸背板与鞘翅上散布深色的不规则斑点，背侧具光泽，仅被稀疏软毛。上唇基梯形，前缘微上翻，额唇基沟不明显，微弱弯曲，眼前光滑区宽为长的 1.50 倍。眼直径与眼间距之比为 0.71（雄性）或 0.57（雌性）。触角 9 节，鳃片部 3 节，约为触角其他节长度的 2.50 倍（雄性）或等于触角其他节长度（雌性）。额区具光泽，密布大小不一的刻点，前部中央具纵向微凹陷。前胸背板短，后角锐角，前角上翻，端部锐角。前背折缘腹侧无隆起。后胸前侧片长度与后足基节长度之比约为 0.87。臀板适度弯曲，密布细刻点，中部具 1 条纵向光滑线，微弱隆起。后足胫节细长，宽与长之比约为 0.20。背侧边缘剧烈隆起，具两簇刺，基部一簇位于胫节的 1/3 处，端部一簇位于胫节的 3/4 处；腹侧边缘具小锯齿，着生两根粗刺。后足跗节第 1 节明显短于第 2 和第 3 跗节长度之和，长于背侧距长度的 2 倍。

采集记录：1 ♂, C-China, Shaanxi, Qinling Shan, 1900 ~ 2250m, 12km SW of Xunyangba, 14-18. Ⅵ. 2000, leg. C. Holzschuh (Holotype) (TICB); 1 ♂, China, Schaanxi, Ⅴ-Ⅵ. 2000, Taibai Shan, Houzhenzi vill. 33°52′N, 107°44′E, A. Plutenko leg. , 1500 ~ 2000m (Paratypes) (TICB)。

分布：陕西（周至、宁陕）、四川。

(617) 陕西绢金龟 *Serica* (s. str.) *shaanxiensis* Ahrens, 2005

Serica (*Serica*) *shaanxiensis* Ahrens, 2005a: 26.

鉴别特征：体长 7.50 ~ 10.80mm。触角黄色，足、前胸背板边缘及鞘翅红褐色，鞘翅散布不规则的黑色斑点，背侧无光泽，具稀疏软毛。上唇基近梯形，前缘微上翻，额唇基沟明显，微弱弯曲，眼前光滑区宽为长的 2 倍。眼直径与眼间距之比为 0.94（雄性）或 0.53（雌性）。触角 9 节，鳃片部 3 节，略长于触角其他节长度的 2.50 倍（雄性）或短于触角其他节长度（雌性）。额区具光泽，具大小不一的刻点，中央无纵向凹陷。前胸背板短，后角圆，前角微弱前伸，端部钝角。前背折缘腹侧无隆起。后胸前侧片长度与后足基节长度之比约为 0.72。臀板强烈弯曲，密布细刻点，中部具 1 条纵向光滑线，微弱隆起。后足胫节细长，宽与长之比为0.21～0.25。背侧边缘剧烈隆起，具两簇刺，基部一簇略近于中部，端部一簇位于胫节的3/4处；腹侧边缘具小锯齿，着生两根粗刺。后足跗节第1节略短于第2和第3跗节长度之和，约为背侧距长度的2倍。

采集记录： 1♂，China，Shaanxi，S Taibaishan Tsinling Mts.，Houzhenzi vil.，33°53′N，107°49′E，15. Ⅷ-15. Ⅹ. 1999，local collector leg.，1600m（Holotype）（DEI）；16♂138♀，China，Shaanxi，S Taibaishan Tsinling Mts.；Houzhenzi vil.，33°53′N，107°49′E；15. Ⅷ-15. Ⅹ. 1999，local collector leg.，1600m（Paratypes）（CP；CA，DEI）；1♂63♀，China，Shaanxi，Taibaishan Range，1900m，Houzhenzi vill. env.，1-12. Ⅶ. 1999，33°53′N，107°49′E，V. Sinaev &A. Plutenko lgt.（Paratypes）（CP）；4♂23♀，C. China，33°35′N，107°43′E，Shaanxi prov. Mt. Tai bei Shan，1300～1500m，20. Ⅷ-04. Ⅸ. 1998，leg. Murzin & Sinaiev（Paratypes）（CP）；3♂1♀，Chine Shaanxi Haozhenzi，14. Ⅵ. 1999，1350～2000m，Murzin leg.（Paratypes）（CDKC）；2♂，China，Schaanxi，Ⅴ-Ⅵ. 2000，Taibai Shan，Houzhenzi，vill. 33°52′N，107°44′E，A. Plutenko leg.，1500～2000m（Paratypes）（TICB）；4♂，China：Shaanxi prov. Haozhenzi，env. h = 1350～2000m，14-24. Ⅵ. 1999，S. Murzin leg.（Paratypes）（CDKC，CA）；1♂，China：Shaanxi 21-23. Ⅵ. 1998，Qing Ling Shan Mts. road Baoji-Taibai pass 35 km S of Baoji，O. Safranek & M. Tryzna（Paratypes）（CP）；1♂，China，1000～1300m，Shaanxi，Qingling mts. Xunyangba（6 km E），23. Ⅴ-13. Ⅵ. 1998，I. H. Marshall leg.（Paratypes）（CP）；1♂，China，S-Shaanxi，Qinling Mts.-central ridge 33°47′N，108°18′E，2400～2900m，10-12. 6. 95 L. + R. Businsky lgt.（Paratypes）（CA）；2♂，China：S-Shaanxi（Qinling Shan）pass on rd. Zhouzhi，Foping，105km SW Xi'an，N-slope，1990m，33°44′N，107°59′E leg. M. Schulke［C01-01］/2./4. Ⅶ. 2001，small creek valley，mixed deciduous forest，bamboo small meadows，dead wood，mushrooms（sifted）（Paratypes）（CAN）。

分布： 陕西（周至、佛坪、宁陕）、甘肃、四川。

（618）苏氏绢金龟 *Serica*（s. str.）*sudhausi* Ahrens，2005

Serica（*Serica*）*sudhausi* Ahrens，2005a：57.

鉴别特征： 体长8.00～9.80mm。体椭圆形。体褐色，头部颜色更深，黄色鞘翅上散布深色不规则斑点，背侧无光泽，仅被稀疏软毛。上唇基梯形，前缘微上翻，额唇基沟不明显，微弱弯曲，眼前光滑区宽为长的1.50倍。眼直径与眼间距之比为0.94。触角9节，鳃片部3节，约为触角其他节长度的2.50倍。额区无光泽，密布细刻点，无中央凹陷。前胸背板短，后角近直角，前角适度前伸，端部略圆。前背折缘腹侧无隆起。后胸前侧片长度与后足基节长度之比约为0.74。臀板适度弯曲，密布细刻点，中部具1条纵向光滑线，微弱隆起。后足胫节细长，宽与长之比约为0.22。背侧边缘剧烈隆起，具两簇刺，基部一簇近中部，端部一簇位于胫节的3/4处；腹侧边缘具小锯齿，着生两根粗刺。后足跗节第 1 节明显短于第 2 和第 3 跗节长度之和，略短于背侧距长度的 2 倍。

采集记录： 1♂，China，Shaanxi，Tsingling Mts.，Houzhenzi vill.，33°53′N，107°49′E，June-July 2000，1500m，Sinaev & Plutenko leg.（Holotype）（TICB）；3♂，China，Shaanxi，Tsingling Mts.，Houzhenzi vill.，33°53′N，107°49′E，June-July 2000，1500m，Sinaev & Plutenko leg.（Paratypes）（TICB，CA）。

分布： 陕西（周至）。

（619）太白山绢金龟 *Serica*（**s. str.**）***taibashanica*** **Ahrens，2005**

Serica（Serica）taibashanica Ahrens，2005a：85.

鉴别特征： 体长 9.60～10.30mm。体椭圆形。体深褐色，触角黄色，足、鞘翅及前胸背板边缘红褐色，鞘翅上散布深色不规则斑点，背侧无光泽，仅被稀疏软毛。上唇基近梯形，前缘微上翻，额唇基沟不明显，适度前伸为钝角，眼前光滑区宽为长的 1.50 倍。眼直径与眼间距之比为 0.86（雄性）或 0.60（雌性）。触角 9 节，鳃片部 3 节，约为触角其他节长度的 2.50 倍（雄性）或等于触角其他节长度（雌性）。额区无光泽，密布大小不一的刻点，无中央凹陷。前胸背板后角适度圆，前角微弱前伸，端部钝角。前背折缘腹侧无隆起。后胸前侧片长度与后足基节长度之比约为 0.64。臀板适度弯曲，密布细刻点，中部具 1 条纵向光滑线。后足胫节细长，宽与长之比约为 0.22。背侧边缘剧烈隆起，具两簇刺，基部一簇近中部，端部一簇位于胫节的 3/4 处；腹侧边缘具小锯齿，着生两根粗刺。后足跗节第 1 节略短于第 2 和第 3 跗节长度之和，等于背侧距长度的 2 倍。

采集记录： 1♂，China，Shaanxi，Taibaishan Range，1900m，Houzhenzi vill. env.，01-12. Ⅷ. 1999，33°53′N，107°49′E，V. Sinaev & A. Plutenko lgt.（Holotype）（TICB）；9♀，China，Shaanxi，Taibashan Range，1900m，Houzhenzi vill. env.，01-12. Ⅷ. 1999，33°53′N，107°49′E，V. Sinaev & A. Plutenko lgt.（Paratypes）（CP，CA）；4♀，China，Shaanxi；S Taibaishan Tsinling Mts.，Houzhenzi vil.，33°53′N，107°49′E；15. Ⅷ-15. Ⅹ. 1999，local collector leg.；1600（Paratypes）（CA，CP）；1♂，China：S-Shaanxi（Qinling Shan）pass on rd. SW Xi'an，N-slope，1990m，33°44′N，107°59′E，leg. M. Schulke[C01-01]（Paratypes）（CA）。

分布： 陕西（周至）。

（620）成都绢金龟 *Serica*（***Taiwanoserica***）***chengtuensis*** **Ahrens，2009**（图版 11：8）

Serica（*Taiwanoserica*）*chengtuensis* Ahrens，2009：287.

鉴别特征： 体长 8～9mm。体椭圆形。体红褐色，触角与鞘翅黄色，鞘翅上散布深色斑点，背侧无光泽，仅被稀疏软毛。上唇基近梯形，前缘微上翻，额唇基沟不明显，中部强烈弯曲。眼前光滑区宽为长的1.50倍。眼直径与眼间距之比为0.49。触角10节，鳃片部3节，与触角其他节长度等长(雄性)或略短于触角其他节长度(雌性)。额区无光泽，密布细刻点，无中央凹陷。前胸背板后角强烈圆，前角前伸，端部近直角。前背折缘腹侧不隆起。后胸前侧片长度与后足基节长度之比为0.80。臀板强烈弯曲，密布细刻点，中部无纵向光滑线。后足胫节适度细长，宽与长之比为0.25。背侧边缘剧烈隆起，具两簇刺，基部一簇位于胫节的1/3处，端部一簇位于胫节的2/3处。后足跗节第1节明显短于第2和第3跗节长度之和，比背侧距长出1/3。

采集记录：2♂2♀，留坝庙台子，1991.Ⅸ.06，田润刚采(NWAFU)。

分布：陕西(留坝)、四川。

(621) 格氏绢金龟 *Serica feisintsiensis* Ahrens, 2007(图版12：1)

Serica feisintsiensis Ahrens, 2007b: 9.

鉴别特征：体长7.50mm。体椭圆形。体黄色至红褐色，无绿色光泽。上唇基近梯形，前缘微弱上翻，中央微弱凹陷。额唇基沟不明显，适度弯曲。眼前光滑区长为宽的1.50倍。眼直径与眼间距之比为0.67。触角9节，鳃片部3节，长度是触角其他节长度的1.30倍(雄性)。额区无光泽，密布小刻点，无中央凹陷。前胸背板后角钝，前角直角，适度前伸。前背折缘腹侧不隆起。后胸前侧片长度与后足基节长度之比约为0.74。臀板适度弯曲，密布细刻点，中部具纵向光滑线。后足胫节适度细长，宽与长之比约为0.31。背侧边缘剧烈隆起，具两簇刺，基部一簇位于胫节中部，端部一簇位于胫节的3/4处；腹侧边缘具小锯齿，着生两根相互等距粗刺。

采集记录：1♂，佛坪，1999.Ⅵ.26，890m，章有为采(IZAS)；1♂，宁强，1980.Ⅵ.(NWAFU)。

分布：陕西(佛坪、宁强)、甘肃、四川。

216. 长角绢金龟属 *Tetraserica* Ahrens, 2004

Tetraserica Ahrens, 2004a: 168. **Type species**: *Neoserica gestroi* Brenske, 1898.

属征：体中型至大型，体长6～12mm。多数深褐色，腹侧红褐色，背侧暗淡或光滑。触角黄色，10节，雄虫鳃片部4节，直，长于触角余部长的1.50倍；雌虫3节，与触角余部长几乎相等。颏隆起，前部略平。中足基节间的中胸腹板与中足腿节几乎等宽。足适度宽，前跗节短，具两枚齿，前足爪对称。阳基中部向背侧具1个延伸是本属的重要鉴定特征。

分布：以东洋区为主，在印度马来亚区的高山地区和新北区有少量种类。世界已知37种，中国已记录29种，秦岭地区发现1种。

（622）四姑娘山长角绢金龟 *Tetraserica sigulianshanica* Liu，Fabrizi，Yang *et* Ahrens，2014（图版12：2）

Tetraserica sigulianshanica Liu，Fabrizi，Yang *et* Ahrens，2014b：94.

鉴别特征：体长6.60～7.60mm。体椭圆形。体深棕色，触角鳃片部黄褐色。体表大部分光裸无毛，腹侧红褐色。上唇基近梯形，前缘适度上翘。额唇基沟明显，不隆起，微弱向前弯曲。眼前光滑区宽为长的2倍。眼直径与眼间距之比为0.60。触角10节，鳃片部4节，长度约为触角其他节长度的1.20倍。前胸背板短，前角钝角，微弱前伸，端部略圆；后角钝，强烈圆形，前背折缘不隆起。后胸前侧片长度与后足基节长度之比约为0.71。臀板微弱下弯，密布大小不一的刻点，背侧中央无光滑线。后足胫节短宽，宽与长之比为1/3；背侧边缘剧烈隆起，具两簇刺，基部一簇位于胫节1/3处，端部一簇位于胫节的2/3处；腹侧边缘具小锯齿，着生4根等距的刺。后足第1跗节略短于第2和第3跗节长度之和，略长于背侧距的3倍。

采集记录：1♂（副模），佛坪，1999.Ⅵ.26，890m，章有为采（IZAS）；1♂（副模），宁陕，1982.Ⅷ，诱（NWAFU）；3♂（副模），岚皋民主镇，2003.Ⅶ.04，苑彩霞、刘玉双采（HBUM）。

分布：陕西（佛坪、宁陕、岚皋）、甘肃、四川。

217. 云鳃金龟属 *Polyphylla* Harris，1841

Polyphylla Harris，1841：30. **Type species**：*Melolontha variolosa* Hentz，1830.

属征：体大型，体背被各式白色或乳白色鳞片组成的斑纹。唇基宽大，触角10节，雄虫鳃片部7节，雌虫鳃片部6节，胸下绒毛厚密。爪发达。

分布：古北区，东洋区，非洲区。世界已知200余种，中国已记录23种，秦岭地区发现2种。

分种检索表

体背被各式白色或乳白色鳞片组成的斑纹，雄虫前足胫节外缘具2枚齿 ………………………………………………………………………… 大云鳃金龟 ***P.*（*Gynexophylla*）*laticollis chinensis***

体背面鳞片较稀，雄虫前足胫节外缘具1枚齿 …………………… 小云鳃金龟 ***P. gracilicornis***

(623) 大云鳃金龟 *Polyphylla* (*Gynexophylla*) *laticollis chinensis* Fairmaire, 1888

Polyphylla chinensis Fairmaire, 1888c: 17.
Polyphylla laticollis chinensis: Reitter, 1902: 271.
Polyphylla potanini Semenov, 1890: 198.
Polyphylla vacca Semenov, 1890: 199.

鉴别特征： 体长31.00～38.50mm。体栗褐至黑褐色，头、前胸背板及足色泽常较深，鞘翅色较淡，体上面被各式白色或乳白色鳞片组成的斑纹。头上鳞片披针形，前胸背板鳞片疏密不均。体大型，长椭圆形，背面相当隆拱。头中等，唇基阔大，前方微扩阔(雄性)或略收狭(雌性)，密布具鳞片的皱形刻点，前缘强烈上翘，俯视接近横直，侧端最高，中段微弧凸；头面刻点相似，密被灰黄或棕灰色绒毛。触角10节，雄虫鳃片部由7节组成，十分宽阔长大，向外侧弯曲，长达前胸背板长的1.25～1.33倍；雌虫鳃片部短小，由6节组成。前胸背板阔大，宽度常近长度之倍，密布粗大刻点，中后部刻点明显较疏；盘区略三角形隆凸，前侧部微凹陷；前缘有粗长纤毛，侧缘钝角形扩出，有具毛缺刻，前段直；前侧角钝角形，后端微内弯，多数个体后侧角略微翘，近直角形或锐角形，后缘边框近完整且无毛。小盾片大，中纵滑亮，两侧被白鳞。鞘翅无纵肋，具鳞片刻点，分布不均，似云纹。臀板及腹下密被针状短毛。胸下绒毛厚密。雄虫腹下有宽纵凹沟，雌虫腹下饱满。雄虫前足胫节外缘具2枚齿，雌虫具3枚齿；爪发达，对称。

分布： 陕西(秦岭)、黑龙江、吉林、辽宁、内蒙古、北京、河北、山西、山东、河南、甘肃、江苏、安徽、四川、云南、西藏；朝鲜，日本。

(624) 小云鳃金龟 *Polyphylla gracilicornis* (Blanchard, 1871) (图版12：3)

Melolontha gracilicornis gracilicornis Blanchard, 1871: 811.
Polyphylla gracilicornis gracilicornis: Fairmaire, 1888a: 16.
Polyphylla hirtifrons Reitter, 1899: 202.
Polyphylla mongola Fairmaire, 1888c: 16.

鉴别特征： 体长26.00～28.50mm。体大型，长椭圆形。体栗褐至深褐色，头、前胸背板色较深，体颇光亮。体上面鳞片较稀，头、前胸背板鳞片狭长，呈披针形，在唇基前部及头面两侧较多，额头顶部仅散布少数鳞片；前胸背板鳞片斑纹与大云鳃金龟相似，唯中纵纹常贯达全长，外侧环形斑常较模糊；鞘翅云斑小而较少，斑间基本无零星鳞片，鳞片纺锤形。头上自唇基后半至额被灰褐色长毛，唇基宽大，前缘中段微内弯(雄性)，雌虫唇基短，前缘中央内弯明显，后方无具毛刻点，额部刻点粗大皱褶，头顶后头光滑。触角10节，雄虫鳃片部由7节组成，甚长大弯曲；雌虫鳃片部由6节组成，短小。前胸背板短阔，颇不平整，高凸出，常光滑无刻点；前缘有许多粗毛，侧缘弧形扩出，锯齿形，缺刻中有毛；前、后侧角皆钝角形，后缘除中段外有成排的粗长纤毛。小盾片中间大部平滑无刻点。鞘翅较短，肩突较发达。臀板近三角形，密布针尖状伏毛。胸下绒毛厚密。雄虫前足胫节外缘具 1 枚齿，雌虫具 3 枚齿。爪修长。

分布：陕西(秦岭)、内蒙古、河北、河南、宁夏、青海、甘肃、四川。

218. 阿鳃金龟属 *Apogonia* Kirby, 1819

Apogonia Kirby, 1819: 401. **Type species**: *Apogonia gemellata* Kirby, 1819 (= *Melolontha rauca* Fabricius, 1781).

属征：体小型，体表光亮，头宽大，唇基小，触角 10 节，鳃片部短小，由 3 节组成。鞘翅密布刻点，4 条纵肋可见。臀板小，具粗大有毛刻点。胸下具毛，前足胫节外缘具 3 枚齿。

分布：古北区，东洋区。世界已知 500 余种，中国已记录 17 种，秦岭地区发现 2 种。

分种检索表

体棕黑、黑褐或栗褐色；额唇基缝微陷而模糊，前胸背板密布椭圆形刻点 ………………………………………………… **华阿鳃金龟 *A. chinensis***

体黑褐或红褐色；额唇基缝下陷，中段后弯，前胸背板布脐形刻点 … **黑阿鳃金龟 *A. cupreoviridis***

(625) 华阿鳃金龟 *Apogonia chinensis* Moser, 1918

Apogonia chinensis Moser, 1918: 231.

鉴别特征：体长 7 ~ 8mm。体小型，卵圆形。体棕黑、黑褐或栗褐色，体表相当光亮。头宽大，唇基短小，横条新月形，密布深大刻点，边缘微折翘，额唇基缝微陷而模糊；头面微弧隆，散布相似刻点。触角 10 节，鳃片部短小，由 3 节组成。前胸背板短阔，宽为长之倍余，密布椭圆形刻点，前缘边框宽而无毛，前方有膜质饰边，侧缘边框纤细完整，前侧角锐角形前伸，后侧圆弧形。小盾片三角形，中纵及端部光滑，两侧散布刻点。鞘翅密布刻点，4 条纵肋可见，侧缘前段弧形扩出，自扩出处向后有渐见增宽的膜质饰边。臀板短小，散布粗大具毛刻点。胸下密布具毛刻点。腹部刻点稀而大。前足胫节外缘前段具 3 枚齿，后段完整或可见 1 个或 2 个微小缺刻，内缘距发达；爪粗壮。

分布：陕西(秦岭)、吉林、辽宁、河北、山西、山东、河南、甘肃、湖北；朝鲜。

(626) 黑阿鳃金龟 *Apogonia cupreoviridis* Kolbe, 1886(图版 12：4)

Apogonia chinensis Moser, 1918：231.

鉴别特征：体长 8.00～10.5mm。体小型，长椭圆形。体多呈黑褐色，最淡者红褐色，体表甚亮。头宽大，唇基短宽，略似梯形，密布深大扁圆刻点，点间横皱，边缘折翘，前缘近直，侧缘斜直。额唇基缝下陷，中段后弯，额头顶部较不平坦，密布深大刻点，沿额唇基缝陡隆，前中部凹陷。触角 10 节，鳃片部由 3 节组成，短小。前胸背板布脐形刻点，前侧角锐角形前伸，后侧角钝角形。小盾片三角形，散布少量刻点。鞘翅平坦，缝肋及 4 条纵肋清楚，侧缘前段明显钝角形扩阔，缘折宽，有膜质边饰。臀板小而隆拱，中纵常呈脊状，散布深大具毛刻点。胸下具微毛，刻点密布，后胸腹板盘区滑亮。腹部具毛，刻点浅稀。前足胫节外缘具 3 枚齿。

分布：陕西(秦岭)、黑龙江、辽宁、河北、山西、山东、河南、安徽、甘肃；朝鲜，日本。

219. 婆鳃金龟属 *Brahmina* Blanchard, 1851

Brahmina Blanchard, 1851：140. **Type species**：*Melolontha cylindrica* Gyllenhal, 1817.
Rhizocolax Motschulsky, 1860a：130. **Type species**：*Rhizocolax conspersus* Motschulsky, 1860.

属征：体小到中型，长卵圆形，全体被毛。触角 10 节，鳃片部 3 节。前胸背板散布浅而大的刻点。胸下被密绒毛。爪细长，爪下中部有 1 个弱小的斜生爪齿。

分布：古北区，东洋区。世界已知 100 余种，中国已记录 38 种，秦岭地区发现 2 种。

分种检索表

体栗褐或淡褐色；前胸背板无狭长的白毛带或毛斑；小盾片三角形，不为绒毛盖住 ………………………………………………………………………………………… 发婆鳃金龟 *B. faldermanni*

体棕褐至赤褐色；前胸背板除密被长纤毛外，中纵有狭长的白色毛带，两侧有对称的“S”形纵行白色毛斑；小盾片短阔三角形，几乎为浓密的乳黄色绒毛盖住 …………… 波婆鳃金龟 *B. potanini*

(627) 发婆鳃金龟 *Brahmina faldermanni* Kraatz, 1892(图版 12：5)

Brahmina faldermanni Kraatz, 1892：309.

鉴别特征：体长 9.00～12.2mm。体长卵圆形。体栗褐或淡褐色，鞘翅色泽常略淡，全体被毛。唇基梯形，密布深大刻点，前部刻点具毛，前缘近横直，头顶粗糙，刻点粗大皱密，头顶约略可见皱褶状横脊。触角 10 节，雄虫鳃片部较长大，约等于其前 6 节之总长，雌虫则短小。前胸背板密布或大或小的浅圆形具长毛的刻点，侧缘锯齿形，齿刻中有长毛，前后侧角皆钝角形。小盾片三角形，散布许多具竖毛刻点。鞘翅密布深大具毛刻点，基部毛明显较长，第 1 条纵肋可辨。臀板具毛刻点密布。胸下被毛柔长，腹下密布具毛刻点，后足跗节第 1 节略短于第 2 节，爪端部深裂为二齿，其中一齿下支末端横切。

分布：陕西（秦岭）、辽宁、北京、河北、山西、甘肃；俄罗斯。

注：本种有时被称作"福婆鳃金龟"。

（628）波婆鳃金龟 *Brahmina potanini*（Semenov，1891）

Rhizotrogus potanini Semenov，1891：318.

Brahmina potanini：Dalla Torre，1912：222.

Brahmina brenskei Reitter，1900：158.

鉴别特征：体长 13.20～15.00mm。体中型，卵圆形，后方略扩阔。体棕褐至赤褐色，头面及腹部深褐至黑褐色，臀板棕褐色。体表多毛，前胸背板除密被长纤毛外，中纵有狭长白色毛带，两侧有对称的"S"形纵行白色毛斑。头较小，唇基短宽，密布具短绒毛的刻点，边缘十分折翘，前缘微见中凹，侧角弧形；额唇基缝与前缘平行；头上具密集的粗糙刻点，复眼具眼眦。触角 10 节，鳃片部由 3 节组成，雄虫触角鳃片部十分长大，明显长于其前 6 节长之和，由基向端略扩阔，末端近平截；雌虫短小，不及前 6 节长之和。下颚须末节短小，末端收尖。前胸背板短阔，散布浅大刻点，盘区两侧刻点最稀，周缘排列粗长纤毛，前缘边框宽，侧缘边框狭，疏浅锯齿形，后缘无边框。小盾片短阔三角形，几乎被浓密的乳黄色绒毛盖住。鞘翅较短，缝肋宽，贯达翅端，第 1、2 条纵肋甚宽阔，末端会合于端突，第 3 和第 4 条纵肋较弱，肋间密布具灰白色毛的刻点，纵肋上具毛，刻点较少，致鞘翅略现灰白色纵带，肩突、端突发达。臀板较长，密布具毛刻点。胸下绒毛密，腹下密被灰白色卧毛，侧端最密，呈三角形毛斑。前足胫节外缘具明显的 3 个齿，齿间夹角锐角；爪细长，爪下中部有 1 个弱小的斜生爪齿。

采集记录：2 头，佛坪，890m，1999. Ⅵ. 26（IZAS）；1 头，宁陕火地塘，1580m，1999. Ⅵ. 28（IZAS）。

分布：陕西（佛坪、宁陕）、山西、甘肃、青海、四川；尼泊尔。

220. 黄鳃金龟属 *Pseudosymmachia* Dalla Torre，1912

Pseudosymmachia Dalla Torre，1912：224. **Type species**：*Symmachia chinensis* Brenske，1892（= *Metabolus impressifrons* Fairmaire，1887）.

Metabolus Fairmaire, 1887: 107. **Type species**: *Metabolus tumidifrons* Fairmaire, 1887.

Symmachia Brenske, 1892: 151. **Type species**: *Symmachia chinensis* Brenske, 1892.

Ablotemus Paulsen et Smith, 2003: 254. **Type species**: *Metabolus tumidifrons* Fairmaire, 1887.

属征：体表多光裸无毛，如被毛，毛则短且多倒伏，而非直立。多数种类触角 9 节，部分为 10 节，触角鳃片部 3 节。唇基前缘直或稍呈波状。胸部腹面具黄色长毛，腹部光亮，前足基节后方具 1 个板状突起。跗节爪端部呈两叶状。阳基侧突平伸，与阳基等长或长于阳基，腹面骨化，两阳基侧突片于背面完全愈合。

分布：古北区，东洋区。世界已知 25 种，中国已记录 24 种，秦岭地区发现 1 种。

(629) 小黄鳃金龟 *Pseudosymmachia flavescens* (Brenske, 1892)

Metabolus flavescens Brenske, 1892: 153.

Pseudosymmachia flavescens: Löbl & Smetana, 2006: 51.

鉴别特征：体长 11.00 ~ 13.60mm。体中型偏小，较狭长。体浅黄褐色，头、前胸背板色泽最深，呈淡栗褐色，鞘翅色最浅而带黄，全体被匀密短毛。头大，唇基密布大型具毛刻点，前缘中凹较显，额唇基缝几乎不下陷；头面密布粗大刻点，额有明显中纵沟，两侧丘状隆起。触角 9 节，鳃片部短小，由 3 节组成，雄虫较长。下颚须末节细狭。前胸背板具毛刻点，颇匀密，前缘边框有成排粗大的具长毛刻点，侧缘前段直，后端微内弯，前后侧角皆大于直角。小盾片短阔三角形，散布具毛刻点。鞘翅刻点密，仅第 1 条纵肋明显可见。胸下密被绒毛。前足胫节外缘 3 个齿，内缘距粗长；爪圆弯，爪下有小齿。

分布：陕西(秦岭)、北京、河北、山西、山东、河南、甘肃、江苏、浙江；中亚。

221. 齿爪鳃金龟属 *Holotrichia* Hope, 1837

Holotrichia Hope, 1837: 100. **Type species**: *Melolontha serrata* Fabricius, 1792.

属征：体中型，体长 14.20 ~ 30.30mm。长卵圆形。体色多单调，以红褐、棕褐、黑褐居多，头、胸部色泽常较深。触角 9 或 10 节，鳃片部 3 节。头部背侧简单或具横脊。前胸背板横阔，前缘、侧缘具显著边框，侧缘常明显外扩；后缘边框有或无。小盾片三角形或近半圆形，宽多大于长。鞘翅接缝处纵肋明显，多数种类每鞘翅具 4 条纵肋，少数不足 4 条，距接缝处最近的纵肋(即第 1 条纵肋)最宽。胸部腹板密被绒毛。臀板外露，腹部可见 6 腹板，第 5 腹板后部常见缢痕或凹坑。足开掘式，前足胫节外缘具 3 个齿，内侧具 1 个发达的针状距，中后足胫节末端着生两个距。爪发达。

分布：古北区，东洋区。世界已知500余种，中国已记录73种，秦岭地区发现6种。

分种检索表

1. 臀板及腹部散布匀密细刻点，刻点着生直立刚毛 …………………… **峨眉齿爪鳃金龟 *H. omeia***
   臀板及腹部刻点疏大，无毛或仅少数刻点有毛……………………………………………………… 2
2. 体表多少被灰白粉层或波状闪光 ……………………………………………………………………… 3
   全体油亮，不被闪光粉层…………………………………………………………………………… 5
3. 前胸背板后缘微凹陷；下颚须末节甚扁阔，上方外侧有明显削痕，末端平截；第1条纵肋后方不显著扩阔，远离鞘翅接缝………………………………………………… **铅灰齿爪鳃金龟 *H. plumbea***
   前胸背板后缘侧部有较阔边框，平行排列多个长大椭圆形刻点；下颚须末节棒形或纺锤形，上方外侧无削痕，末端几不平截；鞘翅第1条纵肋后方明显扩阔，接近鞘翅接缝，并大多互相接触 ……………………………………………………………………………………………… 4
4. 前胸背板侧缘前段几何形，臀板微隆，参差分布深而大的刻点 ……… **暗黑鳃金龟 *H. parallela***
   前胸背板侧缘前段向前圆形拱突，臀板刻点更少而浅…………………… **似齿爪鳃金龟 *H. similis***
5. 唇基宽长，稍宽于额，密布圆深刻点，前缘中段微弧凹；臀板短阔，上半部显著额状凸起，下半部平直或略弧凹 ………………………………………………… **额臀大黑鳃金龟 *H. convexopyga***
   唇基短阔，前缘、侧缘向上弯翘，前缘中凹显；臀板下部强度向后隆凸，隆凸高度几及末腹板长之倍，末端圆尖 …………………………………………………………… **华北大黑鳃金龟 *H. oblita***

（630）暗黑鳃金龟 *Holotrichia parallela*（Motschulsky，1854）（图版12：6）

Ancylonycha parallela Motschulsky，1854c：64.
Holotrichia morosa Waterhouse，1875：104.
Holotrichia parallela：Lewis，1895：35.

鉴别特征：体长16.00~21.90mm。体色变幅很大，有黄褐、栗褐、黑褐至沥黑色，以黑褐、沥黑个体为多，体被淡蓝灰色粉状闪光薄层，腹部薄层较厚，闪光更显著，全体光泽较暗淡。体型中等，长椭圆形，后方常稍膨阔。头阔大，唇基长大，前缘中凹微缓，侧角圆形，密布粗大刻点；额头顶部微隆拱，刻点稍稀。触角10节，鳃片部甚短小，由3节组成。前胸背板密布深大椭圆刻点，前侧方较密，常有宽而亮的中纵带；前缘边框阔，有成排刚毛，侧缘弧形扩出，前段直，后端微内弯，中点最阔；前侧角钝角形，后侧角直角形，后缘边框阔，为大型椭圆刻点所断。小盾片短阔，近半圆形。鞘翅散布脐形刻点，4条纵肋清楚，第1条纵肋后方显著扩阔，并与缝肋及第2条纵肋相接。臀板长，几乎不隆起，分布深而大的刻点。胸下密被绒毛。后足跗节第1节明显长于第2节。

采集记录：1头，周至厚畛子，1350m，1999. Ⅵ. 22（IZAS）。

分布：陕西（周至）、黑龙江、山东、河南、甘肃、上海、安徽、四川；俄罗斯，朝鲜，韩国，日本，东洋区广布。

(631) 铅灰齿爪鳃金龟 *Holotrichia plumbea* Hope, 1845

Holotrichia plumbea Hope, 1845: 8.

鉴别特征: 体长 17～22mm。体棕褐色，头、前胸背板及小盾片较鞘翅颜色略深，体背被铅灰色粉层。头小，具细刻点，唇基边缘上翘，尤其两侧强烈上翘。触角红褐色，10 节，鳃片部 3 节。前胸背板宽，具细刻点，侧缘自中部后向外凸出，前侧角呈锐角前凸，前缘内凹，中央具 1 条平滑纵带。小盾片半圆形，鞘翅具 4 条纵肋，其中鞘翅缝肋隆起最明显。肩突明显，鞘翅刻点较头、胸为大。胸部腹面红褐色，密被长黄毛。足红褐色，前胫节外缘具 3 个齿，内缘具 1 个距，后足胫节具 2 个端距，后足第 1 和第 2 跗节几乎等长。爪下缘中央具 1 个齿。腹部黄色，雄虫臀板较圆，雌虫较尖。

分布: 陕西(秦岭)、甘肃、浙江、台湾、广东。

(632) 峨眉齿爪鳃金龟 *Holotrichia omeia* Chang, 1965

Holotrichia omeia omeia Chang, 1965: 50.

鉴别特征: 体上方及足棕色带黑，十分油亮，胸下及腹部色较淡。体扁圆，后方略膨阔。头宽大，唇基前缘中凹显著，侧缘圆形，散布粗大刻点；额部散布具毛刻点；触角甚细长，鳃片部明显短于前 5 节之和。前胸背板短阔，密布刻点，至少在前部中央可见前纵沟，前缘边框宽平，疏布具毛刻点，后缘侧段密列略椭圆形刻点，侧缘微扩阔，最阔点略后于中点，前段有少数具毛缺刻，前角锐，甚前伸，后角圆钝。小盾片近半圆形，散布刻点。臀板及腹下匀密分布细小具短竖毛的刻点。前足胫节内侧沿距与中齿对生，后足胫节横脊完整。后足第 1 跗节明显长于第 2 跗节。爪齿中位垂直，末端微向爪基弯折。雄虫臀板正常，末腹板短小；雌虫臀板两侧均等凹陷，中纵隆起似脊，后端翘起。

采集记录: 1 头，佛坪，890m，1999. Ⅵ. 26(IZAS)。

分布: 陕西(佛坪)、四川。

(633) 似齿爪鳃金龟 *Holotrichia similis* Medvedev, 1951

Holotrichia similis Medvedev, 1951: 299.

鉴别特征: 体长 19mm。体暗红褐色。前胸背板侧缘前段向前圆形扩突。头阔大，唇基前缘中凹，密布粗大刻点；额头顶部微隆，刻点稍稀，后头光滑无刻点；触角鳃片部短小卵形，短于柄节，略长于其前 4 节之和(雄性)。前胸背板散布深而大的椭圆刻点，前缘边框阔。鞘翅散布脐形刻点。臀板微隆，刻点较少且浅。后足跗节第 1 节明显长于第 2 节；爪中部具 1 个齿，垂直于爪，略大于端部齿。

采集记录：1♂，周至厚畛子，1350m，1999. Ⅵ.24（IZAS）。

分布：陕西（周至）、黑龙江、吉林、辽宁、内蒙古、河北、山西、山东、甘肃。

（634）额臀大黑鳃金龟 *Holotrichia convexopyga* Moser，1913

Holotrichia convexopyga Moser，1913：435.

鉴别特征：体长 18～20mm。体中型，后方微扩阔，背腹较扁圆形。体黑褐或栗褐色，十分油亮。唇基宽长，稍宽于额，密布圆深刻点，前缘中段微弧凹；额头顶部刻点较大较稀。触角 10 节，鳃片部由 3 节组成，雄虫鳃片部长大，长于其前 6 节长之和。前胸背板散布刻点，侧缘弧形扩出，最阔点略前于中点，前、后侧角皆钝角形。小盾片近半圆形，仅基部有少数刻点。鞘翅缝肋、纵肋均宽而显。臀板短阔，上半部显著额状凸起，下半部平直或略弧凹。后足第 1 跗节略短于第 2 跗节。

分布：陕西（秦岭）、甘肃、江西；韩国，日本。

（635）华北大黑鳃金龟 *Holotrichia oblita*（Faldermann，1835）

Ancylonycha oblita Faldermann，1835：459.

Holotrichia oblita：Dalla Torre，1912：204.

鉴别特征：体长 17.00～21.80mm。体中型，长椭圆形，体背腹较鼓圆丰满。体黑褐色至黑色，油亮，光泽强。唇基短阔，前缘、侧缘向上弯翘，前缘中凹显。触角 10 节，雄虫鳃片部约等于其前 6 节总长。前胸背板密布粗大刻点，侧缘向侧弯扩，中部最阔，前段有少数具毛缺刻，后段微内弯。小盾片近半圆形。鞘翅密布刻点及微皱，纵肋可见。肩凹、端凹较发达。臀板下部强烈向后隆凸，隆凸高度是末腹板长的数倍，末端圆，第 5 腹板中部后方有较深狭的三角形凹坑。胸下密被柔长黄毛。前足胫节外缘具 3 个齿，后足跗节第 1 节略短于第 2 节，爪下齿中位垂直生。

采集记录：5♂，周至厚畛子，1350m，1999. Ⅵ.01（IZAS）。

分布：陕西（周至）、黑龙江、北京、河北、山东、河南、甘肃、江苏、安徽、四川；俄罗斯，韩国，日本。

222. 平爪鳃金龟属 *Ectinohoplia* Redtenbacher，1867

Ectinohoplia Redtenbacher，1867：63. **Type species**：*Ectinohoplia sulphuriventris* Redtenbacher，1867.

属征：触角 9 节，鳃片部 3 节。上唇明显低于唇基。第 5 腹板与前臀板被沟分开。前臀板全部或几乎全部不为鞘翅所覆盖，鞘缝后部具刚毛簇。前足胫节具刺，中足、后足胫节无端刺，前足、中足跗节两爪几乎对称，后足跗节仅单爪。

分布：古北区，东洋区。世界已知43种，中国已记录24种，秦岭地区发现1种。

(636) 红脚平爪鳃金龟 *Ectinohoplia rufipes* Motschulsky, 1860（图版12：7）

Hoplia rufipes Motschulsky, 1860a: 133.

Ectinohoplia rufipes: Reitter, 1903: 110.

鉴别特征：体长7.00～9.50mm。体深褐至黑褐色，鞘翅棕红色，各足红褐色。体表被多种鳞片，背面色泽晦暗，腹面有珠光。体小型，头较大，唇基阔，近梯形，前侧角圆形，被20余根针状竖毛，有时有几枚零星鳞片；头面平整，密被圆或近圆形、椭圆形的银黄色大鳞片，其间有短竖毛杂生。触角10节，鳃片部甚短小，呈卵圆形或圆形，由3节组成；柄部柄节长大，第2节近球形，3～7节多少呈三角形。前胸背板基部稍狭于翅基，相当隆拱，密被灰黄褐色圆至椭圆形鳞片，四周及中纵鳞片呈淡银灰色，侧缘锯齿形；前侧角近直角形，后侧角弧形。小盾片长三角形，侧缘略弧形，密被类似鳞片。鞘翅密被近圆形鳞片，背面鳞片多呈棕色，后半部常有淡黄绿色鳞片组成的两条"人"字形横带，前半部有淡色鳞片杂生，肩突外侧、鞘翅端部鳞片多呈淡金黄色或淡银绿色，与臀板及腹面鳞片相似；缝角处有粗壮刺毛4～5根。前臀板大部外露，臀板大，均密被圆大的淡银绿或污黄色鳞片。腹面鳞片相似，但更大。足较纤弱，散布零星鳞片；前足胫节外缘3个齿；前足和中足2个爪大小较接近，末端分裂，后足1个爪完整。

分布：陕西（秦岭）、黑龙江、吉林、辽宁、山西、甘肃；俄罗斯，朝鲜。

223. 单爪鳃金龟属 *Hoplia* Illiger, 1803

Hoplia Illiger, 1803: 226. **Type species**: *Scarabaeus argenteus* Poda von Neuhaus, 1761.

Diphydactylus Thomson, 1858: 58. **Type species**: *Diphydactylus singularis* Thomson, 1858.

属征：触角9节，鳃片部3节。上唇明显低于唇基。第5腹板与前臀板被沟分开。前臀板全部或几乎全部为鞘翅所覆盖，鞘缝后部无刚毛簇。前足胫节具刺，中足、后足胫节无端刺，前足、中足跗节两爪几乎对称，后足跗节仅单爪。

分布：古北区，东洋区，非洲区。世界已知400余种，中国已记录69种，秦岭地区发现1种。

(637) 戴单爪鳃金龟 *Hoplia davidis* Fairmaire, 1887（图版12：8）

Hoplia davidis Fairmaire, 1887: 314.

鉴别特征：体长12.60～14.00mm。体中型，卵圆形，扁宽。体黑褐到黑色，鞘翅淡红棕色。除唇基外，体表均密被鳞片，头部鳞片短椭圆形，淡银绿色，有光泽。前胸背板、小盾片、鞘翅的鳞片卵形或椭圆形，浅黄绿色，无光泽，鞘翅近侧缘的鳞片近方形，前臀板后方、臀板及腹部腹面的鳞片近圆形，浅银绿色，有光泽；胸部腹面的鳞片椭圆形，足的股节和胫节上也有少许鳞片。唇基横条形，边缘弯翘，前缘近平直，疏被褐色细毛。触角10节，褐色，鳃片部3节。眼眦不及眼直径的1/2。前胸背板隆起，疏布黑色短刺毛，侧缘圆弧形外扩，前侧角十分前伸，几乎达眼之中点，尖锐，后侧角钝。小盾片盾形。鞘翅肩突、端突明显，纵肋几乎不见，散生黑色短刺毛或裸露小点。臀板近半椭圆形，边缘密被黄褐色细毛。足股节和胸下密被黄褐色细长毛，腹部腹面各节有1横列毛。足粗壮，前胫节外缘3枚齿，无内缘距；前足、中足两爪大小差别显著，小爪仅及大爪长的1/4，大爪端部近背面分裂，雄虫的大爪长大，分裂很深，后足1个爪，端部不裂。

分布：陕西（秦岭）、辽宁、内蒙古、北京、河北、河南、甘肃、青海、四川。

224. 双缺鳃金龟属 *Diphycerus* Fairmaire, 1878

Diphycerus Fairmaire, 1878: 100. **Type species**: *Diphycerus davidis* Fairmaire, 1878.

属征：体小型，长椭圆形。前胸背板后缘中部在小盾片前有1对齿形凹缺。鞘翅短。足粗壮。

分布：古北区，东洋区，非洲区。世界已知6种，中国已记录4种，秦岭地区发现1种。

（638）毛双缺鳃金龟 *Diphycerus davidis* Fairmaire, 1878

Diphycerus davidis Fairmaire, 1878: 100.

鉴别特征：体长5.70mm。体小型，长椭圆形。体黑色，全体被毛，相当光亮。头面被毛疏而短，黄褐色，唇基前缘圆弧形，边缘略弯翘，密布粗浅皱纹；头顶密布小颗粒状刻纹。触角9节，鳃片部由3节组成，约与其前5节总长相等。前胸背板横阔，弧隆，密被深褐色长毛，两侧及中部具纵带状乳白色长毛。侧缘钝角形扩出，后缘边框宽而滑亮，中部在小盾片前有1对齿形凹缺，前侧角直角形，后侧角圆弧形。小盾片三角形，两侧密列尖端相对的乳白色短毛，基缘双波形，凸出部分恰与前胸背板后缘双凹相契合。鞘翅短，前臀板大部外露，密布细皱纹。臀板近半椭圆形，微隆，密被尖端向心的乳白色针尖形毛。腹面密被乳白色绒毛。足较壮，后足尤其长而大，前足胫节外缘具2枚齿，内缘距与外缘基齿对生，前足2个爪短，末端分裂，中足、后足爪细长，不分裂，中足、后足均有2个端距。

采集记录：1头，周至厚畛子，1350m，1999. Ⅵ. 15（IZAS）。

分布：陕西（周至）、山西、河南。

（五）丽金龟亚科 Rutelinae

路园园 白明 杨星科

（中国科学院动物进化与系统学重点实验室，中国科学院动物研究所，北京 100101）

鉴别特征： 丽金龟多数种类色彩艳丽，有古铜、铜绿、墨绿等金属光泽，不少种类体色单调，呈棕、褐、黑、黄等色。体小型到大型，以体型中等者为多。体多卵圆形或椭圆形，腹面、背面均较隆拱。头前口式，上唇略突出于唇基之外（除 Anomalini 族 *Anomalacra* 属外）；触角 9～10 节，以 9 节者为多，鳃片部 3 节。前胸背板横阔，前狭后阔。小盾片发达显著，三角形。前足基节窝横向。鞘翅缘折于肩后，不内弯。后胸后侧片及后足基节侧端不外露。臀板外露。胸下被绒毛。足发达，中足、后足端部有端距 2 枚；各足有爪 1 对，大小有异，前足、中足 2 个爪之较大爪末端常裂为两支；有时爪退化为 1 个（*Leptohoplia* 属）。

生物学： 成虫危害植物地上部分，幼虫（蛴螬）则危害作物及植物地下部分，是重要的害虫。

分类： 世界已知约 200 属 4100 种，中国已记录 25 属 495 种，陕西秦岭地区发现 7 属 21 种，其中双带发丽金龟 *Phyllopertha bifasciata* 为陕西省首次记录。

分属检索表

1. 上唇角质，前缘中部延伸呈喙状 ………… **喙丽金龟属 *Adoretus***
   上唇膜质，前缘中部不延伸呈喙状 ………… 2
2. 前胸背板后缘中部弧形弯曲，鞘翅向后明显收狭 ………… **弧丽金龟属 *Popillia***
   前胸背板后缘弧形后扩或近横直 ………… 3
3. 中胸腹板具发达前伸腹突 ………… **矛丽金龟属 *Callistethus***
   中胸腹板无前伸腹突或前伸腹突短 ………… 4
4. 前胸背板基部明显狭于鞘翅基部 ………… **发丽金龟属 *Phyllopertha***
   前胸背板不或微狭于鞘翅基部 ………… 5
5. 前胸腹板与前足基节之间有垂突 ………… **彩丽金龟属 *Mimela***
   前胸腹板简单，无垂突 ………… 6
6. 中胸腹突短，雄虫前足胫节内缘无距 ………… **苹毛丽金龟属 *Proagopertha***
   无中胸腹突，雌虫和雄虫前足胫节内缘均具 1 个距 ………… **异丽金龟属 *Anomala***

225. 喙丽金龟属 *Adoretus* Dejean, 1833

Adoretus Dejean, 1833: 157. **Type species:** *Melolontha nigrifrons* Steven, 1809.

属征：体长形。通常褐色。背腹面常被短毛、刺毛或鳞毛，有时鞘翅毛浓密并聚集为小毛斑。头宽大，复眼发达；唇基通常近半圆形；上唇中部狭带状向下延伸如喙；触角10节，甚少9节。鞘翅长，外缘和后缘无缘膜。前足胫节外缘具3个齿，内缘具1个距；前足和中足大爪通常分裂。

分布：非洲区、东洋区及古北区一部分和澳洲区西侧。秦岭地区发现1种。

(639) 毛斑喙丽金龟 *Adoretus* (*Lepadoretus*) *tenuimaculatus* Waterhouse, 1875(图版13：1)

Adoretus (*Lepadoretus*) *tenuimaculatus* Waterhouse, 1875: 112.

鉴别特征：体长9～11mm。体暗褐色。全体密被灰白色细窄短鳞毛，鞘翅具若干小毛斑，端突毛斑较大，其外侧具1个小毛斑，臀板中部杂被颇密的长竖毛。体长形，有时后部略宽。背面刻点粗浅浓密。唇基半圆形，强烈上翘。前胸背板侧缘中部弱圆角状弯突，后角钝角状。鞘翅窄行距弱脊状隆起。腹部侧缘具脊边。前胫3个齿，后胫宽，纺锤形，外侧缘具1个齿突。雄性臀板隆拱强，端缘具1个光滑的三角形区。

采集记录：1♂2♀，眉县果树所，1976. Ⅵ. 09，马文珍采。

分布：陕西(眉县)、辽宁、福建、台湾、广东、贵州；俄罗斯，朝鲜，韩国，日本。

寄主：葡萄，刺槐，板栗，玉米，丝瓜，菜豆，芝麻，黄麻，棉花，榆，梧桐，枫杨，梨，苹果，杏，柿，李，樱桃等。

226. 异丽金龟属 *Anomala* Samouelle, 1819

Anomala Samouelle, 1819: 191. **Type species**: *Melolontha frischii* Fabricius, 1775.

Euchlora MacLeay, 1819: 147. **Type species**: *Melolontha viridis* Fabricius, 1775.

Idiocnema Faldermann, 1835: 377. **Type species**: *Idiocnema sulcipennis* Faldermann, 1835.

Aprosterna Hope, 1836: 117. **Type species**: *Mimela nigricans* Kirby, 1825 (= *Melolontha antiqua* Gyllenhal, 1817).

Heteroplia Burmeister, 1844: 233. **Type species**: *Melolontha elata* Fabricius, 1792.

Rhinoplia Burmeister, 1844: 232. **Type species**: *Melolontha dorsalis* Fabricius, 1775.

Psammoscapheus Motschulsky, 1854a: 30. **Type species**: *Psammoscapheus dilutus* Motschulsky, 1854.

Peripopillia Kolbe, 1894: 208. **Type species**: *Popillia oberthueri* Kraatz, 1892 (= *Anomala basalis* Guérin-Méneville, 1847).

Nongoma Péringuey, 1902: 609. **Type species**: *Anomala calcarata* Arrow, 1899.

Orphnomala Reitter, 1903: 57. **Type species**: *Anomala rufozonula* Fairmaire, 1887.

Paragematis Reitter, 1903: 69. **Type species**: *Anomala melanopa* Reitter, 1903 (= *Melolontha plebeja* Olivier, 1789).

Chrysoplethisa Reitter, 1903: 56. **Type species**: *Anomala octiescostata* Burmeister, 1844.

Dichomala Reitter, 1903: 63. **Type species**: *Melolontha devota* Rossi, 1790.

Diplomala Reitter, 1903: 68. **Type species**: *Anomala subvittata* Reitter, 1903.

Emphalena Reitter, 1903: 67. **Type species**: *Anomala exoleta* Faldermann, 1835.

Euchronomala Reitter, 1903: 65. **Type species**: *Euchlora albopilosa* Hope, 1839.

Euporochlora Reitter, 1903: 64. **Type species**: *Melolontha viridis* Fabricius, 1775.

Euporomala Reitter, 1903: 62. **Type species**: *Anomala sieversi* Heyden, 1887.

Hybalonomala Reitter, 1903: 81. **Type species**: *Anomala bleusei* Chobaut, 1896.

Idiocnemina Reitter, 1903: 67. **Type species**: *Anomala gracilenta* Reitter, 1903.

Rhombonalia Casey, 1915: 5. **Type species**: *Anomala cavifrons* LeConte, 1868.

Anomalepta Casey, 1915: 8. **Type species**: *Anomala semilivida* LeConte, 1879.

Paranomala Casey, 1915: 12. **Type species**: *Melolontha binotata* Gyllenhal, 1817.

Anomalopus Casey, 1915: 40. [HN] **Type species**: *Anomala rhizotrogoides* Blanchard, 1851.

Hemispilota Casey, 1915: 45. **Type species**: *Melolontha lucicola* Fabricus, 1798.

Lamoana Casey, 1915: 48. **Type species**: *Anomala villosella* Blanchard, 1851.

Anomalopides Strand, 1928: 2. [RN] **Type species**: *Anomala rhizotrogoides* Blanchard, 1851.

Iliola Semenov *et* Medvedev, 1949: 198. **Type species**: *Iliola pallens* Semenov *et* Medvedev, 1949.

Bifurcanomala Kim, 1998: 311. **Type species**: *Melolontha aulax* Wiedemann, 1823.

Chejuanomala Kim, 1998: 312. **Type species**: *Anomala quelparta* Okamoto, 1924.

属征：通常椭圆或长椭圆形，有时短椭圆或长形。唇基和额散布刻点或皱褶，多数二者共有，并呈皱刻；头顶通常散布较稀疏的细刻点；触角 9 节，通常鳃片短于其余各节总和。前胸背板宽胜于长，基部不显狭于鞘翅；侧缘在中部或稍前处圆形或圆角状弯突；中央有时具 1 条纵沟、纵隆脊或光滑纵线；后缘中部向后圆弯。小盾片近三角形或半圆形。鞘翅长，盖过臀板基缘；肩疣不十分发达，从背面可见鞘翅外缘基边；鞘翅缘膜通常发达。无前胸腹突和中胸腹突。前胫外缘具 1~3 个齿，多数 2 个齿，内缘具 1 个距；中、后胫端部各具 2 个端距；前足和中足大爪通常分裂，后足大爪永不分裂。

分布：世界性分布。秦岭地区发现 9 种。

分种检索表

1. 前胸背板刻点细密 ·· 2
   前胸背板刻点粗密，有时辅以细小刻点 ························ 5
2. 体小型，体长小于 11mm，体浅黄褐色 ·················· **弱脊异丽金龟 *A. sulcipennis***
   体中型到大型，体长大于 11mm ································ 3
3. 体被和臀板草绿色 ······························ **砂臀异丽金龟 *A. granulicauda***
   体被颜色深红褐、黑褐或全黑色 ································ 4
4. 腹面两侧疏被颇长毛，前胸背板疏饰长竖毛 ·············· **皱唇异丽金龟 *A. rugiclypea***
   腹面疏被短毛，体色黑，鞘翅中部有时具波曲状黄褐色横斑 ········ **漆黑异丽金龟 *A. ebenina***
5. 鞘翅绿或黄绿色，带金属光泽 ·························· **铜绿异丽金龟 *A. corpulenta***

鞘翅黄褐色或深色，金属光泽弱或带漆光…………………………………………………………………… 6
6. 臀板密布细横刻纹 …………………………………………………………………………………………… 7
臀板密布粗横刻纹 …………………………………………………………………………………………… 8
7. 体黄褐色，前胸背板具 3 条纵带 ………………………………………… **三带异丽金龟 *A. trivirgata***
体深黑褐色，前胸背板宽侧边，鞘翅中部具 1 个波曲横斑 …… **黄股异丽金龟 *A. flavofemorata***
8. 前胸背板无后缘沟线，腹部被毛弱 ……………………………… **斜点异丽金龟 *A. obliquipunctata***
前胸背板具短后缘沟线，在小盾片前中断；每腹节侧缘具 1 个白毛斑 ……………………………
……………………………………………………… **短缘异丽金龟 *A. mongolica brevilimbata***

（640）铜绿异丽金龟 *Anomala corpulenta* Motschulsky, 1854

Anomala corpulenta Motschulsky, 1854a: 28.
Anisoplia pallidiventris Gautier des Cottes, 1870: 104.
Anomala gottschei Kolbe , 1886: 190.
Anomala planerae Fairmaire, 1891b: ccv.

鉴别特征：体长 15.50 ~20.00mm。头、前胸背板和小盾片暗绿色，唇基和前胸背板侧边浅黄色，鞘翅绿或黄绿色，带金属光泽。唇基宽短，强烈上翘。前胸背板刻点粗密，分布不均，中部刻点略横形，有时具细弱的短中纵沟，后缘沟线中断。鞘翅刻点行略陷，背面双数行距宽平，散布粗密刻点；单数行距窄，略隆起。臀板具细密横刻纹。

采集记录：1♀，秦岭楼观台，680 ~750m，2008. Ⅵ. 25，刘万岗采；5♂13♀，佛坪，890m，1999. Ⅵ. 26，章有为采；2♂1♀，佛坪，890m，1999. Ⅵ. 26，贺同利采；3♀，佛坪，950m，1998. Ⅶ. 23，姚建采。

分布：陕西(周至、佛坪)、黑龙江、吉林、辽宁、内蒙古、河北、山西、山东、河南、宁夏、甘肃、江苏、上海、安徽、浙江、湖北、江西、湖南、福建、四川、贵州、西藏；蒙古，朝鲜，韩国。

寄主：成虫危害林木及果树，尤其是苹果、杨、柳、核桃、梨、榆、杏、葡萄及海棠等，也危害花生、向日葵及豆类的叶子；幼虫危害玉米、高粱、花生、茶树及薯类等的地下根茎。

（641）漆黑异丽金龟 *Anomala ebenina* Fairmaire, 1886

Anomala ebenina Fairmaire, 1886: 328.

鉴别特征：体长 11.30 ~15.00mm。体椭圆形。体黑色，鞘翅中部有波曲状黄褐色横斑，有时前胸背板两侧有黄褐色条斑，或全体漆黑，有强漆光。唇基横方形，头部密布粗浅刻点。前胸背板布细密刻点。鞘翅平滑，疏布细小刻点，肩突和端突发达，背面可见2条纵肋。臀板钝阔三角形，密布细刻纹。胸部腹面疏被短毛。足粗壮，前足胫节外缘2个齿。

分布：陕西(佛坪)、河北、山西、甘肃、浙江、湖北、湖南、福建、四川、贵州、云南。

(642) 黄股异丽金龟 *Anomala flavofemorata* Lin, 1989

Anomala flavofemorata Lin, 1989: 87.

鉴别特征：体长15~16mm。体卵圆形，颇隆拱。体深黑褐色，背面带不甚强的金属光泽。前胸背板宽侧边，鞘翅中部具1个波曲横斑，腹部每节侧缘具1个圆斑。额部被颇密的长竖毛，胸部腹面密被细长毛，腹部两侧被毛略密。唇基近横方形，上卷宽而强。前胸背板表面粗糙，前、后角近锐角，后缘沟线甚短。鞘翅粗刻点行深，单数行距窄圆脊状，双数行距宽平。臀板密布细横刻纹。前胫2个齿，基齿短钝。

分布：陕西(安康)。

(643) 砂臀异丽金龟 *Anomala granulicauda* Lin, 1989

Anomala granulicauda Lin, 1989: 88.

鉴别特征：体长16~19mm。体椭圆形。体背和臀板草绿色，腹面和足墨绿色。前臀板被不甚密的短细毛，臀板除中部外疏被短毛，胸部腹面密被长毛，前中股疏被长毛，腹部每腹节侧缘具1个浓毛斑，两侧疏被颇长毛。唇基宽横梯形，前缘近直，强烈上翘。前胸背板刻点细密，中央具1条深而短的纵沟，后缘沟线中断。鞘翅均匀密布粗而深的刻点，后侧角和端部密布横皱刻纹，背面刻点行明显，行距平，侧缘镶边光滑扁平，长达后侧角端部。臀板表面细沙革状，常具光滑基缘。前胫2个齿，前、中足大爪深裂。

分布：陕西(宁陕)、山西、四川。

(644) 短缘异丽金龟 *Anomala mongolica brevilimbata* Lin, 1989

Anomala mongolica brevilimbata Lin, 1989: 89.

鉴别特征：体长12~20mm。全体黑褐或深红褐色，带强漆光，有时腹面和足色较深。每腹节侧缘具1个白毛斑。背面密布颇粗的刻点行。唇基略上翘。前胸背板近侧缘中部具1个小的圆凹陷。后缘沟线在小盾片前中断。鞘翅刻点行不明显，沿中部具1长列横皱，侧缘镶边短，不达鞘翅中部，缘膜显宽。臀板密布粗横刻纹。腹部基部3节侧缘角状。

分布：陕西（洋县、汉中、西乡）、安徽、福建、四川。

（645）斜点异丽金龟 *Anomala obliquipunctata* Lin，1989

Anomala obliquipunctata Lin，1989：88.

鉴别特征：体长13～15mm。体椭圆形。体色多变，或体全黑色；或体黑色，鞘翅中部具1个波曲的黄色横斑，有时横斑近端部二裂；或体黄褐色，额头顶部、前胸背板具2个大纵斑，每鞘翅具3条短纵条纹，鞘翅具较宽的长纵条纹，臀板基部2个斑，胸部腹面大部分和腹部（除每节侧缘1个黄色圆斑外）黑褐色。腹部被毛弱。唇基横梯形，强烈上翘。前胸背板密布粗横刻点，中央具1条短而弱的纵沟，无后缘沟线。鞘翅表面光滑，散布稀疏的细微刻点，粗刻点行深显，单数行距窄圆脊状隆起。臀板隆拱，密布粗横刻纹。足细长，前胫2个齿，后胫弱纺锤形，前、中足大爪分裂。

分布：陕西（安康）。

（646）皱唇异丽金龟 *Anomala rugiclypea* Lin，1989

Anomala rugiclypea Lin，1989：89.

鉴别特征：体长15～18mm。体椭圆至宽椭圆形。体背深红褐色至黑褐色，带强漆光，腹面和足深红褐色，各足胫跗节色深或黑褐色。前胸背板疏饰长竖毛，鞘翅缘折具稀疏的微弱短毛，臀板被不密长竖毛，胸部腹面密被细长毛，前、中足股节和腹面两侧疏被颇长毛。唇基近横方形，上翘通常弱，密布细皱褶。前胸背板布密或颇密细刻点，有时中央具1条甚浅弱纵沟。鞘翅刻点行平，除少数粗刻点外，表面均匀疏布细微刻点。臀板除基部密布浅细横刻纹外，雄性布颇密浅横刻纹，雌性密布粗横刻点或横刻纹。腹部每节侧缘具甚强褶边。前胫2个齿，中足大爪分裂。

分布：陕西（佛坪、洋县、宁陕、镇安、汉中、宁强、紫阳）、山西、湖北、江西、湖南、福建、广东、海南、广西、四川、云南。

（647）弱脊异丽金龟 *Anomala sulcipennis*（Faldermann，1835）

Idiocnema sulcipennis Faldermann，1835：378.
Anomala sulcipennis：Burmeister，1855：497.
Anomala idiocnema Burmeister，1855：497.

鉴别特征：体长7～11mm。体长形，两侧近平行，或长椭圆形。体浅黄褐色，有时带微弱的绿色金属光泽，各足跗节褐或浅褐色，有时额头顶部、前胸背板中部、鞘翅和臀板具暗色斑纹。唇基近半圆形，略上翘。前胸背板匀布细密刻点，后缘沟线完整。鞘翅匀布细小的颇密刻点，刻点行浅陷，行距弱隆。臀板密布细横刻纹。前足胫节外缘 2 个齿，基齿细弱。

采集记录：6♀，周至楼观台，680m，2008. Ⅵ. 25，刘万岗采；3♀，周至厚畛子镇，1271m，2007. Ⅷ. 10，史宏亮、杨干燕采；1♂10♀，佛坪县城，867m，2007. Ⅷ. 16，史宏亮、杨干燕采；1♀，柞水朱家湾村，1046m，2007. Ⅵ. 03，林美英采；1♂7♀，柞水营盘镇，981m，2014. Ⅶ. 29，路园园采；1♂，柞水老林村，1050m，2007. Ⅵ. 02，崔俊芝采。

分布：陕西(周至、佛坪、柞水)、河北、河南、江苏、浙江、湖北、江西、湖南、福建、广东、香港、广西、四川、贵州。

寄主：苹果，梨等。

(648) 三带异丽金龟 *Anomala trivirgata* Fairmaire, 1888(图版 13：2)

Anomala trivirgata Fairmaire, 1888a: 20.

Anomala biguttata Frey, 1971: 114.

鉴别特征：体长 14 ~ 17mm。体黄褐色，带漆光，偶有臀板和腹部暗红褐色，或后足胫、跗节红褐色。体表具黑或暗褐色斑带，前胸背板具 3 条纵带，偶有色甚浅；鞘翅中部略前、近鞘缝每鞘翅各有 1 个圆斑，有时两斑相接，圆斑远外侧、肩突后方 1 个小斑，通常臀板基角和侧缘中部各具 1 个圆斑；腹部背侧面各节相接处具 1 个大斑。臀板端部被颇密长毛。唇基近横方形，向前略窄，明显上翘。前胸背板刻点密而颇粗，两侧刻点粗，通常具细窄的中纵沟，后缘沟线全缺。鞘翅刻点粗而颇密，臀板布浓密的浅细横刻纹。

采集记录：4♂1♀，佛坪龙草坪，2008. Ⅶ. 03，1256m，白明采；1♀，佛坪龙草坪，2008. Ⅶ. 03，1256m，葛斯琴采；1♀，佛坪上沙窝，2008. Ⅶ. 05，1295m，崔俊芝采；1♂1♀，柞水朱家湾村，2007. Ⅵ. 03，1046m，林美英、史宏亮采；1♀，柞水营盘镇，灯诱，2014. Ⅶ. 29，981m，路园园采；1♀，柞水老林村，2007. Ⅵ. 02，1050m，崔俊芝采。

分布：陕西(佛坪、柞水)、山西、甘肃、湖北、江西、福建、四川、贵州、云南；越南，尼泊尔，不丹。

227. 矛丽金龟属 *Callistethus* Blanchard, 1851

Callistethus Blanchard, 1851: 198. **Type species**: *Callistethus consularis* Blanchard, 1851(= *Mimela auronitens* Hope, 1836).

Spilota Burmeister, 1844: 266. **Type species**: *Melolontha marginata* Fabricius, 1792.

Hadropopillia Kraatz, 1892: 289. **Type species**: *Popillia regina* Newman, 1838.
Poecilosticta Kraatz, 1892: 290. **Type species**: *Mimela variegata* Walker, 1859.
Spileuchlora Ohaus, 1903: 209. **Type species**: *Spileuchlora waterstraati* Ohaus, 1903.
Zaspilota Casey, 1915: 47. **Type species**: *Anomala cupricollis* Chevrolat, 1834.

属征：椭圆或长椭圆形，背面光裸。唇基横形，前缘近直，前角圆。前胸背板后缘中部向后圆弯，后缘沟线短或缺。小盾片三角形或圆三角形。鞘翅长，盖过前臀板，点行明显。中胸腹突发达，伸过中足基节。前足基节外缘具2个齿，内缘具1个距，前、中足大爪分裂。

分布：以东洋区、新热带区为主，少量分布于全北区、非洲区和澳洲区。秦岭地区发现1种。

（649）蓝边矛丽金龟 *Callistethus plagiicollis plagiicollis*（**Fairmaire, 1886**）（图版13：3）

Spilota plagiicollis Fairmaire, 1886: 329.
Paraspilota impictus Bates, 1888: 374.
Callistethus plagiicollis plagiicollis: Machatschke, 1957: 93.

鉴别特征：体长11～16mm。体长椭圆形。体背红褐色，有时黄褐色，通常头部和臀板色略深，腹面和足暗褐色，前胸背板侧缘暗蓝色。唇基近横方形，向前略收狭，略微上翘，表面光滑。前胸背板光滑，具颇密的细微浅刻点，后角大于直角，无后缘沟线。鞘翅刻点行明晰，宽行距具颇密细刻点，窄行距无刻点。臀板光滑，具颇密的细小浅刻点。中足基节间具1个尖长的中胸腹突。前胫具2个齿，端齿长。

采集记录：1♂3♀，周至厚畛子，1500m，2007. Ⅷ. 14，史宏亮、杨干燕采；5♀，周至厚畛子，1271m，2007. Ⅶ. 10，史宏亮、杨干燕采；1♂2♀，周至厚畛子，1300m，2007. Ⅷ. 10，李文柱采；1♀，周至厚畛子，1745m，2007. Ⅷ. 12，史宏亮、杨干燕采；1♀，周至厚畛子老县城，1700m，2007. Ⅷ. 12，李书强采；2♀，周至楼观台，680m，2008. Ⅵ. 25，刘万岗采；2♂1♀，佛坪县城，867m，2007. Ⅷ. 15，史宏亮、杨干燕采；2♂，佛坪长角坝乡下沙窝村，1065m，2007. Ⅷ. 16，史宏亮、杨干燕采；2♂1♀，佛坪龙草坪，1369m，2007. Ⅷ. 17，史宏亮、杨干燕采；1♂，佛坪长角坝乡沙乔村，1107m，2007. Ⅷ. 15，史宏亮、杨干燕采；1♀，宁陕火地塘，1500m，2007. Ⅷ. 19，李文柱采；3♂1♀，宁陕火地塘林场，1538m，2007. Ⅷ. 18，史宏亮、杨干燕采；1♂3♀，宁陕旬阳坝镇，1368m，2007. Ⅷ. 20，史宏亮、杨干燕采；1♂，宁陕旬阳坝，1400m，2007. Ⅷ. 20，李文柱采；3♂，宁陕火地塘，1550m，2007. Ⅶ. 31，李文柱采；1♂，柞水朱家湾村，1046m，2007. Ⅵ. 03，史宏亮、杨干燕采；4♂1♀，柞水营盘镇，1110m，2007. Ⅵ. 03，林美英采；2♂，柞水红庙河，2007. Ⅵ. 03，张丽杰采。

分布：陕西（周至、佛坪、宁陕、柞水）、辽宁、北京、河北、山西、河南、江苏、安徽、浙江、湖北、江西、湖南、福建、广东、广西、四川、贵州、云南、西藏；蒙古，俄罗斯，朝鲜，韩国，越南。

228. 彩丽金龟属 *Mimela* Kirby, 1823

Mimela Kirby, 1823: 101. **Type species**: *Mimela chinensis* Kirby, 1823.

Rhombonyx Hope, 1837: 106. **Type species**: *Melolontha holosericea* Fabricius, 1787.

Paracrucis Newman, 1839: 366. **Type species**: *Paracrucis cyanipes* Newman, 1839.

Amblomala Reitter, 1903: 58. **Type species**: *Melolontha aurata* Fabricius, 1801.

Eriomela Reitter, 1903a: 52. **Type species**: *Mimela pomacea* Bates, 1890.

Paramimela Ohaus, 1915: 88. **Type species**: *Euchlora circumcincta* Hope, 1842.

Trimela Ohaus, 1924: 171. **Type species**: *Mimela macassara* Heller, 1896.

属征：体卵形、长卵形，甚少近圆形，通常带强金属光泽。唇基横梯形，横方形或近半圆形；唇基和额具刻点或皱刻，头顶刻点通常稀疏而细小；触角 9 节。前胸背板一般基部最宽，侧缘中部弯突，后缘向后圆弯；后缘沟线通常中断。小盾片三角形或圆三角形。鞘翅长，后部较宽，表面通常光滑；缘膜发达。腹面在前足基节间有 1 个向下的片状突出物，称前胸腹突，通常端部向前弯折，从侧面可见。中胸腹突有或无。足部通常较粗壮；前胫外有 1～2 个齿，内缘具 1 个距；前、中足大爪通常分裂；后股通常宽阔。

分布：东洋区，古北区，非洲区，少数分布于澳洲区。秦岭地区发现 4 种。

分种检索表

1. 鞘翅表面平滑，带强烈的绿色金属光泽……2
   鞘翅表面粗皱，点间隆起……3
2. 后足股节后缘强内弯……**弯股彩丽金龟 *M. excisipes***
   后足股节后缘不内弯……**墨绿彩丽金龟 *M. splendens***
3. 唇基和前胸背板侧边浅黄褐色……**陕草绿彩丽金龟 *M. passerinii mediana***
   唇基和前胸背板一色……**粗绿彩丽金龟 *M. holosericea holosericea***

(650) 弯股彩丽金龟 *Mimela excisipes* Reitter, 1903（图版 13：4）

Mimela excisipes Reitter, 1903: 54.

鉴别特征：体长 13～17mm。全体墨绿、深红褐或黑褐色，带强烈的绿色金属光泽。唇基宽横梯形，表面隆拱，略上翘。前胸背板中部刻点细且颇密，后角圆，后缘沟线中断。鞘翅平滑，细刻点行明显，宽行距具稀疏的细刻点。臀板光滑，具颇密刻点。前胸腹突宽，近柱形，端部靴状。中胸腹突甚短，端部近平截。腹部基部 2 节侧缘具脊边。

后足股节后缘强烈内弯，后胫强纺锤形，跗节粗短。

采集记录：3♂1♀，佛坪，950m，1998.Ⅶ.23，姚建采；1♂，佛坪县城，867m，2007.Ⅷ.16，灯诱，史宏亮、杨干燕采；1♀，佛坪，800~1000m，2007.Ⅷ.15，李文柱采；1♀，佛坪长角坝乡下沙窝村，1065m，2007.Ⅷ.16，振布，史宏亮、杨干燕采。

分布：陕西（佛坪）、山东、河南、江苏、安徽、浙江、湖北、江西、湖南、福建、台湾、广东、四川。

（651）粗绿彩丽金龟 *Mimela holosericea holosericea*（Fabricius，1787）

Melolontha holosericea Fabricius，1787a：21.
Scarabaeus holosericea：Linné，1790：1561.
Rhombonyx holosericea：Hope，1837：106.
Euchlora holosericea：Laporte，1840：135.
Mimela holosericea：Ohaus，1908：635.
Anomala holosericea：Arrow，1913：396.
Mimela coerulea Ohaus，1944：83.
Rhombonyx holosericea：Medvedev，1949：107.
Mimela holosericea：Machatschke，1952：354.

鉴别特征：体长14.50~19.00mm。体椭圆形。体背深绿色，带弱金属光泽，臀板暗绿色，腹面暗褐色，足部红褐色。唇基近横方形，向前略收狭，明显上翘。前胸背板密布不匀的粗大而深圆的刻点，后角大于直角，后缘沟线在小盾片中央前变浅或中断。鞘翅表面粗皱，刻点粗大浓密，点间窄线状隆起。前胸腹突较短，中胸腹突全不前伸。前胫两齿，基齿细小。

采集记录：3♂3♀，佛坪龙草坪，2008.Ⅶ.03，1256m，白明采；1♂，佛坪东河台，2006.Ⅶ.25，林美英采；1♀，佛坪龙草坪，1256m，2007.Ⅷ.17，杨玉霞采；1♀，佛坪龙草坪，1256m，2008.Ⅶ.03，葛斯琴采；3♂1♀，宁陕火地塘，1580m，1998.Ⅷ.15，袁德成采；1♂，宁陕火地塘，1580m，1998.Ⅶ.26，张学忠采；1♂，宁陕火地塘，1580m，1998.Ⅶ.27，姚建采；1♂5♀，宁陕火地塘，1580m，1998.Ⅶ.26，姚建采；2♀，宁陕火地塘，1550m，2008.Ⅶ.08，刘万岗采；2♀，宁陕火地塘，1550m，1998.Ⅷ.18，袁德成采；1♀，宁陕火地塘，1500m，2007.Ⅷ.19，李文柱采；1♀，宁陕旬阳坝，1400m，2007.Ⅷ.20，李文柱采；2♀，宁陕火地塘，1550m，2007.Ⅶ.31，李文柱采；1♀，宁陕火地塘林场，1538m，2007.Ⅷ.18，史宏亮、杨干燕采；1♀，宁陕火地塘，1580m，1998.Ⅶ.29，张学忠采；1♀，宁陕火地塘，1550m，2008.Ⅶ.08，李文柱采。

分布：陕西（佛坪、宁陕）、黑龙江、吉林、辽宁、内蒙古、北京、河北、山西、青海；俄罗斯，蒙古，朝鲜。

寄主：幼虫危害云杉、冷杉、油松、落叶松等苗木的根部，成虫危害苹果、葡萄等树的叶子。

(652) 陕草绿彩丽金龟 *Mimela passerinii mediana* Lin, 1993

Mimela passerinii mediana Lin, 1993: 106.

鉴别特征：体长18～21mm。体椭圆形，后部较宽。体被深草绿色，臀板金属绿色，唇基和前胸背板侧边浅黄褐色。唇基宽横方形，略上翘。前胸背板刻点颇粗密，有明显的后缘沟线。鞘翅密布粗大而深的刻点，点间隆起，背面刻点行仍可辨认。臀板隆拱不强，表面沙革状细皱。前胸腹突薄犁状，后角通常直角形，中胸腹突短。前胫通常2个齿，基齿细弱，偶或消失，端齿粗。后足胫节较粗壮，表面粗糙。

采集记录：1♂，周至厚畛子，1300m，2007.Ⅷ.10，李文柱采；1♂，周至厚畛子，1500m，2007.Ⅷ.14，史宏亮、杨干燕采；1♂，秦岭太白山自然保护区，2012.Ⅶ.12，聂瑞娥采；1♂，留坝庙台子，1350m，1998.Ⅶ.22，姚建采；1♀，留坝庙台子，1350m，1998.Ⅶ.21，姚建采；1♂，秦岭佛坪龙草坪，1256m，2008.Ⅶ.03，刘万岗；1♂，宁陕火地塘，1580m，1998.Ⅷ.15，袁德成采；2♂，宁陕火地塘，1580m，1998.Ⅷ.14，袁德成采；1♂，宁陕火地塘，1580m，1998.Ⅶ.26，袁德成采；1♂，宁陕火地塘，1580m，1998.Ⅶ.29，张学忠采；1♀，宁陕火地塘，1580m，1998.Ⅶ.26，姚建采。

分布：陕西(周至、留坝、佛坪、宁陕)、湖北。

(653) 墨绿彩丽金龟 *Mimela splendens* (Gyllenhal, 1817)

Melolontha splendens Gyllenhal, 1817: 110.

Mimela lathamii Hope, 1836: 113.

Mimela lucidula Hope, 1836: 113.

Euchlora splendens: Hope, 1840: 351.

Mimela concolor Blanchard, 1851: 196.

Mimela splendens: Burmeister, 1855: 506.

Mimela gaschkewitchii Motschulsky, 1858a: 32.

Mimela simplex Bates, 1866: 345.

Mimela davidis Fairmaire, 1886: 330.

Mimela takamurai Sawano *et* Kometani, 1939: 205.

Mimela murasaki Chûjô, 1940: 76.

Mimela foveolata Ohaus, 1944: 84.

鉴别特征：体长15.00～21.50mm。体宽椭圆形，体背不甚隆拱，甚光滑，具细微刻点。全体墨绿色，通常体背带强烈的金绿色金属光泽，有时前胸背板和小盾片泛蓝黑色或鞘翅泛弱紫红色光泽；偶有背面前半部深红褐色，鞘翅和臀板黑褐色，股、胫节红褐色，腹部和跗节深红褐色。唇基宽横弱梯形，强烈上翘。前胸背板布颇密的细微刻点，中纵沟明显，后角近直角，后缘沟线完整。鞘翅细刻点行略可辨认，宽行距布细小刻点，侧缘前半部具宽平边。臀板布不密的细刻点。中胸腹突甚尖短。

采集记录：1♂，佛坪，950m，1998. Ⅶ.23，张学忠采。

分布：陕西(佛坪)、东北、河北、山东、安徽、浙江、湖北、江西、湖南、福建、台湾、广东、广西、四川、贵州、云南；朝鲜，日本，越南。

寄主：栎，油桐，李树等。

229. 发丽金龟属 *Phyllopertha* Stephens, 1830

Phyllopertha Stephens, 1830: 223. **Type species**: *Scarabaeus horticola* Linnaeus, 1758.

属征：体长椭圆形。体色暗，鞘翅通常褐或黑色。背面部分或全部被毛，刻点或皱刻密。唇基通常横梯形，边缘上卷；下颚须末节长，端部扩宽，端斜切；触角 9 节。前胸背板基部明显狭于鞘翅，侧缘在中部弯突，后边沟线完整。鞘翅长，肩疣甚发达，从背面不见鞘翅外缘基边；缘折长，伸达后缘；具缘膜。中胸腹突短，疣状，通常略伸过中足基节。前胫外缘具 2 个齿，内缘具 1 个距；前、中足大爪分裂。

分布：古北区，少数分布于东洋区和新热带区。秦岭地区发现 2 种。

分种检索表

鞘翅一色，无条纹 …………………………………………………… **园林发丽金龟 *P. horticola***

鞘翅有 2 条黄色纵长条纹 ……………………………………………… **双带发丽金龟 *P. bifasciata***

(654) 双带发丽金龟 *Phyllopertha bifasciata* Lin, 1966(陕西省首次记录)(图版 13：5)

Phyllopertha bifasciata Lin, 1966: 83.

鉴别特征：体长 10mm。体黑色带褐，有光泽，头和前胸背板略带绿色闪光。鞘翅有 2 条黄色纵长条纹，各位于肩瘤和小盾片之间，由翅基达到中部。体披黄白色毛。唇基横形，边缘上翘。前胸背板光亮，基部明显窄于翅基，中纵沟颇宽颇深显，侧缘于中点之前强烈圆形弯突，后段明显弯缺，后缘沟线完整。鞘翅长形，光亮，披毛短而稀疏，刻点甚粗大而密，肩瘤甚发达，缘折达后角。臀板披长而颇密的毛，具颇粗密的锯齿状横刻。中胸腹突甚短，竖扁，不突出。前胫外缘 2 齿，前、中足大爪分裂。

采集记录：4♂，周至老县城，1745m，2007. Ⅴ.26-27，史宏亮采；2♂，周至老县城，1700m，2007. Ⅴ.26，张丽杰采；3♂，周至厚畛子，1751～2021m，林美英采；6♂，周至老县城，1745m，2007. Ⅴ.26，林美英采；1♂，周至老县城，1670～1760m，

2008. Ⅵ.27，白明采。

分布：陕西(周至)、北京。

(655) 园林发丽金龟 *Phyllopertha horticola*(Linnaeus, 1758)

Scarabaeus horticola Linnaeus, 1758: 351.
Scarabaeus viridicollis de Geer, 1774: 278.
Melolontha horticola: Fabricius, 1775: 37.
Phyllopertha horticola: Stephens, 1830: 224.
Phyllopertha cyanocephala Mulsant, 1842: 499.
Phyllopertha macularis Mulsant, 1842: 500.
Anomala horticola: Burmeister, 1844: 239.
Phyllopertha perrisi Mulsant, 1842: 500.
Phyllopertha horticola: Burmeister, 1855: 514.
Phyllopertha obscura Westhoff, 1882: 153.
Phyllopertha rufiventris Westhoff, 1882: 154.

鉴别特征：体长 8.40 ~ 11.00mm。体长椭圆形。体色以墨绿为主，有强烈的金属光泽；雄性鞘翅背面略现深红褐色，雌性鞘翅色淡。体背密布柔长绒毛，雌性被毛稍疏。唇基短横梯形，边缘上翘。前胸背板光亮，匀布深显具毛刻点，四缘有边框。鞘翅长形，光亮，披毛短而稀疏，刻点行深显，刻点粗大而皱，肩疣甚发达。臀板披长而颇密的毛。中胸腹突短，竖扁。前胫外缘 2 个齿，前、中足大爪分裂。

分布：陕西(周至、佛坪、宁陕)、黑龙江、吉林、辽宁、内蒙古、河北、山西、青海、新疆、西藏；蒙古，俄罗斯，朝鲜，中亚，欧洲。

230. 弧丽金龟属 *Popillia* Dejean, 1821

Popillia Dejean, 1821: 60. **Type species**: *Trichius bipunctatus* Fabricius, 1787.
Calopopillia Kolbe, 1894: 209. **Type species**: *Popillia candezei* Kraatz, 1892.
Pseudopopillia Kolbe, 1894: 209. **Type species**: *Popillia phylloperthina* Kolbe, 1894.
Eupopillia Kolbe, 1894: 209. **Type species**: *Popillia callipyga* Dohrn, 1876.
Metapopillia Kolbe, 1894: 209. **Type species**: *Popillia biimpressa* Kolbe, 1894.
Godschama Reitter, 1903: 50. **Type species**: *Popillia hexaspila* Ancey, 1883.
Xenopopillia Kolbe, 1910: 80. **Type species**: *Popillia ducatrix* Kolbe, 1910.
Costapopillia Benderitter, 1922: 83. **Type species**: *Costapopillia callewaerti* Benderitter, 1922.

属征：体小型，椭圆或短椭圆形，带强烈的金属光泽。唇基横梯形或半圆形，边缘通常明显上翘；唇基和额分布刻点或皱刻，头顶通常分布较稀疏的细刻点；触角 9 节。前胸背板隆拱强，基部明显狭于鞘翅；后缘在小盾片前弧形弯缺。鞘翅短，向后略收狭，露出部分前臀板，后缘圆；具缘膜。臀板通常在基部有2个圆形、三角形或横形毛斑，有时两斑连接成横毛带，有时臀板均匀被密毛。腹面具发达的中胸腹突，有时每腹板两侧各具1个浓毛斑。足通常粗壮，前胫外缘具2个齿，内缘具1个距。

分布：东洋区，非洲区，少数分布于古北区。秦岭地区发现3种。

分种检索表

1. 臀板光裸，无毛斑 …………………………………………… **棉花弧丽金龟 *P. mutans***
   臀板具毛斑 …………………………………………………………………………… 2
2. 后缘沟线长，几乎伸达小盾片侧 ………………………………… **中华弧丽金龟 *P. quadriguttata***
   后缘沟线极短 ……………………………………………………… **曲带弧丽金龟 *P. pustulata***

(656) 棉花弧丽金龟 *Popillia mutans* Newman, 1838(图版13：6)

Popillia mutans Newman, 1838: 337.

Popillia relucens Blanchard, 1851: 199.

Popillia indigonacea Motschulsky, 1854b: 47.

鉴别特征：体长9～14mm。体蓝黑、蓝、墨绿、暗红或红褐色，带强烈的金属光泽。臀板无毛斑。唇基近半圆形，前缘近直，略微上翘。前胸背板甚隆拱，中部光滑无刻点；后角宽圆，后缘沟线甚短。鞘翅背面有6条粗刻点沟行，行距宽，稍隆起，具甚深显横陷。臀板密布粗横刻纹。中胸腹突长，端圆。中、后足胫节强纺锤形。

采集记录：1♂1♀，太白黄柏塬，1980. Ⅶ. 11，张宝林采；1♀，佛坪上沙窝，1100～1200m，2008. Ⅶ. 06，白明、刘万岗采；1♂，宁陕广货街镇鸳鸯沟，2014. Ⅶ. 27，路园园采；1♂，柞水县营盘街镇安沟，2014. Ⅶ. 31，路园园采。

分布：陕西(周至、太白、佛坪、宁陕、柞水)、吉林、辽宁、内蒙古、北京、河北、山西、山东、河南、宁夏、甘肃、江苏、安徽、浙江、湖北、江西、湖南、福建、台湾、广东、海南、广西、四川、贵州、云南；俄罗斯，朝鲜。

(657) 曲带弧丽金龟 *Popillia pustulata* Fairmaire, 1887

Popillia pustulata Fairmaire, 1887: 114.

鉴别特征：体长7.00～10.50mm。体墨绿色，前胸背板和小盾片带强烈的金属光泽；鞘翅黑色，有时红褐色，具漆光，每鞘翅中部各有1条浅褐色曲横带，有时分裂为两个斑，带、斑有时不明显。臀板有2个大毛斑，腹部各节侧缘具1个浓毛斑。唇基宽横梯形，略微上翘。前胸背板中部刻点甚疏细，后角圆，后缘沟线极短。鞘翅背面有6条刻点深沟行，行距脊状隆起。臀板分布细密横刻纹。中胸腹突长。

采集记录： 1♂2♀，褒城，700～900m，1958.Ⅶ.19，宋士美采。

分布： 陕西（勉县）、山西、山东、江苏、安徽、浙江、福建、湖北、江西、湖南、广东、广西、四川、贵州、云南。

寄主： 栎。

（658）中华弧丽金龟 *Popillia quadriguttata*（Fabricius，1787）

Trichius quadriguttata Fabricius，1787：377.

Scarabaeus quadriguttata：Linnaeus，1790：1586.

Trichius biguttatus Fabricius，1794：499.

Rutela quadriguttata：Schänherr，1817：155.

Popillia castanoptera Hope，1843：63.

Popillia quadriguttata：Burmeister，1844：310.

Popillia dichroa Blanchard，1851：200.

Popillia bogdanowi Ballion，1871：345.

Popillia chinensis Frivaldszky，1890：201.

Popillia straminipennis Kraatz，1892：258.

Popillia uchidai Niijima *et* Kinoshita，1923：138.

鉴别特征： 体长7.50～12.00mm。体色多变，有时体墨绿带金属光泽，鞘翅黄褐色带漆光，或鞘翅、鞘缝和侧缘暗褐色；或全体黑、黑褐、蓝黑、墨绿或紫红色；或全体红褐色；或体红褐色，但头后半、前胸背板和小盾片黑褐色。臀板有2个圆形的毛斑，腹部各节侧缘具1个浓毛斑。唇基宽梯形，通常强烈上翘，少数上翘程度中等。前胸背板中部刻点颇密，后角钝角，具后缘沟线。鞘翅背面有6条刻点深沟行，行距隆起。臀板密布横刻纹。中胸腹突不甚长。

采集记录： 1♂，山阳城关镇，2014.Ⅷ.09，路园园采。

分布： 陕西（山阳）、黑龙江、吉林、辽宁、内蒙古、北京、河北、山西、山东、河南、宁夏、甘肃、青海、江苏、上海、安徽、浙江、湖北、江西、湖南、福建、台湾、广东、广西、四川、贵州、云南；俄罗斯，朝鲜，韩国。

寄主： 葡萄，苹果，梨，杏，桃，梅，榆，白杨，紫穗槐，稻，麦，麻，谷子，苜蓿，玉米，牧草，马铃薯，红薯，高粱，花生，向日葵，胡萝卜，大豆，棉花。

231. 苹毛丽金龟属 *Proagopertha* Reitter，1903

Proagopertha Reitter，1903：50. **Type species**：*Anomala acutisterna* Fairmaire，1878（＝*Anomala lucidula* Faldermann，1835）.

属征： 椭圆或长椭圆形，体表通常具长毛。唇基横形，中胸腹突短，前足胫节外缘具 2 个齿，雄虫内缘无距。

分布：中国；日本。秦岭地区发现 1 种。

(659) 苹毛丽金龟 *Proagopertha lucidula* (Faldermann, 1835)(图版 13：7)

Anomala lucidula Faldermann, 1835: 380.
Anomala acutisterna Fairmaire, 1878: 106.
Proagopertha aeneoflavida Reitter, 1913b: 212.
Proagopertha starki Reitter, 1913b: 212.
Proagopertha lucidula: Medvedev, 1949: 75.

鉴别特征：体长 8.90 ~ 12.20mm。体长椭圆形，后方微扩阔。体黑色或黑褐色，常有紫铜或青铜色光泽；鞘翅茶或黄褐色，常有淡橄榄绿色泛光。唇基横方形，前角宽圆，略微上翘。头部具长毛。前胸背板密布具长毛的刻点，后缘沟线中断。鞘翅表面光滑，细刻点行明显，宽行距分布稀疏的细刻点。臀板表面粗糙，密布具长毛刻点。腹面绒毛厚密，中胸腹突发达前伸，后胸腹板中央宽深且凹陷成纵沟。前足胫节外缘 2 个齿，雄虫内缘无距。

采集记录：1♀，周至老县城至秦岭关，1745 ~ 2021m，2007. V. 27，史宏亮采；1♀，周至厚畛子，1800m，2007. V. 27，李文柱采。

分布：陕西(周至)、黑龙江、吉林、辽宁、内蒙古、河北、山西、山东、河南、甘肃、江苏、安徽、四川；俄罗斯，朝鲜，韩国。

寄主：约有 11 科 30 种，包括杨、柳、榆、小麦和多种果树等。

(六) 蜣螂亚科 Scarabaeinae

白明　杨星科
(中国科学院动物进化与系统学重点实验室，中国科学院动物研究所，北京 100101)

鉴别特征：体小型至大型，体长 1.50 ~ 68.00mm。体卵圆形至椭圆形，体躯厚实，背腹均隆拱，尤以背面为甚，也有体躯扁圆者。体多黑、黑褐到褐色，或有斑纹，少数属种有金属光泽。头前口式，唇基与眼上刺突连成一片，似铲；或前缘多齿形，口器被盖住，背面不可见。触角 8 ~ 9 节，鳃片部由 3 节组成。前胸背板宽大，有时占背面的 1/2 或超过 1/2。小盾片于多数种类不可见。鞘翅通常较短，多有 7 ~ 8 条刻点沟。臀板半露，即臀板分上臀板(superior pygidium)、下臀板(inferior pygidium)两部分，由臀中横脊分隔，上臀板仍为鞘翅盖住，下臀板外露，此为本科的重要特征。许多属和种，主要是体型较大的种类其上臀板中央有或深或浅纵沟，用以通气呼吸，称之为气道(air passage)。腹部气门位于侧膜，全为鞘翅覆盖。腹面通常被毛，背面有时也被毛。部分类群前足无跗节。中足基节左右远隔，多纵位而左右平行，或呈倒"八"字形着生。后足胫节只有 1 枚端距。很多属和种性二态现象显著，其成虫之头面、前胸背板生有各式突起。

分类：世界广布。世界已知 12 族 235 属 5700 余种，其中最大的族是嗡蜣螂族 Onthophagini，共 34 属 2247 种，最大的属是嗡蜣螂属 *Onthophagus*，已记录 1800 种。中国共记述 9 族 30 属 345 种，陕西秦岭地区发现 6 属 11 种。

分属检索表

1. 后足腿节通常明显延长，中、后足胫节常细长，后足胫节常略弯曲，后足跗节弱三角形，且第 1 节略长于其他各节；身体通常扁拱，短且呈宽卵形，黑、棕黑、黄棕或金属色，具性二型现象，但通常不明显 ………………………………………………………………………… 2
   后足腿节通常短而粗壮，中、后足胫节通常粗短，向端部强烈且突然变宽，中、后足胫节几乎呈三角形，中、后足跗节三角形且第 1 节明显比其他各节更粗壮且长，其他各节逐渐变短并变窄；身体通常强烈拱起，个别属扁平，性二型明显 ……………………………………………… 3
2. 中足基节窝微微分开，非平行而呈一定角度，偶尔靠近；后胸腹板通常向前强烈变窄；多为中到大型，宽卵形或向后显著变窄 ……………………………………………… **蜣螂属 *Scarabaeus***
   中足基节窝彼此远离，平行；后胸腹板向前不明显变窄；体型小，很少是中等体型……………
   ……………………………………………………………………………………… **西蜣螂属 *Sisyphus***
3. 触角 8 节，前胸背板腹面无触角窝，鞘翅扁平 ………………………………………………… 4
   触角 9 节，前胸背板腹面一般具触角窝，鞘翅通常拱起 ……………………………………… 5
4. 前胸背板和鞘翅密布浅凹坑、鳞片和直立毛 ……………………………… **司蜣螂属 *Sinodrepanus***
   前胸背板和鞘翅光滑，或被少量毛，无上述凹坑、鳞片和直立毛 ………… **利蜣螂属 *Liatongus***
5. 前足胫节前缘与内缘呈直角 ………………………………………………… **凯蜣螂属 *Caccobius***
   前足胫节前缘与内缘不呈直角 ……………………………………………… **嗡蜣螂属 *Onthophagus***

232. 司蜣螂属 *Sinodrepanus* Simonis, 1985

Sinodrepanus Simonis, 1985: 95. **Type species**: *Oniticellus falsus* Sharp, 1875.

属征：体长 7.50 ~ 12.00mm。体黑色到茶褐色。身体不光亮，有时具浅凹坑，背面被粗毛或鳞片状毛，前胸背板中线附近、鞘翅近边缘处成簇分布，通常前胸背板前角腹面具触角窝。头部侧缘从复眼向前逐渐变宽，有些种类雄性唇基前缘向前延伸且向上突起。前胸背板具纵中两侧为被毛区，被毛区近端部趋于融合，近基部趋于平行或分离；前胸背板基缘无饰边，前角平截或圆钝。鞘翅刻点行间被毛，行上无毛，部分刻点行间密被长毛。足细长；前足胫节中部略弯曲，外缘具 3 ~ 4 个弱齿；中、后足胫节外缘具弱齿或无。前胸背板前角腹面触角窝、前足腿节和胫节背面均无毛，当前足缩回与前胸背板紧靠在一起时，可形成近封闭的空间，从而保证触角、复眼和部分口器在粪便中不粘到粪便，这是适应其粪居型的结果。另外,本属昆虫身体相对其他种类骨化强烈，这也是适应的结果。其骨架结构加固部位和经济性、体型和应力分散方面在工程仿生方面有借鉴之处。

分布：中国及东南亚。世界已知 8 种，中国记录 6 种，秦岭地区发现 1 种。

（660）猫司蜣螂 *Sinodrepanus rex*（**Boucomont, 1912**）（图版 14：1）

Drepanocerus rex Boucomont, 1912:277.

Drepanocerus arrowi Balthasar, 1932: 64.

Sinodrepanus rex: Simonis, 1985: 98.

鉴别特征：体黄褐色。背面被粗毛或鳞片状毛，前胸背板中线附近、鞘翅近边缘处成簇分布。前胸背板具对称的不规则浅凹坑；唇基前缘突出且上翘，雄性唇基前缘突出且上翘或略突出且前缘微凹入，雌性唇基前缘深凹入。两性前足胫节外缘不全为 3 个齿，雄性前足胫节外缘齿微弱，雌性前足胫节外缘齿发达。雄性生殖器基侧突背面观长是宽的 1.60 倍，侧面观背侧角大于直角。

采集记录：1♀，周至田峪，1951. Ⅸ. 15，采集人不详。

分布：陕西（周至）、北京、湖南、福建、广东、海南、四川、贵州、云南；越南，老挝，泰国，印度。

233. 凯蜣螂属 *Caccobius* Thomson, 1863

Caccobius Thomson, 1863:34. **Type species**: *Scarabaeus schreberi* Linnaeus, 1767.

Caccophilus Jekel, 1872:410. **Type species**: *Caccobius himalayanus* Jekel, 1872. As subgenus.

Tomogonus Orbigny, 1904:254. **Type species**: *Caccobius crassus* d'Orbigny, 1902.

属征：微到中小型个体，体长 1.50～10.00mm。多为黑色到褐色，鞘翅有时具红色或黄褐色斑。身体被毛或光裸，有时密布粗大刻点。唇基前缘具中凹，有时具横脊或角突；触角 8 节。前胸背板前角腹面具深凹，凹明显具边缘；有时前胸背板具瘤突。小盾片不可见。足非常短，前足胫节非常短阔，前足胫节端缘非常平直，通常与内侧缘呈直角；后足跗节第 1 节明显长于第 2 节。雄性唇基具短角突或额向后延伸为片状角突，前足胫节外缘齿通常近直角。雌性唇基通常无角突，有时横脊发达，额从不具角突；前足胫节外缘齿尖锐，较薄且半透明。

生物学：部分种类食腐肉。

分布：东洋区，古北区。世界已知 112 种，中国已记录 19 种，秦岭地区发现 3 种。

分种检索表

1. 光裸，光亮或非常光亮，头部、前胸背板前角和臀板很少被直立绒毛；前胸腹板有2个脊，且在近前角处汇合 …………………………………………………… **日本凯蜣螂 *C.*（s. str.）*jessoensis***
 背面被短毛，间或被稀疏长毛，弱光亮到中度光亮；前胸腹板仅有1个脊或角突 …………… 2
2. 鞘翅稍具暗红色或黄棕色，有黑色斑纹；两性前胸背板均具1个明显突起，鞘翅行间明显拱起 ………………………………………………………… **污毛凯蜣螂 *C.*（*Caccophilus*）*sordidus***
 鞘翅从不具黑色斑纹，通常有色（黑褐色或褐色）；或者是具黑色斑纹，但翅基和翅端具黄色斑点，前胸背板具突起或简单，鞘翅刻点行间刻点趋于粒状 …… **恺氏毛凯蜣螂 *C.*（*C.*）*kelleri***

（661）日本凯蜣螂 *Caccobius*（s. str.）*jessoensis* Harold, 1867（图版14：2）

Caccobius jessoensis Harold, 1867: 100.
Caccobius microcephalus Harold, 1877: 349.
Onthophagus koichii Matsumura, 1934: 67.
Caccobius sapporensis Matsumura, 1937: 64.
Caccobius amagisanus Matsumura, 1937: 121.
Caccobius yubariensis Matsumura, 1937: 65.
Caccobius hirayamai Matsumura, 1937: 62.

鉴别特征：体长6.00～7.50mm。光裸，光亮或非常光亮。体黑色或棕黑色，鞘翅偶尔红褐色。头部和前胸背板有时具微弱的金属光泽，头部、前胸背板前角和臀板很少被直立绒毛。头部具2个横脊，雄性唇端缘饰边较长，唇基部为头部最宽，唇基前缘浅凹，头部前脊靠近前缘。前胸腹板有2个脊，且在近前角处汇合，前胸背板具4个独立尖突，密布刻点。鞘翅刻点行间扁拱，刻点趋于大或者消失。雌性唇基前脊直，两侧略后弯，前胸背板前角圆钝。

采集记录：14♂19♀，周至厚畛子，1350m，1999.Ⅵ.24，朱朝东采。

分布：陕西（周至）、河南、甘肃、广西、四川、云南；日本。

（662）恺氏毛凯蜣螂 *Caccobius*（*Caccophilus*）*kelleri*（Olsoufieff, 1907）

Onthophagus kelleri Olsoufieff, 1907: 192.
Caccobius sibiricus Balthasar, 1935b: 188, 191.
Caccobius kelleri: Balthasar, 1949: 12, 31.

鉴别特征：体长8～9mm。通常有色（黑褐色或褐色）。鞘翅从不具黑色斑纹，背面被短毛，间或被稀疏长毛，弱光亮到中度光亮。雄性唇基无饰边，前缘具弱凹，雌性明显具饰边，前缘圆形无凹；雄性头部后脊向后延伸为1个三角形突出，雌性简单。前胸背板通常分布卵圆形刻点，雄性前胸背板具角突或脊，雌性简单。鞘翅刻点行间刻点趋于粒状，较大。

采集记录：3♂7♀，周至厚畛子，1350m，1999. Ⅵ. 24，朱朝东采；2♂，佛坪凉风垭，1750～2150m，1999. Ⅵ. 28，章有为、刘缠民采。

分布：陕西(周至、佛坪)、北京、辽宁、河南、宁夏、甘肃；俄罗斯，朝鲜。

（663）污毛凯蜣螂 *Caccobius*（*Caccophilus*）*sordidus* Harold，1886（图版 14：3）

Caccobius sordidus Harold，1886：141.

Caccobius koltzei Reitter，1892：92.

鉴别特征：鞘翅稍具暗红色或黄棕色，有黑色斑纹，弱光亮到中度光亮；背面被短毛，间或被稀疏长毛。两性前胸背板均具 1 个明显突起，前胸背板密布细小的马蹄形刻点；鞘翅行间明显拱起；臀板分布粗大的圆刻点。性两型现象显著，雄性头部无前脊，后脊较高，脊顶部尖锐；雌性头部具 2 个横脊，后脊较低且钝。

采集记录：5♀，周至厚畛子，1350m，1999. Ⅵ. 24，朱朝东采；1♀，临潼骊山，1991. Ⅹ. 13，任国栋采。

分布：陕西(周至、临潼)、黑龙江、北京、河南、甘肃；俄罗斯，朝鲜，韩国。

234. 嗡蜣螂属 *Onthophagus* Latreille，1802

Onthophagus Latreille，1802：141. **Type species**：*Scarabaeus taurus* Schreber，1759.

Monapus Erichson，1847：763 nota. **Type species**：*Onthophagus mniszechi* Harold，1869.

Psilax Erichson，1847：763 nota. **Type species**：*Onthophagus pronus* Erichson，1842.

Tauronthophagus Shipp，1895：179. **Type species**：*Onthophagus rangifer* Klug，1855.

属征：体小到中型，个别微型。光滑，或密被或疏被柔毛或刚毛；通常具角突，有时角突不明显。唇基与眼片融合，前缘形态多样，从圆形无齿到具弱齿或锐齿不等。触角短，9 节，偶尔 8 节，第 1 节较长，有时具毛列。前胸背板侧缘中部最宽且呈圆钝或尖锐的角，后角通常不明显，基部圆弧形，圆钝或者叶状。小盾片缺失。鞘翅完全覆盖腹部，具 1 条侧脊和 7 条刻点行。中、后胸腹板近于直，后胸腹板有时具凹。腹部短，臀板横脊弱或明显。足粗壮，前足胫节外缘通常具 4 个齿，偶尔 3 个齿，齿间通常具小齿；中、后足胫节向端部强烈扩展，端缘近于直，偶尔三叶状；前足跗节细长，中后足跗节略扁平，内缘具稠密硬毛，外缘具稀疏硬毛，第 1 节中等长度，第 2 节稍窄，通常短于第 1 节的 1/2，第 3 节是第 2 节长度的 1/2，第 4 节是第 3 节长度的 1/2，第 5 节细长。雄性头部和前胸背板具发育程度不同的角突，有时仅头部或仅前胸背板有角突，第 6 腹板中部非常短；前足胫节通常延长，有时端缘与内侧缘近垂直，有时短于雌性（*O. tragoides*）；前足胫节端距通常扩展，弯曲。雌性角突有时与雄性角突形状接近，但不发达，或者具较弱的形状完全不同的角突，第 6 腹板中部纵向通常较长；有时触角两性不同（*O. igneus*）；前足胫节端距通常针状，不强烈向下弯曲。幼虫触角第 3 节感区圆锥状，毛内唇侧具 2～5 根毛，上颚侧面具 2 根毛，内颚叶钩状突基部具齿，前胸无背甲，足端部无丘状突起，第 3 腹节背板具背中突，第 10 腹板复毛区具 1 或 2 个短毛区。蛹的头部常具突出物，中胸和后胸背板具弱突出物；第3～6腹节具发达的指状背侧突；尾突胼胝状。

分布：亚洲，非洲，欧洲，美洲，大洋洲。世界已知约1800 种，中国记录158 种，秦岭地区发现 4 种。

注：本属是 Latreille 在 1802 建立，当时他以 *Copris taurus* Olivier，1790 为模式，但 *Copris taurus* 并非是 Olivier 最早描述，而是 Olivier（1790）的文章中将 *Scarabaeus taurus* Schreber，1759 归为 *Copris* 属，故嗡蜣螂属的模式种为 *Scarabaeus taurus* Schreber，1759。

分种检索表

1. 雄性前胸背板盘区中部或中部之前具 2 个或更多瘤突，瘤突间具 1 个纵凹；雌性前胸背板简单。背面黑褐色或鞘翅黄色，有时具黑斑，体长 5～10mm ……………………………………………………………………………………………… **翅驼嗡蜣螂 *O.*（*Gibbonthophagus*）*atripennis***
   雄性前胸背板角突形状不同，有的雌性近前缘具多个角突 …………………………………… 2
2. 前胸背板具颗粒状有毛刻点，端部中央具 1 个凹 ……… **考氏艾嗡蜣螂 *O.*（*Altonthophagus*）*kozlovi***
   前胸背板具颗粒状无毛刻点，端部中央无凹 ……………………………………………………… 3
3. 背面不完全黑色，鞘翅褐色或具黑色斑纹 ……… **背纹后嗡蜣螂 *O.*（*Matashia*）*dorsofasciatus***
   背面完全黑色，头部和前胸背板有时具金属光泽 ……………… **黑玉后嗡蜣螂 *O.*（*M.*）*gagates***

（664）考氏艾嗡蜣螂 *Onthophagus*（*Altonthophagus*）*kozlovi* Kabakov，1990（图版 14：4）

Onthophagus（*Altonthophagus*）*kozlovi* Kabakov，1990：36.

鉴别特征：鞘翅褐色，具暗色斑纹；头部和前胸背板黑色，无金属光泽。头部具粗大刻点，颊唇基缝明显且深，雄性头部后脊强烈向后延伸为新月形突起，端部尖锐且不分叉，前脊无或不发达，无明显饰边。前胸背板具颗粒状无毛刻点，端部中央无凹。鞘翅端部与基部刻点行间所散布粒状刻点密度相当。

采集记录：1♂，China，Shaanxi，Mt. Taibaishan，2000m，2005. Ⅷ. 05-18，leg. V. Patrikeev。

分布：陕西（周至、太白）、山西、甘肃、四川、西藏。

（665）翅驼嗡蜣螂 *Onthophagus*（*Gibbonthophagus*）*atripennis* Waterhouse，1875（图版 14：5）

Onthophagus atripennis Waterhouse，1875：77.

Onthophagus atripennis var. *apicetinctus* Orbigny, 1898: 148.

Onthophagus atripennis var. *rubrotinctus* Orbigny, 1898: 148.

Onthophagus cicatricosus Balthasar, 1935a: 317, 330.

Onthophagus akirai Matsumura *et* Yohena, 1937: 153.

Onthophagus ibonus Matsumura *et* Yohena, 1937: 155.

Onthophagus kogatanus Matsumura *et* Yohena, 1937: 158.

Onthophagus shigeoi Matsumura *et* Yohena, 1937: 163.

鉴别特征：体长5～10mm。完全黑色。雄性唇基端缘延伸且上翘，额唇基间具平直横脊，头部基部具直立角突，角突长度短于头部宽度的1/2，前胸背板端半部中央具凹坑或凹槽，凹槽近倒三角形，前胸背板基角附近无翼状向后延伸和拱起，无饰边或尖锐边缘。雌性唇基端缘不延伸和上翘，基部角突弱化为横脊，前胸背板简单。

分布：陕西（秦岭）、内蒙古、北京、天津、河北、山西、山东、福建、四川；俄罗斯，朝鲜，韩国，日本。

（666）背纹后嗡蜣螂 *Onthophagus*（*Matashia*）*dorsofasciatus* Fairmaire, 1893（图版14：6）

Onthophagus dorsofasciatus Fairmaire, 1893: 304.

鉴别特征：体长8.00～10.50mm。背面不完全黑色，鞘翅褐色或具黑色斑纹，头部具绿色金属光泽。唇基前缘圆凸无凹，头部具2条脊，头顶不向后延伸为突出。头部密布粗糙的皱纹状刻点，头顶脊直且不横贯头部。前胸背板盘区拱起为三角形平台，基角附近翼状向后延伸，略突出于侧缘，密布粗大的卵形刻点。

分布：陕西（秦岭）、四川、贵州；越南。

（667）黑玉后嗡蜣螂 *Onthophagus*（*Matashia*）*gagates* Hope, 1831（图版14：7）

Onthophagus gagates Hope, 1831: 22.

Onthophagus angulatus Redtenbacher, 1844: 522.

鉴别特征：背面完全黑色，头部和前胸背板有时具金属光泽。雄性唇基前缘向前延伸并上翘，头顶具脊；触角柄节前缘不为锯齿状或仅弱锯齿状。前胸背板盘区拱起为三角形平台，基角附近翼状向后延伸且明显突出于侧缘，散布颗粒状无毛刻点。中、后足胫节近端部中等程度扩展，外缘不明显为三叶状，中后足跗节基节正常。

采集记录：1♂, N. China, Shensi, Hua Shan, 1966. Ⅶ. 30, P. M. Hammond Coll。

分布：陕西（华阴）、浙江、福建、台湾、四川、云南、西藏；老挝，印度，尼泊尔。

235. 利蜣螂属 *Liatongus* Reitter, 1892

Liatongus Reitter, 1892: 38, 45. **Type species**: *Onthophagus phanaeoides* Westwood, 1840.

属征：体中小型，身体较窄长，扁平或强烈拱起，常光裸。体褐色到黄褐色，有时鞘翅红褐色，头部和前胸背板有时具金属光泽。头部常具1～2个发达角突，单角突常可延伸到前胸背板基部附近，双角突或单角突端部分叉的通常较短，长度不超过头部纵长。触角8节，颏横阔。前胸背板或者中央具凹且两侧具角突，或者中央强烈拱起且常具角突；纵中线基部明显。小盾片可见。鞘翅端部无长毛，臀板无明显横脊。足较粗壮，前足胫节外缘具4个发达的齿；中、后足胫节外缘具1～3个齿。两性差异体现在雄性头部和前胸背板通常具发达角突；雌性则具弱角突，或无角突，或仅具横脊。幼虫触角第3节感区平坦，毛内唇侧具9～11根毛，上颚侧面具2根毛，内颚叶钩状突基部具齿，前胸无明显背甲，足端部无丘状突起，第3腹节背板明显具背中突，复毛区被毛明显，被中肛隔分为2个卵形毛区。蛹的前胸无突出物，中胸和后胸背板具突出物，第3～6腹节具指状背侧突，尾突胼胝状。

分布：东洋区，非洲区，澳洲区（引种）。世界已知46种，中国记录19种，秦岭地区发现1种。

(668) 亮利蜣螂 *Liatongus phanaeoides* (Westwood, 1840)

Onthophagus phanaeoides Westwood, 1840: 55, Tf. 9, Fg. 3.
Onthophagus excavatus Redtenbacher, 1844: 523.
Phanaeus minutus Motschulsky, 1860a: 13.
Oniticellus minutus Harold, 1869: 1040.
Liatongus phanaeoides: Arrow, 1931: 364.

鉴别特征：体长6～11mm。体红褐色到黑褐色，通常腿节黄褐色到红褐色。身体扁平，前胸背板和鞘翅侧面通常光裸无毛。颊向两侧不明显延伸，雄性头部无横脊，头部向后具1个细长角突，长度超过前胸背板基部。雄性前胸背板盘区中部具1个凹坑，无复杂突起，有时仅靠近基部具叶状直立突起，雌性前胸背板通常具1个长形浅凹，向后略变宽；前胸背板基部无饰边。鞘翅刻点行间平坦，几乎无刻点，有时具细小颗粒，近基部刻点趋于粒状或鲨鱼皮状，有时模糊无光泽；鞘翅第8刻点行间平坦不发达，背面观侧缘完整可见。雄性前足胫节不强烈扩展，外缘齿与内缘明显倾斜不为直角（至少端部齿如此），端缘和外缘齿相对较长，端距长，略弯曲。后胸腹板基部无"V"或"Y"形凹。雄性生殖器较小，基侧突端齿背面观完全可见。

分布：陕西（秦岭）、河北、山西、河南、福建、台湾、四川、贵州、云南；朝鲜，韩国，日本，越南，老挝，缅甸，印度，孟加拉国，巴基斯坦，阿富汗。

236. 蜣螂属 *Scarabaeus* Linnaeus，1758

Scarabaeus Linnaeus，1758：345. **Type species**：*Scarabaeus sacer* Linnaeus，1758.
Actinophorus Creutzer，1799：79. **Type species**：*Scarabaeus sacer* Linnaeus，1758.
Ateuchus Fabricius，1801：54. **Type species**：*Scarabaeus sacer* Linnaeus，1758.
Heliocantharus MacLeay，1821：497. **Type species**：*Scarabaeus sacer* Linnaeus，1758.
Sebasteos Westwood，1874：225. **Type species**：*Sebasteos galenus* Westwood，1847.
Ateuchetus Bedel，1892：282. **Type species**：*Ateuchus cicatricosus* Lucas，1846.
Parateuchus Shipp，1895：221. **Type species**：*Scarabaeus morbillosus* Fabricius，1792.
Neateuchus Gillet，1911：309. **Type species**：*Ateuchus proboscideus* Guérin-Méneville，1844.
Neomnematium Janssens，1938：71. **Type species**：*Scarabaeus sevoistra* Alluaud，1902.
Drepanopodus Janssens，1940：73. **Type species**：*Ateuchus costatus* Wiedemann，1823.
Madateuchus Paulian，1953：24. **Type species**：*Madateuchus viettei* Paulian，1953.

属征：体型大而扁，偶尔为中小型，宽椭圆形。体黑色或黑褐色，有时具浅色斑纹，若完全为浅棕色，应为羽化时间较短且未充分硬化的个体；有时具弱或强烈的金属光泽。通常光滑，散布细小刻点，有时密布粗糙刻点。唇基前缘明显齿状，颊部发达，前端尖齿状。小盾片极小或无。鞘翅刻点行浅；后翅通常发达，部分沙漠种类后翅缺失。前足胫节长，外缘具明显齿状突，齿突间常具细齿，雌性和雄性前足均无跗节；中、后足跗节不发达，跗节两侧常具刷状毛，跗节端部具爪 1~2 枚，有时无爪。第二性征不明显，通常雄性后足胫节内侧有 1 列密生短毛，前足胫节端部具向内的前突，胫节前突内侧通常较强壮，第 1 腹板有 1 个横向并具 1 列刚毛的凹坑，雌性有些种类臀板较圆隆。就具体种类而言，通常只具有某个或某些上述第二性征，甚至有些种类雌性和雄性外表完全没有区别。雄性阳茎基侧突不对称，通常右侧具突出。幼虫触角第 3 节感区平坦，毛内唇侧具 6~8 根毛，上颚侧面具 4~7 根毛，内颚叶钩状突基部无齿，前胸背甲明显具前角，足端部无丘状突起，第 3 腹节背板无背中突，复毛区被毛不明显，仅体视镜下可见，上唇根不愈合。蛹的第 3~5 腹节具指状背侧突，其他突起不明显。

分布：非洲为主，欧洲、亚洲也有分布。世界已知 143 种，中国记录 4 种，秦岭地区发现 1 种。

(669) 台风蜣螂 *Scarabaeus*（s. str.）*typhon* Fischer von Waldheim，1823

Scarabaeus typhon Fischer von Waldheim，1823：210，t. 27，f. 4.
Scarabaeus spencei MacLeay，1821：502.
Ateuchus affinis Brullé，1832：165，t. 38，f. 3.

Ateuchus peregrinus Kolbe, 1886: 189, t. 11, f. 26.

鉴别特征: 体长 20.60 ~ 32.60mm，体宽 13.60 ~ 19.00mm。体大型，扁阔椭圆形。全体黑色，光泽较弱。头阔大，唇基长大，前部向上弯翘，前缘有大齿 4 枚，中部两齿最长大，侧部两齿较矮，眼上刺突宽大，三角形，前端齿状，与唇基 4 个齿合成头部 6 个齿前缘；额唇基缝中段有 1 对低而明显的横形小丘突，头面散布具毛刻点和小瘤突。触角 9 节，鳃片部 3 节。前胸背板横阔，有 1 条光滑中纵带，盘区散布刻点，四侧布小圆瘤突，侧缘圆弧形扩出，锯齿形，后缘微向后钝角形扩出，边框为椭圆形刻点所断。小盾片缺如。鞘翅隆拱，纵线甚细弱但可辨，缘折高锐纵脊形。臀板短阔三角形，散布刻点，末端钝，上臀板中央无气道。胸下密被深褐绒毛，腹下光亮。足强大，前足胫节外缘 4 个齿，内缘中段弧凹，凹处两端各有 1 个小齿，雄虫的弧凹较狭长，距端位的小齿消失。中足、后足胫节仅有端距 1 枚，跗爪部十分纤细。雄虫后足胫节背棱上刷毛紧密，雌虫者则刷毛稀，毛距约为毛径的 2 ~4 倍。

生物学: 成虫、幼虫均以畜粪和人粪等为食。在华北、陕西，成虫于 5 月上旬即出土活动，有滚制粪球、运储地下繁育后代的习性。

采集记录: 5♂10♀，眉县果树所，1976. Ⅵ. 09-11，马文珍采。

分布: 陕西(眉县)、黑龙江、吉林、辽宁、内蒙古、宁夏、甘肃、新疆、河北、北京、天津、山西、山东、河南、江苏、江西、湖南、福建、西藏；蒙古，俄罗斯，朝鲜，日本，印度，阿富汗，伊朗，乌兹别克斯坦，土库曼斯坦，哈萨克斯坦，土耳其，以色列，巴勒斯坦，约旦，黎巴嫩，塞浦路斯，南斯拉夫，叙利亚，亚美尼亚，欧洲，非洲。

237. 西蜣螂属 *Sisyphus* Latreille, 1807

Sisyphus Latreille, 1807: 79. **Type species**: *Scarabaeus schaefferi* Linnaeus, 1758.

属征: 外形类似蜘蛛，卵形，侧扁，具非常长且转动灵活的足，整个身体通常被直立短毛，腹面相对较光滑。头部扁阔，唇基与眼片完全融合，前缘具 2 个或 4 个短齿，触角短，8 节，第 3 节弱延长，第 4、5 节非常短。前胸背板基部具 1 个纵凹，前角腹面具凹。小盾片缺失。鞘翅非常短，向端部急剧变窄，后胸腹板通常具凹。前足相对较短，前足腿节粗壮，胫节外缘具 3 个齿，齿间具小锯齿，前足跗节细短。中、后足非常细长，中足基节远离近平行，腿节基部细，端部之前明显变宽，中足胫节弯曲，中足跗节长于中足胫节，后足胫节非常细长，内侧锯齿形，中、后足跗节非常长，第 1 节与第 2 和第 3 节长度之和近相等。腹部侧面压缩，臀板窄长。两性差异在雄性后足腿节通常具发达齿，雌性无。幼虫触角第 3 节感区圆锥状，毛内唇侧具 2 ~5根毛，上颚侧面具 2 根毛，内颚叶钩状突基部无齿，前胸背甲明显具前角，足端部具丘状突起，第 3 腹节背板无背中突，腹部末节腹面无被毛，下颚无发音齿，触角端节长度小于感区长度的 2 倍，足 2 或 3 节。蛹的前胸无突出物，中胸和后胸背板具突出物，第 3 ~6 腹节具指状背侧突，尾突胼胝状。

生物学：本属蜣螂被毛较多，所以通常身体会黏附很多粪便中的纤维，这可能既是伪装也是对粪便的搬运。足非常灵活，可以向各个方向随意转动，而身体侧扁，也为足的自由转动减少了限制，提供了更多空间。因此，本属蜣螂均为出色的滚粪球者。*S. longipes*有些个体具白垩状物质，该物质具一定分布模型，但该物质有何意义，仍需要进一步研究。

分布：古北区，东洋区，非洲区，中美洲。世界已知 40 种，中国记录 6 种，秦岭地区发现 1 种。

（670）赛氏西蜣螂 *Sisyphus*（s. str.）*schaefferi*（Linnaeus, 1758）（图版 14：8）

Scarabaeus schaefferi Linnaeus, 1758: 349.

Sisyphus longipes Scopoli, 1763: 11 (nec Olivier, 1789).

Copris arachnoides Geoffroy, 1785: 15.

Sisyphus tauscheri Fischer von Waldheim, 1823: 27.

Sisyphus schaefferi var. *boschniakii* Fischer von Waldheim, 1824: 210.

Sisyphus schaefferi: Gory, 1833: 9.

Sisyphus capensis Gory, 1833: 12.

Sisyphus subemarginatus Mulsant, 1842: 62.

Sisyphus subinermis Mulsant, 1842: 62.

Sisyphus schaefferi morio Arrow, 1909: 93.

Sisyphus arachnoides: Haaf, 1955: 347, 352.

鉴别特征：体长 9 ~10mm，体宽 4.50 ~6.50mm。体中小型。近椭圆形，颇圆隆厚实。全体黑色，光泽较暗。头部近横椭圆形，头面粗糙，密布具短毛的小瘤突，唇基长大，前缘中段宽弧形凹缺，凹块两端翘起呈齿突，眼上刺突发达，侧缘弧圆，后缘呈圆弧形棱脊。触角 9 节，鳃片部 3 节。前胸背板横阔，圆弧形隆拱，密布具毛的椭圆形刻点，毛斜生，位于刻点之后端，中纵有光滑纵带，前隆后凹，四缘有边框，侧缘前段收狭，后段（占 2/3）近直，两侧近平行，后缘边框线形，框内沿有大致呈排的圆大脐形刻点。缺小盾片。鞘翅前宽后窄，末端收缩，状似楔形，肩突、端突发达，每鞘翅有 8 条刻点沟线，沟间带散布具毛的小瘤突。臀板长三角形，末端圆钝，中部有 1 条纵脊，布刻点及绒毛，上臀板有深显气道。后胸腹板有 1 个深穴。腹短，腹下呈楔形。前足短壮，前胫外缘前段 3 个大齿，基、中齿间有 1 个小齿，后段锯齿形，距端位，中、后足细长，以后足为最，雄虫后足股节因基半段急剧收缩而呈棒槌形，后胫弯曲，跗节长而有力。

分布：陕西（秦岭）、黑龙江、吉林、辽宁、内蒙古、北京、河北、山西、河南、四川；俄罗斯，朝鲜，伊朗，土库曼斯坦，哈萨克斯坦，土耳其，阿塞拜疆，欧洲。

（七）花金龟亚科 Cetoniinae

李莎 白明 杨星科
（中国科学院动物进化与系统学重点实验室，中国科学院动物研究所，北京 100101）

鉴别特征：体长通常 4～46mm。椭圆形或长形。身体多呈古铜色、铜绿色、绿色或黑色等，一般具鲜艳的金属光泽，表面多具刻纹或花斑，部分种类表面光滑或具粉末状分泌物，通常多数有绒毛或鳞毛。头部较小且扁平，唇基多为矩形或半圆形，唇基前缘有时会具有不同程度的中凹或边框，部分种类具有不同形状的角突。复眼通常发达，触角为 10 节，柄节通常膨大，鳃片部 3 节。前胸背板通常呈梯形或椭圆形，侧缘弧形，后缘横直或具上中凹或向后方伸展，少数种类甚至盖住小盾片。中胸后侧片发达，从背面可见。小盾片呈三角形。鞘翅表面扁平，肩后缘向内弯凹，后胸前侧片与后侧片于背面可见，少数种类外缘弯凹不明显或不弯凹，部分种类鞘翅上具有2～3条纵肋。臀板为三角形。中胸腹突呈半圆形、三角形、舌形等。足较短粗，部分种类细长，前足胫节一般雌性粗雄性窄，外缘齿的数目，一般雌性多雄性少，跗节为 5 节（跗花金龟属跗节为 4 节），爪 1 对，对称简单。

生物学：通常日行性，多数种类成虫为访花昆虫。幼虫多为土栖，亦有生活于朽木、腐殖质或粪便中的，也有些生活于白蚁或蚂蚁巢穴中。大多数一年一代，很多种类具重要经济意义。

分类：分布于各大动物地理区，以热带、亚热带地区种类最为丰富。世界已知 509 属 3600 余种，中国目前记录 69 属 413 种，陕西秦岭地区发现 17 属 27 种。

分属检索表

1. 中胸腹突不突出，后足跗节明显长于前、中足跗节 ………… 2
   中胸腹突不同程度向前突出，后足跗节长度与前、中足跗节几乎相等 ………… 3
2. 小盾片狭长，体表密被长绒毛 ………… **毛斑金龟属 *Lasiotrichius***
   小盾片较短，体表光滑或散布短绒毛 ………… **环斑金龟属 *Paratrichius***
3. 上颚发达，下颚的外颚叶具锋利的齿 ………… **臀花金龟属 *Campsiura***
   上颚薄片状；下颚的外颚叶多毛簇，不具齿 ………… 4
4. 前胸背板后缘中部向后微微延伸，盖住部分小盾片 ………… **丽花金龟属 *Euselates***
   前胸背板后缘中部横直或具向上凹陷 ………… 5
5. 前胸背板侧缘略呈直角，不向基部收缩，仅露出小部分中胸后侧片，后缘横直，无中凹或中凹较浅；有些种类头部或唇基具角突 ………… 6
   前胸背板侧缘强烈向基部收缩呈圆弧形，露出大部分中胸后侧片，后缘一般弯曲，中凹较深；头部和唇基均无角突 ………… 13
6. 前足基节明显分开，前足胫节内缘具有共生的刺；中胸腹突窄小；鞘翅肩后缘直，不向内弯凹 ………… **鹿花金龟属 *Dicronocephalus***

前足基节接近，前足胫节内缘无共生的刺，中足基节被宽大的中胸腹突分开；鞘翅肩后缘向内弯凹 ………………………………………………………………………… 7

7. 体形短宽，鞘翅表面微隆 ………………………… **贝花金龟属 *Petrovizia***
体形狭长，鞘翅表面扁平 ………………………………………………… 8

8. 雄虫唇基前缘及前胸背板均具角突 ………………… **背角花金龟属 *Neophaedimus***
雄虫唇基前缘及前胸背板均无角突 ………………………………………… 9

9. 体表密被鳞毛，每对鞘翅上具2条纵肋 ……………… **鳞花金龟属 *Cosmiomorpha***
体表无鳞毛，鞘翅上无纵肋 ……………………………………………… 10

10. 唇基前缘和头部均具角突 ………………………… **唇花金龟属 *Trigonophorus***
唇基前缘和头部均无角突 ………………………………………………… 11

11. 后足基节相互远离 ……………………………………………………… 12
后足基节相互接近 ………………………………… **罗花金龟属 *Rhomborhina***

12. 中胸腹突两侧强烈扩展，似铲形 ………………… **阔花金龟属 *Torynorrhina***
中胸腹突两侧微微扩展，不呈铲状 ……………… **伪阔花金龟属 *Pseudotorynorrhina***

13. 前胸背板中部隆起，鞘翅肩后弯凹不明显 ……………… **锈花金龟属 *Anthracophora***
前胸背板中部扁平，鞘翅肩后明显弯凹 ……………………………………… 14

14. 前胸背板近椭圆形，后缘接近横直，中凹不明显 ………… **短突花金龟属 *Glycyphana***
前胸背板近梯形，后缘具有不同程度的上凹 ………………………………… 15

15. 鞘翅扁平，每对鞘翅上具有2条纵肋 …………………………………… 16
鞘翅微隆，无纵肋 ……………………………………… **星花金龟属 *Protaetia***

16. 体型中等，中胸腹突向前突出，中部微微缢缩 ……………… **花金龟属 *Cetonia***
体型较小，中胸腹突向前突出，无缢缩 ………………………… **青花金龟属 *Gametis***

238. 花金龟属 *Cetonia* Fabricius, 1775

Cetonia Fabricius, 1775: 42. **Type species**: *Scarabaeus auratus* Linnaeus, 1761.
Tecinoa Costa, 1852: 12. **Type species**: *Scarabaeus auratus* Linnaeus, 1761.

属征：体长13~18mm。身体多为绿色或棕褐色，具有金属光泽。密被刻点或浓密的绒毛。唇基较短，前缘通常具有明显的中凹。前胸背板近梯形，两侧边缘弧形，具窄边框，后缘中部微微向内凹陷。中胸后侧片明显外露。小盾片宽大，近三角形，末端圆钝。鞘翅狭长，肩部最宽，肩后缘向内弯凹明显。每对鞘翅通常各具2条纵肋，散布不规律的白绒斑。臀板扁平，呈三角形，中胸腹突细长，向前突伸，末端圆钝，前足胫节外缘具3枚齿，跗节细长。

分布：古北区，东洋区。中国已知15种1亚种，秦岭地区发现1种。

(671) 长毛花金龟 *Cetonia* (*Eucetonia*) *magnifica* (**Ballion, 1871**)（图版15：1）

Cetonia magnifica Ballion, 1871: 348.

Cetonia cupreola Kraatz, 1879: 243.

鉴别特征： 体长 15.80 ~ 16.70mm。体棕色，具有金属光泽。全身密被浅黄色的绒毛。唇基短，表面密被刻点和绒毛。前缘弧形，具中凹，侧缘具边框，微微外阔。额区扁平，密被粗刻点，中央具 1 条光滑的纵脊。眼眦短粗。触角棕黑色，鳃片部膨大，大于第 2 ~ 7 节之和。前胸背板近梯形，前角不突出，较圆钝，侧缘具窄边框，后角圆钝，后缘圆弧形，后缘中部具 1 个上凹，盘区密被刻点和黄色短绒毛。小盾片长，呈三角形，末端圆钝，光滑，无刻点及绒毛。鞘翅狭长，肩后明显弯凹，缝角不突出。鞘翅被刻点及皱纹，每对鞘翅中央各具 2 条纵肋，散布白色小绒斑。臀板扁平（雌虫微微圆隆），呈三角形，其中央及侧缘各具 1 对小白绒斑，且被细密的黄色短绒毛。腹面（除后胸腹板中央及腹部中央外）均被粗糙的刻点和浓密的黄色长绒毛。前足胫节外缘具 3 个齿，第 1、2 齿接近，第 3 齿远离。各足腿节和胫节内缘均具 1 排黄色长绒毛，中、后足胫节外侧具 1 个隆突。跗节短粗，爪小而弯曲。

采集记录： 1♀，太白黄柏塬，1350m，1980. Ⅶ. 11，张宝林采，IOZ(E)782681；1♀，黄龙白马滩，1979. Ⅶ. 15，李明均采，IOZ(E)783074。

分布： 陕西（太白、黄龙）、黑龙江、吉林、辽宁、北京、河北、山西。

239. 青花金龟属 *Gametis* Burmeister, 1842

Gametis Burmeister, 1842: 358. **Type species:** *Cetonia versicolor* Fabricius, 1775.

属征： 体长 11 ~ 17mm。身体多为绿色、褐色或黑色。密被刻点。唇基狭长，前缘微微向上弯折，中凹明显。前胸背板近梯形，两侧边缘弧形，后缘中部向内凹陷。小盾片宽大，近三角形，末端圆钝。鞘翅狭长，肩部最宽，肩后缘向内弯凹明显。鞘翅密被刻点行，散布不规律的白绒斑。臀板扁平，呈三角形，中胸腹突较短，向前突伸，末端圆钝，前足胫节外缘具 3 个齿，跗节细长。

分布： 古北区，东洋区。中国已知 4 种 3 亚种，秦岭地区发现 1 种。

(672) 小青花金龟 *Gametis jucunda* (**Faldermann, 1835**)（图版 15：2）

Cetonia jucunda Faldermann, 1835: 386.

鉴别特征： 体长 12.60 ~ 13.90mm。体绿色、棕色、铜褐色或黑色。头部黑色，唇基狭长，表面密被刻点和皱纹。前缘渐窄，具深中凹，且微微向上弯，侧缘微微外阔。额区扁平，密被刻点。眼眦短粗。触角棕黑色，鳃片部膨大，约等于 2 ~ 7 节之和。前胸背板呈绿色，靠近侧缘处呈黑色。形状近梯形，密被刻点和浅黄色绒毛。前胸背板前角不突出，较圆钝，侧缘具窄边框，后角圆钝，后缘圆弧形，中部具浅凹。

盘区靠近侧缘各有1对白色小绒斑。小盾片宽大，末端圆钝，光滑，无刻点及绒毛。鞘翅狭长，肩后明显弯凹，缝角不突出。鞘翅上密被刻点行，靠近端部及侧缘具有不规则的白色小绒斑。臀板扁平，呈三角形，其上具不规则绒斑，且密被黄色长绒毛。腹面(除后胸腹板中央及腹部中央外)均被黄色长绒毛。前足胫节外缘具3个齿，雄虫第3齿较钝，雌虫第3齿较锋利。各足腿节和胫节内缘均具1排黄色密绒毛，中、后足胫节外侧各具1个隆突。跗节细长，爪微微弯曲。

采集记录： 1♂1♀，周至厚畛子，1350m，1999. Ⅵ. 25，章有为采，IOZ(E)788999-9000；8♂4♀，华山，1992. Ⅷ. 10，王书永采，IOZ(E)788735-46；4♂，佛坪窑沟，870～1000m，1998. Ⅶ. 25，陈军采，IOZ(E)788984-87；1♀，佛坪，870～1000m，1998. Ⅶ. 25，廉振民采，IOZ(E)788989；12♂4♀，镇巴，1986. Ⅶ. 14，IOZ(E)900873-88；1♂，紫阳，1976. Ⅵ. 23，马文珍采，IOZ(E)788747；1♀，黄陵，1000～1400m，1963. Ⅴ. 04，毛金龙采，IOZ(E)788778。

分布： 陕西(周至、佛坪、镇巴、紫阳、黄陵)、黑龙江、吉林、辽宁、内蒙古、北京、天津、河北、山西、山东、河南、宁夏、甘肃、青海、新疆、江苏、上海、安徽、浙江、湖北、江西、湖南、福建、台湾、广东、海南、香港、澳门、广西、重庆、四川、贵州、云南、西藏。

240. 短突花金龟属 *Glycyphana* Burmeister, 1842

Glycyphana Burmeister, 1842: 345. **Type species**: *Cetonia horsfieldii* Hope, 1831.

属征： 体长8～15mm。身体多为黑色或绿色。唇基短粗，前缘中凹明显。前胸背板近梯形，两侧边缘弧形，后缘中部微微向内凹陷，有时无。小盾片狭长，近三角形，末端圆钝。鞘翅狭长，肩部最宽，肩后缘向内弯凹明显。鞘翅密被刻点行及皱纹，其上通常会有不同形状和颜色的斑纹。臀板扁平，呈三角形，中胸腹突较短，向前突伸，前缘变宽，圆钝，前足胫节外缘具3个齿，中、后足胫节外缘各具1个齿，跗节细长，爪小，微微弯曲。

分布： 古北区、东洋区和澳洲区。中国已知2亚属9种3亚种，秦岭地区发现1种。

(673) 黄斑短突花金龟 *Glycyphana* (*Glycyphana*) *fulvistemma* Motschulsky, 1858 (图版15：3)

Glycyphana fulvistemma Motschulsky, 1858b: 18.

鉴别特征： 体长8.80～9.50mm。体黑色。唇基较短，表面密被刻点。前缘弧形，具中凹，且微微向上折翘；侧缘无边框，向外斜阔。额区扁平，密被粗刻点。眼眦短粗。触角柄节较长，鳃片部近椭圆形。前胸背板近梯形，前角微微突出，侧缘弧形，具窄边框，后角圆钝，后缘横直。前胸背板表面密被刻点和刻纹，散布数量不等的黄色小绒斑，有时无。小盾片狭长，三角形，末端圆钝，具稀疏刻点。鞘翅狭长，肩后明显弯凹，缝角不突出。鞘翅上密被刻点行，每对鞘翅中央各具1个浅黄色的大斑，边缘散布不规则的黄色小绒斑。臀板扁平（雌虫中央微微隆起），呈三角形，其上具横行的皱纹，雌虫具有2块对称的黄色绒斑，雄虫无。腹面（除后胸腹板中央及腹部中央光滑外）均被粗糙的皱纹和稀疏的黄色绒毛。雌虫后胸腹板侧缘、后胸后侧片以及各腹节两侧均具1个黄色的绒斑块。前足胫节外缘具3个齿，各足腿节和胫节内缘均具1排黄色密绒毛，中、后足胫节外侧各具1个隆突。跗节短粗，第5跗节略长于其他各跗节。爪细长，微微弯曲。

采集记录： 4♂1♀，周至厚畛子，1271m，2007. Ⅴ. 26，史宏亮、林美英采，IOZ(E)1945121-25；2♀，周至厚畛子，1271m，2007. Ⅴ. 26，史宏亮采，IOZ(E)1945128-29；1♀，周至沙梁子，939m，2007. Ⅴ. 24，史宏亮采，IOZ(E)1945151；1♀，佛坪沙窝村，1170～1215m，2007. Ⅴ. 29，史宏亮采，IOZ(E)1945140；1♀，宁陕火地塘，1550m，2007. Ⅵ. 02，李文柱采，IOZ(E)1945127；1♀，柞水老林村，1050m，2007. Ⅵ. 02，崔俊芝采，IOZ(E)1945126；3♂3♀，柞水营盘镇，1100m，2007. Ⅵ. 03，林美英采，IOZ(E)1945130-35。

分布： 陕西（周至、佛坪、宁陕、柞水）、甘肃、安徽、浙江、湖北、湖南、福建、海南、四川、贵州、云南。

241. 星花金龟属 *Protaetia* Burmeister, 1842

Protaetia Burmeister, 1842: 472. **Type species**: *Cetonia anovittata* Chevrolat, 1841.

属征： 体长7～25mm。身体多为绿色、暗褐色、铜红色或黑色，极具金属光泽。唇基近矩形，前缘横直或具中凹，侧缘具边框。前胸背板近梯形，两侧边缘弧形，后缘横直，具深中凹。小盾片三角形，末端圆钝。鞘翅狭长，肩部最宽，肩后缘向内弯凹明显。鞘翅上通常具不规则的绒斑。臀板三角形，扁平或末端高隆。中胸腹突宽大，微微向前延伸，前缘圆钝。足粗壮，前足胫节外缘具3个齿，中、后足胫节外缘具1～2个隆突，内侧多具绒毛。跗节短粗，爪较小而弯曲。

分布： 古北区，东洋区。中国已知54种8亚种，秦岭地区发现5种。

分种检索表

1. 体表无金属光泽，阳基侧突呈钳子状………… **肋凹缘花金龟 *P.* (*Dicranobia*) *potanini potanini***
   体表具金属光泽，阳基侧突不呈钳子状……………………………………………………………… 2
2. 鞘翅光滑无刻点或仅具稀疏刻点 …………… **光星花金龟 *P.* (*Chrysopotosia*) *mandschuriensis***
   鞘翅密被粗糙刻点 ……………………………………………………………………………… 3
3. 体型较小，后足胫节外缘仅具1个中隆突…………………… **多纹星花金龟 *P.* (*Netocia*) *famelica***

体型较大，后足胫节外缘具 2 个中隆突………………………………………………………… 4

4. 唇基前缘强烈向上折翘，阳基侧突基部愈合…………… **凸星花金龟 *P.*（*Calopotosia*）*orientalis***

唇基前缘横直，阳基侧突基部分离 ………………………… **白星花金龟 *P.*（*Liocola*）*brevitarsis***

（674）光星花金龟 *Protaetia*（*Chrysopotosia*）*mandschuriensis*（Schürhoff，1933）

Calopotosia mandschuriensis Schürhoff，1933a：29.

Potosia nitididorsis Medvedev，1964：192（nec Fairmaire，1889）.

Protaetia（*Chrysopotosia*）*mandschuriensis*：Mikšić，1966：7.

鉴别特征：体长 17.50～22.30mm。体绿色、铜红色、暗褐色，体表极具金属光泽。唇基较短，密被圆形刻点，侧缘向下微微斜阔，前缘强烈向上折翘，具不同程度的中凹。额区密被刻点，中央微弱隆起。眼眦短粗，较光滑，无刻点。触角鳃片部较长。前胸背板近梯形，中央光滑，越接近两侧刻点越密集。前胸背板前角不突出，侧缘具窄边框，后角圆钝，后缘中部向内凹陷。盘区中央有 4 个小白绒斑，纵向排列整齐，其前方和后方也各有 1 对小白绒斑。小盾片宽大，末端圆钝，光滑无刻点。鞘翅宽大，肩后明显向内弯凹，缝角微微突出。其上密被白色绒斑，集中在鞘翅中后部及鞘翅的外缘处，绒斑的分布种间微微有所不同。臀板长三角形，雄虫端部明显隆起，雌虫扁平。密被皱纹且靠近侧缘有对称的白绒斑。腹面除中央光滑外，各腹板及腹节侧缘具被有皱纹和大片的白绒斑。前足胫节具 3 个齿，雄虫第 1 和 2 齿距离很近且较锋利，第 3 个齿远离，很小，不明显，雌虫第 3 个齿明显锋利。中、后足胫节外侧各具 2 个隆突。跗节短粗，爪微微弯曲。

采集记录：1♂2♀，秦岭，1992. Ⅶ. 10，IOZ(E)783543-45；1♀，留坝庙台子，1350m，1998. Ⅶ. 21，姚建采，IOZ(E)783551；5♂，佛坪窑沟，870～1000m，1998. Ⅶ. 25，陈军、廉振民、姚建采，IOZ(E)784716-20；2♀，佛坪县城，950m，1998. Ⅶ. 25，袁德成采，IOZ(E)784723-24；1♀，宁陕十八丈，1150m，1999. Ⅵ. 28，袁德成采，IOZ(E)784722。

分布：陕西（留坝、佛坪、宁陕）、辽宁、北京、河北、山西、河南、安徽、浙江、湖北、四川、云南。

注：马文珍（2005：422）记录的亮绿星花金龟 *Protaetia*（*Calopoosia*）*nitdidorsia*（Fairmarie，1889）为错误鉴定，应为光星花金龟 *Protaetia*（*Chrysopotosia*）*mandschuriensis*（Schürhoff，1933）。

（675）凸星花金龟 *Protaetia*（*Calopotosia*）*orientalis*（Gory *et* Percheron，1833）（图版 15：4）

Cetonia orientalis Gory *et* Percheron，1833：193.

Cetonia aerata Erichson，1834：240.

Cetonia aerata var. *submarmora* Burmeister, 1842: 460.

Cetonia confuciusana Thomson, 1878: 28.

Cetonia aerata var. *ignea* Kraatz, 1889: 380.

Protaetia orientalis: Arrow, 1910: 143.

鉴别特征：体长 17.50～22.30mm，体宽 10.00～13.90mm。体绿色、铜红色、暗褐色，体表极具金属光泽。唇基较短，密被圆形刻点，侧缘向下微微斜阔，前缘强烈向上折翘，具不同程度的中凹。额区密被刻点，中央微弱隆起。眼眦短粗，较光滑，无刻点。触角鳃片部较长。前胸背板近梯形，中央光滑，越接近两侧刻点越密集。前胸背板前角不突出，侧缘具窄边框，后角圆钝，后缘中部向内凹陷。盘区中央有4个小白绒斑，纵向排列整齐，其前方和后方也各有1对小白绒斑。小盾片宽大，末端圆钝，光滑无刻点。鞘翅宽大，肩后明显向内弯凹，缝角微微突出。其上密被白色绒斑，集中在鞘翅中后部及鞘翅的外缘处，绒斑的分布微微有所不同。臀板长三角形，雄虫端部明显隆起，雌虫扁平。密被皱纹且靠近侧缘有对称的白绒斑。腹面除中央光滑外，各腹板及腹节侧缘具被有皱纹和大片的白绒斑。前足胫节具3个齿，雄虫第1和2齿距离很近且较锋利，第3齿远离，很小不明显；雌虫第3齿明显锋利。中、后足胫节外侧各具2个隆突。跗节短粗，爪微微弯曲。

采集记录：3♂1♀，周至楼台镇，2007. Ⅴ. 24，崔俊芝、史宏亮采，IOZ(E) 1945154-55/58-59；2♂，安康香溪，1981. Ⅵ. 14，陈德祥采，IOZ(E)784828-9；1♀，镇安，寄主为板栗，1986. Ⅵ. 12，IOZ(E)785049。

分布：陕西(周至、安康、镇安)、北京、河北、山东、江苏、上海、安徽、浙江、湖北、江西、湖南、福建、广东、海南、香港、广西、重庆、四川、贵州、云南；日本。

(676) 肋凹缘花金龟 *Protaetia* (*Dicranobia*) *potanini potanini* (Kraatz, 1889)

Cetonia potanini Kraatz, 1889: 669.

Protaetia rochei Bourgoin 1916: 111.

Protaetia bieti Janson, 1895: 116.

Protaetia (*Dicranobia*) *potanini*: Mikšić, 1966: 14.

鉴别特征：体长 15.40～18.00mm。体绿色或棕色，体表具微弱的金属光泽。唇基短宽，密被白色鳞粉层，前缘尖角突出，向上折翘，无中凹，侧缘近平行，无边框。额区被刻点及直立的短绒毛。眼眦细长，表面着生1排浓密短绒毛。触角鳃片部长，长于其他各节之和。前胸背板近梯形，表面均匀的被有浅刻点和短绒毛。前胸背板前角不突出，侧缘具窄边框及白色鳞粉层，后角圆钝，后缘中部向内凹陷。小盾片三角形，末端圆钝，光滑无刻点。鞘翅宽大，肩后明显向内弯凹，缝角微微突出。鞘翅的外缘及鞘翅后缘被白绒斑，绒斑的分布微微有所不同。臀板长三角形，其上具刻点及横行的皱纹。中胸腹突微微向前突伸，末端横直。腹面除中央光滑外，各腹板及腹节侧缘具被有刻点、白色长绒毛及大片的白色鳞粉层。前足胫节具3个齿，中、后足胫节外侧各具1个隆突。跗节短粗，爪微微弯曲。

采集记录： 1♂，周至沙梁子，939m，2007.Ⅴ.24，史宏亮采，IOZ(E)1945153；1♂，凤县，1974.Ⅶ.03，西北农学院采，IOZ(E)785763。

分布： 陕西(周至、凤县)、河南、甘肃、四川、贵州。

(677) 白星花金龟 *Protaetia* (*Liocola*) *brevitarsis* (Lewis, 1879)

Cetonia brevitarsis Lewis, 1879: 463.

鉴别特征： 体长18.70~19.30mm。体暗褐色、黑色、绿色或红褐色，体表极具金属光泽。唇基较短，密被粗糙刻点，前缘尖角突出，向上折翘，中凹不明显，侧缘向下斜阔。额区密被刻点，中央具1个纵向隆起。眼眦短粗，表面被刻点。触角鳃片部较长，约等于其他各节之和。前胸背板近梯形，表面具圆形的大刻点。前胸背板前角不突出，侧缘具窄边框，后角圆钝，后缘中部向内凹陷。盘区除中央光滑外，侧缘密被不规则的白色绒斑。小盾片三角形，末端圆钝，光滑，仅中央具零星的刻点。鞘翅宽大，肩后明显向内弯凹，雄虫缝角突出，雌虫不明显，其上密被刻点和白色绒斑。臀板三角形，雌虫较雄虫稍短。表面具皱纹及黄色短绒毛，中央具2条对称的白绒斑形成的纵带，侧缘具1对小白绒斑。中胸腹突向前突伸，中部缢缩，端部横直。后胸腹板侧缘有皱纹和白绒斑，各腹节侧缘分别具大小两个白色绒斑。前足胫节具3个齿，雄虫较锋利，雌虫较钝。中、后足胫节外侧各具1个隆突。跗节短粗，爪微微弯曲。

采集记录： 14♂，秦岭，1992.Ⅶ.10，IOZ(E)784516-29；8♀，铜川，1981.Ⅶ.31，陈大新采，IOZ(E)783958-66。

分布： 陕西(秦岭、铜川)、黑龙江、吉林、辽宁、内蒙古、北京、河北、山西、山东、河南、甘肃、江苏、上海、安徽、浙江、湖北、江西、湖南、福建、广东、海南、广西。

(678) 多纹星花金龟 *Protaetia* (*Netocia*) *famelica* (Janson, 1879)

Cetonia famelica Janson, 1879: 539.

鉴别特征： 体长16.10~16.70mm。体暗褐色或绿色，体表具金属光泽。唇基较短，密被粗糙刻点，前缘向上折翘，尖角突出，无中凹，侧缘微微向下斜阔。额区密被刻点，中央微微隆起。眼眦短粗，表面被刻点。触角鳃片部较长，约等于第2~7节之和。前胸背板近梯形，表面除中央光滑外，均被圆形的刻点，侧缘被粗糙的皱纹。前胸背板前角不突出，侧缘具窄边框，后角圆钝，后缘中部微微向内凹陷。盘区两侧各具2条白色绒斑形成的纵带。小盾片三角形，末端圆钝，表面光滑。鞘翅宽大，肩后明显向内弯凹，缝角不突出。其上密被粗糙刻点和白色绒斑。臀板三角形，雌虫较雄虫稍长。表面被皱纹及黄色短绒毛，中央具2条对称的白绒斑形成的纵带，侧缘具1对小白绒斑。中胸腹突向前突伸，中部缢缩，端部圆钝。后胸腹板侧缘具皱纹和白绒斑，各腹节侧缘分别具有大小两个白色绒斑。前足胫节具3个齿，中、后足胫节外侧各具1个隆突。跗节短粗，爪微微弯曲。

采集记录：1♂，黄龙山梁家湾，1979. V.04，钱宋让采，IOZ(E)785293。

分布：陕西(黄龙山)、黑龙江、吉林、辽宁、北京、河北、山西、山东、河南、青海、江苏、浙江、湖北、广西、四川。

242. 锈花金龟属 *Anthracophora* Burmeister, 1842

Anthracophora Burmeister, 1842: 623. **Type species**: *Anthracophora rusticola* Burmeister, 1842.

Poecilophilides Kraatz, 1898: 406. **Type species**: *Anthracophora rusticola* Burmeister, 1842.

属征：体长14～19mm。身体多为褐锈色或黑色。唇基较短，前缘横直，侧缘具边框。前胸背板近梯形，两侧边缘弧形，后缘弧形，具深上凹。小盾片三角形，末端圆钝。鞘翅宽大，肩部最宽，肩后缘微微向内弯凹。鞘翅上通常具不规则的斑纹。臀板三角形，扁平，被刻点。中胸腹突圆形，微微向前延伸。足粗壮，前足胫节外缘具3个齿，中、后足胫节外侧各具1个隆突，跗节短粗，爪较小而弯曲。

分布：东洋区。中国已知2种，秦岭地区发现1种。

(679) 褐锈花金龟 *Anthracophora rusticola* Burmeister, 1842(图版15：5)

Anthracophora rusticola Burmeister, 1842: 624.

鉴别特征：体长14.70～15.10mm。体褐锈色。唇基较短，密被粗糙刻点；中央褐锈色，边缘黑色。唇基前缘向上折翘，尖角不突出，无中凹，侧缘微微向下斜阔。额区密被刻点，中央褐锈色，边缘黑色。眼眦短，表面被刻点；触角鳃片部较长，约等于第2～7节之和。前胸背板近梯形，表面散布圆形的刻点及不规则的黑色斑纹。前胸背板前角不突出，侧缘具窄边框，后角圆钝，后缘中部向内凹陷。小盾片三角形，末端圆钝，表面光滑，表面被黑色斑纹。鞘翅宽大，肩后微微向内弯凹，缝角不突出。其上被8纵列刻点行和黑色斑纹。臀板三角形，雌虫较雄虫稍长，黑色，表面被刻点及2个黄色的小圆斑。中胸腹突橘黄色，向前突伸，端部圆钝。腹面黑色，除中央光滑外，后胸腹板侧缘及腹节侧缘具粗糙的刻点。前足胫节具3个齿，中、后足胫节外侧各具1个隆突。跗节短粗，第5跗节略长于其他跗节，爪微微弯曲。

采集记录：6♂2♀，佛坪龙草坪林场，1980. Ⅷ.15，IOZ(E)785976-83。

分布：陕西(佛坪)、辽宁、北京、河北、河南、甘肃、江苏、上海、浙江、江西、湖南、海南、香港、广西、四川、云南。

243. 臀花金龟属 *Campsiura* Hope, 1831

Campsiura Hope, 1831: 25. **Type species**: *Campsiura xanthorrhyna* Hope, 1831.

Macroma Gory *et* Percheron, 1833: 19, 35, 37, 148, 404. *Type species*: *Macroma scutellaris* Gory *et* Percheron, 1833.

Estenomenus Faldermann, 1835: 384. **Type species**: *Estenomenus mirabilis* Faldermann, 1835.

属征：体长15~23mm。体表光泽，有时具红、橙红或黄色花斑。唇基前缘近弧形，通常较为横直，颏加厚，有时向上特化且包住其余口器。前胸背板近梯形，后缘中部略向后延伸。小盾片长三角形，端部尖锐。鞘翅肩后明显向内弯凹。臀板中央有1条纵脊，两侧各有1个稍圆隆的突起。中胸腹突短宽，基部缢缩。腹部侧缘于背面可见。足短小，前足胫节外缘具2个齿，跗节细长，爪弯曲。

分布：古北区，东洋区，非洲区。中国记录3亚属11种，秦岭地区发现1种。

(680) 赭翅臀花金龟 *Campsiura* (*Campsiura*) *mirabilis* (**Faldermann, 1835**)(图版15: 6)

Estenomenus mirabilis Faldermann, 1835: 385.

Campsiura mirabilis: Waterhouse, 1882: 182.

鉴别特征：体长19.30~19.70mm。体黑色，稍具光泽。唇基浅黄色，边缘黑色，前缘及两侧均弧形。头部黑色，密被刻点。眼眦黑色，细长。触角黑色，鳃片部较长，约为其他各节之和。前胸背板近梯形，前角不突出，侧缘无边框，后缘横直。前胸背板表面光滑，两侧各有1条黄色条带。小盾片黑色，三角形，末端尖锐。鞘翅狭长，肩部最宽，肩后明显向内弯凹，后外缘圆弧形，边缘轮廓为黑色，中部为赭色且有透明状不规则的网纹。后胸前侧片与后侧片于背面可见，均为浅黄色。臀板三角形，中央有1个大隆突，两侧各有1个小隆突。中胸腹突短宽。后胸腹板和腹部光滑。足粗壮；前足胫节外缘具2个齿，雄强雌弱，中、后足胫节外侧中央具1个隆突；跗节短粗，爪小，微弯曲。

采集记录：1♀，太白黄柏塬，1350m，1980. Ⅶ. 11，张宝林采；23♂23♀，镇巴，1996. Ⅶ. 14，IOZ(E)900873-920。

分布：陕西(太白、镇巴)、辽宁、北京、河北、山西、甘肃、湖北、广东、四川、贵州、云南。

244. 丽花金龟属 *Euselates* Thomson, 1880

Euselates Thomson, 1880: 277. **Type species**: *Euselates magna* Thomson, 1880.

属征: 体长 10~21mm。体黑色与砖红色相间，其上被规则的斑纹。唇基近矩形，前缘横直或具中凹，两侧缘具边框，其上通常具不同形状的条带。前胸背板近梯形，两侧边缘弧形，后缘中部向下不同程度延伸。小盾片近三角形，末端尖锐。鞘翅狭长，肩部最宽，肩后缘微微向内弯凹，鞘翅上具不同形状的斑纹。臀板三角形，末端圆。中胸腹突短小，仅微微突出。足细长；前足胫节外缘具 3 个齿；跗节细长，爪弯曲。

分布: 东洋区。中国已知 11 种 4 亚种，秦岭地区发现 1 种。

(681) 穆平丽花金龟 *Euselates* (*Euselastes*) *moupinensis* (Fairmaire, 1891) (图版 15: 7)

Taeniodera moupinensis Fairmaire, 1891b: 277.
Macronota donckieri Bourgoin, 1926: 71.
Macronota bipunctata Schürhoff, 1935: 25.
Macronota reitteri Schürhoff, 1934: 57.
Euselates moupinensis: Mikšić, 1974: 75.

鉴别特征: 体长 10.20~13.50mm。体黑色，伴有黄色和砖红色的斑纹。唇基矩形，密被刻点，雄虫(除边缘外)密被浅黄色鳞粉层和半直立的黄色绒毛，雌虫无此特征。唇基前缘横直，微微向上卷翘，侧缘具边框，向外斜阔。额区微微圆隆，头顶中央光滑。眼眦细长，具直立的黄色绒毛。触角浅棕色，鳃片部长于其他各节之和。前胸背板前缘横直，前角不突出，侧缘弧形，后缘中部微微向下延伸。其上密被刻点和黄色绒毛。雄虫前胸背板中央具 1 个浅黄色的"Y"形斑纹，两侧缘各具 1 条浅黄色的纵带，雌虫无此特征。小盾片狭长，三角形，末端尖，雄虫小盾片中央具 1 条浅黄色的窄纵带。鞘翅砖红色，狭长，肩部最宽，肩后微微弯凹，端部渐狭，缝角不突出。每对鞘翅上各有 3 对黑色的斑纹形成的条带，分别位于小盾片周围、鞘翅中部及鞘翅末端。臀板三角形，雄虫端部隆起，除 1 对黑色区域外均被浅黄色鳞粉层；雌虫扁平，刻点粗糙，无鳞粉层。中胸腹突小而光滑，仅微微突出。腹面(除后胸腹板中央外)以及腹部的侧缘布满浓密的浅黄色鳞粉层和黄色绒毛。足细长，密被刻点，前足胫节外缘具 3 个齿，雄虫第 3 齿不明显，雌虫第 3 齿锋利。中足胫节外侧各具 1 个隆突，中、后足胫节内缘具稀疏的黄色长绒毛。跗节细长，爪微微弯曲。

采集记录: 1♂，宁陕火地塘，1580~1650m，1999.Ⅵ.27，袁德成采，IOZ(E)780957。

分布: 陕西(宁陕)、浙江、江西、福建、台湾、广西、四川。

245. 鳞花金龟属 *Cosmiomorpha* Saunders, 1852

Cosmiomorpha Saunders, 1852: 28. **Type species**: *Cosmiomorpha modesta* Saunders, 1852.

属征：体长 12 ~24mm。体多为暗褐色、栗红色或栗黑色，密被鳞毛。唇基近矩形，前缘向上折翘，两侧有较高的边框。前胸背板近梯形，两侧边缘弧形或波纹形。小盾片近三角形，末端尖锐。鞘翅狭长，肩部最宽，肩后缘向内弯凹明显。每对鞘翅中央具有 2 ~3 条纵肋。臀板三角形，末端浑圆；跗节长大，爪弯曲。

分布：东洋区。中国已知 2 亚属 10 种 3 亚种，秦岭地区发现 1 种。

(682) 沥斑鳞花金龟 *Cosmiomorpha* (*Cosmiomorpha*) *decliva* Janson, 1890(图版 15: 8)

Cosmiomorpha decliva Janson, 1890: 127.
Cosmiomorpha angulosa Fairmaire, 1898: 385.
Cosmiomorpha squamulosa Schürhoff, 1933b: 101.

鉴别特征：体长 12.70 ~21.10mm。体棕色。头部密被刻点，唇基长形且内陷，具有金属光泽。前缘向上折翘，两尖角强烈突出，侧缘具边框，且外阔。头顶中部有 1 个隆起的纵脊。眼眦短粗，密被刻点。触角棕色，柄节膨大，各节上具浅棕色绒毛。前胸背板近梯形，前缘强烈向下倾斜，密被均匀的刻点。前胸背板前角不突出，较圆钝，侧缘具边框，后角近 90°，后缘横直，无中凹。盘区中央具 1 块黑色的大斑，约占面积的 1/2，两侧具 1 对黑色的小圆斑。小盾片黑色，末端尖锐，散布刻点。鞘翅狭长，肩后明显弯凹，端部渐狭，后缘弧形，缝角不突出。鞘翅表面密被粗刻点和浅棕色短鳞毛，每对鞘翅上各有 3 条纵肋。臀板三角形，密被倒伏的浅棕色鳞毛。腹面(除后胸腹板和腹部中央外)均被浓密的浅棕色鳞毛。中胸腹突强烈向前突伸，光滑，中部具缢缩，前缘尖。足细长，前足胫节外缘具 3 个齿，雄虫不明显，齿较钝，雌虫锋利，中、后足胫节外侧各具 1 个隆突。跗节细长，第 5 跗节的长度是第 4 跗节的 2 倍，爪大而弯曲。

采集记录：1♂，秦岭，1992. Ⅶ. 08，IOZ(E)781354；2♂，米仓山，1992. Ⅶ. 01，IOZ(E)781356-57。

分布：陕西(秦岭、米仓山)、山西、浙江、湖北、江西、湖南、福建、四川。

246. 背角花金龟属 *Neophaedimus* Lucas, 1870

Neophoedimus Lucas, 1870: 80. **Type species**: *Neophoedimus auzouxi* Lucas, 1870.

属征：体长 22 ~28mm。稍具光泽。雄虫唇基前缘中央具 1 个强烈向上突伸的叉状角突，雌虫唇基前缘无角突，前缘折翘，两侧具边框。前胸背板近梯形，前缘中部隆起，后缘平直无中凹，雄虫具1个强烈向前延伸的锥形角突，雌虫无角突。小盾片宽大，三角形，末端尖锐。鞘翅肩后中等内凹，两侧近平行。臀板短宽。中胸腹突较为突出，前端钝圆。足细长，前足胫节外缘具3个齿，跗节5节，爪大而弯曲。

分布：古北区，东洋区。中国已知2种，秦岭地区发现1种。

(683) 褐斑背角花金龟 *Neophaedimus auzouxi* Lucas, 1870（图版16：1）

Neophoedimus auzouxi Lucas, 1870: 81.

Rhomborhina maculicrus Fairmaire, 1897: 248.

鉴别特征：体长22.10~26.50mm（不包括唇基角突）。体棕褐色，唇基黑色。雄虫唇基中央强烈向前延伸形成1个叉状角突，唇基前缘横直，两侧具边框；雌虫唇基前缘无角突，仅微微向上折翘。头部黑色，密被粗糙刻点，眼眦细长，黑色。触角黑色，鳃片部长，约为第2~7节之和。前胸背板黑色，近梯形，前角圆钝，侧缘具窄边框，后缘横直。前胸背板侧缘及中央共具3条棕褐色的纵带，雄虫前胸背板基部中央具1个向前突伸的背突，末端尖锐，雌虫无此结构。小盾片黑色，三角形，末端尖锐。鞘翅宽大，除肩角及翅缝处黑色外，其余均为棕褐色。肩后向内明显弯凹，缝角微微突出。鞘翅表面光滑，网纹状，刻点浅。臀板三角形，扁平，表面被直立的棕色绒毛。腹面除后胸腹板中央及腹部中央外，密被黄色绒毛，腹部侧缘绒毛较短。足长大，前足胫节外缘具3个齿，雄虫的齿细窄而锋利，间距较宽，雌虫的齿宽大而圆钝，间距较近；雄虫中、后足胫节外侧各具1个隆突，雌虫中足胫节外侧具2个隆突，后足胫节具1个隆突。跗节细长，第5跗节长约为第4跗节的2倍，爪大，极度弯曲。

采集记录：15♂2♀，太白山，1996.Ⅶ.15，IOZ(E)781091-107；1♀，武功，1961.Ⅶ.12，木槿，朱建采；1♂，华山，1972.Ⅷ.10，王书永采，IOZ(E)781090。

分布：陕西（太白、武功、华阴）、甘肃、四川。

247. 贝花金龟属 *Petrovizia* Mikšić, 1965

Petrovizia Mikšić, 1965: 303. **Type species:** *Cetonia guillotii* Fairmaire, 1891.

属征：体长17~18mm。具金属光泽。唇基呈矩形，前缘横直，向上折翘，两侧边框不明显。前胸背板近梯形，侧缘具明显的边框，后缘横直，具浅中凹。小盾片三角形，末端尖锐。鞘翅短宽，肩后缘明显向内弯凹，每对翅上具2条纵肋，中后部具1个大黄斑。臀板短宽，末端弧形。足粗壮，前足胫节外缘雄虫仅1个齿，雌虫具3个齿，中、后足胫节外缘具隆突，跗节5节，爪略弯曲。

分布：古北区。中国已知 1 种，秦岭地区发现 1 种。

（684）皱贝花金龟 *Petrovizia guillotii*（Fairmaire，1891）（图版 16：2）

Cetonia guillotii Fairmaire，1891a：12.
Petrovizia guillotii：Mikšić，1965：303.

鉴别特征：体长 17.10～18.00mm。头部中央微微隆起，密被粗糙刻点和黄色细绒毛。眼眦细长，密被刻点及黄色绒毛。触角棕黑色，鳃片部长，约为其他各节之和。前胸背板近梯形，前角圆钝，侧缘具窄边框，后缘横直，中部微微向内凹。前胸背板表面密被刻点和黄色短绒毛。小盾片三角形，末端尖锐，表面被粗刻点。鞘翅宽大，肩后向内微微弯凹，缝角微微突出。鞘翅表面被刻点及黄色短绒毛，每对鞘翅具两条明显的纵肋，中央具 1 个黄色的横斑。臀板三角形，扁平，表面密被刻点和黄色短绒毛。腹面除后胸腹板中央及腹部中央光滑外，密被皱纹和黄色长绒毛，腹部侧缘绒毛较短。足长大，前足胫节外缘雄虫仅 1 个齿，雌虫具 3 个齿。中、后足胫节外侧各具 1 个隆突。跗节细长，第 5 跗节长于其他跗节，爪小，弯曲。

采集记录：2♂，秦岭，采集人不详(NWAU)；3♂，秦岭植物园栗子坪，2012. Ⅶ.03，李莎采。

分布：陕西(周至)、甘肃、四川、云南。

248. 伪阔花金龟属 *Pseudotorynorrhina* Mikšić，1967

Rhomborrhina（*Pseudotorynorrhina*）Mikšić，1967：309. **Type species**：*Rhomborhina japonica* Hope，1841.
Pseudotorynorrhina：Mikšić，1974：758.

属征：体长 19～26mm。体型较阔花金龟属小。唇基宽大，近矩形，前缘向上折翘，侧缘向下扩展。前胸背板近梯形，侧缘弧形，具边框，后缘横直，具浅中凹。小盾片宽大，呈三角形，表面光滑。鞘翅宽大，肩后微微向内弯凹。臀板短宽，末端弧形。中胸腹突向前突伸，末端圆钝。足粗壮，前足胫节外缘雄虫 1 个齿，雌虫具 2 个齿，跗节细长，爪略弯曲。

分布：东洋区。中国已知 3 种，秦岭地区发现 2 种。

分种检索表

鞘翅密被横行皱纹 ………………………………………………………… **横纹伪阔花金龟 *P. fortunei***
鞘翅无横行皱纹，仅密被小刻点 ……………………………………………… **日铜伪阔花金龟 *P. japonica***

(685) 横纹伪阔花金龟 *Pseudotorynorrhina fortunei* (**Saunders, 1852**)(图版 16：3)

Rhomborhina fortunei Saunders, 1852: 30.
Rhomborhina fortuneti Schoch, 1895: 24(spelling error).
Rhomborhina (*Pseudotorynorrhina*) *fortunei* Mikšić, 1967: 310.

鉴别特征：体长 24.70 ~ 25.40mm，体绿色，体表具光泽。唇基宽大，前缘横直，微微向上折翘，尖角圆钝，侧缘具边框，且向外斜阔。头部表面密被刻点，中央微微隆起。触角 10 节，鳃片部长约为其他各节之和；复眼圆隆，突出，眼眦细长，其上被刻点。前胸背板近梯形，基部最宽。前角不突出，侧缘具边框，后缘横直，中部具浅上凹，盘区全部布满圆形的刻点。小盾片宽大，近等边三角形，末端尖锐，零星散布小刻点。鞘翅肩部最宽，肩后明显向内弯凹，后外缘圆弧形，缝角突出；鞘翅密被横行的皱纹。臀板三角形，末端微微隆起，其上密被横向皱纹，端部外缘着生 1 排黄色长绒毛。中胸腹突光滑，强烈突出，前缘圆钝；腹部除后胸腹板及腹板中央光滑外，被刻点和皱纹。足细长且粗糙，具刻点和皱纹，雄虫前足胫节细长，外缘具 1 个齿，雌虫宽大，外缘具 2 个齿，中、后足胫节外侧各具 1 个中隆突，跗节细长，爪小而弯曲。

采集记录：1♂，镇巴，1996. Ⅶ. 17，IOZ(E)782046。

分布：陕西(镇巴)、浙江、江西、湖南、福建、海南、广西、四川、贵州、云南。

(686) 日铜伪阔花金龟 *Pseudotorynorrhina japonica* (**Hope, 1841**)

Rhomborhina japonica Hope, 1841: 64.
Rhomborhina clypeata Burmeister, 1842: 199, 780.
Rhomborhina nigra Saunders, 1852: 29.
Rhomborhina glauca Thomson, 1878: 9.
Rhomborhina squamuligera Thomson, 1878: 9.
Rhomborhina cupripes Nonfried, 1889: 533.
Rhomborhina nickerlii Nonfried, 1889: 533.
Rhomborhina ignita Nonfried, 1890: 90.
Rhomborhina reitteri Nonfried, 1890: 90.
Rhomborhina japonica coreana Ruter, 1965: 69.
Rhomborhina japonica kuytchuensis Ruter, 1965: 196.
Rhomborhina japonica occidentalis Ruter, 1965: 196.
Pseudotorynorrhina japonica: Mikšić, 1967: 309.

鉴别特征：体长 19.30 ~ 25.10mm。体绿色、橄榄色或棕褐色，体表具光泽。头部表面密被刻点，唇基宽大，前缘横直且具边框，尖角圆钝，侧缘具边框，且向外斜阔；触角 10 节，柄节膨大，鳃片部长大约等于第 2 ~ 7 节之和；复眼圆隆，突出，眼眦短粗，其上被刻点。前胸背板近梯形，基部最宽。侧缘具边框，后缘横直，中部具浅上凹，盘区中央光滑，两侧密被刻点。小盾片宽大，呈三角形，末端尖锐，零星散布小刻点。鞘翅肩部最宽，肩后明显向内弯凹，后外缘圆弧形，缝角微微突出；鞘翅密被小刻点，端部刻点较深且较粗糙。臀板三角形，末端微微圆隆，其上密被横向皱纹，端部外缘着生 1 排黄色长绒毛。中胸腹突光滑，强烈突出，中部微微缢缩，前缘圆钝；后胸腹板(除中央光滑外)被刻点；腹部侧缘具刻点及黄色长绒毛。足细长且粗糙，具刻点，雄虫前足胫节细长，外缘具 1 个齿，雌虫宽大，外缘具 2 个齿，中、后足胫节内侧具 1 排黄色长绒毛，外侧具 1 个中隆突，跗节粗长，爪大且弯曲。

采集记录：3♂2♀，秦岭，1992. VII. 10，IOZ(E)782070-074；2♂3♀，佛坪，870～1000m，1998. Ⅶ. 25，廉振民采，IOZ(E)782006-010；1♂，安康财良公社，1981. Ⅶ. 01，栎类，余化风采，IOZ(E)781941。

分布：陕西(秦岭、佛坪、安康)、江苏、浙江、湖北、江西、福建、四川。

249. 罗花金龟属 *Rhomborhina* Hope，1837

Rhomborhina Hope，1837：120. **Type species**：*Goliathus hero* Gory *et* Percheron，1833.
Rhomborrhina Burmeister，1842：197(spelling error).

属征：体长 17～38mm。体表多具光泽。唇基近矩形，前缘向上折翘，两侧具边框，外缘向下扩展。前胸背板近梯形，两侧具边框，后缘横直，具中凹。小盾片宽大，三角形，末端钝。鞘翅宽大，肩后明显弯凹。臀板短宽，末端圆。中胸腹突向前延伸，末端钝。足粗壮，前足胫节外缘雄虫具 1 个齿，雌虫具 2 个齿，跗节细长，爪弯曲。

分布：东洋区，古北区。中国记录 2 亚属 16 种 4 亚种，秦岭地区发现 3 种(亚种)。

分种检索表

1. 体形狭长，中胸腹突较短小 ………………………………… **长胸罗花金龟 *R. fuscipes***
   体形宽阔，中胸腹突较宽大 ………………………………………………………… 2
2. 鞘翅靠近小盾片及翅缝周围呈黑色 ……………… **丽罗花金龟 *R. resplendens resplendens***
   鞘翅表面无黑色斑纹 ………………………………… **红后罗花金龟 *R. mellyi diffusa***

(687) 红后罗花金龟 *Rhomborhina* (*Rhomborhina*) *mellyi diffusa* Fairmaire，1897

Rhomborhina diffusa Fairmaire，1897：247.
Rhomborhina mellyi setchvenensis Ruter，1965：199.
Rhomborhina mellyi tonkinensis Ruter，1965：200.

Rhomborhina mellyi diffusa：Mikšić, 1970：55.

鉴别特征：体长29.10～30.80mm。体褐色，体表具光泽。唇基宽大，前缘横直，向上折翘，尖角圆钝，侧缘具边框，且向外斜阔。头部表面密被刻点，中央微微隆起。触角10节，鳃片部长约为其他各节之和；复眼圆隆，突出，眼眦短粗，其上被刻点。前胸背板近梯形，基部最宽。前角不突出，侧缘具边框，后缘横直，中部具浅上凹，盘区中央光滑，两侧具小刻点。小盾片宽大，近等边三角形，末端尖锐，光滑无刻点。鞘翅肩部最宽，肩后微微向内弯凹，后外缘圆弧形，缝角微微突出；鞘翅前缘光滑，后缘被浅刻点。臀板三角形，其上密被横向皱纹。中胸腹突光滑，强烈突出，前缘圆钝；腹部除后胸腹板及腹板中央光滑外，被刻点和皱纹。足细长且粗糙，具刻点和皱纹，雄虫前足胫节细长，外缘具1个齿，雌虫宽大，外缘具2个齿，中、后足胫节外侧各具1个中隆突，跗节细长，爪微微弯曲。

采集记录：2♂1♀，镇巴，1996. Ⅶ. 17；IOZ(E)781799-801；4♂，镇巴，1996. Ⅶ. 17；IOZ(E)781808-11；2♂1♀，镇巴，1996. Ⅶ. 17；IOZ(E)781812-14；1♂，镇巴，1996. Ⅶ. 17；IOZ(E)781816；1♂1♀，镇巴，1996. Ⅶ. 17；IOZ(E)781818-19。

分布：陕西(镇巴)、四川。

(688) 丽罗花金龟 ***Rhomborhina* (*Rhomborhina*) *resplendens resplendens* (Swartz, 1817)**

Cetonia resplendens Swartz, 1817：51.

Rhomborhina resplendens：Burmeister, 1842：198.

Rhomborhina hainanensis Schürhoff, 1942：284.

鉴别特征：体长25.60～36.70mm。体绿色，体表极具金属光泽。唇基方形，前缘横直，向上折翘，中部微微凸出，尖角圆钝，侧缘具边框，且向外斜阔。头部表面密被刻点，中央微微隆起。触角10节，鳃片部长约为第2～7节之和；复眼圆隆，突出，眼眦黑色，细长，其上被刻点。前胸背板近梯形，基部最宽。前角不突出，侧缘具边框，后缘横直，中部具浅上凹，盘区中央光滑，两侧具小刻点。小盾片宽大，近等边三角形，末端尖锐，光滑无刻点。鞘翅肩部最宽，肩后明显向内弯凹，后外缘圆弧形，缝角突出；鞘翅密被成排的刻点行，小盾片两侧及靠近翅缝处呈黑色。臀板三角形，末端微微隆起，雄虫较雌虫长，其上密被刻点。中胸腹突光滑，强烈突出，前缘圆钝；腹部仅后胸腹板及腹板侧缘被稀疏的刻点。足细长且粗糙，具刻点和皱纹，雄虫前足胫节细长，外缘具1个齿，雌虫宽大，外缘具2个齿，中、后足胫节外侧各具1个中隆突，雄虫不明显，跗节细长，爪小而弯曲。

采集记录：1♂，宁陕双河公社，1981. Ⅶ. 07，刘影智采，IOZ(E)781838。

分布：陕西(宁陕)、浙江、江西、福建、海南、广西、云南。

（689）长胸罗花金龟 *Rhomborhina*（*Pseudorhomborrhina*）*fuscipes* Fairmaire, 1893（图版 16：4）

Rhomborhina fuscipes Fairmaire, 1893: 314.

鉴别特征： 体长 19.50～20.20mm。体绿色，体表具光泽。唇基方形，前缘横直，微微向上折翘，尖角圆钝，侧缘具边框，且向外斜阔。头部表面密被刻点，中央微微隆起。触角 10 节，鳃片部长约为其他各节之和；复眼圆隆，突出，眼眦细长，其上被刻点。前胸背板黄绿色，近梯形，基部最宽。前角不突出，侧缘具边框，后缘横直，中部具浅上凹，盘区全部布满圆形的刻点。小盾片宽大，近等边三角形，末端尖锐，零星散布小刻点。鞘翅肩部最宽，肩后明显向内弯凹，后外缘圆弧形，缝角不突出；鞘翅密被小刻点。臀板三角形，末端微微隆起，雄虫较雌虫长，其上密被刻点。中胸腹突光滑，强烈突出，前缘圆钝，具绒毛；腹部仅后胸腹板及腹板侧缘被稀疏的刻点。足细长且粗糙，具刻点和皱纹，雄虫前足胫节细长，外缘具 1 个齿，雌虫宽大，外缘具 2 个齿，中、后足胫节外侧各具 1 个中隆突，雄虫不明显，跗节细长，爪小而弯曲。

采集记录： 4♂10♀，秦岭，1993. Ⅵ. 23，IOZ(E)782168-1811；6♂11♀，镇巴，1996. Ⅶ. 17，IOZ(E)782141-167。

分布： 陕西（秦岭、镇巴）、广西、四川。

250. 阔花金龟属 *Torynorrhina* Arrow, 1907

Torynorrhina Arrow, 1907: 433. **Type species**: *Rhomborhina distincta* Hope, 1841.

属征： 体长 25～35mm。具金属光泽。头部较小，唇基近矩形，前缘向上折翘，两侧具边框。前胸背板近梯形，两侧弧形，后缘横直，具中凹。小盾片长三角形，末端尖锐。鞘翅宽大，肩后微微向内弯凹。臀板短宽，末端圆弧形。中足基节远离，中胸腹突呈铲状强烈向前延伸。足长大，前足胫节外缘 1～2 个齿，中、后足胫节内侧具长绒毛，跗节 5 节，爪弯曲。

分布： 东洋区。中国已知 7 种，秦岭地区发现 1 种。

（690）黄毛阔花金龟 *Torynorrhina fulvopilosa*（Moser, 1911）（图版 16：5）

Rhomborhina fulvopilosa Moser, 1911: 120.

鉴别特征： 体长 26.50～28.20mm。体棕色或棕褐色，体表具光泽。头部表面密被刻点，唇基长形，前缘横直，尖角圆钝，侧缘具边框，且向下斜阔；触角 10 节，柄节膨大，鳃片部长大约等于其余各节之和；复眼圆隆，突出，眼眦短粗。前胸背板近梯形，基部最宽。侧缘具窄边框，后缘横直，中部具浅上凹，其上密被均匀的浅刻点。小盾片深绿色，宽大，呈三角形，末端尖锐，零星散布小刻点。鞘翅肩部最宽，肩后明显向内弯凹，后外缘圆弧形，缝角不突出；鞘翅无刻点，表面密布极细的黄色小绒毛。臀板棕黑色，微微圆隆，其上密被皱纹和黄色长绒毛。中胸腹突光滑，强烈突出，呈铲状；后胸腹板（除中央光滑外）密被刻点；腹部黑绿色且光滑，仅侧缘具刻点及黄色长绒毛。足细长且粗糙，具刻点，雄虫前足胫节细长，外缘具1个齿，雌虫宽大，外缘具2个齿，中、后足胫节内侧具1排黄色长绒毛，外侧具1个不明显的中隆突，跗节粗壮，爪大且弯曲。

采集记录： 1♂，秦岭 1992. Ⅶ. 14，IOZ(E)781728；2♂，镇巴 1990. Ⅶ. 17，IOZ(E)781815/17。

分布： 陕西（秦岭、镇巴）、安徽、浙江、江西、湖南、福建、广西、四川、贵州。

251. 唇花金龟属 *Trigonophorus* Hope, 1831

Trigonophorus Hope, 1831: 24. **Type species**: *Cetonia hardwickii* Hope, 1831.

属征： 体长 18～33mm。体表多具光泽。唇基背面具较深的凹陷，前缘中央向上折翘呈三角形、倒梯形或方形，头部通常具不同形状的角突。前胸背板近梯形，侧缘弧形，后缘横直，略向内弯凹。小盾片宽大，近等边三角形，末端尖锐。鞘翅肩部最宽，肩后外缘微微向内弯凹。臀板短宽，近于三角形。前足胫节外缘具1～2个齿，跗节细长，爪大而弯曲。

分布： 东洋区。世界已知2亚属16种，中国记录1亚属13种1亚种，秦岭地区发现1种。

（691）绿唇花金龟 *Trigonophorus* (*Trigonophorus*) *rothschildii* Fairmaire, 1891（图版16：6）

Trigonophorus rothschildii Fairmaire, 1891b: 206.

Trigonophorus politus Medvedev, 1964: 49.

鉴别特征： 体长 23.60～23.90mm（不包括唇基角突）。体翠绿色。唇基宽大，密被刻点，唇基前缘中央向前突出，形成1个直立的扇形角突，雄虫略窄，雌虫略宽大。头部具1个向前伸出的头突，雄虫呈三角形，末端尖锐，雌虫呈长方形，端部具中凹。眼眦细长，同体色。触角除柄节翠绿色外，均为棕色，柄节长大。前胸背板近梯形，前角不突出，侧缘窄边框，后缘横直，中部微微内凹。前胸背板中央散布稀疏的刻点，两侧刻点较密集。小盾片光滑，宽大，呈三角形，末端尖锐。雌虫鞘翅较宽，肩后明显弯凹，缝角微微突出。除小盾片周围光滑外，其余均被圆形的刻点。臀板近三角形，雄虫很窄且扁平，雌虫较宽，微微隆起。腹面光滑，中胸腹突细长，强烈向前突伸。足细长，雄虫前足胫节细长，外缘具 1 个齿，雌虫较宽大，具 3 个齿，雄虫和雌虫中、后足胫节外侧各具 1 个隆突，内侧各具 1 排浓密的黄色绒毛刷。跗节粗壮，第 5 跗节长于第 4 跗节，爪小而弯曲。

采集记录： 1♂1♀，秦岭，1993. Ⅵ. 07，IOZ(E)782588-89；2♂2♀，秦岭，1993. Ⅵ. 07，IOZ(E)782565/67-69；1♂1♀，秦岭，1993. Ⅵ. 07，IOZ(E)782573-75；3♂2♀，秦岭，1993. Ⅵ. 07，IOZ(E)782577-82；2♂，秦岭，1993. Ⅵ. 07，IOZ(E)782584-85；1♂1♀，镇巴，1996. Ⅶ. 16，IOZ(E)782549-50；5♀，镇巴，1996. Ⅶ. 16，IOZ(E)782552-56；1♂4♀，镇巴，1996. Ⅶ. 16，IOZ(E)782558-62。

分布： 陕西（秦岭、镇巴）、河南、四川。

252. 鹿花金龟属 *Dicronocephalus* Hope, 1831

Dicronocephalus Hope, 1831: 24 (nec Hahn, 1826). **Type species**: *Dicronocephalus wallichii* Hope, 1831.

Dicronoceps Medvedev, 1972: 53. **Type species**: *Dicronocephalus wallichii* Hope, 1831.

Acindrocephalus Keith *et* Delpont, 2004: 363 (new name for *Dicronocephalus* Hope, 1831).

属征： 体长 18 ~ 29mm。体表常被灰白色或黄粉色粉末状分泌物。唇基端部内凹，雄虫唇基前缘两侧向前强烈延伸成角突；雌虫唇基前缘两侧特化尖锐，但不具角突。前胸背板圆隆，呈椭圆形，其上常有不同形状的黑斑。鞘翅肩后不向内弯凹，腹部边缘完全被鞘翅覆盖。臀板短宽，末端圆。中胸腹突位于中足基节之间，较小，不突伸。腹部常具长绒毛，足长大。

分布： 古北区，东洋区。中国记录 8 种 5 亚种，秦岭地区发现 3 种。

分种检索表

1. 体灰色，前胸背板中央纵带较宽 ………………………………………… 2
   体黄绿色，前胸背板中央纵带较窄 ……………………… **黄粉鹿花金龟 *D. wallichii bourgoini***
2. 前胸背板中央纵带两侧及鞘翅中央各具 1 对黑色斑纹 ……………… **光斑鹿花金龟 *D. dabryi***
   前胸背板中央纵带两侧及鞘翅中央均无黑色斑纹 …………………… **宽带鹿花金龟 *D. adamsi***

(692) 宽带鹿花金龟 *Dicronocephalus adamsi* Pascoe, 1863（图版 16：7）

Dicronocephalus adamsi Pascoe, 1863: 25.

鉴别特征： 体长 20.40 ~ 23.70mm（不包括唇基侧突）。雄虫灰棕色，雌虫全体均为黑色。雄虫唇基侧缘强烈向前延伸形成叉状角突，唇基中央凹陷，雌虫唇基侧缘无角突，前缘具凹陷，前角尖，微微突出。头部密被刻点，眼眦短粗。触角棕黑色，柄节长大，雄虫鳃片部长于雌虫。前胸背板近椭圆形，雄虫前角微微突出，雌虫较圆钝，侧缘弧形，窄边框，后缘圆弧形。雄虫前胸背板中央强烈隆起，具2条黑色的纵带，从基部直到1/2处，雌虫略扁平。小盾片黑色，三角形，末端尖锐。鞘翅宽大，表面光滑，肩后弯凹不明显，缝角不突出。臀板三角形，雄虫扁平，雌虫微微隆起，表面被直立的棕色绒毛。腹面散布黄色长绒毛。足长大，前足胫节外缘具3个齿，雄虫间距较宽，雌虫间距较近，雄虫中、后足胫节外侧各具1个隆突，雌虫中足胫节外侧具2个隆突，后足胫节具1个隆突。跗节细长，第5跗节长约为第4跗节的2倍，爪弯曲。

采集记录：3♂，秦岭，1993.Ⅵ.27/30，IOZ(E)780523-34/31；3♂，秦岭，1993.Ⅴ.27/Ⅵ.06，IOZ(E)780517-19；2♂，秦岭，1995.Ⅵ.25/Ⅶ.11，IOZ(E)902566/85；1♂，秦岭，1993.Ⅴ.30，IOZ(E)902522。

分布：陕西（秦岭）、山西。

（693）光斑鹿花金龟 *Dicronocephalus dabryi* Auzoux，1869

Dicronocephalus dabryi Auzoux, 1869: 4.

Dicronocephalus adamsi Lucas, 1872: 284.

鉴别特征：体长18.14～18.90mm（不包括唇基侧突）。体棕褐色，前胸背板棕灰色。雄虫唇基侧缘强烈向前延伸形成叉状角突，唇基中央凹陷，雌虫唇基侧缘无角突，前缘具凹陷，前角尖，微微突出。头部密被刻点，眼眦短粗。触角棕黑色，柄节长大，雄虫鳃片部长于雌虫。前胸背板近椭圆形，雄虫前角微微突出，雌虫较圆钝，侧缘弧形，边框窄，后缘圆弧形。雄虫前胸背板中央隆起，雌虫略扁平。表面具2条黑色的纵带，从基部直到端部，侧缘具1对小黑斑。小盾片黑色，三角形，末端尖锐。鞘翅宽大，表面光滑，肩后弯凹不明显，缝角不突出，每对鞘翅中央靠近侧缘具有1个光斑。臀板三角形，雄虫扁平，雌虫微微隆起，表面被直立的棕色绒毛。腹面散布黄色长绒毛。足长大，前足胫节外缘具3个齿，雄虫间距较宽，雌虫间距较近，雄虫中、后足胫节外侧各具1个隆突，雌虫中足胫节外侧具2个隆突，后足胫节具1个隆突。跗节细长，第5跗节长约为第4跗节的2倍，爪弯曲。

采集记录：8♂3♀，周至厚畛子，1350m，1999.Ⅵ.23-24，姚建、章有为、刘建民采，IOZ(E)780389/398/408-413/473-475；1♀，周至，1300m，1993.Ⅳ.29，IOZ(E)780433；1♂，太白黄柏塬，1350m，1980.Ⅶ.11，张宝林采，IOZ(E)780394；1♂，凤县，1979.Ⅵ.06，西北农学院，IOZ(E)780388；1♀，秦岭，1995.Ⅳ.25，IOZ(E)902517；1♂，秦岭，1992.Ⅳ.28，IOZ(E)780392。

分布：陕西（周至、太白、凤县、秦岭）、北京、山西、甘肃、湖北、四川、云南。

（694）黄粉鹿花金龟 *Dicronocephalus wallichii bourgoini* Pouillaude，1914

Dicronocephalus bourgoini Pouillaude，1914：293.

鉴别特征：体长 19.40～19.90mm（不包括唇基侧突）。体黄绿色。雄虫唇基侧缘强烈向前延伸形成叉状角突，唇基中央凹陷，雌虫唇基侧缘无角突，前缘具凹陷，前角尖，微微突出。头部密被刻点，眼眦短粗。触角棕黑色，柄节长大，雄虫鳃片部略长于雌虫。前胸背板近椭圆形，雄虫前角较圆钝，雌虫微微突出，侧缘弧形，具窄边框，后缘略横直。雄虫前胸背板中央隆起，雌虫略扁平。表面具 2 条黑色的纵带，从基部直到 2/3 处。小盾片宽大，三角形，末端尖锐。鞘翅宽大，表面光滑，肩后弯凹不明显，缝角不突出。臀板三角形，雄虫扁平，雌虫微微隆起，表面被直立的棕色绒毛。腹面除腹部呈棕红色外，均为黄绿色，且散布黄色长绒毛。足长大，前足胫节外缘具 3 个齿，雄虫间距较宽，雌虫间距较近，雄虫中、后足胫节外侧各具 1 个隆突，雌虫中足胫节外侧具 2 个隆突，后足胫节具 1 个隆突。跗节细长，第 5 跗节长约为第 4 跗节的 2 倍，爪弯曲。

采集记录：1♂，秦岭，1992. Ⅶ. 09，IOZ（E）780187；1♂，安康，1980. Ⅴ，IOZ（E）780244；3♀，米仓山，1993. Ⅵ. 18，IOZ（E）7801245-247；2♂，米仓山，1993. Ⅵ. 22，IOZ（E）7801185-186。

分布：陕西（秦岭、安康、米仓山）、河北、山东、江苏、湖北、广西、四川、云南。

253. 毛斑金龟属 *Lasiotrichius* Reitter，1899

Lasiotrichius Reitter，1899：101. **Type species**：*Scarabaeus succinctus* Pallas，1781.

属征：体长 7～12mm。体黑色。全身密被长绒毛，拟态似蜜蜂。唇基长形，前缘向上卷翘，侧缘微微外阔。前胸背板圆弧形，密被刻点及长绒毛。小盾片长三角形，末端圆钝。鞘翅短宽，肩后无弯凹，鞘翅外缘中部明显外扩。臀板长三角形，端部微微隆起，密被黑色长绒毛。前足胫节外缘具 2 个齿，跗节细长，爪微微弯曲。

分布：东洋区。中国已知 2 种 3 亚种，秦岭地区发现 1 种。

（695）短毛斑金龟花野亚种 *Lasiotrichius succinctus hananoi*（Sawada，1943）（图版 16：8）

Trichus succinctus hananoi Sawada，1943：6.

鉴别特征：体长 7.10～9.90mm。体黑色。头部密被刻点和黄色、黑色交杂的直立绒毛。唇基长形，前缘圆滑，具中凹，侧缘微微外阔。额区微微隆拱。眼眦短粗。触角棕黄色，鳃片部长大，长度约等于第 2～7 节之和。前胸背板圆隆，密被刻点及黄色、黑色交杂的长绒毛。前胸背板前角不突出，较圆钝，侧缘弧形，无边框，后缘圆弧形。小盾片长三角形，末端圆钝，具刻点及长绒毛。鞘翅棕色，密被黄色绒毛，鞘翅短宽，肩后无弯凹，鞘翅外缘中部明显外扩，缝角不突出。鞘翅上具3条深棕色的横条带，各条带上绒毛颜色为黑色。前臀板较窄，密被黄色的长绒毛，臀板长三角形，端部微微隆起，密被黑色长绒毛。腹面均被浓密的黄色绒毛。足细长，前足胫节外缘具2个齿，各足腿节与胫节均被浓密的黄色绒毛，中、后足胫节外侧各具1个隆突。跗节细长，爪微微弯曲。

采集记录：5♂3♀，秦岭，1973.Ⅷ.23，张学忠采，IOZ(E)901392-399。

分布：陕西(秦岭)、甘肃、浙江、四川。

254. 环斑金龟属 *Paratrichius* Janson, 1881

Paratrichius Janson, 1881: 610. **Type species**: *Paratrichius longicornis* Janson, 1881 (= *Trichius doenitzi* Harold, 1879).

属征：体长9～17mm。体多为黑色或砖红色，其上具不同颜色及形状的斑纹。唇基近矩形，前缘向上折翘，两侧无边框，向外斜阔。前胸背板圆弧形，其上被不规则的绒斑。小盾片较小，末端圆钝。鞘翅狭长，肩后无弯凹，鞘翅外缘中部明显外扩，缝角不突出，其上被不规则的绒斑。臀板三角形，末端浑圆。前足胫节外缘具2个齿，跗节细长，后足跗节长于前、中足跗节，爪微微弯曲。

分布：东洋区。中国已知27种，秦岭地区发现2种。

分种检索表

鞘翅黑色，表面具不规则的黄色绒斑 …………………………………… **三浦环斑金龟 *P. riekoae***

鞘翅棕黄色，表面无黄色绒斑，仅具4对纵向排列的黑色横条带 ……… **虎皮环斑金龟 *P. tigris***

(696) 三浦环斑金龟 *Paratrichius riekoae* Iwase, 1996

Paratrichius riekoae Iwase, 1996: 82.

鉴别特征：体形瘦长。体黑色。头部密被刻点。唇基短宽，前缘弧形，具浅中凹，侧缘微微斜阔。额区扁平，被刻点。眼眦短粗。触角棕黄色，鳃片部长大，长度约为其他各节的2倍。前胸背板近椭圆形，略圆隆，密被刻点。前胸背板前角微微突出，侧缘弧形，具窄边框，后缘圆弧形。前胸背板边缘具黄色绒斑，中央具1条纵带，两侧具两个小绒斑块。小盾片短三角形，末端圆钝，密被刻点，无绒毛。鞘翅长大于宽，肩后无弯凹，鞘翅外缘中部明显外扩，缝角不突出。每对鞘翅具5条由刻点行形成的纵沟，且被稀疏的细绒毛。表面具不规则的黄色绒斑，分布在小盾片两侧及鞘翅中部。臀板长三角形，端部微微隆起，密被黄色短绒毛，近端部渐长，侧缘具有1对黄色的绒斑。腹面均被浓密的黄色绒毛。足细长，前足胫节外缘具2个齿，各足腿节与胫节均被浓密的黄色绒毛，中、后足胫节外侧各具1个隆突。跗节细长，后足跗节长度约为后足胫节长度的2倍。爪细，微微弯曲。

分布：陕西（秦岭）。

（697）虎皮环斑金龟 *Paratrichius tigris* Iwase, 1996

Paratrichius tigris Iwase, 1996: 79.

鉴别特征：体形瘦长。体黑色。头部密被刻点及直立的黄色长绒毛。唇基短宽，前缘弧形，具中凹。额区扁平，被刻点。触角棕黄色，鳃片部长大，长度约为其他各节的1.60倍。前胸背板近椭圆形，略圆隆，密被刻点。前胸背板前角微微突出，侧缘弧形，具窄边框，后缘圆弧形。前胸背板边缘具黄色绒斑，中央具1条纵带，两侧具两个小绒斑块。小盾片半圆形，刻点稀疏，边缘具黄色短绒毛。鞘翅棕黄色，长大于宽，肩后无弯凹，鞘翅外缘中部明显外扩，缝角不突出。每对鞘翅具5条由刻点行形成的纵沟，且被浓密的细绒毛。表面具4对纵向排列的黑色横条带，前3对位于鞘翅的侧缘，最末1对位于鞘翅末端近翅缝处。臀板宽大于长，端部微微隆起，密被黄色长绒毛。腹面均被浓密的黄色绒毛。足细长，前足胫节外缘具2个齿，各足腿节与胫节均被浓密的黄色绒毛，中、后足胫节外侧各具1个隆突。跗节细长，后足跗节长度约为后足胫节长度的1.50倍。爪细，微微弯曲。

分布：陕西（秦岭）。

注：马文珍（2005）在《秦岭西段与甘南地区昆虫》一书中记录的红缘环斑金龟 *Paratrichius doenitzi*（Harold, 1879）和十点绿斑金龟 *Trichius dubernardi* Pouillaude, 1913 经检视并未在秦岭发现标本，故本志未做记录。

参考文献

Ahrens, D. 2003. Zur Identität der Gattung *Neoserica* Brenske, 1894, nebst Beschreibung neuer Arten (Coleoptera, Melolonthidae, Sericini). *Koleopterologische Rundschau*, 73: 169-226.

Ahrens, D. 2004a. *Monographie der Sericini des Himalaya (Coleoptera, Scarabaeidae)*. Dissertation. de-Verlag im Internet GmbH, Berlin, 534pp.

Ahrens, D. 2004b. Notes on distribution and taxonomy of sericid beetles from Palearctic East Asia, with description of two new species of *Nipponoserica* from China (Coleoptera, Scarabaeidae, Sericini). *Entomologische Zeitschrift*, 114(1): 7-11.

Ahrens, D. 2005a. A taxonomic review on the *Serica* (s. str.) MacLeay, 1819 species of Asiatic mainland (Coleoptera, Scarabaeidae, Sericini). *Nova Supplemeta Entomologica*, 18: 1-163.

Ahrens, D. 2005b. Taxonomic revision of the genus *Anomalophylla* Reitter, 1887(Coleoptera, Scarabaeidae: Sericini). *Zootaxa*, 1076: 1-62.

Ahrens, D. 2006. Cladistic analysis of *Maladera*(*Omaladera*): Implications on taxonomy, evolution and biogeography of the Himalayan species(Coleoptera: Scarabaeidae: Sericini). *Organisms Diversity & Evolution*, 6(1): 1-16.

Ahrens, D. 2007a. Taxonomic changes and an updated catalogue for the Palaearctic Sericini(Coleoptera: Scarabaeidae: Melolonthinae). *Zootaxa*, 1504: 1-51.

Ahrens, D. 2007b. Revision of the *Serica nigroguttata* Brenske, 1897 group(Coleoptera, Scarabaeidae, Sericini). *Bulletin de l' Institut Royal des Sciences Naturelles de Belgique*, 77: 5-37.

Ahrens, D. 2007c. Beetle evolution in the Asian highlands: insight from a phylogeny of the scarabaeid subgenus *Serica*(Coleoptera, Scarabaeidae). *Systematic Entomology*, 32(3): 450-476.

Ahrens, D. 2009. A cladistic analysis reveals an eastern Tibetan occurrence of *Taiwanoserica*(Coleoptera: Scarabaeidae). *Annales de la Société Entomologique de France*(*Nouvelle série*), 45(3): 285-296.

Ahrens, D. and Pacholátko, P. 2003. New data on distribution of the species of *Gastroserica* Brenske, 1897, with description of new taxa from China and Laos(Coleoptera: Scarabaeidae: Sericini). *Zootaxa*, 342: 1-18.

Arrow, G. J. 1907. Some new species and genera of Lamellicom Coleoptera from Indian empire. *The Annals and Magazine of Natural History*, 19(7): 416-439.

Arrow, G. J. 1909. Four new lamellicorn Coleoptera from the Oriental region. *The Annals and Magazine of natural History*, *including Zoology*, *Botany and Geology. London*, 8(4): 91-94.

Arrow, G. J. 1913. Notes on the lamellicorn Coleoptera of Japan and description of a few new species. *The Annals and Magazine of Natural History*, (8)12: 394-408.

Arrow, G. J. 1931. *The Fauna of British India* III, Coprinae. Taylor & Francis. London: 1-428.

Arrow, G. J. 1935. A contribution to the classification of the coleopterous family Lucanidae. *Transactions of the Royal Entomological Society of London*, 83: 105-125.

Arrow, G. J. 1938. Some notes on stag-beetles and descriptions of a few new species. *The Annals and Magazine of Natural History*, 11(2): 49-63.

Arrow, G. J. 1943. On the genera and nomenclature of the lucanid Coleoptera, and descriptions of a few new species *Proceedings of the Royal Entomological Society of London*, (B)12(9-10): 133-143.

Arrow, G. J. 1946. Synonymic notes on some oriental cetoniine beetles, with description of two new species. *Proceedings of the Royal Entomological Society of London*(B), 15: 140-144.

Arrow, G. J. 1950. *The Fauna of India Including Pakistan*, *Ceylon*, *Burma and Malaya. Coleoptera*, *Lamellicornia*, *Lucanidae and Passalidae.* Vol. 4. Taylor and Francis Ltd. , London. 275 pp, 23 pls.

Auzoux, H. 1869. *Dicranocephalus dabryi* sp. nov. *Annales de la Société entomologique de France*(4)9 *Bulletin entomologique*, 4(iv).

Ballion, E. von. 1871. Eine Centurie neuer Käfer aus der Fauna des russischen Reiches. *Bulletin de la Société Impériale des Naturalistes de Moscou*, 43(3-4)[1870]: 320-353.

Balthasar, V. 1932. Einige neue Coprophagen aus China. *Entomologische Nachrichtenblatt*, 7: 55-68.

Balthasar, V. 1935a. Onthophagus-arten Chinas, Japans und der angrenzenden Ländern. *Folia Zoologica et Hydrobiologica*, 8: 303-353.

Balthasar, V. 1935b. Revision der gattung *Caccobius* undergattung *Caccophilus*. *Koleopterologische Rundschau*, 21(5): 183-195.

Balthasar, V. 1949. Monographische bearbeitung der gattung Caccobius aus der Palaearktischen und Orientalischen region. *Acta entomologica Musei nationalis Pragae*, 26: 1-54.

Bartolozzi, L. and Sprecher-Uebersax, E. 2006. Lucanidae. pp. 63-76. In: Löbl, I. & A. Smetana (ed). *Catalogue of Palaearctic Coleoptera*. Vol. 3: Scarabaeoidea-Scirtoidea-Dascilloidea-Buprestoidea-Byrrhoidea, I. Published by Apollo Books, 690pp.

Bates, H. W. 1866. On a collection of Coleoptera from Formosa sent home by R. Swinhoe, Esq. H. B. M. Consul, Formosa. *Proceedings of the Scientific Meetings of the Zoological Society of London*, 23: 339-355.

Bedel, L. 1892. Revision des Scarabaeus paléarctiques. *L'Abeille*, 27: 281-288.

Benderitter, E. 1922. Rutélides nouveaux principalement du Congo Belge. *Revue Zoologique Africaine*, 10: 77-87.

Benesh, B. 1960. Lucanidea [sic] in W. D. Hincks(Ed.), *Coleopterorum Catalogus Supplementa*. Pars 8. W. Junk. Gravenhage, Netherlands. 178 pp.

Bezdek, A., Nikodym, M. & Hawkins, S. J. 2005. Nomenclatural notes on the genera Amphicoma and Anthypna. *Folia Heyrovskyana*, 12(4): 205-211.

Blanchard, C. E. 1851. [new taxa]. In: Milne-Edwards H.: *Catalogue de la Collection Entomologique du Muséum d'Histoire Naturelle de Paris. Classe des Insectes. Ordre des Coléoptères*. Tome 2. Paris: Gide et Baudry, 129-240 pp.

Blanchard, C. E. 1871. Remarques sur la faune de la principaute thibetaine du Mou-pin. *Comptes Rendus Hebdomadaires des Seances de l'Academie des Sciences*, 72: 807-813.

Boileau, H. 1898. Description de Lucanides nouveaux. *Bulletin de la Société entomologique de France*, 47: 264-268.

Boileau, H. 1902. Description de Coléoptères nouveaux. *Le Naturaliste*, 24: 203-205.

Boucomont, A. 1910. Contribution a la classification des Geotrupidae. *Annales de la Société entomologique de France*, (1911)79: 333-350.

Boucomont, A. 1912. Genre nouveau et espèces nouvelles de Coprophages du Yunnan. *Bulletin de la Societe entomologique de France*, 13: 275-278.

Bourgoin, A. 1916. Diagnoses préliminaircs de Cétonides nouveaux de I'Indochine(Col. Scarabaeidae). *Bulletin de la Société Entomologique de France*, 109-112.

Bourgoin, A. 1926. Descriptions et diagnoses de Cétonides nouveaux. *Bulletin de la Société entomologique de France*, 69-72.

Breit, J. 1912. Beiträge zur Kenntnis der palüarktischen Coleopterenfauna. *Entomologische Mitteilungen*, 1(7): 199-203.

Brenske, E. 1892. Ueber einige neue Gattungen und Arten der Melolonthiden. *Entomologische Nachrichten*, 18: 151-159.

Brenske, E. 1894. Die Melolonthiden der palaearktischen und orientalischen Region im Königlichen naturhistorischen Museum zu Brüssel. Beschreibung neuer Arten und Bemerkung zu bekannten. *Mémoires de la Société Entomologique de Belgique*, 2: 3-87.

Brenske, E. 1897a. Die *Serica*-Arten der Erde 1. *Berliner Entomologische Zeitschrift*, 42: 345-438.

Brenske, E. 1897b. Neue Coleopteren-Gattungen und -Arten aus Madagaskar, Afrika und Asien, zur Familie der Melolonthiden gehorend. *Berliner Entomologische Zeitschrift*, 41: 339-363.

Brenske, E. 1898. Die *Serica*-Arten der Erde 2. *Berliner Entomologische Zeitschrift*, 43: 205-403.

Brenske, E. 1900. Die *Serica*-Arten der Erde 4. *Berliner Entomologische Zeitschrift*, 45: 39-96.

Brullé, A. 1832. *Expedition scientifique de Moree. Section des Sciences physiques.* Ie Partie: Zoologie 2e section: Des Animaux articulés. F. G. Levrault. Paris 3: 1-400(165-187).

Burmeister, H. C. C. 1842. *Handbuch der Entomologie.* Dritter Band. Coleoptera Lamellicornia Melitophila. Berlin: Theod. Chr. Friedr. Enslin, 826pp.

Burmeister, H. C. C. 1844. *Handbuch der Entomologie. Vierter Band, Erste Abtheilung. Coleoptera Lamellicornia Anthobia et Phyllophaga systellochela.* Berlin: Theod. Chr. Fr. Enslin, xii + 588 pp.

Burmeister, H. C. C. 1847. *Handbuch der Entomologie. Coleoptera Lamellicornia, Xylophila et Pectinicornia.* Enslin. Berlin 5: 1-584.

Burmeister, H. C. C. 1855. *Handbuch der Entomologie. Vierter Band. Besondere Entomologie. Fortsetzung. Zweite Abtheilung. Coleoptera Lamellicornia Phyllophaga chaenochela.* Berlin: Theod. Chr. Friedr. Enslin, x + 569 pp.

Casey, T. L. 1915. A review of the American species of Rutelinae, Dynastinae and Cetoniinae. Pp. 1-394. *Memoirs on the Coleoptera*. 6. Lancaster: The New Era Printing Co. , 460 pp.

Castelnau, F. 1840. *Histoire Naturelle des Insectes Coléoptères. Avec une introduction renfermant L'Anatomie et la Physiologie des Animaux Articulés, par M. Brullé P. Duménil.* Paris 2: 1-564.

Chang, Y. W. 1965. Revision of Chinese May-beetles of the genus *Holotrichia* III(Coleoptera: Scarabaeidae). *Acta Zootaxonomica Sinica*, 2: 37-56(in Chinese).

Chûjô, M. 1940. Some new and hithertho unrecorded species of the Scarabaeid beetles from Formosa. *Nippon no Kôchû*, 3: 75-77.

Costa, A. 1852. Cetonidea. *In Fauna del regno di Napoli ossia enumerazione di tutti gli animali che abitano le diverse regioni di quaesto regno e le acque che le bagnano contenente la descrizione de 'nuovi o poco esattamente conosciuti con figure ricavate da originali viventi e dipinte al naturale.* Coleotteri. Parte I. Coleotteri. Napoli: Gaetano Sautto, xii + 364. [not : families separately paginated].

Dalla Torre, K. W. 1912. Fam. Scarabaeidae. Subfam. Melolonthinae 1. Coleopterorum Catalogus 20 (45): 1-84.

Dejean, P. F. M. A. 1821. *Catalogue de la collection de Coléoptères de M. le Baron Dejean.* Paris: Crevot, viii + 136 + [2] pp.

Dejean, P. F. M. A. 1833. *Catalogue de la collection des Coléoptères de M. le Comte Dejean. Deuxième édition.* [Livraison 1(pp. 1-96), Livraison 2(pp. 97-176). Paris: Méquignon-Marvis Père et Fils. [note: pp. 177-256, Livraison 3 was published in 1834; pp. 257-360, Livraison 4 in 1835].

Dejean, P. F. M. A. 1837. *Catalogue des Coléoptères de la collection de M. le Comte Dejean.* Edition 3(1-4), Paris Méquignon xiv: 1-503.

Deyrolle, H. and Fairmaire, L. 1878. Descriptions de Coleopteres receuillis par M. l'Abbé David dans la chine Centrale. *Annales de la Société entomologique de France*, 8(5): 87-140.

Didier, R. and Séguy, E. 1952. Notes sur quelques espèces de Lucanides et descriptions de formes nouvelles. *Revue Francaise d' Entomologie*, 19: 220-233.

Didier, R. and Séguy, E. 1953. Catalogue illustré des Lucanides du Globe. Texte. *Encyclopédie Entomologique*, (A)27: 1-223, 136 figs.

Didier, R. 1926. Descriptions de Lucanides nouveaux ou peu connus. *Encyclopedie entomologique*, *serie* B. I. Coléoptères, 2(1): 17-48.

Didier, R. 1927. Quelques modifications a la classification des Lucanides. A propos du genre *Cyclommatus* Parry. *Bulletin de la Société entomologique de France*, 1927: 101-103.

Didier, R. 1928. Description d'un Lucanide nouveau de la Faune indo-chinoise. *Bulletin de la Société entomologique de France*, 1928:51-53.

Didier, R. 1931. Étude sur les Coléoptères Lucanides du globe. XII. Descriptions de Lucanides nouveaux ou peu connus. *Librairie speciale Agricole*, *Paris Fascicule*, 8: 175-209.

Didier, R. 1937. *Études sur les Coléoptères Lucanides du globe.* Paris: Ed. Paul Lechevalier XLIX + 257 pp.

Endrödi, S. 1952. Monographie der gattung Anthypna Latr. *Folia Entomologica Hungarica*, 5: 1-40.

Erichson, W. F. 1834. Coleoptera. *In* Erichson W. F. and Burmeister C. H. C. (eds) *Beitrage zur Zoologie*, *gesammelt auf einer Reise um die Erde*, *von Dr. F. J. F. Meyen. Sechste Abhandlung. Insekten. Bearbeitet von Herm W. Erichson und Herm H. Burmeister*, *mit fünf Kupfertafeln.* Nova Acta Physico Medica Academiae Caesareae Leopoldino-Carolinae, Naturae Curiosorum 16 [1832] Supplement, 1: 219-308.

Erichson, W. F. 1848. Naturgeschichte des Insecten Deutschland. I. Coleoptera, Scaphidilia, Scarabaeides. *Nicolaischen Buchhandlung*, *Berlin*(1847-1848), 1(3): 1-968.

Fabricius, J. C. 1775. *Systema Entomologiae sistens Insectorum Classes*, *Ordines*, *Genera*, *Species adiectis Synonymis*, *Locis*, *Descriptionibus*, *Obsevationibus.* Flensburgi et Lipsiae: Officina Libraria Kortii, xxxii + 832 pp.

Fabricius, J. C. 1787. *Mantissa insectorum sistens eorum species nuper detectus adiectis characteribus genericis*, *differentiis specificis*, *emendationibus*, *descriptionibus. Tom. I.* Hafniae: Christ. Gottl. Proft, xx + 348 pp.

Fabricius, J. C. 1794. *Entomologia systematica emendata et aucta. Sécundum classes*, *ordines*, *genera*, *species adjectis synonimis*, *locis*, *observationibus*, *descriptionibus. Tom. IV.* [Appendix specierum nuper detectarum: pp. 435-462]. Hafniae: C. G. Proft, Fil. et Soc., [6] + 472 + [5] pp.

Fabricius, J. C. 1801. *Systema Eleutheratorum secundum ordines*, *genera*, *species*: *adiectis synonymis*, *locis*, *observationibus*, *descriptionibus.* Tomus I. Impensis bibliopoli academici novi, Kiliae: 1-506.

Fairmaire, L. 1849. Essai sur les Coleopteres de la Polynesie. *Revue et Magasin de Zoologie pure et appliquee*, 1: 410-422.

Fairmaire, L. 1878. [new taxa]. In: Deyrolle H. & Fairmaire L.: Descriptions de Coléoptères recueillis par M. l' abbé David dans la Chine centrale. *Annales de la Société Entomologique de France*, (5)8: 87-140.

Fairmaire, L. 1886. Descriptions de Coléoptères de l' intérieur de la Chine. *Annales de la Société Entomologique de France*, (6)6: 303-356.

Fairmaire, L. 1887. Coléoptères de l' intérieur de la Chine. *Annales de la Société Entomologique de Bel-*

gique, 31: 87-136.

Fairmaire, L. 1888a. Coléoptères de l'intérieur de la Chine(Suite). *Annales de la Société Entomologique de Belgique*, 32: 7-46.

Fairmaire, L. 1888b. Notes sur les Coléoptères des environs de Peking(2 e partie). *Revue d'Entomologie* 7: 111-160.

Fairmaire, L. 1888c. Trois *Polyphylla* de la Chine. *Bulletin ou Comptes-Rendus des Seances de la Societe Entomologique de Belgique*, 1888: 16-17.

Fairmaire, L. 1891a. Description de Coléoptères de l'intérieur de la Chine. *Annales de la Société Entomologique de* Belgique, 35: 6-24.

Fairmaire, L. 1891b. Coléoptères de l'intérieur de la Chine(Suite: 7e partie). *Bulletin ou Comptes-Rendus des Séances de la Société Entomologique de Belgique*, 1891: clxxxvii-ccxix.

Fairmaire, L. 1893. Coleopteres du Haut Tonkin. *Annales de la Societe Entomologique de Belgique*, 37: 303-325.

Fairmaire, L. 1896. Note XII. Coleopteres de l'Inde Boreale, Chine et Malaisie. *Notes from the Leyden Museum*, 18: 81-129.

Fairmaire, L. 1897. Coléoptères de Szé-Tchouen et de Koui-Tchéou(Chine). *Notes from the Leyden Museum*, 19: 241-255.

Fairmaire, L. 1898, Descriptions de Coléoptères d'Asie et de Malaisie. *Annales de la Société Entomologique de France*, 67: 382-400.

Faldermann, F. 1835. Coleopterorurn ab illustrissimo Bungio in China boreali, Mongolia, et Montibus Altaicis collectorum, nec non ab ill. Turczaninoffio et Stchukino e provincia Irkutsk missorum illustrationes. *Mémoires de l'Académie Impériale des Sciences de St. Pétersbourg. Sixième Série. Sciences Mathematiques, Physiques et Naturelles*, 3(1): 337-464, pls I-V.

Fischer von Waldheim, G. 1823. *Entomographia imperii russici; genera insectorum systematice exposita et analysi iconographica instructa.* (1823-1824)2: 1-262.

Frey, G. 1971a. Neue Ruteliden und Melolonthiden aus Indien und Indochina(Col.). *Entomologische Arbeiten aus dem Museum G. Frey*, 22: 109-133.

Frivaldszky, J. von. 1890. Coleoptera. In Expeditione D. Comitis Belae Széchenyi in China, praecipue boreali, a Dominis Gustavo Kreitner et Ludovico Lóczy Anno 1879 collecta. *Termeszetrajzi Füzetek*, 12 [1889]: 197-210.

Gahan, C. J. 1888. On the Coleoptera of the Christmas Island. *Proceedings of the Zoological Society of London*, 37: 538-541.

Gautier des Cottes, C. 1870. Petites nouvelles. *Petites Nouvelles Entomologiques*, 1 [1869-1875]: 104.

Geoffroy, M. D. 1762. *Histoire abregee des insectes qui se trouvent aux environs des Paris, dans laquelle ces animaux sont ranges suivant un ordre methodique.* Durand, Paris 2: 1-690.

Geoffroy, M. D. 1785. in *Fourcroy. Entomologia parisiensis; sive catalogus insectorum, quae in agro parisiensi reperiuntur. Secundum methodum Geoffraeanam in sectiones, genera et species distributus: cui addita sunt nomina trivalia & fere trecentae novae species.* Pars prima. Via et aedibus serpentineis, Parisiis: 1-544.

Gillet, J. J. E. 1911. Coprides nouveaux de la région orientale et remarques synonymiques. *Annales de la*

Société entomologique de Belgique, 55: 313-314.

Gistel, J. 1848. *Naturgeschichte des Thierreichs, für höhere Schulen.* Hoffmann'sche Verlags-Buchhandlung, Stuttgart: 1-216(115-121).

Gory, H. L. and Percheron, A. R. 1833. *Monographie des Cétoines et genres voisins, formant dans les familles naturelles de Latreille la division des Scarabées* Mélitophiles. Paris, Baillière, 403pp.

Gyllenhal, L. 1817. [new taxa]. In: Schänherr C. J.: *Synonymia Insectorum, oder Versuch einer Synonymie aller bisher bekannten Insecten; nach Fabricii Systema Elautheratorum etc. geordnet. Erster Band. Eleutherata oder Käfer. Dritter Theil. Hispa-Molorchus.* Upsala: Em. Brucelius, 506 pp. + Appendix: *Descriptiones novarum specierum*, 266 pp.

Haaf, E. 1955. Uber die gattung Sisyphus Latreille. *Entomologische Arbeiten aus dem Museum G. Frey*, 6 (1): 341-381.

Hanus, F. 1932. *Lucanus szetschuanicus* m. *Entomologische Nachrichtenblatt*, 6(4): 101-102.

Harold, E. von 1867. Diagnosen neuer Coprophagen. *Coleopterologische Hefte*, 2: 94-100.

Harold, E. von 1877. Beitrage zur Kaferfauna von Japan(Zweites Stuck). Japanische Kafer der Berliner Koningliche Museums. *Deutsche Entomologische Zeitschrift*, 21(2): 337-367.

Harold, E. von 1886. Coprophage Lamellicornien beschrieben von E. von Harold. *Berliner Entomologische Zeitschrift*, 30(2): 141-149.

Harris, T. W. 1841. *Report on the Insects of Massachusetts, injurious to vegetation.* Cambridge: Folsom, Wells and Thurston, 459 pp.

Heyne, A. and Taschenberg, O. 1908. *Die Exotischen Käfer in Wort und Bild. G. Reusche.* Leipzig: 1-262.

Hope, F. W. 1831. Gray: Synopsis of the new species of Nepal Insects in the collection of Major General Hardwicke. *Zoological Miscellany*, 1: 21-32.

Hope, F. W. 1836. Monograph on Mimela, a genus of coleopterous insects. *Transactions of the Entomological Society of London*, 1: 108-117.

Hope, F. W. 1837. *The Coleopterist's Manual, containing the lamellicorn insects of Linneus and Fabricius.* London: Henry G. Bohn, xiii + [2] + 15-121 + [4] pp., 3 pls.

Hope, F. W. 1841. Description of some new Lamellicorn Coleoptera from Northern India. *Transactions of the Entomological Society of London*, 3: 62-67.

Hope, F. W. 1843. Descriptions of the coleopterous insects sent to England by Dr. Cantor from Chusan and Canton, with observations on the entomology of China. *The Annals and Magazine of Natural History*, 11: 62-66.

Hope, F. W. 1845. On the Entomology of China, with descriptions of the new species sent to England by Dr. Cantor from Chusan and Canton. *Transactions of Entomological Society London*, 4: 4-17.

Hope, F. W. and Westwood, J. O. 1845. *A Catalogue of the Lucanoid Coleoptera in the collection of the Rev. F. W. Hope, together with descriptions of the new species therein contained.* J. C. Bridgewater, South Molton street, London(editor): 1-31.

Houlbert, C. 1915a. Description de quelques lucanides nouveaux de la tribu des Cladognathinae(Fin). *Insecta, revue illustree d'Entomologie*, 5: 48-54.

Houlbert, C. 1915b. Descriptions de quelques Lucanides nouveaux. *Insecta, revue illustree d'Entomolo-*

gie, Rennes, 5: 17-23.

Huang, H. and Chen, C. C. 2009. Notes on the morphology, taxonomy, and natural history of the genus Platycerus Geoffroy from China, with the description of a new species. *Zootaxa*, 2087: 1-36.

Huang, H. and Chen, C. C. 2013. Stag beetles of China, II. 1-716.

Ikeda, H. 2001. A new species of the genus *Dorcus* from Shaanxi Province, China. *Lucanus World*, 25: 31.

Illiger, J. C. W. 1803. Verzeichniss der in Portugall einheimischen Kafer. Erste Lieferung. *Magazin für Insektenkunde*, 2: 186-258.

Imura, Y. 2010. The genus *Platycerus* of East Asia. 240pp.

Iwase, K. 1996. Two new species of the genus *Paratrichius* from southern China. *Elytra*, 24(1): 79-84.

Jacobson, G. 1892. Beitrag zur Systematik der Geotrypini. *Horae Societatis entomologicae Rossicae*, 26: 245-257.

Janson, O. E. 1879. Notices of new or little known Cetoniidae Nr. 6. *Cistula entomologica*, 2: 537-539.

Janson, O. E. 1881. Notices of new or little known Cetoniidae Nr. 7. *Cistula entomologica*, 2(24): 603-611.

Janson, O. E. 1890. Descriptions of two new species of Asiatic Cetoniidae. *Notes from the Leyden Museum*, 12: 127-129.

Janssens, A. 1938. Exploration du Parc National Albert. Scarabaeini. *Institut des parcs nationaux du Congo Belge Fascicule*, 21: 1-76.

Janssens, A. 1940. Monographie des Scarabaeus et genres voisines. *Verhandelingen Koninklijk Natuurhistorisch Museum Belgie*, 2(16): 1-81.

Jekel, H. 1865. Essai sur la classification naturelle des Geotrupes Latreille et descriptions d'especes nouvelles. *Annales de la Société entomologique de France*(Series 4), 5: 513-618.

Jekel, H. 1872. Notice sur la genre Caccobius C. G. Thomson. *Revue et Magazine de Zoologie*, (2): 405-419.

Kabakov, O. N. 1990. New subgenus and species of the genus Onthophagus from Middle and Central Asia. *Proceeding of the Zoological Institute of Leningrad*, 211: 28-39.

Keith, D. 2005. About some Scarabaeoidea(Coleoptera) of the Palaearctic and Oriental regions. *Bulletin Mensuel de la Societe Linneenne de Lyon*, 74(3): 93-102.

Keith, D. and Delpont, M. 2004. Replacement names for two genra genera of Cetoniidae(Col. Scarabaeoidae). *Bulletin Mensuel de la Societe Linneenne de Lyon*, 73(9): 363.

Kim, J. I. 1998. Taxonomic study of Korean Rutelidae(Coleoptera) VI. Two new genera and some removal species from Korean Anomala. *Korean Journal of Entomology*, 28: 311-316.

Kim, J. I., Kim, A. Y. 2003. Taxonomic review of Korean Sericinae(Coleoptera, Melolonthidae)2: Genus *Maladera Mulsant*. *Insecta Koreana*, 20:81-94.

Kirby, W. 1819. Description of several new species of insects collected in New Holland by Robert Brown. Esq. F. R. S. Lib. Linn. Soc. *Transactions of the Linnean Society of London*, 12 [1818]: 454-478.

Kirby, W. 1823. A description of some insects which appear to exemplify Mr. William S. MacLeay's doctrine of affinity and analogy. *Transactions of the Linnean Society of* London, 14: 93-110, 1pl.

Kolbe, H. J. 1886. Beiträge zur Kenntnis der Coleopteren-Fauna Koreas, bearbeitet auf Grund der von

Herrn Dr. C. Gottsche während der Jahne 1883 und 1884 in Korea veranstalteten Sammlung; nebst Bemerkungen über die zoogeographischen Verhältnisse dieses Faunengebiets und Untersuchungen über einen Sinnesapparat im Gaumen von Misolampidius morio. *Archiv für Naturgeschichte*, 52: 139-157, 163-240, pls X-XI.

Kolbe, H. J. 1894. Synopsis der in Afrika gefundenen Arten der Ruteliden-Gattung Popillia. *Entomologische Zeitung*(Stettin), 55: 207-263.

Kolbe, H. J. 1910. Neue Ruteliden aus dem Tropischen Afrika. *Annales de la Société Entomologique de Belgique*, 54: 74-80.

Kraatz, G. 1879. *Cetonia aurata* Linné(der Goldkäfer), am Amur in *Euryomia*-und *Glycyphana*-Arten verwandelt; = Protaetia Bensoni Westw. vom Himalaya? Ein Beitrag zur kritischen Deutung der CetoniaFormen. *Deutsche Entomologische Zeitschrift*, 23: 241-252.

Kraatz, G. 1889. [new taxa]. *In* Heyden L. von(ed.) Insecta, a CI. G. N. Potanin in China et in Mongolia novissime lecta. XII. Scarabaeidae. Cantharidae. Cleridae. Lagriidae. Melandryidae. Pedilidae. Anthicidae. *Horae Societatis Entomologicae Rossicae*, 23: 654-677.

Kraatz, G. 1892. Monographische Revision der Ruteliden-Gattung Popillia Serville. *Deutsche Entomologische Zeitschrift*, 1892: 177-192, 225-306, pl. iv.

Kraatz, G. 1898. *Pseudanthracophora* nov. gen. Cetonidarum. *Deutsche Entomologische Zeitschrift*, 406-408.

Krajcik, M. 2001. *Lucanidae of the world. Catalogue* — Part I. Checklist of the Stag Beetles of the World (Coleoptera: Lucanidae), Stampata in proprio, Most, Czech Republic, 108 pp.

Kral, D., Maly, V. and Schneider, J. 2001. Revision of the genera *Odontotrypes* and *Phelotrupes*. *Folia Heyrovskyana Supplementum*, 8: 1-178.

Kriesche, R. 1920. Zur Kenntnis der Lucaniden. *Archiv für Naturgeschichte*, 86A(8): 92-107.

Kriesche, R. 1926. Neue Lucaniden. *Stettiner Entomologische Zeitung*, 87: 382-385.

Kriesche, R. 1935. Ueber paläarktisch-chinesische Lucaniden. *Koleopterologische Rundschau*, 21: 169-174.

Krikken, J. 1984. A new key to the suprageneric taxa in the beetle family Cetoniidae, with annotated lists of the known genera. *Zoologische Verhandelingen*(*Leiden*), 210: 1-75.

Latreille, P. A. 1802. *Histoire naturelle, générale et particuliere des crustacés et des insectes*. Paris 3: 1-467(139-159).

Latreille, P. A. 1807. *Genera Crustaceorum et Insectorum secundum Ordinem naturalem in Familias disposita, Iconibus Esemplisque plurimis explicate*. (1806-1809) A. Koenig Parisis et Argentorati Volume I-IV, 2: 1-280.

Lewis, G. 1879. On certain new species of Coleoptera from Japan. *The Annals and Magazine of Natural History*, (5)4: 459-467.

Lewis, G. 1895. Note on the Japanese Rhipidoceridae: a new genus and species. *The Annals and Magazine of Natural History*, (6)16:35-36.

Lin, P. 1966. Two new species of Rutelinae(Coleoptera: Scarabaeidae). *Acta Zootaxonomica Sinica*, 3: 82-84. [林平, 1966a. 丽金龟亚科的二新种(鞘翅目:金龟子科). 动物分类学报, 3(1): 82-84.]

Lin, P. 1979. Two new species of the genus *Anomala* from southwest China(Coleoptera, Rutelidae). *Entomotaxonomia*, 1: 29-31. [林平, 1979. 异丽金龟(Anomala)二新种(鞘翅目:丽金龟科). 昆虫分类学报, 1(1): 29-31.]

Lin, P. 1989. New species and subspecies of the genus *Anomala* from Shaanxi. *Entomotaxonomia*, 11: 83-90. [林平, 1989. 陕西异丽金龟属新种记述(鞘翅目:丽金龟科). 昆虫分类学报, 11(1-2): 83-90.]

Lin, P. 1993. *A systematic revision of the China Mimela*: (*Coleoptera*: *Rutelidae*). The Publishing Company of Zhong Shan University, 106 pp., xxii pls. (in Chinese and English). [林平, 1993. 中国彩丽金龟属志, 广东:中山大学出版社. 106]

Linnaeus, C. 1758. *Systema Naturae per Regna tria Naturae, secundum classes, ordines, genera, species, cum characteribus, differentiis, synonymis, locis. Tomus I. Editio decima, reformata.* Holmiae: Impensis Direct. Laurentii Salvii, iv + 824 + [1] pp.

Liu, W. G., Fabrizi, S., Bai, M., Yang, X. K. and Ahrens, D. 2014a. A taxonomic revision of the *Neoserica*(*sensu lato*)*calva* group(Coleoptera, Scarabaeidae, Sericini). *ZooKeys*, 448:47-81.

Liu, W. G., Fabrizi, S., Bai, M., Yang, X. K. and Ahrens, D. 2014b. A taxonomic review on the species of *Tetraserica* Ahrens, 2004 of China (Coleoptera, Scarabaeidae, Sericini). *ZooKeys*, 448: 83-121.

Löbl, I. and Smetana, A. 2006. Catalogue of Palaearctic Coleoptera. Volume 3. Scarabaeoidea-Scirtoidea-Dascilloidea-Buprestoidea-Byrrhoidea. Apollo Books, Stenstrup, 690 pp.

Lucas, P. H. 1870. *Neophoedimus*(gen. nov.), *auzouxii*(sp. nov.). *Bulletin de la Société Entomologique de France*, 80-81.

Lucas, P. H. 1872. Etudes sur quelques Coleopteres nouveaux du Thibet oriental. *Annales de la Societe Entomologique de France*, 12(5): 275-296.

Ma, W-Z. 2005. Coleoptera: Lucanidae, Cetoniidae and Trichiidae. 417-426. *In* Yang, X-K. (ed.) Insect Fauna of Middle-West Qinling Range and South Mountains of Gansu Province. Science Press, Beijing. 1-1055. [马文珍, 2005. 鞘翅目:锹甲科 花金龟科 斑金龟科. 417-426. 见:杨星科主编, 秦岭西段与甘南地区昆虫. 北京:科学出版社. 1055]

Machatschke, J. W. 1952. Beiträge zur Kenntnis des Genus Mimela Kirby(Coleoptera: Scarabaeidae, Rutelinae)I. Teil. *Beiträge zur Entomologie*, 2: 333-369.

Machatschke, J. W. 1957. Coleoptera, Lamellicornia, Scarabaeidae, Rutelinae II. *Genera Insectorum*, Fasc. 199 B: 1-219.

MacLeay, W. S. 1819. *Horae entomologicae: or essays on the annulose animals. Containing geneal observations on the geography, manners, and natural affinities of the Insects which compose the genus Scarabaeus of Linnaeus; to which are added a few incidental remarks on the genera Lucanus and Hister of the same author. With an appendix and plates.* Vol. 1. Part 1. London: S. Bagster, xxx + [2] + 160 pp., 3 pls.

Maes, J. M. 1990. Notas diversas sobre la taxonomia de los Lucanidae. *Revista Nicaraguense de Entomologia*, 11:1-34.

Masumoto, K. 1984. New coprophagous Lamellicornia from Japan and Formosa. *The Entomological Review of Japan*, 39(1): 73-83.

Masumoto, K. 1991. A new species of the genus *Enoplotrupes* from China. *Elytra*, 19(2): 179-183.

Masumoto, K. 1995. New or little-known Geotrupine species from Central and Western China. *Special Bulletin Japan Society Coleopterology*, 4: 381-387.

Matsumura, S. 1937. Two new species of Caccobius. *Insecta matsumurana*, 11: 120-121.

Medvedev, S. I. 1949. *Fauna SSSR. Zhestkokrylye*. Tom 10, vyp. 3. *Plastinchatousye (Scarabaeidae) podsem. Rutelinae (khlebnye zhuki i blizkie gruppy)*. Moskva, Leningrad: Izd. Akademii Nauk SSSR, 372 pp.

Medvedev, S. I. 1951. *Plastinchatousye (Scarabaeidae), podsem. Melolonthinae, ch.* 1 (*chrushchii. Fauna SSSR, zhestkokrylye*. Tom 10, vyp. 1. Moskva, Leningrad: lzd. Akad. Nauk SSSR, 512 pp. (in Russian).

Medvedev, S. I. 1964. Fauna USSR: Coleoptera 10 Nr. 5: Lamellicornia (Scarabaeidae), subfam. Cetoniinae, Valginae. *Izd. Akademii Nauk. SSSR, Moskva, Leningrad*, 1-375.

Medvedev, S. I. 1972. pereimenovanii roda Dicranocephalus Hope, 1831 (Coleoptera, Scarabaeidae) i nakhozhdenie ego predstavitelia v SSSR. *Entomologicheskoe Obozreniye*, 51: 112-113.

Mikšić, R. 1965. Neue Beiträge zur Kenntnis der Protaetien der Republik Indonesien und der benachbarten Gebieten. Achter Beitrag zur Kenntnis der Protaetia-Arten. 47. Beitrag zur Kenntnis der Scarabaeiden. *Entomologische Abhandlungen und Berichte aus dem Staatliches Museum für Tierkunde in Dresden*, 31: 265-306.

Mikšić, R. 1967. Revision der Gattung *Rhomborrhina* Hope (53. Beitrag zur Kenntnis der Scarabaeiden). *Entomologische Abhandlungen und Berichte aus dem Staatfiches Museum für Tierkunde in Dresden*, 35: 267-335.

Mikšić, R. 1970. Contribution à la connaissance des Cetoniinae des régions paléarctique et orientale. *Bulletin Mensuel de la Société Linneenne de Lyon*, 39: 54-59.

Mikšić, R. 1974. Die orientalischen und palaearktischen Gattungen der Heterorrhinini (83. Beitrag zur Kenntnis der Scarabaeiden). *Revue Suisse de Zoologie*, 81: 737-783.

Mikšić, R. 1977. *Monographie der Cetoniinae der palearktischen und orientalischen Region. Coleoptera: Lamellicornia. Band* 2, *Systematischer Teil: Gymnetini (Lomapterina, Clinteriina), Phaedimini, Gnathocerini, Heterorrhinini.* Forstinstitut in Sarajevo, 400pp.

Mikšić, R. 1987. *Monographie der Cetoniinae der paläarktischen und orientalischen Region. Coleoptera: Lamellicornia.* Band 4. Forstinstitut in Sarajevo, 608 pp.

Mizunuma, T. and Nagai, S. 1994. *The Lucanid beetles of the world.* Mushi-sha Iconographic series of Insects. H. Fujita (Ed.), Tokyo, 1: 338 pp., 115 figs., 156pls.

Moser, J. 1911. Beitrag zur Kenntnis der Cetoniden. *Annales de la Societe Entomologique de Belgique*, 55: 119-129.

Moser, J. 1913. Neue Arten der Melolonthiden-Gattungen *Holotrichia und Pentelia. Annales de la Societe Entomologique de Belgique*, 56: 420-449.

Moser, J. 1918. Neue Melolonthiden aus der Sammlung des Deutschen Entomologischen Museums zu Berlin Dahlem (Col.). *Stettiner Entomologische Zeitung*, 79: 209-247.

Motschulsky, V. 1854a. Nouveautés. *Etudes Entomologiques*, 2 [1853]: 28-32.

Motschulsky, V. 1854b. Diagnoses de Coléoptères nouveaux trouvés, par M. M. Tatarinoff et

Gaschkéwitsch aux environs de Pékin. *Etudes Entomologiques*, 2 [1853]: 44-51.

Motschulsky, V. 1854c. Coleopteres du nord de la Chine(Shingai). *Etudes Entomologiques*, 3: 63-65.

Motschulsky, V. 1858a. Entomologie spéciale. Insectes du Japon. *Études Entomologiques*, 6: 25-41.

Motschulsky, V. 1858b. Voyages et excursions entomologiques. *Etudes entomologiques*, 7: 16-20.

Motschulsky, V. 1860a. *Coléoptères rapportés de la Siberie orientale et notamment des pays situées sur les bors du fleuve Amour par M. M. Schrenck, Maack, Ditmar, Voznessenski déterminés et décrits. Dr. L. v. Schrenck's Reisen und Forschungen im Amur-Lande* Band II. Zweite Lieferung. Coleoptera. St. Petersburg: 77-258(131-138).

Motschulsky, V. 1861. Insectes du Japon. Coléoptères. *Etudes entomologiques*, 10: 1-19.

Mulsant, E. 1839. Description d'un genre nouveau dans la tribu des Lucanides. *Annales de la Société Agricole de Lyon*, 2: 119-121.

Mulsant, E. 1842. *Histoire naturelle des Coléoptères de France. Lamellicornes.* Paris: Maison Libraire, Lyon: Imprimerie de Dumoulin, Ronet et Sibuet, viii + 626 pp., 3 pls.

Mulsant, M. E. & Rey, C. 1871. *Histoire Naturelle des Coléoptères de France. Lamellicornes, Pectinicornes.* Deyrolle, Paris, 735 pp.

Nagai, S. 2005. Notes on some SE Asian Stag-beetles, with descriptions of several new taxa(4). *Gekkan-Mushi*, 414: 32-38.

Nagel, P. 1936. Neues über Hirschküfer. *Stettiner Entomologische Zeitung*, 97(2): 289-302.

Newman, E. 1838. New Species of Popillia. *The Magazine of Natural History and Journal of Zoology, Botany, Mineralogy, Geology and Meteorology*(N. S.), 2: 336-338.

Newman, E. 1839. Descriptions of new Popilliae. *The Magazine of Natural History and Journal of Zoology, Botany, Mineralogy, Geology and Meteorology*(N. S.), 3: 365-366.

Niijima, Y. and Matsumura, S. 1923. Popillia comma. Pp. 139, 228. In: Niijima Y. & Kinoshita E.: Die Untersuchungen über Japanische Melolonthiden II. Melolonthiden Japans und ihre Verbreitung. *Research Bulletins of the College Experimental Forests, College of Agriculture, Hokkaido Imperial University. Sapporo, Japan*, 2(2): 1-243 + 1-7 [index] pp., vii pls. (in Japanese, German abstract).

Nikolajev, G. V. 1977. Notes on synonymy of lamellicorn beetles(Coleoptera, Scarabaeidae) from Mongolia and adjacent territories. *Nasekomye Mongolii*, 5: 268-271. (in Russian).

Nikolajev, G. V. 1980. Novyi rod i vid Plastintschatoucykh podsemeistva Sericinae(Coeloptera, Scarabaeidae)s Dalnego Vostoka. pp 40- 42. In: Ler, P. A. (Ed.), *Taxonomia nasekomykh Dalnego Vostoka Akademia Nauk SSSR, Wladiwostok.* (in Russian)

Nomura, S. 1973. On the Sericini of Japan 1. *Tôhô-Gakuhô*, 23: 119-152.

Nomura, S. 1974. On the Sericini of Taiwan. *Tôhô-Gakuhô*, 24: 81-115.

Nonfried, A. F. 1889. Beschreibung einiger neuer Küfer. *Verhandlungen der Kaiserlich-Königlichen Zoologisch-Botanischen Gesellschafl in Wien*, 39: 533-534.

Oberthür, R. and Houlbert, C. 1913. Lucanides de Java(Suite). *Insecta, revue illustree d' Entomologie, Rennes*, 3: 449-454.

Ohaus, F. 1903. Beiträge zur Kenntnis der Ruteliden. *Deutsche Entomologische Zeitschrift*, 1903: 209-228.

Ohaus, F. 1908. Beiträge zur Kenntnis der Ruteliden. (Col.). *Deutsche Entomologische Zeitschrift*,

1908: 634-644.

Ohaus, F. 1915. XVII. Beitrag zur Kenntnis der Ruteliden(Col. Lamell.). *Stettiner Entomologische Zeitung*, 76: 88-143.

Ohaus, F. 1918. Scarabaeidae: Euchirinae, Phaenomerinae, Rutelinae. *Coleopterorum Catalogus* 20: 1-241. [dated 1915].

Ohaus, F. 1924. XXII. Beitrag zur Kenntnis der Ruteliden(Col. Lamell.). *Stettiner Entomologische Zeitung*, 84:167-186.

Ohaus, F. 1944. Revision der Gattung Mimela Kirby(Col. Scarab. Rutelin.). *Deutsche Entomologische Zeitschrift*, 1943: 65-88.

Olsoufieff, G. 1907. Notes sur les Onthophagides Palearctiques II. *Annuaire du Musée Zoologique de l'Académie Impériale des Sciences de St.-Pétersbourg*, 11: 191-195.

Parry, F. J. S. 1863. A few remarks upon Mr. James Thomson's catalogue of Lucanidae, published in the "Annales de la Société entomologique de France, 1862". *Transactions of the Entomological Society of London*, (3)1: 442-452.

Parry, F. J. S. 1864. A catalogue of lucanoid Coleoptera; with illustrations and descriptions of various new and interesting species. *Transactions of the Entomological Society of London*, (3)2: 1-113.

Parry, F. J. S. 1873. Characters of seven nondescript Lucanoid Coleoptera, and remarks upon the genus Lissotes, *Nigidius* and *Figulus*. *Transactions of the Royal Entomological Society of London*, 335-345.

Pascoe, F. P. 1863. On certain additions to the Genus Dicranocephalus. *Journal of Entomology*, 2: 23-26.

Paulian, R. 1953. Recherches sur les insectes d'importance biologique à Madagascar. XX. Les Scarabaeini de Madagascar. *Mémoires de l'Institut scientifique de Madagascar*(E), 3: 24-27.

Paulsen, M. J. and Smith, A. B. T. 2003. Replacement names for the genera *Batesiana* Erwin(Coleoptera: Carabidae) and *Metabolus* Fairmaire(Coleoptera: Scarabaeidae: Melolonthinae). *The Coleopterists Bulletin*, 57: 254.

Péringuey, L. 1902. Descriptive catalogue of the Coleoptera of South Africa(Lucanidae and Scarabaeidae). *Transactions of the South African Philosophical Society*, 12: 561[!]-896, pls x-xii.

Pouillaude, I. 1913. Note sur quelques Lucanidae d'Indo-Chine. *Insecta, Revue illustree d'Entomologie*, 3: 332-337.

Pouillaude, I. 1914. Le genre Dicranocephalus Hope(Col., Cétonides). *Insecta, Revue illustree d'Entomologie*, 4: 269-275, 293-303.

Redtenbacher, L. 1867. *Reise der Österreichischen Fregatte Novara um die Erde in den Jahren* 1857, 1858, 1859 *unter den Befehlen des Commodore B. von Wüllerstorf-Urbair.* Zoologischer Theil. Zweiter Band: Coleopteren(Abth. I A, 1). Wien: Kaiserlich-Königliche Hof-und Staatsdruckerei, 249 pp.

Reitter, E. 1887. Insecta in itinere C. N. Przewalskii in Asia centrali novissime lecta. 6. Clavicornia, Lamellicornia *et* Serricornia. *Horae Societatis Entomologicae Rossicae*, 21: 201-234.

Reitter, E. 1892. Bestimmungs-Tabelle der Lucaniden und coprophagen Lamellicornen des palaearctischen Faunengebietes. *Verhandlungen des Naturforschenden Vereins zu Brünn*, 31:3-109.

Reitter, E. 1896. Uebersicht der mir bekannten palaearktischen, mit der Coleopteren-Gattung *Serica* verwandten Gattungen und Arten. *Wiener Entomologische Zeitung*, 15: 180-188.

Reitter, E. 1899. Beitrag zur Coleopteren-Fauna des russichen Reiches und der angrenzenden Lander. *Deutsche Entomologische Zeitschrift*, 1899: 193-209.

Reitter, E. 1902. Bestimmungstabelle der Melolonthidae aus der europäischen Fauna und den angrenzenden Ländern, enthaltend die Gruppen der Pachydemini, Sericini und Melolonthini. *Verhandlungen des naturforschenden Verein zu Brünn*, 40: 92-303.

Reitter, E. 1903. Bestimmungs-Tabelle der Melolonthidae aus der europäischen Fauna und den angrezenden Ländern, IV. Theil(Schluss): Rutelini, Hopliini und Glaphyrini. LI. Heft. *Verhandlungen des Naturforschenden Vereins zu* Brünn, 41: 28-158.

Reitter, E. 1913. Übersicht der Proagopertha-Arten. (Col. Rutelidae). *Wiener Entomologische Zeitung*, 32: 212.

Ruter, G. 1965. Contribution à l'étude des Cetoniinae asiatiques(Col., Scarabaeidae.). *Bulletin de la Société Entomologique de France*, 70: 194-206.

Sakaino, H. 1997. Descriptions of two new subspecies of Dorcus striatipennis(Motschulsky) from central China and Taiwan. *Gekkan Mushi*, 316: 9-13.

Samouelle, G. 1819. *The entomologist's useful compendium; or an introduction to the knowledge of British Insects, comprising the best meansof obtaining and preserving them, and a description of the apparatus generally used; togethr with the genera of Linné, and the modern method of arranging the classes Crustacea, myriapoda, spiders, mites and insects, from their affinities and structure, according to the view of Dr. Leach. Also an explanation ofthe terms used in entomology; a calendar of the times of appearance and usual situations of near* 3, 000 *species of British Insects; with instructions for collecting and fitting up objects for the microscope.* London: Thomas Boys, 496 pp., 12 pls.

Saunders, W. W. 1852. Characters of undescribed Coleoptera, brought from China by R. Fortune, Esq. *Transactions of the Entomological Society of London(N. S.)*, 2: 25-32.

Saunders, W. W. 1854. Characters of undescribed Lucanidae, collected in China by R. Fortune, Esq. *Transactions of the Entomological Society of London*, 2: 45-55.

Sawada, H. 1943. Notes on Trichius succinctus(Pallas). *Transactions of the Kansai entomological Society*, 13(2): 4-6.

Sawano, Y. and Kometani, S. 1939. Description of a new variety of Mimela splendens Gyllenhall. *Entomological World*, 7: 205-206.

Schenk, K. D. 2008. Beitrag zur Kenntnis der HirschKäfer Asiens und Beschreibung mehrerer neuer Arten. *Beetles World*, 1: 1-12.

Schenk, K. D. 2012. Notes to the Lucanidae of Asia and description of new taxa of the genus *Neolucanus* (Coleoptera, Lucanidae) and Taxonomical notes to the family Lucanidae Coleoptera, Lucanidae). *Beetles world*, 6: 1-16.

Schoch, G. 1895. *Die Genera und Species meiner Cetonidensammlung. I. Teil. Trib. Goliathidae, Gymnetidae, Madagassae, Schizorrhinidae.* E. Zwingli. Zurich, 1-67.

Schönherr, C. J. 1817. *Synonymia Insectorum, oder Versuch eine Synonymie aller bisher bekannten lnsekten; nach Fabricii Systema Eleutheratorum etc. geordnet. Erster Band. Eleutherata oder Käfer. Dritter Theil. Hispa ... Molorchus.* Upsala: Em. Bruzelius, xi + 506 pp.

Schürhoff, P. N. 1933a. Beiträge zur Kenntnis der Cetoniden(Col.). *Mitteilungen der Deutschen Entomol-*

ogischen Gesellschaft, 4: 26-32.

Schürhoff, P. N. 1933b. Weitere Beiträge zur Kenntnis der Cetoniden(Col.). *Mitteilungen der Deutschen Entomologischen Gesellschaft*, 4: 97-102.

Schürhoff, P. N. 1934. Beiträge zur kenntnis der Cetoniden VI. *Entomologische Nachrichtenblatt. Troppau*, 8: 53-60.

Schürhoff, P. N. 1935. Beitrage zur kenntnis der Cetoniden VII. *Mitteilungen Deutsche Entomologische Gesellschaft*, 6(3-4): 21-28.

Schürhoff, P. N. 1942. Beiträge zur Kenntnis der Cetoniden(Col.). IX. *Mitteilungen der Münchener Entomologischen Gesellschaft*, 32: 279-293.

Scopoli, G. A. 1763. *Entomologia Carniolica exhibens Insecta Carniolae Indigena et discributa in ordines, genera, species, varietates. Methodo linnaeana, Insectorum Carnioliae, Ordo I. Coleoptera.* Ioannis Thomae Trattner. Vindobonae: 1-420.

Séguy, E. 1954. Les hemisodorcites du Museum de Paris. *Revue Francaise d' Entomologie*, 21(3): 184-194.

Semenov, A. and Medvedev, S. I. 1949. [new taxa]. In: Medvedev S. I.: *Fauna SSSR. Zhestkokrylye. Tom* 10, *vyp.* 3. *plastinchatousye(Scarabaeidae)podsem. Rutelinae(khlebnye zhuki i blizkie gruppy).* Moskva, Leningrad: Izd. Akademii Nauk SSSR, 372 pp.

Semenov, A. P. 1890. Diagnoses Coleopterorum novorun ex Asia Central et Orientali II. *Horae Societatis Entomologicae Rossicae*, 24: 193-226.

Semenov, A. P. 1891. Diagnoses Coleopterorum novorum ex Asia Centrali et Orientali. *Horae Societatis Entomologicae Rossicae*, 25: 262-382.

Semenov, A. T. S. 1890. Diagnoses Coleopterorum novorum ex Asia centrali et orientali. *Horae Societatis entomologicae rossicae*, (1891)25: 262-382(309-332).

Sharp, D. & Muir, F. 1912. The comparative anatomy of the male genital tube in Coleoptera. *Transactions of the Royal Entomological Society of London*, 1912(3): 477-642.

Shipp, J. W. 1895. A revised classification of the genus Ateuchus. *The Entomologist*, 28: 218-221.

Simonis, A. 1985. Un nuovo genere e tre nuove specie di Drepanocerina. *Revue Suisse de Zoologie. Geneve*, 92(1): 93-104.

Stephens, J. F. 1830. *Illustrations of British entomology, or a synopsis of indigenous insects, containing their generic and specific distinctions, with an account of their metamorphoses, times of appearance, localities, food, and economy, as far as practicable. Mandibulata. Vol.* 3. London: Baldwin & Cradock, 374 + [5] pp., pls. xvi-xix.

Strand, E. 1928. Nomenclatorische Bemerkungen über einige Coleopteren-Gattungen. *Entomologisches Nachrichtenblatt*, 2: 2-3.

Swartz, O. 1817. Sistens descriptiones novarum specierum. Scaris: Officina Lewerentziana. In: Schänherr C. J. (ed.) *Appendix ad Synonymiam Insectorum*. Bd. 1, Theil 3, 266pp.

Tanikado, M. & Okuda, N. 1994. Two new species of the genera Ceruchus and Platycerus from the Qingling Mountains in Shaanxi Province, Central China. *Gekkan Mushi*, 278: 4-9.

Thomson, J. 1858. Ordre des Coléoptères. In: Voyage au Gabon. Histoire naturelle des Insectes et des

Arachides recueillis pendant un voyage fait au Gabon en 1856 et en 1857 par M. Henry C. Deyrolle sous les auspices de MM. Le Comte de Mniczech et James Thomson. *Archives Entomologiques*, 2: 29-256.

Thomson, J. 1862. Catalogue des Lucanides de la collection de M. James Thomson, suivi d'un appendix renfermant la description des coupes génériques et spécifiques nouvelles. *Annales de la Société Entomologique de France*, (4) 12: 389-436.

Thomson, J. 1878. *Typi Cetonidarum suivis de typi Monommidarum et de typi Nilinoidarum Musaei Thomsoniani*. Paris: E. Deyrolle, 1-44.

Thomson, J. 1880. Diagnoses de genres nouveaux de la famille des Cétonides. *Le Natualiste*, 2: 268-269, 277-278.

Waterhouse, C. O. 1875. On the Lamellicorn Coleoptera of Japan. *Transactions of the Royal Entomological Society of London*, 1875: 71-116, pl. Ⅲ.

Waterhouse, C. O. 1882. New genera and species of Buprestidae and Heteromera. *The Annals and Magazine of Natural History*, 9(5): 172-175.

Waterhouse, C. O. 1895. Descriptions of new Coleoptera in the British Museum. *The Annals and Magazine of natural History*, 6(16): 157-160.

Westhoff, F. 1881-1882. Die Käfer Westfalens. *Verhandlungen des Naturhistorischen Vereins der Preussischen Rheinlande und Westfalens*, 38 (Supplement): i-xxviii + 1-140 pp. [1881]; 141-323 [1882] pp.

Westwood, J. O. 1847. Characters of various new groups and species among the Coprophagous Lamellicorn Beetles. *Transactions of the Entomological Society London*, 4: 225-232.

Yawata, H. 1942. Notes on the Glaphyrinae of Japan with descriptions of a new genus and two new species. *Transactions of the Kansai entomological Society*, 12: 33-37.

Zacher, F. 1913. Die Schädlinge der Kokospalmen auf den Süseeinseln. *Arbeiten aus der Kaiserlichen Biologischen Anstalt für Land- und Forstwirtschaft*, 9(1): 73-107.

Zhang, Y. W. 2005. Coleoptera: Scarabaeoidea: Geotrupidae, Hybosoridae, Aphodiidae, Scarabaeidae, Glaphyridae. Dynastidae, Rutelinae, Melolonthidae. pp 406-416. *In*: Yang, X-K. (ed.). *Insect Fauna of Middle-West Qinling Range and South Mountains of Gansu Province*. Science Press, Beijing, 1055pp. [章有为. 2005. 鞘翅目：金龟总科：粪金龟科 驼金龟科 蜉金龟科 金龟科 绒毛金龟科 犀金龟科 丽金龟科 鳃金龟科. 见：杨星科主编，秦岭西段及甘南地区昆虫. 北京：科学出版社. 1055]

Zorn, C. 2004. Taxonomical acts initiated during the preparation of the part of Rutelinae, tribe Anomalini (Coleoptera: Scarabaeidae) of the "Catalogue of Palaearctic Coleoptera". *Acta Societatis Zoologicae Bohemicae*, 68: 301-328.

Zorn, C. 2006. Scarabaeidae: Rutelinae: Anomalini. pp. 251-276. In: Löbl, I. & Smetana, A. (eds): *Catalogue of Palaearctic Coleoptera*. Vol. 3. Apollo Books, Stenstrup, 690pp.

Zunino, M. 1984. Sistematica generica dei Geotrupinae filogenesi della sottofamiglia e considerazioni biogeografiche. *Bollettino del Museo regionale di Scienze naturali*, 2(1): 9-162.

Ⅳ. 花甲总科 Dascilloidea

十五、花甲科 Dascillidae

金振宇
（长江大学农学院，湖北荆州 434023）

鉴别特征：成虫体长 4.50～25.00mm。体表光滑或密生卧状或直立的刚毛。触角不着生在头部瘤状突起上，11 节，多为线状或锯齿状，少数种类为栉齿状。前胸背板宽大于长，中部或近基部最宽，后缘为直线或波形，多数光滑或呈小圆珠状褶皱。鞘翅常完整，其上具杂乱分布或规则排列的 12 条纵刻点行，所着生刚毛常形成规则线状或块状斑纹。跗节 5-5-5 式，多数 1～4 跗分节膜质且膨大呈瓣状，同时爪间突消失或隐藏。腹部可见腹板多为 5 或 6 节，且第 1～2 腹节腹板常愈合。雄虫生殖器三叶形，左右对称，阳茎基无支杆。雌虫产卵器大多细长且轻度硬化。幼虫形态与金龟总科的幼虫较为相似，同为蛴螬形，弯曲成“C”形。

生物学：有关花甲科生物学和生态学的研究非常少。其中，花甲亚科成虫多访花（Chinery，1973；Richards & Davies，1977；Crowson，1981），而喜白蚁的特性可能广泛存在于旱花甲亚科的相关类群（Arnett，1964）中。花甲亚科幼虫则多见于潮湿的土壤里，以植物根部及周围的腐殖质为食（Gahan，1908；Horion，1955；Zocchi，1961）。

分类：世界已知 2 亚科 11 属 80 余种，主要分布于北半球，其中花甲亚科常见于北半球的森林地区以及澳大利亚，而旱花甲亚科则多发现于北美西部的干旱及半干旱地区、墨西哥以及中亚。中国记录 1 亚科 4 属 41 种，陕西秦岭地区发现 1 属 4 种。

（一）花甲亚科 Dascillinae

鉴别特征：雄虫体长 5～16mm。体表光滑或密生卧状或直立的刚毛。触角线状或略呈锯齿状。上颚臼齿与臼叶存在或消失。前胸背板中部或近基部最宽。鞘翅完整且闭合时无间隙，其上具杂乱分布或规则排列的 12 条纵刻点行。跗节 5-5-5 式，其中 1～4 跗分节膜质且膨大呈瓣状。腹部可见腹板 5 节。

分类：世界已知 7 属 60 余种，中国记录 4 属 41 种，陕西秦岭地区发现 1 属 4 种。

255. 花甲属 *Dascillus* Latreille, 1797

Dascillus Latreille, 1797: 43. **Type species**: *Chrysomela cervina* Linnaeus, 1758.
Dascyllus Lacordaire, 1857: 264, 269, misspelling.
Atopa Paykull, 1799: 116. **Type species**: *Chrysomela cervina* Linnaeus, 1758.

属征：雄虫体长7～15mm，雌虫个体常大于雄虫。虫体细长，轻度隆起且体表着生大量卧状短刚毛。触角多为线状。上颚臼齿不明显，臼叶膜质。前胸背板梯形，两侧窄而侧缘光滑。鞘翅多数具不规则刻点，而刻点间区平坦，其上密生刚毛，但仅少数种类构成块状斑纹。前、中足股节与胫节几乎等长，但后足股节明显或稍短于胫节。第5腹节腹板端部形状雌雄各异。雌虫产卵器部分退化且骨化不完全，缺乏生殖刺突。

分布：古北界，东洋界，新北界。世界已知35种，中国记录28种，秦岭地区发现4种。

分种检索表

1. 鞘翅上刚毛形成明显不规则斑纹 …………………………………… **雅花甲 *D. jaspideus***
   鞘翅上刚毛呈规律间隔的纵条纹或均匀着生而不构成任何斑纹 ………………………… 2
2. 阳茎腹叶与其基部1对侧突长度比大于2.50 ………………………… **蒙古花甲 *D. mongolicus***
   阳茎腹叶与其基部1对侧突长度比小于2.00 ……………………………………………… 3
3. 阳基侧突明显长于阳茎基，雄虫第10腹节背板端部平截 ……………………… **尖花甲 *D. acutus***
   阳基侧突与阳茎基两者似等长，雄虫第10腹节背板端部宽圆 …… **拟线纹花甲 *D. sublineatus***

(698) 尖花甲 *Dascillus acutus* Jin *et al.*, 2013（图版17：1）

Dascillus acutus Jin *et al.*, 2013: 562.

鉴别特征：该种可由鞘翅上刚毛所形成规律间隔的纵条纹、平坦的额、雄虫阳茎侧突明显长于阳茎基且背叶端部明显收缩而与本属其他种类相区别。

采集记录：3♂，宁陕旬阳坝，1998. Ⅴ. 23-Ⅵ. 13，I. H. Marshal采；2♂，宁陕旬阳坝，1998. Ⅴ. 14-18，I. H. Marshal采；1♂，岚皋，1960. Ⅶ. 27，采集人未知。

分布：陕西（宁陕、岚皋）、甘肃、湖北、四川。

(699) 雅花甲 *Dascillus jaspideus* (Fairmaire, 1878)（图版17：2）

Therius jaspideus Fairmaire, 1878: 115.

Dascillus jaspideus: Jin *et al.*, 2013: 568.

鉴别特征：该种与斑花甲 *D. maculosus* 较相似，但可由鞘翅上的不规则斑纹、第5腹节腹板端部宽圆以及雄虫阳茎侧叶外缘圆钝而区分。

采集记录：3♀，周至厚畛子，1300～1700m，1997. Ⅵ. 12-15，P. Jager 与 J. Martens 采；1♀，太白，1982. Ⅶ. 16，采集人未知；1♀，太白，1990. Ⅶ. 18，采集人未知；1♀，太白，1995. Ⅶ. 18，采集人未知；1♀，太白，1983. Ⅴ，采集人未知；1♂，太白山下白云，1600m，1981. Ⅵ. 09，陕西太白山昆虫考察组采；1♀，太白山下白云，1600m，1981. Ⅵ. 27，陕西太白山昆虫考察组采；3♂1♀，太白山下白云，2400m，1981. Ⅵ. 28，陕西太白山昆虫考察组采；1♀，太白山大殿，2300m，1982. Ⅵ. 30，陕西太白山昆虫考察组采；1♀，太白山点兵场，1200m，1981. Ⅶ. 01，陕西太白山昆虫考察组采；1♀，太白山蒿坪寺，1200m，1983. Ⅵ. 13，陕西太白山昆虫考察组采；1♀，太白山蒿坪寺，1200m，1982. Ⅶ. 14，王军采；1♂1♀，太白山蒿坪寺，1982. Ⅵ，采集人未知；1♀，太白山蒿坪寺，1982. Ⅶ. 01，采集人未知；1♀，太白山蒿坪寺，1982. Ⅶ. 13，冯纪年采；2♀，太白山中山寺庙，1400m，1981. Ⅵ. 11，陕西太白山昆虫考察组采；1♀，宁陕火地塘，1985. Ⅵ. 22，刘学采；3♀，华山，1957. Ⅵ. 16，采集人未知。

分布：陕西（周至、太白、宁陕）、河南、宁夏、甘肃、湖北、四川、云南。

（700）蒙古花甲 *Dascillus mongolicus* Heyden, 1889（图版 18：1）

Dascillus mongolicus Heyden, 1889: 675.

鉴别特征：欧洲花甲 *D. cervinus* 从外形上与本种近似，但后者鞘翅上具规律间隔的纵条纹，阳茎背叶较窄且端部侧缘明显向腹面折叠，且阳茎基长宽似相等。此外，前者主要见于欧洲，而本种仅分布于中国，故易于区分。

采集记录：1♀，周至厚畛子，1500m，M. Tryzna 采；5♂1♀，周至厚畛子，1300～1700m，1997. Ⅵ. 12-15，P. Jager 与 J. Martens 采；3♂3♀，太白，1998. Ⅵ. 22，M. Tryzna 采；1♀，华山，1957. Ⅵ. 16，采集人未知；1♀，宁陕火地塘，1984. Ⅶ. 06，采集人未知；3♂，宁陕旬阳坝西南 12km，1998. Ⅵ. 14-18，I. H. Marshal 采；1♀，秦岭，1981. Ⅶ. 20，魏建华采。

分布：陕西（周至、太白、华阴、宁陕）、河南、宁夏、甘肃、四川、云南。

（701）拟线纹花甲 *Dascillus sublineatus* Pic, 1915（图版 18：2）

Dascillus sublineatus Pic, 1915: 4.

鉴别特征：该种与尖花甲 *D. acutus* 较相似，但本种雄虫阳茎侧突与阳茎基似等长，腹叶短宽且背叶端部明显收缩，可据此与之相区别。

采集记录：1♀，太白，1998. Ⅵ. 22，M. Tryzna 采；12♀，宁陕旬阳坝，1998. Ⅴ. 23-Ⅵ. 13，I. H. Marshal 采；1♀，镇坪西北 20km，2001. Ⅵ. 26-28，O. SaFanek 采。

分布：陕西(太白、宁陕、镇坪)、湖北、四川、云南、西藏。

参考文献

Arnett, R. H., Jr. 1964. Notes on Karumiidae (Coleoptera). *The Coleopterists Bulletin*, 18:65 –68.

Chinery, M. 1973. *A field guide to the insects of Britain and Northern Europe*. Collins, London. 352 pp.

Crowson, R. A. 1981. *The Biology of the Coleoptera*. Academic Press, London. 802 pp.

Fairmaire, L. 1878. [new taxa]. In Deyrolle H. and Fairmaire L., Descriptions De Coléoptères recueillis par M. I' abbé David dans la Chine centrale. *Annales de la Sciété Entomogique de France*, (5) 8:87-140.

Gahan, C. J. 1908. On the larvae of Trictenotoma childreni Gray, Melittomma insulare Fairm., and Dascillus cervinus L., *Transactions of the Entomological Society of London*, 1908, 2: 275-282.

Heyden, L. F. J. D. von. 1889. Insecta, a CI. G. N. Potanini in China et Mogolia novissime lecta, XⅡ. Scarabaeidae, Cantharidae, Cleridae, Lagriidae, Melandryidae, Pedilidae, Anthicidae. *Horae Societatis Entomologicae Rossicae*, 23:654- 677.

Horion, A. 1955. *Faunistik der mitteleuropaischen Kafer. Band IV: Sternoxia (Buprestidae), Fossipedes, Macrodactylia, Brachymera*. Museum G. Frey, Tutzing bei Munchen. xxii +280 pp.

Jin, Z., Slipinski, A. and Pang, H. 2013. Genera of Dascillinae (Coleoptera: Dascillidae) with a review of the Asian species of *Dascillus* Latreille, *Petalon* Schonherr and *Sinocaulus* Fairmaire. *Annales Zoologici* (Warszawa), 63 (4): 551-652.

Lacordaire, J. T. 1857. *Histoire naturelle des insectes. Genera des Coléoptères, ou exposéméthodique et critique de tous les genres proposés jusqu' ici dans cet ordre d' insectes. Tome quatrième contenant les familles des buprestides, throscides, eucnémides, élatérides, cébrionides, cérophytides, rhipicérides, dascyllides, malcaodermes, clérides, lyméxylones, cupésides, ptiniores, bostrichides et cissides*. Librairie Encyclopédique de Roret, Paris. 579 pp.

Latreille, P. A. 1797. *Précis des caractères génériques des insects, disposédans un ordre naturel*. F. Bourdeaux, Brive. xiv +201 + [7] pp.

Linnaeus, C. 1758. *Systema Naturœ per Regna tria natur?, secundum classes, ordines, genera, species, cum characteribus, differentiis, synonymis, locis. Tomus I*. Editio decima, reformata. Holmiae: Impernsis Direct. Laurrentii Salvii. iv +824 + [1] pp.

Paykull, G. 1799. *Fauna Svecica. Insecta*. Tomus. Ⅱ. Joh. F. Edman, Upsaliae. 234 pp.

Pic, M. 1915. Nouveautés de diverses familles. *Mélanges Exotico-Entomolgiques*, 13:2-13.

Richards, O. W. and Davies, R. G. 1977. *Imm's General Textbook of Entomology*. 10th edition. Chapman and Hall, London. 418 pp.

Ⅴ. 吉丁甲总科 Buprestoidea

十六、吉丁甲科 Buprestidae

石爱民[1] 杨星科[2]
（1. 西华师范大学，南充 637000；2. 中国科学院动物研究所，北京 100101）

鉴别特征：体小至中型，少数大型。成虫常具强烈金属光泽。头较小，下口式，嵌入前胸深及眼缘。触角短，多为锯齿状，11 节。前胸背板后角圆，不呈刺状突出。前胸腹板突端部嵌入中胸腹窝；前、中胸连接紧密，不能活动；后胸腹板具横缝。可见腹板 5 节。前足基节窝开放；前足基节近球形，中足基节较平且呈圆形，后足基节横阔呈片状；前、中足转节显著，后足转节小，近三角形；跗式 5-5-5。

分类：世界已知 6 亚科 14000 余种，中国已记录 66 属 700 余种，陕西秦岭地区发现 3 属 10 种。

256. 花斑吉丁属 *Ptosima* Dejean, 1833

Ptosima Dejean, 1833: 79. **Type species**: *Buprestis novemmaculata* Fabricius, 1775.

属征：体长筒形。触角较短，第 4～11 节锯齿状；前胸背板中前部隆突，基部平截；小盾片非常小；鞘翅基部最宽，向端部渐窄，背面光滑，具刻点行和色斑；跗节较长，爪基部具齿。

分布：古北区，东洋区，新北区。世界已知 11 种（亚种），中国已记录 2 种，秦岭地区发现 1 种。

（702）四黄斑吉丁 *Ptosima chinensis* Marseul, 1867

Ptosima chinensis Marseul, 1867: 54.

Ptosima elegans Nonfried, 1895: 301.

鉴别特征：体亮黑色。头近与身体垂直；前胸背板中前部隆起，前缘弯曲，中间大部分向前突，后缘平直；鞘翅前 2/3 近于两侧平行，随后渐窄，背面具刻点行，末端具黄色横向斑纹。

采集记录：2♂1♀，太白中山寺，1400m，2013. Ⅵ. 07，王虎采。

分布：陕西(太白)、北京、河北、山西、河南、甘肃、江苏、上海、湖北、江西、湖南、福建、台湾、广东、广西、贵州、云南；朝鲜半岛，日本。

257. 纹吉丁属 *Coraebus* Gory *et* Laporte, 1839

Coraebus Gory *et* Laporte, 1839: 1. **Type species**: *Buprestis undatus* Fabricius, 1775.

Coroebus Agassiz, 1846: 100 (unavailable name).

Coraegrilus Fairmaire, 1889: 32. **Type species**: *Coraegrilus amplithorax* Fairmaire, 1889.

Negreia Cobos, 1962: 27. **Type species**: *Negreia niveosparsa* Cobos, 1962.

属征：体中等大小，长卵形。通常具鲜艳色泽。鞘翅具绒毛形成的各种斑纹；触角较长，从第4节(少数种类从第5节)开始呈锯齿状；前胸背板通常横宽，形状多样，侧缘呈细齿状弧突，前胸腹前叶窄，侧视平，不隆突；小盾片近心形或五边形；鞘翅翅端圆、平截或具向后突出的刺；各足跗节通常较长，后足基跗节明显长于其他跗节；爪双裂或基部具齿。

分布：古北区，东洋区。世界已知230余种(亚种)，中国记录118种，秦岭地区发现8种。

分种检索表

1. 鞘翅翅端弧突，具细小的齿 ………………………………………… **江苏纹吉丁 *C. kiangsuanus***
   鞘翅翅端平截或中部弧凹，具延长的大刺……………………………………………………… 2
2. 每1个鞘翅背面具10枚大小不等、形状不一的白色绒毛斑点，端部的1个绒毛斑最大，完全覆盖翅端 ……………………………………………………………… **麻点纹吉丁 *C. leucospilotus***
   鞘翅背面近端部1/3处具2条横绒毛斑纹 ……………………………………………………… 3
3. 鞘翅背面仅近翅端1/3处具2条横绒毛斑纹，中部无任何其他斑纹………………………… 4
   鞘翅背面除了近端部1/3处具2条横绒毛斑纹外，中部另具其他斑纹……………………… 5
4. 鞘翅近端部1/3处的第1条横绒毛斑纹呈间断状 ……………………… **蓝绿纹吉丁 *C. amabilis***
   鞘翅近端部1/3处的第1条横绒毛斑纹完整 ……………………………… **铜胸纹吉丁 *C. cloueti***
5. 翅端圆，中部深凹，凹陷两侧具不规则的小齿 ……………………… **小纹吉丁 *C. diminutus***
   翅端平截，具大刺和若干小刺…………………………………………………………………… 6
6. 鞘翅中前部具众多弯曲或斜形的白色绒毛斑纹 …………………… **黄胸圆纹吉丁 *C. sauteri***
   鞘翅中部具点状毛斑或直线形白色绒毛斑纹 …………………………………………………… 7
7. 前胸背板蓝黑色，具3列纵毛斑…………………………………………… **拟窄纹吉丁 *C. acutus***
   前胸背板蓝绿色，不具3列纵毛斑，前胸背板两侧具长绒毛 … **窄纹吉丁 *C. quadriundulatus***

(703) 江苏纹吉丁 *Coraebus kiangsuanus* Obenberger, 1934

Coraebus kiangsuanus Obenberger, 1934a: 41.

鉴别特征：前胸背板不具肩前隆脊；鞘翅背面前、中部具不规则的绒毛，翅端部有 3 条白色绒毛斑，翅端弧突，具细小的齿。

采集记录：1♂1♀，太白山下白云，1600m，1981. Ⅵ. 27，陕西太白山昆虫考察组采。

分布：陕西（眉县）、江苏、湖北、湖南、四川；俄罗斯。

（704）麻点纹吉丁 *Coraebus leucospilotus* Bourgoin, 1922

Coraebus leucospilotus Bourgoin, 1922: 23.

Coraebus pruni Miwa *et* Chûjô, 1935: 278.

鉴别特征：前胸背板无肩前隆脊；鞘翅基部凹窝大而较深，翅端中央弧凹，两侧具 2 枚大刺，内侧大刺的内缘还具 1 枚较小的刺，每片鞘翅各有 10 个绒毛斑，其中沿翅缝各 4 个，近鞘翅侧缘 4 个，基缘近小盾片处 1 个，9 个毛斑均为圆形，大小近等，翅端的毛斑较大，完全覆盖翅端。

采集记录：1♂，太白山蒿坪寺，1981. Ⅵ. 13，郑淑玲、徐秋园采；1♀，佛坪龙草坪，1980. Ⅷ，采集人不详。

分布：陕西（眉县、佛坪）、江西、湖南、福建、台湾、广东、香港、广西、四川、云南；越南，老挝。

（705）蓝绿纹吉丁 *Coraebus amabilis* Kerremans, 1895

Coraebus amabilis Kerremans, 1895: 216.

鉴别特征：前胸背板无肩前隆脊；鞘翅基部与前胸背板基部近等宽，基部凹窝浅，翅端平截，两侧各具 1 枚尖锐的刺，外侧刺较长，内侧长刺的内侧另具 3～4 枚短小的刺，背面端半部具白色横绒斑 2 条，第 1 条略弯，间断成斑点状，第 2 条稍弯，不靠近翅缝。

采集记录：1 头，佛坪凉风垭，1800～2100m，1999. Ⅵ. 28，刘缠明采；1 头，佛坪凉风垭，1750～2150m，1999. Ⅵ. 28，章有为采。

分布：陕西（佛坪）、浙江、湖南、海南、四川、云南；印度，尼泊尔。

（706）铜胸纹吉丁 *Coraebus cloueti* Théry, 1895

Coraebus cloueti Théry, 1895: 112.

Coraebus dollei Théry, 1895: 114.

Coraebus aeneicollis Kerremans, 1895: 216.

Coraebus staudingeri Obenberger, 1914a: 135.

Coraebus kerremansi Obenberger, 1916: 265.

Coraebus tonkinensis Bourgoin, 1924: 179.

Coraebus szechuanensis Obenberger, 1934b: 25.

Coraebus heyrovskyi Obenberger, 1934c: 110.

Coraebus tatsienluus Obenberger, 1934c: 110.

Coraebus mushaensis Miwa *et* Chûjô, 1935: 277.

鉴别特征：前胸背板无肩前隆脊，背面两侧及后缘凹，侧缘弧突，基部二曲状；小盾片近三角形，末端甚尖；鞘翅侧缘于基部之后略向内弧凹，近端部 1/3 处最宽，翅端略平截，两侧各具 1 枚短而尖的刺，背面近翅端 1/3 部分具白色绒斑 2 条，第 1 条呈“N”形，第 2 条微弯。

采集记录：1♂，佛坪，900m，1999. Ⅵ. 27，贺同利、姚建采；2♀，镇安，1976. Ⅵ. 06，采集人不详。

分布：陕西（佛坪、镇安）、山西、山东、甘肃、河南、安徽、江苏、上海、浙江、湖北、江西、湖南、福建、台湾、广西、四川、贵州、云南、西藏；越南。

（707）黄胸圆纹吉丁 *Coraebus sauteri* Kerremans, 1912

Coraebus sauteri Kerremans, 1912: 205.

Coraebus auricomus Bourgoin, 1922: 23.

Coraebus delicates komareki Obenberger, 1934a: 42.

鉴别特征：前胸背板横宽，中前部隆突，侧缘具规则的细缘齿，无肩前隆脊；鞘翅基部凹窝较浅，侧缘中前部两侧近平行，近鞘翅端部 1/3 处略扩展之后向端部渐狭，翅端近平截，两侧各具 1 枚大刺，内侧大刺沿翅缝方向另具若干小刺，鞘翅基部凹窝具 1 个纵列毛斑，鞘翅中部具 1 个近圆圈形的白色绒毛斑，绒毛斑的内侧靠近翅缝处另具 1 个圆点状毛斑，鞘翅后半部具 2 条白色横绒毛斑，第 1 条“N”形，第 2 条略平直。

采集记录：2♂1♀，太白山蒿坪寺，1982. Ⅵ. 05，王柴采。

分布：陕西（眉县）、山西、河南、甘肃、安徽、浙江、湖北、江西、湖南、福建、台湾、广东、广西、重庆、四川、贵州、云南、西藏；印度，尼泊尔。

（708）拟窄纹吉丁 *Coraebus acutus* Thomson, 1879

Coraebus acutus Thomson, 1879: 54.

Coraebus quadrispinosus Fairmaire, 1891: ccvii.

Coraebus bedeli Théry, 1895: cxiii.

Coraebus chinensis Kerremans, 1895: 214.

鉴别特征：前胸背板背面中部之前稍隆突，侧缘具稀疏钝齿；鞘翅基部凹窝大而浅，侧缘前半部稍内凹，近端部1/3处最宽，翅端平截，由内至外侧倾并内凹，两侧各具1枚长的大刺，内侧大刺的内缘具1枚较小的刺，背面端半部具白色横绒斑2条，第1条弯曲，第2条稍弯，基部及翅缝另具少量毛斑。

采集记录：1♀，长安南五台，1979. Ⅵ. 17，周尧、陈彤采；1♂，长安南五台，1980. Ⅵ，马宁采；2♂，太白山蒿坪寺，1200m，1982. Ⅴ. 18，陕西省太白山考察组采。

分布：陕西（长安、眉县）、河南、宁夏、甘肃、上海、安徽、浙江、湖北、江西、湖南、福建、广东、广西、四川、贵州、云南；越南。

（709）窄纹吉丁 *Coraebus quadriundulatus* Motschulsky, 1866

Coraebus quadriundulatus Motschulsky, 1866: 165.

Coraebus nipponicola Obenberger, 1914a: 135.

鉴别特征：前胸背板背面中部之前隆突，侧缘具后突的规则圆齿；鞘翅基部凹窝大而深，近端部1/3处最宽，侧缘于基部之后至最宽处弧凹，翅端略平截，两侧各具1枚大刺，外侧刺较长，内侧大刺沿翅缝方向另具2~3枚小刺，背面后半部具白色绒斑2条，第1条明显双曲状弯曲，第2条近双曲状，稍弯。

采集记录：1头，佛坪凉风垭，2150~1750m，1999. Ⅵ. 28，章有为采。

分布：陕西（佛坪）、甘肃、浙江、湖北、江西、湖南、福建、四川、贵州、云南、西藏；日本，印度。

（710）小纹吉丁 *Coraebus diminutus* Gebhardt, 1928

Coraebus diminutus Gebhardt, 1928: 31.

Coraebus grafi Obenberger, 1934e: 43.

鉴别特征：翅端圆，中部深凹，凹陷两侧具不规则的小齿；前胸背板具白色和金黄色的浓密绒毛；鞘翅除翅端2条毛斑外，具不规则的毛斑。

采集记录：1头，华山，1956. Ⅵ. 16，杨集昆采。

分布：陕西（华山）、山西、江苏、上海、浙江、湖北、江西、湖南、福建、台湾、广东、广西、四川、贵州、云南；日本，越南，老挝，泰国。

258. 窄吉丁属 *Agrilus* Curtis, 1825

Agrilus Curtis, 1825: 67. **Type species**: *Buprestis viridis* Linnaeus, 1758.

Agrilus Dejean, 1833: 81 (unavailable name).

Agrylus Solier, 1849: 505 (lapsus calami).

Teres Harris, 1830: 2 (unavailable name).

Euryotes Dejean, 1836: 92 (unavailable name).

Paradomozphus Waterhouse, 1887: 183. **Type species**: *Agrilus frontalis* Waterhouse, 1887.

Samboides Kerremans, 1900: 16. **Type species**: *Samboides viridana* Kerremans, 1900.

Callichitones Obenberger, 1931: 181. **Type species**: *Callichitones semenovi* Obenberger, 1931.

Therysambus Descarpentries *et* Villiers, 1967: 1007. **Type species**: *Sambus apicalis* Bourgoin, 1923.

Agrilus (*Wallaceilus*) Holyński, 2003: 16. **Type species**: *Agrilus scutellaris* Deyrolle, 1864.

属征：体小至中型，窄长，近圆筒形。多黑褐色，少数具金属光泽。前胸背板基部二曲状，侧缘各具2条隆脊；小盾片三角形，具横脊；鞘翅细长，翅端弧状或平截具刺；后足基跗节长于之后2节长度之和，爪双裂或基部具齿。

分布：世界广布。世界已知2700余种(亚种)，中国记录100多种，秦岭地区发现1种。

(711) 泡桐窄吉丁 *Agrilus cyaneoniger* Saunders, 1873

Agrilus cyaneoniger Saunders, 1873: 515.

Agrilus melanopterus Solsky, 1875: 277.

Agrilus impressfrons Kiesenwetter, 1879: 254.

Agrilus cyaneoniger Thomson, 1879: 71.

Agrilus cupreoviridis Lewis, 1893: 332.

Agrilus jamesi Jakobson, 1913: 798.

Agrilus marquardti Obenberger, 1914b: 41, 47.

Agrilus mikado Obenberger, 1924: 35.

Agrilus ataman Obenberger, 1924: 35.

鉴别特征：头部额区"十"字状凹；前胸背板背面有4个凹窝，中部前后排列2个较大凹窝，侧缘各具1个较小凹窝；鞘翅基部三角形凹陷，近端部2/3处最宽，翅端弧状，具规则细齿，背面具粒突。

采集记录：1♂3♀，宁陕火地塘，1580～1690m，2009. Ⅵ. 24，王虎采。

分布：陕西(宁陕)、吉林、内蒙古、河北、山西、浙江、江西、海南、四川、贵州、云南；俄罗斯，朝鲜，日本，越南，印度。

参考文献

Agassiz, J. L. R. and Erichson, W. F. 1846. *Fascicle XI, Coleoptera*. pp1-170. In: Agassiz, J. L. R. 1842-1846. *Nomenclator zoologicus, continens nomina systematica generum animalium tam viventium quam fossilium. Secundum ordinem alphabeticum disposita, adjectis auctoribus, libris, in quibus reperiuntur, anno editionis, etymologia et familis, ad quas pertinent, in singulis classibus*. Soloduri, Jent et Gassmann. 900 pp.

Bourgoin, A. 1922. Diagnoses préliminaires de Buprestides [Col.] de l'Indo-Chine francaise. *Bulletin de la Société entomologique de France*, 1922: 20-24.

Bourgoin, A. 1924. Diagnoses préliminaires de Buprestides nouveaux de l'Indochine francaise (Col.). *Bulletin de la Société entomologique de France*, 1924: 178-179.

Cobos, A. 1962. Décimo-segunda nota sobre Bupréstidos Neotropicales. Descripción de un nuevo género de Coroebini Bedel (Coleoptera: Buprestidae). *Revue Francaise d'Entomologie*, 29 (1): 27-31.

Curtis, J. 1825. *British Entomology; being illustrations and descriptions of the genera of insects found in Great Britain and Ireland: containing coloured figures from nature of the most rare and beautiful species, and in many instances of the plants upon which they are found*. London, Printed for the author. 2: 51-98.

Dejean, P. F. M. A. 1833. *Catalogue des Coleopteres de la collection de M. Le comte Dejean, livraison* 1, pp. 1-96, Mequignon-Marvis, Father & Sons, Paris.

Descarpentries, A. and Villiers, A. 1967. Catalogue raisonné des Buprestidae d'Indochine XIV. Coraebini (4epartie). *Annales de la Société entomologique de France* (N. S.), 3 (4): 989-1008.

Fairmaire, L. M. H. 1889. Coléoptères de l'intérieur de la Chine (5e Partie). *Annales de la Société entomologique de France*, 6 (9): 5-84.

Fairmaire, L. M. H. 1891. Coléoptères de l'intérieur de la Chine [7e Partie]. *Comptes-Rendus de la Séance de la Société entomologique de Belgique*, 35: clxxxvii-ccxix.

Gory, H. L. and Laporte F. L. N. 1839. *Histoire naturelle et iconographie des insectes Coléoptères. Monographie des buprestides*. P. Duménil, Paris. Volume 2, livraisons 25-35.

Harris, T. W. 1830. Contributions to entomology, No VII. *The New England Farmer, and horticulture Journal*, 8 (1): 2-3.

Hespenheide H. A. 1974. Nomenclatural notes on the Agrilinae (Coleoptera, Buprestidae). II. *Agrilus. Entomological News*, 85 (3): 48-53.

Holyński, R. 2003. New subgenus and five new species of Agrilinae Cast. (Coleoptera, Buprestidae) from the Indo-Pacifia and Austrilian Regions. *Annals of thr upper Silesian Museum in Bytom Entomology*, 12: 15-27.

Jakobson, G. G. 1913. *Zhuki Rossij i Zapadnoi Evropy*. A. F. Devrien, St. Petersburg, pp. 721-864.

Jendek, E. 1995. Studies in the East Palaearctic species of the genus *Agrilus* (Coleoptera: Buprestidae). Part II. *Entomological Problems*, 25 (2): 137-150.

Jendek, E. 2000. Studies in the Palaearctic and Oriental *Agrilus* (Coleoptera, Buprestidae). I. *Biologia-bratislava*, 55 (5): 501-508.

Jendek, E. 2007. Taxonomic and nomenclatural clarifications on the genus *Agrilus* (Coleoptera: Buprestidae: Agrilini). *Entomological Problems*, 37 (1-2): 87-95.

Kerremans, C. 1895. Buprestides d'Indo-Malais. *Annales de la Société entomologique de Belgique*, 39: 192-224.

Kerremans, C. 1900. Contribution a l'etude de la faune entomologique de Sumatra (Côte ouest-Vice-résidence de PaÏnan). Chasses de M. J.-L. Weyers Ⅵ. Buprestides. *Memoires de la Societe entomologique de Belgique*, 7: 1-60.

Kerremans, C. 1912. H. Sauter's Formosa-Ausbeute. Buprestiden. *Archiv für Naturgeschichte*, 78 (A) 7: 203-209.

Kubáň, V. 2006. New nomenclatorial and taxonomic acts, and comments. Buprestidae: various groups. pp. 40-52. Catalogue. Buprestidae: Agrilinae: Agrilini: (without genus Agrilus), Aphanisticini (et M. Y. Kalashian), Coraebini, Trachysini. pp. 403-421. In: I. Löbl et A. Smetana (Eds): *Catalogue of Palaearctic Coleoptera.* Volume 3. Scarabaeoidea - Scirtoidea - Dascilloidea - Buprestoidea - Byrrhoidea. Apollo Books, Stenstrup, 690 pp.

Lewis, G. 1893. On the Buprestidae of Japan. *The Journal of the Linnaean Society of London, Zoology*, 24 (154): 327-338.

Motschulsky, V. I. 1866. Catalogue des insects recus du Japon. *Bulletin de la Société Impériale des Naturalistes des Moscou*, 39 (1): 163-200.

Obenberger, J. 1914a. Beitrag zur Kenntnis der palaearktischen Käferfauna. *Coleopterologisiche Rundschau*, 3: 97-115, 129- 142.

Obenberger, J. 1914b. Agrili generis specierum novarum diagnoses. *Acta Societatis Entomologicae*, 11: 41-52.

Obenberger, J. 1916. Studien über paläarktiSche Buprestiden. I. Teil. *Wiener Entomologische Zeitung*, 35: 235-278.

Obenberger, J. 1924. Symbolae ad specierum regionis Palaearcticae Buprestidarum cognitionem. *Jubilejní Sborník eskoslovenské Spole nosti Entomologické*, 1924: 6-59.

Obenberger, J. 1931. Studien über die aethiopischen Buprestiden I. *Folia Zoologica et Hydrobiologica*, 2: 175-201.

Obenberger, J. 1934a. De generis Coroebus Cast, et Gory speciebus novis. *Acta Societatis Entomologicae Cechoslovenicae*, 31, pp. 39-44.

Obenberger, J. 1934b. Nový Coroebus z čîny (Col. Bupr.). *Acta Societatis Entomologicae Cechosloveniae*, 31: 25.

Obenberger, J. 1934c. Nový činský *Coroebus* (Col Bupr.). [New chinese Coroebus]. *Acta Societatis Entomologicae Cechosloveniae*, 31: 110.

Obenberger, J. 1934d. Nový druhy rodu *Coroebus* Cast. Et. Gory (Col Bupr.). De generic *Coroebus* Casr. Et Gory speciebus novis. *Acta Societatis Entomologicae Cechosloveniae*, 31: 39-44.

Saunders, E. 1873. Descriptions of Buprestidae collected in Japan by George Lewis, Esq. *Journal of Proceedings of the Linnaean Society of London, Zoology*, 11: 509- 523.

Solsky, S. 1875. Matériaux pour l'entomologie des provinces asiatiques de la Russie. *Horae Societatis Entomolpgicae Rossicae*, 11: 253-299.

Théry, A. 1895. Description de quelques Buprestides nouveaux de Ho-chan (Chine). *Bulletin des Séances et Bulletin Bibliographique de la Société entomologique de France*, 64: cxi-cxv.

Thomson, J. 1879. *Typi Buprestidarum Musaei Thomsoniani, Appendix* 1*a*. E. Deyrolle, Paris, 87 pp.

Waterhouse C. O. 1887. New genera and species of Buprestidae. *The Transactions of the Entomological Society of London*, 35 (2): 177-184.

Ⅵ. 丸甲总科 Byrrhoidea

十七、丸甲科 Byrrhidae

黄正中　杨星科

（中国科学院动物研究所，北京 100101）

鉴别特征：体长 1.50～15.00mm。卵圆形，或拱曲。体表被毛或稀或密，或为倒伏的鬃毛，或为直立刚毛等。体多暗褐色，略带绿色金属光泽或无光泽。头部不完全隐藏于前胸背板之下；触角 11 节，柄节是梗节长度的 2～3 倍，末端几节逐渐膨阔呈棒状。额唇基沟缺失或不完整。前胸背板前窄后宽，呈梯形，侧缘较直或弯曲，基部与鞘翅等宽。前胸背板具刻点，前角圆钝，不延伸，后角或直或圆。鞘翅具刻点，以及由刻点组成的纵沟；翅面被毛，或斑驳或呈其他纹饰。腹部可见 5 节，腹节线明显。足胫节扁平，槽状，假死时能将足跗节隐藏其中，这是该科的一个重要分类特征，跗节通常 5-5-5 式，爪简单。丸甲科昆虫常以苔藓为食，遇敌能假死。

分类：世界已知约 40 属 430 种，中国已记录 9 属 110 种，陕西秦岭地区发现 5 属 16 种。

分属检索表

1. 体表被毛正常，或具短鬃，聚集呈鳞片状 …… 2
 体表具直立刚毛，棒状，上宽下窄 …… **刺丸甲属 *Curimopsis***
2. 胫节较细，远窄于腿节宽 …… **素丸甲属 *Simplocaria***
 胫节扁平，与腿节宽度相近 …… 3
3. 鞘翅无明显纵沟，被毛无纹饰 …… **类丸甲属 *Morphobyrrhulus***
 鞘翅具明显纵沟，被毛或形成纹饰，或斑驳 …… 4
4. 前、中、后足胫节均具明显长凹槽，跗节较宽 …… **丸甲属 *Byrrhus***
 前足胫节具长凹槽，中、后足凹槽浅短，或不明显；跗节细窄 …… **斑丸甲属 *Cytilus***

259. 丸甲属 *Byrrhus* Linnaeus, 1767

Byrrhus Linnaeus, 1767: 568. **Type species**: *Dermestes pilula* Linnaeus, 1758.

Seminolus Mulsant *et* Rey, 1869: 50. **Type species**: *Byrrhus pyrenaeus* Dufour, 1834.

Byrrhocaulus Fairmaire, 1901: 266. **Type species**: *Byrrhus allemandi* Fabbri *et* Püetz, 1997.

Asiatobyrrhus Paulus, 1971: 167. **Type species**: *Byrrhus tibetanus* Paulus, 1971.

Sinobyrrhus Fabbri, 2000: 56. **Type species**: *Byrrhus* (*Sinobyrrhus*) *pederzanii* Fabbri, 2000.

Ornatobyrrhus Fabbri, 2000: 53. **Type species**: *Byrrhus* (*Ornatobyrrhus*) *luiginegrettoi* Fabbri, 2000.

Rotundobyrrhus Fabbri, 2000: 42. **Type species**: *Byrrhus* (*Rotundobyrrhus*) *gansuensis* Fabbri, 2000.

属征：中型昆虫，体卵圆形，略拱凸。体黑褐色或棕色，无金属光泽。触角较短，末端几节膨大。头和前胸背板具刻点，或疏或密。鞘翅明显具几列纵沟或不规则的褶皱，被毛，间隙有刻点。鞘翅被毛浓密，常形成纹饰。足胫节较扁宽，前、中、后足胫节凹槽均可收纳跗节。腹面通常具可以容纳腿节的槽，假死时可将腿节收入。

分布：东洋区，古北区。中国已知 60 种，秦岭地区发现 10 种 1 亚种。

分种检索表

1. 前胸背板和鞘翅同色 …… 2
   前胸背板褐色，鞘翅红棕色 …… **路氏饰丸甲 *B.* (*O.*) *luiginegrettoi***
2. 体背黑色或黑褐色 …… 3
   体背红棕色 …… **布鲁诺饰丸甲 *B.* (*O.*) *brunoi***
3. 体腹面红褐色 …… 4
   体腹面黑褐色或其他 …… 5
4. 鞘翅具由密毛形成的"U"形纹饰，前胸背板刻点粗糙，刻点间距约等于其直径 …… **厚畛子饰丸甲 *B.* (*O.*) *houzhenziensis***
   鞘翅无纹饰，前胸背板刻点较细，刻点间距大于其直径 …… **秦饰丸甲 *B.* (*O.*) *qin***
5. 体型较小，体长不超过 8.20mm …… 6
   体型较大，体长超过 8mm …… 7
6. 足及触角黑褐色，鞘翅纵沟深而直 …… **秦岭饰丸甲秦岭亚种 *B.* (*O.*) *qinlingicus qinglingicus***
   足及触角棕色，鞘翅纵沟深且略弯 …… **秦岭饰丸甲曲基亚种 *B.* (*O.*) *qinlingicus crispisulcans***
7. 鞘翅翅面具 10 条不完整的纵沟 …… **商饰丸甲 *B.* (*O.*) *shang***
   鞘翅翅面具 10 条完整的纵沟 …… 8
8. 雄性外生殖器中叶末端短匙状 …… **普氏饰丸甲 *B.* (*O.*) *plutenkoi***
   雄性外生殖器中叶末端长匙状 …… 9
9. 雄性外生殖器中叶顶端略微膨大 …… **周氏饰丸甲 *B.* (*O.*) *zhou***
   雄性外生殖器中叶顶端较为膨大 …… 10
10. 阳基侧突从基部到端部渐缩 …… **大巴山饰丸甲 *B.* (*O.*) *dabashanensis***
   阳基侧突在末端 1/3 处开始渐缩 …… **太白山饰丸甲 *B.* (*O.*) *taibaishanensis***

(712) 布鲁诺饰丸甲 *Byrrhus* (*Ornatobyrrhus*) *brunoi* Fabbri, 2001

Byrrhus (*Ornatobyrrhus*) *brunoi* Fabbri, 2001: 118.

鉴别特征：体长7.50mm，体宽4.80mm。最宽处为鞘翅中部。体黑色，前胸背板和鞘翅铁锈色，爪棕色。前胸背板宽不到长的2倍，强烈拱凸，后角突出，与鞘翅基部等宽。前胸背板被金色或棕色的毛，刻点大于鞘翅，间距大于其直径；小盾片呈等边三角形，被毛金黄色。鞘翅纵沟曲折且深凹，间隙皱而凸，刻点粗大，间距约等于其直径。鞘翅被毛稀疏，边缘较中间长，金黄色。鞘翅缘折和中胸侧板较宽；前胸腹板突，散布刻点，腹突宽，顶端微凹。

采集记录：1♂，周至厚畛子，1998.Ⅶ.18-25。

分布：陕西(周至)。

(713) 大巴山饰丸甲 *Byrrhus* (*Ornatobyrrhus*) *dabashanensis* Püetz, 2007

Byrrhus (*Ornatobyrrhus*) *dabashanensis* Püetz, 2007: 94.

鉴别特征：体长8.87～9.25mm，体宽5.25～5.37mm。体背面和腹面黑褐色；触角、口器和跗节红褐色；触角具橙黄色短毛；体背无光泽，具很短的黄褐色绒毛，在鞘翅上形成黄色的条带，并伴有突出的红棕色短毛；腹面密被黄色短毛。上唇刻点浅平而粗皱，具有较长而向前突出的金色鬃毛。头部刻点粗密，浅平，蜂窝状，刻点间距小于它们的直径，间隙极皱，几乎无光泽；触角柄节较长；梗节短，近圆锥形；第3节最长，长度为柄节和梗节之和；第4节长椭圆形，稍膨阔；第5节比第4节宽大得多；第6～10节渐膨阔；第11节最大，顶端圆。前胸背板刻点极细而平，刻点间距大于其直径，间隙明显皱褶，略带光泽；前胸腹板刻点较粗，刻点间距约等于其直径，间隙具光泽；腹突长方形或锥形，顶端或直。鞘翅有10条完整的纵沟；间距有刻点，精细而凹平，微皱，略带光泽。后胸腹板基部中央二叉，短缩，具细而明显的纵沟；表面光亮，刻点粗糙，两侧微皱。

采集记录：1♂，紫阳，1800m，2000.Ⅴ.25-Ⅵ.14。

分布：陕西(紫阳)。

(714) 厚畛子饰丸甲 *Byrrhus* (*Ornatobyrrhus*) *houzhenziensis* Püetz, 2007

Byrrhus (*Ornatobyrrhus*) *houzhenziensis* Püetz, 2007: 89.

鉴别特征：体长8.05～10.02mm，体宽4.87～5.87mm。体背黑褐色，腹面红褐色，触角、口器和跗节红色至深褐色，触角具橙色的短毛。体背具很短的黄褐色绒毛，在鞘翅形成"U"形条带，并伴有突出的红棕色短毛；腹面则密被黄色绒毛。上唇刻点极粗糙且平皱，具有较长而向前突出的金色鬃毛。头部刻点细密且平凹，间距小于其直径，间隙极为褶皱，略具光泽。触角柄节延伸，较长；梗节短，近圆柱形；第3节最长，为柄节和梗节之和；第4节长圆形，约为第3节的1/2；第5节宽大；第

6～10 节渐膨阔；第 11 节最大，顶端圆。前胸背板刻点极细，点之间的距离大于它们的直径，间隙皱褶清晰，略带光泽。前胸腹板刻点粗糙，刻点间距约等于其直径，间隙有光泽；腹突椭圆形或圆锥形，顶端或多或少有些直。鞘翅具 10 条不完整的条状纵沟，纵沟间隙略拱，边缘具粗刻点，稍微褶皱，微有光泽。后胸腹板在基部中央二叉，具细而明显的纵沟；表面光泽，刻点粗，两侧略皱。

采集记录： 2♂1♀，周至厚畛子，2600m，1996. Ⅶ. 07。

分布： 陕西（周至）。

（715）路氏饰丸甲 *Byrrhus*（*Ornatobyrrhus*）*luiginegrettoi* Fabbri，2000

Byrrhus（*Ornatobyrrhus*）*luiginegrettoi* Fabbri，2000：54.

鉴别特征： 体长 9.80～10.20mm，体宽 5.90～6.20mm。体长圆形。前胸背板沥青色，鞘翅红棕色，腿黑色。触角柄节较大，长为宽的 3 倍，是梗节的两倍，最后 1 节长两倍于宽。腿节具槽，胫节可收入其中；胫节较宽，第 3 跗节呈舌状；爪发达，钩状。前胸背板宽约是长的 1.80 倍，极为拱凸，后角突出，与鞘翅基部等宽。前胸背板具细刻点，鞘翅上刻点则比前胸背板宽 3 倍，间距约为其直径的 3 倍。小盾片细长，三角形。鞘翅夹杂着蜿蜒的条纹，几乎不间断，略凹。条间距平坦，刻点细弱，刻点间距是其直径的 3～4 倍。体密被细毛，形成丰富的纹饰，鞘翅上具 8 条由密毛组成的斑驳纵带，长 2/3 处还具有金色的“W”形纹路；体边缘被稀疏的金色软毛，较长而突出。前胸腹板略凸，刻点密集，腹突长大于宽，中部纵凹；中胸腹板后端窄而凸；后胸腹板梯形，微凹。

采集记录： 1♂2♀，周至厚畛子，2600m，1996. Ⅶ。

分布： 陕西（周至）。

（716）普氏饰丸甲 *Byrrhus*（*Ornatobyrrhus*）*plutenkoi* Püetz，2007

Byrrhus（*Ornatobyrrhus*）*plutenkoi* Püetz，2007：88.

鉴别特征： 体长 8.12～9.25mm，体宽 4.62～5.25mm。体背面和腹面黑褐色，触角、口器和跗节红色到深褐色。触角具橙黄色短毛。体背具短毛，毡毛状，黄褐色，其上还有红棕色的短毛；腹部则密被黄色的粗毛。复眼长椭圆形，稍隆突。上唇刻点平凹，有褶皱，具有向前突出的金色鬃毛；头部刻点密而粗，刻点间距小于其直径，刻点间隙几乎没有光泽。触角柄节延伸，较长；梗节较短，略圆锥状；第 3 节最长，为柄节和梗节之和；第 4 节长椭圆形，稍膨阔；第 5 节大于第 4 节；第 6～10 节渐渐膨大，横宽；第 11 节最大，顶端圆形。前胸背板刻点细，点之间的距离大于它们的直径，刻点间隙皱褶明显，略带光泽。前胸腹板刻点粗大，刻点间距大于或等于其直径，刻点间隙略有光泽；腹突长方形，略呈锥形，顶端较直。鞘翅有 10 条完整的纵沟；间距有刻点，精细而凹平，微皱，略带光泽。后胸腹板基部中央二叉，短缩，具细而明显的纵沟；表面光亮，刻点粗糙，两侧微皱。

采集记录： 4♂4♀，周至厚畛子，1500m，2000. Ⅱ；1♂，佛坪，1600m，1999. Ⅳ.20-Ⅴ.11。

分布： 陕西（周至、佛坪）。

（717）秦饰丸甲 *Byrrhus*（*Ornatobyrrhus*）*qin* Püetz，2007

Byrrhus（*Ornatobyrrhus*）*qin* Püetz，2007：90.

鉴别特征： 体长 8.70～8.85mm，体宽 4.86～5.15mm。体背黑褐色，腹面红褐色，触角、口器和跗节红褐色。触角具橙色的短毛。体被无光泽的黄褐色短绒毛，并伴有明显的红棕色短毛；腹面则密被黄色绒毛。上唇刻点浅平而粗大，具明显突出的金色鬃毛。头部刻点浅平，细密，刻点间距小于其直径，间隙极皱，几乎无光泽。触角柄节延伸较长；梗节较短，略呈锥形；第 3 节最长，等于梗节和柄节之和，略微横阔；第 4 节长椭圆形，稍膨大；第 5 节较第 4 节更宽；第 6～10 节逐渐膨大；第 11 节最大，顶端圆。前胸背板刻点细，间距通常比它们的直径更大，间隙明显褶皱，微有光泽。前胸腹板刻点粗大，间距约等于其直径，间隙有光泽；腹突椭圆或圆锥形，顶端或多或少有些直。前翅有 10 条完整的纵沟；纵沟之间空隙具非常精细的圆刻点，稍微褶皱，略有光泽。后胸腹板基部中央二叉，具细纵沟；表面有光泽，刻点粗，两侧略皱。

采集记录： 6♂1♀，周至厚畛子，2000～3000m，2000. Ⅵ-Ⅶ。

分布： 陕西（周至）。

（718）商饰丸甲 *Byrrhus*（*Ornatobyrrhus*）*shang* Püetz，2007

Byrrhus（*Ornatobyrrhus*）*shang* Püetz，2007：86.

鉴别特征： 体长 9.00～9.75mm，体宽 5.37mm。体背和腹面黑褐色，触角、口器和腿红棕色。触角具橙黄色短毛。体被毛极短，无光泽，黄褐色，且具短而突出的红棕色鬓毛。腹部被毛极短密，黄色。上唇刻点非常粗大而浅平，金黄色的鬃毛向前伸出；头部刻点极密，间距小于刻点直径，刻点间隙褶皱明显，几乎无光泽；触角柄节延伸较长；梗节较短，略呈锥形；第 3 节最长，等于梗节和柄节之和；第 4 节长椭圆形，稍膨大；第 5 节较第 4 节更宽；第 6～10 节逐渐膨大；第 11 节最大，顶端圆。前胸背板刻点非常精细，刻点之间的距离大于它们的直径，间隙褶皱明显，略带光泽。前胸腹板刻点浅平而粗，刻点间距略等于其直径；腹突长方形或略呈锥形，先端或多或少直。鞘翅具10条不完整的细纵沟，纵沟间隙具细刻点，微皱，有光泽。后胸腹板基部中央二叉，具细纵沟；表面有光泽，刻点粗，两侧略皱。

采集记录： 2♂1♀，周至厚畛子，1600m，1998.Ⅶ.30。

分布： 陕西(周至)。

(719) 太白山饰丸甲 *Byrrhus* (*Ornatobyrrhus*) *taibaishanensis* Püetz, 2007

Byrrhus (*Ornatobyrrhus*) *taibaishanensis* Püetz, 2007: 85.

鉴别特征： 体长9.25~9.75mm，体宽5.50~5.77mm。体背腹面均为黑褐色，触角、口器、跗节红褐色。触角密被橙黄色短毛。上唇刻点粗糙且浅平，向前延伸，金色刷毛突出可见。头部刻点密而粗糙，蜂窝状，刻点间距小于其直径；刻点之间极皱，几乎没有光泽。触角柄节较长；梗节短，近乎圆柱状；第3节最长，近柄节和梗节之和；第4节较长，为第3节的1/2，略宽；第5节长、宽皆甚于第4节；第6~10节逐渐横宽；第11节最大，顶端圆形。前胸背板刻点极细，间距大于刻点直径，刻点间褶皱，略带光泽；前胸腹板刻点较粗，其间距大部分大于刻点直径，略带光泽；腹突长，近锥形，顶端直。鞘翅具10列明显的纵沟，每列之间具精细刻点，略皱，有光泽。后胸腹板基部中央明显二叉，略向前伸，具细小纵沟；表面有光泽，刻点粗糙，两侧微皱。

采集记录： 4♂2♀，周至厚畛子，2000~3000m，2000.Ⅵ-Ⅶ；1♂，太白山，2500~3000m，2000.Ⅶ。

分布： 陕西(周至、太白)。

(720) 周氏饰丸甲 *Byrrhus* (*Ornatobyrrhus*) *zhou* Püetz, 2007

Byrrhus (*Ornatobyrrhus*) *zhou* Püetz, 2007: 90.

鉴别特征： 体长9.62~9.80mm，体宽5.25~5.87mm。体背和腹面黑褐色，触角、口器和跗节红褐色。触角具橙黄色短毛。体被极短的黄褐色绒毛及短而突出的红棕色鬓毛。腹部覆盖有粗密的黄色短毛。上唇刻点粗而平，具向前延伸、突出的金色鬃毛。头部刻点粗密，间距小于刻点直径，间隙极皱，几乎无光泽。触角柄节延伸，拉长；梗节短，弱圆锥状；第3节最长，为柄节、梗节长度之和；第4节长椭圆形，稍膨阔；第5节长度近似第4节，较宽；第6节略呈心形；第7~10节渐膨阔；第11节最大，顶端圆。前胸背板刻点非常精细，刻点间距比其直径大，间隙明显皱褶，微有光泽。前胸腹板刻点极粗，刻点间距约等于其直径；腹突长方形或略呈锥形，先端或多或少有些直。小盾片大，清晰可见，三角形，具细刻点。鞘翅具10条完整的细条状纵沟，纵沟的间隙具浅平的细刻点，略皱，微有光泽。后胸腹板基部中央二叉分支，短缩，具细纵沟；表面有光泽，刻点粗，两侧略皱褶。

采集记录： 1♂1♀，周至厚畛子，3000m，1998. Ⅵ. 02-Ⅶ. 02。

分布： 陕西(周至、太白)。

(721-1) 秦岭饰丸甲秦岭亚种 *Byrrhus* (*Ornatobyrrhus*) *qinlingicus qinlingicus* Fabbri, 2001

Byrrhus (*Rotundobyrrhus*) *qinlingicus* Fabbri, 2001: 116.

Byrrhus (*Ornatobyrrhus*) *qinlingicus qinlingicus*: Püetz, 2007: 92.

鉴别特征： 体长7.80～8.10mm，宽5.10～5.25mm。体半球形。体黑色，足和触角黑褐色。前胸背板宽为长的2倍，后角突出，刻点细小，刻点间距约为其直径的3～4倍。小盾片三角形，密被细毛。鞘翅翅沟深，较直，翅沟间平整。前胸腹板宽阔平坦，刻点粗大，间距等于其直径；鞘翅缘折宽。

采集记录： 3♀，周至厚畛子，2600m，1996. Ⅶ. 07。

分布： 陕西(周至)。

(721-2) 秦岭饰丸甲曲基亚种 *Byrrhus* (*Ornatobyrrhus*) *qinlingicus crispisulcans* (Fabbri, 2003)

Byrrhus (*Rotundobyrrhus*) *crispisulcans* Fabbri, 2003: 58.

Byrrhus (*Ornatobyrrhus*) *qinlingicus crispisulcans*: Püetz, 2007: 84.

鉴别特征： 体长7.40～7.60mm，宽5.10mm。体半球形。体黑色，足及触角棕色。前胸背板宽约为长的2倍。前胸背板刻点中等大小，刻点间距约为其直径的4倍，间隙明显凹皱；鞘翅具深翅沟，直或略弯，稍显间断；翅沟间隙较平，具细刻点。鞘翅表面具强横凹。身体表面覆盖密而短的棕色软毛，前胸背板及鞘翅翅沟间的毛较长，倾斜，亮棕色或栗色。鞘翅中部明显具1个横向的"W"形斑纹，由金色的细毛组成。前胸腹板刻点粗而深，间距小于其直径。前胸腹突扁平，方形。后胸腹板顶端微凹，具粗大刻点。

采集记录： 1♀，安康，2150m，2002. Ⅵ。

分布： 陕西(安康)、重庆。

260. 刺丸甲属 *Curimopsis* Ganglbauer, 1902

Curimopsis Ganglbauer, 1902: 50. **Type species:** *Syncalypta striatopunctata* Steffahny, 1842.

Sierraclava Johnson, 1982: 31. **Type species**: *Sierraclava cooperi* Johnson, 1982.

Humerimopsis Fabbri, 2003b: 33. **Type species**: *Humerimopsis planicorpis* Fabbri, 2003.

属征：体小型，长椭圆形。头黑色或深褐色。被毛鳞片状。触角短，末端2节膨大，最后1节末端较圆。头部具刻点，无皱褶。前胸背板刻点或粗密。鞘翅明显具纵沟。体背常常具直立小刚毛，这是本属的重要特征之一。足胫节扁宽，跗式4-4-4。

分布：全北区。中国已知6种，秦岭地区发现1种。

（722）太白山刺丸甲 *Curimopsis*（*Curimopsis*）*taibaishanensis* Püetz, 2007

Curimopsis（*Curimopsis*）*taibaishanensis* Püetz, 2007: 99.

鉴别特征：体长9.62～9.75mm，体宽5.55～5.77mm。体黑褐色，触角、口器、跗节红褐色。触角具红褐色短毛；体背具浓密的棕色毡毛和灰白的圆形鳞片，以及短而略向后弯曲的细毛。触角11节，8～11节膨大。头具密刻点，刻点较浅，刻点间距小于刻点直径，有光泽；前胸背板刻点弱于头部，近乎光滑，前胸腹板刻点则密而深，刻点间光滑且有光泽；鞘翅有11列精细的弱刻点；后胸腹板前缘较宽，顶端向上翘曲，刻点密而深。

采集记录：1♂，周至厚畛子，3050m，1998. Ⅵ.09-Ⅶ.03。

分布：陕西（周至、太白）。

261. 斑丸甲属 *Cytilus* Erichson, 1847

Cytilus Erichson, 1847: 489. **Type species**: *Byrrhus varius* Fabricius, 1775.

属征：中小型昆虫，体卵圆形，微拱曲。头部刻点粗密；触角末端4～5节膨大，被密毛；前胸背板具刻点和密毛；鞘翅有几列明显纵沟，常常具金属绿色光泽，被毛或黑色，或黄色，浓密而显得斑驳。足胫节短，胫节外侧具刺。

分布：古北区，东洋区。中国已知2种，秦岭地区发现1种。

（723）暗斑丸甲 *Cytilus avunculus* Fairmaire, 1887

Cytilus avunculus Fairmaire, 1887: 98.

鉴别特征：体长5.81～6.12mm，体宽3.56～3.62mm。体背面近乎黑色，鞘翅具绿色金属光泽。被黑色或黄色毛，浓密而显得鞘翅斑驳；触角、口器和跗节红褐色，腹面黑褐色，触角具红褐色的细毛。体稍拱曲，被毛深褐色；腹部覆盖着红黄色的短毛。复眼小，椭圆形，突出。上唇基部中央具粗刻点，伸出金色的鬃毛；前半部分则无刻点，平滑而有光泽。头部刻点非常密集，相对粗糙，间距小于它们的直径；近中央处有清晰可见的凹陷；间隙几乎没有褶皱，具光泽。触角柄节长；梗节细长，两边平行，比柄节稍短；第 3 节长椭圆形，较梗节长得多；第 4 节长椭圆形，略长于第 3 节；第 5 节长圆形，基部稍缢缩，前端略微宽大；第 6 节短，圆形；第 7 ~ 10 节逐渐增宽；第 11 节基部与第 10 节等宽，其长大于宽，顶端圆。前胸背板刻点精细，间距大于或等于其直径，几乎无皱，间隙有光泽。前胸腹板前端刻点较粗，稍皱，略有光泽；腹突"V"形，顶端圆润。小盾片大，清晰可见，尖三角形，刻点精细。鞘翅具 10 条很细的凹，刻点较糙，几乎无皱，微有光泽，翅肩明显。后胸腹板前缘略弯曲，基部和侧边较圆，基部中央浅裂，具 1 条纵沟；表面略带光泽，具细刻点，两侧略皱。

采集记录： 1♂，周至厚畛子，1500m，2000. Ⅱ；38 头，镇坪，1680m，2001. Ⅶ. 11。

分布： 陕西（周至、镇坪）、四川、云南。

262. 类丸甲属 *Morphobyrrhulus* Püetz, 2007

Morphobyrrhulus Püetz, 2007: 26. **Type species**: *Byrrhochomus shaanxianus* Fabbri, 2003.

属征： 体小型，体长 4.30mm，体宽 2.50mm。侧面观略圆拱，背面观椭圆形。头小，略超过前胸背板长度的 1/2；上唇横形，拱凸。唇基与额区愈合；复眼椭圆形突出，触角 11 节，末端 4 ~ 5 节膨大。柄节长而稍膨大，梗节较小，触角第 3 节稍长于柄节；末端 8 ~ 10 节明显横向膨大，第 11 节长椭圆形，顶端略尖；上颚顶端具 3 枚尖齿，下唇及颏横形。前胸背板横阔，前端较狭，两侧拱。鞘翅缘折明显，较宽。鞘翅短，被密毛，无明显纵沟。

分布： 中国。中国已知 1 种，分布于秦岭地区。

（724）陕西类丸甲 *Morphobyrrhulus shaanxianus* （Fabbri, 2003）

Byrrhochomus shaanxianus Fabbri, 2003a: 73.

Morphobyrrhulus shaanxianus: Püetz, 2007: 29.

鉴别特征： 体小型，呈椭圆形，较拱曲。体被密毛。最宽处位于鞘翅基部。头部较小，具刻点；上唇拱凸，横形；无额唇基沟；复眼椭圆形，突出。触角着生于复眼前，11 节；柄节长圆形，膨大；梗节较小，球形，第 3 节最长，略长于柄节，第 4 节长圆形，第 5 节略短于第 4 节，第 6 ~ 7 节略宽，第 8 ~ 10 节显著膨阔，第 11 节长圆形，往顶端渐尖。上颚具 3 枚齿，下唇小，下唇须短，3 节，下颚须 4 节，颏横形。前胸背板横形，前窄后宽，两侧略拱凸。鞘翅缘折较宽，端部 1/3 处细长平坦，基部较圆。

前胸腹板"T"形，腹板突细弯。鞘翅较短，无明显纵沟。

采集记录：3 头，宁陕，2300～2500m，1995. Ⅷ. 26-30。

分布：陕西（宁陕）。

263. 素丸甲属 *Simplocaria* Stephens, 1829

Simplocaria Stephens, 1829: 9. **Type species**: *Byrrhus semistriata* Fabricius, 1794.

Trinaria Mulsant *et* Rey, 1869a: 159 (nec Mulsant, 1852). **Type species**: *Simplocaria carpathica* Hampe, 1853.

属征：体小型，椭圆形，较拱凸。体色一般为黑色或深褐色，略带光泽，常被黄色或淡黄色鬃毛。头部被毛稀疏，触角较短，末端 3～5 节膨大，柄节、梗节较粗大，唇基边缘清晰。前胸背板梯形，具刻点且被毛。鞘翅具光泽，被长毛，具明显的纵沟，纵沟间隙具刻点。足颜色往往较淡，胫节较细，不宽于腿节，显得细长。

分布：古北区，东洋区。中国已知 9 种，秦岭地区发现 2 种。

(725) 秦岭素丸甲 *Simplocaria* (*Simplocaria*) *qinlingensis* Püetz, 2007

Simplocaria (*Simplocaria*) *qinlingensis* Püetz, 2007: 16.

鉴别特征：体长 2.87～3.42mm，体宽 1.49～1.61mm。背面偶见红紫色光泽。头部具强刻点，刻点间距等于或小于刻点直径。触角 11 节，末端 5 节明显粗大。柄节粗而长，梗节狭窄，仅有柄节长度的 1/2；第 3 节长是梗节的 2 倍；第 4 节短，长略大于宽；第 5、6 节约相等，稍长于第 4 节；第 7～10 节触角渐膨阔，密被绒毛；第 11 节基部与第 10 节等宽，而长大于宽，顶端渐尖。前胸背板具强刻点，刻点间距小于或等于其直径，刻点间近乎光滑，有光泽。前胸腹板刻点粗糙，较浅而分散，刻点间有光泽。鞘翅具明显的脊和 5 条不明显但极平整的基纹，第 1、2 条基纹延伸超过鞘翅的 1/3，而其余条带则只在鞘翅前 1/3 处；条带细而皱，有时部分缺失，条带之间具精细刻点，近乎光洁。后胸腹板有光泽，散布细刻点，两侧略皱。

采集记录：2♂5♀，宁陕，2500～2600m，1995. Ⅷ. 26-27，2001. Ⅶ. 25。

分布：陕西（宁陕）。

(726) 许氏素丸甲 *Simplocaria* (*Simplocaria*) *schuelkei* Püetz, 2007

Simplocaria (*Simplocaria*) *schuelkei* Püetz, 2007: 17.

鉴别特征：体长 2.50mm，体宽 1.25mm。头部刻点极细，刻点间距较刻点直径大得多。触角11节，末端5节隐约膨阔呈棒状；柄节粗而长，梗节狭窄，仅有柄节长度的1/2；第3节最长，基部收狭，略向前伸；第4节短，长大于宽；第5节长于第4节，两侧近平行；第6节约等于第5节，略显棒状；第7～10节渐横宽，有密毛；第11节基部与第10节等宽，而长大于宽，顶端渐尖。前胸背板具弱刻点，刻点间距大于或等于刻点直径，刻点间略皱，有光泽；前胸腹板刻点精细，刻点间有光泽，两侧微皱。鞘翅具不完整脊和5条细致而平的基纹，折痕能达鞘翅后端1/3处。第1和第2条基纹达鞘翅中部，其余则不超过鞘翅前1/3。基纹微皱，有刻点，比鞘翅刻点精细。后胸腹板略带光泽，散布细刻点，微皱。

采集记录： 1♂，镇坪，2850m，2001.Ⅶ.14。

分布： 陕西（镇坪）。

参考文献

Dalla Torre, K. W. 1911. Nosodendridae, Byrrhidae, Dermestidae. In SCHENKLING, S. (ed.): *Coleopterorum Catalogus*, Pars 33, Berlin (W. Junk).

Erichson, W. F. 1847. *Naturgeschichte der Insecten Deutschlands.* Nicolaische Buchhandlung, Berlin. 968 pp.

Fabbri, R. 2000. Nuovi taxa asiatici del genere *Byrrhus* Linnaeus, 1767 (Insecta Coleoptera Byrrhidae). *Quaderno di Studi e Notize di Storia naturale della Romagna*, 13 (Suppl.): 27-64.

Fabbri, R. 2001. Nuove specie e nuovi dati corologici sul genere *Byrrhus* Linnaeus, 1967 (Coleoptera, Byrrhidae). *Rivista del Museo civico di Scienze naturali "Enrico Caffi"*, 20 (2000): 111-123.

Fabbri, R. 2002. Contributo alla conoscenza dei Pedilophorini asiatici con descrizione di un novo genere e una nuova specie (Coleoptera Byrrhidae). *Annali del Museo Civico di Storia naturale di Ferrara*, 4 (2001): 105-115.

Fabbri, R. 2003a. Due nuovi generi di Birridi della Cina: Byrrhochomus n. gen. e Sinorychomus n. gen. (Coleoptera Byrrhidae). *Annali del Museo civico di Storia naturale di Ferrara*, 5: 51-79.

Fabbri, R. 2003b. Nuovi taxa di Syncalyptini del Pakistan e Nepal (Coleoptera, Byrrhidae, Syncalyptinae). *Rivista del Museo civico di Scienze naturali "Enrico Caffi"*, 21 (2001): 31-38.

Fabbri, R. and Zhou, H. Z. 2003a. Three new species of the genus *Byrrhus* Linnaeus, 1767 subgenus *Rotundobyrrhus* Fabbri, 2000 (Insecta Coleoptera Byrrhidae). *Quaderno di Studi e Notize di Storia Naturale della Romagna*, 17 (Suppl.): 55-61.

Fabbri, R. and Zhou, H. Z. 2003b. Alcune nuove specie di Curimopsis Ganglbauer, 1902 e *Humerimopsis* Fabbri, 2003 della Cina (Coleoptera Byrrhidae Syncalyptinae). *Annali del Museo civico di Storia naturale di Ferrara*, 5: 81-90.

Fairmaire, M. L. 1886. Descriptions de Coléoptères de l'intérieur de la Chine. *Annales de la Société entomologique de France*, 6: 303-356.

Fairmaire, M. L. 1887. Coléoptères de l'intérieur de la Chine. *Annales de la Société ento-mologique de Belgique*, 31: 87-136.

Fairmaire, M. L. 1901. Descriptions de Coléoptères des montagnes de Sikkim. *Bulletin de la Société entomologique de France*, 70: 265-268.

Fiori, G. 1957. Revisione dei Byrrhus asiatici di Reitter. Ⅳ. Contributo alla conoscenza del-la famiglia Byrrhidae (Coleoptera). *Memorie della Società entomologica italiana*, 36: 91-96.

Forster, J. R. 1771. *Novae species Insectorum. Centuria I. Nam mihi contuenti se persuasit rerum natura, nihil incredible existimare de ea.* Plin. lib. Xi. c. 2, Ⅷ + 100 S.; London (T. Davies et B. White).

Franz, H. 1967. Revision der Gattung Syncalypta Steph. (Coleopt., Byrrhidae). *Annalen des Naturhistorischen Museums in Wien*, 70: 139-158.

Ganglbauer, L. 1902. Die europäischen Arten der Gattungen *Byrrhus*, *Curimus und Syncalypta. Münchener Koleopterologische Zeitschrift*, 1: 37-52.

Jäger, O. and Püetz, A. 2006. Byrrhidae. pp421-432. In: LÖBL, I. & SMETANA, A. (Hrsg.): Catalogue of Palaearctic Coleoptera, 3: 690pp. Stenstrup (Apollo Books).

Johnson, P. J. 1985. *Morychus* Erichson, a senior synonym of *Byrrhobolus* Fiori (Coleoptera: Byrrhidae). *The Coleopterists Bulletin*, 39: 197- 199.

Lafer, G. S. 1989. Zem. Byrrhidae Pilulshiki, Priutaiki. In: LER, P. A. (Hrsg.): *Opredelitel nasekomych Dalnego Vostoka SSSR*, Bd. 3, Zhestkokrylye ili Zhuki, S. 454-463; Nauka, Leningrad [= St. Petersburg].

Le Conte L. 1854. Synopsis of the Byrrhidae of the United States. *Proceedings of the Academy of Natural Sciences of Philadelphia*, 7: 114.

Mulsant, E. and Rey, C. 1869. Histoire Naturelle des Coléoptères de France. *Tableau des Piluliformes de France*, 176 S., 2 Taf.; Paris (Deyrolle).

Paulus, H. F. 1971. Neue Byrrhidae aus Asien: *Syncalypta magna* n. sp., *Byrrhus chinensis* n. sp., *B. tibetanus* n. sp. und *B. macrosetosus* n. sp., mit Bemerkungen zur systematischen Stellung von *Seminolus* Muls *et* Rey. *Entomologische Blätter*, 66: 163-174.

Paulus, H. F. 1972. Der Stand unserer Kenntnis über die Familie Byrrhidae (Col.). *Folia entomologica hungarica*, 25: 335-348.

Pic, M. 1935. Nouveautés diverses. *Mélanges exotico-entomologiques*, 66: 1-36.

Püetz, A. 1997. Revision der von Motsxhulsky (1858) beschriebenen Arten der Gattung *Chaetophora* Kirby & Spence (Coleoptera: Byrrhidae: Syncalyptinae). *Koleopterologische Rundschau*, 67: 201-206.

Püetz, A. 2000. Ein Beitrag zur Kenntnis der Syncalyptinae Asiens (Coleoptera: Byrrhidae. Syncalyptinae, Syncalyptini). *Entomologische Zeitschrift Stuttgart*, 110: 194-201.

Püetz, A. 2002. Ein Beitrag zur Kenntnis der Pillenkäfer Japans (Coleoptera: Byrrhidae). *Beitrag zur Kenntnis der Familie Byrrhidae. Entomologische Zeitschrift Stuttgart*, 112: 184-190.

Püetz, A. 2003a. Zur Kenntnis der Pillenkäfer fauna der Insel Taiwan (Coleoptera: Byrrhidae). Beitrag zur Kenntnis der Familie Byrrhidae. *Koleopterologische Rundschau Wien*, 73: 237-25.

Püetz, A. 2003b. Revision der Simplocaria-Arten Japans (Col., Byrrhidae). *Beitrag zur Kenntnis der Familie Byrrhidae. Entomologische Nachrichten und Berichte*, 46: 251- 258.

Püetz, A. 2003c. Zur Verbreitung und Taxonomie der Pillenkäfer Japans (Col., Byrrhidae). *Beitrag zur Kenntnis der Familie Byrrhidae. Entomologische Nachrichten und Berichte*, 47: 91-102.

Püetz, A. 2004a. Vierter Beitrag zur Kenntnis der Pillenkäfer Japans. (Col., Byrrhidae). *Beitrag zur Kenntnis der Familie Byrrhidae. Entomologische Nachrichten und Berichte*, 48: 39-42.

Püetz, A. 2004b. Zur Kenntnis der Pillenkäfer Japans. Ⅴ. Eine neue Curimopsis-Art und weitere neue Nachweise (Col., Byrrhidae). Beitrag zur Kenntnis der Familie Byrrhidae. *Entomologische Nachricht-*

en und Berichte, 48: 173-174.

Püetz, A. 2007. On taxonomy and distribution of Chinese Byrrhidae (Coleoptera). *Stuttgarter Beitraege zur Naturkunde Serie A* (Biologie), 701:1-124.

Stephens, J. F. 1829. *A systematic catalogue of British insects*. Bladwin and Cradock, London. 416 pp.

Ⅶ. 叩甲总科 Elateroidea

十八、叩甲科 Elateridae*

江世宏　陈晓琴　梁美荣

（深圳职业技术学院应用化学与生物技术学院，广东 深圳 518055）

鉴别特征： 体小到大型。触角一般 11 节，锯齿状，少数栉齿状或丝状，着生于额缘下方，靠近复眼处。前胸后角尖锐而突出。前胸腹板向后变尖，形成腹后突，中胸腹板中央凹入，形成腹窝，两者组成"叩头"关节；相应前胸背板后部向后倾斜凹入，和中胸连接不甚紧密，便于做叩头运动。足较短；跗节 5 节，少数下方具膜状叶片；爪镰刀状，少数栉齿状，或具基齿，或二裂；爪间有着生刚毛的爪间突；后足基节横阔，呈片状。可见腹板一般 5 节，很少 6 节。雄性外生殖器三瓣式。

生物学： 叩甲科大多是重要的农林地下害虫，可危害多种农作物、林木、中药材、牧草等，也有一些是捕食性益虫，可在虫道中捕食钻蛀性害虫，或在叶片上捕食害螨。该科昆虫幼虫期较长，一般经 2 ~3 年才能化蛹。

分类： 世界性分布，目前世界记录 12000 多种，中国已知 1400 多种，陕西秦岭地区发现 33 属 59 种。

分属检索表

1. 触角栉齿状，至少雄性如此 ························ 2
　 触角非栉齿状 ························ 3
2. 口器前伸；额脊缺乏；触角仅雄性栉齿状，栉齿从第 3 节开始 ············ **梳角叩甲属 *Pectocera***
　 口器下伸；额脊完全；触角雌雄均为栉齿状，栉齿从第 4 节开始 ·············· **猛叩甲属 *Tetrigus***
3. 体被毛，呈鳞片状 ························ 4
　 体被毛，呈刚毛状 ························ 6
4. 触角第 3 节与第 2 节近等长 ························ **槽缝叩甲属 *Agrypnus***
　 触角第 3 节的长度约是第 2 节的 2 倍多 ························ 5

*得到国家自然科学基金（项目批准号：31372231，317725117）的资助。

5. 前胸腹侧缝前 2/3 以上的长度深深下陷，呈槽状，触角收纳其中 ……………… 鳞叩甲属 ***Lacon***
前胸腹侧缝仅前端微陷，呈浅沟状，触角不收纳其中 ………………………… 斑叩甲属 ***Cryptalaus***
6. 中足基节窝外侧被中、后胸腹板包围，外侧不与中胸后侧片接触 ……………………………… 31
中足基节窝不被中、后胸腹板包围，外侧与中胸后侧片接触 ……………………………………… 7
7. 头扁平，口器前伸 …………………………………………………………………………………… 8
头凸，口器下伸 ……………………………………………………………………………………… 16
8. 体葫芦形或椭圆形，中足基节窝不与中胸前侧片接触 ……………………… 胖叩甲属 ***Hypnoidus***
体非葫芦形或椭圆形，中足基节窝外侧与中胸前侧片接触 …………………………………………… 9
9. 体宽，扁薄，毛长 ……………………………………………………………………… 薄叩甲属 ***Penia***
体狭，厚实，毛不太长 ……………………………………………………………………………… 10
10. 额脊和额槽中部完全缺乏 …………………………………………………… 高地叩甲属 ***Tarnawskianus***
额脊完全或中部略缺，额槽完全 …………………………………………………………………… 11
11. 跗节第 2 和第 3 节具叶片 ……………………………………………………… 脊角叩甲属 ***Stenagostus***
跗节简单 ……………………………………………………………………………………………… 12
12. 前胸背板中纵沟宽深 …………………………………………………………………… 副叩甲属 ***Parathous***
前胸背板无中纵沟或中纵沟细浅 …………………………………………………………………… 13
13. 前胸背板后角脊无或不明显 ………………………………………………………… 筛胸叩甲属 ***Athousius***
前胸背板后角脊明显 ………………………………………………………………………………… 14
14. 前胸背板钟形，两侧在后角前明显缢缩成波状 ……………………………… 钟胸叩甲属 ***Tropihypnus***
前胸背板梯形，两侧在后角前不缢缩 ……………………………………………………………… 15
15. 触角第 2 和第 3 节之和等长于第 4 节 …………………………………………… 梗叩甲属 ***Limoniscus***
触角第 2 和第 3 节之和长于第 4 节 ………………………………………………… 奇叩甲属 ***Nothodes***
16. 爪简单 ………………………………………………………………………………………………… 17
爪栉齿状 ……………………………………………………………………………………………… 27
17. 额脊中部缺乏，如额脊完全，则额槽中部狭浅或无 ……………………………………………… 18
额脊完全，额槽中部宽深 …………………………………………………………………………… 26
18. 前胸腹侧缝前端呈沟状 ……………………………………………………………………………… 19
前胸腹侧缝前端关闭，不呈沟状 …………………………………………………………………… 21
19. 中胸腹窝侧缘向下突出，呈圆形 …………………………………………………… 杆叩甲属 ***Dalopius***
中胸腹窝侧缘简单，如突起，也仅呈狭长形 ………………………………………………………… 20
20. 触角第 3 节略短于第 4 节 ……………………………………………………… 锥尾叩甲属 ***Agriotes***
触角第 3 节明显短于第 4 节 …………………………………………………………… 筒叩甲属 ***Ectinus***
21. 前胸背板具基沟，后角脊 2 条 ……………………………………………… 双脊叩甲属 ***Ludioschema***
前胸背板无基沟，后角脊 1 条 ……………………………………………………………………… 22
22. 前胸背板后角端部具长刚毛 ………………………………………………… 行体叩甲属 ***Nipponoelater***
前胸背板后角端部无刚毛 …………………………………………………………………………… 23
23. 额脊完全 ……………………………………………………………………………………………… 24
额脊中部缺乏 ………………………………………………………………………………………… 25
24. 触角长，端部 2 节超过前胸背板后角端部 …………………………………… 刻角叩甲属 ***Mulsanteus***
触角短，端部不达或略过前胸背板后角端部 ………………………………… 锥胸叩甲属 ***Ampedus***
25. 中胸腹板侧缘脊内侧具刻点槽 ……………………………………………… 短角叩甲属 ***Vuilletus***

中胸腹板侧缘脊内侧无刻点槽，为简单的狭槽 ………………………… **毛叩甲属 *Sericus***

26. 跗节简单 …………………………………………………………………… **土叩甲属 *Xanthopenthes***

跗节第 3 节腹面具叶片…………………………………………………… **孤叶叩甲属 *Anchastelater***

27. 额槽中部缺乏 ………………………………………………………………………………… 28

额槽完全 ………………………………………………………………………………………… 30

28. 跗节第 3 节腹面具叶片 ……………………………………………… **三齿叩甲属 *Lanecarus***

跗节第 4 节腹面具叶片 ……………………………………………………………………… 28

29. 额脊“V”形，不与唇基缘愈合 ………………………………………… **尖额叩甲属 *Glyphonyx***

额脊“U”形，与唇基缘愈合 …………………………………………………… **截额叩甲属 *Silesis***

30. 前胸背板有基沟 ………………………………………………………… **梳爪叩甲属 *Melanotus***

前胸背板无基沟 ……………………………………………………………… **弓背叩甲属 *Priopus***

31. 体微小，小于 3mm；前胸背板无基沟；前胸腹后突狭长 ………………………………… 32

体中等大，大于 8mm；前胸背板有基沟；前胸腹后突短，截形 ……… **齿爪叩甲属 *Platynychus***

32. 跗节第 4 节简单，端部不膨大 ………………………………………… **玲珑叩甲属 *Zorochros***

跗节第 4 节端部膨大…………………………………………………………… **微叩甲属 *Quasimus***

264. 梳角叩甲属 *Pectocera* Hope，1842

Pectocera Hope, 1842: 79. **Type species**: *Pectocera cantori* Hope, 1842.

属征：体狭长。额中部纵向凹洼（雄性）或低凹（雌性），前部无额脊，但两侧在触角窝背面高凸；复眼球形而突出；上颚长而尖，有点呈直角内弯。雄性触角长栉齿状，雌性触角锯齿状。前胸背板梯形（雄性）或近四方形（雌性），狭于鞘翅。鞘翅前部 2/3 两侧平行，然向向后变狭，雄性端部较狭尖，缝角刺状。前胸腹侧缝细，前端向两侧分开；腹前叶短，腹后突长，向后倾斜；中胸腹板倾斜，腹窝侧缘前部向两侧分开。足细长，后基片外方狭，内方扩大；爪简单。腹部向后明显变狭，端部狭圆（雄性）或浑圆（雌性）。

分布：东洋区。中国已知 12 种，秦岭地区发现 1 种。

（727）库氏梳角叩甲 *Pectocera kucerai* Schimmel，2006（图版 19：1）

Pectocera kucerai Schimmel, 2006a: 255.

鉴别特征：体长 23.60mm，体宽 6.60mm。体栗色，足和触角端部黑褐色。被毛淡黄色，短，卧伏，前胸背板上旋生，鞘翅上密度不同，形成一些毛斑。头部刻点密，脐状，圆形，均匀；额倾斜，中央低凹，前缘与唇基相连。触角长，具叶片，向后伸达鞘翅中部；第 2 节短，环形；第 3 节后各节等长；第 3 节的叶片伸达第 6 节端部；表面密被小刻点；被毛短，密，隐约可见。前胸背板梯形，中线长约与后角的宽度相等；中央适当凸，具明显的中纵沟；两侧平；基部倾斜，中纵沟不明显；表面刻点密，大小不等，圆形，脐状，不均匀；其间隙高低不平；后角尖，短，具不明显的弱脊，两侧具基沟。小盾片心脏形，两侧基部挤压，后弧拱，端部圆拱；表面刻点密且细。鞘翅两侧近平行，瘦狭，端部缝角锐尖；鞘翅条纹中刻点粗且密，简单，不呈脐状，透过茂密茸毛难见；刻点间隙平，革质状，具横向裂纹和细弱刻点。前、中、后胸腹面被不太密的细刻点，其间隙光滑而光亮，被茸毛。足长而薄；跗节向爪端逐节变短，腹面有难以辨识的毛垫。雄外生殖器强壮；中叶向端部渐狭渐尖；侧叶端部钩状，顶端突尖，外缘略弧弯。

分布：陕西（略阳）、河南。

265. 槽缝叩甲属 *Agrypnus* Eschscholtz, 1829

Agrypnus Eschscholtz, 1829: 32. **Type species**: *Elater murinus* Linnaeus, 1758.

Mecynocanthus Hope, 1837: 53. **Type species**: *Mecynocanthus unicolor* Holpe, 1837.

Tylotarsus Germar, 1840: 247. **Type species**: *Tylotarsus cinctipes* Germar, 1840.

Myrmodes Candèze, 1857: 168. **Type species**: *Myrmodes akidiformis* Candèze, 1857.

Archontas Gozis, 1886: 23. **Type species**: *Elater murinus* Linnaeus, 1758.

Pseudolacon Blackburn, 1890: 89. **Type species**: *Pseudolacon rufus* Blackburn, 1890.

Homeolacon Blackburn, 1890: 90. **Type species**: *Homeolacon gracilis* Blackbum, 1890.

Centrostethus Schwarz, 1898a: 414. **Type species**: *Elater* (*Conoderus*) *cuspidatus* Klug, 1833.

Lobotarus Schwarz, 1898b: 131. **Type species**: *Lobotarsus decoratus* Schwarz, 1898.

Enoploderes Schwarz, 1898b: 131 (nec Faldermann, 1837). **Type species**: *Elater* (*Conoderus*) *cuspidatus* Klug, 1833.

Compsolacon Reitter, 1905: 6. **Type species**: *Elater crenicollis* Ménétriés, 1832.

Paralacon Reitter, 1905: 6. **Type species**: *Elater cinnamomeus* Candèze, 1874.

Neolacon Miwa, 1929a: 234. **Type species**: *Neolacon formosanus* Miwa, 1929.

Colaulon Arnett, 1952: 116. **Type species**: *Elater rectangularis* Say, 1825.

Cryptolacon Nakane *et* Kishii, 1955: 1. **Type species**: *Cryptolacon miyamotoi* Nakane *et* Kishii, 1955.

Sabikikorius Nakane *et* Kishii, 1955: 3. **Type species**: *Lacon fuliginosus* Candèze, 1857.

Sagojyo Kishii, 1964: 30. **Type species**: *Colaulon yuppe* Kishii, 1964.

Archontoides Cobos, 1966: 651. **Type species**: *Archontoides pretoriensis* Cobos, 1966.

Pyrganus Golbach, 1968: 198. **Type species**: *Lacon tuspanensis* Candèze, 1857.

属征：全身或局部被鳞片状扁毛；前胸腹侧缝深凹形成触角槽，触角收藏其中；有时前胸侧板存在跗节槽，不与触角槽平行；有时后胸腹板存在跗节槽，指向后胸腹板后侧角。前胸背板前角后不狭缩，侧缘脊状。小盾片无纵脊。触角第 2 节和第 3 节小，近相等，均小于第 4 节和以后各节。中足基节窝被中、胸腹板包围，不与中胸前侧片和后侧片接触。胫节端部无距，跗节腹面无叶片，爪基部外侧具 1 束刚毛。

分布：东洋区。中国已知 60 种，秦岭地区发现 3 种。

分种检索表

1. 前胸背板有中纵沟，体朱红色或红褐色 ······························ **泥红槽缝叩甲 *A. argillaceus***
   前胸背板有中纵沟，体黑褐色或褐黑色·· 2
2. 前胸背板有横瘤，后角有脊·· **双瘤槽缝叩甲 *A. bipapulatus***
   前胸背板无横瘤，后角无脊 ·· **暗色槽缝叩甲 *A. musculus***

（728）泥红槽缝叩甲 *Agrypnus argillaceus*（**Solsky, 1871**）（图版 19：2）

Lacon argillaceus argillaceus Solsky, 1871：360.

Lacon cinnamomeus Candèze, 1874：76.

Adelocera（*Sabikikorius*）*argillaceus*：Ôhira, 1966a：216.

Agrypnus argillaceus：Hayek, 1979：208.

鉴别特征：体长 12.80～17.90mm，体宽 4.40～6.00mm。体狭长。体朱红色或红褐色，前胸背板底色黑色，有时近侧缘处略显红色，鞘翅底色红褐色，小盾片底色黑色，头、触角、足及腹面黑色。全身密被茶色、红褐色或朱红色的鳞片状短毛。额前缘拱出，中部向前略低凹，分散有刻点。触角短，不达前胸背板基部；第 2 节筒形，大于第 3 节；第 3 节最小，球形；第 4 节以后各节三角形，锯齿状；末节内缘直，外缘呈椭圆弧形，近端部凹缩成假节，顶端钝。前胸背板宽大于长；中间纵向低凹，后部更明显；两侧中部拱出，向前渐狭，近前角明显变狭，近后角波状；侧缘后部具细齿状边；后角端部狭，平截，明显转向外方，靠近侧缘有 1 条细脊。小盾片两侧基半部平行，然后突然膨大，向后变尖，呈盾状。鞘翅基部宽于前胸，两侧平行，近端部1/3处开始向后变狭，端部联合拱出；表面有明显的粗刻点，排列成行，直至端部。腹面均匀地被有鳞片状短毛和刻点，前面刻点更强烈；前胸侧板和后胸侧板无跗节槽；后足基节片从内向外渐狭；跗节简单；爪简单。

采集记录：2 头，留坝庙台子，1350m，1998. Ⅶ. 22；1 头，留坝闸石口，1800m，1998. Ⅶ. 20；2 头，佛坪凉风垭，1900～2100m，1998. Ⅶ. 24；2 头，宁陕火地塘，1580～1650m，1999. Ⅶ. 25。

分布：陕西（留坝、佛坪、宁陕）、吉林、辽宁、北京、内蒙古、山西、河南、甘肃、湖北、福建、台湾、海南、广西、重庆、四川、贵州、云南、西藏；蒙古，俄罗斯（西伯利亚），朝鲜，越南，柬埔寨。

（729）双瘤槽缝叩甲 *Agrypnus bipapulatus*（**Candèze, 1865**）（图版 19：3）

Lacon bipapulatus Candèze, 1865：11.

Agrypnus bipapulatus：Ôhira, 1966a：216.

鉴别特征：体长 12.90～16.00mm，体宽 5.40～5.90mm。体狭长。体褐黑色；触角红色，基部几节红褐色；足同体色，但跗节红褐色。密被茶褐色和灰白色的鳞片状扁毛，并形成一些模糊的云状斑，尤其是在鞘翅上。额脊中部缺乏，额中央向前呈外撇的三角形低凹。触角第 1 节粗，棒状；第 2、3 节细小，近等长，锥状；第 4～10 节三角形，锯齿状；末节卵圆形，近端部狭缩后突出。前胸背板宽大于长，表面不太凸，中部有 2 个横瘤；两侧从中部开始向前呈弧形微弱弯曲变狭，侧缘光滑，不具齿状边；前角向前突出；后角宽大，向两侧分叉，端部明显截形，靠近外缘具 1 条短脊。小盾片前缘平直，基部两侧平行，在基部 1/4 处突然扩宽后向端部呈弧形弯曲变狭尖。鞘翅基部等宽于前胸，自肩部向后略呈直线变宽至 1/4 处，然后向后呈弧形逐渐变狭，端部完全；背面凸，具有细的刻点条纹，其间隙平。腹面具有和背面相同的颜色和鳞片毛。跗节和爪简单。

采集记录：4 头，佛坪，90～1500m，1998. Ⅶ. 23，1999. Ⅵ. 27。

分布：陕西（佛坪）、黑龙江、吉林、辽宁、内蒙古、山西、河南、甘肃、江苏、湖北、江西、福建、台湾、广西、重庆、四川、贵州、云南；日本。

（730）暗色槽缝叩甲 *Agrypnus musculus* （**Candèze, 1857**）（图版 19：4）

Lacon musculus Candèze, 1857: 141.

Colaulon (*Cryptolacon*) *musculus*: Chûjô, 1959: 4.

Agrypnus musculus: Hayek, 1973: 187.

鉴别特征：体长 7.60～9.80mm，体宽 3～4mm。体卵圆形。体黑褐色；触角红色，第 1 节颜色较暗；足同体色，跗节红色。鳞片毛黄白色，密而短，点状，均匀，鞘翅上排列成行。额前部微弱低凹，两侧弧拱；刻点密，额脊中部无，两侧在触角基上方明显；额槽中间无，两侧存在。触角第 1 节长，相当粗；第 2、3 节小，等长，锥形；第4～10节各节宽短，三角形，锯齿状，齿突钝；末节宽椭圆形，近末端微弱收狭突出。前胸背板宽明显大于长，两侧弧拱，中部最宽，向前弧形变狭，向后微弱变狭，前角突出，前缘“凹”形；侧缘细齿状边；背面均匀凸，后部逐渐倾斜；表面刻点密，均匀，筛孔状，无横瘤，无中纵沟或中纵线；后角宽短，端部明显截形，表面无脊；后缘脊状，无基沟。小盾片长宽近相等，基部两侧平行，中部膨扩后向后弯曲呈圆形。鞘翅基部宽于前胸，两侧向后渐宽，中后部开始向后弧形变狭，端部完全；肩部侧缘具细齿状边；背面均匀凸，沟纹细，其间隙平，有排列成纵行的瘤点。前胸腹板向前变宽；腹前叶相当发达，向前突出呈半圆形，腹面观几乎遮住头部；腹后突向后倾斜，后部向内极微弱弧弯；前胸侧板无跗节槽，后缘有容纳腿节的斜槽；腹侧缝前部 2/3 深凹成槽状，后 1/3 完全关闭；后胸腹板无跗节槽。后足基节片外部狭，前后平行；内部宽，后缘内呈弧形，外呈角状。腹面刻点前胸明显，筛孔状，向后变弱。跗节和爪简单。

采集记录： 1 头，佛坪，890m，1999. Ⅵ. 26。

分布： 陕西(佛坪)、山西、甘肃、江苏、浙江、湖北、江西、福建、广东、海南、香港、四川；日本。

266. 鳞叩甲属 *Lacon* Laporte, 1838

Lepidotus Stephens, 1830: 374 (nec Asso, 1801). **Type species**: *Elater varius* Olivier, 1790[= *Lacon quercea* (Herbst, 1874)].

Lacon Laporte, 1838: 11. **Type species**: *Elater atomarius* Fabricius, 1798: 139 (= *Elater punctatus* Herbst, 1784).

Paragaura Gistel, 1856: 366. **Type species**: *Elater varius* Olivier, 1790 (= *Elater querceus* Herbst, 1874).

Ocneus Candèze, 1857: 84. **Type species**: *Ocneus limbatus* Candèze, 1857.

Scelisus Candèze, 1863: 327. **Type species**: *Scelisus sanguineus* Candèze, 1863.

Alaotypus Schwarz, 1902: 307. **Type species**: *Alaotypus subpectinatus* Schwarz, 1902.

Sulcilacon Fleutiaux, 1927: 65. **Type species**: *Adelocera geographica* Candèze, 1865.

Diphyaulon Arnett, 1952: 111. **Type species**: *Adelocera pyrsolepis* LeConte, 1866.

Aulacon Arnett, 1952: 112. **Type species**: *Adelocera nobilis* Fall, 1932.

Zalepia Arnett, 1953: 7 (new name for *Lepidotus* Stephens, 1830).

Kobulacon Chûjô *et* Ôhira, 1965: 2. **Type species**: *Lacon quadrinodatus* Lewis, 1894.

Lepidelater Smith, 1969: 11. **Type species**: *Lepidelater misticius* Mignot, 1969.

Arnettia Golbach, 1969: 155. **Type species**: *Adelocera aberrans* Candèze, 1874.

Monocyrton Golbach, 1969: 156. **Type species**: *Adelocera chabanner* Guérin-Méneville, 1829.

Cornilacon Golbach, 1969: 158. **Type species**: *Adelocera longicornis* Champion, 1894.

Latilacon Golbach, 1969: 158. **Type species**: *Adelocera laticollis* Candèze, 1857.

属征： 体中型。鳞片毛狭长。触角第 3 节长度是第 2 节的 2 倍多，或近 3 倍。雄性外生殖器中叶端部短于侧叶。前胸腹侧缝下陷形成的触角槽狭长，达或接近前足基节窝。

分布： 全北区，东洋区，澳洲区。中国已知 21 种，秦岭地区发现 1 种。

(731) 凸胸鳞叩甲 *Lacon rotundicollis* Kishii *et* Jiang, 1994(图版 19：5)

Lacon (*Alaotypus*) *rotundicollis* Kishii *et* Jiang, 1994: 89.

Lacon (*Lacon*) *rotundicollis*: Cate, 2007: 44, 101.

鉴别特征： 体长 18. 85mm，体宽 6. 10mm。体长方形，相当厚实，前胸背板和鞘翅背面相当隆凸。身体背腹、足均为栗色，触角红色。全身密被鳞片状毛，卧伏，细且弯曲，灰白色，略带棕色光泽。头不太宽，刻点强烈，较密，隐藏于鳞片毛之中，头顶有中纵凹；额前部向前凹垂，前缘几乎和上唇基缘接触；额槽中部无，仅靠触角两侧存在，非常短小；触角向后可达前胸背板基部。触角第 1 节相当长，粗，圆筒状，约是后 3 节之和；第 2 节最小，球状，约是第 3 节长度的 1/2；第 3 ~ 10 节锯齿状，各节宽扁，三角形，后 1 节着生在前 1 节的端侧，从第 4 节开始向端部逐节变小；末节椭圆形，近端部两侧缢缩成假节。前胸背板宽明显大于长，近方形，两侧略弧拱，近前角明显向内弯曲，近后角明显波状；背面顶部略呈凹窝状，有微弱的中纵凹纹，后部陡斜；表面刻点相当密，均匀，中等大小；后角短，呈齿突状，略伸向外方，背面无脊；后缘无基沟。小盾片长方形，几乎呈正方形，两侧近平行，前缘平直，后缘宽，略呈弧形，表面密被刻点。鞘翅基部略宽于前胸，侧缘呈细脊状，基部 1/3 两侧相当平行，向后极微弱地膨大至端部 1/3 处，然后明显变狭，端部完全；表面具凹纹，凹纹间隙略凸，凹纹中和凹纹间隙被同样细密的刻点。前胸腹板宽，刻点粗，不太密；腹前叶向前呈半圆形拱出；腹侧缝直，双重脊，前部 2/3 呈沟状，前端深，后端逐渐变浅，至前足基节后变宽，转向侧板后缘；侧板后部宽凹，接纳前足腿节；腹后突平，顶端微弱倾斜插入中胸腹窝。中胸腹窝狭长形，后半部陡斜，前部平；中足基节窝向中胸前、后侧片开放；后胸侧板向后逐渐变狭。腹部刻点细弱，均匀，不太密，有一些光裸无毛区。后足基节片向内侧强烈膨大，内端有 1 个钩突，外侧呈狭条状；跗节简单，第 1 节约等于后两节之和；爪简单。

采集记录： 1 头，留坝县城，1020m，1998. Ⅶ. 18；1 头，宁陕火地塘，1580m，1998. Ⅶ. 26。

分布： 陕西（留坝、宁陕）、甘肃。

267. 斑叩甲属 *Cryptalaus* Ôhira, 1967

Cryptalaus Ôhira, 1967: 97. **Type species**: *Alaus puturidus* Ôhira, 1967 (nec Cardèze, 1857) (= *Alaus larvatus* Candèze, 1874). As a subgenus of *Alaus* by Ôhira, 1967: 97.

Paracalais Neboiss, 1967: 261. **Type species**: *Alaus suboculatus* Candèze, 1857.

属征： 体大型，壮硕，背面凸。密被卧伏的白色、黑色等颜色的鳞片状短毛，其间夹杂有竖立的不均匀分布的黑色长毛。触角第 3 节约为第 2 节的 2 倍长。前胸腹侧缝前部呈沟状。中、后胸腹板在中足基节间不愈合，有明显的分界缝将其分开。

分布： 古北区，东洋区。中国已知 11 种，秦岭地区发现 1 种。

（732）眼纹斑叩甲 *Cryptalaus larvatus* (Candèze, 1874)（图版 19：6）

Alaus larvatus Candèze, 1874: 141.

Paracalais larvatus: Ôhira, 1976: 32.

Paracalais larvatus larvatus: Ôhira, 1977: 6.

Cryptalaus larvatus larvatus: Kishii, 1993: 16.

鉴别特征：体长 22～37mm，体宽 6.90～9.40mm。体狭长，近长方形。体灰褐色，触角黑褐色，腹面和足棕黄色。全身密被灰白、黑色、淡黄色的鳞片状短毛，形成各种颜色的毛斑。前胸背板中域中线两侧各有 1 个黑色眼点；鞘翅中部外侧各有 1 个近于长方形的黑褐色斑块，近端部有 2 条不明显的深灰褐色横带；腿节近端部也有 1 个黑色斑块。头向下倾斜，中部呈三角形低凹；额脊突出。触角第 1 节粗大；第 2 节小；第 3 节大于第 2 节，小于第 4 节，向外略呈齿状突出；末节卵圆形，端部有假节。前胸背板长大于宽，两侧中间微弱地肘状弯曲，向前渐狭，向后微弱内弯，侧缘脊锐利；背面两侧倾斜，平展，中部有中纵脊，近前缘和后半部消失，后端有 1 个不明显的短横脊，在小盾片正前方有 1 个隆突；后角长尖，伸向外侧方，中间斜向隆起。小盾片五边形，长舌状，向前强烈倾斜。鞘翅基部略宽于前胸背板，向后渐狭和倾斜，端部明显斜；表面具有条纹，肩部凹凸不平。

采集记录：1 头，佛坪，900m，1999. Ⅵ. 27；2 头，950m，1998. Ⅵ. 23。

分布：陕西（佛坪）、江苏、上海、浙江、江西、湖南、福建、台湾、广东、海南、广西、重庆、四川、云南；日本，越南，老挝，印度尼西亚，孟加拉国。

268. 猛叩甲属 *Tetrigus* Candèze, 1857

Tetrigus Candèze, 1857: 254. **Type species**: *Tetrigus parallelus* Candèze, 1857.

属征：体壮硕。头大，口器下伸，唇基大，向上和额交接成直角；额脊完全。触角栉齿状，较短，第 2、3 节相当小，近球形，以后各节基部有 1 个狭长叶片，末节长，近端部两侧凹缘。前胸背板长大于宽，背面均匀上凸，两侧明显倾斜。鞘翅长，端部尖。前胸腹侧缝极微弱低凹。足细长，后足基节片内方略宽于外方，后缘波状，跗节和爪简单。

分布：古北区，东洋区。中国已知 5 种，秦岭地区发现 1 种。

（733）莱氏猛叩甲 *Tetrigus lewisi* Candèze, 1873（图版 19：7）

Tetrigus lewisi Candèze, 1873: 6.

Tetrigus grandis Lewis, 1879: 155.

鉴别特征：体长 21～34mm，体宽 5～10mm。体狭长。体黑褐色，触角和足栗褐色。全身被均匀的黄褐色茸毛。头凸，密被刻点，额前缘几乎平直。触角栉齿状；第 1 节粗长；第 2、3 节小，圆锥形；第 4～10 节各侧生有 1 个狭片状叶片，雄性叶片较雌性长；末节长，狭片状。前胸背板宽大于长，基部最宽，向前变狭；背面前部高凸，向基部倾斜，密被刻点；后角长尖，指向后方，有明显的隆脊，呈对角线走向。小盾片长舌状。鞘翅长，背面凸，两侧平行，从后部1/3处开始向后变狭，端部呈齿状突出，左右鞘翅不相切合；表面有明显的刻点沟纹，沟纹中排列有粗刻点；沟纹间隙平，密布细颗粒。雌性较雄性大许多。

采集记录：1头，佛坪，950m，1998.Ⅶ.23。

分布：陕西（佛坪）、辽宁、北京、河北、山东、河南、甘肃、新疆、江苏、上海、浙江、湖北、湖南、福建、台湾、广东、广西、云南；朝鲜，日本，越南，老挝。

269. 胖叩甲属 *Hypnoidus* Dillwyn，1829

Hypnoidus Dillwyn，1829：32. **Type species**：*Elater riparius* Fabricius，1792.

Cryptohypnus Eschscholtz，1830：17. **Type species**：*Elater riparius* Fabricius，1792.

Amphius Gistel，1834：12. **Type species**：*Elater riparius* Fabricius，1792.

属征：体小，宽，背面相当凸，椭圆形或葫芦形，光亮。触角第4~10节弱锯齿状。额前缘完全。后翅一般正常，少数完全退化。雄性外生殖器宽，侧叶无端侧突。

分布：古北区，东洋区。中国已知30种，秦岭地区发现2种。

分种检索表

前胸背板算珠形，两侧中部圆拱 ·· 短胸胖叩甲 ***H. brevicollis***

前胸背板梯形，两侧中部向前渐狭 ·· 椭体胖叩甲 ***H. obovatus***

（734）短胸胖叩甲 *Hypnoidus brevicollis* Dolin *et* Cate，2002（图版19：8）

Hypnoidus brevicollis Dolin *et* Cate，2002：65.

鉴别特征：体长5.90mm，体宽2.30mm。体椭圆形，长是宽的2.60倍。体黑色，光亮；胫节和跗节淡红褐色；前胸腹板、后胸腹板和腹部除了侧缘外红棕色；前胸侧板和后足基节片深褐色。身体背面、腹面以及鞘翅上被很短（几乎粉尘状）的灰白色绒毛。头扁平，前缘圆拱，平滑；表面刻点适当粗密，刻点间距相当于刻点直径的1.50~2.50倍。触角短，向后末节超过前胸后角端部；第2、3节长锥形，等宽，几乎等长，其长与端宽之比分别是2.00和2.10；以后各节钟形，等长，逐节增宽；第4节长度略是端宽的1.15倍。前胸背板相当凸，横向，中部最宽，不窄于鞘翅基部，其宽是长的1.30倍，两侧相当圆拱，向后圆形收狭；表面刻点如头部；后角直，指向后方，隐约可见平滑的短脊。小盾片近圆形，宽是长的1.15倍，中部刻点适度粗。鞘翅椭圆形，中部最宽，是前胸背板长度的2倍和宽度的1.50倍，表面具细的纵向沟纹；沟纹中的刻点深且粗，较间隙中的刻点大很多；沟纹间隙平，基部略凸，刻点细密，具细弱横皱。前胸侧板刻点相当密集；后胸腹板短，其长度约是第2腹节腹板的1.75倍。

采集记录：1♀，周至厚畛子，2600m，1996. Ⅶ。

分布：陕西(周至、太白)、云南。

(735) 椭体胖叩甲 *Hypnoidus obovatus* Dolin *et* Cate, 2003(图版19：9)

Hypnoidus obovatus Dolin *et* Cate, 2003：40.

鉴别特征：体长4.50mm，体宽1.80mm。体长椭圆形，凸。体亮黑褐色，触角第1节、足、鞘翅缘折黄棕色。背腹被中等密度的灰黄色短毛。头扁平，略凸，被中等密度和不规则的中等大小的刻点，其间距相当于刻点直径的1.00～2.50倍；额前缘圆拱，两侧向内弧弯。触角短，向后末节超过前胸背板后角；除第1节外，所有节等长；第2节近圆柱形，1.80倍于其宽度；第3节长锥形，1.50倍于其端宽；第4节后钟形，从第5节向后逐节变宽，倒数第2、3节同样宽长。前胸背板梯形，两侧向前渐狭，两后角尖宽是两前角尖宽的1.70倍；背面凸，刻点和头部同样粗密，但在中央基部稍拉长；后角尖，细短；后角脊平滑而有光泽。小盾片半圆形，宽是长的1.25倍，端部圆拱，表面被细的刻点。鞘翅卵形，其长是前胸背板长度的2.10倍和宽度的1.50倍；肩部显著圆拱；纵向条纹细，无刻点；其间隙平，刻点细且稀。后翅完全退化。后胸腹板很短，仅为第2腹节的1.50～1.60倍。后足跗节的第1节不短于第5节。

采集记录：22♂♀，宁陕，2875m，2001. Ⅶ. 25。

分布：陕西(宁陕)。

270. 筛胸叩甲属 *Athousius* Reitter, 1905

Athousius Reitter, 1905：112. **Type species**：*Athous holdereri* Reitter, 1900.

Thacana Fleutiaux, 1936b：279, 282. **Type species**：*Corymbites cambodiensis* Fleutiaux, 1918.

属征：体中型，狭长，两侧平行，略呈圆筒形。额前缘中部略缺。触角第2节小，第3节或第4节至第10节锯齿状。前胸背板刻点密，筛状；有基沟痕迹；后角短，后角脊不明显。前胸腹后突狭，两侧不膨扩。跗节简单。

分布：古北区。中国已知6种，秦岭地区发现3种。

分种检索表

1. 小盾片宽，长宽相等 ………………………………………… **武当筛胸叩甲 *A. wudanganus***
   小盾片狭，长明显大于宽…………………………………………………………………… 2
2. 小盾片椭圆形，基部两侧不缢缩……………………………………… **霍氏筛胸叩甲 *A. holdereri***
   小盾片短舌状，基部两侧缢缩 ……………………………… **陕西筛胸叩甲 *A. shaanxiensis***

（736）霍氏筛胸叩甲 *Athousius holdereri* (Reitter, 1900)（图版 20：1）

Athous holdereri Reitter, 1900: 159.

Athousius holdereri: Reitter, 1905: 113.

鉴别特征：体长 9.50mm，体宽 3.00mm。体狭长。体栗褐色，触角黑色，鞘翅缘折、足胫节部分褐色，跗节红色。茸毛灰黄色，腹面密。头部刻点密，强烈，大小不等；额脊前缘中部钝，背观向内弧凹，两侧在触角基上方明显。触角向后超过前胸基部；第 2 节倒锥形，小；第 3 节略长于第 2 节；第 4 ~ 10 节锯齿状。前胸近长方形，长明显大于宽，两侧向前微弱变狭，近后角微弱波状；背面略凸，后部横凹；表面刻点强烈，中纵沟前部不明显；后角突出，锐尖，分叉，指向外侧方，后角脊不明显，仅见痕迹。小盾片长大于宽，近椭圆形。鞘翅狭长，基部明显宽于前胸，向前倾斜；两侧平行，中部后逐渐变狭，端部完全；表面有微弱的刻点条纹，其间隙平，密布等大的皱状刻点。腹面刻点密，细弱；前胸腹板刻点更密，略强烈。

采集记录：1 头，留坝庙台子，1470m，1999. Ⅶ. 01。

分布：陕西（留坝）、甘肃、青海、新疆、西藏。

（737）陕西筛胸叩甲 *Athousius shaanxiensis* Schimmel *et* Tarnawski, 2008（图版 20：2）

Athousius shaanxiensis Schimmel *et* Tarnawski, 2008a: 44.

鉴别特征：体长 11.10mm，体宽 2.50mm。体狭长，两侧近平行。体黑褐色，光亮。鞘翅基部和缘折、触角第 1 节至第 3 节基半部、足及腹部均为黄红色。茸毛黄褐色，长而密，斜生。头部刻点密，呈规则的脐状；额中部低凹，前缘与唇基分离，额脊在触角基上方隆起。眼球形，突出。触角短粗，向后仅伸达前胸背板后角；第 2 节短，略长于其宽度，向端部微弱扩宽，第 3 节长于第 2 节，两节之和略等长于以后各节，第 4 节后各节均向端部扩宽；末节椭圆形，近端部斜尖。前胸背板长钟形，长明显大于宽，两侧微弱弯曲，基部稍缢缩；背面基部相对陡斜；盘区具短的中纵沟，密被规律的脐状刻点，其间隙具细小皱纹；后角无脊，但刻点间隙形成了 1 条明显与侧缘分开的脊纹。小盾片短舌状，基部略凸，两侧缢缩，端部宽；表面刻点密，脐状；茸毛从中部向端部和两侧斜生。鞘翅基部略宽于前胸背板，围绕小盾片区域微弱凹陷，边缘凸起，肩部突出；两侧近平行，狭长，仅从中部开始向端部收狭；表面条纹中密布简单刻点，其间隙具细的刻点；茸毛斜生，较前胸背板的短而细。足细长，跗节向端部逐节变短，腹面略见毛垫；胫节上的茸毛较粗短。阳茎两侧向端部斜尖；侧叶端部突出，侧缘钩状，具长的端毛。

分布：陕西(周至、宝鸡、太白、略阳)。

(738) 武当筛胸叩甲 *Athousius wudanganus* Kishii *et* Jiang, 1996(图版 20：3)

Athousius wudanganus Kishii *et* Jiang, 1996：135.

鉴别特征：体长 10.60～13.00mm，体宽 2.70～3.30mm。体狭长。体黑色。触角基部 1 节或 2 节、前胸背板后角及鞘翅基缘、缘折栗红色，前胸腹前叶、腹侧缝及前胸腹突后端、前胸侧板后端、腹部两侧边、足均为栗红色。被相当密的黄白色略带棕色的茸毛，腹面相当密。头横宽，四方形，宽大于长，背面观前端凹缘；额前端倾斜低凹，额脊中间缺乏，触角基上方隆起；额前缘和上唇接近，额槽中间相当狭，两侧明显宽，呈三角形；表面被中等大小的刻点。触角细长，向后伸达前胸后角端部；雌性略短；第 1 节粗，弓形，圆筒状；第 2、3 节细小，倒锥状，第 3 节略长于第 2 节；第 4 节短于 2、3 节之和，以后各节逐节变细，第 4～7 节长三角形，后 1 节着生于前 1 节端侧，弱锯齿状，第 8～10 节长钟形，后 1 节着生于前 1 节端中；末节狭长，两侧相当平行，末端两侧缢缩成假节。前胸背板狭长，长大于宽很多，两侧直，从后向前逐渐变狭，近后角处微弱波入；背面适当凸，刻点相当密，中等大，盘区具明显中纵沟，但前、后部不明显；后角相当长，略钝，端部微弱分叉，表面无脊；后缘无基沟。小盾片近圆形，中长略等于中宽，背面凸，后端圆形拱出，前缘略凹缘。鞘翅狭长，基部等宽于前胸背板后角间距，两侧平行，后部 1/3 处开始向后变狭，端部完全，突出；表面适当凸，有深的沟纹，沟纹中刻点深且粗，沟纹间隙凸，有小的粗糙颗粒，成皱状。前胸腹板不太宽，从后向前逐渐变宽；腹前叶相当发达，半圆形；腹侧缝直，前端关闭，后端宽；腹后突向后倾斜插入中胸腹窝。中胸腹窝略呈“V”形。鞘翅缘折两侧平行，后端内侧缘向外弯曲变狭。后胸侧板狭，从前向后微弱变狭。腹面刻点细弱，稀疏，向后渐密。后足基节片不太宽，从内向外逐渐变狭，内端呈钩突状；足细长，跗节长，简单，第 1～4 节向端部逐节变短，第 1 节略等于后两节之和；爪长，简单。

采集记录：1 头，留坝庙台子，1470m，1999. Ⅶ. 01；1 头，佛坪，890m，1999. Ⅵ. 26。

分布：陕西(留坝、佛坪)、甘肃、湖北。

271. 梗叩甲属 *Limoniscus* Reitter, 1905

Limoniscus Reitter, 1905: 14. **Type species**: *Elater violaceus* Müller, 1821.

属征：体狭扁，中小型。触角粗短，第2、3节小，两节之和等长于第4节。前胸背板狭，长大于宽；后角短尖，略分叉，靠近侧缘具1条长脊；基沟不明显。鞘翅表面有纵向沟纹。跗节和爪简单。

分布：古北区。中国已知7种，秦岭地区发现2种。

分种检索表

鞘翅黄褐色，中缝和侧缘黑色 ………………………………………… **陕西梗叩甲 *L. shaanxiensis***

鞘翅红褐色，中缝和侧缘亦为红褐色 ……………………………… **库氏梗叩甲 *L. kucerai***

(739) 陕西梗叩甲 *Limoniscus shaanxiensis* Schimmel, 2006（图版20：4）

Limoniscus shaanxiensis Schimmel, 2006a: 253.

鉴别特征：体长9.40mm，体宽2.40mm。体黑色；前胸背板具蓝色金属光泽；前胸背板后角、小盾片、跗节以及触角基部两节均为浅棕色；鞘翅黄褐色，中缝和侧缘黑色。茸毛短，银白色，在前胸背板上向前端和中央斜生，在鞘翅上向后斜生。头部刻点密且粗，深，脐状，圆形；额向前突出，悬于唇基之上，前缘与唇基分离。触角短且粗，向后约伸达前胸背板后角端部；第2、3节短，向端部扩大，两节之和等长于第4节；以后各节长略大于宽，端尖突出成锯齿；末节椭圆形，表面密被小刻点和短毛。前胸背板梯形，中线约长于后角宽度；中央驼峰状凸，两侧低凹，基部急剧降低成槽状；表面刻点密且粗，深，圆形或椭圆形，脐状；刻点间隙明显小于其直径，呈狭窄的皱纹状；后角靠近侧缘有1条长脊向前伸达前胸背板的4/5。小盾片楔形，基缘直，两侧弧拱，端部尖；表面不均匀隆凸，刻点密且粗，刻点间隙略凸。鞘翅狭，基部低凹，略宽于前胸背板基部，端部圆形；表面具条纹，条纹中刻点粗且深，密，简单，不呈脐状；条纹间隙平，具粗刻点。雄外生殖器强壮，中叶端部急尖，略长于侧叶；侧叶短，端部刀钩状，顶尖，外侧弧形。足细长，跗节向端部逐节变短。

分布：陕西（宝鸡，略阳）。

(740) 库氏梗叩甲 *Limoniscus kucerai* Schimmel, 2006（图版20：5）

Limoniscus kucerai Schimmel, 2006a: 253.

鉴别特征：体长8.70mm，体宽2.10mm。体黑色，鞘翅红褐色，前胸背板后部和前角以及足棕黄色，前胸背板中域黑色，具金属光泽。被毛金黄色，密，倾斜。头部中央刻点密且粗，深，圆形，脐状；额前缘中央前伸，与唇基分离。触角细长，向后约有4节超过前胸背板后角；第2、3短，向端部扩宽，两节之和等长于第4节；以后各节其长显著大于其宽，向端部扩宽；末节椭圆形，表面刻点密，满布短毛。前胸背板梯形，中线略长于后角宽度，其基部略窄于鞘翅；中部凸，两侧直，无中纵沟或低凹；刻点中部密，粗且深，圆形，脐状，其间隙显著小于刻点直径；两侧的刻点亦密，基部的粗，椭圆形，脐状，其间隙小于刻点直径，凸，部分皱状；后角具1条略隆的细脊。小盾片楔形，两侧弧拱，表面隆凸不平；刻点密且粗，其间隙略凸；基缘直，端部尖。鞘翅狭长，基部低凹，略宽于前胸背板；两侧近平行，端部圆形；表面具明显的刻点条纹，条纹中刻点粗且深，密，简单，不呈脐状；条纹间隙基部凸，向后平，其中的刻点粗，磨砂状。足细长，跗节向端部逐节变短，腹面被细毛。阳茎壮硕，端部锐尖；侧叶端部钩状，顶端尖。

分布：陕西(略阳)。

272. 奇叩甲属 *Nothodes* LeConte, 1861

Nothodes LeConte, 1861: 171. **Type species**: *Limonius dubitans* LeConte, 1853.

属征：体中型，狭长。额脊完全。前胸背板两侧前端不向外膨扩。前胸背板后角宽而短，具有1条脊。前胸腹侧缝宽，双重，向后适当膨扩。跗节简单。

分布：古北区。中国已知2种，秦岭地区发现1种。

(741) 中华奇叩甲 *Nothodes sinensis* Platia, 2009(图版20：6)

Nothodes sinensis Platia, 2009: 52.

鉴别特征：体长6.10～7.50mm，体宽1.62～2.00mm。体黑色，具铜色光泽；触角基部2节或3节栗黄色；密布横卧的黄色细茸毛。额背面平，前部略低凹；前缘略凸边，中部弓拱或成波状，突出在唇基之上；刻点深，简单或略呈脐状，其间隙略粗糙，宽度小于其直径。触角向后伸达前胸背板后角端部；第2节近圆筒形，第3节近锥形，近等长，第2节更粗，两节之和1.25倍于第4节长度；第4～10节三角形，长是宽的2倍或更长；末节略长于前1节，椭圆形。前胸背板长宽相等，最宽处在中部后和后角，两侧从中部向前逐渐变狭，后角前微弱波状；侧缘几乎直，完全；背面强凸，两侧和基部突然倾斜，基部斜面上中纵沟很浅或无；刻点深，简单，均匀，但基部斜面上较稀；其间隙略粗糙，宽于其直径；后角短，截形，端部略分叉，具短的脊痕。小盾片盾状，凸，具粗刻点。鞘翅等宽于前胸背板基部，3.20倍于其长度，凸，沿中缝低凹；两侧从基部至中部近平行，然后很微弱地膨扩后逐渐变狭至端部；条纹低陷，具刻点；其间隙平，具细弱刻点。雄性外生殖器中叶酒瓶状，侧叶端部具钩突。雌性体更凸；触角更短，向后不达前胸背板后角端部。

采集记录： 1♂，宝鸡，1998. Ⅵ. 21-23。

分布： 陕西（宝鸡）、甘肃。

273. 副叩甲属 *Parathous* Fleutiaux, 1918

Parathous Fleutiaux, 1918: 242. **Type species**: *Parathous sanguineus* Fleutiaux, 1918.

属征： 体狭长。额前缘凸边。触角从第 3 节开始锯齿状，强烈扁，前胸背板长大于宽，全长有宽深的纵中沟，侧缘锐利。鞘翅略宽于前胸背板。前胸腹板宽，近平行；腹侧缝细，直线；前胸侧板后缘弧膨。后足基节片狭；足细，跗节基部 3 节粗，第 2 ~ 3 节端部微弱膨大；第 4 节小；第 5 节细长，圆筒形，端部粗，与前 3 节之和等长；爪简单。

分布： 东洋区。中国已知 2 种，秦岭地区发现 1 种。

(742) 血色副叩甲 *Parathous sanguineus* Fleutiaux, 1918（图版 20: 7）

Parathous sanguineus Fleutiaux, 1918: 242.

Corymbitodes rufus Jiang, 1993: 147[nomen nudum].

鉴别特征： 体长 11 ~ 12mm，体宽 2.50 ~ 3.00mm。体狭长。背面及前胸侧板红色，被卧伏的红色茸毛，前胸背板中纵沟黑色；触角、足、腹面（除前胸侧板外）黑色，被更密的灰色茸毛。头近正方形，密布刻点，前部有三角形低凹；额前缘完全，几乎平直，两侧平行。触角锯齿状，向后可伸达前胸背板后角；第 1 节粗，弓状弯曲；第 2 节最小，倒锥形；第 3 节三角形，约是第 2 节的 1.50 倍，与第 4 节等长，形状相同；末节狭长，端部尖锥状突出，具明显假节。前胸背板长明显大于宽，近长方形，两侧几乎直，向前微弱变狭，近前角处明显内弯；表面密被刻点，有相当宽的中纵沟，中纵沟两侧呈隆堤状；后角不太狭，伸向后方，靠近外缘有 1 条明显的脊；无基沟。小盾片向后扩宽呈匙形。鞘翅略宽于前胸背板，表面有明显的刻点沟纹，其间隙平，密被颗粒。前胸腹侧缝直，单条，前端关闭；前胸腹板向前逐渐变狭，腹前叶拱出呈圆弧形。后足基节片向外明显变狭，外端相当狭。跗节第 1 节长，约等于后 3 节之和，第 3 节腹端突出，第 4 节短小；爪简单。雄性外生殖器中叶从中部开始明显向端部变尖，基部有纵中脊；侧叶简单，外缘呈弧形内弯，中段狭，端部呈舌状。

采集记录： 1 头，周至厚畛子，1350m，1999. Ⅵ. 23。

分布： 陕西（周至、太白）、湖北、重庆、四川；越南，柬埔寨。

274. 钟胸叩甲属 *Tropihypnus* Reitter, 1905

Tropihypnus Reitter, 1905: 9. **Type species**: *Paracardiophorus bimargo* Reitter, 1896.

Crypnoidus Fleutiaux, 1928b: 252. **Type species**: *Quasimus setosus* Buysson, 1914 (= *Paracardiophorus bimargo* Reitter, 1896).

属征：体小型。被毛齿突状或钩突状。头扁平，额几乎矩形至略弧拱，前缘完全，突出在唇基之上，在触角基上方显著隆起。触角细长，向后伸达前胸背板后角至最后3节超过前胸背板后角；第2和第3节圆筒状，第2节是第3节长度的1/2～2/3；第4～10节纺锤形，等长于第3节；末节椭圆形，近端部斜尖。前胸背板钟形，扁平，盘区略凸；表面刻点密，其间隙平至皱状，具细弱刻点；两侧弧拱，后角基部缢缩；侧缘脊状，完全，从后伸达前角，近侧缘还有1条完整的脊，其基部内侧还有1条短脊，仅达基部的1/5；后角分叉。小盾片楔形，基部略凸，具隆突。鞘翅狭长，显著凸，具纵的刻点条纹；肩部凸边，端部弓弯；两侧的条纹间隙脊状。足细长，腿节粗，胫节被短刚毛；跗节被细长的毛；爪简单。

分布：东洋区。中国已知7种，秦岭地区发现2种。

分种检索表

前胸背板黑色，仅侧缘和后角红色……………………………………………… **略阳钟胸叩甲 *T. lueangensis***
前胸背板整个红褐色 ……………………………………………………… **秦岭钟胸叩甲 *T. petrae***

（743）略阳钟胸叩甲 *Tropihypnus lueangensis* Schimmel *et* Tarnawski, 2008（图版20：8）

Tropihypnus lueangensis Schimmel *et* Tarnawski, 2008b: 649.

鉴别特征：体长5.20mm，体宽1.60mm。两侧近平行，扁平，略凸，光亮。体黑色，前胸背板侧缘、后角以及前胸腹后突均为红色，触角和足黄色。茸毛短，钩突状。前胸背板上的茸毛基部黑色，端部白色，向前后倾斜，中心处形成横向分界；头部和鞘翅上茸毛均为白色。头扁平；额前缘完全，略弧拱，中部突出至唇基，两侧在触角基上方显著凸起；刻点不太密。雄性触角细长，向后最后2节超过前胸背板后角，雌性略短，向后仅达前胸背板后角；第2、3节圆筒状，第2节是第3节长度的2/3；第4～10节纺锤形，与第3节等长；末节椭圆形，近端部斜尖。前胸背板钟形，中长等宽于后角和中后部宽度；背面平，仅中部略凸；刻点密，椭圆形，其间隙凸，皱状，具细弱刻点，形成纵向脊纹；两侧明显弧拱，在后角基部缢缩；前胸背板侧缘脊状，沿侧缘有1条从后角伸达前角的长脊，另其内侧还有1条从后角仅达前胸背板基部1/5的短脊；后角强烈分叉，端部尖。小盾片楔形，基部略凸，两侧直，端部弓拱；表面平，刻点细，仅可见，刻点间隙3至4倍于其直径；茸毛细，长于前胸背板和鞘翅上的茸毛。鞘翅基部略宽于前胸背板，小盾片处不低凹；基缘凸边，肩部微弱突出；两侧近平行，端部1/3后收狭至端部，端部弓拱，无内齿；表面条纹中具双列细密刻点，条纹间隙具细弱刻点，两侧间隙明显凸，脊状。足中等长，腿节粗，胫节具短毛；跗节简单，向端部逐节变短；爪简单。雄性外生殖器中叶略长过侧叶端部；侧叶狭，两侧近端部向外略弧拱，端部钩突状，具长的端毛。

采集记录： 10♂13♀，略阳，2001. Ⅶ. 18-21。

分布： 陕西（略阳）、四川。

（744）秦岭钟胸叩甲 *Tropihypnus petrae* Schimmel *et* Tarnawski, 2008（图版20：9）

Tropihypnus petrae Schimmel *et* Tarnawski, 2008b: 651.

鉴别特征： 体长5.00mm，体宽1.60mm。两侧近平行，扁平，略凸，光亮。体黑色，前胸背板红褐色，足黄色。茸毛短，钩突状。前胸背板上的茸毛基部黑色，端部白色；头部和鞘翅上的茸毛均为白色。头扁平，额几乎矩形，前缘完全，中部向唇基突出，两侧在触角基上方显著隆起；刻点不太密，其间隙约为其直径的2倍多。雄性触角细长，向后末3节超过前胸背板后角，雌性触角略短，向后仅达前胸背板后角；第2、3节圆筒状，第2节为第3节长度的1/2；第4～10节纺锤形，等长于第3节；末节椭圆形，近端部斜尖。前胸背板钟形，中长等宽于后角和中后部宽度；两侧明显弧拱，在后角基部缢缩；背面平，仅盘区略凸，具有1条纵中脊，从基部1/3处到达前缘；表面刻点密，椭圆形，其间隙凸，皱纹状，具细弱刻点；侧缘脊状，从后伸达前角，沿侧缘具1条近平行的长脊，基部内侧还有1条弱的短脊，从后仅达其基部的1/5处；后角略分叉，端尖。小盾片楔形，基部略凸，两侧直，端部弧拱；表面平，刻点细，仅可见，刻点间隙3～4倍于其直径；茸毛细，较前胸背板和鞘翅上的长。鞘翅基部略宽于前胸背板，小盾片处不低凹；基缘凸边，肩部略突出；两侧近平行，端部1/3后收狭至端部；端部弓拱，无内齿；表面条纹中具两列细密刻点，条纹间隙具细弱刻点，光亮，两侧间隙明显凸，脊状。足细狭，中等长，腿节粗，胫节被短的刚毛；跗节向端部逐节变短，被长而细的茸毛；爪简单。雄性外生殖器中叶略长于侧叶端部；侧叶端部突出呈钩状，具有长的端毛。

采集记录： 2头，周至，950m，2001. Ⅶ. 04；3♂7♀，柞水东江口，1998. Ⅶ. 14-18。

分布： 陕西（周至、略阳、佛坪、宁陕、柞水）、福建。

275. 脊角叩甲属 *Stenagostus* C. G. Thomson, 1859

Stenagostus C. G. Thomson, 1859: 104. **Type species**: *Elater rufus* de Geer, 1774.

Eschscholtzia Laporte, 1840: 232. **Type species**: *Elater rhombeus* A. G. Olivier, 1790.

属征：一般大型，圆筒形，壮硕，略光亮。额前缘中间略中断。触角第 3 ~ 10 节锯齿状；第 2 节小；第 3 节至末节具中纵隆。前胸背板中域简单；后角短，具 1 条脊；基沟短，明显。跗节第 2、3 节端部具明显的叶片，第 4 节端部也略膨大。

分布：古北区。中国已知 1 种，秦岭地区有分布。

（745）横带脊角叩甲 *Stenagostus umbratilis* （Lewis, 1894）（图版 21：1）

Athous umbratilis Lewis, 1894: 198.

Athous （*Stenagostus*） *umbratilis*: Schenkling, 1927: 310.

Stenagostus umbratilis: Ôhira, 1960: 30.

Stenagostus umbratilis var. *obscuratus* Nakane, 1958: 86.

鉴别特征：体长 17 ~ 22mm。体褐色，略光亮；前胸背板盘区颜色最暗，两侧红褐色；鞘翅中缝和外缘栗色，具双横带，端部前的横带略呈三角形；触角和足铁锈色；被毛灰色。头中部低凹，刻点不太密，雌性刻点略大。雄性前胸背板刻点不太密，相当细；雌性相当密，略大，筛孔状。鞘翅具刻点条纹，其间隙具稀疏而细弱的刻点。

采集记录：2 头，宁陕火地塘，1580m，1998. Ⅶ. 26。

分布：陕西（宁陕）、甘肃；韩国，日本。

276. 薄叩甲属 *Penia* Laporte, 1838

Penia Laporte, 1838: 11. **Type species**: *Elater eschscholtzi* Hope, 1831.

属征：体宽。被长绒毛。头中等大，嵌入前胸；额宽大于长，扁平或略弯，不太倾斜；上颚端部有 2 个尖齿，下颚须长，末节椭圆形、半圆形或近三角形。雌性和雄性触角同样长，丝状；第 1 节粗，弓形；第 2 节倒锥形，短；第 3 节一般等长于第 4 节；末节有假节。前胸横形，不太凸；后角脊细，有时沿侧缘延伸至前角。小盾片短，前面截形，向后渐尖。前胸腹板短，腹前叶拱出；腹后突向内弯曲，腹侧缝直线状，雄性侧板具 2 个窝；中胸腹窝宽，侧缘相当倾斜。后足基节片内侧明显扩大。足长；跗节长，第 4 节具叶片，有时后足第 2、3 节也具叶片。

分布：东洋区。中国已知27种，秦岭地区发现3种。

分种检索表

1. 体型小，体长5mm以下；体栗褐色，触角整个黄色……………………陕西薄叩甲 ***P. shaanxiana***
   体型大，体长5mm以上；体黑褐色，触角除基部两节外，黑褐色……………………………… 2
2. 足黄色，前胸腹后突平行于身体 ………………………………………………厄氏薄叩甲 ***P. erberi***
   足褐色，前胸腹后突倾斜于身体………………………………………………鄂西薄叩甲 ***P. gauchoana***

(746) 厄氏薄叩甲 *Penia erberi* Schimmel, 2006(图版21：2)

Penia erberi Schimmel, 2006b: 119.

鉴别特征：体长6.40mm，体宽2.40mm。体黑褐色，鞘翅缝缘和侧缘以及足黄色，前胸背板两侧、后角以及触角基部2节红棕色。被毛黄色，细长，竖立。头中央三角形低凹，刻点不太密，额前缘延伸和弯曲几乎到达唇基。触角细长，丝状，向后端部4节伸过前胸背板后角；第2节短，第3节略长，两节之和等长于第4节及以后各节；第4节后各节圆筒形，端部略膨大，被细的刻点和长毛；末节椭圆形，纤细，近端部退缩。前胸背板钟形，宽显著大于长，最宽处在后角；两侧弧弯，近基部收狭；盘区凸，无中纵沟；刻点圆形，细小；刻点间隙约等宽于其直径，具小刻点；后角略分叉，端部外弯，钝，近侧缘具1条从基部伸达前端的明显的脊。小盾片椭圆形，两侧圆形，基缘弯曲，端部圆拱；表面被几乎看不见的细小刻点和长毛。鞘翅明显宽于前胸背板，小盾片处几乎不低凹，肩部隆起；两侧近平行，端部2/3处后弧弯收狭至端部，端部圆拱；鞘翅条纹中被粗深的圆形刻点；条纹间隙光滑，具皱，刻点细弱；被毛细长，指向鞘翅基部。前、中、后胸腹面被不太密的刻点，并密被短细毛；前胸腹后突平行于身体。足粗壮；跗节向端部逐节变短，第3和第4节具明显的叶片。

分布：陕西(略阳)、四川。

(747) 鄂西薄叩甲 *Penia gauchoana* Schimmel, 2006(图版21：3)

Penia gauchoana Schimmel, 2006b: 120.

鉴别特征：体长6.60mm，体宽2.70mm。体黑褐色，前胸背板后角及触角基部2节红色，鞘翅缝缘和侧缘黄色，足褐色。被毛黄色，细长，竖立。额中央三角形低凹，向前弯曲突出在唇基上方，刻点不太密。触角向后端部5节伸过前胸背板后角；第2节短，第3节略长，两节之和等长于第4节及以后各节；第4节后圆筒形，端部略膨大，被细的刻点和长毛；末节椭圆形，纤细，近端部退缩。前胸背板钟形，宽显著大于长，最宽处在后角；两侧弯曲，近基部收狭；盘区凸，无中纵沟；刻点圆，细小；刻点间隙等宽于其直径，宽窄不一；后角略分叉，端部外弯且钝，密被深的小刻点，近侧缘具 1 条明显的从基部伸达前端的脊。小盾片椭圆形，两侧圆拱，基缘弧拱，端部圆拱，表面被细弱的刻点和长毛。鞘翅明显宽于前胸背板，小盾片处几乎不低凹，肩部隆起；两侧近平行，近端部 2/3 后弧弯收狭至端部，端部圆拱；鞘翅条纹中的刻点粗，圆形，深；条纹间隙光滑，多皱，具细弱刻点；被毛指向基部，略竖立，细长。前、中、后胸腹面被不太密的刻点，毛密，细短；前胸腹后突倾斜于身体。足粗壮，跗节向端部逐节变短，第 3 和第 4 节具明显的叶片。雄性外生殖器中叶长，粗壮，两侧近平行，端部斜尖，明显突出于侧叶端部；侧叶基部粗，端部明显细萎，顶端细弯成小的倒钩，具双尖，密被长毛。

分布： 陕西（华阴、宁陕）、湖北。

（748）陕西薄叩甲 *Penia shaanxiana* Schimmel, 2006（图版 21：4）

Penia shaanxiana Schimmel, 2006b：123.

鉴别特征： 体长 4.50mm，体宽 1.70mm。体栗褐色；前胸背板暗褐色，侧缘红色；鞘翅缝缘、侧缘以及基部凸出部分、足和触角均为黄色。被毛黄色，细长，竖立。头中央略凸，刻点不太密；额的前缘弯曲，几乎突出在唇基之上。触角向后最后 5 节伸过前胸背板后角；第 2 节短，第 3 节略长，两节之和显著长于第 4 节及以后各节；第 4 节后圆筒形，端部略膨大，被细的刻点和竖立的长毛；末节椭圆形，纤细，近端部退缩。前胸背板钟形，宽显著大于长，最宽处在后角；两侧弧弯，近基部收狭；盘区凸，无中纵沟；刻点圆，细小，刻点间隙显著大于其直径，宽窄不匀；后角强烈分叉，端部向外，尖，密被小刻点；后角脊近侧缘，清晰，从基部伸达前端。小盾片椭圆形，两侧圆形，基缘弧弯，端部圆拱，被细弱的刻点和长毛。鞘翅长，扁平，两侧近平行，端部圆拱，小盾片处几乎不低凹，肩部隆起；鞘翅条纹中的刻点粗，圆形，深刻，条纹间隙光滑，多皱，具细刻点；被毛指向基部，略竖立，细长。前、中、后胸腹面被不太密的刻点和密而细短的毛；前胸腹后突倾斜于身体。足粗壮，跗节向端部逐节变短，第 3 和第 4 节具明显叶片。雄性外生殖器中叶长，粗壮，两侧近平行，端部尖，明显突出于侧叶端部；侧叶端部渐细，尖，无侧钩。

分布： 陕西（略阳）。

277. 高地叩甲属 *Tarnawskianus* Schimmel *et* Platia, 2007

Tarnawskianus Schimmel *et* Platia, 2007：380. **Type species**：*Tarnawskianus longicornis* Schimmel *et* Platia, 2007.

属征： 体中型，瘦狭，近平行，略凸。头扁，口器前伸；额低凹，额脊中部完全缺乏，两端明显，在触角基上方隆起。触角长，锯齿状，向后最后 2 ~ 5 节超过前胸背板后角；第 2 节略短于以后各节，第 3 节略长于或至少和第 4 节及以后各节等长，第 4 节后各节端部略扩宽。前胸背板圆筒状，中长长于两后角宽度；后角前部略凸，后角分叉，端部三角形，背面具 1 条明显或不明显的脊。小盾片舌形。鞘翅近平行，狭长，向后扩宽至端部 1/5 后收狭。端部标准曲弯，无内齿；后翅退化成雏形。前胸腹侧缝前端沟状，接纳触角第 1 节，两侧具细脊。中足基节窝向中胸前、后侧片开放。足细长，胫节端部具 1 对长刺，跗节和爪简单。雄性外生殖器中叶细长，端部斜尖，略长过侧叶，侧叶端部匙状。

分布：中国。目前已知 9 种，秦岭地区发现 1 种。

(749) 特纳高地叩甲 *Tarnawskianus turnai* Schimmel *et* Platia, 2007(图版 21：5)

Tarnawskianus turnai Schimmel *et* Platia, 2007：390.

鉴别特征：体长 15.60mm，体宽 4.20mm。体瘦狭，近平行，略凸。体栗褐色，触角和前胸背板后角端部黄褐色。茸毛黄色，密且细。前胸背板上的毛呈皱状，从后向前和从两侧向中线斜伸；鞘翅上的毛从基部向后和侧缘斜伸。头部密被脐状刻点，茸毛斜生；额低凹，额脊中部完全缺乏，两端明显，在触角基上方隆起。复眼半球形，突出。雄性触角细长，向后末 3 节超过前胸背板后角，雌性触角短，向后仅达前胸背板长度的 2/3；第 2 节略短于以后各节，第 3 节略长于第 4 节和以后各节，第 4 节后各节端部略扩宽；末节椭圆形，近端部斜尖；触角表面密被刻点和细短的茸毛。前胸背板圆筒状，中长大于两后角宽度；盘区略凸，两侧略弯曲，基部具 1 条细短的中纵沟；表面刻点细，圆形，其间隙 2 至 3 倍于其直径；后角分叉，端部尖，三角形，基部略凸，表面具 1 条明显的脊。小盾片舌形，基部略凹，两侧向后略收狭，端部圆拱；表面略平，端部略隆起，刻点细，脐状，刻点间隙略凸，1 倍于其直径；茸毛细且短，从中心处伸向端部和两侧。鞘翅近平行，狭长，向后膨扩至端部 1/5 后收狭；端部曲弯，无内齿；基部略宽于前胸背板；小盾片周围略低凹，肩部平；鞘翅条纹及间隙密被细小的刻点，其间隙平。前胸腹侧缝两侧具细脊。足细长，腿节略宽于胫节，胫节端部具 1 对长刺，跗节向端部逐节变短，腹面隐约可见细茸毛。雄性外生殖器中叶细长，端部斜尖，略长过侧叶，侧叶端部匙状，被短毛。

采集记录：1♀，太白山，1600m，1998. Ⅲ。

分布：陕西(太白山)、河南。

278. 锥尾叩甲属 *Agriotes* Eschscholtz, 1829

Agriotes Eschscholtz, 1829：34. **Type species**：*Elater sputator* Linnaeus, 1758.

属征：头相当狭，强烈嵌入前胸；额凸，相当倾斜，额脊向前斜伸，但不达唇基。触角细，中等长，向后略达前胸后角或略短（雄性），或明显短（雌性）；第1节圆筒形，第2和第3节短，第4～10节各节相似，弱锯齿状，末节向端部渐狭，无假节。前胸近圆筒形，至少前部如此，侧缘脊一般完全，向下弯曲达复眼下缘，很少中部不完全，后缘大多具基沟。鞘翅长，有时中部膨大，向后渐狭，端部完全或凹缘。前胸腹前叶短，腹后突弯曲，腹侧缝直，宽，双条，前部1/3呈宽沟状，侧缘一般隆起，锐利。足中等长；跗节简单，细，腹面有绒毛；爪简单。

分布：古北区，东洋区。中国已知56种，秦岭地区发现3种。

分种检索表

1. 鞘翅和前胸背板黑色或黑褐色 ………………………………………………………… 2
   鞘翅茶褐色，前胸背板暗褐色 ……………………… **细胸锥尾叩甲 *A.*（*A.*）*subvittatus***
2. 触角和足黑褐色 ……………………………………………………… **赫氏锥尾叩甲 *A.*（*A.*）*hedini***
   触角和足暗铁锈色 …………………………… **拟暗色锥尾叩甲 *A.*（*A.*）*pseudobscurus***

（750）赫氏锥尾叩甲 *Agriotes*（*Agriotes*）*hedini* Fleutiaux，1936（图版21：6）

Agriotes hedini Fleutiaux，1936a：20.

Agriotes peregrinus Gurjeva，1972：866.

鉴别特征：体长8.70～13.00mm，体宽2.70～3.90mm。体黑色，略光亮至相当暗；触角和足黑褐色。被毛密，白色。额平，额脊不达前缘；刻点粗，连续或融合。触角短，不达前胸背板后角端部，约有两节距离；第2和第3节近等长，两节之和长于第4节；第4～10节三角形，其长略大于端宽；末节近椭圆形，略长于前1节。前胸背板长宽相等或略宽，最宽处在后角；背面凸，基部略倾斜，具1条浅的中纵沟或无，有时中部具中纵线的痕迹；两侧略弧拱或从基部至前1/3处近平行；刻点粗且深，多少有点呈脐状，均匀分布，连续或整个表面融合；后角不具或仅微弱分叉，具1条平行于侧缘的细脊。鞘翅等宽于前胸背板基部，2.60～2.70倍于其长度，凸，最宽处在中部后；两侧从基部至中部近平行，然后微弱膨扩后向端部逐渐变狭；条纹中具明显刻点；其间隙平，密被刻点。雄性外生殖器粗壮，中叶粗，端部对称斜尖；侧叶内缘直，外缘顶端略弯成钩突状，顶端尖。雌性与雄性相似，但触角更短。

采集记录：3头，留坝庙台子，1470m，1999.Ⅶ.01；7头，佛坪凉风垭，1750～2150m，1999.Ⅵ.28；3头，宁陕火地塘，1580～1650m，1999.Ⅵ.26。

分布：陕西（周至、太白、华州、留坝、佛坪、宁陕、丹凤）、山西、甘肃、湖北、四川、云南。

(751) 拟暗色锥尾叩甲 *Agriotes* (*Agriotes*) ***pseudobscurus*** **Platia, 2007**(图版 21：7)

Agriotes pseudobscurus Platia, 2007a: 18.

鉴别特征：体长 8.50～10.50mm，体宽 2.50～3.10mm。体色相当暗，头、前胸背板、小盾片黑色，鞘翅黑褐色，触角和足暗铁锈色，被毛黄褐色。额平，额脊不达前缘；刻点粗，脐状，连续。触角不达前胸背板后角端部，约有两节距离；第 2 节近圆筒形，第 3 节近锥形，两节近等长，两节长度之和约 2 倍于第 4 节；第 4～10 节三角形，长宽相等。前胸背板宽略大于长，最宽处在中部和后角，非常凸，基部斜面具 1 条细的中纵沟；两侧弧拱，后角前近波状；后角短，不分叉或勉强分叉，内侧具 1 条很弱的脊；刻点在整个表面均匀分布，脐状，连续和融合。鞘翅等宽于前胸背板基部，2.50 倍于其长度，很凸；两侧从基部到中部近平行，然后微弱膨扩后渐狭至端部；条纹中具明显刻点；其间隙平，表面粗糙。雄性外生殖器中叶粗壮，两侧微弱弧拱，端部圆拱不尖，明显长于侧叶；侧叶内、外缘均微弱波弯，端部钩突状。雌性身体较雄性更凸，触角更短，鞘翅中部之后更膨扩。

分布：陕西(宁陕)、甘肃、湖北。

(752) 细胸锥尾叩甲 *Agriotes* (*Agriotes*) ***subvittatus*** **Motschulsky, 1859**(图版 21：8)

Agriotes subvittatus Motschulsky, 1859: 490.
Agriotes rubidicinctus Buysson, 1905: 16.
Agriotes fuscicollis Miwa, 1928: 44.
Agriotes ogurae Lewis, 1894: 313.

鉴别特征：体长 8.10～10.00mm，体宽 2.50～3.20mm。体狭，不太长。鞘翅、触角、足茶褐色；头、前胸背板、小盾片、腹面颜色更暗，呈暗褐色；被毛黄白色，有金属光泽，相当细弱，短，背面不太均匀，腹面密，均匀。头向前弓状弯曲，刻点相当密，中等大；额前缘凸，前端平截；额脊中间缺乏，两侧仅在触角基上方存在，向前斜伸；额槽中间无，仅两侧存在。触角向后伸达前胸后角基部；第 1 节近筒形，向端部微弱膨大；第 2 和第 3 节近筒形，第 2 节略长于第 3 节；第 3～10 节略呈倒锥形，向后逐节变长，弱锯齿状；末节同样宽短，端部收狭成尖锥状。前胸背板宽明显大于长，背面凸，后部具细弱的中纵沟；刻点密，椭圆形；两侧前中部最宽，圆拱，向前向后呈弧形变狭；侧缘弯向腹面，伸达复眼下缘；后角尖，略分叉，表面有 1 条锐脊，几乎和侧缘平行。小盾片盾形，前缘直，后端突拱。鞘翅等宽于前胸背板，两侧平行，中部开始弧形变狭，端部完全；背面凸，有明显沟纹，由连续刻点形成；沟纹间隙平，密被细颗粒。前胸腹板向前变宽；腹前叶宽大，半圆形；腹侧缝直，前端深沟状；前胸侧板后缘波状，中央膨扩；腹后突向后倾斜。中胸腹窝向前倾斜。鞘翅缘折向后变狭，后端与后胸侧片等宽；后胸侧片狭片状，两侧平行。后足基节片基半部宽，前后平行；端半部向外逐渐变狭。腹面刻点不明显，密被细颗粒。跗节简单，爪简单。

采集记录：1 头，佛坪凉风垭，1900～2100m，1999. Ⅶ. 24。

分布：陕西（佛坪）、黑龙江、吉林、辽宁、北京、天津、河北、内蒙古、山西、山东、河南、宁夏、甘肃、青海、新疆、江苏、安徽、浙江、湖北、福建、广西、四川；俄罗斯（西伯利亚、库页岛），朝鲜，日本。

279. 杆叩甲属 *Dalopius* Eshscholtz, 1829

Dalopius Eshscholtz, 1829a: 34. **Type species**: *Elater marginatus* Linnaeus, 1758.

属征：体一般黑褐色，足略呈黄褐色。绒毛细长，密，浅黄色，具金色闪光。额脊中间不完全，总是中断，不和唇基缘愈合。触角第 2 节略等长于第 3 节，第 3～10 节形状相同，锯齿状，有时呈丝状。前胸背板后角具 1 条明显的脊。鞘翅从肩部到端部有条纹。前胸腹侧缝宽，双条，略直或呈波状，前段有 1/3 长度呈浅的宽沟，后段明显波状，完全围绕在前足基节窝外方。中胸腹窝侧缘平行，呈圆形突出在中足基节窝前下方，中胸腹窝后端与中胸腹板后缘有较宽的距离。跗节第 4 节端部膨大。雄性外生殖器中叶端部一般向外扩宽，侧叶端部略向外膨大，交配囊只有 1 对束状的骨化的放射状刺，有时也有软的羽毛状的刺片或交配囊边缘有刺。

分布：古北区。中国已知 6 种，秦岭地区发现 2 种。

分种检索表

无后翅，雄性触角向后超过前胸后角 2 节 ………………………………………… **怜杆叩甲 *D. humilis***

具后翅，雄性触角向后超过前胸后角 1 节 ……………………………… **独模杆叩甲 *D. solitarius***

（753）怜杆叩甲 *Dalopius humilis* Platia, 2009（图版 21：9）

Dalopius humilis Platia, 2009: 47.

鉴别特征：体长 5.40～6.10mm，体宽 1.56～1.81mm。体略光亮，褐色，底色铁锈色；头部色更暗，底色黑色；触角和足黄色；被毛黄褐色，密，卧伏。额顶凸，前部平，前缘与唇基愈合，额脊仅达唇基；刻点粗，脐状，连续。触角向后超过前胸背板后角端部大约两节，从第 4 节开始锯齿状；第 2 节近圆筒形，第 3 节近锥状，均 2 倍于其宽度，长度近相等，两节长度之和 1.80 倍于第 4 节；第 4～10 节近三角形，细长，其长度 2 倍于其宽度；末节略长于前 1 节，椭圆形。前胸背板长宽相等，最宽处在后角；两侧从基部向前近平行，大约至 2/3 处，前角处突然变狭；盘区强凸，基部斜面上具 1 条很浅的凹陷痕迹；刻点分布均匀，盘区刻点明显脐状，刻点间隙粗糙，两侧刻点逐渐变大变密；后角长尖，端部略分叉，后角脊微弱，指向中部。小盾片四角形，适度凸，刻点细。鞘翅凸，等宽于前胸背板基部且 2.40 倍于其长度；两侧近平行至端部 1/3 处后收狭至端部；条纹具刻点，间隙粗糙，具微粒。后翅缺乏。雄性外生殖器中叶向端部强烈膨扩呈匙形；侧叶顶端斜尖，端部外侧几乎弧弯无齿。雌性与雄性相似，但触角更短，仅达前胸背板后角端部。

采集记录：1♂3♀，太白，1998. Ⅵ. 21-23。

分布：陕西（太白）。

（754）独模杆叩甲 *Dalopius solitarius* Platia，2009（图版 22：1）

Dalopius solitarius Platia，2009：48.

鉴别特征：体长 5.62mm，体宽 1.50mm。体暗铁锈色，额基、前胸背板盘区、前胸腹板、中后胸腹面及腹部底色黑色。被毛密，卧伏，黄褐色。额顶凸，向前平，前缘与唇基愈合，额脊仅达或不达唇基；刻点粗，脐状，连续。触角向后超过前胸后角端部大约 1 节，从第 4 节开始锯齿状；第 2 节近圆筒形，第 3 节近锥状，均 2 倍于其宽度，长度近等，两节长度之和 1.70 倍于第 4 节；第 4～10 节近三角形，细长，其长度 2 倍于其宽度或更长；末节略长于前 1 节，椭圆形，端部突出。前胸背板长宽相等，最宽处在后角，两侧近平行，侧缘几乎直，完全，前角处突然变狭；背面凸，无中纵凹线痕迹，刻点分布均匀，盘区刻点明显脐状，刻点间隙粗糙，向两侧刻点逐渐变大变密；后角长尖，端部略分叉，具 1 条明显的指向中部的脊。小盾片盾状，平，密被刻点。鞘翅等宽于前胸背板基部和 2.50 倍于其长度，凸，两侧在基半部近平行，最宽处在中部后，然后相当明显地向端部变狭；条纹具刻点，间隙粗糙，具微粒。后翅退化变小，短于鞘翅。雄性外生殖器中叶向端部强烈膨扩呈匙形；侧叶顶端弧形弯曲且变尖，端部外侧呈三角形的齿状突出。雌性特征不详。

采集记录：1♂，宁陕，2000m，2000. Ⅵ. 11。

分布：陕西（西安、宁陕）。

280. 筒叩甲属 *Ectinus* Eschscholtz，1829

Ectinus Eschscholtz，1829：34. **Type species**：*Elater aterrimus* Linnaeus，1761.

Eumenus Gistel，1834：12. **Type species**：*Elater aterrimus* Linnaeus，1761.

属征：额脊完全与唇基愈合，很少不愈合。触角第 4～10 节多少有点锯齿状；第 2 节和第 3 节近相等，或前者更长，第 4 节略长于第 3 节。前胸背板侧缘脊一般完全，但有时中部中断；前胸后角脊明显，锐利。鞘翅端部完全。前胸腹侧缝宽，双重，一般直，或前段向外侧弯曲，前段1/3的长度呈宽的浅沟状。中胸腹窝后部宽，其后端与中胸腹板后缘的距离明显短。足中等长，跗节简单。

分布：古北区，东洋区。中国已知29种，秦岭地区发现2种。

分种检索表

体被毛不太密；触角基部2~3节铁锈色，第4节后暗黑色……………………**扁额筒叩甲 *E. frontalis***

体被毛厚密，特别是在前胸背板上；触角整个铁锈色……………………**多模筒叩甲 *E. numerosus***

（755）扁额筒叩甲 *Ectinus frontalis* Platia, 2007（图版22：2）

Ectinus frontalis Platia, 2007a: 25.

鉴别特征：体长9.50~11.50mm，体宽2.50~2.90mm。体双色；头、前胸背板、小盾片黑色，鞘翅黄褐色；触角基部2~3两节和足铁锈色，触角第4节开始暗黑色；被毛黄褐色。额中部适度凸，近前缘略低凹；额脊突出，几乎达前缘；刻点粗，脐状，连续。触角几乎达前胸背板后角端部；第2节近圆筒形，第3节近锥形，第2节略长于第3节，两节长度之和1.45倍于第4节；第4~10节三角形，其长度不到宽度的2倍，向端部逐节变细；末节椭圆形，端部收缩。前胸背板长宽相等，最宽处在后角，两侧中部近平行，前部1/3处微弱膨扩后逐渐收狭至前缘，后角前波状；背面凸，基部斜面上具1条浅的中纵沟；刻点分布相当均匀，盘区刻点深，略呈脐状，连续或具很短的表面粗糙的间隔，刻点两侧更大，连续和融合；后角长尖，分叉，内侧具1条脊。鞘翅等宽于前胸背板基部，2.60~2.70倍于其长度，凸，两侧从基部到中部近平行，中部之后适度膨扩后逐渐收狭至端部；具刻点条纹；其间隙平，具细的刻点。雄性外生殖器中叶短粗，向端部渐尖；侧叶端部平，外侧向外弧弯。雌性体更凸；触角更短，不达前胸背板后角端部。

分布：陕西（西安、宝鸡、太白、宁陕）。

（756）多模筒叩甲 *Ectinus numerosus* Platia, 2007（图版22：3）

Ectinus numerosus Platia, 2007a: 27.

鉴别特征：体长9.00~12.50mm，体宽2.50~3.40mm。体色多变化，双色；头、前胸背板、小盾片、腹面黑色，鞘翅黄褐色、暗褐色至完全黑色；触角和足通常铁锈色；被毛密，厚（特别是头部和前胸背板上），黄色。额平至适度凸，额脊不达前缘；刻点粗，脐状，连续。触角几乎达前胸背板后角端部；第2节近圆筒形，第3节近锥形，第2节略长于第3节，两节之和长于第4节；第4~10节三角形，其长约2倍于其宽度；末节椭圆形，端部突出或收缩。前胸背板长宽相等或略宽，最宽处在后角，两侧中部或从基部向前1/3处近平行；背面凸，基部斜面上具1条浅的中纵沟；盘区刻点深，简单至略呈脐状，具很短的表面粗糙的间隔，刻点两侧大，连续和融合；后角不分叉或仅略分叉，具微弱的脊。鞘翅等宽于前胸背板基部，2.60～2.80倍于其长度，适当凸；两侧从基部到中部近平行，有时中部后微弱膨扩，然后渐狭至端部；表面具刻点条纹；其间隙平至略凸，具细的刻点。雄性外生殖器中叶粗短，端部渐狭不尖；侧叶端部齿突向外。雌性体较雄性凸，触角更短，前胸背板方形更加明显。

分布：陕西（宝鸡、太白、华阴）、北京、山西、甘肃、湖北、四川。

281．锥胸叩甲属 *Ampedus* Dejean，1833

Ampedus Dejean，1833：92. **Type species**：*Elater sanguineus* Linnaeus，1758.

属征：头不太凸，额弧形拱出在触角间，向下弯曲接触或接近上唇。触角短，锯齿状；第2节小，近球形；第3节等长或长于第2节，以后各节更长。前胸后角尖，有脊。前胸腹侧缝直，或中部向内呈弧形弯曲，两端伸向外方。后足基节片内部强烈膨大，在转节上方略凹入，形成1个明显的齿。跗节和爪简单。

分布：古北区，东洋区。中国已知82种，秦岭地区发现2种。

分种检索表

触角向后伸达前胸背板后角 …………………………………………… **库氏锥胸叩甲 *A.*（*A.*）*kucerai***

触角向后不达前胸背板后角 …………………………………………… **赤翅锥胸叩甲 *A.*（*A.*）*masculatus***

（757）库氏锥胸叩甲 *Ampedus*（*Ampedus*）*kucerai* Schimmel，2003（图版22：4）

Ampedus kucerai Schimmel，2003：272.

鉴别特征：体长10.30mm，体宽3.00mm。体黑色，触角第2和第3节及跗节、鞘翅红褐色。被毛褐色至黑色，长，竖立或斜生。头刻点密，脐状；额基部平，前端向唇基倾斜。触角向后伸达前胸背板后角；第2节短，按钮形；第3节细长，端部增粗；第2和第3节之和等长于第4节；以后各节尖三角形。前胸背板梯形，两侧微弱弧拱，中线等长于后角宽度；盘区圆凸，平，基部低畦；表面刻点细，圆形，简单，不呈脐状，其间隙明显大于其直径；后角外侧刻点密，椭圆形，其间隙呈脊皱状；后角直，略分叉，具脊。鞘翅狭长，两侧近平行，端部圆拱；背面平，具刻点条纹；条纹中刻点粗，条纹间隙刻点细；一般外侧第1条纹间隙长于并宽于其他间隙，更平滑。足粗壮；跗节简单，向端部逐节变短。雄性外生殖器中叶纤薄，两侧近平行，端部急尖，长于侧叶端部；侧叶明显钩状，端部斜尖，顶端有长毛。

分布：陕西(周至、宁陕)、四川。

(758) 赤翅锥胸叩甲 *Ampedus* (*Ampedus*) *masculatus* Ôhira, 1966

Ampedus (*Ampedus*) *masculatus* Ôhira, 1966b: 269.

鉴别特征：体长 10.50～11.50mm，体宽 3.00mm。体狭，两侧平行。体亮黑色，鞘翅褐红色，爪红褐色。被毛黑色，细。头部、前胸背板、腹前叶毛更细长，腹面较短密，夹杂有稀少的灰白色和金黄色的短毛。头小，额凸出在复眼间，下弯，接触上唇，被均匀的刻点。上唇中间凸，半圆形，被刻点；下颚须末节斧形。触角相当短，向后不达前胸背板后角；第 2 节最小，长略大于宽，第 3 节近圆锥形，明显长于第 2 节，短于第 4 节；第 4～10 节强烈锯齿状；末节椭圆形，无假节。前胸背板盘区适当凸，两侧略向外拱出，基部最宽，向前渐狭，近前角明显变狭；刻点细，分散，均匀；前胸后角向后明显变尖，具 1 条明显的脊。小盾片盾状，扁平，纵式，上有刻点和茸毛。鞘翅基部几乎和前胸背板等宽，长度是基宽的 2.40 倍，基部最宽，两侧平行至端部 1/3 处后逐渐向后变狭；有明显深的刻点沟纹；其间隙略凸，刻点细而少，略皱。前胸腹后突在前足基节后下弯，中胸腹板明显倾斜。腹面密被均匀而明显的刻点，从前向后逐渐减弱。

采集记录：1 头，宁陕火地塘，1580m，1998. Ⅶ. 26。

分布：陕西(宁陕)、湖北、台湾、西藏。

282. 双脊叩甲属 *Ludioschema* Reitter, 1891

Ludioschema Reitter, 1891: 238. **Type species**: *Ludioschema emerichi* Reitter, 1891.

Chiagosnius Fleutiaux, 1940: 136. **Type species**: *Elater obscuripes* Gyllenhal, 1817.

属征：体中型，圆筒形，两侧平行。体色暗。额向前下方弯曲，额前缘直，不和上唇愈合。触角长，第 3～10 节锯齿状；第 2 节最短，球状。前胸后角背面具双脊；后缘基沟短，明显。前胸腹侧缝宽，双条脊。跗节和爪简单。

分布：东洋区。中国已知 20 种，秦岭地区发现 1 种。

(759) 暗足双脊叩甲 *Ludioschema obscuripes* (Gyllenhal, 1817) (图版 22: 5)

Elater obscuripes Gyllenhal, 1817: 131.

Ludius cashmirense Kollar, 1844: 507.

Agonischius obscuripes: Candèze, 1863: 410.

Chiagosnius obscuripes var. *ferrugineum* Fleutiaux, 1918: 262.

Chiagosnius obscuripes var. *brunneum* Miwa, 1928: 48.

Chiagosnius obscuripes var. *candezellus* Miwa, 1928: 48.

Chiagosnius obscuripes: Fleutiaux, 1940: 144.

Ludioschema obscuripes: Platia & Gudenzi, 1998: 61.

鉴别特征：体长 14～16mm，体宽 3.50～5.00mm。体狭长。体色多变化，通常背腹呈暗褐至黑色，有时腹面呈棕黄至棕红色，触角黑色或棕黑色。头顶平，触角之间无横脊，刻点相当粗密。触角向后伸达前胸背板后角；自第 3 节起为锯齿状，该节约为第 2 节长的 2.00～2.50 倍，略长于以后各节，以后各节长明显大于端宽。前胸背板长明显大于宽，背面相当凸，具明显中纵沟，盘区刻点粗密深刻；两侧缘在中部之前下弯，伸达复眼下缘；后角长尖，背面具两条纵脊。小盾片长，端部尖。鞘翅狭长，明显向端部收狭；表面刻点沟纹深，尤以基部为甚；沟纹间隙凸，具细刻点。足细长，跗节基部 4 节向端部逐节变短，腹面具毛，爪简单。

采集记录：1 头，佛坪凉风垭，1750～2150m，1999. Ⅵ. 28。

分布：陕西(佛坪)、河北、内蒙古、甘肃、江苏、安徽、浙江、湖北、江西、湖南、福建、台湾、广东、香港、广西、重庆、四川、云南、西藏；俄罗斯(高加索)，朝鲜，日本(琉球)，越南，印度。

283. 刻角叩甲属 *Mulsanteus* Gozis, 1875

Trichophorus Mulsant *et* Godart, 1853: 181 (nec Serville, 1834). **Type species**: *Trichophorus guillebelli* Mulsant *et* Godart, 1853.

Mulsanteus Gozis, 1875: 50 (new name for *Trichophorus* Mulsant *et* Godart, 1838).

Neotrichophorus Jacobson, 1913: 742 (new name for *Trichophorus* Mulsant *et* Godart, 1838).

Nairus Iablokoff-Khnzorian, 1974: 52. **Type species**: *Nairus dux* lablokoff-Khnzonan, 1974.

属征：体中型，狭长，两侧平行，壮硕。额脊完全，中部与唇基连接；额槽中部无。触角狭长，第 4～10 节锯齿状，通常具纵中隆；第 2、3 节短，两节长度之和短于第 4 节。前胸腹侧缝宽，似双重脊，前端明显低凹，但不呈沟状，也不完全呈开掘状。跗节和爪简单。

分布：东洋区。中国已知 13 种，秦岭地区发现 1 种。

(760) 陕西刻角叩甲 *Mulsanteus shaanxiensis* Schimmel *et* Tarnawski, 2007(图版 22: 6)

Mulsanteus shaanxiensis Schimmel *et* Tarnawski, 2007: 110.

鉴别特征：雄性体长 12.60mm，体宽 3.20mm。体狭，楔形，凸，略光亮。体黑褐色，鞘翅、足和触角栗棕色。茸毛红褐色，半直立，长且密，前胸背板上向基部和两侧倾斜，鞘翅上向端部倾斜；前胸背板后角端部具1簇长毛；触角被覆长毛。额从中部向前倾斜，前缘完全，额脊略突出在触角基上方；表面密被脐状刻点；刻点间隙只有其直径的1/2；茸毛短，向前端倾斜。复眼小，球形，略突出。触角狭长，从第4节开始锯齿状，向后最后两节超过前胸背板后角；第2节球形，短，长宽相等，端部略膨扩；第3节等长于第2节，半球状，端部截形；第2和第3节之和明显短于第4节及以后各节；第4节后各节向端部扩宽，端部凸；末节椭圆形，近端部斜尖。前胸背板钟形，中线略长于后角宽度（长与宽之比为1.02∶1.00），两侧弧弯，向前变狭；背面中部明显凸，无中纵沟，基部突然低陷，具1个突起；表面刻点密且粗，脐状，圆形，其间隙狭小，皱状，在后部1/3处成脊状；后角背面略凸，端部截形，下弯（侧面观最明显），表面具1条明显的隆脊。小盾片三角形，楔状，两侧直，端部尖；表面略凸，刻点密且粗，脐状；茸毛密且细，仅可见，从基部指向端部。鞘翅狭长，楔形，基部狭于前胸背板，小盾片处略低凹，边缘隆起，肩部突出；两侧近平行，中部后收狭至端部，端部弧弯，具内齿；条纹中刻点密，条纹间隙呈条状隆起，具细弱刻点；茸毛短，向端部倾斜。前、中、后胸腹面密被皱状刻点，其间隙凸，光亮；茸毛短且密。足细狭，中等长，跗节向端部逐节变短，腹面几乎有难以看见的茸毛和细的毛垫，胫节被长毛。雄性外生殖器中叶明显长于侧叶，两侧近平行，端部斜尖；侧叶端部月牙形，侧缘钩状突出，端部具长毛。雌性特征不详。

采集记录： 1♂，略阳，2004. Ⅵ. 23。

分布： 陕西（略阳）。

284. 行体叩甲属 *Nipponoelater* Kishii, 1985

Nipponoelater Kishii, 1985: 23. **Type species**: *Ludius sieboldi* Candèze, 1873.

属征： 体狭长，两侧近平行。额脊中部缺乏，两侧前伸且和上唇愈合，额槽中部无。前胸腹板缝宽，双重，向前明显分叉，前端在前胸腹板与前胸侧板间具1条裂缝。前胸侧板内侧沿前胸腹侧缝具1条连续的明显狭槽。前胸腹后突腹面近中部具1个明显的缺口。

分布： 古北区，东洋区。中国已知7种，秦岭地区发现1种。

（761）中华行体叩甲 *Nipponoelater sinensis* (Candèze, 1882)（图版22：7）

Ludius sinensis Candèze, 1882: 103.

Parallelostethus sinensis: Schenkling, 1927: 436.

Orthostethus sinensis: Cate, 2007: 133,

Nipponoelater sinensis: Schimmel & Tarnawski, 2010: 411.

鉴别特征：体长 25mm，体宽 7mm。体暗栗至黑褐色，触角、足同体色。密被向后斜生的金黄色茸毛，鞘翅及腹部较密，前胸及头部稀少。头向下弯曲，刻点强烈；额脊中部缺乏，两侧前伸与上唇愈合，额前缘平截，额槽仅两侧存在。触角第 2 和第 3 节小，第 3 节略大于第 2 节，形状相同，锥形；第 4～10 节宽三角形，锯齿状；末节近纺锤形，近端部缢缩成假节。前胸背板基宽略大于中长，侧缘直，自基部向前明显变狭，基部最宽，前部最狭；背面凸，刻点强烈，密，中域无光滑纵中线，后缘无基沟；后角尖，略分叉，近侧缘有 1 条十分强烈的脊。鞘翅明显狭于前胸背板，其长度约是前胸长度的 2.50 倍，从基部向后逐渐变狭，端部尖出，两鞘翅端部不相切合；表面平，广布小颗粒，有隐约可见的条纹。腹面密被小颗粒点；前胸腹侧缝狭，简单，前端略分离；前胸腹后突表面在近端部凹入。跗节简单，第 1～4 节向端部逐节变短，变细；爪简单，外侧基部无刚毛。

采集记录：1 头，略阳，2001. Ⅶ. 18。

分布：陕西（略阳）、辽宁、江西、福建、广东、四川、贵州、云南。

285. 短角叩甲属 *Vuilletus* Fleutiaux, 1940

Vuilletus Fleutiaux, 1940: 123. **Type species**: *Agonischius altus* Candèze, 1889.

Metaricus Nakane *et* Kishii, 1958: 295. **Type species**: *Sericosomus viridus* Lewis, 1894.

属征：体中型，狭长，纺锤形，筒状，具有明亮的金属光泽。口器向前斜伸。额脊前伸，但不和上唇愈合。触角短，第 4～10 节明显锯齿状。前胸背板后侧角具 1 条明显的脊。前胸腹侧缝狭，双重脊，直或略弯。跗节和爪简单。

分布：东洋区。中国已知 15 种，秦岭地区发现 1 种。

(762) 中华短角叩甲 *Vuilletus sinensis* Platia, 2008（图版 22：8）

Vuilletus sinensis Platia, 2008: 19.

鉴别特征：雄性体长 7.00～9.50mm，体宽 1.93～2.75mm。体光亮，具金属光泽；背面浅绿色，有时头部和前胸背板深铜绿色，少数鞘翅或前胸背板绿蓝色；触角黑色，基部 3 节栗红色；足和腹部整个或部分栗黄色；密被横卧的黄色茸毛。额平，刻点粗，简单，或略呈脐状，其间隙小于其直径。触角向后不超过前胸背板后角端部，从第 4 节开始锯齿状；第 2 节近圆筒形，第 3 节近锥形，两节近等长，两节之和 1.30 倍于第 4 节的长度；第 4～10 三角形；第 4 节细长，长度大于其宽度，以后各节长度也大于其宽度；末节近椭圆形，略长于前 1 节，两侧近端部缢缩。前胸背板宽大于长，后角处最宽，两侧从基部或中部向前逐渐收狭，后角前几乎不呈波状；背面强烈凸，刻点中等大，盘区的深且简单，其间隙两倍多于其直径；后角长尖，略分叉，具1条与侧缘近平行的隆脊，背面观几乎可见全长。小盾片盾状，平或中部略凹，具刻点。鞘翅等宽于前胸背板基部，2.80倍于前胸背板长度，两侧从基部至中部近平行，然后向后逐渐变狭；背面凸，具明显的刻点条纹；其间隙平，被稀疏的刻点。雄性外生殖器中叶长于侧叶，侧叶端部外缘弧形弯曲且变狭变尖，端部无钩突。雌性与雄性相似，但体型更大，触角更短，向后仅达前胸背板中部。

采集记录：1♂，宁陕旬阳坝，1400～1600m，1996.Ⅵ.05。

分布：陕西（宁陕）、湖北、四川。

286. 毛叩甲属 *Sericus* Eschscholtz，1829

Sericus Eschscholtz，1829：34. **Type species**：*Elater brunneus* Linnaeus，1758.

Sericosomus Dejean，1833：96. **Type species**：*Elater brunneus* Linnaeus，1758.

Amphilabris Gistel，1834：12. **Type species**：*Elater brunneus* Linnaeus，1758.

Atractopterus LeConte，1853：454. **Type species**：*Atractopterus fusiformis* LeConte，1853.

属征：体中等大小或相当小，两侧平行，壮硕。一般晦暗或具金属光泽。额脊中部缺乏，前缘前伸。触角短，第4～10节锯齿状；第2节和第3节圆筒状或锥状，有时第3节三角形。前胸背板刻点大，圆形，筛孔状或脐状，密；后角狭长。前胸腹侧缝宽，似双重脊，弯曲。

分布：古北区，东洋区。中国已知7种，秦岭地区发现2种。

分种检索表

触角第3节略长于第2节，明显短于第4节 …………………… **西氏毛叩甲 *S.*（*Sericoderma*）*siteki***

触角第3节明显长于第2节，等长于第4节 ………………………… **瓦氏毛叩甲 *S.*（*S.*）*vavrai***

（763）西氏毛叩甲 *Sericus*（*Sericoderma*）*siteki* Platia *et* Gudenzi，2006（图版22：9）

Sericus（*Sericoderma*）*siteki* Platia *et* Gudenzi，2006：145.

鉴别特征：雄性体长8.40～10.20mm，体宽2.55～3.20mm。体较光亮，暗青铜色，有时前胸背板和鞘翅上具彩虹色；触角黑色；足暗褐色，关节处和爪铁锈色；被卧伏的淡黄色细茸毛。额平，略凸，额脊中部缺乏；刻点粗，强烈脐状，具小于刻点的略光亮的连续间隙。触角仅达前胸背板后角或者超过大约半节；第2节近圆筒形，第3节近锥形，各节长度略大于其宽度，第3节略长于第2节，明显短于第4节；第2和第3节之和长于第4节；第4～10节三角形，锯齿状，各节长度不到其宽度的两倍；末节略长于前1节，近椭圆形，端部突出。前胸背板宽是长的1.30倍，最宽处在后角，两侧略呈弧形，从中后部向前收狭，或从基部向前逐渐收狭；背面非常凸，两侧和基部突然倾斜，有时基部斜面上具1条短的中纵沟痕迹；刻点粗，盘区刻点弱脐状；其间隙小于其直径，略光亮或粗糙；刻点在两侧逐渐变得更大和更密，强烈脐状；其间隙更小，粗糙，近侧缘连续；后角长尖，端部几乎不分叉，具1条指向内的几乎不明显的弱脊。小盾片舌形，平，密布刻点，端部1/3处微弱低凹。鞘翅等宽于前胸背板基部，是其3倍多的长度，两侧近平行至中部后逐渐收狭至端部；中间相当平，表面条纹浅，具细的刻点；其间隙粗糙，平，具更密的刻点。前胸腹后突中部两侧微弱弧拱，端部微凹。雄性外生殖器中叶长于侧叶，端部渐尖；侧叶外侧向端部弧弯，斜尖，无钩突，近端部外侧具毛簇。雌性体更大，隆凸；前胸背板前缘和后角颜色更浅；足淡黄色；鞘翅也略为黄色；触角更短，仅达前胸背板中部；鞘翅两侧中部后膨扩。

采集记录：1♀，周至厚畛子，2600m，1996.Ⅶ。

分布：陕西（周至、太白）、四川、西藏。

（764）瓦氏毛叩甲 *Sericus*（*Sericoderma*）*vavrai* Platia *et* Gudenzi，2006（图版23：1）

Sericus（*Sericoderma*）*vavrai* Platia *et* Gudenzi，2006：144.

鉴别特征：雄性体长9.50～10.90mm，体宽2.55～3.30mm。体暗古铜色，略光亮，头和前胸背板略暗；足暗褐色，关节处和爪铁锈色；被卧伏的黄褐色细茸毛。额平至略凸，额脊中部缺乏，前缘与唇基愈合；刻点粗，强烈脐状，连续，具小的多少有些光亮的间隙。触角向后仅超过前胸背板后角1节，从第3节开始锯齿状；第2节近圆筒形，长度略大于其宽度；第3节三角形，长度2倍于第2节，等长于第4节，与第4节形状相同；第4～6节三角形，长度小于其宽度的2倍；第7～10节更狭长，长度约2倍于其宽度；末节细狭，长椭圆形，端部相当收狭。前胸背板宽约是长的1.15倍，最宽处在后角，两侧略弧拱，从中部处向前收狭，侧缘背面观大约2/3的长度可见，后角前微弱波状；背面很凸，两侧和基部突然倾斜；表面刻点粗，盘区刻点弱脐状，其间隙小于刻点，粗糙；刻点在两侧逐渐变得更大，但具更窄的强烈粗糙的间隙；后角长尖，端部略分叉，具1条短的十分明显的指向内的隆脊。小盾片舌形，平至端部1/3处微弱低凹，密被刻点。鞘翅等宽于前胸背板基部，约3倍于其长度，两侧近平行至中部后向端部逐渐收狭；表面条纹浅，具细的刻点；其间隙粗糙，平，具更密的刻点。前胸腹后突两侧中部微弱弧膨，端部微凹。雄性外生殖器中叶向端部逐渐变狭变尖；侧叶端部无钩突，外侧弧弯向端部变狭变尖，近端部外侧具毛簇。雌性较雄性略大；颜色更淡，鞘翅上不是很显著的古铜色，前胸背板上具彩虹色，触角基部2节和足铁锈色；触角更短，不达前胸背板后角端部，大约相距2节的距离；鞘翅两侧中部后微弱膨扩。

采集记录：3♂2♀，宁陕旬阳坝，2200～2500m，2000. Ⅵ. 14-18；1♂，镇坪，2200～2600m，2004. Ⅵ. 18。

分布：陕西（宁陕、镇坪）、河南。

287. 土叩甲属 *Xanthopenthes* Fleutiaux, 1928

Xanthopenthes Fleutiaux, 1928a: 160. **Type species**: *Megapenthes birmanicus* Candèze, 1888.

Xanthelater Miwa, 1931a: 259. **Type species**: *Elater* (*Ectamenogonus*) *granulipennis* Miwa, 1929.

属征：体长方形或狭长形。额脊完全，前缘凸边。触角扁平，锯齿状；第2节小，第3节略短于或等长于第4节。前胸背板侧缘完全，后角有1条或两条脊。鞘翅狭长形，左右鞘翅端部联合拱出。前胸腹侧缝关闭或微弱双条。后足基节片向内膨大呈齿状，向外显著变狭。跗节简单，爪镰刀状。

分布：东洋区。中国已知13种，秦岭地区发现1种。

（765）粒翅土叩甲 *Xanthopenthes granulipennis* (Miwa, 1929)（图版23：2）

Elater (*Ectamenogonus*) *granulipennis* Miwa, 1929b: 489.

Megapenthes granulipennis: Miwa, 1931b: 89.

Xanthelater granulipennis: Miwa, 1931a: 259.

Xanthopenthes granulipennis: Nakane & Kishii, 1955: 7.

鉴别特征：体长13.00～14.50mm，体宽3.00～3.50mm。体狭长。体黄褐色，不光亮；前胸侧板后角、足淡黄褐色，光亮；被毛黄色。头凸，被刻点；额脊完全，半圆形。触角相当细，向后可达前胸后角中部；第2节小，倒锥形；第3节约等长于第4节，2倍长于第2节；第4～10节三角形，各节有1条中纵脊；末节倒长卵圆形，无假节。前胸长较宽大得多，两侧近平行，基部最宽，向前微弱变狭，侧缘弯曲向下伸至复眼下缘；背面凸，被相当均匀的刻点。小盾片高出鞘翅表面，标准盾形。鞘翅略狭于前胸背板，两侧平行，近端部1/3开始向后变狭，端部完全；表面具明显的刻点线，直至端部；其间隙凸，端部更明显，密被细颗粒，微弱粗糙。腹部刻点密，均匀，前胸腹板和侧板上较粗，向后明显变弱；前胸侧板后角无刻点。前胸腹后突向后逐渐倾斜，中胸腹板明显向前倾斜。跗节1～4节向端部逐节变细变短，第1节长于后两节之和。

采集记录：1头，佛坪，950m，1998. Ⅶ. 23。

分布：陕西（佛坪）、甘肃、江苏、浙江、湖北、江西、福建、台湾、广东、广西、重庆、四川、贵州；日本。

288. 孤叶叩甲属 *Anchastelater* Fleutiaux, 1928

Anchastelater Fleutiaux, 1928a: 144. **Type species**: *Anchastelater ornatus* Fleutiaux, 1928.

属征：体狭长。头凸，前部弧拱，额脊完全，不凸边；唇基狭，上唇宽大于高。触角相当粗，略扁。前胸背板大，凸，两侧平行，前角圆拱，后角具1条脊。鞘翅凸，向后变狭，端部拱出。前胸腹侧缝直，双重，前端沟状。后足基节片向内略加宽，内端弯曲略成角状；外端宽于后胸侧片。跗节第1节等长于以后各节之和，第3节具叶片，第4节小。

分布：东洋区。中国已知2种，秦岭地区发现1种。

(766) 陕西孤叶叩甲 *Anchastelater shaanxiensis* Schimmel, 2007（图版23：3）

Anchastelater shaanxiensis Schimmel, 2007: 188.

鉴别特征：雄性体长7.80mm，体宽2.30mm。体椭圆形，凸。体黑色；前胸背板基半部红色；鞘翅黑色，近端部具1条狭窄的、基部具1条宽的黄色横带（除了小盾片周围和外侧黑色外）；足黄褐色；被毛密，短，在前胸背板上向基部和两侧斜生，在鞘翅上向端部斜生。头部刻点密，深，脐状，被毛向前端和两侧斜生；额向前突出，额脊完整，在触角基上方隆起。复眼半球形。触角细长，向后伸达前胸背板后角；第2节明显粗短；第3节较长，端部扩宽；以后各节同样长度和形状；末节椭圆形，近端部退缩；触角表面密被刻点和短的细毛。前胸背板钟形，中线长略大于后角宽（比例1.05∶1.00），两侧直；背面盘区凸，基部具浅的基沟；表面刻点略密，脐状，其间隙凸，光滑，无光泽；后角直，端部钝，近侧缘有1条短脊。小盾片舌状，两侧直，不收狭，端部圆拱；表面凸，刻点粗，脐状，其间隙窄，脊纹状；被毛细短，从中心向后端和两侧斜生。鞘翅基部等宽于前胸背板，两侧近平行，中部后收狭至端部，端部圆形凹切，内侧具小齿；小盾片周围略低凹，肩部略凸；表面具条纹，条纹中及其间隙具细小刻点；条纹间隙平，具横向裂纹，不太光亮；后翅完全。足细长，被毛细短；腿节等长于胫节，跗节向端部逐节变短，腹面具不明显的跗垫，第3节腹面具叶片。雄性外生殖器中叶细长，薄；侧叶三角形，明显壮于中叶，侧端尖，具有短毛。雌性特征不详。

分布：陕西（略阳）。

289. 尖额叩甲属 *Glyphonyx* Candèze, 1863

Glyphonyx Candèze, 1863: 451. **Type species**: *Glyphonyx gundlachii* Candèze, 1863.

属征：头强烈嵌入前胸，额向前渐尖，额脊从触角窝上方向前斜伸至中部，左右相连呈“V”形。前胸背板方形，基部具相当长的基沟，侧缘呈脊状，前端弯向腹面。鞘翅不太长，端部完全。前胸腹板宽，腹前叶短，腹后突基部厚实，向后几乎呈直形，腹侧缝直，前端具宽沟。中胸腹窝宽，侧缘隆起，后部水平。后足基节片狭，向内不太扩宽，略呈齿状。足细长，跗节第 4 节膨大，腹面具叶片，第 5 节短；爪明显梳状。

分布：东洋区。中国已知 37 种，秦岭地区发现 2 种。

分种检索表

前胸黑色，触角和足红褐色…………………………………………………… **长翅尖额叩甲 *G. longipennis***
前胸红色，触角和足黑褐色 …………………………………………………… **红胸尖额叩甲 *G. rubricollis***

（767）长翅尖额叩甲 *Glyphonyx longipennis* Ôhira，1966（图版 23：4）

Glyphonyx longipennis Ôhira，1966c：335.

鉴别特征：体长 3.50 ~ 4.00mm，体宽 1.00mm。体型小，狭长。体褐黑色，鞘翅颜色略淡，触角和足黄红褐色。被毛细弱，灰白色，前胸背板上略多，略长，卧伏，鞘翅上稀少，斜生，略显黄白色。头向下弯曲，额脊左右向前呈“V”形交汇，但前部脊弱；刻点细且密，均匀。触角向后略有两节超过前胸后角端部，第 2 和第 3 节小，第 2 节圆筒形，第 3 节倒锥形，略小于第 2 节，末节椭圆形。前胸背板宽大于长，两侧平行，近基部 1/3 处开始向后微弱变狭，后角处微弱变宽；背面均匀凸，被细弱的刻点；侧缘明显脊状，弯向腹面；后角指向后方，表面有 1 条脊，沿侧缘约达前胸背板中部；基沟明显。小盾片卵形。鞘翅和前胸后角等宽，两侧向后逐渐变狭，端部完全；表面有明显的刻点沟纹，其间隙略凸，有细小而均匀分布的颗粒。前胸腹侧缝双重脊，从后向前明显变宽，呈宽沟状，尤其是前部。中足基节窝向前、后侧片开放。后足基节片狭片状，内部略宽，外方略狭，后缘中部微弱波入。跗节第 1 节长，略长于后 3 节之和，以后各节逐渐变小，第 4 节腹面有狭椭圆形的叶片；爪梳状，爪背狭，梳齿小且稀疏，大略 4 ~ 5 个。

采集记录：1 头，留坝韦驮沟，1600m，1998. Ⅶ. 21。

分布：陕西（留坝）、甘肃、台湾。

（768）红胸尖额叩甲 *Glyphonyx rubricollis* Miwa，1928（图版 23：5）

Glyphonyx rubricollis Miwa，1928：49.

鉴别特征：体长 8.50 ~ 9.00mm，体宽 2.30 ~ 2.50mm。体黑色，光亮；前胸红

色，触角褐色，足暗褐色；前胸腹板和侧板红色，中、后胸腹板及腹部黑色；背面密被极细的茶色短毛，腹面短毛略带白色。额前缘明显凸边成额脊，左右在中部交接呈"V"形；表面刻点密，均匀明显。触角第 1 节长；第 2 节略大于第 3 节，但小于以后各节；第 4～10 节明显三角形，锯齿状；末节近椭圆形，端部尖出。前胸背板长宽略相等，两侧在中部微弱拱出，近前角变狭，近后角微弱变宽；背面凸，向基部渐斜，后部有微弱中纵沟；表面刻点密，前部和两侧更为明显和密集；后角尖，微弱向外斜伸，无脊；基侧沟细长。小盾片狭长，向后突出。鞘翅略宽于前胸背板基部，相当狭长，其长是其基宽的 2.50 倍多，从基部向端部尖狭；表面具明显的刻点沟纹，沟纹间隙凸，密被小颗粒。前胸腹板刻点较侧板更为密集；中、后胸腹板刻点亦密集，向后逐渐减弱。跗节第 4 节具叶片，爪明显梳状。

采集记录：1 头，宁陕火地塘，1580m，1999. Ⅶ. 27。

分布：陕西（宁陕）、甘肃、台湾、四川。

290. 三齿叩甲属 *Lanecarus* Ôhira，1962

Lanecarus Ôhira，1962：199. **Type species**：*Agriotes palustris* Lewis，1894.

属征：体狭长，背面强烈凸；表面相当晦暗；茸毛均匀，被竖毛；刻点双重，大刻点间具许多小刻点。额在两复眼间略凸；唇基缘"U"形，前缘不凸边。触角短，几乎等长于头部和前胸背板的长度之和；第 2 和第 3 节短，近筒形，长明显大于宽；第 4～10节呈非常弱的锯齿状。前胸背板方形，背面圆凸；后角向后突出，具 1 条明显的长脊。鞘翅两侧近平行；条纹非常清晰，其间隙具横皱。足短；跗节第 1 节略长于后两节之和，第 2 节长于第 3 节，第 3 节腹面具明显叶片；爪具 3 个齿。

分布：东洋区。中国已知 7 种，秦岭地区发现 1 种。

（769）中华三齿叩甲 *Lanecarus sinensis*（**Fleutiaux，1934**）（图版 23：6）

Silesis sinensis Fleutiaux，1934：185.

Lanecarus sinensis：Cate，2007：110.

Silesis unicus Fleutiaux，1936a：21.

鉴别特征：体长 5.00mm，体宽 1.40mm。体狭长。体黑褐色，略光亮；头黑色；前胸背板前缘和后角黄色；鞘翅外侧从第 3 条纹开始具 1 条宽的黄色纵带；触角和足虾红色；腹面黑褐色，部分偏虾红色；茸毛灰色，细弱。额略凸，前缘平截；中后部具 1 条细的中纵沟；表面刻点细密。触角近丝状，不达前胸基部，向端部略变粗；第 1 节长筒形，第 2 和第 3 节形状和大小相同，圆筒形，第 3～10 节锥形，末节菱形，无假节。前胸背板长大于宽，两侧向前扩宽，近前角突然收狭，中部波状，侧缘下弯；

背面凸，后部倾斜，后缘波状；表面具大小两种刻点，较头部稀，不均匀；后角尖，略分叉；基沟长，靠近外缘。小盾片宽卵圆形。鞘翅基部略宽于前胸背板，近后部1/3处开始变狭，端缘完全；表面具强烈的刻点条纹；其间隙略凸，有细刻点。后足基节片狭，基半部前后平行，内端钩状突，端半部向外逐渐变狭。爪栉齿状。

采集记录：3头，略阳，2000.Ⅵ.25-28。

分布：陕西（略阳）、甘肃、重庆、四川。

291．截额叩甲属 *Silesis* Candèze，1863

Silesis Candèze，1863：458. **Type species**：*Silesis hilaris* Candèze，1863.
Okinawana Kishii，1976：54. **Type species**：*Silesis hatayamai* Kishii，1975.
Parasilesis Ôhira，1990：75. **Type species**：*Silesis musculus* Candèze，1873.

属征：额脊前伸终止于唇基，在中部左右不相连接。触角细长，第2、3节形状和大小相似，以后各节三角形。前胸背板略呈正方形，侧缘脊状，前端弯向腹面；基沟相当长。前胸腹板短宽，腹前叶弧拱，腹后突略弯曲，腹侧缝前端沟状。中胸腹窝侧缘隆起，向前叉开，后部水平。后足基节片向内略扩宽。足细，跗节第4节具叶片，爪明显梳状。

分布：东洋区。中国已知30种，秦岭地区发现1种。

（770）神农架截额叩甲 *Silesis erberi* Platia，2006（图版23：7）

Silesis erberi Platia，2006：28.

鉴别特征：体长7.10～8.70mm，体宽2.10～2.40mm。体棕色至栗黑色，头黑色，触角和足淡黄色。被毛密，淡黄色。头顶略低凹；额前缘平截；刻点脐状，间隙短或连续。触角向后伸达前胸背板后角端部；第2、3节近圆筒形，近等长，两节之和长于第4节；第4～10节近三角形，长略大于宽；末节椭圆形。前胸背板长宽相等或略宽；两侧近平行，中部微弱波状；背面凸，刻点深，简单或略呈脐状，盘区刻点间隙小于其直径，两侧刻点更密，呈更明显的脐状；后角尖，不具或仅微弱分叉；后角脊细，靠近侧缘，前伸几乎达前胸背板的1/2。小盾片箭形，平，基缘略直，表面具细的刻点。鞘翅是前胸背板长度的2.90倍；两侧从基部到端部逐渐收狭；条纹规则，具刻点；条纹间隙平，具粗细两种刻点。腹部末节略尖。第4跗节长略大于宽，腹面突出。雄性外生殖器中叶中部两侧微弱弧拱，向端部渐狭；侧叶向端部渐细渐尖，无钩突。雌性体更平行，触角略短。

采集记录：1♂，宝鸡，1000～1400m，2000.Ⅵ.01。

分布：陕西（宝鸡）、湖北、四川。

292. 梳爪叩甲属 *Melanotus* Eschscholtz, 1829

Melanotus Eschscholtz, 1829: 32. **Type species**: *Elater fulvipes* Herbst, 1806 (= *Melanotus villosus* Geoffrey, 1785).

属征: 头前半部倾斜，后半部嵌入前胸，一般凸或平，甚至凹；额多少向前拱出，前缘和唇基分开；上唇完全，上颚呈新月形弯曲，下颚须末节斧形。触角长度有变化，锯齿状，一般被柔毛；第 1 节中等大；第 2 节小，球形；第 3 节有变化，或是与第 2 节同样小，或是中等长，在第 2 节和第 4 节之间，或是与第 4 节等长或几乎等长；以后各节三角形，上面有脊；末节卵圆形。前胸背板的长度有变化，长大于宽或等于宽，常常向前强烈变狭；后角中等长，有 1 条脊；基沟明显。小盾片长卵圆形。鞘翅是前胸长度的 2.50 ~4.00 倍，向后弯曲变狭。前胸腹板短；腹前叶正常，腹后突长，弯曲，腹侧缝凹，或近狭线形，前半部沟状，宽且光滑；中胸腹窝侧缘倾斜。后足基节片狭，从内向外逐渐变狭，转节着生处的外方无齿。足中等长，跗节第 1 节较长，以后各节逐节变短，第 3 节不扩大；爪总是梳齿状，被微毛。

分布: 古北区，东洋区。中国已知 272 种，秦岭地区发现 11 种。

分种检索表

1. 前胸背板盘区具脊……………………………………………… **古氏梳爪叩甲 *M.* (*M.*) *gudenzii***
   前胸背板盘区无脊 ……………………………………………………………………………… 2
2. 触角第 3 节约等长于第 2 节 ………………………………………………………………… 3
   触角第 3 节长于第 2 节 ……………………………………………………………………… 6
3. 触角第 2、3 节之和长于第 4 节 ……………………………………………………………… 4
   触角第 2、3 节之和短于第 4 节 ……………………………………………………………… 5
4. 前胸背板基部突然倾斜………………………………………… **华山梳爪叩甲 *M.* (*M.*) *fiumii***
   前胸背板基部逐渐倾斜 ……………………………………… **拟窄梳爪叩甲 *M.* (*M.*) *pseudoarctus***
5. 前胸背板基部具微弱的中纵线，前部两侧无光滑区 ………… **太行梳爪叩甲 *M.* (*M.*) *knizeki***
   前胸背板基部无中纵线，前部两侧具 2 个光滑区 …………… **冀北梳爪叩甲 *M.* (*M.*) *kolibaci***
6. 触角第 2、3 节之和长于第 4 节 ……………………………………………………………… 7
   触角第 2、3 节之和短于第 4 节 ……………………………………………………………… 9
7. 前胸背板刻点间隙粗糙，不太光亮…………………… **拟筛头梳爪叩甲 *M.* (*M.*) *pseudolegatus***
   前胸背板刻点间隙光滑，光亮………………………………………………………………… 8
8. 鞘翅基部条纹深切 …………………………………………… **湖南梳爪叩甲 *M.* (*M.*) *hunanensis***
   鞘翅基部条纹浅 ……………………………………………… **卧龙梳爪叩甲 *M.* (*M.*) *zhilongensis***
9. 鞘翅端部突出，呈短棘状 …………………………………… **亚棘梳爪叩甲 *M.* (*M.*) *subspinosus***
   鞘翅端部简单 ………………………………………………………………………………… 10
10. 前胸背板基部具纵中沟痕 …………………………………… **陕西梳爪叩甲 *M.* (*M.*) *shaanxianus***

前胸背板基部无纵中沟痕 ………………………………… 太白山梳爪叩甲 ***M.*（*M.*）*plutenkoi***

（771）华山梳爪叩甲 ***Melanotus*（*Melanotus*）*fiumii* Platia *et* Schimmel，2001**

Melanotus（*Melanotus*）*fiumii* Platia *et* Schimmel，2001：201.

鉴别特征：雌性体长 12 ~ 13mm，体宽 3.80 ~ 4.10mm。体栗色，光亮，触角和足较淡；被毛粗，稀疏，黄色至黄褐色。额平，前缘弧拱，光亮，凸边，微微突出在唇基上；刻点大，强烈脐状，几乎连续。触角不达前胸背板后角约有半节距离；第 2 和第 3 节近等长，两节之和略长于第 4 节；第 4 ~ 10 节三角形，长大于宽；末节椭圆形。前胸背板宽是长的 1.20 倍；背面凸，前部坡度平缓，后部突然倾斜，具中纵沟痕迹；两侧非常弯曲，中部向前强烈变狭，后部近平行；表面刻点粗，圆形，略脐状；刻点间隙短，光亮，两侧几乎连续；后角粗，截形，有 1 条完全平行于侧缘的弱脊。小盾片平，近矩形，基部强烈凸边，具刻点。鞘翅是前胸背板长度的 2.90 倍和宽度的 2.10 倍，最宽处在中部后；基部的刻点沟纹基部深，后部刻点呈虚线状；条纹间隙略凸，刻点细。雄性特征不详。

分布：陕西（太白、华阴）。

（772）古氏梳爪叩甲 ***Melanotus*（*Melanotus*）*gudenzii* Platia *et* Schimmel，2001**（图版 23：8）

Melanotus（*Melanotus*）*gudenzii* Platia *et* Schimmel，2001：209.

鉴别特征：体长 13.80 ~ 14.30mm，体宽 3.90 ~ 4.00mm。体黑色，触角和足呈暗铁锈色；密被白色卧伏的茸毛。额平至略凸，前缘弧拱，略凸边，突出在唇基上；表面刻点粗，脐状，连续。触角略超过前胸背板后角端部；第 2 和第 3 节小，球形，两节之和短于第 4 节；第 4 ~ 10 节三角形，长大于宽；末节椭圆形，端部收狭。前胸背板宽略大于长，两侧从中部向前强烈收狭，后部近平行，近后角微弱波状；背面凸，基部具中纵沟，盘区中央具短的弱脊，有时很模糊；表面刻点强烈，脐状，刻点间隙短，光亮，两侧连续；后角具明显的脊。小盾片近矩形，平，具刻点。鞘翅是前胸背板长度的 2.80 倍和宽度的 2.40 倍；两侧从基部向端部微弱地逐渐收狭；刻点沟纹基部深，后部呈虚线状；条纹间隙平，刻点强烈。雄性外生殖器中叶长于侧叶，侧叶端部具齿。雌性与雄性相似，但触角更短。

分布：陕西（长安、略阳、华阴、秦岭）、甘肃、湖南、四川、贵州。

（773）湖南梳爪叩甲 ***Melanotus*（*Melanotus*）*hunanensis* Platia *et* Schimmel，2001**（图版 23：9）

Melanotus（*Melanotus*）*hunanensis* Platia *et* Schimmel，2001：213.

鉴别特征： 体长 13.50mm，体宽 4.00mm。体棕色，头部和前胸背板略显黑色；被密的淡黄色柔毛。额平，前缘稍增厚，向前弧拱，突出在唇基之上；刻点粗，明显脐状，其间隙小，滚花状。触角几乎达前胸背板后角；第2节圆筒状，长大于宽，第3节近圆锥形，是第2节的两倍长，两节之和明显长于第4节；第4～10节三角形，长大于宽；末节椭圆形。前胸背板宽是长度的1.20倍，两侧强烈弯曲，中部向前强烈变狭，后部近波状；盘区压扁状，向前略微倾斜，基部突然低凹；刻点粗且深，脐状，稍微拉长使其表面显得有许多滚花状脊纹，其间隙小，光亮，具细的刻点。后角截形，指向内方，后角脊弱。小盾片近三角形，端部圆拱，刻点密布。鞘翅是前胸背板长度的2.90倍，宽度的2.30倍；两侧从基部向端部强烈变狭；基部沟纹深，向后变浅，至端部明显变细；条纹间隙基部凸，向后平，具细弱刻点。雄性外生殖器中叶长于侧叶，侧叶端部齿状。

分布： 陕西（略阳）、河南、湖南。

（774）太行梳爪叩甲 *Melanotus*（*Melanotus*）*knizeki* Platia, 2005（图版 24：1）

Melanotus（*Melanotus*）*knizeki* Platia, 2005a：88.

鉴别特征： 体长 13.00～13.70mm，体宽 3.50～3.70mm。体暗栗色至浅栗色，触角和足铁锈色；密被卧伏的黄色至黄褐色茸毛。额平，前缘弧拱，略凸边，突出在唇基之上；表面具刻点，强烈脐状，几乎连续。触角超过前胸背板后角端部 2.50 至 3 节；第2和第3节近等长，两节之和短于第4节；第4～6节三角形，各节长2倍于其宽；第7～10节更细长；末节椭圆形，等长于前1节。前胸背板中部宽于其长度，两侧从中部向前强烈收狭，仅在后角处微弱波状；侧缘完全，背面观大部分可见；盘区凸，向两侧和基部逐渐倾斜，无沟，但基部斜面上具微弱的光滑线；盘区刻点深，略呈脐状，其间隙小于刻点直径，有时略呈滚花状，具刻点；前部和两侧刻点更密，明显脐状，有时拉长呈连续状；后角端部微弱内收，后角脊细，靠近侧缘，不太明显。小盾片舌状，平，基部凸边，具粗刻点。鞘翅 3.50 倍于前胸背板长度，两侧从基部向端部微弱地逐渐收狭；条纹基部不太明显，然后深刻，向端部呈虚线状；条纹间隙平，向两侧略凸，刻点更密且更细。雄性外生殖器中叶细长，长于侧叶，两侧中部向内极微弱弧凹，端部斜尖；侧叶端部具钩突。雌性前胸背板更凸；鞘翅两侧平行；触角明显更短，不达前胸背板后角端部，第2和第3节之和略长于第4节。

分布： 陕西（略阳）、河北。

（775）冀北梳爪叩甲 *Melanotus*（*Melanotus*）*kolibaci* Platia *et* Schimmel, 2002

Melanotus（*Melanotus*）*kolibaci* Platia *et* Schimmel, 2002：325.

鉴别特征：雄性体长 13～14mm，体宽 3.40～3.80mm。体黑色，光亮，触角和足颜色略淡；密被淡黄色茸毛。额平，前缘弧拱，不具或具微弱凸边，突出在唇基之上；刻点强烈脐状，几乎连续。触角超过前胸背板后角端部 1 节；第 2 和第 3 节小，近等长，两节之和短于第 4 节；第 4～10 节三角形，各节长大于宽；末节椭圆形。前胸背板宽是长的 1.20 倍，两侧弧拱，从中部向前强烈收狭，在后角处波状；背面适度凸，盘区刻点脐状，其间隙短而光亮，在前 1/3 两侧具两个小的光滑区；后角端部内收，后角脊强烈，与侧缘近平行。小盾片近矩形，基部凸边，中心略凹。鞘翅是前胸背板长度的 3.20 倍，宽度的 2.70 倍；具刻点沟纹；沟纹间隙平，具粗刻点。雄性外生殖器中叶中部两侧弧凹瘦狭，向端部逐渐扩宽后收狭变尖；侧叶外侧端部弧凹，端部长钩状。雌性特征不详。

分布：陕西（宝鸡）、河南、甘肃。

（776）太白山梳爪叩甲 *Melanotus*（*Melanotus*）*plutenkoi* Platia，2007（图版 24：2）

Melanotus（*Melanotus*）*plutenkoi* Platia，2007b：156.

鉴别特征：雄性体长 14.50～15.50mm，体宽 3.85～4.00mm。体暗褐色，底色铁锈色；被毛黄色至黄褐色，不密，卧伏。额平，前缘弧弯，突出在唇基上；刻点粗，脐状，连续。触角超过前胸背板后角端部 2.50 节；第 2 节近圆筒形，长宽相等；第 3 节近锥形，略长于第 2 节；第 2 和第 3 节之和明显短于第 4 节；第 4～10 节三角形，细长，各节长度是其宽度的 2 倍多；末节长于前 1 节，近椭圆形。前胸背板宽是其长的 1.18～1.20倍，最宽处在后角，两侧从中部向前强烈变狭，后角前近波状；盘区适度凸，向两侧和基部逐渐倾斜；盘区刻点深，简单至隐约的脐状，最短间隙处的刻点近卵形，间隙平均小于其直径，两侧刻点逐渐变大且更密，脐状，连续，有些融合；后角不分叉，后角脊细，与侧缘近平行，前伸至前部 1/3 处。小盾片盾状，平，具细的刻点。鞘翅等宽于前胸背板基部，3.40 倍于其长度；两侧近平行约至 2/3 的长度后逐渐变狭；基部条纹浅，具刻点，向端部更明显。前胸腹后突在前足基节窝后突然倾斜，端部无凹缺。雄性外生殖器中叶两侧平行，端部斜尖；侧叶端尖，具钩突。雌性特征未知。

采集记录：1♂，周至厚畛子，1500～2000m，2000. V；1♂，略阳，2004. VI. 04。

分布：陕西（周至、略阳、太白、镇坪）、湖北、福建。

（777）拟窄梳爪叩甲 *Melanotus*（*Melanotus*）*pseudoarctus* Platia *et* Schimmel，2001

Melanotus（*Melanotus*）*pseudoarctus* Platia *et* Schimmel，2001：245.

鉴别特征：雄性体长 10.80～12.00mm，体宽 3.00～3.50mm。体栗色，被毛细，

稀疏，淡黄色。额平，前缘略低凹，近乎直线，略凸边，突出在唇基之上；刻点粗，脐状，几乎连续，间隙短，光亮。触角伸达前胸背板后角，第 2 和第 3 节近等长，均长等于宽，两节之和长于第 4 节；第 4 ~ 10 节三角形，各节长大于宽；末节椭圆形。前胸背板宽是长的 1.10 倍；两侧弧拱，从中部向前强烈收狭，后角处波状，侧缘完全；背面凸，在倾斜的基部具 1 条浅的中纵沟；刻点粗，明显脐状，略拉长；刻点间隙短，光亮，在两侧连续；后角具向内的弱脊。小盾片矩形，平，具明显刻点。鞘翅 2.90 倍于前胸背板的长度，2.80 倍于其宽度，两侧平行至中部；条纹基部深，向端部呈细的刻点线；条纹间隙平，粗糙，具稀疏的刻点。雄性外生殖器中叶长于侧叶，侧叶端部呈齿状。雌性触角不达前胸背板后角；第 2 和第 3 节更细长，两节之和长于第 4 节。

分布：陕西（略阳）、北京、四川。

(778) 拟筛头梳爪叩甲 *Melanotus* (*Melanotus*) *pseudolegatus* Platia et Schimmel, 2001

Melanotus (*Melanotus*) *pseudolegatus* Platia *et* Schimmel, 2001: 246.

鉴别特征：雌性体长 15.50 ~ 16.50mm，体宽 5.00 ~ 5.10mm。体栗色，触角和足铁锈色；被毛细，稀疏，黄色。额平，前缘弧拱，突出在唇基之上；刻点粗，脐状，间隙呈短的滚花状。触角向后不达前胸背板后角，第 2 节圆筒形，长等于宽，第 3 节近锥形，略长于第 2 节，两节之和略长于第 4 节；第 4 ~ 10 节三角形，各节长大于宽；末节椭圆形。前胸背板宽是长的 1.25 ~ 1.30 倍，两侧强烈弧拱，从中部向前强烈收狭，后角处波状，侧缘完全；背面凸，基部强烈倾斜；刻点粗深，简单至微弱的脐状，间隙呈短的滚花状，略光亮，具刻点；后角尖，具脊。小盾片平，舌形，端部圆拱，具强烈刻点。鞘翅 3 倍于前胸背板的长度，2.40 倍于其宽度；基部条纹强烈深刻，向后呈浅的刻点线；条纹间隙凸，其部更突凸，表面具弱的刻点。雄性特征未知。

分布：陕西（略阳）、福建。

(779) 陕西梳爪叩甲 *Melanotus* (*Melanotus*) *shaanxianus* Platia, 2007（图版 24：3）

Melanotus (*Melanotus*) *shaanxianus* Platia, 2007b: 156.

鉴别特征：雄性体长 16.00mm，体宽 4.20mm。体棕黑色，触角和足铁锈色；被毛黄褐色，在身体两侧部分竖立。额中部低凹，前缘弧弯，不凸边，突出在唇基之上；刻点粗，脐状，连续。触角向后超过前胸背板后角端部 1 节；第 2 节圆筒形，长宽相等；第 3 节近锥形，仅长于第 2 节；第 2、3 节之和明显短于第 4 节；第 4 ~ 10 节三角形，各节长度 2 倍于其宽度，8 ~ 10 更细长；末节长于前 1 节，近椭圆形，端部前对称缢缩。前胸背板宽是长的 1.25 倍，最宽处在后角；两侧从中部向前逐渐变狭，后部微弱波状；背面适度凸，基部斜面前具 1 条短的中纵沟痕迹；盘区刻点深，简单，刻点间隙光滑，平均等于或小于其直径，向两侧刻点渐密，连续或融合；后角截形，不分叉；后角脊细，与侧缘近平行，前伸至前部的 1/3 处。小盾片盾状，平，密被刻点。鞘翅等宽于前胸背板基部，3.30 倍于其长度；两侧基部大约2/3 近平行；基部的条纹很浅，无刻点；背部的条纹明显，具刻点；条纹间隙平，具细的刻点。前胸腹后突在前足基节窝后立即内弯，端部几乎凹缘。雄性外生殖器中叶端部略膨扩后渐尖，侧叶端部具钩突。雌性特征不详。

采集记录： 1♂，略阳，2004. Ⅵ. 04。

分布： 陕西（略阳）、福建。

（780）亚棘梳爪叩甲 *Melanotus*（*Melanotus*）*subspinosus* Platia *et* Schimmel，2001

Melanotus（*Melanotus*）*subspinosus* Platia *et* Schimmel，2001：268.

鉴别特征： 雄性体长 15～18mm，体宽 3.50～4.50mm。体棕色，略显铁锈色；被毛稀疏，卧伏，黄色。额平，略扁，前缘弧拱，中部低垂达唇基水平；刻点粗，脐状，其间隙小，光亮，略呈滚花状。触角向后末 3 节超过前胸背板后角；第 2 节小，长大于宽，第 3 节长于第 2 节，两节之和略短于第 4 节；第 4～10 节长三角形。前胸背板宽是长度的 1.20～1.30 倍；两侧从中部向前明显变狭，向后强烈波状；背面适度凸，但不是很均匀，基部具微弱的中纵凹或中纵脊；刻点粗且深，略呈脐状，其间隙等于或大于其直径，光亮，光滑，有时略呈滚花状；后角粗，具 1 条长脊，完全与侧缘近平行。小盾片近三角形，略凹，密布刻点。鞘翅是前胸背板长度的 3.80～4.00 倍，是其宽度的 2.60～2.80 倍；两侧向后平行至 2/3 处后向后微弱变狭，端部突出呈短棘状；基部条纹非常弱浅，具小刻点；条纹间隙平，具小刻点。雄性外生殖器中叶长于侧叶，侧叶端部呈齿状。雌性身体更凸，两侧更平行，触角更短，向后略超过前胸背板后角。

分布： 陕西（宁陕、丹凤）、山西、湖北、福建、四川、云南；尼泊尔。

（781）卧龙梳爪叩甲 *Melanotus*（*Melanotus*）*zhilongensis* Platia *et* Schimmel，2001（图版24：4）

Melanotus（*Melanotus*）*zhilongensis* Platia *et* Schimmel，2001：282.

鉴别特征： 雄性体长 12.80～14.00mm，体宽 3.40～3.70mm。体棕色，显铁锈色；被毛稀疏，淡黄色。额平，背面略凸，前缘弧拱，突出在唇基之上；刻点强烈脐状，其间隙小。触角向后有 2.00～2.50 节超过前胸背板后角；第 2 节长宽相等，第 3 节近锥形，略长于第 2 节，两节之和等长于第 4 节；第 4～10 节近三角形，各节长明显大于宽；末节长椭圆形。前胸背板宽度是其长度的 1.30 倍，两侧中部向后膨扩，向前强烈变狭；侧缘完全，后缘波状；盘区凸，两侧低垂，表面刻点深，略呈脐状，其间隙小；后角指向内方，具1条弱脊。小盾片四角形，平，密布刻点。鞘翅是前胸背板长度的3.60倍，是其宽度的2.70倍；两侧平行至中部后向后变狭；条纹基部明显，清晰，刻点明显；条纹间隙平，刻点更细弱。雄性外生殖器中叶长于侧叶，端部齿状。雌性特征不详。

采集记录：1♂1♀，周至厚畛子，1500～2000m，2000. Ⅳ-Ⅴ。

分布：陕西（周至、太白）、河南、四川。

293. 弓背叩甲属 *Priopus* Laporte, 1840

Priopus Laporte, 1840: 251. **Type species**: *Priopus frontalis* Laporte, 1840.

Diploconus Candèze, 1860: 290. **Type species**: *Diploconus peregrinus* Candèze, 1860.

Neodiploconus Hyslop, 1921: 658. **Type species**: *Diploconus peregrinus* Candèze, 1860.

Ploconides Fleutiaux, 1933: 208. **Type sepecies**: *Diploconus spiloderus* Candèze, 1865.

Pulchronotus Fleutiaux, 1933: 206. **Type sepecies**: *Diploconus ornatus* Candèze, 1891.

Thaumastiellus Schwarz, 1902: 335. **Type sepecies**: *Thaumastiellus bioculatus* Schwarz, 1902.

属征：体狭长形，具微毛。头椭圆形，不太倾斜；额略凸，或平，或前部凹，向前拱出，有时扩大；唇基大，上唇完全，上颚端部新月形弯曲，下颚须较长，末节近斧形。触角一般短，锯齿状，有纵脊；第2节小，球形；第3节和第2节等长或略长；第4～10节三角形；末节长，近端部侧缘微弱波状。前胸大多长圆锥形，常有纵中沟，但无基沟。鞘翅总是圆锥形，有时端部凹入。前胸腹板长，腹前叶大，腹后突直，腹侧缝几乎呈直线，细，前端无沟；中胸腹窝狭，侧缘隆起，向后几乎水平。后足基节片在转节着生处的外方有齿，有时相当强烈。足一般长，跗节第1～4节逐渐变小，腹面有柔毛；爪强烈梳状。

分布：东洋区。中国已知22种，秦岭地区发现1种。

（782）刺角弓背叩甲 *Priopus angulatus* (Candèze, 1860)（图版24：5）

Diploconus angulatus Candèze, 1860: 297.

Neodiploconus angulatus: Schenkling, 1927: 265.

Priopus angulatus: Hayek, 1990: 80.

鉴别特征：体长12～16mm，体宽3.00～4.50mm。体狭长。体赤褐色，触角和足赤红色，腹面与背面颜色相同。被毛金黄色，细长，腹面较背面更密，更短，更均匀。额扁平，近方形，两侧略平行，前缘宽圆形，向前强烈突出呈帽檐状盖在口器和触角窝之上，刻点密，明显呈筛孔状。触角向后伸达前胸背板后角中部，第3节形状相似于第2节，但更长，较第4节短，从第4节开始锯齿状。前胸背板长明显大于宽，向前明显变狭，前角有点突然下垂；侧缘波状，前缘平滑；背面不太凸，中部略有1条不明显的中线，近后缘有2个低凹；刻点中部向后弱而稀疏，两侧强烈，密集，筛孔状；后角长尖，分叉，上有2条锐脊，内脊略短。小盾片近长方形，长大于宽，中部隆起，两侧平行，基部圆形突出，端部略平截。鞘翅略宽于前胸，长度约为前胸长度的2.50倍多，两侧平行至中部后变狭，端部缘角浑圆形，外缘呈圆形略倒折向缝角，使鞘翅端部外观呈凹形；刻点条纹明显，基部强烈；条纹间隙平，具小刻点。前胸侧板分散有孔状小刻点，后端有容纳前足腿节的横凹；前胸腹板刻点强烈，筛孔状，密集；前胸腹侧缝光滑，凹，底平；腹后突向后逐渐倾斜，侧观粗，宽大；中胸腹窝叉状，侧缘呈脊状；后胸腹板向后刻点更密，筛孔状，孔眼倾斜。

采集记录：1头，佛坪，900m，1999. Ⅵ. 27。

分布：陕西（佛坪）、甘肃、河南、江苏、浙江、湖北、江西、湖南、福建、台湾、广东、海南、香港、重庆、四川、贵州；越南，老挝，泰国，柬埔寨，马来西亚，新加坡。

294. 玲珑叩甲属 *Zorochros* C. G. Thomson, 1859

Zorochros C. G. Thomson, 1859: 106. **Type species**: *Elater dermestoides* Herbst, 1806.

属征：额脊完全，前拱。触角向后超过前胸背板后角基部；第1节长且粗，第2和第3节等大，不比以后各节粗。前胸背板后角脊向前消失。前胸腹侧缝曲弯。后足基节片向外变狭，向内突然而显著地扩宽。跗节简单。

分布：古北区，东洋区。中国已知14种，秦岭地区发现1种。

（783）周至玲珑叩甲 *Zorochros* (*Zorochros*) *wrasei* Dolin, 1999（图版24：6）

Zorochrus (*Zorochrus*) *wrasei* Dolin, 1999: 36.

鉴别特征：雄性体长2.90mm，体宽1.05mm。体黑色，表面磨砂状；触角基部3节棕黄色。背腹被两种灰白色毛：一种密布，极短，几乎粉尘状；另一种稀疏，半竖立，刚毛状。头顶平，具颗粒，前缘宽圆，细边。触角短，向后末节不达前胸背板后角端部；第2和第3节圆筒形，分别是其宽度的2.30倍和2倍；从第4节开始为扁圆锥形，其长度与端宽比较，第4节为2.25倍，第5～8节约为1.70倍，末2节约为1.50倍。前胸背板垫状，后1/3处最宽，宽是长的1.26倍；前缘中部明显弓状拱，两侧向前强烈收狭，向后极微弱地弧状收狭；背面强烈凸，中部前方有粗的颗粒，两侧和基部光滑，具细的刻点；后角微弱分叉，背面具1条弱脊。小盾片心脏形，长是宽的1.30倍，表面几乎光滑。鞘翅扁平，基部1/3处最宽；其长度是前胸背板长度的2.20倍，宽度的1.70倍；表面条纹深，隐约可见细的刺点；两侧及第3个间隙明显凸，具细的皱状刻点；前部的间隙平，明显宽。雌性特征不详。

采集记录：2♂1♀，周至，400m，1995. Ⅷ. 24。

分布：陕西（周至）。

295. 微叩甲属 *Quasimus* Gozis, 1886

Quasimus Gozis, 1886: 22. **Type species**: *Elater minutissimus* Germar, 1822.

属征：体微小，一般短于 2.50mm，纺锤形或长椭圆形。额脊分叉或简单，中部向前呈三角形或圆形扩大；额槽相当宽，中间浅；头顶和前胸背板中域具刻点。触角一般短，第 4～10 节弱锯齿状或念珠状；第 2 节粗于并长于第 3 节。前胸背板凸，球面状；后角发达，具 1 条长脊。小盾片宽，一般呈半圆形，具 1 条明显的环状脊或低凹。鞘翅光滑，无条纹。前胸腹侧缝宽，似 3 条脊，前端明显沟状；后胸腹板在中足基节窝后具明显的脊。跗节第 4 节端部膨大，爪简单。

分布：东洋区。中国已知 21 种，秦岭地区发现 1 种。

（784）云南微叩甲 *Quasimus yunnanus* Schimmel *et* Tarnawski, 2009（图版 24：7）

Quasimus yunnanus Schimmel *et* Tarnawski, 2009: 46.

鉴别特征：体长 2.20mm，体宽 0.75mm。体近椭圆形，略凸。体黑褐色。被毛银白色。额半圆形，向前倾斜，前缘凸边；刻点细，稀疏，圆形；刻点间隙 1～2 倍于其直径；茸毛细且短，指向前端和两侧；复眼半球形，略突出；下颚须末节斧形；上颚镰刀形，端部尖；上唇突出，端部具毛撮。触角狭长，从第 4 节开始弱锯齿状，向后不达前胸背板后角，雄性距后角端部约 2 节长，雌性更短，距后角端部约 3 节长；各节端部被 8～12 根竖长毛；第 2 和第 3 节近圆筒形，第 2 节长度 1.50 倍于其宽度，第 3 节略短，两节端部略扩宽；第 4～10 节略长于第 3 节，端部明显扩宽；末节长椭圆形，近端部斜尖。前胸背板半球状，中长明显短于后角宽度（长宽比为 0.61∶0.75），中部略凸，两侧微弱弧弯，向后相对陡斜；表面无凹窝或隆凸，刻点稀疏，圆形，脐状，间隙不等，1～3 倍于其直径；茸毛从前向后并从两侧向中心斜生；后角直，不分叉，端部尖，表面具 1 条明显的脊伸达前胸背板前端。小盾片楔形，两侧基部直，端部尖；表面略凸，中央具 1 个仅可见的低凹；刻点密，简单；茸毛细，仅可见，从基部向前斜生。鞘翅宽楔形，基部等宽于前胸背板，小盾片处略凹，肩部突出；两侧从基部后向收狭；端部弓状弯曲，无内齿；表面刻点细，稀疏，无条纹；刻点间隙不等，1～2 倍于其直径，光滑；茸毛短，向端部和两侧斜生。前、中、后胸腹面刻点细，稀疏，其间隙平；茸毛短，斜生；前胸侧板无任何刻点，光滑。足狭，中等长，薄；胫节具刺；跗节向后逐节变短，第 3、4 节端部突出。雄性外生殖器中叶近端部扩宽，端部尖，略长过侧叶；侧叶近端部向内弧形弯曲且变尖，端部无毛。

分布：陕西（宁陕）、四川、云南。

296. 齿爪叩甲属 *Platynychus* Motschulsky，1858

Platynychus Motschulsky，1858：58. **Type species**：*Platynychus indicus* Motschulsky，1858.

Paradicronychus Dolin，1975：116. **Type species**：*Cardiophorus inflatus* Candèze，1882.

属征：体中型，狭，纺锤形。从后角端部开始有 1 条细缝向下弯曲，伸达前缘；基沟明显长。小盾片前缘中央内凹，标准心形。前胸腹侧缝单条，直，前端关闭。跗节简单；爪呈直角状弯曲，基部膨大呈齿状。

分布：古北区，东洋区。中国已知 8 种，秦岭地区发现 1 种。

（785）伪齿爪叩甲 *Platynychus*（*Platynychus*）*nothus*（**Candèze，1865**）（图版 24：8）

Cardiophorus nothus Candèze，1865：43.

Cardiophorus pauper Candèze，1873：17.

Cardiophorus sobrinus Candèze，1873：17.

Cardiophorus rameus Lewis，1879：156.

Cardiophorus ferrugineus Lewis，1894：191.

Paradicronychus nothus：Dolin，1975：118.

Platynychus nothus：Kishii，1987：22.

鉴别特征：体长 8～11mm，体宽 2.00～2.80mm。体纺锤形。背面、腹面、触角、足完全栗色。被毛金黄色。头平，被细密刻点；额向前拱出呈帽檐状，额槽宽深，完全。触角第 2 节长锥形，略小于第 3 节；第 3 节和第 4 节形状、大小相同，长三角形；第3～10节锯齿状；末节菱形，但端部两边相当短。前胸背板锥形，两侧向前逐渐弯曲变狭，中后部宽拱，向后微弱变狭；背面略凸，被细弱刻点；有 1 条细缝从后角开始，弯向腹面，伸达前缘；后角相当短，指向后方，有短脊；基沟明显，直。小盾片前缘中部开掘，标准心形。鞘翅从基部向后极微弱地变狭，近端部 1/3 处开始明显变狭，端部完全；背面凸，表面有明显的刻点沟纹；沟纹间隙平，分散有极微弱的刻点。前胸腹侧缝略似双脊，细缝状，前端向外弯；中足基节窝被中、后胸腹板包围。后足基节片内方相当膨大，外端极其狭尖。跗节简单，第 1～4 节逐节变小；爪无刚毛，有明显基齿。

采集记录：1 头，宁陕大水沟，1500～1760m，1999. Ⅵ. 30。

分布：陕西（宁陕）、北京、河北、河南、甘肃、江苏、湖北、江西、福建、重庆、四川、贵州；日本，孟加拉国。

参考文献

Candèze, E. C. A. 1857. Monographie des Élatérides Ⅰ. *Mémoires de la Société Royale des Sciences de Liège*, 12: 1-400.

Candèze, E. C. A. 1860. Monographie des Élatérides Ⅲ. *Mémoires de la Société Royale des Sciences de Liège*, 15: 1-512.

Candèze, E. C. A. 1863. Monographie des Élatérides Ⅳ. *Mémoires de la Société Royale des Sciences de Liège*, 17: 1-534.

Candèze, E. C. A. 1865. Élatérides nouveaux. (Ⅰ). *Mémoires Couronnés et autres Mémoires publiés par l'Académie* Royale des Sciences, *des Lettres et des Beaux-Arts de Belgique*, (*Classe Sciences*), 17 (1): 1- 63.

Candèze, E. C. A. 1873. Insectes recueillis au Japan par M. G. Lewis, pendant les années 1869-1871. Élatérides. *Mémoires de la Société Royale des Sciences de Liège*, 5 (2): 1-32.

Candèze, E. C. A. 1874. Révision de la monographie des Élatérides. *Mémoires de la Société Royale des Sciences de Liège*, (2) 4: 1-218.

Candèze, E. C. A. 1882. Élatérides nouveaux (troisieme fascicule). *Mémoires de la Société Royale des Sciences de Liège*, (2) 9: 1-117.

Chûjô, M. 1959. Coleoptera of the Loo-Choo Archipelago. *Memoirs of the Faculty of Liberal Arts and Education, Kagawa University*, part 2, (69): 1-15.

Dejean, P. F. M. A. 1833. *Catalogue des coléoptères de la collection de M. le comte Dejean.* Méquignon-Marvis Père et Fils, Livraisons 1 & 2. Paris. 176 pp.

Dillwyn, L. W. 1829. *Memoranda relating to coleopterous insects, found in the neighbourhood of Swansea.* W. C. Murray and D. Rees, Swansea. 75pp.

Dolin, V. G. 1975. *In* Dolin, V. G., Kurcheva, G. F.: Novye formy lichinkov-shchelkunov (Coleoptera, Elateridae) s Dal' nego Vostoka. [New larval forms of Elateridae (Coleoptera) from the Far East]. Entomologicheskie Issledovanija na Dal' nem Vostoke. *Trudy Biologo-Pochvennogo Insituta Dal' nevostochnyi Nauchnyi Tsentre Akademyi Nauk SSSR Novaya seriya* (*Vladivostok*), 28 (131): 113-118.

Dolin, V. G. 1999. Neue *Zorochrus*-Arten mit ungekielten Halsschildhinterwinkeln aus Asien (Coleoptera: Elateridae: Negastriinae). *Zeitschrift der Arbeitsgemeinschaft Österreichischer Entomologen*, 51 (1-2): 31-39.

Dolin, V. G. and Cate, P. C. 2002. Zur Kenntnis der *Hypnoidus*-Arten aus China (Elateridae: Athouinae: Hypnoidini). *Zeitschrift der Arbeitsgemeinschaft Österreichischer Entomologen*, 54 (1-2): 61-76.

Dolin, V. G. and Cate, P. C. 2003. Nachtrag zur Kenntnis der Hypnoidus-Arten der Fauna Indiens und Chinas (Coleoptera: Elateridae). Zeitschrift der Arbeitsgemeinschaft Österreichischer Entomologen, 55 (1-2): 39-43.

Eschscholtz, J. F. G. von 1829. Elaterites, Eintheilung derselben in Gattungen. *Thon's Entomologisches Archiv*, 2 (1): 31-35.

Eschscholtz, J. F. G. von 1830. Die Springkäfer Livlands, unter neuere Gattungen vertheilt. *Trautvetter. Quatember* (*Mitau*), 2 (3): 13-19.

Fleutiaux, E. 1918. Nouvelles contributions à la faune de L'Indo-Chine Française. *Annales de la Société Entomologique de France*, 87: 175-278.

Fleutiaux, E. 1928a. Les Élatérides de l' Indo-Chine Française (Catalogue raisonné). Deuxième partie. *Encyclopedie Entomologique, Paris. Séries B, I. Coléoptères*, 3 (3): 103-177.

Fleutiaux, E. 1928b. Description d' un genre nouveau d' élatéridae de la sous-famille de Hypolithinae. *Bulletin de la Société Entomologique de France*, 1928: 252-254.

Fleutiaux, E. 1933. Les Élatérides de l' Indo-Chine Française (Cinquième partie). *Annales de la Société Entomologique de France*, 102: 205-235.

Fleutiaux, E. 1934. Descriptions d' élatérides nouveaux. *Bulletin de la Société Entomologique de France*, 39: 178-185.

Fleutiaux, E. 1936a. Schwedisch-chinesische wissenschaftliche Expedition nach den nordwestlichen Provinzen Chinas unter Letitung von Dr. Sven Hedin und Prof. Sü Ping-chang. Insekten gesammelt vom schwedischen Arzt der Expedition Dr. David Hummel 1927-1930. Coleopetra, 7. Elateridae. *Arkiv för Zoologi*, 27 A (19): 15-21.

Fleutiaux, E. 1936b. Les Élatéridae de l'Indochine Française. *Annales de la Société Entomologique de France*, 105: 279-300.

Fleutiaux, E. 1940. Les Élatérides de l' Indo-Chine Française. Septième partie. *Annales de la Société Entomologique de France*, 108 [1939]: 121-148.

Germar, E. F. 1840. Bemerkungen über Elateriden. *Zeitschrift für die Entomologie*, 2 (2): 241-278.

Golbach, R. 1969. Anotaciones sobre el género *Lacon* Cast. 1836 (Col. Elateridae). *Acta Zoologica Lilloana*, 25: 153-160.

des Gozis, M. 1875. *Catalogue des coléoptères de France et de la faune gallo-rhénane*. Crépin-Leblond, Monluçon. 108pp.

des Gozis, M. 1886. *Recherche de l'espèce typique de quelques anciens genres. Rectifications synonymiques et notes diverses*. Herbin, Montlucon. 36pp.

Gyllenhal, L. 1817. *In* Schönherr C. J.: Appendix ad C. J. *Schönherr Synonymia Insectorum*, Tom. 1. Pars 3. *Sistens descriptiones novarum specierum*. Officina Lewerentziana, Scaris. 266pp.

Hayek, C. M. F. von 1973. A reclassification of the subfamily Agrypninae (Coleoptera: Elateridae). *Bulletin of the British Museum (Natural History) Entomology*, 20: 1-309.

Hayek, C. M. F. von 1990. A reclassification of the *Melanotus* group of genera (Coleoptera: Elateridae). *Bulletin of the British Museum (Natural History) Entomology*, 59 (1): 37-115.

Hope , F. W. 1837. Description of various new species of insects found in Gum Animè. *Transactions of the Entomological Society of London*, 2: 52-57.

Hope , F. W. 1842. A monograph on the coleopterous family Phyllophoridae. *Proceedings of The Zoological Society of London*, 10: 73-79.

Iablokoff-Khnzorian, S. M. 1974. Novyy rod i vid zhestkokrylykh-shchelkunov iz Armenii (Coleoptera, Elateridae). *Doklady Akademii Nauk Armyanskoj SSR*, 58 (1): 52-55.

Jakobson, G. G. 1913. *Zhuki Rosij i zapadnoi Evropy* Ⅱ (*Die Käfer Russlands und Westeuropas. Ein Handbuch zum Bestimmen der Käfer*) (*The beetles of Russia and Western Europe*). 2nd Edition. A. F. Devrien, St. Peterburg. ix +721-864pp.

Jiang S-H and Wang S-Y. 1999. *Economic click beetle fauna of China (Coleoptera: Elateridae)*. China Agricultural Press, Beijing. 1-196. [江世宏，王书永，1999. 中国经济叩甲图志. 北京：中国农业

出版社，1-196.］

Jiang S-H and Wang S-Y. 2005. Coleoptera: Elateridae. 364-375. *In* Yang X-K (Editor), *Insect fauna of middle-west Qinling range and south mountains of Gansu province*. Science Press, Beijing. 1055pp. ［江世宏，王书永，2005. 鞘翅目：叩甲科. 364-375. 见：杨星科主编，秦岭西段及甘南地区昆虫. 北京：科学出版社，1055.］

Kishii, T. 1976. Some new forms of Elateridae in Japan (XI). *Bulletin of the Heian High School*, 20: 47-56.

Kishii, T. 1985. Some new forms of Elateridae in Japan (XⅦ). *Bulletin of the Heian High School*, 29: 1-30.

Kishii, T. 1987. *A taxonomic study of the Japanese Elateridae (Coleoptera), with the keys to the subfamilies, tribes and genera. A taxonomic study of the Japanese Elateridae*. Privately Published, Kyôto, Japan. 262pp.

Kishii, T. 1993. Taiwanese Elateridae collected by Mr. M. Yagi in 1991, with the descriptions on some new taxa (Coleoptera). *Entomological Review of Japan*, 48 (1): 15-34.

Kishii, T. and Jiang S-H. 1994. Note on the Chinese Elateridae, (1) (Coleoptera). *Entomological Review of Japan*, 49: 87-102.

Kishii, T. and Jiang S-H. 1996. Note on the Chinese Elateridae, (2) (Coleoptera). *Entomological Review of Japan*, 50: 131-152.

Laporte[= de Castelnau], F. L. N. Caumont de. 1838. Études entomologiqes, ou descriptions d'insectes nouveaux et observations sur la synonymie. *Revue Entomologique (G. Silbermann)*, 4: 5-60.

Laporte [= de Castelnau], F. L. N. Caumont de. 1840. *Histoire naturelle des insects Coléoptères. Avec une introduction renfernant l' anatomie et la physiologie des animaux articulés, par M. Brullé. Tome premier. Histoire naturelle des animaux articulés, annelides, crustacés, arachnides, myriapodes et insectes Tome troisieme*. P. Duménil, Paris. cxxv + 324 pp.

LeConte, J. L. 1861. Classification of the Coleoptera of North America. Prepared for the Smithsonian Institution. Part 1. Smithsonian Miscellaneous Collections, 136: 1-214.

Lewis, G. 1879. Diagnoses of Elateridae from Japan. *The Entomologist's Monthly Magazine*, 16: 155-167.

Lewis, G. 1894. On the Elateridae of Japan. *The Annals and Magazine of Natural History*, 13 (6): 26-48, 182-201, 255-266, 311-320.

Miwa, Y. 1928. New and some rare species of Elateridae from the Japanese Empire. *Insecta Matsumurana*, 3 (1): 36- 51.

Miwa, Y. 1929a. Elateridae of Formosa (Contribution to the fauna of Formosan Coleoptera). *Transaction of the Natural History Society of Formasa*, 19 (102): 225-246.

Miwa, Y. 1929b. Elateridae of Formosa (Ⅱ). *Transactions of the Natural History Society of Formosa*, 19 (105): 485-495.

Miwa, Y. 1931a. Supplementary notes on the elaterid-fauna of Loo-Choo (Coleoptera). *Transactions of the Natural History Society of Formosa*, 21 (116): 259-261.

Miwa, Y. 1931b. Elateridae of Formosa (V). *Transactions of the Natural History Society of Formosa*, 22 (113): 72- 98.

Motschulsky, V. de 1858. Insectes des Indes orientales. 1: ière Série. *Études Entomologiques*, 7: 20-122.

Motschulsky, V. de 1859. Catalogue des insectes rapportés des environs du fleuve Amour, depuis la Schilka jusqu'à Nikolaëvsk. *Bulletin de la Société Impériale des Naturalistes des Moscou*, 32 (4): 487-507.

Nakane, T. and Kishii, T. 1955. Entomological results from the scientific survey of the Tokara Islands. I, Coleoptera: Elateridae. *Bulletin of Osaka Museum of Natural History*, 2: 1-8.

Nakane, T. and Kishii, T. 1958. The Coleoptera of Yakushima Island. Elateridae. *The Scientific Reports of the Saikyo University (Natural Science and Living Science)*, (A) 2: 294-302.

Neboiss, A. 1967. The genera *Paracalais* gen. nov. and *Austrocalais* gen. nov. (Coleoptera: Elateridae). *Proceedings of the Royal Society of Victoria*, 80 (2): 259-287.

Ôhira, H. 1960. Studies on the morphology of the Elaterid larvae of Japan (XIII). *Kontyû*, 28 (1): 27-33.

Ôhira, H. 1962. New or little-known Elateridae from Japan, III (Coleoptera). *Kontyû*, 30 (3): 198-201.

Ôhira, H. 1966a. Notes on some Elateridae-beetles from Formosa I. *Kontyû*, 34 (3): 215-222.

Ôhira, H. 1966b. Notes on some Elateridae-beetles from Formosa II. *Kontyû*, 34 (3): 266-274.

Ôhira, H. 1966c. Notes on some Elateridae-beetles from Formosa III. *Kontyû*, 34 (3): 331-338.

Ôhira, H. 1967. The Elateridae of the Ryukyu Archipelago, I (Coleoptera). *Transactions of the Shikoku Entomological Society*, 9 (3): 95-106.

Ôhira, H. 1976. Miscellaneous notes on the Elateridae of Japan (VII). *Nature and Insects*, 11 (4): 32-33.

Ôhira, H. 1977. Family Elateriae (Hemirhipinae, Agrypninae, Chalcolepidinae). *Check-list of Coleoptera of Japan*, 11: 1-7.

Ôhira, H. 1990. Notes on the genus *Silesis* (Elateridae) from Japan. *Entomological Revue of Japan*, 45 (1): 73-75.

Platia, G. 2005a. Description of new species of Melanotini from the Indo-Malayan region, with chronological notes (Coleoptera, Elateridae, Melanotinae). *Boletín de la Sociedad Entomológica Aragonesa*, 36: 85-92.

Platia, G. 2005b. Description of new species of *Lanecarus* Ohira, 1962 with a key to species of China and south east Asia and description of a new species from Brunei (Coleoptera, Elateridae, Synaptini). *Boletín de la Sociedad Entomológica Aragonesa*, 37: 113-117.

Platia, G. 2006. Nuovi *Silesis* della regione indiana e cinese (Nepal, India, Cina, Myanmar) con note geonemiche e sinonimiche (Coleoptera, Elateridae, Synaptini) [New *Silesis* of Indian and Chinese region (Nepal, India, China, Myanmar) with geonemic and synonymic notes (Coleoptera, Elateridae, Synaptini)]. *Boletín de la Sociedad Entomológica Aragonesa*, 38: 25-33.

Platia, G. 2007a. Contribution to the knowledge of the *Agriotini* of China. Genera *Agriotes* Eschscholtz, *Ectinus* Eschscholtz, *Tinecus* Fleutiaux and *Rainerus* gen. n. (Coleoptera, Elateridae, Agriotini). *Boletín de la Sociedad Entomológica Aragonesa*, 41: 7-42.

Platia, G. 2007b. Description of new species of Melanotini from the Oriental Region, with new records (Coleoptera, Elateridae, Melanotinae). *Boletín de la Sociedad Entomológica Aragonesa*, 40: 149-170.

Platia, G. 2008. Contribution to the knowledge of the species of the genera *Agonischius* Candèze and *Vuilletus* Fleutiaux (except those from Japan and Taiwan) (Coleoptera, Elateridae, Elaterini). *Boletin de la Sociedad Entomológica Aragonesa*, 42: 1-25.

Platia, G. 2009. Descriptions of new click beetles from China and Oriental region, with new systematic and chorological notes (Coleoptera, Elateridae). *Boletín de la Sociedad Entomológica Aragonesa*, 44: 39-52.

Platia, G. and Gudenzi, I. 1998. Taxonomic and faunistic notes on click-beetles from Near-East (Coleoptera, Elateridae). *Bollettino dell'Associazione Romana di Entomologia*, 53 (1-4): 49-62.

Platia, G. and Gudenzi, I. 2006. Click-beetle genera, species and records new to palearctic and indomalayan regions (Insecta Coleoptera Elateridae). *Quaderno di Studi e Notizie di Storia naturale della Romagna*, 23: 131-156.

Platia, G. and Schimmel, R. 2001. *Revisione delle specie orientali (Giappone e Taiwan esclusi) del genere Melanotus Eschscholtz*, 1829 (*Coleoptera, Elateridae, Melanotinae*). Museo Regionale di Scienze Naturali, Torino, Monografie XXVII. 638pp.

Platia, G. and Schimmel, R. 2002. Revisione delle specie orientali (Giappone e Taiwan esclusi) del genere *Melanotus* Eschscholtz, 1829 (Coleoptera, Elateridae, Melanotinae) I. Supplemento. *Bollettino del Musco Regionale di Scienze Natruali*, 19 (2): 305-388.

Reitter, E. 1891. Vierter Beitrag zur Coleopteren-Fauna des russischen Reiches. *Wiener Entomologische Zeitung*, 10: 233-240.

Reitter, E. 1900. Coleoptera, gesammelt im Jahre 1898 in Chin. Central-Asien von Dr. Holderer in Lahr. *Wiener Entomologische Zeitung*, 19: 153-166.

Reitter, E. 1905. Bestimmungs-Tabelle der Palaearciscen mit *Athous* verwandten Elateriden (Subtribus: Athouina), mit einer Uebersicht der verwandten Coleopteren-Familien: Sternoxia und mit einen Bestimmungsschliissel der Gattungen der Elateridae. *Verhandlungen des Naturforschenden Vereines in Brünn*, 43: 1-122.

Schenkling, S. 1927. Elateridae II. Pars 88. In Schenkling, S. (ed.): Coleopterorum Catalogus. W. Junk, Berlin, pp. 265-636.

Schimmel, R. 2003. Neue Ampedini-, Physorhinini-, Pectocerini-, Elatterini- und Diminae-Arten aus Südostasien (Coleoptera: Elateridae). *Mitteilungen der Pollichia*, 90: 265-292.

Schimmel, R. 2006a. Neue Ampedus-, Denticollis-, Limoniscus-, Pachyderes-, Pectocera- und Pengamethes-Arten aus China, Malaysia, Indonesien und Myanmar (Insecta: Coleoptera, Elateridae). *Veröeffentlichungen des Naturkundemuseums Erfurt*, 25: 241-259.

Schimmel, R. 2006b. Neue Megapenthini-, Physorhinini-, Diminae- und Senodoniina-Arten aus Südostasien (Insecta: Coleoptera, Elateridae). *Mitteilungen der Pollichia*, 92: 107-130.

Schimmel, R. 2007. Neue Elateriden aus der Orientalischen Region (Insecta: Coleoptera, Elateridae). *Mitteilungen der Pollichia*, 93: 179-201.

Schimmel, R. and Platia, G. 2007. Borowiecianus and Tarnawskianus, two new and closely related genera of the tribe Ctenicerini from China and North India (Insecta: Coleoptera: Elateridae). *Genus* (*Wroclaw*), 18 (3): 371-397.

Schimmel, R. and Tarnawski, D. 2007. The species of the genus *Mulsanteus* Gozis, 1875 of Southeast Asia (Insecta: Coleoptera: Elateridae). *Genus* (*Wroclaw*), 14: 89-172.

Schimmel, R. and Tarnawski, D. 2008a. The species of the genus *Athousius* Reitter, 1905 of China, and re-establishment of the genus *Thacana* Fleutiaux, 1936 (Insecta: Coleoptera, Elateridae). *Zootaxa*, 1913: 36-48.

Schmimel, R. and Tarnawski, D. 2008b. The species of the genus *Tropihypnus* Reitter, 1905 (Insecta: Coleoptera: Elateridae). *Genus* (*Wroclaw*), 19: 639-667.

Schimmel, R. and Tarnawski, D. 2009. Monograph of the tribe Quasimusini (Insecta: Coleoptera, Elateridae, Negastriinae). *Polish Taxonomical Monographs*, 17: 1-169.

Schimmel, R. and Tarnawski, D. 2010. Monograph of the subtribe Elaterina (Insecta: Coleoptera: Elateridae: Elaterinae). *Genus* (*Wroclaw*), 21 (3): 325-481.

Schwarz, O. 1902. Neue Elateriden aus dem tropischen Asien, den malayischen Inseln und den Inseln der Südsee. *Deutsche Entomologische Zeitschrift*, 1902: 305-350.

Solsky, S. M. 1871. Coléoptères de la Sibérie orientale. *Horae Societatis Entomologicae Rossicae*, 7: 334-406.

Thomson, C. G. 1859. *Skandinaviens Coleoptera, synoptiskt bearbetade*. Tom I. Berlingska boktryckeriet, Lund. 290pp.

十九、红萤科 Lycidae

刘浩宇
（河北大学生命科学学院 河北省动物系统学与应用重点实验室，保定 071002）

鉴别特征：体扁平，鞘翅扁而软，多为红色或接近红色，偶有黄色、黑色。头部部分被前胸背板覆盖。触角 11 节，个别种类 10 节，呈丝状、锯齿状、羽状等；前胸背板多向后加宽，且多具明显凹刻或隆脊。鞘翅细长，具发达纵脊和刻点组成网纹。前、中足基节具锥状隆突，后足基节横宽；跗式 5-5-5。腹部可见 7～8 节，不发光。

分类：世界已知 4900 种，中国记录 240 种，秦岭地区发现 5 属 9 种。

分属检索表

1. 头部无喙突 ………………………………………………………… 2
   头部具喙突 ……………………………………… 吻红萤属 ***Lycostomus***
2. 前胸背板具明显隆脊 …………………………………………………… 3
   前胸背板无明显隆脊 …………………………… 窄胸红萤属 ***Lyponia***
3. 前胸背板隆脊发达，将背区分为若干部分；爪末端不分叉 ………………… 4
   前胸背板仅前部具纵脊，两侧横脊不明显；爪末端分叉 ……… 硕红萤属 ***Macrolycus***
4. 触角丝状至略齿状；前胸背板背区分为 5 个部分 ………………… 纹红萤属 ***Conderis***
   触角明显齿状至长侧枝状；前胸背板背区多被分为 7 个部分 ……… 奇胸红萤属 ***Cautires***

297. 硕红萤属 *Macrolycus* Waterhouse, 1878

Macrolycus Waterhouse, 1878: 96. **Type species**: *Macrolycus bowringi* Waterhouse, 1878 (= *Macrolycus coccineus* Waterhouse, 1878).

属征：体中大型，被短毛。触角 11 节，雄性栉状，雌性锯齿状。前胸背板近方形，中部前部具纵脊，两侧具不明显横脊；前缘略凸或直，后缘波状。鞘翅扁平，侧缘近平行；背面各具4条纵棱脊，棱脊间具不规则排列的刻点。阳茎细长，近平直，具侧隆脊；近端部膨大。

分布：中国；朝鲜半岛，俄罗斯远东地区。世界已知47种，中国记录24种，秦岭地区发现4种。

分种检索表

1. 雄性外生殖器具阳茎侧叶 ………………………… **陕西硕红萤 *M.*（s. str.）*shaanxiensis***
   雄性外生殖器无阳茎侧叶 ……………………………………………………………… 2
2. 阳茎中叶端部扩展……………………………………… **穆氏硕红萤 *M.*（*Cerceros*）*murzini***
   阳茎中叶端部不扩展 …………………………………………………………………… 3
3. 触角第3节长约等于其侧枝长；阳茎在端部急剧变窄 ………………………………
   ……………………………………………………………… **鲍氏硕红萤 *M.*（*Cerceros*）*bocakorum***
   触角第3节长明显短于其侧枝长；阳茎向端部渐变窄　… **丝角硕红萤 *M.*（*Cerceros*）*galinae***

（786）陕西硕红萤 *Macrolycus*（s. str.）*shaanxiensis* Kazantsev, 2001

Macrolycus shaanxiensis Kazantsev, 2001: 102.

鉴别特征：体长13.30～13.90mm。体暗褐色至黑色，前胸背板和鞘翅暗红色。触角伸达鞘翅前2/3处，第3节开始具侧枝，侧枝窄且长度差异不明显。鞘翅第3纵脊较弱。后足胫节宽且弯曲。阳茎三叶状，中叶侧面观近端部较为扁平。

采集记录：1♂（正模），周至厚畛子，1350～2000m，1999.Ⅵ.14-24。

分布：陕西（周至）、甘肃。

（787）穆氏硕红萤 *Macrolycus*（*Cerceros*）*murzini* Kazantsev, 2001

Macrolycus murzini Kazantsev, 2001: 107.

鉴别特征：体长11.00～14.20mm。体深褐色至黑色，前胸背板和鞘翅深红色。触角瘤突明显，端部伸达鞘翅前2/3处，第3节开始具侧枝且较短。鞘翅第1和第2纵棱明显较第3和第4纵棱更为隆起。阳茎无侧叶，中叶端部结构特化，末端尖锐且具细突。

采集记录：1♂，太白山，1350m，1999.Ⅵ.10；5♂，宁陕旬阳坝，1200m，1998.Ⅵ.13-23。

分布：陕西（太白山，宁陕）、四川。

（788）鲍氏硕红萤 *Macrolycus*（*Cerceros*）*bocakorum* Kazantsev，2001

Macrolycus bocakorum Kazantsev, 2001: 104.

鉴别特征：体长10.30～14.80mm。体深褐色至黑色，前胸背板与鞘翅深红色。触角瘤突明显，端部伸达鞘翅前2/3处，第3节开始具长侧枝，其中3、4两节端部平直。前胸背板前缘稍窄于后缘。鞘翅第1，2和4纵棱明显隆起。阳茎中叶较细，端部呈管状，向末端渐窄。

采集记录：1♂（副模），周至厚畛子，1350～2000m，1999.Ⅵ.14-24。

分布：陕西（太白山，周至）、四川。

（789）丝角硕红萤 *Macrolycus*（*Cerceros*）*galinae* Kazantsev，2000

Macrolycus galinae Kazantsev, 2000: 105.

鉴别特征：体长11.20～14.10mm。体深褐色至黑色，前胸背板中部及鞘翅深红色，两者的基部、侧缘颜色稍浅。复眼明显凸出。触角瘤突明显，端部伸达鞘翅前2/3处，第3节开始具长指状侧枝。鞘翅纤长，第2、4纵棱较明显隆起。阳茎无侧叶，中叶近端部稍宽，端部指状。

采集记录：1♂，太白山，1998.Ⅵ.21-23。

分布：陕西（太白山，眉县）、四川。

298. 窄胸红萤属 *Lyponia* Waterhouse，1878

Lyponia Waterhouse, 1878: 99. **Type species**: *Lyponia debilis* Waterhouse, 1878.

属征：体中型，色鲜艳。触角11节，丝状至锯齿状；第1节梨状，第3节近锥形或具侧枝，或具密短绒毛的特化区；第4～10节近三角形或具长侧枝。前胸背板近方形或梯形，前部具中纵线。鞘翅侧缘近平行，各具9条纵棱，棱间区域具不规则的小室。阳茎粗短，部分种类中叶具成对端刺，且交配囊细长，或中叶无端刺。

分布：古北区，东洋区。世界已知20种，中国记录11种，秦岭地区发现2种。

分种检索表

触角自第3鞭节开始侧枝明显长，雄性外生殖器长，阳茎中叶端部无侧齿 ……………………………………………………………………………………………… **陕西窄胸红萤 *L.*（L.）*shaanxiensis***

触角自第3鞭节开始具侧枝较短，雄性外生殖器短，阳茎侧叶端部具侧齿 ……………………………

（790）陕西窄胸红萤 *Lyponia*（*Lyponia*）*shaanxiensis* Kazantsev, 2002

Lyponia（*Lyponia*）*shaanxiensis* Kazantsev, 2002a：202.

鉴别特征：体长 8.30mm。体黑色；前胸背板除背片及鞘翅外，呈砖红色。触角端部伸达鞘翅前 2/3 处，第 3 节开始具长侧枝。前胸背板近方形，周边近平直。鞘翅近平行，第 3 纵棱较其他纵棱在端半部明显弱。阳茎近基部细窄，略弯曲，近端部宽，末端钝。

采集记录：1♂（正模），周至厚畛子，1900m，1999.Ⅷ.01-12。

分布：陕西（周至）。

（791）秦岭窄胸红萤 *Lyponia*（*Poniella*）*qinlingensis* Li, *Bocak et* Pang, 2015

Lyponia（*Poniella*）*qinlingensis* Li, Bocak *et* Pang, 2015：13.

鉴别特征：体长 7.20～7.50mm。体浅褐色至黑色；前胸背板暗褐色，其边缘及鞘翅橘红色。触角端部伸达鞘翅前 2/3 处，柄节端部近球形；第 4 节开始具短而尖的侧枝。前胸背板近长方形，周边近平直。鞘翅第 2、4 纵棱较明显隆起，第 1、3 纵棱基部较粗，向端部逐渐变细。阳茎基部较细窄，近基部 1/3 处侧缘平滑，端部具 1 对明显侧齿。

采集记录：1♂（正模），宁陕旬阳坝，1200m，1998.Ⅵ.13-23。

分布：陕西（宁陕）。

299. 吻红萤属 *Lycostomus* Motschulsky, 1860

Lycostomus Motschulsky, 1860：136. **Type species**：*Lycus coccineus* Motschulsky, 1860（=*Lycus similis* Hope, 1831）.

属征：体中大型，头小且具喙突。触角扁平，雄性自第 3 节开始明显齿状，雌性较弱。前胸背板背区前部具中纵线。鞘翅向后渐加宽，各具 4 条明显完整纵棱，翅室不规则且向后减少。阳茎细长，基片宽，侧叶明显短。

分布：东洋区。世界已知 20 余种，中国记录不到 10 种，秦岭地区发现 1 种。

（792）秦岭吻红萤 *Lycostomus tsinlingensis* Kazantsev, 2002

Lycostomus tsinlingensis Kazantsev, 2002b：256.

鉴别特征：体长 11.00 ~ 16.50mm。体黑色，前胸背板和鞘翅边缘朱红色。头背面触角突后具明显双痕，喙突中度长；雄性触角端部伸达鞘翅 1/2 处，自第 3 节开始齿状。前胸背板半椭圆形，横向；前角圆形，后角尖。鞘翅向后加宽，第 2 和 4 条纵棱在端半部稍隆起，棱间具明显且细的较不规则室。阳茎侧叶长，中叶短。

采集记录：1♂（正模），周至厚畛子，1350 ~ 2000m，1999. Ⅵ. 14-24。

分布：陕西（周至）、甘肃。

300. 纹红萤属 *Conderis* Waterhouse, 1879

Conderis Waterhouse, 1879: 59. **Type species**: *Calopteron signicolle* Kirsch, 1875.

属征：体小到中型，多为朱红色。触角丝状至略齿状。前胸背板背区被隆脊分为 5 个部分，中间部分小且窄。鞘翅侧缘近平行或向后稍加宽，各具 4 条明显的和 5 条弱的纵棱；横脊密，小室不规则，底部光。雄性腹部末端具孔。阳茎中部几乎直，侧叶长。

分布：古北区，东洋区。世界已知超过 20 种，中国记录 10 多种，秦岭地区发现1 种。

（793）伪康纹红萤 *Conderis pseudoconderoides* Kazantsev, 2002

Conderis pseudoconderoides Kazantsev, 2002b: 257.

鉴别特征：体长 7.00 ~ 11.10mm。体黑色，前胸背板除边缘及鞘翅中、后部暗红色外，余为黑色。头背面触角突不明显，上颚须末节长约等于第 2 节；雄性触角端部超过鞘翅 1/2 处，自第 3 节开始齿状。前胸背板梯形，前角稍圆形，后角尖；中室向后闭合。鞘翅向后稍加宽，第 4 条主纵棱明显短，棱间具双列明显且较不规则的室。阳茎三叶状，侧叶伸达中叶端部。

采集记录：1♀（副模），周至厚畛子，1500 ~ 2000m，2000. Ⅵ-Ⅶ。

分布：陕西（周至）、甘肃。

301. 奇胸红萤属 *Cautires* Waterhouse, 1879

Cautires Waterhouse, 1879: 36. **Type species**: *Lycus excellens* Waterhouse, 1879.

属征：体小到中型，无喙突。雄性触角明显长侧枝状，雌性齿状；上颚须粗壮，端部加宽。前胸背板梯形，背区多被隆脊分为 7 个部分。鞘翅各具 4 条明显完整纵棱，次纵脊较弱但完整；横脊规则。阳茎较细长，矛状，中茎具 2 枚刺。

分布：古北区，东洋区，非洲区。世界已知超过 100 种，中国记录 20 余种，秦岭地区发现 1 种。

(794) 警奇胸红萤 *Cautires procautiroides* Kazantsev, 2002

Cautires procautiroides Kazantsev, 2002b: 259.

鉴别特征：体长 9.70～11.00mm。体黑色；鞘翅和前胸背板边缘黑褐色，具红毛。头背面触角突后具浅痕和中细脊，雄性触角端部伸达鞘翅 1/2 处，自第 3 节明显长侧枝状。前胸背板横宽，前角钝，后角小且尖；中室向后开放。鞘翅向后稍加宽，4 条主纵棱在端半部较其他明显，棱间具双列较不规则长室。阳茎近基部细，端部明显尖角状。

采集记录：2♀(副模)，周至厚畛子，1500～2000m，2000. Ⅵ-Ⅶ。

分布：陕西(周至)、甘肃、四川。

参考文献

Kazantsev, S. V. 2001. *Macrolycus* Waterhouse, 1878 (Coleotera: Lycidae) continental China. *Elytron* (2000), 14: 99-109.

Kazantsev, S. V. 2002a. Supplementary notes to the revision of the genus *Lyponia* Waterhouse, 1878 (Coleoptera, Lycidae) with description of new taxa. *Russian Entomological Journal*, 11: 197-206.

Kazantsev, S. V. 2002b. New and little known species of Lycidae (Coleoptera) from China. *Russian Entomological Journal*, 11 (3): 253-263.

Li, Y., Bocak, L. and Pang, H. 2015. Description of New Species of Lyponiini from China (Coleoptera: Lycidae). *Annales Zoologici*, 65 (1): 9-19.

Motschulsky, V. de 1860. *Coléoptères rapportés de la Sibérie orientale et notamment des pays situés sur les bords du fleuve Amour par MM. Schrenck, Maack, Ditmar, Voznessenski etc. Pp.* 77-257 + [1] *pp.*, *pls* 6-11, 1 *map. In*: *Schrenck P. L.*: *Reisen und Forschungen im Amur-Lande in den Jahren* 1854-1856 *im Auftrage der Kaiserl. Akademie der Wissenschaften zu St. Peterburg ausgeführt und in Verbindung mit mehreren Gelehrten herausgegeben von Dr. Leopold Schrenck.* Band Ⅱ. Zweite Lieferung. Coleopteren. St. Peterburg: Kaiserliche Akademie der Wissenschaften, 976 pp.

Waterhouse, C. O. 1878. On the different forms occurring in the Coleopterous family Lycidae, with descriptions of new genera and species. *Transactions of the Entomological Society London*, 1878: 95-118.

Waterhouse, C. O. 1879. *Illustration of the typical specimens of Coleoptera in the collection of the British Museum.* Part Ⅰ. -Lycidae, British Museum, London, 93 pp.

二十、花萤科 Cantharidae

杨玉霞[1] 杨星科[2]

（1. 河北大学生命科学学院，保定 071002；2. 中国科学院动物研究所，北京 100101）

鉴别特征：体扁而软。头部大部分外露；上唇膜质，完全被唇基覆盖；触角 11 节，多为丝状，有的锯齿状或栉状；中足基节相近，跗式 5-5-5；腹部具 7 或 8 节可见腹板，第 1～8 节可见背板两侧各具 1 个腺孔。

分类：世界已知 173 属 6000 余种，中国记录 4 亚科 41 属 700 余种，秦岭地区发现 12 属 50 种。

分属检索表

1. 两侧外咽愈合 …… **亚齿花萤属 *Asiopodabrus***
   两侧外咽分离 …… 2
2. 两性所有跗爪双齿状或具三角形基片 …… 3
   两性跗爪不同上述 …… 5
3. 雄性外生殖器：阳茎侧突发达 …… **道花萤属 *Taocantharis***
   雄性外生殖器：阳茎侧突缺失 …… 4
4. 前胸背板宽明显大于长；雄性外生殖器端半部急剧变狭 …… **丝角花萤属 *Rhagonycha***
   前胸背板长大于宽或约等长；雄性外生殖器两侧近平行或向端部渐变狭 …… **异角花萤属 *Fissocantharis***
5. 两性或雄性所有或前、中足外侧爪具基片 …… 6
   两性或雄性所有跗爪单齿状或前、中外侧爪和或内侧爪基部具指突 …… 8
6. 前胸背板近圆形 …… **圆胸花萤属 *Prothemus***
   前胸背板非圆形 …… 7
7. 鞘翅绿色，具金属光泽 …… **台湾花萤属 *Taiwanocantharis***
   鞘翅黑色或棕色，无光泽 …… **花萤属 *Cantharis***
8. 雄性外生殖器：阳基侧突两侧背板分离 …… 9
   雄性外生殖器：阳基侧突两侧背板愈合 …… 11
9. 雄性外生殖器：两侧阳基侧突于腹面基部愈合 …… 10
   雄性外生殖器：两侧阳基侧突于腹面中部愈合 …… **异花萤属 *Lycocerus***
10. 前胸背板两侧缘完整 …… **狭胸花萤属 *Stenothemus***
    前胸背板两侧缘基部缺失 …… **缢胸花萤属 *Leiothorax***
11. 触角简单，丝状，第 2 节多长于第 3 节 …… **丽花萤属 *Themus***
    触角宽扁或丝状加粗，第 2 节短于第 3 节 …… **赛花萤属 *Cyrebion***

302. 亚齿花萤属 *Asiopodabrus* Wittmer, 1982

Podabrus (*Asiopodabrus*) Wittmer, 1982: 122. **Type species**: *Podabrus* (*Asiopodabrus*) *taiwanus* Wittmer, 1982.

Dichelotarsus (*Asiopodabrus*): Kazantsev, 1992: 267.

Asiopodabrus: Takahashi, 2002: 196.

属征： 体小型。体黑色或棕黄色。头部向后急剧变狭；两侧外咽愈合，仅见1条外咽缝；触角丝状；前胸背板近方形，前缘平直，后角稍突起；两性所有跗爪均双齿状或具三角形基片。

分布： 古北区，东洋区。世界已知100余种，中国记录4种，秦岭地区发现1种。

(795) 垂氏亚齿花萤 *Asiopodabrus tryznai* (**Švihla, 2004**)（图版25：1）

Dichelotarsus (*Asiopodabrus*) *tryznai* Švihla, 2004: 157.

Asiopodabrus tryznai: Kasantsev & Brancucci, 2007: 236.

鉴别特征： 体长4.50～6.00mm。体黑色，口器、唇基和触角基部2节棕黄色。触角简单，长达鞘翅基部1/3处；前胸背板近方形，长宽约等，两侧缘双波状，前角截形，后角钝尖稍突起；雄性前、中足跗爪双齿状，下爪稍短于上爪，后足跗爪各具1个宽三角形基片；雌性所有跗爪均具宽三角形基片。

采集记录： 1♂，周至厚畛子，1350m，1999. Ⅵ. 24，姚建采。

分布： 陕西（周至）。

303. 花萤属 *Cantharis* Linnaeus, 1758

Cantharis Linnaeus, 1758: 400. **Type species**: *Cantharis fusca* Linnaeus, 1758.

Telephorus Schaeffer, 1766: 123. **Type species**: *Cantharis fusca* Linnaeus, 1758.

Oripa Motschulsky, 1860: 398. **Type species**: *Oripa transmarina* Motschulsky, 1860.

Silotrachelus Solsky, 1881: 31. **Type species**: *Silotrachelus semirufus* Solsky, 1881.

属征： 体小型。体黑色、棕色或橙黄色。触角丝状，有时雄性中央节具光滑细纵沟，雌性则无；前胸背板横向椭圆形，后角钝圆或稍突起；两性或雄性所有或前、中外侧爪具三角形基片。

分布： 东洋区，全北区。世界已知340余种，中国记录25种，秦岭地区发现6种。

分种检索表

1. 两性足所有外侧爪均具 1 个三角形基片 …………………………………………………… 2
   雄性足所有或前、中外侧爪均具 1 个三角形基片，雌性则均为单齿状 …………………… 5
2. 头橙色，鞘翅大部分黑色，中缝和外缘淡黄色 ……………………… **红缘花萤 *C.*（s. str.）*rufa***
   头和鞘翅颜色不同上述 ……………………………………………………………………… 3
3. 鞘翅棕色 ………………………………………………… **小斑花萤 *C.*（s. str.）*minutemaculata***
   鞘翅黑色 ……………………………………………………………………………………… 4
4. 前胸背板黑斑大，几乎延伸至周缘 ……………………… **棕翅花萤 *C.*（s. str.）*brunneipennis***
   前胸背板黑斑较小，未延伸至周缘……………………………… **金氏花萤 *C.*（s. str.）*jindrai***
5. 前胸背板盘区基半部具 1 个不规则大黑斑 ……………………… **倪氏花萤 *C.*（s. str.）*knizeki***
   前胸背板盘区中线具 1 个纵向黑斑…………………… **黑斑花萤 *C.*（*Cyrtomoptila*）*plagiata***

（796）棕翅花萤 *Cantharis*（s. str.）*brunneipennis* Heyden，1889（图版 25：2）

Cantharisbrunneipennis Heyden，1889：673.

Cantharis luteolimbata Pic，1902：47.

鉴别特征：体长 5.50～8.00mm。体黑色，口器橙黄色，上颚、下颚须和下唇须末节端部深棕色，触角基部 2 节橙黄色，前胸背板黄色，盘区具 1 个大黑斑，几乎延伸至周缘，腹部末节黄色。触角长达鞘翅中部，雄性第 6～11 节外侧缘近中央各具 1 条光滑的细纵沟，雌性则无；前胸背板横向椭圆形，宽明显大于宽；两性所有外侧爪各具 1 个三角形基片。

采集记录：1♂，周至厚畛子，1350m，1999. Ⅵ. 24，朱朝东采；1♀，周至厚畛子，1350～3120m，1999. Ⅵ. 23，胡建采。

分布：陕西(周至)、黑龙江、山西、甘肃、四川；蒙古，俄罗斯(远东)。

（797）金氏花萤 *Cantharis*（s. str.）*jindrai* Švihla，2004

Cantharis jindrai Švihla，2004：173.

鉴别特征：体长 7～8mm。体黑色，触角基部 2 节棕黄色，前胸背板棕黄色，盘区中央具 1 个大黑斑。触角长达鞘翅中部，雄性第 4～10 节外侧缘各具 1 个光滑的小卵圆形浅凹，雌性则无；前胸背板横向椭圆形，宽大于长；两性所有外侧爪各具 1 个三角形基片。

采集记录：1♂（正模），周至厚畛子，1500m，1998. Ⅵ. 26。

分布：陕西(周至)。

(798) 倪氏花萤 *Cantharis* (s. str.) *knizeki* Švihla, 2004

Cantharis knizeki Švihla, 2004: 174.

鉴别特征: 体长5.50～6.50mm。体橙色，头背面、复眼之后黑色，上颚和下颚须末节端部深棕色，触角黑色，基部2节橙色，前胸背板盘区前半部中央黑色，足跗节黑色，鞘翅和体腹面黑色，腹部末端2节橙色。触角长达鞘翅中部，雄性第4～9节外侧缘近端部各具1个小的圆形光滑浅凹，雌性则无；前胸背板横向椭圆形，宽明显大于长；雄性前、中外侧爪各具1个宽三角形基片，后足则为单齿状，雌性所有跗爪均为单齿状。

采集记录: 4♂3♀，石泉，1980.Ⅵ.25，向龙成、马宁采；1♂，石泉，1980.Ⅳ.25，向龙成采。

分布: 陕西(石泉)、河北。

(799) 小斑花萤 *Cantharis* (s. str.) *minutemaculata* Wittmer, 1997

Cantharis minutemaculata Wittmer, 1997: 286.

鉴别特征: 体长7.30～9.80mm。体黑色，前胸背板橙黄色，盘区中央具1个大黑斑，其后两侧各具1个小黑斑，鞘翅棕色。触角长达鞘翅中部，雄性第5～8节外侧缘各具1个光滑的小圆形或椭圆形浅凹，雌性则无；前胸背板横向椭圆形，宽明显大于宽；两性所有外侧爪各具1个三角形基片。

采集记录: 1♂1♀，秦岭，1973.Ⅹ.09-12，路进生、田畴采；1♀，镇安云镇黑窑沟，2014.Ⅵ.20，1217m，苑彩霞、田颖采。

分布: 陕西(秦岭、镇安)、山西。

(800) 红缘花萤 *Cantharis* (s. str.) *rufa* Linnaeus, 1758

Cantharis rufa Linnaeus, 1758: 401.

Cantharis rufa var. *liturata* Fallén, 1807: 18.

Cantharis litterata Eschscholtz, 1818: 461.

Cantharis analis Stephens, 1829: 11.

Telephorus confinis Stephens, 1830: 302.

Telephorus testaceipes Stephens, 1830: 303.

Telephorus maculicollis Stephens, 1835: 415.

Telephorus griseipennis Stephens, 1835: 416.

Telephorus rufescens Dietrich, 1857: 124.

Telephorus tenuilimbatus Ballion, 1870: 352.

Cantharis korbi Pic, 1912: 82.

Cantharis korbi var. *conditiva* Pic, 1912: 82.

Cantharis turkestanica Pic, 1913a: 187.

Cantharis rufa var. *roelofsi* Pic, 1913b: 153.

Cantharis rufa var. *alexandris* Pic, 1914: 52.

Cantharis rufa var. *padana* Fiori, 1914: 66.

鉴别特征：体长9～11mm。头部橙色；触角黑色，基部2节橙色；前胸背板和小盾片橙色；鞘翅黑色，周缘淡黄色；足橙色，跗节稍加深；体腹面黑色。触角简单，丝状，长达鞘翅中部；前胸背板横向椭圆形，宽稍大于长；两性各足外侧爪均具1个小的三角形基齿，雌性较雄性更小。

采集记录：1♂，武功，1981.Ⅳ.24，孙益智采。

分布：陕西（武功）、黑龙江、青海、新疆；蒙古，俄罗斯，朝鲜，中亚地区，欧洲，北美洲。

（801）黑斑花萤 *Cantharis*（*Cyrtomoptila*）*plagiata* Heyden, 1889

Cantharis plagiata Heyden, 1889: 675.

Telephorus vulcanus Lewis, 1895: 112.

Cantharis inlateralis Pic, 1902: 55.

Cantharis raddensis Pic, 1904: 26.

Cantharis guilleti Pic, 1905: 113.

Cantharis argentosa Barovskij, 1929: 266.

Cantahris（*Cyrtomoptila*）*plagiata*: Švihla, 2004: 175.

鉴别特征：体长5.50～7.00mm。头部橙色，背面复眼后缘之后黑色；触角橙色；前胸背板橙黄色，中线处具1个纵向的黑斑；鞘翅黑色，中缝和外缘淡黄色；足橙色，跗节稍加深，后足胫节中央黑色；体腹面黑色。触角简单，丝状，长达鞘翅中部；前胸背板横向，近端部1/3处最宽，两侧向后变狭，前角宽圆，后角钝直；雄性各足外侧爪具1个小的三角形基片，雌性则均为单齿状。

采集记录：1♂1♀，周至厚畛子，2007.Ⅴ.28，张丽杰采；1♂，周至厚畛子，1270m，2007.Ⅴ.26，张丽杰采；1♂，周至老县城，2007.Ⅴ.26，1700m，李文柱采；1♂，周至老县城，1700m，2007.Ⅴ.26，张丽杰采；1♀，周至老县城，1745m，2007.Ⅴ.26-27，史宏亮采；1♀，周至老县城，1745m，2007.Ⅴ.26，林美英采；1♀，佛坪上沙窝村，1170～1215m，2007.Ⅴ.20，林美英采；2♀，佛坪上沙窝村，1107～1215m，2007.Ⅴ.29，林美英采；1♂，宁陕火地塘林场，1538m，2007.Ⅵ.01，史宏亮采。

分布：陕西（周至、佛坪、宁陕）、甘肃；俄罗斯（远东），日本，朝鲜。

304. 赛花萤属 *Cyrebion* Fairmaire, 1891

Cyrebion Fairmaire, 1891: CCⅦ. **Type species**: *Cyrebion laticorne* Fairmaire, 1891.

属征：体小型。体黑色、黄色或红棕色。触角丝状，加粗或宽扁，第2节短于第3节；前胸背板横向，两侧向后加宽，后缘中央缺刻；两性所有跗爪单齿状。

分布：中国。目前已知3种，秦岭地区发现1种。

(802) 细角赛花萤 *Cyrebion gracilicornis* Y. Yang *et* X. Yang, 2010（图版25：3）

Cyrebion gracilicornis Y. Yang *et* X. Yang, 2010: 585.

鉴别特征：体长8.50～13.30mm。头部黄色，背面两侧触角窝之后黑色，口器黄色；触角黑色，基部4节腹面黄色；前胸背板黄色，盘区两侧各具1个大黑斑和1个小黑斑；鞘翅和小盾片黑色；足黑色，基、转节和腿节基部黄色；体腹面黄色。触角丝状，雄性第4～11节外侧缘近端部各具1个光滑的细纵沟，雌性则无；前胸背板矩形，宽明显大于长，两侧向后稍加宽；鞘翅两侧向后变狭。

采集记录：1♀（副模），留坝庙台子，1350m，1998.Ⅶ.21，姚建采。

分布：陕西（留坝）、甘肃、湖北。

305. 异角花萤属 *Fissocantharis* Pic, 1921

Fissocantharis Pic, 1921a: 27. **Type species**: *Fissocantharis opaca* Pic, 1921.
Cephalomalthinus Pic, 1921b: 5. **Type species**: *Cephalomalthinus ocularis* Pic, 1921.
Fissopodabrus Pic, 1927: 2. **Type species**: *Fissopodabrus gracillipes* Pic, 1927.
Kandyosilis Pic, 1929a: 70. **Type species**: *Kandyosilis bryanti* Pic, 1929.
Rhagonycha (*Harmonycha*) Wittmer, 1938: 302. **Type species**: *Rhagonycha sulccicornis* Pic, 1939.
Javaesilis Pic, 1955: 7. **Type species**: *Javaesilis specialicornis* Pic, 1955.
Stenopodabrus Nakane, 1992: 78. **Type species**: *Rhagonycha longipes* Wittmer, 1953.

属征：体小型。体黑色、橙黄色或蓝绿色，具金属光泽。触角丝状，多数种类雄性中央节形状高度变异，雌性简单；前胸背板近方形，长大于宽或约相等，两侧向后稍加宽；两性所有跗爪双齿状。

分布：古北区，东洋区。世界已知150种，中国记录77种，秦岭地区发现4种。

分种检索表

1. 鞘翅大部分蓝绿色，具金属光泽 ………………………………… **裂板异角花萤 *F. fissa***
   鞘翅黑色或淡黄色，不具金属光泽……………………………………………………… 2
2. 鞘翅淡黄色，有时端部黑色……………………………………… **淡黄异角花萤 *F. semifumata***
   鞘翅黑色 …………………………………………………………………………………… 3
3. 雄性触角第 9 节两侧近平行 ……………………………………… **陕西异角花萤 *F. shaanxiensis***
   雄性触角第 9 节加长变扁，外侧缘近中部宽三角形突起 ………… **萨氏异角花萤 *F. safraneki***

（803）裂板异角花萤 *Fissocantharis fissa*（**Wittmer, 1997**）

Micropodabrus fissus Wittmer, 1997: 313.

Fissocantharis fissa: Yang *et al.*, 2009: 49.

鉴别特征：体长 6.00～8.50mm。头部黑色，唇基和口器橙黄色，上颚端部深棕色；触角黑色，基部 2 节橙黄色；前胸背板橙黄色，盘区中央具 1 个大黑斑，小盾片黑色；鞘翅蓝色，具强金属光泽，盘区内侧 1/4 部分淡黄色；足橙黄色，胫节和跗节黑色；体腹面黑色，腹部末节橙黄色。触角简单，丝状，长达鞘翅中部；前胸背板近方形，长稍大于宽，两侧向后加宽；两性各足内、外侧爪均双齿式，上、下爪约等长。

采集记录：1♀，长安南五台，1979. Ⅵ. 17，周尧、陈彤采；1♂，太白山蒿坪寺，1982. Ⅴ. 19，采集人不详；1♀，太白山蒿坪寺，1982. Ⅴ. 22；1♂1♀，太白山蒿坪寺，1982. Ⅴ. 25，王、柴采；1♂3♀，太白山蒿坪寺，1982. Ⅵ. 05，王、柴采；1♀，太白山中山寺，400m，1981. Ⅵ. 04；1♂，太白山，1981. Ⅴ. 21，袁锋采；1♂，山阳薛家沟，824m，2014. Ⅵ. 29，苑彩霞、田颖采；1♀，宁陕火地塘，1984. Ⅶ. 08，采集人不详；1♀，宁陕火地塘，1984. Ⅶ. 10。

分布：陕西（长安、太白、山阳、宁陕）、湖北、四川。

（804）淡黄异角花萤 *Fissocantharis semifumata*（**Fairmaire, 1889**）（图版 25：4）

Podabrus semifumatus Fairmaire, 1889: 39.

Podabrus bicoloricornis Pic, 1926a: 356.

Rhagonycha nigrosubapicalis Pic, 1926b: 5.

Rhagonycha semifumata: Wittmer, 1989: 219.

Micropodabrus semifumatus: Wittmer, 1997: 312.

Fissocantharis semifumata: Yang *et al.*, 2009: 49.

鉴别特征：体长 8.00～9.60mm。头和口器橙色，上颚端部、下颚须和下唇须末节端部深棕色；触角黑色，基部 2 节橙色；前胸橙色；鞘翅淡黄色；足黑色，基节、转节和腿节橙色；体腹面黑色，腹部末节橙色。触角简单，丝状，长达鞘翅中部；前胸背板近方形，长宽约等，两侧向后稍加宽，近基部最宽；所有跗爪双齿状，雄性上、下爪约等长，雌性则下爪明显短于上爪。

采集记录： 1♀，长安南五台，1979. Ⅵ. 17，周尧、陈彤采；1♀，太白山，1981. Ⅴ. 21，周尧采；1♀，太白山蒿坪寺，1982. Ⅵ. 11，王紫贺采；1♂，太白山蒿坪寺，1200m，1982. Ⅴ. 27，采集人不详；1♂1♀，太白山下白云营头，1850m，1983. Ⅴ. 30，采集人不详。

分布： 陕西（长安、太白）、甘肃、四川。

（805）萨氏异角花萤 *Fissocantharis safraneki*（Švihla，2004）

Micropodabrus safraneki Švihla，2004：162.

Fissocantharis safraneki：Yang *et al.*，2009：49.

鉴别特征： 体长 7～9mm。体黑色，头、触角基部 2 节、前胸和足橙色。触角长达鞘翅中部，雄性第 3～6 节端部稍加宽，第 7 节长三角形，第 8 节变短，第 9 节加长变扁，背面浅沟状，外侧缘近中部具宽大的三角形突起，雌性则简单，丝状；前胸背板近方形，长稍大于宽，两侧向后稍加宽；两性所有跗爪双裂，雄性上、下爪约等长，雌性则下爪明显短于上爪。

采集记录： 1♀（副模），宝鸡，1998. Ⅵ. 21-23；1♂（副模），太白山，1998. Ⅵ. 21-23。

分布： 陕西（宝鸡）。

（806）陕西异角花萤 *Fissocantharis shaanxiensis*（Wittmer，1995）

Micropodabrus shaanxiensis Wittmer，1995a：121.

Fissocantharis shaanxiensis：Yang *et al.*，2009：49.

鉴别特征： 体长 5.80～7.60mm。头、前胸和足橙色，上颚端部深棕色；触角基部 3 节橙色，其余部分黑色。触角简单，丝状，长达鞘翅中部；前胸背板近方形，长稍大于宽，两侧向后稍加宽，近基部最宽；所有跗爪双齿状，雄性上、下爪约等长，雌性则下爪明显短于上爪。

采集记录： 1♂1♀，镇巴苗圃，1973. Ⅴ. 29-30，田畴、袁锋采；1♂，镇巴，1983. Ⅴ. 22，贺答汉采；1♂1♀，丹巴县秦川镇，1178m，2014. Ⅵ. 30，苑彩霞、田颖采；3♀，丹巴县秦川镇，1417m，2014. Ⅶ. 02，苑彩霞、田颖采；1♂，山阳县驾校，679m，2014. Ⅵ. 27，苑彩霞、田颖采；2♂4♀，镇安云镇黑窑沟，1217m，2014. Ⅵ. 20，苑彩霞、田颖采。

分布：陕西（镇巴、丹巴、山阳、镇安）。

306. 缢胸花萤属 *Leiothorax* Wittmer, 1978

Leiothorax Wittmer, 1978a: 350. **Type species**: *Leiothorax kashimirensis* Wittmer, 1978.

属征：体小型。体棕黄色或棕红色。触角丝状，雄性中央节具光滑细纵浅沟，雌性则无；前胸背板近方形，两侧缘基部缺失，后角稍突起；两性所有跗爪单齿状。

分布：东洋区。世界已知 4 种，中国记录 1 种，秦岭地区有分布。

（807）黑红缢胸花萤 *Leiothorax atrosanguineus* Švihla, 2005（图版 25：5）

Leiothorax atrosanguineus Švihla, 2005: 104.

鉴别特征：体长 6.50 ~ 8.50mm。头部棕黄色，背面复眼之间具 1 个大的倒三角形黑斑，后头两侧黑色，触角窝之后各具 1 个暗红色光斑，上颚端部深棕色；触角黑色；前胸背板黑栗棕色；鞘翅棕红色；足黑色，基节和转节棕黄色；体腹面黑色。触角长达鞘翅端部 1/4 处，第 4 ~ 10 节外侧缘近端部各具 1 条光滑的小卵圆形或细纵浅沟；前胸背板近方形，两侧向后稍变狭，后角稍突起；两性所有跗爪单齿状。

采集记录：8♂12♀，宁陕旬阳坝，1000 ~ 1300m，1998. Ⅴ.23-Ⅵ.13。

分布：陕西（宁陕）。

307. 异花萤属 *Lycocerus* Gorham, 1889

Lycocerus Gorham, 1889: 108. **Type species**: *Lycocerus serricornis* Gorham, 1889 (= *Omalysus macullicollis* Hope, 1831).

Athemus Lewis, 1895: 110. **Type species**: *Telephorus suturellus* Motschulsky, 1860.

Athemellus Wittmer, 1972: 124. **Type species**: *Athemellus maculithorax* Wittmer, 1972.

Mikadocantharis Wittmer *et* Magis, 1978: 137. **Type species**: *Cantharis japonica* Kiesenwetter, 1874.

Athemus (*Andrathemus*) Wittmer, 1978b: 155. **Type species**: *Athemus* (*Andrathemus*) *purpurascens* Wittmer, 1978.

Athemus (*Isathemus*) Wittmer, 1995b: 185. **Type species**: *Athemus pallidulus* Wittmer, 1995.

属征：体小至中型。体黑色、橙黄色或蓝绿色，具金属光泽。触角丝状，雄性中央节具光滑细纵浅沟，雌性则无；前胸背板近方形，两侧平行或向后稍加宽；两性跗爪均单齿状或前、中外侧爪基部各具 1 个指突，或雄性单齿状，雌性前、中外侧爪和或内侧爪基部各具 1 个指突。

分布：古北区，东洋区。世界已知 350 种，中国记录 146 种，秦岭地区发现 13 种。

分种检索表

1. 鞘翅蓝绿色，具金属光泽……………………………………………………………… 2
   鞘翅黑色或淡黄色，无金属光泽……………………………………………………… 6
2. 两性所有跗爪单齿状 …………………………………………… **黑头异花萤 *L. inopaciceps***
   两性或雌性跗爪所有或前、中跗爪非单齿状………………………………………… 3
3. 头和前胸背板蓝色，具强烈的金属光泽……………………………………………… 4
   头和前胸背板黑色或橙色，不具金属光泽…………………………………………… 5
4. 前胸背板长稍大于宽；雌性前、中足外侧爪基部各具 1 个指突 ………… **何氏异花萤 *L. hedini***
   前胸背板宽明显大于长；雌性所有跗爪简单 …………………… **小黑异花萤 *L. minutonitidus***
5. 头和前胸背板黑色 ………………………………………………… **南坪异花萤 *L. nanpingensis***
   头和前胸背板橙色 ………………………………………………… **牟平异花萤 *L. moupinensis***
6. 鞘翅淡黄色或端部具黑斑 ………………………………………………………………… 7
   鞘翅黑色或侧缘淡黄色 …………………………………………………………………… 9
7. 雄性跗爪单齿状 ……………………………………………… **华中异花萤 *L. centrochinensis***
   雄性前、中外侧爪基部各具 1 个指突……………………………………………………… 8
8. 鞘翅完全淡黄色；雌性前、中外侧爪基部各具 1 个指突………………… **吉氏异花萤 *L. jelineki***
   鞘翅淡黄色，端部黑色；雌性前、中内、外侧爪基部均具 1 个指突 …… **库氏异花萤 *L. kubani***
9. 鞘翅黑色，中缝和外缘淡黄色 …………………………………… **双带异花萤 *L. bilineatus***
   鞘翅完全黑色 …………………………………………………………………………………… 10
10. 头和前胸背板黑色；雌性所有跗爪单齿状 ……………………… **洼胸异花萤 *L. confossicollis***
    前胸背板和或头橙色，或具黑斑；雌性前、中外侧爪基部各具 1 个指突 …………………… 11
11. 触角第 3～10 节变扁，长三角形；前胸背板密被较长的灰白色毛 ………………………………
    ………………………………………………………………………… **胶州异花萤 *L. kiontochananus***
    触角丝状，各节两侧近平行；前胸背板被毛不同上述 ……………………………………… 12
12. 头部完全橙红色或具黑斑，足基、转节和腿节基半部橙黄色 …… **斑胸异花萤 *L. asperipennis***
    头部和足完全黑色……………………………………………………… **红胸异花萤 *L. pubicollis***

（808）斑胸异花萤 *Lycocerus asperipennis*（Fairmaire，1891）

Telephorus asperipennis Fairmaire，1891：CCⅧ.

Cantharis limbatipennis Pic，1906：83.

Cantharis asperipennis：Jacobson，1911：679.

Cantharis stötzneri Pic，1926c：154.

Athemus maculithorax Wang *et* Yang，1992：264（nec Wittmer，1972）.

Athemus（s. str.）*wangi* Švihla，2004：183（new name for *Athemus maculithorax* Wang *et* Yang，1992）.

Athemus (s. str.) *asperipennis*: Wittmer, 1995b: 256.

Lycocerus asperipennis: Okushima, 2005: 14.

鉴别特征：体长 11.30 ~ 15.00mm。头和口器橙黄色，有时头背面复眼之后黑色，或头顶中央具 1 个黑斑；触角黑色，柄节呈黄色；前胸背板橙黄色，有时前半部中央具 1 个倒三角形黑斑，或后半部中央具 1 个三角形黑斑，或前后黑斑于中央愈合，小盾片橙黄色；鞘翅黑色，外侧缘基半部淡黄色；足基、转节和腿节基部橙黄色，有时胫节中央橙黄色；体腹面黑色，腹部末端 2 节橙黄色。触角丝状，长达鞘翅端部 1/3 处，雄性第 4 ~ 11 节各节外侧缘近基部各具 1 条光滑的细纵浅沟，雌性则无；前胸背板近方形，长宽约等，两侧向后稍加宽；雄性所有跗爪均单齿状，雌性则前、中外侧爪基部各具 1 个指突。

采集记录：1♂1♀，佛坪凉风垭，1750 ~ 2150m，1999. Ⅵ. 28，姚建采；1♂，柞水中河村，731m，2014. Ⅵ. 25，苑彩霞、田颖采；1♀，丹凤蔡川镇，1178m，2014. Ⅵ. 30，苑彩霞、田颖采。

分布：陕西（佛坪、柞水、丹凤）、山西、河南、甘肃、湖北、四川、贵州、云南。

(809) 双带异花萤 *Lycocerus bilineatus* (Wittmer, 1995)

Athemus (*Isathemus*) *bilineatus* Wittmer, 1995b: 275.

Athemus (s. str.) *amplus* Wittmer, 1995b: 278.

Lycocerus amplus: Okushima, 2005: 14.

Lycocerus bilineatus: Okushima, 2005: 14.

鉴别特征：体长 9.40 ~ 10.00mm。体橙黄色；触角黑色，基部 5 节腹面橙黄色；小盾片黑色；鞘翅黑色，中缝和外缘橙黄色；体腹面黑色，端部末端 2 节橙黄色。触角丝状，长达鞘翅中部，雄性第 3 ~ 11 节外侧缘近端部各具 1 个光滑的小椭圆形或细纵浅沟，雌性则无；前胸背板近长方形，长明显大于宽，前缘弧圆，两侧向后稍加宽；两性前、中足外侧爪基部各具 1 指突。

采集记录：1♂，南郑元坝，1983. Ⅴ. 28，贺答汉采；1♂，紫阳毛坝，1983. Ⅴ. 28，路进生采，1♂，镇安县茨沟村，850m，2014. Ⅵ. 21，苑彩霞、田颖采；5♀，镇安县云盖寺镇，850m，2014. Ⅵ. 18，苑彩霞、田颖采；2♀，镇安云镇黑窑沟，1217m，2014. Ⅵ. 20，苑彩霞、田颖采；1♀，丹凤县蔡川镇，1417m，2014. Ⅶ. 02，苑彩霞、田颖采。

分布：陕西（南郑、紫阳、镇安、丹凤）、江苏、上海、湖北、江西、贵州。

(810) 华中异花萤 *Lycocerus centrochinensis* (Švihla, 2004)

Athemus (s. str.) *centrochinensis* Švihla, 2004: 182.

Lycocerus centrochinensis: Okushima, 2005: 14.

鉴别特征: 体长 7.50 ~ 10.60mm。体橙黄色；触角黑色，基部 2 节腹面浅黄色；鞘翅淡黄色；体腹面黑色，腹部末端 2 节橙黄色。触角丝状，长达鞘翅端部 1/3 处，雄性第 4 ~ 11 节外侧缘近中部各具 1 个小的圆形光滑浅沟或细长纵沟；前胸背板近长方形，长稍大于宽，前缘圆，两侧向后稍加宽，近基部最宽；雄性所有跗爪均单齿状，雌性前、中足内、外侧爪基部各具 1 个指突。

采集记录: 2♀，周至厚畛子，2013. Ⅷ. 27，朱喜超、田颖采；1♂2♀，凤县嘉陵江源头，2012. Ⅶ. 13，任国栋等采；1♀，凤县黄牛铺，1501m，2013. Ⅷ. 21，朱喜超、田颖采；1♂，宁陕平河梁，1214m，2014. Ⅶ. 05，苑彩霞、田颖采；12♀，宁陕火地塘，1505m，2013. Ⅷ. 15，朱喜超、田颖采；2♀，宁陕广货街，1135m，2013. Ⅷ. 10，朱喜超、田颖采；2♀，宁陕甘沟，1758m，2013. Ⅷ. 10，朱喜超、田颖采；2♀，宁陕旬阳坝，1325m，2013. Ⅷ. 12，朱喜超、田颖采；8♀，宁陕火地塘，1505m，2013. Ⅷ. 14，朱喜超、田颖采；1♂，镇安云镇黑窑沟，1217m，2014. Ⅵ. 20，苑彩霞、田颖采。

分布: 陕西（周至、凤县、宁陕、镇安）、湖北。

(811) 洼胸异花萤 *Lycocerus confossicollis* (Fairmaire, 1891)

Telephorus confossicollis Fairmaire, 1891: CCⅧ.
Cantharis confossicollis: Jacobson, 1911: 679.
Athemus (s. str. ?) *multiimpressus* Wittmer, 1997: 285.
Lycocerus confossicollis: Yang *et al.*, 2013: 12.

鉴别特征: 体长 8.60 ~ 10.20mm。体黑色，腹部橙黄色。触角丝状，长达鞘翅中部，雄性第 7 ~ 11 节外侧缘近中央各具 1 个长椭圆形的光滑浅沟；前胸背板近方形，宽明显大于长，两侧向后稍加宽，近基部最宽，盘区两侧前半部和后角之前、中线中央和后缘之前各具 1 个凹坑；两性所有跗爪均单齿状。

采集记录: 1♂1♀，长安南五台，1980. Ⅴ. 18，陈彤采。

分布: 陕西（长安）、湖北。

(812) 何氏异花萤 *Lycocerus hedini* (Pic, 1933)

Cantharis viridintida var. *hedini* Pic, 1933: 4.
Athemus (s. str.) *hedini*: Wittmer, 1995b: 191.
Lycocerus hedini: Okushima, 2005: 14.

鉴别特征: 体长 6.70 ~ 7.80mm。头、前胸背板和鞘翅蓝绿色，具强烈的金属光泽，触角、小盾片、跗节和中、后胸腹板黑色，触角基部 2 节、口器、足和体腹面橙色。触角简单，丝状，长达鞘翅中部；前胸背板近长方形，长稍大于宽，两侧向后稍加宽，前缘圆；雄性所有跗爪均单齿状，雌性前、中外侧爪基部各具1个指突。

采集记录： 1♀，周至楼观台，1951. Ⅴ. 25，采集人不详；1♀，留坝光华山，1912m，2013. Ⅷ. 20，朱喜超、田颖采；2♀，宁陕平河梁，2388m，2013. Ⅷ. 13，朱喜超、田颖采；2♀，宁陕火地塘，1505m，2013. Ⅷ. 14，朱喜超、田颖采；6♀，宁陕平河梁，2388m，2013. Ⅷ. 15，朱喜超、田颖采；1♀，宁陕火地塘，1505m，2013. Ⅷ. 15，朱喜超、田颖采。

分布： 陕西(周至、留坝、宁陕)、甘肃、四川、云南。

(813) 黑头异花萤 *Lycocerus inopaciceps* (**Pic, 1926**)

Cantharis inopaciceps Pic, 1926c: 153.

Themus inopaciceps: Wittmer, 1961: 362.

Athemellus inopaciceps: Wittmer, 1983: 190.

Lycocerus inopaciceps: Okushima, 2005: 14.

Athemus (*Athemellus*) *bimaculicollis* Švihla, 2005: 90.

鉴别特征： 体长12.00～13.30mm。体黑色，触角橙色，前胸背板橙黄色，盘区中央具1个黑斑，鞘翅绿色，具强烈的金属光泽。触角丝状，长达鞘翅端部1/3处，雄性第4～11节近基部外侧缘各具1个光滑的细纵浅沟；前胸背板近方形，长宽约等，两侧向后稍加宽；两性所有跗爪均单齿状。

采集记录： 1♂2♀，凤县黑沟，2005. Ⅵ. 13，巴义彬采；1♂1♀，留坝，2005. Ⅵ. 10-12，巴义彬采；1♂1♀，留坝庙台子，2005. Ⅵ. 14-15，巴义彬采；2♀，留坝枣木栏，2005. Ⅵ. 11，巴义彬采。

分布： 陕西(凤县、留坝)、四川。

(814) 吉氏异花萤 *Lycocerus jelineki* (**Švihla, 2004**)（图版25：6）

Athemus (*Andrathemus*) *jelineki* Švihla, 2004: 189.

Lycocerus jelineki: Okushima, 2005: 14.

鉴别特征： 体长8.50～11.20mm。体橙黄色，前胸背板有时中线后部具1个纵向的黑斑，鞘翅淡黄色，足跗节黑色，体腹面黑色，腹部末端2节橙黄色。触角丝状，长达鞘翅中部，雄性第4～11节外侧缘近端部各具1个小圆形或长椭圆形的光滑浅沟，雌性则无；前胸背板近长方形，长明显大于宽，前缘弧圆，两侧向后稍加宽；两性前、中足外侧爪基部各具1个指突。

采集记录： 1♂，太白山中山寺，1500m，1981. Ⅵ. 09，陕西太白山昆虫考察组采；2♂，太白山中山寺，1400m，1981. Ⅵ. 02，采集人不详；1♂2♀，太白山中山寺，

1400m，1981. Ⅵ. 11，采集人不详；1♂，太白山点兵场，1200m，1981. Ⅴ. 29，采集人不详；1♂，太白山蒿坪寺，1200m，1981. Ⅴ. 31，采集人不详；1♀，太白山下白云，1600m，1981. Ⅵ. 09，采集人不详；1♀，太白山下白云，1600m，1981. Ⅵ. 27，采集人不详；1♀，太白山蒿坪寺，1982. Ⅵ. 25，采集人不详。

分布：陕西（太白）、湖北。

（815）胶州异花萤 *Lycocerus kiontochananus*（Pic，1921）

Cantharis kiontochanana Pic，1921c：4.

Athemus kiontochananus：Wittmer，1982b：341.

Lycocerus kejvali Švihla，2004：193.

Lycocerus kiontochananus：Okushima，2005：14.

鉴别特征：体长 8.20～10.10mm。体黑色，前胸背板红棕色，腹部末节橙黄色。触角长达鞘翅中部，第 3～10 节变扁，长三角形；前胸背板近方形，长宽约相等，两侧向后平直加宽，密被较长的灰白色毛；雄性所有跗爪均单齿状，雌性前、中外侧爪基部各具 1 个指突。

采集记录：4♂，宁陕旬阳坝，1325m，2013. Ⅷ. 12，朱喜超、田颖采；1♂，宁陕广货街，1135m，2013. Ⅷ. 10，朱喜超、田颖采；1♂，宁陕旬阳坝，1325m，2013. Ⅷ. 13，朱喜超、田颖采；1♂，柞水中河村，900m，2014. Ⅶ，苑彩霞、田颖采；1♀，柞水龙潭村，785m，2014. Ⅶ，苑彩霞、田颖采；1♀，丹凤蔡川村，1111m，2014. Ⅶ. 01，苑彩霞、田颖采；1♀，丹凤蔡川镇公路，1208m，2014. Ⅶ. 03，苑彩霞、田颖采。

分布：陕西（宁陕、柞水、丹凤）、天津、山东、河南、甘肃、湖北。

（816）库氏异花萤 *Lycocerus kubani*（Švihla，2004）

Athemus（*Isathemus*）*kubani* Švihla，2004：190.

Lycocerus kubani：Okushima，2005：14.

鉴别特征：体长 8.50～9.70mm。体橙黄色，触角黑色，基部 2 节橙黄色，鞘翅淡黄色，末端黑色，足跗爪黑色，体腹面黑色，腹部末端 2 节橙黄色。触角丝状，长达鞘翅中部，雄性第 3～10 节外侧缘各具 1 个光滑的小圆形或细纵浅沟，雌性则无；前胸背板近方形，长大于宽，两侧向后稍加宽；雄性前、中外侧爪基部各具 1 个指突，雌性前、中内、外侧爪基部均具 1 个指突。

采集记录：1♀，太白山下白云，1600m，1982. Ⅵ. 16，贺、王、柴永会采；1♀，岚皋南宫山，1800m，2007. Ⅵ. 24，采集人不详。

分布：陕西（太白，岚皋）。

（817）小黑异花萤 *Lycocerus minutonitidus*（Wittmer, 1995）

Cantharis viridinitia var. *hedini* Pic, 1933: 4, parte.
Athemus（*Athemellus*）*minutonitidus* Wittmer, 1995b: 188.
Lycocerus minutonitidus: Okushima, 2005: 14.

鉴别特征：体长4.30mm。头、前胸背板和鞘翅蓝绿色，具强烈的金属光泽，触角、小盾片、跗节和体腹面黑色，触角基部2节腹面、口器和足橙色。触角简单，丝状，长达鞘翅中部；前胸背板近长方形，宽明显大于宽，两侧向后稍较宽，前缘近平直；两性所有跗爪均单齿状。

采集记录：1♂，宁陕平河梁，2388m，2013.Ⅷ.13，朱喜超、田颖采。

分布：陕西(宁陕)、四川。

（818）牟平异花萤 *Lycocerus moupinensis*（Pic, 1926）

Cantharis moupinensis Pic, 1926a: 355.
Athemus（s. str.）*moupinensis*: Wittmer, 1995b: 221.
Lycocerus moupinensis: Okushima, 2005: 14.

鉴别特征：体长7.80～9.30mm。体橙色，触角黑色，基部2节腹面橙色，鞘翅蓝色，具强烈的金属光泽，足跗节黑色。触角简单，丝状，长达鞘翅中部；前胸背板近长方形，长稍大于宽，前缘弧圆，两侧向后稍加宽；雄性所有跗爪均单齿状，雌性前、中外侧爪基部各具有1个指突。

采集记录：1♂，宁陕火地塘，1580m，1998.Ⅶ.27，张学忠采。

分布：陕西(宁陕)、四川。

（819）南坪异花萤 *Lycocerus nanpingensis*（Wittmer, 1995）

Athemus（*Andrathemus*）*nanpingensis* Wittmer, 1995b: 204.
Lycocerus nanpingensis: Okushima, 2005: 14.

鉴别特征：体长6.60～8.50mm。体黑色，鞘翅蓝色，具强烈的金属光泽，腹部端部2节橙黄色。触角丝状，长达鞘翅端部1/3处，雄性第4～11节外侧缘近端部各具1个小的圆形光滑浅沟，雌性则无；前胸背板近方形，长宽约相等，两侧近平行；两性前、中外侧爪基部各具1个指突。

采集记录：1♂，周至厚畛子，2560～3000m，1999.Ⅵ.22，刘建民采。

分布：陕西(周至)、四川。

（820）红胸异花萤 *Lycocerus pubicollis*（Heyden，1889）

Cantharis pubicollis Heyden，1889：674.

Cantharis pubicollis var. *norensis* Pic，1913c：145.

Cantharis subaeneipennis Pic，1917：161.

Cantharis subaeneipennis var. *benardi* Pic，1924：479.

Athemus pubicollis：Wittmer，1971：191.

Lycocerus pubicollis：Okushima，2005：14.

鉴别特征：体长 9.50～11.90mm。体黑色，前胸背板红棕色，盘区具 1 个大黑斑，自前缘延伸至后缘及基部两侧缘，有时仅前缘中央黑色或盘区基部两侧各具 1 个小黑斑，腹部橙黄色。触角丝状，长达鞘翅中部，雄性第 4～11 节外侧缘近中央各具 1 个光滑的长椭圆形或细纵浅沟，雌性则无；前胸背板近方形，长宽约相等，两侧向后较宽；雄性所有跗爪单齿状，雌性前、中外侧爪各具 1 个指突。

采集记录：1♂，丹凤，900～1500m，1995. Ⅴ. 28-29。

分布：陕西（丹凤）、河北、甘肃、四川。

308. 圆胸花萤属 *Prothemus* Champion，1926MZ）]]

Prothemus Champion，1926：195. **Type species**：*Prothemus neglectus* Champion，1926.

属征：体中型。体黑色、棕黄色或棕红色。触角丝状，雄性中央节具光滑细纵浅沟，雌性则无；前胸背板近圆形；雄性所有或前、中外侧爪各具 1 个圆形基片，雌性则均为单齿状。

分布：古北区，东洋区。世界已知 50 种，中国记录 38 种，秦岭地区发现 3 种。

分种检索表

1. 鞘翅黑色，中缝淡黄色 ………………………… **黑斑圆胸花萤 *P. maculithorax***
   鞘翅色不同上述 ………………………………………… 2
2. 头、前胸背板和鞘翅棕黄色 ………………………… **中华圆胸花萤 *P. chinensis***
   头黑色，前胸背板黑棕色，周缘棕黄色，鞘翅红棕色 ……… **紫翅圆胸花萤 *P. purpureipennis***

（821）中华圆胸花萤 *Prothemus chinensis* Wittmer，1987（图版 25：7）

Prothemus chinensis Wittmer，1987：75.

鉴别特征：体长 8.00～15.50mm。体棕黄色，触角黑色，基部 2 节橙黄色，足跗节黑色。触角丝状，雄性第4～11节外侧缘近基部各具1个光滑的细纵浅沟，雌性则无；前胸背板近圆形，宽稍大于长，近中部最宽；雄性所有外侧爪各具1个圆形基片，雌性则均为单齿状。

采集记录：1♂，周至厚畛子，1350m，1999. Ⅵ.25，刘缠民采；1♂，户县，1975. Ⅶ.11，采集人不详；1♂1♀，眉县蒿坪，2012. Ⅶ.11，任国栋等采；2♂1♀，太白山点兵场，1200m，1981. Ⅶ.01，采集人不详；2♂，太白山蒿坪寺，1982. Ⅵ.17，贺、王、柴采；1♂，太白山蒿坪寺，1982. Ⅶ.15，周静若、刘兰采；1♀，太白山大殿，2300m，1982. Ⅵ.29，采集人不详；2♀，太白山蒿坪寺，1956. Ⅶ.21，采集人不详；1♀，太白山中山寺，1400m，1981. Ⅵ.10，采集人不详；1♀，太白黄柏塬，1350m，1980. Ⅶ.11，韩寅恒采。

分布：陕西(周至、户县、眉县、太白)、浙江、台湾、广西。

（822）紫翅圆胸花萤 *Prothemus purpureipennis*（Gorham，1889）

Telephorus purpureipennis Gorham，1889：107.
Prothemus purpureipennis：Wittmer，1954：110.

鉴别特征：体长8.00～12.50mm。体黑色，前胸背板黑棕色，边缘棕黄色，鞘翅棕红色，足黑棕色，跗节黑色。触角丝状，长达鞘翅末端，雄性第4～11节外侧缘近中部各具1条光滑的细纵浅沟；前胸背板近圆形，宽稍大于长，近中部最宽；雄性前、中足外侧爪各具1个小圆形基片，雌性则均为单齿状。

采集记录：1♀，凤县黄牛铺，1981. Ⅵ.12，马谷芳采；1♀，凤县黄牛铺，1981. Ⅵ.13，马谷芳采；2♀，凤县黄牛铺，1981. Ⅵ.16，马谷芳采；1♂，凤县黄牛铺，1981. Ⅵ.17，马谷芳采；2♂1♀，太白山点兵场，1200m，1981. Ⅴ.29，采集人不详；2♂，太白山蒿坪寺，1982. Ⅴ.22，王、柴采；1♂，太白山梯子沟，1982. Ⅵ.18，柴永会采；2♂，太白山蒿坪寺，1200m，1981. Ⅴ.31，采集人不详；1♂，太白营头，1850m，1981. Ⅴ.30，采集人不详；1♂，太白山蒿坪寺，1982. Ⅴ.21，采集人不详；1♂，太白山蒿坪寺，1200m，1982. Ⅵ.05，采集人不详；1♀，太白山梯子沟，1981. Ⅵ.18，贺、王、柴采；1♀，太白山下白云营头，1800m，1981. Ⅴ.30，采集人不详；1♀，太白山中山寺，1500m，1983. Ⅴ.12，陈彤采；1♀，佛坪长角坝乡，2007. Ⅴ.29，张丽杰采；1♂，柞水老林村，1050m，2007. Ⅵ.02，林美英采；2♂1♀，丹凤，900～1500m，1995. Ⅴ.28-29，L. R. Businský 采。

分布：陕西(凤县、太白、佛坪、柞水、丹凤)、山西、江西、福建。

（823）黑斑圆胸花萤 *Prothemus maculithorax* Wittmer，1997

Prothemus maculithorax Wittmer，1997：302.

鉴别特征：体长10.80mm。体黑色，前胸背板周缘和鞘翅中缝淡黄色，前足胫节端部、转节和腿节基部橙黄色。触角丝状，触角长达鞘翅近端部的1/3处，雄性第4～11节外侧缘近中央各具1条光滑细纵沟，雌性则无；前胸背板近圆形，宽稍大于长，近中部最宽；雄性前、中足外侧爪具有1个圆形基片，雌性则均为单齿状。

采集记录：1♂，岚皋南宫山，1800m，灯诱，2007.Ⅵ.24，采集人不详。

分布：陕西(岚皋)、湖北。

309. 丝角花萤属 *Rhagonycha* Eschscholtz, 1830

Rhagonycha Eschscholtz, 1830: 64. **Type species**: *Cantharis fulva* Scopoli, 1763.

Nastonycha Motschulsky, 1853: 77. **Type species**: *Nastonycha brachypter* Motschulsky, 1853.

Pseudocratosilis Moscardini *et* Sassi, 1970: 192. **Type species**: *Pygidia graeca* Pic, 1901(= *Rhagnonycha* corcyrea Pic, 1901).

属征：体小型。体黑色、棕色或橙黄色。触角简单，丝状；前胸背板横向，宽明显大于长，两侧平行或向后稍加宽；两性所有跗爪双齿状。

分布：东洋区，全北区。世界已知约300种，中国记录30种，秦岭地区发现4种。

分种检索表

1. 鞘翅淡黄色 …………………………………… **威州丝角花萤 *R.* (s. str.) *weichowensis***
　 鞘翅黑色 ………………………………………………………………………… 2
2. 雄性外生殖器：阳基侧突腹突侧面观明显加宽 ………… **萨氏丝角花萤 *R.* (s. str.) *safraneki***
　 雄性外生殖器：阳基侧突腹突侧面观狭 ………………………………………… 3
3. 雄性外生殖器：阳基侧突背板端缘中央缺刻浅 ………… **甘肃丝角花萤 *R.* (s. str.) *gansuensis***
　 雄性外生殖器：阳基侧突背板端缘中央缺刻深 ……………… **金氏丝角花萤 *R.* (s. str.) *jindrai***

(824) 甘肃丝角花萤 *Rhagonycha* (s. str.) *gansuensis* Švihla, 1995(图版25：8)

Rhagonycha gansuensis Švihla, 1995: 77.

鉴别特征：体长5.00～5.50mm。体完全黑色。触角简单，丝状，长达鞘翅中部；前胸背板矩形，宽明显大于长，两侧向后稍加宽；所有跗爪均双齿状，上、下爪约等长。

采集记录：6♂，周至厚畛子，3500m，1998.Ⅶ.2-4。

分布：陕西(周至)、甘肃、四川。

（825）金氏丝角花萤 *Rhagonycha*（s. str.）*jindrai* Švihla, 2002

Rhagonycha jindrai Švihla, 2002: 311.

鉴别特征：体长 4.80～5.50mm。体完全黑色。触角长达鞘翅中部；前胸背板矩形，宽明显大于长，两侧接近平行；所有跗爪均双齿状，下爪稍短于上爪。

采集记录：3♂，长安南五台，1980. Ⅴ. 18，陈彤采；1♀，长安南五台，1980. Ⅴ. 15，陈彤采；1♂，太白山大殿，2300m，1982. Ⅵ. 30，采集人不详；1♂，太白山蒿坪寺，1200m，1982. Ⅶ. 18，赵晓明采；2♀，太白山下白云营头，1850m，1981. Ⅴ. 30，采集人不详；1♀，太白山点兵场，1200m，1981. Ⅴ. 29，采集人不详；1♀，太白山大殿，2300m，1981. Ⅵ. 30，采集人不详。

分布：陕西（长安、太白山）。

（826）萨氏丝角花萤 *Rhagonycha*（s. str.）*safraneki* Švihla, 2002

Rhagonycha safraneki Švihla, 2002: 312.

鉴别特征：体长 5.00～5.50mm。体完全黑色。触角长达鞘翅中部；前胸背板矩形，宽明显大于长，两侧向后稍加宽；所有跗爪均双齿状，上、下爪约等长。

采集记录：1♂（正模），周至厚畛子，3000m，1998. Ⅵ. 29-Ⅶ. 02。

分布：陕西（周至）、四川。

（827）威州丝角花萤 *Rhagonycha*（s. str.）*weichowensis* Wittmer, 1997

Rhagonycha weichowensis Wittmer, 1997: 331.

鉴别特征：体长 5.60～7.30mm。体橙黄色，触角黑色，柄节橙黄色，鞘翅浅黄色，体腹面黑色，腹部末节橙黄色。触角简单，丝状，长达鞘翅端部 1/3 处；前胸背板横向，宽明显大于长，前缘弧圆，两侧向后加宽；两性所有跗爪双齿状，上、下爪约等长。

采集记录：2♂11♀，周至厚畛子，1354m，2013. Ⅷ. 27，朱喜超、田颖采；2♀，凤县嘉陵江源头，2012. Ⅶ. 13，任国栋等采；1♀，凤县黄牛铺，1501m，2013. Ⅷ. 21，朱喜超、田颖采；1♀，留坝财神庙，1212m，2013. Ⅷ. 17，朱喜超、田颖采；1♀，留坝紫柏山，1599m，2013. Ⅷ. 19，朱喜超、田颖采；1♀，留坝庙台子，1350m，1998. Ⅶ. 21，姚建采；1♂32♀，宁陕火地塘，1505m，2013. Ⅷ. 14，朱喜超、田颖采；1♂12♀，宁陕火地塘，1505m，2013. Ⅷ. 15，朱喜超、田颖采；2♀，宁陕广货街，1135m，2013. Ⅷ. 10，朱喜超、田颖采；1♀，宁陕甘沟，1758m，2013. Ⅷ. 10，朱喜超、

田颖采；2♀，宁陕药王堂，1258m，2013. Ⅷ. 11，朱喜超、田颖采；1♀，宁陕旬阳坝，1325m，2013. Ⅷ. 12，朱喜超、田颖采；29♀，宁陕旬阳坝，1325m，2013. Ⅷ. 12，朱喜超、田颖采；1♀，宁陕十八丈瀑布，1108m，2013. Ⅷ. 15，朱喜超、田颖采；1♂，宁陕火地塘，1580m，1998. Ⅷ. 18，袁德成采；1♀，宁陕火地塘，1580m，1998. Ⅷ. 26，袁德成采；1♂，宁陕火地塘，1580m，1998. Ⅷ. 15，袁德成采。

分布：陕西(周至、凤县、留坝、宁陕)、四川。

310. 狭胸花萤属 *Stenothemus* Bourgeois, 1907

Stenothemus Bourgeois, 1907: 292. **Type species:** *Themus harmandi* Bourgeois, 1902.

属征：体小型至中型。多数棕黄色，混杂深棕色斑，或黑色、棕黄色。触角丝状，雄性中央节多具光滑细纵浅沟；前胸背板近方形，后角稍突起，或横向椭圆形，后角尖锐，明显突起；跗爪均单齿状。

分布：古北区，东洋区。世界已知 58 种，中国记录 34 种，秦岭地区发现 3 种。

分种检索表

1. 鞘翅完全黑色 …… **顿氏狭胸花萤 *S. dundai***
   鞘翅非黑色 …… 2
2. 鞘翅完全棕黄色 …… **柏氏狭胸花萤陕西亚种 *S. benesi shaanxiensis***
   鞘翅淡黄色，密布深棕色不规则黑斑 …… **双色狭胸花萤 *S. diffusus***

(828) 柏氏狭胸花萤陕西亚种 *Stenothemus benesi shaanxiensis* Švihla, 2004

Stenothemus benesi shaanxiensis Švihla, 2004: 202.

鉴别特征：体长 8～10mm。体棕黄色，触角黑色，各节端部淡黄色。触角长达鞘翅端部 1/4 处，雄性第 4～8 节外侧缘接近中央处各具 1 个光滑的小的卵圆形浅沟，雌性则无；前胸背板近方形，长宽约相等，两侧缘双波状，后角尖锐突起。

采集记录：1♀，周至厚畛子，1550～3000m，胡建采；1♀，周至厚畛子，2500～3000m，1999. Ⅵ. 22，刘缠民采。

分布：陕西(周至)。

(829) 双色狭胸花萤 *Stenothemus diffusus* Wittmer, 1974(图版 25：9)

Stenothemus diffusus Wittmer, 1974: 58.

鉴别特征：体长 8.50～11.00mm。体淡黄色；头背面两侧复眼之后黑棕色；触角黑棕色，基部 2 节与第 3～10 节端部淡黄色；前胸背板中部具不规则的黑棕色斑；鞘翅密布不规则黑棕色斑；足胫、跗节颜色稍加深。触角长达鞘翅端部 1/3 处，雄性第 4～11 节外侧缘近中部各具 1 个小圆形或椭圆形光滑浅沟，雌性则无；前胸背板近方形，两侧缘基半部变狭，后角尖锐突起。

采集记录：1♀，宁陕火地塘，1580m，1998.Ⅶ.27，姚建采；1♀，宁陕火地塘，1998.Ⅶ.26，姚建采；2♂，宁陕火地塘，1998.Ⅷ.15，袁德成采。

分布：陕西（宁陕）、四川；缅甸。

（830）顿氏狭胸花萤 *Stenothemus dundai* Švihla, 2004

Stenothemus dundai Švihla, 2004: 199.

鉴别特征：体长 5.70～6.20mm。体黑色，腹部端部 2 节橙黄色。触角简单，丝状，长达鞘翅端部 1/3 处；前胸背板近方形，长稍大于宽，两侧缘双波状，后角之前稍缢缩，前角宽圆，后角稍突起。

采集记录：2♀，留坝大洪渠，2500m，1998.Ⅶ.20，陈军采。

分布：陕西（留坝）、甘肃、新疆、四川。

311. 台湾花萤属 *Taiwanocantharis* Wittmer, 1984

Cantharis (*Taiwanocantharis*) Wittmer, 1984: 147. **Type species**: *Cantharis* (*Taiwanocantharis*) *tripunctata* Wittmer, 1984.

Taiwanocantharis: Švihla, 2011: 4.

属征：体小型至中型。鞘翅蓝绿色，具金属光泽。触角丝状，雄性中央节具光滑的细纵浅沟，雌性则无；前胸背板近方形或横向椭圆形，后角稍突起；雄性所有或前、中足外侧爪各具 1 个小三角形基片，雌性则均为单齿状。

分布：东洋区。世界已知 16 种，中国记录 7 种，秦岭地区发现 1 种。

（831）传氏台湾花萤 *Taiwanocantharis drahuska* (Švihla, 2004)（图版 25：10）

Cordicantharis drahuska Švihla, 2004: 176.

Cantharis (s. str.) *gansosichuana* Kazantsev, 2010: 154.

Taiwanocantharis drahuska: Švihla, 2011: 5.

Taiwanocantharis gansosichuana: Švihla, 2011: 5.

鉴别特征：体长 6.70～9.80mm。体黑色，触角基部 2 节橙黄色，前胸背板黄色，盘区中央具1个大黑斑，鞘翅绿色，具强烈的金属光泽。触角丝状，长达鞘翅中部，雄性第5~11节外侧缘近中部各具1条光滑浅细纵沟，雌性则无；前胸背板近方形，或宽稍大于长，侧缘弧圆，前角宽圆，后角稍钝直；雄性足所有外侧爪均具1个小三角形基片，雌性则均为单齿状。

采集记录：1♂（正模），周至厚畛子，3500m，1998.Ⅶ.02-04。

分布：陕西（周至）、宁夏、甘肃、四川。

312. 道花萤属 *Taocantharis* Švihla, 2011

Taocantharis Švihla, 2011: 5. **Type species**: *Islamocantharis businskae* Wittmer, 1997.

属征：体中型。鞘翅绿色，具强烈的金属光泽。触角丝状，雄性中央节具光滑细纵浅沟，雌性则无，雌性则无；前胸背板横向椭圆形，后角稍突起；两性所有跗爪均为双齿状。

分布：中国。目前仅知1种，秦岭有分布。

（832）布氏道花萤 *Taocantharis businskae* (Wittmer, 1997)（图版25：11）

Islamocantharis businskae Wittmer, 1997: 300.

Taocantharis businskae: Švihla, 2011: 5.

鉴别特征：体长13~15mm。体黑色，触角基部2节腹面橙色，前胸背板两侧橙黄色，鞘翅绿色，具强烈的金属光泽。触角丝状，长达鞘翅中部，雄性第4~11节外侧缘近基部各具1条光滑的长椭圆形浅沟，雌性则无；前胸背板近横向椭圆形，宽明显大于长，近基部1/3处最宽，前缘近平直，两侧缘于后角之前稍缢缩，前角宽圆，后角钝直，稍突起；两性足所有跗爪均双齿状，下爪明显短于上爪。

采集记录：1♀，周至厚畛子，1500~2000m，1999.Ⅵ.21，贺同利采；1♂1♀，宁陕火地塘林场，1550m，2007.Ⅵ.02，李文柱采；1♂，宁陕火地塘，2007.Ⅵ.02，张丽杰采；1♂，宁陕火地塘林场，1538m，2007.Ⅵ.02，史宏亮采；1♂1♀，宁陕火地塘林场，1538m，2007.Ⅵ.02，林美英采；1♀，陕西宁陕鸦雀沟，1580~1850m，1999.Ⅶ.02，袁德成采。

分布：陕西（周至、宁陕）、湖北。

313. 丽花萤属 *Themus* Motschulsky, 1857

Themus Motschulsky, 1857: 27. **Type species**: *Themus cyanipennis* Motschulsky, 1857.

属征：体中型至大型。体黑色或棕色，无金属光泽；蓝绿色或青紫色，具金属光泽。触角丝状，大多数第 2 节长于第 3 节，多数种类雄性中央节具光滑细纵浅沟，雌性则无；前胸背板矩形，两侧平行或向前或向后稍加宽；两性所有跗爪均单齿状。

分布：古北区，东洋区。世界已知 220 余种，中国记录 101 种，秦岭地区发现 12 种。

分种检索表

1. 鞘翅青、蓝、绿或紫色，具强烈的金属光泽 …… 2
   鞘翅黑或棕黄色，无或具微弱的金属光泽 …… 9
2. 头和前胸背板棕红色 …… 3
   头和前胸背板黑色或深蓝色 …… 4
3. 各足胫节基部黑色，端部黄色 …… **青丽花萤 *T.*（*Telephorops*）*coelestis***
   各足胫节完全黑色 …… **糙翅丽花萤 *T.*（*Telephorops*）*impressipennis***
4. 足完全黄色 …… **黄足丽花萤 *T.*（s. str.）*luteipes***
   足深蓝色或混杂黄色 …… 5
5. 前胸背板淡黄色，盘区中央橙黄色，无黑斑 …… **砖胸丽花萤 *T.*（s. str.）*testaceicollis***
   前胸背板黄色，盘区具 1 或 2 个黑斑 …… 6
6. 触角第 7 ~ 9 节橙黄色 …… **华丽花萤 *T.*（s. str.）*regalis***
   触角色不同上述 …… 7
7. 前胸背板盘区两侧各具 1 个黑斑 …… **黑斑丽花萤 *T.*（s. str.）*stigmaticus***
   前胸背板盘区中央具 1 个黑斑 …… 8
8. 足基、转节和腿节基部以及体腹面黄色 …… **陕西丽花萤 *T.*（s. str.）*shensianus***
   足和体腹面深蓝色或黑色 …… **考氏丽花萤 *T.*（s. str.）*corayi***
9. 鞘翅棕色；触角第 2 节短于第 3 节 …… **哈氏丽花萤 *T.*（*Haplothemus*）*hackeli***
   鞘翅黑色或蓝黑色，无或具微弱的金属光泽；触角第 2 节长于第 3 节 …… 10
10. 前胸背板棕红色，盘区中央具 1 个大黑斑，鞘翅蓝黑色，具微弱的金属光泽 …… **利氏丽花萤 *T.*（*Haplothemus*）*licenti***
    头和前胸背板完全橙色，鞘翅黑色，无金属光泽 …… 11
11. 前胸背板宽明显大于长；雄性第 4 ~ 9 节外侧缘近端部各具 1 条光滑的细短浅纵沟或近椭圆形小凹 …… **何氏丽花萤 *T.*（*Haplothemus*）*hedini***
    前胸背板宽稍大于长；雄性触角简单，无光滑细沟或小凹 …… **斯氏丽花萤 *T.*（*Haplothemus*）*schneideri***

（833）哈氏丽花萤 *Themus*（*Haplothemus*）*hackeli* Švihla，2004

Themus（*Haplothemus*）*hackeli* Švihla，2004：171.

鉴别特征：体长 12.00～13.20mm。体棕黄色，鞘翅末端黑色。触角简单，丝状，长达鞘翅端部 1/4 处，第 2 节稍短于第 3 节；前胸背板宽大于长，两侧向后稍变狭；鞘翅两侧平行，纵脉较明显。

采集记录：1♂（正模），Shaanxi，Qinling Mts.，2000m，Ⅵ-1996，lgt. M. Hackel。

分布：陕西（秦岭）、甘肃。

（834）何氏丽花萤 *Themus*（*Haplothemus*）*hedini* Pic，1933

Themus hedini Pic，1933：3.

Themus（s. str.）*hedini*：Wittmer，1973：218.

Themus（*Haplothemus*）*hedini*：Švihla，2008：185.

鉴别特征：体长 16～20mm。体棕黄色，上颚端部深棕色，复眼内侧具 1 个黑斑，触角黑色，基部 2 节棕黄色，鞘翅黑色。触角长达鞘翅端部 1/3 处，雄性第 4～9 节外侧缘近端部各具 1 条光滑的细短浅纵沟或近椭圆形小凹，雌性则无；前胸背板矩形，宽大于长，两侧平行；鞘翅两侧近平行。

采集记录：1♂，周至厚畛子，1300～2400m，2003. Ⅵ. 14-20；2♀，宁陕旬阳坝，2000～2250m，1998. Ⅵ. 14-18。

分布：陕西（周至、宁陕）、甘肃、四川。

（835）利氏丽花萤 *Themus*（*Haplothemus*）*licenti* Pic，1938

Themus licenti Pic，1938：161.

鉴别特征：体长 15～21mm。头部深蓝色，咽部橙色，触角黑色，前胸背板橙色，盘区接近中央处具 2 个黑斑，小盾片橙色，鞘翅蓝黑色，具微弱的金属光泽，足深蓝色，基节、转节和腿节基半部橙色，有时后足胫节端部腹面橙色，体腹面橙色。触角丝状，长达鞘翅中部，雄性第 5～10 节近端部内侧缘各具 1 条光滑的小沟，雌性则无；前胸背板近方形，宽大于长，前缘稍向前突，两侧向后稍加宽或近平行，后缘弧圆，前角钝直，后角变圆；鞘翅两侧近平行。

采集记录：1♂，周至老县城，1700m，2007. Ⅷ. 12，李枢强采；6♂5♀，周至厚畛子，1354m，2013. Ⅷ. 15，朱喜超、田颖采；1♀1♂，留坝庙台子，1470m，1999. Ⅶ. 01，贺同利采；1♀1♂，佛坪桦林桥，2006. Ⅶ. 26，林美英采；1♀1♂，宁陕火地塘林场，1580m，1998. Ⅷ. 14，袁德成采；1♀，柞水牛背梁，2011. Ⅷ. 22-29，朱喜超、赵玉采。

分布：陕西（周至、留坝、佛坪、宁陕、柞水）、北京、河北、山西、河南、四川。

（836）斯氏丽花萤 *Themus*（*Haplothemus*）*schneideri* Švihla，2004

Themus（*Haplothemus*）*schneideri* Švihla，2004：169.

鉴别特征：体长 15～18mm。体橙黄色，上颚端部深棕色，复眼内缘黑色，触角黑色，基部 2 节橙黄色，鞘翅黑色。触角简单，长达鞘翅端部1/3处；前胸背板矩形，宽稍大于长，两侧平行；鞘翅两侧近平行。

采集记录：1♂（副模），眉县太白山，1998. Ⅵ. 21-23。

分布：陕西（眉县）、四川。

（837）青丽花萤 *Themus*（*Telephorops*）*coelestis*（Gorham，1889）

Telephorus coelestis Gorham，1889：104.

Themus coelestis：Jacobson，1911：675.

Themus（*Telephorops*）*coelestis*：Wittmer，1983：197.

Themus rugosus Pic，1929b：8.

Themus violetipennis Wang *et* Yang，1992：265.

鉴别特征：体长 15～21mm。头部橙色，上颚端部黑色，触角橙色或黑色，前胸背板和小盾片橙色，鞘翅金属蓝或青色，足橙色，腿、胫节端部和跗节黑色，体腹面橙色。触角丝状，长达鞘翅 1/3 处，第 2 节稍长于第 3 节，雄性第6～11节外侧缘近端部各具 1 条光滑细纵沟，雌性则无；前胸背板矩形，宽大于长，近基部最宽，两侧向后稍变宽；雄性鞘翅两侧向后变狭，雌性则近乎平行。

采集记录：1♀，佛坪，2005. Ⅵ. 25-26，巴义彬采；2♀，佛坪，2007. Ⅷ. 16，杨玉霞采；2♂，柞水牛背梁，1056m，2011. Ⅷ. 22-29，朱喜超、赵玉采。

分布：陕西（佛坪、柞水）、河南、甘肃、安徽、浙江、湖北、江西、湖南、福建、海南、广西、四川、贵州。

（838）糙翅丽花萤 *Themus*（*Telephorops*）*impressipennis*（Fairmaire，1886）

Telephorops impressipennis Fairmaire，1886：339.

Themus impressipennis：Bourgeois，1891：139.

Themus（*Telephorops*）*impressipennis*：Wittmer，1983：199.

Telephorops violaceipennis Gorham, 1889: 105.

鉴别特征: 体长19~25mm。头、前胸背板和小盾片棕红色；触角黑色；鞘翅蓝紫色，具强烈的金属光泽；足蓝黑色，具微弱的金属光泽；基节、转节和腿节基部棕红色；体腹面棕红色。触角丝状，长达鞘翅1/3处，第2节稍长于第3节，雄性第5~10节外侧缘各具1条光滑细纵沟，雌性则无；前胸背板宽大于长，前缘稍向后弯，两侧向后平直加宽，基部最宽，后缘弧圆，前角变圆，后角钝直；雄性鞘翅两侧向后稍变狭，雌性则近乎平行。

采集记录: 1♀，眉县蒿坪，2012. Ⅶ. 12，任国栋采；1♂1♀，宁陕火地塘，1580~1650m，1999. Ⅵ. 27，袁德成采；1♂，南郑碑坝，2005. Ⅵ. 19-22，巴义彬采；1♀，柞水牛背梁，2011. Ⅷ. 22-29，朱喜超、赵玉采。

分布: 陕西(眉县、宁陕、南郑、柞水)、河南、甘肃、江苏、安徽、浙江、湖北、江西、湖南、福建、台湾、广西、四川、贵州、云南。

(839) 考氏丽花萤 *Themus* (s. str.) *corayi* Wittmer, 1983

Themus (*Haplothemus*) *corayi* Wittmer, 1983: 216.
Themus (s. str.) *corayi*: Kazantsev & Brancucci, 2007: 271.

鉴别特征: 体长14mm。口器棕黑色；触角黑色，基部2节腹面橙黄色；头、触角基部2节背面，以及足和中胸、后胸腹板深蓝色，具微弱的金属光泽；前胸背板橙黄色，中央具1个大黑斑；鞘翅绿色，具强烈的金属光泽；腹部橙黄色；除末节外，各腹板两侧各具1个圆形黑斑。触角丝状，长达鞘翅中部，雄性第6~11节外侧缘近端部各具1个光滑的细短浅纵沟，雌性则无；前胸背板矩形，宽明显大于长，两侧近平行；雄性鞘翅两侧向后变狭，雌性则近平行。

采集记录: 2♂1♀，丹凤，900~1500m，1995. Ⅴ. 28-29；1♀，Shaanxi-Henan border，900~1500m，33°48′~33°53′N，110°40′~110°46′E，1995. Ⅴ. 29-31，leg. L. R. Businský。

分布: 陕西(丹凤，陕西与河南交界处)、福建。

(840) 黄足丽花萤 *Themus* (s. str.) *luteipes* Pic, 1938

Themus (s. str.) *luteipes* Pic, 1938: 161.

鉴别特征: 体长14~20mm。头部黄色；背面复眼中部之后为黑色；触角黑色，基部2节和第3~5节腹面及末节端部黄色；前胸背板黄色，盘区近中央处具2个小黑斑；小盾片黑色；鞘翅绿色，具强烈的金属光泽；足黄色，各胫节端部背面和跗节稍具黑色；体腹面黄色，可见腹板两侧分别具1个小黑斑。触角近丝状，长达鞘翅中部，第2和第3节约等长，雄性第6~11节外侧缘近端部分别具1条光滑小沟，雌性则无；前胸背板矩形，宽大于长，两侧向后稍变狭；雄性鞘翅两侧向后稍变狭，雌性则近乎平行。

采集记录：1♀，周至厚畛子，1550~2000m，1999. Ⅵ.21，姚建采；1♀，凤县黑沟，2005. Ⅵ.13，巴义彬采；3♀5♂，太白黄柏塬乡原始森林，2012. Ⅵ.19，李莎采；1♂，宁陕火地塘林场，1538m，2007. Ⅵ.02，林美英采；1♂，宁陕火地塘，1580m，1999. Ⅵ.25，袁德成采；1♀，柞水红庙河村，1110m，2007. Ⅵ.03，崔俊芝采。

分布：陕西（周至、凤县、太白、宁陕、柞水）、河北、甘肃。

（841）华丽花萤 *Themus*（s. str.）*regalis*（Gorham，1889）

Telephorus regalis Gorham，1889：103.

Telephorus imperialis Gorham，1889：102（nec Redtenbacher，1867）.

Cantharis imperator Pic，1906：81（new name for *Telephorus imperialis* Gorham，1889）.

Themus regalis：Jacobson，1911：675.

鉴别特征：体长17~24mm。头部金属蓝色，上颚端部黑色，切齿基部黄色，触角黑色，基部2节背面深蓝色，腹面黄色，具微弱的金属光泽，第7~10节黄色，前胸背板黄色，盘区中央具1个不规则的黑斑，小盾片黑色，鞘翅蓝色，具强烈的金属光泽，足蓝黑色，具金属光泽，中、后胸腹板深蓝色，具微弱的金属光泽，腹部黑色。触角丝状，长达鞘翅中部，第2节长于第3节；前胸背板矩形，宽大于长，基部最宽，两侧向后稍变狭；雄性鞘翅两侧向后稍变狭，雌性则两侧近乎平行。

采集记录：7♂，佛坪，2005. Ⅵ.25-26，巴义彬采；1♂1♀，宁陕十八丈，1150m，1999. Ⅵ.28，袁德成采；1♀，柞水龙潭庙，785m，苑彩霞、田颖采。

分布：陕西（佛坪、宁陕、柞水）、江西、福建、四川、云南；越南。

（842）陕西丽花萤 *Themus*（s. str.）*shensianus* Wittmer，1983（图版25：12）

Themus（s. str.）*shensianus* Wittmer，1983：211.

鉴别特征：体长14~19mm。头部深蓝色，具微弱的金属光泽；唇基和口器黄色；上颚端部棕黑色；触角黑色，基部两节黄色；前胸背板黄色，盘区中央具1个深蓝色斑，具微弱的金属光泽；小盾片深蓝色，具微弱的金属光泽；鞘翅蓝绿色，具强烈的金属光泽；足深蓝色，具微弱的金属光泽；基节、转节和腿节基部腹面黄色；体腹面黄色。触角丝状，长达鞘翅中部，第2节长于第3节，雄性第5～11节外侧缘近中部各具1条光滑细纵沟，雌性则无；前胸背板矩形，近中部最宽，两侧向后稍变狭；雄性鞘翅两侧向后稍变狭，雌性则近乎平行。

采集记录：1♂，周至楼观台，564m，2007. Ⅴ.23，李文柱采；1♀，太白山蒿坪寺，1200m，1982. Ⅶ.14，陕西太白山昆虫考察组采；1♂，太白山点兵场，1200m，1981. Ⅶ.01，陕西太白山昆虫考察组采；1♀，佛坪上沙窝村，1107～1215m，2007. Ⅴ.29，林美英采；1♀，柞水老林村，1050m，2007. Ⅵ.02，林美英采。

分布：陕西(周至、太白、佛坪、柞水)。

(843) 黑斑丽花萤 *Themus* (s. str.) *stigmaticus* (Fairmaire, 1888)

Telephorus stigmaticus Fairmaire, 1888: 123.

Themus stigmaticus: Jacobson, 1911: 675.

鉴别特征：体长12～19mm。头部深蓝色，具微弱的金属光泽；触角黑色，基部2节腹面黄色；柄节背面深蓝色，具微弱的金属光泽；前胸背板黄色，盘区近中央处具2个深蓝色斑，具微弱的金属光泽；小盾片黑色；鞘翅绿色，具强烈的金属光泽；足和中、后胸腹板深蓝色，具微弱的金属光泽；腹部黄色，各腹板两侧分别具1个小黑斑。触角丝状，长达鞘翅中部，雄性第5～11节外侧缘近端部分别具1条光滑细纵沟，雌性则无；前胸背板矩形，两侧向后稍变狭；雄性鞘翅两侧向后稍变狭，雌性则近乎平行。

采集记录：1♀，周至厚畛子，1350m，1999. Ⅵ.24，刘缠民采；1♀，留坝庙台子，2005. Ⅵ.10-15，巴义彬采；1♀，宁陕平河梁，2106～2448m，2007. Ⅵ.01，林美英采；1♂，宁陕火地塘林场，1538m，2007. Ⅵ.02，林美英采。

分布：陕西(周至、留坝、宁陕)内蒙古、北京、河北、甘肃、青海、江西。

(844) 砖胸丽花萤 *Themus* (s. str.) *testaceicollis* Wittmer, 1983

Themus (s. str.) *testaceicollis* Wittmer, 1983: 218.

鉴别特征：体长12～16mm。体绿色，具强烈的金属光泽；下颚基部浅黄色，端部深棕色；触角黑色，基部2节背面绿色，具强烈的金属光泽；第1～6或8节腹面橙色；前胸背板浅黄色；盘区中央橙色；体腹面深蓝色，具强金属光泽。头部稍狭于前胸背板;触角丝状,长达鞘翅中部,雄性第4~11节外侧缘近中部分别具1条光滑的细纵沟,雌性则无;前胸背板近矩形,宽大于长,中部之前最宽,两侧向后稍变狭,前角钝直,后角变圆;雄性鞘翅两侧向后稍变狭,雌性则近乎平行。

采集记录:7♀12♂,太白黄柏塬乡原始森林,1619m,2012.Ⅵ.19,李莎采;1♀,凤县黑沟,2005.Ⅵ.13,巴义彬采;4♂,留坝商台子紫柏山,2012.Ⅵ.22,华谊采;1♀,留坝庙台子,1470m,1999.Ⅶ.01,姚建采;1♀,佛坪凉风垭,2150~1750m,1999.Ⅵ.28,姚建采;1♂,佛坪凉风垭,2100~1800m,1999.Ⅵ.28,贺同利采;1♂,佛坪,1550~1750m,1999.Ⅵ.29,刘缠民采。

分布:陕西(太白、凤县、留坝、佛坪)、甘肃、湖北、四川。

参考文献

Ballion, E. von 1871. Eine Centurie neuer Käfer aus der Fauna des russischen Reiches. *Bulletin de la Société lmpériale des Naturalistes de Moscou*, 43 (2) [1870]: 320-353.

Barovskij, V. V. 1929. Cantharidides asiatiques nouveaux (Coleoptera). Ⅳ. *Revue Russe d' Entomologie* , 23: 266-269.

Bourgeois, J. 1891. Dascillides *et* Malacodermes du Bengale Occidemtale. *Bulletin ou Comptes-Rendus des Séances de la Société Entomologique de Belgique*, 35: cxxxvii-cxli.

Bourgeois, J. 1907. Sur quelques Malacodermes de l' Inde. *Annales de la Société Entomologique de Belgique*, 51: 291-293.

Champion, G. C. 1926. Some Indian (and Tibetan) Coleoptera (20). *The Entomologist' s Monthly Magazine*, 62: 194-210.

Dietrich, J. K. 1857. Einiges aus dem Gebiete der schweizerischen Käferfauna. *Entomologische Zeitung (Stettin)*, 18: 117-138.

Eschscholtz, J. F. G. 1818. Decades tres Eleutheratorum novorum. *Mémoires de l' Académie Impériale de Sciences étersburg*, 6 (5): 451-484.

Eschscholtz, J. F. G. 1830. Nova gerera Coleopterorum faunae Europacae. *Bulletin de la Société lmpériale des Naturalistes de Moscou*, 2: 16-65.

Fallén, C. F. 1807. *Monographia Cantharidum et Malachiorum Sueciae.* Berlingianis, Lundae, 26 pp.

Fairmaire, L. 1886. Descriptions de coléoptères de l' intérieur de la Chine (2. partie). *Annales de la Société Entomologique de France*, 6 (6): 303-356.

Fairmaire, L. 1888. Notes sur les coléoptères des environs de Pékin. *Revue d'Entomologie*, 7: 111-160.

Fairmaire, L. 1889. Coléopteres de l'intérieur de la Chine. (5eme partie). *Annales de la Société Entomologique de France*, (6) 9: 5-84.

Fairmaire, L. 1891. Coléopteres de l'intérieur de la Chine. (7eme partie). *Bulletin ou Comptes Rendus des Séances de la Société Entomologique de Belgique*, 35: clxxxvii-ccxxiii.

Gorham, H. S. 1889. Descriptions of new species and a new genus of Coleoptera of the family Telephoridae. *Proceedings of the Zoological Society*, 1889: 96-111.

Heyden, L. F. J. D. von 1889. Insecta, a cl. G. N. Potanin in China *et* in Mongolia novissime lecta. *Horae Societatis Entomologicae Rossicae*, 23: 654-677.

Jacobson, G. G. 1911. *Zhuki Rossii i Zapadnoy Evropy. Rukovodstvo k opredeleniyu zhukov.* Vypusk 9. A. F. Devrjen, St-Pétersburg, pp. 641-720.

Kazantsev, S. V. 1992. Contribution to the knowledge of Palaearctic Cantharoidea (Coleoptera). Notes on Dichelotarsus Motschulsky. *Entomologica Basiliensia*, 15: 267-277.

Kazantsev, S. V. 2007. Cantharidae. In: Löbl, I. and Smetana, A. (Eds): *Catalogue of Palaearctic Coleoptera*, Vol. 4. Apollo Books, Stenstrup, 47-54.

Kazantsev, S. V. and Brancucci, M. 2007. Cantharidae. In: Löbl, I. and Smetana, A. (Eds): *Catalogue of Palaearctic Coleoptera*, Vol. 4. Apollo Books, Stenstrup, 234-298.

Lewis, G. 1895. On the Dascillidae and malacoderm Coleoptera of Janpan. *The Annals and Magazine of Natural History*, 16 (6): 98-122.

Linnaeus, C. 1758. 181. Cantharis. Pp. 400-403. *Systema Naturae per Regna Tria Naturae, Secundum Classes, Ordines, Genera, Species, cum Characteribus, Differentiis, Synonymis.* Locis, edition 10, vol. 1. Laurentii Salvii, Stockholm, Sweden.

Moscardini, C. and Sassi, F. 1970. Nuovo genere di Cantharidae (Coleoptera: Malacodermata). *Bollettino della Società Entomologica Italiana*, 102: 192-196.

Motschulsky, V. 1853. Nouveautés. *Études Entomologiques*, 1 [1852-1853]: 77-80.

Motschulsky, V. 1860. Coléoptères nouveaux de la Californie. *Bulletin de la Société Impériale des Naturalistes de Moscou*, 32 (4) [1859]: 357-410.

Nakane, T. 1992. Notes on some little-know beetles (Coleoptera) in Japan. 9. *Kita-Kyūshū no Konchū*, 39 (2): 73-79.

Okushima, Y. 2005. A taxonomic study on the genus *Lycocerus* (Coleoptera: Cantharidae) from Japan, with zoogeographical considerations. *Japanese Journal of Systematic Entomology*, *Monographic*, Series 2: 1-383.

Pic, M. 1902. Descriptions *et* notes diverses (4e article). *L' Échange*, *Revue Linnéenne*, 18: 55-57.

Pic, M. 1904. Diagnoses de coléoptères asiatiques provenant surtout de Sibérie. *L' Échange*, *Revue Linnéenne*, 20: 25-27.

Pic, M. 1905. Descriptions abrégées *et* notes diverses. *L' Échange*, *Revue Linnéenne*, 21: 113-115.

Pic, M. 1906. Noms nouveaux *et* diagnoses de "Cantharini" (Telephorides) européens *et* exotiques. *L' Échange*, *Revue Linnéenne*, 22: 81-85.

Pic, M. 1912. Anomalies, captures *et* nouveautés de coléoptères. *L' Échange*, *Revue Linnéenne*, 28: 81-83.

Pic, M. 1913a. Notes diverses, descriptions *et* diagnoses (Suite). *L' Échange*, *Revue Linnéenne*, 29: 185-187.

Pic, M. 1913b. Notes diverses, descriptions *et* diagnoses (Suite). *L' Échange*, *Revue Linnéenne*, 29: 153-154.

Pic, M. 1913c. Notes diverses, descriptions *et* diagnoses (Suite). *L' Échange, Revue Linnéenne*, 29: 145-146.

Pic, M. 1914. Notes sur les Cantharidae paléarctiques et diagnoses de formes nouvelles. *L' Échange, Revue Linnéenne*, 30: 51-53.

Pic, M. 1917. Deux nouveaux Cantharis de Chine. *Bulletion de la Société Entomologique de France*, 1917: 160-161.

Pic, M. 1921a. Nouveautés diverses. *Mélanges Exotico-Entomologiques*, 33: 1-32.

Pic, M. 1921b. Notes diverses, descriptions et diagnoses (Suite). *L' Échange, Revue Linnéenne*, 37: 5-6.

Pic, M. 1921c. Nouveautés diverses. *Mélanges Exotico-Entomologiques*, 34: 1-32.

Pic, M. 1924. Nouveaux Malacodermes asiatiques. *Bulletin du Muséun d' Histoire Naturelle* (Paris), 30: 475-482.

Pic, M. 1926a. Nouveaux coléopteres exotiques. *Bulletin du Muséun d'Histoire Naturelle* (Paris), 32: 354-359.

Pic, M. 1926b. Nouveautés diverses. *Mélanges Exotico-Entomologiques*, 45: 1-32.

Pic, M. 1926c. Sept coléopteres exotiques nouveaux. *Bulletin de la Société Entomologique de* France, 1926: 153-155.

Pic, M. 1927. Coléoptères de l' Indochine. *Mélanges Exotico-Entomologiques*, 49: 1-36.

Pic, M. 1929a. Malacodermes exotiques (Suite). *L' Échange*, 65 [*hors-texte*] (437- 438): 69-76.

Pic, M. 1929b. Coléopteres exotiques en partie nouveaux (Suite). *L' Échange, Revue Linnéenne*, 45: 7-8.

Pic, M. 1933. Schwedisch-chinesische wissenschaftliche Expedition nach den nordwestlichen Provinzien Chinas unter Leitung von Dr. Sven Hedin und Prof. Sü Ping-chang. Insekten gesammelt vom schwedischen Arzt der Expedition Dr. David Hummel 1927- 1930. 16. Coleoptera. 2. Helmidae, Dermestidae, Anobiidae, Cleridae, Malacodermata, Dascillidae, Heteromera (ex p.), Bruchidae, Cerambycidae, Phytophaga (ex p.). *Arkiv för Zoologi*, A27 (2): 1-14.

Pic, M. 1938. Malacodermes exotiques. *L' Échange, Revue Linnéenne*, 54 [hors-texte] (472- 474): 149-156, 157-160, 161-164.

Pic, M. 1955. Coléoptères du globe (Suite). *L' Échange, Revue Linnéenne*, 71: 7-11.

Schaeffer, J. C. 1766. *Elementa Entomologica. CXXXV tabulae aere excusae floridisque coloribus distinctae.* Weiss, Ratisbonae, 135 pp.

Solsky, S. M. 1881-1882. [New or little known Coleoptera of the Russian Empire and adjacent countries] (continuation). *Horae Societalis Entomologicae Rossicae*, 13: 31-37.

Stephens, J. F. 1830. *Illustrations of British Entomology or, a synopsis of indigenous insects: containing their generic and specific distinctions; with an account of their metamorphoses, times of appearance, localities, food, and economy, as far as practicable. Mandibulata.* VolumeⅢ. Baldwin and Craddock, London, 447 pp.

Stephens, J. F. 1835. [Appendix, Pp. 369-448]. In: *Illustrations of British Entomology or, a synopsis of indigenous insects: containing their generic and specific distinctions; with an account of their metamorphoses, times of appearance, localities, food, and economy, as far as practicable.* Mandibulata [1832-1835] Volume V. Baldwin and Cradock, London, 448 pp.

Švihla, V. 1993. Contribution to the knowledge of the genus *Rhagonycha* Eschscholtz (Coleoptera: Cantharidae) from Eastern Mediterranean. *Entomologica Basiliensia*, 16: 255-277.

Švihla, V. 1995. Contribution to the knowledge of the genus *Rhagonycha* Eschscholtz (Coleoptera: Cantharidae) Ⅱ. *Entomologica Basiliensia*, 18: 71-90.

Švihla, V. 1999. Contribution to the knowledge of the genus Cantharis L. and related genera from Turkey and adjacent regions (Coleoptera: Cantharidae). *Entomologica Basiliensia*, 21: 135-170.

Švihla, V. 2002. A contribution to knowledge of the genus *Rhagonycha* Eschscholtz, 1830 (Coleoptera: Cantharidae) Ⅲ. *Entomologica Basiliensia*, 24: 305-319.

Švihla, V. 2004. New taxa of the subfamily Cantharinae (Coleoptera: Cantharidae) from southeastern Asia with notes on other species. *Entomologica Basiliensia*, 26: 155-238.

Švihla, V. 2005. New taxa of the subfamily Cantharinae (Coleoptera: Cantharidae) from South-eastern Asia with notes on other species Ⅱ. *Acta Entomologica Musei Nationalis Pragae*, 45: 71-110.

Švihla, V. 2008. Redescription of the subgenera of the genus *Themus* Motschulsky, 1858, with description of five new species (Coleoptera: Cantharidae). *Veröffentlichungen des Naturkundemuseums*, Erfurt 27: 183-190.

Švihla, V. 2011. New taxa of the subfamily Cantharinae (Coleoptera: Cantharidae) from southeastern Asia, with notes on other species Ⅲ. *Zootaxa*, 2895: 1-34.

Takahashi, K. 2002. A new species of the genus *Asiopodabrus* (Coleoptera: Cantharidae) from Eastem Honshu, Japan. *Elytra*, 30 (1): 195-201.

Wang, S. J. and Yang, J. K. 1992. Coleoptera: Cantharidae. Pp. 264-267. In: Huang, F-S. (Ed): *Insects of Wuling mountains area, SW China.* Science Press, Beijing, 777pp. [in Chinese].

Wittmer, W. 1938. 3. Beitrag zur Kenntnis der indo-malayischen Malacodermata (Col.). *Treubia*, 16 (3): 301-306.

Wittmer, W. 1954. 20. Beitrag zur Kenntnis der palaearktischen Malacodermata (Col.). *Mitteilungen der Schweizerischen Entomologischen Gesellschaft*, 27 (2): 109-114.

Wittmer, W. 1961. Synonymische und systematische Notizen über Malacodermata (Col.). *Entomologischen Arbeiten aus dem Museum G. Frey*, 12 (2): 362-364.

Wittmer, W. 1971. Ergebnisse der zoologischen Forschungen von Dr. Z. Kaszab in der Mongolei. Cantharidae der Ⅴ. & Ⅵ. Expedition. (49. Beitrag zur Kenntnis der palaearktischen Cantharidae). *Annales Historico-Naturales Musei Nationalis Hungarici*, 63: 189-203.

Wittmer, W. 1972. 55. Beitrag zur Kenntnis der palaearktischen Cantharidae und Malachiidae (Col.). *Entomologische Arbeiten aus dem Museum G. Frey*, 23: 122-141.

Wittmer, W. 1973. Zur Kenntnis der Gattung *Themus* Motsch. (Col. Cantharidae). *Entomologischen Arbeiten aus dem Museum G. Frey*, 24: 186-228.

Wittmer, W. 1974. Zur Kenntnis der Gattung *Stenothemus* Bourg. (Col. Cantharidae). *Mitteilungen der*

Schweizerischen Entomologischen Gesellschaft, 47 (1-2): 49-62.

Wittmer, W. 1978a. Beitrag zur Kenntnis der palaearktischen und indo-malaiischen Cantharidae und Malachiidae (Col.). *Entomologica Basiliensia*, 3: 347-376.

Wittmer, W. 1978b. Ergebnisse der Bhutan-Expedition 1972 des Naturhistorisches Museums in Basel. Coleoptera: Fam. Cantharidae (4. Teil) und Bemerkungen zu einigen Arten aus angrenzenden Gebieten. *Entomologica Basiliensia*, 3: 151-161.

Wittmer, W. 1982a. Die Familie Cantharidae auf Taiwan (1. Teil.). *Entomological Review of Japan*, 37 (2): 119-140.

Wittmer, W. 1982b. 71. Beitra zur Kenntnis der palaearktischen Cantharidae. *Entomologica Basiliensia*, 7: 340-347.

Wittmer, W. 1983. Beitrag zur einer Revision der Gattung *Themus* Motsch. Coleoptera: Cantharidae. *Entomologischen Arbeiten aus dem Museum G. Frey*, 31-32: 189-239.

Wittmer, W. 1984. Die Familie Cantharidae (Col.) auf Taiwan (3. Teil). *Entomological Review of Japan*, 39 (2): 141-166.

Wittmer, W. 1987. Zur Kenntnis der Gattung Prothemus Champion (Coleoptera: Cantharidae). *Mitteilungen der Entomologischen Gesellschaft Basel*, 37 (2): 69-88.

Wittmer, W. 1989. 42. Beitrag zur Kenntnis der indo-malaiischen Cantharidae und Malachiidae (Coleoptera). *Entomologica Basiliensia*, 13: 209-237.

Wittmer, W. 1995a. Neue Cantharidae (Col.) aus dem indo-malaiischen und palaearktischen Faunengebiet mit Mutationen. *Entomologica Basiliensia*, 18: 109-169.

Wittmer, W. 1995b. Zur Kenntnis Gattung *Athemus* Lewis (Col. Cantharidae). *Entomologica Basiliensia*, 18: 171-286.

Wittmer, W. 1997. Neue Cantharidae (Col.) aus dem indo-malaiischen und palaearktischen Faunengebiet mit Mutationen. 2. Beitrag. *Entomologica Basiliensia*, 20: 223-366.

Wittmer, W. and Magis, N. 1978. Zur Kenntnis einiger mit *Cantharis* L. verwandter Gattungen (Coleoptera: Cantharidae). *Bulletin & Annales de la Societe Royale Belge d'Entomologie*, 114 (4-6): 133-139.

Yang, Y. X. and Yang, X. K. 2010. A redescription of the genus *Cyrebion* Fairmaire, 1891, with notes on its related taxa and distribution (Coleoptera: Cantharidae). *Journal of Natural History*, 44 (9/10): 579-588.

Yang, Y. X. and Yang, X. K. 2014a. Notes on *Lycocerus kiontochananus* (Pic, 1921) and description of two new species of *Lycocerus* Gorham from China (Coleoptera: Cantharidae). *Zootaxa*, 3774 (6): 523-534.

Yang, Y. X. and Yang, X. K. 2014b. Taxonomic note on the genus *Taiwanocantharis* Wittmer: synonym, new species and additional faunistic records from China (Coleoptera: Cantharidae). *Zookeys*, 367: 19-32.

Yang, Y. X., Brancucci, M. and Yang, X. K. 2009. Synonymical notes on the genus *Micropodabrus* Pic and related genera (Coleoptera: Cantharidae). *Entomologica Basiliensia et Collectionis*, 31:

49-54.

Yang, Y. X., Kopetz, A. and Yang, X. K. 2013. Taxonomic and nomenclatural notes on the genera *Themus* Motschulsky and *Lycocerus* Gorham (Coleoptera: Cantharidae). *Zookeys*, 340: 1-19.

Ⅷ. 长蠹总科 Bostrichoidea

二十一、皮蠹科 Dermestidae

杨美霞　杨星科

（陕西省动物研究所，西安 710032）

鉴别特征： 体小型，通常为 1～15mm。卵圆或椭圆形，体黑色或暗褐色，体表被绒毛或鳞片。触角 9～11 节，通常为棒状或球状；额上通常具 1 个中单眼（*Dermestes* 属除外）；鞘翅通常盖住腹部且由不同颜色的绒毛和鳞片组成斑纹；前足基节窝开式，腹部可见腹板通常为 5 节（百怪皮蠹 *Trylodrias contractus* Motschulsky 为 7 节）。幼虫长圆柱形，背面观常为纺锤形，被长短不一的簇状毛；触角 3 节；头部具 3～6 对侧单眼；腹部第 9 节通常具 1 对尾突。

生物学： 本科成虫和幼虫多取食干燥的动植物产品，如毛皮、衣物、标本等，是重要的仓储害虫。其中谷斑皮蠹 *Trogoderma granarium* (Everts) 还是国际上重要的检疫害虫。

分类： 世界均有分布。世界已知 58 属约 1430 种及亚种，中国已知 15 属 129 种，陕西秦岭地区发现 3 属 3 种。

分属检索表

1. 头部无中单眼 ………………………… **皮蠹属 *Dermestes***
   头部有中单眼 ………………………… 2
2. 体背腹面覆扁平鳞片 ………………………… **圆皮蠹属 *Anthrenus***
   体背腹面无鳞片 ………………………… **螵蛸皮蠹属 *Thaumaglossa***

314. 圆皮蠹属 *Anthrenus* O. F. Müller, 1764

Anthrenus O. F. Müller, 1764: Ⅻ. **Type species:** *Dermestes scrophulariae* Linnaeus, 1758.

Anthrenus Schaeffer, 1766: 26. **Type species:** *Dermestes scrophulariae* Linnaeus, 1758.

Byrrhus Sulzer, 1776: 25. **Type species**: *Dermestes scrophulariae* Linnaeus, 1758.
Hypoceuthes Gerstaecker, 1871: 46. **Type species**: *Hypoceuthes aterrimus* Gerstaecker, 1871.

属征：体小型，通常为 1～5mm。卵圆形，极少数长形。体背腹面覆扁平鳞片。头上具中单眼。触角 4～11 节，触角棒 1～3 节。腹部第 5 腹板后缘中央有 1 个宽的深凹。触角的节数是该属分亚属的重要依据。

分布：世界性分布。世界已知 9 亚属 205 种，中国已知 5 亚属 24 种，秦岭地区发现 1 种。

（845）秦岭圆皮蠹 *Anthrenus*（*Florilinus*）*qinlingensis* Hava, 2004（图 30）

Anthrenus（*Florilinus*）*qinlingensis* Hava, 2004: 227.

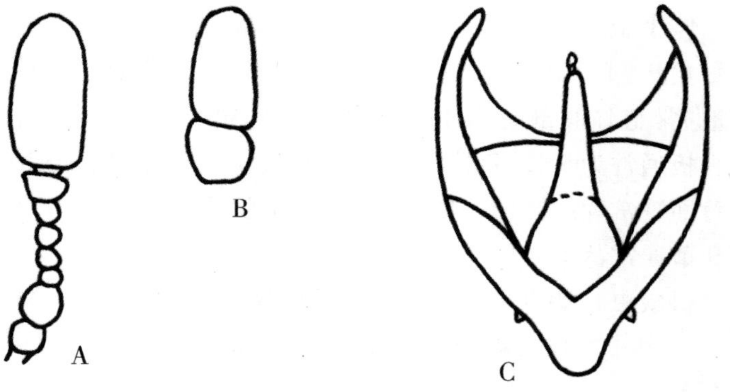

图 30　秦岭圆皮蠹 *Anthrenus*（*Florilinus*）*qinlingensis* Hava（仿 Hava, 2004）
A. 雄虫触角；B. 雌虫触角棒；C. 雄虫外生殖器

鉴别特征：雄虫体长 2.80mm，体宽 1.70mm；雌虫体长 2.70～3.00mm，体宽 1.70～2.10mm。体椭圆形，黑色。体背面覆有黑色、浅棕色和白色的鳞片。触角 8 节，棕色；触角棒 2 节，深棕色。体腹面覆有白色和浅棕色的鳞片。腹板的侧腹缘具由黑色鳞片组成的小斑。第 1～4 腹板中部无斑点。前胸背板和中胸背板覆白色和浅棕色鳞片。中胸背板侧缘无大斑。足覆棕色和白色鳞片和白色刚毛。

采集记录：1♂（正模），宁陕旬阳坝，1000～1300m，1998.Ⅴ.23-Ⅵ.13。

分布：陕西（宁陕）。

315. 螵蛸皮蠹属 *Thaumaglossa* Redtenbacher, 1868

Thaumaglossa Redtenbacher, 1868: 44. **Type species**: *Trogoderma bifasciata* Redtenbacher, 1868.

Axinocerus Jayne, 1883: 367. **Type species**: *Axinocerus americanus* Jayne, 1883.

Pseudothauniaglossa Pic, 1918. **Type species**: *Pseudothauniaglossa anthrenoides* Pic, 1918.

Orphiloides Matsumura *et* Yokoyama, 1928: 130. **Type species**: *Orphiloides ovivorus* Matsumura *et* Yokoyama, 1928.

属征: 体小型, 2~4mm, 卵圆形。头上具中单眼。触角 11 节, 雌雄触角末节形状差别明显, 雄虫触角末节膨大呈长三角形, 雌虫触角末节呈球形或棒状。鞘翅较短, 末端不遮盖或略遮盖腹部末端。体被软柔毛。

分布: 世界性分布。世界已知 46 种, 中国记录 9 种, 秦岭地区发现 1 种。

(846) 无斑螵蛸皮蠹 *Thaumaglossa hilleri* Reitter, 1881

Thaumaglossa hilleri Reitter, 1881: 42

鉴别特征: 体有光泽, 黑色。雌虫触角末节膨大, 呈球形, 长于其前 10 节的长度之和。体被单一的黄色毛, 尤其前胸背板两侧及鞘翅内侧前部为多。鞘翅无斑纹。

采集记录: 1♂1♀, 华山, 2005. Ⅴ. 15-17; 1♂, 宁陕火地塘, 1600m, 1979. Ⅶ. 22, 韩寅恒采; 1♂, 宁陕火地塘, 1700m, 1979. Ⅶ. 27, 韩寅恒采。

分布: 陕西(华阴、宁陕)、台湾、广西; 日本, 印度, 尼泊尔, 菲律宾。

316. 皮蠹属 *Dermestes* Linnaeus, 1758

Dermestes Linnaeus, 1758: 342. **Type species**: *Dermestes lardarius* Linnaeus, 1758.

属征: 体中等大小, 5~12mm。长椭圆形, 两侧近平行。中单眼缺失。触角 11 节, 触角棒 3 节, 3 个棒节近等长。前胸背板背面稍扁平至显著隆起。头、前胸背板及鞘翅密被毛, 前胸背板与鞘翅上被毛(不)可构成花斑。腹部被单一颜色或同时被黑、白两色毛。前胸腹板后突短, 其后部被前足基节覆盖。中胸腹板近四边形, 不凹入。腹部第 1 腹板侧陷线明显。

分布: 世界性分布。世界已知 4 亚属 74 种, 中国记录 3 亚属 26 种, 秦岭地区发现 1 种。

(847) 陕西皮蠹 *Dermestes shaanxiensis* Cao, 1987(图 31)

Dermestes shaanxiensis Cao, 1987: 271.

鉴别特征：雄虫体长 8 ~ 10mm。体黑色。头密被灰黄色毛。复眼上方具 1 条白色毛带。前胸背板两侧具白色毛带，中部被稀疏的白色毛。鞘翅被稀疏的相互混杂的白色和黑色毛。鞘翅基部白毛最多，形成 1 条白色纵毛带伸向体后方，约伸至鞘翅的 1/3 处。腹部第 1 ~ 4 腹板的前侧角为黑色毛斑，其余部分为白色毛；第 4 腹板中部有 1 个浅陷的黑色无毛区，此处伸出 1 簇长而稠密的金黄色直立毛丛。雌虫比雄虫强壮，但第 4 腹板中部无毛丛。

采集记录：2♂2♀，勉县，1984. Ⅵ. 18。

分布：陕西（勉县）、台湾。

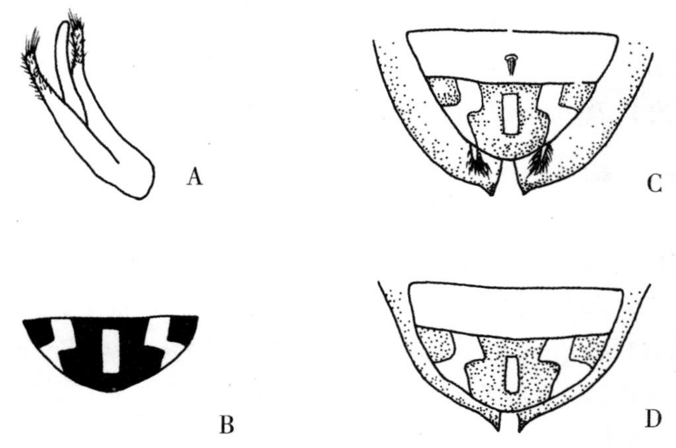

图 31 陕西皮蠹 *Dermestes shaanxiensis* Cao（仿 Cao，1987）
A. 雄虫外生殖器；B. 第 5 腹板；C. 雄虫第 4 +5 腹板；D. 雌虫第 4 +5 腹板

参考文献

Cao, Z. D. 1987. The species of Dermestes from Shaanxi. *Entomotaxonomia*, 9 (4): 269-272.［曹志丹. 1987. 陕西省的皮蠹属害虫. 昆虫分类学报, 9 (4): 269-272.］

Háva, J. 2003a. World catalogue of the Dermestidae (Coleoptera). *Studie a zprávy Oblastního Muzea Praha-vy-chod v Brandyse nad Labem a Staré Boleslavi*, Supplementum 1, 1-196.

Háva, J. 2004. New and interesting Dermestidae (Coleoptera) from China. *Entomologische Zeitschrift*, 114 (5): 225-232.

Liu, Y. P. and Zhang, S-F. 1988. *Chinese dermestid Beetles Associated with Stored Products*. Beijing: China Agriculture Press. 170pp.［刘永平，张生芳. 1988. 中国仓储品皮蠹害虫. 北京：农业出版社, 1-170.］

Ⅸ. 郭公甲总科 Cleroidea

二十二、郭公甲科 Cleridae

杨干燕　杨星科
（中国科学院动物研究所，北京 100101）

鉴别特征：体小到中型，一般长形，部分种类近圆形。触角 8~11 节，线状、锤状、锯齿状或栉状；前胸背板及鞘翅具竖毛；前足基节横形，基前转片部分外露；跗式 5-5-5，第 1~4 跗节多为双叶状，有时第 4 跗节极小，位于第 3 跗节的分叶内；前足第 1~4跗节多具跗垫，中、后足跗垫常呈不同程度退化。腹部常可见 6 节，少数 5 节。

生物学：成虫和幼虫多为捕食性，捕食小蠹、天牛、吉丁等蛀干昆虫。少部分成虫访花；*Trichodes* 属的幼虫能侵入一些切叶蜂的巢穴中捕食其幼虫；*Necrobia* 属为腐食性，其中一些种类为世界性的储藏物害虫；Thaneroclerinae 亚科的种类可能为菌食性或在真菌中捕食其他昆虫。

分类：世界已知 303 属 3570 种，多分布于热带、亚热带地区，以非洲区和新热带区种类最为丰富。中国已记录 150 种左右。陕西秦岭地区发现 6 属 7 种。

分属检索表

1. 跗节第 4 节几乎与第 3 节等长 …… 2
　跗节第 4 节很小，隐藏于第 3 节的分叶内 …… 4
2. 触角末 3 节形成紧密而明显的棒部；前足胫节端部具 2 个距，前足跗节第 1 节无跗垫，爪不具基齿 …… **毛郭公甲属 *Trichodes***
　触角逐渐加宽，末 3 节仅形成松散而不明显的棒部；前足胫节端部具 1 个距，前足跗节第 1 节具明显的跗垫，爪具宽大的基齿 …… 3
3. 眼面粗糙，外咽缝平行或端部略内聚，中足跗节第 1 节具明显的跗垫 …… **番郭公甲属 *Xenorthrius***
　眼面精细，外咽缝端部外扩，中足跗节第 1 节不具跗垫 …… **郭公甲属 *Clerus***
4. 外咽缝端部内聚；触角末 3 节形成棒部 …… 5
　外咽缝端部外扩；触角锯齿状 …… **筒郭公甲属 *Tenerus***
5. 体形细长，两侧平行；爪简单，跗节第 1 节被第 2 节遮盖，背面不可见；前背折缘后部在前胸背板后左右不相接，前胸背板边框仅基部完整 …… **细郭公甲属 *Tarsostenus***
　体为卵圆形；爪附齿式，跗节第 1 节背面可见；前背折缘后部在前胸背板后左右相接，前胸背板边框完整 …… **尸郭公甲属 *Necrobia***

317. 郭公甲属 *Clerus* Geoffroy, 1762

Clerus Geoffroy, 1762: 34. **Type species**: *Clerus mutillarius* Fabricius, 1775.

Pseudoclerops Jacquelin du Val, 1860: 196. **Type species**: *Clerus mutillarius* Fabricius, 1775.

属征：触角逐渐加宽，端节不具穴状感器。各足胫节背腹面均不具纵脊，中、后足跗节至少第 3 和第 4 节具明显的跗垫。雄性中茎片仅中肋骨化，边缘膜质且无齿。

分布：非洲，欧洲，东南亚。世界已知 20 ~ 30 种，中国记录 9 种，秦岭地区发现 1 种。

(848) 普通郭公甲 *Clerus dealbatus* (Kraatz, 1879)(图版 26：1)

Pseudoclerops mutillarius var. *dealbatus* Kraatz, 1879: 289.

Clerus deabatus: Reitter, 1894: 47.

Thanasimus moutoni Pic, 1936: 3.

Pseudoclerops moutoni: Corporaal, 1948: 244.

鉴别特征：本种为郭公甲属团在中国分布最广的种，腹部为红色。本种与 *Clerus sinae* 的区别在于，头顶不具 1 丛金黄色伏毛，中足第 1 跗节不具跗垫，第 2 跗节仅具微弱的跗垫；与 *Clerus thanasimoides* 的区别在于，本种前胸背板不具金黄色伏毛形成的3/4环纹，鞘翅亚端部中缝处不具纵毛纹，中足第 1 跗节不具跗垫，第 2 跗节仅具微弱的跗垫。

采集记录：1 头，周至厚畛子，1517m，2007. Ⅷ. 14；2 头，柞水营盘，1110m，2007. Ⅵ. 03。

分布：陕西(周至、柞水)、黑龙江、吉林、辽宁、内蒙古、北京、河北、山西、山东、江苏、上海、浙江、福建、广东、四川、贵州、云南、西藏；俄罗斯，朝鲜，韩国，印度。

318. 尸郭公甲属 *Necrobia* Olivier, 1795

Necrobia Olivier, 1795: no 76 bis: 4. **Type species**: *Dermestes violaceus* Linnaeus, 1758.

属征：体长 3.50 ~ 6.50mm。外咽缝端部内聚，外咽片不向头孔延长。触角末 3 节形成较为松散的棒部，棒部远短于前几节长度之和；第 9、10 节长宽比均为 2 : 1。下颚须和下唇须末节均朝端部逐渐变窄，端部圆钝。前背折缘后部于前胸背板后左右相接；前胸背板边框完整；前胸背板侧后缘圆或具 1 个较弱的尖角。鞘翅不具敞边；刻点成行，刻点间距大于或等于刻点直径。胫节端部不具齿突或小刺。跗节第1节背面可见。爪附齿式。

分布： 世界性分布。世界已知10种左右，中国记录3种，秦岭地区发现2种。

分种检索表

头部青蓝色，前胸和鞘翅基部1/4红色，鞘翅端部3/4青蓝色；前胸背板侧后缘稍尖 ………………………………………………………………………………………… **赤颈尸郭公甲 *N. ruficollis***

头部、前胸和鞘翅均为青蓝色；前胸背板侧后缘圆 …………………… **赤足尸郭公甲 *N. rufipes***

(849) 赤颈尸郭公甲 *Necrobia ruficollis* (Fabricius, 1775)

Dermestes ruficollis Fabricius, 1775: 57.

Necrobia ruficollis: Latreille, 1804: 157.

鉴别特征： 头部、触角青蓝色，前胸和鞘翅基部1/4红色，鞘翅端部3/4青蓝色，足红色。前胸背板侧后缘稍尖。鞘翅刻点清晰，刻点行间距为刻点直径的3倍。

分布： 陕西（秦岭）、黑龙江、甘肃、新疆、山东、江苏、上海、安徽、浙江、湖北、江西、湖南、福建、台湾、广东、海南、广西、重庆、四川、贵州、云南；韩国，日本，越南，欧洲，非洲北部。

(850) 赤足尸郭公甲 *Necrobia rufipes* (de Geer, 1775)

Clerus rufipes de Geer, 1775: 165.

Dermestes rufipes: Fabricius, 1781: 65.

Korynetes rufipes: Herbst, 1792: 151.

Necrobia rufipes: Olivier, 1795: 4.

Tenebrio dermestoides Piller *et* Mitterpacher, 1783: 68.

Corynetes glabra Jurine, 1814: 44.

Necrobia mumiarum Hope, 1834: 54.

Necrobia amethystina Stephens, 1835: 417.

Corynetes flavipes Klug, 1842: 353.

Necrobia aspera Walker, 1858: 283.

Necrobia pilifera Reitter, 1894: 85.

Necrobia foveicollis Schenkling, 1900: 20.

Necrobia aeneipennis Csiki, 1900: 124.

Necrobia cupreonitens Lauffer, 1905: 406.

鉴别特征： 体青蓝色，仅触角和足赤褐色。前胸背板侧后缘圆。鞘翅刻点浅而模糊。

分布：陕西(秦岭)、黑龙江、内蒙古、甘肃、新疆、山西、山东、上海、浙江、湖北、江西、湖南、福建、广东、海南、广西、四川、贵州、云南；蒙古，俄罗斯，韩国，日本，印度，伊朗，沙特阿拉伯，塔吉克斯坦，土耳其，欧洲。

319. 细郭公甲属 *Tarsostenus* spinola, 1844

Tarsostenus Spinola, 1844: 287. **Type species**: *Clerus univittatus* Rossi, 1792.
Paratillus Gorham, 1876: 62. **Type species**: *Clerus carus* Newman, 1840.

属征：外咽缝端部内聚，外咽片不向头孔延长。触角末 3 节形成较为松散的棒部，棒部远短于前几节长度之和。下颚须和下唇须末节均朝端逐渐加宽，端部平截。前背折缘后部与前胸背板相接于前胸背板侧缘的后角；前胸背板边框仅基部完整。鞘翅不具敞边。胫节端部不具齿突或小刺。跗节第 1 节被跗节第 2 节遮盖，背面不可见。爪简单。

分布：亚洲，澳大利亚。世界已知 2 种，中国仅知 1 种，在陕西亦有记录。

(851) 玉带细郭公甲 *Tarsostenus univittatus* (Rossi, 1792)

Clerus univittatus Rossi, 1792: 44.
Opilus univittatus: Stephens, 1839: 197.
Tarsostenus univittatus: Spinola, 1844: 288.
Opilus fasciatus Curtis, 1829: 270.
Tillus succintus Chevrolat, 1842: 277.
Dupontiella fasciatellus Spinola, 1844: 172.
Tarsostenus fasciatellus: Lohde, 1900: 52.
Opilus albofasciatus Melsheimer, 1846: 306.
Tillus picipennis Westwood, 1849: 48.
Notoxus moerens Westwood, 1849: 57.
Clerus funebralis Gistel, 1857: 46.
Clerus biguttatus Montrouzier, 1860: 260.
Opilus incertus MacLeay, 1872: 269.

鉴别特征：体细长。鞘翅黑色，中部具 1 条淡黄色横纹。

分布：陕西(秦岭)、河北、湖北、台湾、广东、海南、广西、四川、贵州、云南；越南，韩国，日本，印度，欧洲，北非。

320. 筒郭公甲属 *Tenerus* Laporte de Castelnau, 1836

Tenerus Laporte de Castelnau, 1836: 43. **Type species**: *Tenerus praeustus* Laporte de

Castelnau, 1836.

Cylistus Klug, 1842: 354. **Type species**: *Cylistus variabilis* Klug, 1842.

Prionophorus Blanchard, 1853: 64. **Type species**: *Prionophorus bicolor* Blanchard, 1853.

Teneroides Gahan, 1910: 69. **Type species**: *Teneroides tavoyanus* Gahan, 1910.

属征：体形筒状。外咽缝端部外扩，外咽片不向头孔延长。触角自第3或第4节起锯齿状。下颚须和下唇须末节向端部略扩，端部平钝。前背折缘后部于前胸背板后左右相接；前胸背板边框完整。鞘翅不具敞边。前中足胫节端部外侧各具1列小刺。跗节第1节背面可见。爪附齿式。雌雄区分通常较难，雌虫可见第5腹板通常具“V”形凹刻，或逐渐内凹，雄虫的平；末腹板区分不明显。但有的种类雌雄易于区分，雄性腹部倒数第2腹板具凹坑，雌性不具凹坑。

分布：东洋区，非洲区。世界已知138种，中国记录6种，秦岭地区发现1种。

(852) 斑胸筒郭公甲 *Tenerus maculicollis* (Lewis, 1892)（图版26：2）

Tenerus maculicollis Lewis, 1892: 189.

Tenerus higonius Lewis, 1892: 189.

鉴别特征：雄虫腹部倒数第2腹板具浅坑。雄虫触角自第3节明显锯齿状，雌虫自第4节明显锯齿状（雌虫第3节居于非锯齿至锯齿的过渡状态）。雌虫鞘翅不具纵脊。头部橙色，前胸橙色，有时具黑斑，鞘翅深蓝色。

采集记录：1♂，佛坪，867m，2007. Ⅷ. 16；1♂，佛坪，890m，灯诱，1999. Ⅵ. 26；1♀，佛坪，900m，灯诱，1999. Ⅵ. 27；1♂，宁陕，1714m，2007. Ⅷ. 19。

分布：陕西（佛坪、宁陕）、河南、浙江、江西、湖南、台湾；日本。

321. 毛郭公甲属 *Trichodes* Herbst, 1792

Trichodes Herbst, 1792: 154. **Type species**: *Attelabus apiarius* Linnaeus, 1758.

Pachyscelis Hope, 1840: 137. **Type species**: *Clerus ammios* Fabricius, 1787.

属征：体长9～28mm。体色多为深蓝色至黑色，鞘翅具红色、橙色、青色或黑色斑纹。复眼大，眼刻很深，眼面细致，上唇前缘中部微凹，下颚须末节筒状，向端部略扩，端部圆钝，下唇须末节斧状。触角11节，末3节形成较为紧密的棒部。外咽缝略汇聚。前胸比头部宽，长大于宽，基部缢缩，有时端部也缢缩，前足基节窝开放。鞘翅明显宽于头部，刻点密集均匀，不形成刻点列。各足胫节背腹面均具纵脊，胫节端部内侧距式为2-2-2，跗式5-5-5，各足跗节第1节均特别小，被跗节第2节所遮盖，背面不可见，各足跗节2～4节均具分叶的跗垫。爪简单，不具基齿。

分布：古北区，非洲区，新北区，东洋区。世界已知近百种，中国记录4种，秦岭地区发现 1 种。

(853) 中华毛郭公甲 *Trichodes sinae* Chevrolat, 1874(图版 26：3)

Trichodes sinae Chevrolat, 1874: 303.

Trichodes spinolai Kolbe, 1886: 199.

Trichodes frivaldszkyi Reitter, 1894: 61.

Trichodes interruptus Kraatz, 1894: 122. (nec Klug, 1842; nec Hintz, 1904).

Trichodes pekinensis Pic, 1895: 88 (new name for *Trichodes interruptus* Kraatz, 1894).

Trichodes thibetanus Kraatz, 1894: 122.

鉴别特征：鞘翅橙色，各鞘翅基缘具 1 个不明显的半圆形小黑斑；鞘翅基部 1/3、端部 1/3 和最末端各具 1 条黑色横纹，基部 1/3 和端部 1/3 的横纹可能在中缝处中断，从而形成不连续的左右黑斑；腹面深蓝黑色。

采集记录：3 头，长安终南山；4 头，周至；3 头，宝鸡；6 头，佛坪；3 头，宁陕。

分布：陕西(长安、周至、宝鸡、佛坪、宁陕)、黑龙江、吉林、辽宁、内蒙古、北京、天津、河北、山西、山东、河南、宁夏、甘肃、青海、新疆、江苏、上海、安徽、浙江、湖北、江西、湖南、福建、广东、广西、重庆、四川、贵州、云南、西藏；蒙古，俄罗斯，韩国。

322. 番郭公甲属 *Xenorthrius* Gorham, 1892

Xenorthrius Gorham, 1892: 733. **Type species**: *Xenorthrius mouhoti* Gorham, 1892.

属征：体长 7 ~ 15mm。体多为黄褐色至黑褐色，并具深色斑纹，部分种鞘翅基部红色。复眼大，眼面粗糙，眼刻深，上唇前缘中部微凹，下颚须末节筒状，向端部收狭，端部圆钝，下唇须末节斧状。触角 11 节，细长，逐渐加宽，达前胸后缘。外咽缝两侧平行。前胸略比头部宽，长大于宽，基部和端部缢缩，前横沟明显。前足基节窝开放。鞘翅宽于头部，形成刻点列。胫节具或不具纵脊，胫节端部内侧距式为1-2-2，跗式 5-5-5，各足第 1 跗节均很小，被第 2 跗节所遮盖，背面不可见，各足 1 ~ 4 跗节均具明显分叶的跗垫。爪附齿式。腹部可见腹板 6 节，雄性第 6 节后缘平直或凹缺，雌性凸圆。

分布：东洋区，澳洲区。世界已知 50 种，中国记录 20 种，秦岭地区发现 1 种。

(854) 盘斑番郭公甲 *Xenorthrius discoidalis* (Fairmaire, 1891)

Tillus discoidalis Fairmaire, 1891: 210.

Tillopilo discoidalis: Winkler, 1958: 248.

Tillus discoidalis: Mawdsley, 1994: 405.

鉴别特征: 后足胫节不具脊，鞘翅褐色，基半部具1个"X"状浅色斑，易于识别。
采集记录: 10头，宁陕火地塘，2007.Ⅷ.13，灯诱，杨干燕、史宏亮采。
分布: 陕西(宁陕)、辽宁、湖北。

参考文献

Blanchard, E. 1853. Insectes. In: Hombrom J. B. & Jacquinot R. (eds): *Atlas d'histoire naturelle. Zoologie. In: Voyage au Pôle Sud et dans l'Océanie sur les corvettes l'Astrolabe et la Zélée, executé par l'ordre du Roipendent les année 1837-1838-1839-1840 sous Ie commande-ment de M J. Dumont-d'Urville, Capitaine devaisseau.* Tome Quatrième. Paris: Gide et J. Baudry, [5] + 422 pp., 20 pis. [plates issued in 1847].

Chevrolat, L. A. A. 1874. Catalogue des Clérides de la collection de M. A. Chevrolat. *Revue et Magasin de Zoologie pure et appliquee*, ser. 3 Ⅱ (7): 252-329.

de Geer, C. de. 1775. *memoires pour servir a l'histoire des insectes.* Tome cinquième. Stockholm: Pierre Hesselberg, vii + [1] + 448 pp., 16 pls.

Fabricius, J. C. 1775. *Systema entomologiae, sistens insectorvm classes, ordines, genera, species, adiectis synonymis, locis, descriptionibvs, observationibvs.* Flensburgi et Lipsiae: Korte, xxxii + 832 pp.

Fairmaire, L. 1891. Coléoptères de l'intérieur de la Chine (Suite, 7e partie). *Bulletin ou Comptes-Rendu des Séances de la Société entomologique de Belgique*, 35: 187-223.

Gahan, C. J. 1910. Notes on Cleridae and descriptions of some new genera and species of this family of Coleoptera. *The Annals and Magazine of Natural History: including Zoology, Botany and Geology, ser.* 8, Ⅴ: 55-76.

Geoffroy, E. L. 1762. *Histoire abrégée des insectes qui se trouvent aux environs de Paris; dans laquelle ces animaux sont rangés suivant un ordre méthodique.* Tome premier. Paris: Durand. pp. [1-2], j-xlviij, 1-523, Pl. Ⅰ-Ⅹ.

Gorham, H. S. 1876. Notes on the Coleopterous family Cleridae, with description of New Genera and Species. *Cistula Entomologica*, Ⅱ: 57-106.

Gorham, H. S. 1892. Viaggio di Leonardo Fea in Birmania e regioni vicine. xlviii. Cleridae. *Annali del Museo Civico di Storia Naturale di Genova*, 32: 718-746.

Herbst, J. F. W. 1792. *Natursystem aller bekannten in und ausländischen Insekten: als eine Fortsezzung der von Büffonschen Naturgeschichte.* Der Käfer vierter Theil. Berlin: J. Pauli, viii, 197pp, 12 pls..

Jacquelin, du Val. 1860-1868. *Genera des Coléoptères d'Europe.* Tome 3. Paris,: 1-464 + 126-200 (Catalogue), 100 pl.

Klug, J. C. F. 1842. *Versuch einer systematischen Bestimmung und Auseinandersetzung der Gattungen und Arten der Clerii, einer Insekten familie aus der Ordnung der Coleopteren.* Berlin: Königliche Akademie der Wissenschaften zu Berlin, 397 pp., 2 pls.

Kraatz, G. 1879. Neue Käfer vom Amur. *Deutsche Entomologische Zeitschrift*, 23: 121-144.

Laporte de Castelnau, F. L. 1836. Études entomlogique, ou descriptions d´insectes nouveaux et observations sur la synonymie. *Revue Entomologique* (G. Silberman), 4: 5-60, 61pl.

Latreille, P. A. 1804. *Histoire naturelle, générale et particulière des crustaces et des insectes. Ouvrage faisant suite aux oeuvres de Leclerc de Buffon, et partie du Cours complet d'histoire naturelle rédigé par C. S. Sonnini, membre de plusieurs Sociétés savantes.* Tome neuvième. Paris: F. Dufart, 400 + [16] pp., pls. 74-80.

Lewis, G. 1892. On the Japanese Cleridae. *The Annals and Magazine of Natural History: including Zoology, Botany and Geology, ser.* 6 10: 183-192.

Mawdsley, J. R. 1994. The checkered beetles of Nepal (Coleoptera: Cleridae). *Journal of the Bombay Natural History Society*, 91 (3): 403-406.

Olivier, G. A. 1795. *Entomologie, ou histoire naturelle des insectes, avec leurs caractères génériques et spécifiques, leur description, leur synonymie et leur figure enluminée. Coléoptères. Tome quatrième.* Paris: Lanneau, 519 pp., 72 pis. [Note: each genus with separat pagination].

Pic, M. 1936. Nouveaux coleopteres palearctiques. *L'Éhange, Revue Linnéenne*, 51 [hors-texte] (463): 1-3.

Reitter, E. 1894. Bestimmungs-Tabelleder Coleopteren-Familie der Cleriden des palaearctischen Faunengebietes. *Verhandlungen des Naturforschenden Vereins in Brünn*, xxxii: 37-89.

Spinola, M. 1844. *Essai Monographique sur les Clérites, Insectes Coléoptères. Gênes: Imprimerie des freères Ponthenier.* I (I-IX, 1-386); II (1-119); Suppl. (121-216); 47 pls.

Winkler, J. R. 1958. *Tillopilo corporaali* n. gen. n. sp., new genus and species of the checkered beetles from China (Col., Cleridae). *Časopis Československé Společnosti Entomologické*: 244-249.

X. 扁甲总科 Cucujoidea

二十三、大蕈甲科 Erotylidae

李静[1] 任国栋[2]

(1. 河北农业大学植物保护学院，河北保定 071001；2. 河北大学生命科学学院，河北保定 071001)

鉴别特征： 体长 3～25mm。体黑色，鞘翅通常有红褐色或黄色斑纹，有时前胸背板有斑。复眼发达；触角 11 节，端部 3 节通常膨大呈棒状，少数种类第 4 或 5 节也膨大；额区与唇基合并；外咽缝不明显；颏明显横宽，三角形或近方形。前足基节窝闭合；中胸腹板小，长方形或圆形，中足基节窝外侧闭合；后胸腹板宽大于长，后足基节远离，外侧不达鞘翅边缘。鞘翅多有刻点列，侧缘饰边完整。跗节 5-5-5 式。

生物学： 大蕈甲科的成虫与幼虫均以菌类为食，在生态系统中占有较高营养层次，对野生菌的生长有一定的抑止作用，对食用菌也有一定影响，如日本窄蕈甲 *Dacne japonica* 和二纹窄蕈甲 *D. picta* 是香菇 *Lentinus edodes* 上的重要害虫，其成虫、幼虫都可以钻蛀到菌体内，造成曲折的蛀道，严重影响香菇的品质；危害严重时，整个子实体被蛀空，仅剩菌盖皮，蛀道内充满虫粪，使香菇完全失去食用价值。

分类：除南极洲、北极洲外的所有地区，以热带地区为主。世界已知125属2500余种(不包括拟叩甲在内)，中国记录26属130余种，陕西秦岭地区发现2属3种，其中2种是陕西省新纪录。

分属检索表

颏明显横宽，下颚须末节不横宽，第1~3跗节不从基部逐渐变宽 …………… **艾蕈甲属 *Episcapha***
颏不宽，下颚须末节明显横宽，第1~3跗节从基部逐渐变宽 …………… **沟蕈甲属 *Aulacochilus***

323. 艾蕈甲属 *Episcapha* Lacordaire, 1842

Episcapha Lacordaire, 1842: 48. **Type species:** *Episcapha uestita* Lacordaire, 1842.

属征：卵圆形，一般被细短的绒毛。触角第3~8节等长，第3节不长于第4节，端部3节形成长而紧密的棒节。复眼大，粗眼面。颊稍前伸，但不形成平叶或隆线。上颚短，粗壮，端部有2枚尖齿。内颚叶端部无齿，下颚叶粗壮，几乎相等，下颚须末节长梭形。颏明显横宽；唇舌窄，前缘分叉；下唇须短，末节宽卵形。前胸腹板在基节间变窄，后缘几乎直。中胸腹板长宽近相等，中、后足基节线缺失。腿节简单，跗节基部3节稍宽，第4节小，但明显。

分布：古北区，东洋区。世界已知3亚属43种，中国记录15种，秦岭地区发现2种。

分种检索表

体被密毛 ……………………………………………………………… **光滑艾蕈甲 *E.* (*E.*) *psiloides***
鞘翅几乎无毛，但侧区和后缘被少量黑色短毛 ……………… **黄带艾蕈甲 *E.* (*E.*) *flavofasciata***

(855) 光滑艾蕈甲 ***Episcapha* (*Episcapha*) *psiloides* Bedel, 1918**(图版26: 4)

Episcapha (*Episcapha*) *psiloides* Bedel, 1918: 119.

鉴别特征：长卵形，背面稍隆起。黑色，每鞘翅具2个橘色斑，第1斑位于肩后，条带状，前缘具2个齿，内侧齿达前缘，端部向左右扩展，在肩部形成1个开放的黑色点斑，第2斑后缘呈不规则波状，向前凹，前缘具4个齿，后缘具4~5个齿，被较浓的毛。唇基前缘具缺刻。触角第3节和第4节近等长。颏阔五边形，前缘及两侧具饰边，中间有近五边形凹陷。前胸背板前缘直，仅两侧具饰边。小盾片宽五边形。鞘翅刻点列不明显。中胸腹板中间呈半圆形凹。

采集记录： 1♀，留坝，1991. Ⅶ. 23，陈军采。

分布： 陕西(留坝)；越南，老挝。

(856) 黄带艾蕈甲 *Episcapha* (*Episcapha*) *flavofasciata* (Reitter, 1879)(图版 26：5)

Megalodacne flavofasciata Reitter, 1879: 223.
Episcapha hamata Lewis, 1879: 465.
Episcapha flavofasciata Reitter, 1887: 5.
Megalodacne flavofasciata Heyden, 1893: 55.
Episcapha flavofasciata Kuhnt, 1909: 110.
Episcapha (*Psiloscapha*) *flavofasciata* Heller, 1918 (1920): 75.
Episcapha flavofasciata Winkler, 1926: 718.
Episcapha (*Episcapha*) *flavofasciata* Chûjô, 1969: 96, 107.

鉴别特征： 长卵形，背面明显隆起。头、前胸背板、腿和整个下表面被黑色毛；鞘翅几乎无毛，但侧区和后缘被少量黑色短毛。一般黑色；每鞘翅有 2 个红棕色斑；基斑内有 1 个黑点，后缘有 4 ~ 5 个小齿；第 2 个斑在端部前，形成横向的弯曲条带，前后缘各具 4 ~ 5 个齿。头部镶粗疏刻点；唇基前缘弧凹。触角粗壮，第 3 节稍长于或等于第 4 节。颏宽五边形。前胸背板前缘直，仅两侧具饰边；后缘无饰边。小盾片明显横宽。前胸腹板多皱，中间区域多少凹陷。中胸腹板中间具亚方形凹陷。

采集记录： 1♀，柞水牛背梁，1056m，2011. Ⅷ. 22-29，朱喜超、赵玉采。

分布： 陕西(柞水)、山西、河南、四川；俄罗斯(东西伯利亚)，韩国。

324. 沟蕈甲属 *Aulacochilus* Chevrolat, 1836

Aulacochilus Chevrolat, 1836: 429. **Type species**: *Erotylus quadripustulatus* Fabricius, 1801.

属征： 卵形或长卵形。触角极短，第 3 节比第 4 节稍长，末 3 节形成小的棒节。复眼突出，粗眼面，头部无音锉。唇基没有明显的凹，亚颏两侧形成明显隆突，与上颚连接，上颚粗壮，端部短，二裂；下颚叶短，内颚叶具两个长齿，下颚须基节细长，末节明显横宽。下唇基节三角形，具纵隆线，唇舌小，前缘略具凹槽，下唇须小且粗壮，末节杯状，宽略大于长。足基节距离远，具切线。腹部基节是第 2 节的 0.50 倍。随后 4 节几乎等长。胫节扁平，跗节膨大，1 ~ 3 节逐渐增宽，第 4 节小，插入前节基部。

分布： 全北区，东洋区。世界已知 5 亚属 84 种，中国记录 13 种，秦岭地区发现1 种。

(857)月斑沟蕈甲 *Aulacochilus luniferus*(Guérin-Méneville, 1841)(图版 26：6)

Erotylus luniferus Guérin-Méneville, 1841：156.
Aulacochilus luniferus：Lacordaire, 1842：249.

鉴别特征：长卵形，背面隆起。体黑色，有光泽；每个鞘翅有 1 个红色或红棕色斑，形似角鹿。额唇基缝有 1 个弧形凹陷。触角第 3 节长约为第 4 节的 2 倍。下颚须阔三角形。颏锐三角形，亚颏近梯形，中间有 1 个驼峰状凹陷。眼间距是眼半径的 1.60 倍。前胸背板前缘直；侧缘基部最宽，饰边明显宽，基部仅两侧镶细边。小盾片短舌状。鞘翅两侧饰边完全；刻点列明显，行上刻点粗于行间刻点；行间有不规则的细刻点和短刻线。前胸腹板中央宽三角形突起，表面有细刻点，其余地方刻点粗密，甚至形成皱褶。

采集记录：1♂，宁陕药王堂，1258m，2013.Ⅷ.11，朱喜超、田颖采。

分布：陕西(宁陕)、北京、河北、河南、浙江、广西、四川、云南、西藏；马来西亚，印度尼西亚。

参考文献

Bedel, L. 1918. Cinq espèces nouvelles du genre *Episcapha* Lac. (Col. Erotylidae). *Bulletin de la Société Entomologique de France*, 1918：118-120.

Chûjô, M. 1969. *Erotylidae (Insecta：Coleoptera) Fauna Japonica.* Tokyo：Academic Press of Japan, 316 pp.

Chûjô, M. 1988. A Catalog of the Erotylidae (Insecta：Coleoptera) from the Old World (Excl. the Ethioplan Region). *Esakia*, 26：139-185.

Chûjô, M. 1989. A Catalog of the Erotylidae (Insecta：Coleoptera) from the Old World (Excl. the Ethioplan Region). *Esakia*, 28：75-96.

Heller, K. M. 1918. Beitrag zur Kenntnis der Erotyliden der indo-australischen Region mit besonderer Berücksichtigung der Philippinischen Arten. *Archiv für Naturgeschichte*, 84, A (8)：1-121.

Kuhnt, P. 1909. Coleoptera. fam. Erotylidae. subfam. Erotylidae. *Genera Insectorum.* fast. 88, 67pp. Bruxelles：P. Wytsman.

Lacordaire, T. 1842. *Monographie des Erotyliens, famille de L'ordre des Coléptères.* Paris：1-543.

Reitter, E. 1879. Verzeichniss der von H. Christoph in Ost-Sibirien gesammelten C1avicomier etc. *Deutsche Entomologische Zeitschrift*, 23：208-226.

二十四、拟叩甲科 Languriidae

黄正中 李文柱 杨星科
(中国科学院动物研究所，北京 10010)

鉴别特征：体狭长，小至中型，常具金属光泽。头、前胸背板、鞘翅具刻点，除口器、足及腹末外，几乎光滑无毛。复眼正常大小，复眼面或粗大或精细，是分属特征之一；口器咀嚼式，上颚或有不对称，触角 11 节，末端 3 ~ 6 节不同程度扁平膨大呈棒状；前胸背板拱凸，前足基节窝开放；小盾片三角形，末端或尖；鞘翅常具几列刻点，或强或弱，鞘翅末端横截，或粗糙锯齿状，或浑圆；腹部刻点细密，或具微毛，腹部第 1 节常具腹基节线，亦或缺。跗式 5-5-5，扁平膨阔，腹面具密毛，呈毛刷状。

分类：目前多数专家把它放在大蕈甲科(Erotylidae)中，作为其 1 个亚科。世界已知有 100 属 1000 多种，中国已记录 12 属 88 种，陕西秦岭地区发现 4 属 5 种。

分属检索表

1. 鞘翅明显具缘折 ······ 2
   鞘翅无缘折或极不明显 ······ 3
2. 复眼小眼面精细，腹基节线相近且平行，超过基节的 1/2 ······ **异安拟叩甲属 *Neanadastus***
   复眼小眼面粗大，腹基节线非上所述 ······ **新拟叩甲属 *Caenolanguria***
3. 鞘翅具刻点但无凹，末端平截 ······ **特拟叩甲属 *Tetraphala***
   鞘翅具刻点及弱凹，末端尖突 ······ **毒拟叩甲属 *Paederolanguria***

325. 新拟叩甲属 *Caenolanguria* Gorham, 1887

Caenolanguria Gorham, 1887a: 361. **Type species**: *Languria coarctata* Crotch, 1876.

Acrolanguria Kolbe, 1897: 116. **Type species**: *Acrolanguria aeneonigra* Kolbe, 1879.

属征：体狭长，上唇两侧并不对称，腿和触角一般都较细长，头部无音锉。复眼小，但非常突出，复眼面粗颗粒状。颏横形。唇舌狭，具两叶。下颚内叶细短，末端具 1 个薄且细的三裂状的齿；外叶则非常宽阔，具 1 个厚而长的边缘，最后 1 节触须长。上颚末端二裂明显。触角第 2 节相当短，而3 ~ 7 节细长，棒角端由末端 3 ~ 4 节组成(有时是 3 ~ 5 节)，一般较窄且连接不甚紧密。前胸背板具缘，有着明显但是不甚发达的基侧线；基部强烈缢缩。鞘翅长，缘折发达。鞘翅末端浑圆，相离。腹部基节线有或缺失。雌雄外形几乎相同，但是雌性前胸背板通常宽大于长。

分布：亚洲，非洲，澳大利亚。世界已知60余种，中国记录8种，秦岭地区发现1种。

(858) 华新拟叩甲 *Caenolanguria sinensis* Zia, 1933(图版27：1)

Caenolanguria sinensis Zia, 1933: 37.

鉴别特征：体长6.20～8.20mm。头及前胸红色，鞘翅深棕色，具有金属光泽。腹面及足深棕色。触角8～11节形成明显的棒状膨大。头部刻点较强但不密集，上唇延长，右侧稍微长于左侧，两边不对称。前胸背板长略大于宽，两侧圆弧，基部收狭；前角略显得尖锐，几乎不延长，后角较尖；表面刻点强且密。鞘翅具强刻点列，强刻点列间具有细刻点。鞘翅翅肩不明显，向末端渐尖，最后钝圆。腹部具细刻点，腹基节线不及基节的1/2。

采集记录：1♂1♀，镇安云盖寺镇茨沟村，1100m，2014. Ⅵ.21，张佳庆采。

分布：陕西(镇安)、广西、四川、云南。

326. 异安拟叩甲属 *Neanadastus* Zia, 1959

Neanadastus Zia, 1959: 368. **Type species**: *Neanadastus gracilis* Zia, 1959.

属征：体极细长。头大，额部拱凸，唇基向下，侧面观，头前部与体轴几乎成直角，口器下口式。触角较头、胸略短，触角棒角端由末端4节组成，但是触角第8节远较第9节狭小。前胸长大于宽，两侧平行，接近基部处突然凹狭，后侧角尖形，不甚伸展，后缘较直，基侧线极短，几乎没有。鞘翅两侧平行，中部以前略微凹进，尾端钝圆。前胸腹板后缘切平，中胸腹板端缘凹曲。腹基节线平行，略超过第1腹节的中部。足正常，跗节瘦狭，其第3节长与宽约相等。

分布：中国。目前仅知1种，秦岭地区有分布。

(859) 细异安拟叩甲 *Neanadastus gracilis* Zia, 1959(图32；图版27：2)

Neanadastus gracilis Zia, 1959: 368.

鉴别特征：体长3.80～4.50mm，体宽0.70～0.90mm。头部大，约与前胸等阔。额拱凸，刻点粗密，唇基扁阔；眼大而凸，小眼面粗大。触角较长，第2节粗大，与第1节相差不大。前胸长方形，表面拱凸，最凸处位于中部之前。小盾片三角形，端部不尖。鞘翅基部比胸基略阔，肩部不明显，翅面刻点粗糙，至末端渐细而稀，鞘翅末端钝圆。前胸腹板具细密横皱纹，布满粗刻点。后胸腹板后部中央具直条浅凹纹，约占全节长度的1/2，刻点密而粗。腹基节线平行，相距甚近，超过基节的1/2。

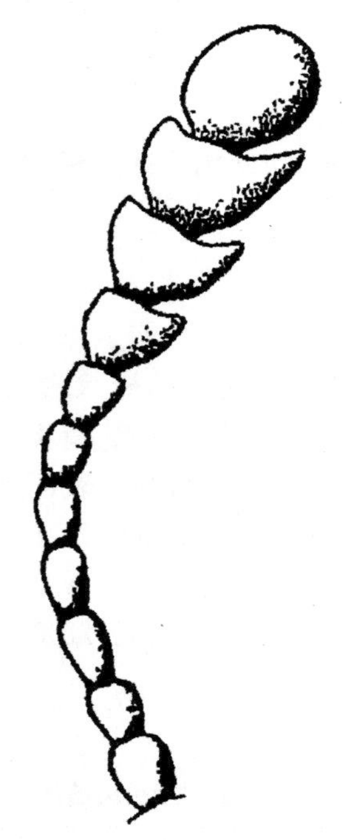

图 32　细异安拟叩甲 *Neanadastus gracilis* Zia(仿 Zia)
触角

采集记录： 2♂1♀，旬阳白柳镇前坪村，537m，2014. Ⅵ. 23，黄正中、张佳庆采；1♂1♀，镇安云盖寺镇黑窑沟林场，1217m，2014. Ⅵ. 20，黄正中采；1♂1♀，镇安云盖寺镇茨沟村，1100m，2014. Ⅵ. 21，张佳庆采。

分布： 陕西(旬阳、镇安)、四川。

327. 毒拟叩甲属 *Paederolanguria* Mader, 1939

Paederolanguria, Mader, 1939a: 44. **Type species**: *Paederolanguria holdhausi* Mader, 1939.
Sinolanguria Zia, 1959: 366. **Type species**: *Sinolanguria alternata* Zia, 1959.

属征： 体狭长，极光亮。鞘翅缘折与鞘翅间无隆线间断。头部大，复眼由细小的小眼组成，触角粗壮，较头，胸略短。整个棒角端部没有其他属那么扁薄，也不显著膨大。前胸背板极拱凸，基部凹陷，基侧线深刻，基缘明显。鞘翅面高低不平，似有褶皱，呈波浪形。两翅端尖形，向后伸展成角突。前胸腹板后缘凹进。腹基节线短而敞开，相距甚远。雄虫腿节腹面有 2 行刺粒。

分布： 亚洲。世界已知 12 种，中国记录 10 种，秦岭地区发现 1 种。

（860）隔色毒拟叩甲 *Paederolanguria alternata*（**Zia, 1959**）（图版 27：3）

Sinolanguria alternata Zia, 1959: 366.

Paederolanguria alternata: Maeda, 1972: 24.

鉴别特征：体长 10.90mm，体宽 2.90mm。前胸背板赭红色。头部、小盾片及腹部末端 3 节紫黑色，具金属光泽。鞘翅基部 1/3 与末端 1/3 蓝紫色，中间红色。头部与前胸背板等阔，刻点粗大，分布不均，向后极为稀疏。唇基方形，刻点细密。触角第 7 节起逐渐膨大，第 11 节呈长梨形。前胸长宽略等，前角钝圆，后角略伸展呈尖形；两侧膨圆，向后逐渐收狭；基侧线短而深，两线之间具弧形凹洼。小盾片心形；鞘翅翅面凹凸相间，共有 4 处凹洼，呈波浪形。翅尾向后伸展，呈角状突出。腹面光洁；前胸腹板具少数刻点和微弱横皱纹，近乎光滑。腹部刻点亦极细小，腹基节线短，不达基节的 1/2，两线相距较远。足细，后足较长。

采集记录：1♀，宝鸡嘉陵江源头，1516m，2013. Ⅷ. 22，黄正中采。

分布：陕西（宝鸡）、浙江。

328. 特拟叩甲属 *Tetraphala* Sturm, 1843

Tetraphala Sturm, 1843: 306. **Type species**: *Languria splendens* Wiedemann, 1823.

Tetraphala Chevrolat, 1837: 430 [nomen nudum].

Metabelus Gorham, 1887: 361. **Type species**: *Pachylanguria borrei* Fowler, 1886.

Tetralanguria Crotch, 1876: 378. **Type species**: *Languria splendens* Wiedemann, 1823.

Tetralanguroides Fowler, 1886: 318. **Type species**: *Tetralanguroides fryi* Fowler, 1886.

属征：体狭长。前胸背板红色，具黑斑或条带；鞘翅常具蓝靛、绿色或紫黑色金属光泽。触角末端 4～5 节膨大呈棒状，复眼略突出，小眼面较细；前胸背板略拱凸，基部具缘，基侧线短而明显；鞘翅缘折不明显，翅肩略突出，或被前胸背板后角包裹，翅面具成列的刻点，末端平截或圆钝，常具不规则小齿；前胸腹突顶端微凹，二裂状，有深凹；腹部第 1 节具腹基节线，或长或短；足跗节叶状膨大，爪简单。

分布：亚洲。世界已知 23 种，中国记录 13 种，秦岭地区发现 2 种。

（861）长特拟叩甲 *Tetraphala elongata*（**Fabricius, 1801**）

Trogosita elongata Fabricius, 1801: 152.

Tetralanguria crucicollis Kraatz, 1900b: 348.

Tetralanguria cyanipennis Kraatz, 1899: 218.

Languria micans Harold, 1875: 185.

Languria pyramidata MacLeay, 1825: 44.

Tetralanguria ruficollis Kraatz, 1900b: 348.
Languria splendens Motschulsky, 1860: 242.
Tetralanguria splendida Crotch, 1876: 378.
Tetralanguria triplagiata Kraatz, 1900b: 348.
Languria tripunctata Wiedemann, 1823: 46.
Tetralanguria elongata: Crotch, 1876: 378.
Pachylanguria elongata: Arrow, 1925: 173.
Tetraphala elongata: Leschen & Wegrzynowicz, 1998: 241.

鉴别特征: 体长 12～17mm, 体宽 2.50～4.50mm。该种分布广, 变异多, 曾被分为至少 5 个亚种或变种。身体狭长, 前胸背板红色, 或具黑色斑点甚至黑色窄带。头部黑色, 鞘翅具蓝绿色金属光泽。体光洁而闪亮, 足和触角较短。头部刻点密, 前胸背板刻点向边缘渐弱, 两侧几乎平行。前胸前角钝圆, 不延长。后角尖锐, 延伸且紧贴鞘翅翅肩。小盾片三角形, 末端较尖。鞘翅具成列的刻点, 强刻点间又有弱刻点。翅肩不显著, 鞘翅末端横截, 或具齿。腹面具微刻点, 腹基节线平行, 一般不过基节的 1/2。触角末端 4 节膨大。

采集记录: 1♂, 柞水凤凰古镇中河村马寺沟口, 900m, 2014. Ⅵ.25, 黄正中采。

分布: 陕西(柞水)、浙江、福建、台湾、广西、四川、贵州、云南。

(862) 环特拟叩甲 *Tetraphala collaris* (Crotch, 1876) (图版 27: 4)

Pachylanguria collaris Crotch, 1876: 377.
Languria punctate Harold, 1879: 58.
Languria yunnana Fairmaire, 1887: 136.
Tetraphala collaris: Leschen & Wegrzynowicz, 1998: 241.

鉴别特征: 体长 12～16mm, 宽 3～4mm。体具蓝靛或蓝紫色金属光泽, 前胸背板橙红色, 中部具 3 个横向排列的黑斑。触角 11 节, 末端 4 节膨大, 后头具音锉。最重要的特征是其腹部蓝紫色, 腹部末 3 节两侧各有 1 个橙红色圆斑。

采集记录: 1♀, 柞水凤凰古镇龙潭村水利沟, 1026m, 2014. Ⅵ.26, 黄正中采。

分布: 陕西(柞水)、北京、浙江、江西、福建、台湾、海南、四川、贵州、云南、西藏。

参考文献

Arrow, G. J. 1925. Coleoptera. Clavicornia. Erotylidae, Languriidae, and Endomychidae. In: A. E. Shipley and H. Scott (eds.), *The Fauna of British India, including Ceylon and Burma*. Taylor and Francis, London., 16: 157-267.

Crotch, G. R. 1876. A revision of the Coleopterous family Erotylidae. *Cistula Entomologica*, 1: 377-572.

Fabricius, J. C. 1801. *Systema entomologiae, sistens insectorum classes, ordines, genera, species, adjectis synonymis, locis, descriptionibus, observationibus.* Tomus I. Kiliae, 24: 506 pp.

Fowler, W. W. 1886. New genera and species of Languriidae. *Transactions of the Entomological Society*, 3: 303-322.

Gorham, H. S. 1887. On the classification of the Coleoptera of the subfamily Langurudes. *Proceedings of the Zoological Society*, 358-362.

Harold, E. V. 1879. Beiträge zur Kenntniss der Languria-Arten aus Asien und Neubolland. *Mittheilungen des Münchener Entomologischen Vereins*, 3: 46-94.

Kolbe, H. J. 1897. *Coleopteren. Die Käfer Deutsch-Ost-Afrikas.* Verlang von Dietrich Reimer, Berlin. 1-368.

Kraatz, G. 1900a. Ueber die Languriiden-Arten von Kamerun nebst einigen verwandten Formen. *Deutsche Entomologische Zeitschrift*, 2: 307-315.

Kraatz, G. 1900b. Einige Bemerkungen zu Gorham's Aufsatz von 1896: Languridae in Birmania et regione vicina a Leonardo Fea collectae. *Deutsche Entomologische Zeitschrift*, 2: 345-352.

Leschen, R. A. B. and Wegrzynowicz, P. 1998. Generic catalogue and taxonomic status of Languriidae (Cucujoidea). *Annales Zoologici* (Warsaw), 48: 221-243.

Mader, L. 1939. Neue Coleopteren aus China. *Entomologisches Nachrichtenblatt*, 13: 41-51.

Maeda, Y. 1972. Two new species of the family Languriidae from Taiwan (Coleoptera). *Entomological Review of Japan*, 24: 21-24.

Motschulsky, V. 1860. *Coléoptères de la Sibérie orientale et en particulier des rives de l'Amour*, in: Dr. L. von Schrenck's Reisen und Forschungen im Amur-Lande, 2, Coleoptera: 77-258.

Sturm, J. 1843. Catalog der *Kaefer-Sammlung*. Nürnberg, 12: 386 pp.

Zia, Y. 1959. New genera and species of Chinese anguriidae. *Acta Entomologica Sinica*, 9: 366-372.

二十五、露尾甲科 Nitidulidae

林晓丽　赵萌娇　陈莹　黄敏

（西北农林科技大学植物保护学院，教育部植保资源及害虫综合治理重点实验室，陕西 杨凌 712100）

鉴别特征：体型多变，体长0.90～15.00mm。背部常适度弯曲，腹部平坦或轻微弯曲，卵圆形或长形；有时背部强烈弯曲，腹部平坦，或近似半球形。体表通常具统一刻点，有时刻点大小不一，排列无序，但鞘翅常有条纹和纵向的或大或小的刻痕。短柔毛通常适度稠密且细小，前胸和鞘翅边缘通常有纤毛。头部分可伸缩至前胸下，或多或少前口式；上唇通常二裂片，有时与额的内表面相融合；上颚顶端尖锐；下颚单叶通常具隆起的须；下唇须3节。触角通常11节，末端3或4节紧密结合成棒状，有时10节或小于10节，末端2节成棒状。前胸背板和鞘翅边缘展开平坦，明显加宽。鞘翅具明显的分隔开的缘褶，急剧向腹侧弯曲，而且向端部退化。前足基节强烈横长，小转节外露，与适度发达的前胸腹板突相分离；基节窝不完全或完全关闭。

分类： 世界已知180余属3000余种，中国记录30余属400余种，陕西秦岭地区发现2亚科2属14种。

分亚科检索表

鞘翅完整或短，部分臀板未被遮盖；中、后足胫节强烈扁平，外缘着生刚毛或显著的毛 …………………………………………………………………… 访花露尾甲亚科 Meligethinae

鞘翅完整或仅臀板外露，鞘翅顶端平截或斜截；中、后足胫节细长，外边缘有2排刺 …………………………………………………………………… 长鞘露尾甲亚科 Epuraeinae

（一）访花露尾甲亚科 Meligethinae

鉴别特征： 体型小，体长1.00～5.50mm。鞘翅完整或短，部分臀板未被遮盖。上唇自由，不与额相融合，有时隐藏在额前部。中、后足胫节强烈扁平，外缘着生刚毛或显著的毛。末节腹板基部有1对非常宽的弧形凹陷，通常部分被前背片所遮盖。

分类： 世界已知17属700余种，中国已知10属100种，秦岭地区发现1属13种。

329. 菜花露尾甲属 *Meligethes* Stephens, 1830

Meligethes Stephens, 1830: 30. **Type species:** *Nitidula rufipes* Marsham, 1802: 130.

Odontogethes Reitter, 1871: 154. **Type species:** *Meligethes hebes* Erichson, 1845: 172.

属征： 唇基前缘加宽，第4和第5触角节几乎相等，相对较短，且长大于宽；颏近五边形；前胸背板末端部分的刻点与小眼面等大或大于小眼面；前足胫节外侧边缘具一系列齿；中、后足胫节宽度多变，通常长且细。

分布： 古北区，东洋区，非洲区，新热带区，澳新区，新北区。世界已知600余种，中国记录超过70种，秦岭地区发现13种。

分种检索表

1. 体橘黄色 …………………………………………………………………… 2
   体褐色、黑褐色或黑色 …………………………………………………… 3
2. 头部黑色 ……………………………………………… 黑头菜花露尾甲 *M. simulator*
   头部黄色 ……………………………………………… 橘黄菜花露尾甲 *M. xenogynus*
3. 体褐色或红褐色 ……………………………………………………………… 4
   体黑褐色或黑色 ……………………………………………………………… 6

4. 体褐色，具金属光泽；头及前胸背板具黄色绒毛 ………………… **多边菜花露尾甲 *M. polyedricus***
体红褐色，头及前胸背板不具黄色绒毛 ……………………………………………………………… 5
5. 鞘翅与前胸背板刻点密度相同 ………………………………………… **长金毛菜花露尾甲 *M. aurifer***
鞘翅比前胸背板刻点更密 …………………………………………………… **似貂菜花露尾甲 *M. martes***
6. 前胸背板盘区具1个大黑斑 ……………………………………………… **籽菜花露尾甲 *M. semenovi***
前胸背板盘区无黑斑 ………………………………………………………………………………… 7
7. 触角及足全部橘黄色 ……………………………………………… **近难菜花露尾甲 *M. difficiloides***
触角及足部分黑色 …………………………………………………………………………………… 8
8. 前胸背板及鞘翅两侧具乳白色长毛，似边饰 ……………………… **优雅菜花露尾甲 *M. hammondi***
前胸背板及鞘翅两侧无乳白色长毛 ……………………………………………………………… 9
9. 前胸背板完全黑色，触角及足深褐色 ………………………………… **莎氏菜花露尾甲 *M. schuelkei***
前胸背板两侧缘与盘区颜色不同 ………………………………………………………………… 10
10. 头及前胸背板具金色绒毛 ……………………………………………… **黄足菜花露尾甲 *M. flavimanus***
头及前胸背板不具金色绒毛 ………………………………………………………………………… 11
11. 体具蓝紫色光泽 …………………………………………………………… **堇菜花露尾甲 *M. violaceus***
体不具蓝紫色光泽 …………………………………………………………………………………… 12
12. 鞘翅两侧缘红褐色，3对足橘红色 …………………………………… **油菜花露尾甲 *M. aeneus***
鞘翅整体黑褐色，前足橘红色，中、后足腿节和胫节黑色 …… **金毛菜花露尾甲 *M. auripilis***

（863）油菜花露尾甲 *Meligethes aeneus* （Fabricius，1775）（图版28）

Nitidula aenea Fabricius，1775：78.
Nitidula latipes Marsham，1802：13.
Nitidula nigrinus Marsham，1802：120.
Meligethes kelchii Gistel，1857：530.
Meligethes aeneus：Easton，1951：284.
Meligethes boops Easton，1957：386.

鉴别特征：前胸背板刻点与头部刻点相似，刻点间微网状。前胸腹板突上的刻点明显，与小眼面等大，刻点间距等于或小于刻点直径。后胸腹板和腹部的第1腹板具明显的刻点，刻点直径等于小眼面，刻点间距大于刻点直径。阳茎基和中叶（阳茎干）骨化较强，阳茎基端部呈“V”形，阳茎中叶端部微凹。

采集记录：1♂，周至厚畛子，2500～3000m，1999. Ⅵ. 22，刘缠民采。

分布：陕西（周至）、甘肃、四川；爱尔兰。

（864）长金毛菜花露尾甲 *Meligethes aurifer* Audio，Sabatelli *et* Jelínek，2014

Meligethes aurifer Audio，Sabatelli *et* Jelínek，2014：70.

鉴别特征：体长3.10～3.20mm。体红褐色，触角和足黄褐色。体长形，中度隆凸；触角极短；前胸背板后角钝，向下弯转；盘区刻点密集；鞘翅刻点与前胸背板一样密，但略小；雄虫后胸腹板有 1 个明显的纵凹。

采集记录： 3♂3♀，华山，1275m，2011. Ⅴ.08-09。

分布： 陕西(华阴)、山西。

(865) 金毛菜花露尾甲 *Meligethes auripilis* Reitter, 1889

Meligethes auripilis Reitter, 1889: 558.

Meligethes brevipilus Kirejtshuk, 1980: 837.

鉴别特征： 体长 2.90～3.60mm。体背腹面黑色到黑褐色，前胸背板两侧褐色到红褐色；触角及足橘黄色或浅褐色；中、后足腿节和胫节黑褐色。体背强烈隆凸；前胸背板前后角凸出；鞘翅刻点较前胸背板细密。

采集记录： 2♀，宝鸡，1998. Ⅵ.21-23。

分布： 陕西(宝鸡)、山西、甘肃、四川、云南。

(866) 近难菜花露尾甲 *Meligethes difficiloides* Audisio, Jelínek *et* Cooter, 2005

Meligethes difficiloides Audisio, Jelínek *et* Cooter, 2005: 114.

鉴别特征： 体长 2.50～2.60mm。体黑褐色，触角及足黄色或橘黄色。它与 *M. difficilis* (Heer, 1841)非常相似，主要区别是本种前胸背板更加隆凸，背板刻点更加稀疏；后胸腹板在近后端 2/3 处有 1 个三角形凹陷。

采集记录： 7♂7♀，宝鸡，1998. Ⅵ.21-23。

分布： 陕西(宝鸡)。

(867) 黄足菜花露尾甲 *Meligethes flavimanus* Stephens, 1830

Meligethes flavimanus Stephens, 1830: 46.

Meligethes asperrimus Guillebeau, 1897: 225.

鉴别特征： 体长 3mm。体黑色，前胸背板侧缘及足黑褐色。头及前胸背板具密集的金黄色竖毛。鞘翅长约等于两翅合宽，表面无竖毛。

采集记录： 1♂，宁陕火地塘，1580m，1998. Ⅷ.18。

分布： 陕西(宁陕)；法国，英国。

(868) 优雅菜花露尾甲 *Meligethes hammondi* Kirejtshuk, 1980(图版 29)

Meligethes hammondi Kirejtshuk, 1980: 840.

鉴别特征: 前胸背板的刻点略小，刻点间微网状；鞘翅刻点与前胸背板刻点大小基本相等，刻点间距几乎等于刻点直径，且刻点间微网状。前胸腹板中部逐渐凸起，前胸腹板突延长，端部窄圆、加宽的两侧近平行且窄于触角棒的宽度。阳茎基马蹄形，阳茎中叶中间有小且浅的顶端微凹。

采集记录: 1♂1♀，华山，1966. Ⅶ. 31；1♂，佛坪凉风垭，2150～1750m，1999. Ⅵ. 28，姚建采。

分布: 陕西(华阴、佛坪)、河南、山西、湖北、四川。

(869) 似貂菜花露尾甲 *Meligethes martes* Audio, Sabatelli *et* Jelínek, 2014

Meligethes martes Audio, Sabatelli *et* Jelínek, 2014: 45.

鉴别特征: 体长 2.50～2.70mm。体红褐色，触角和足黄褐色。体长椭圆形，中度隆凸；前胸背板后角直角，盘区刻点细密；鞘翅刻点较前胸背板更细密；雄虫臀板背面刻点密集。

采集记录: 1♂，华山，1991. Ⅵ. 17-21；1♂，华山，1275m，2011. Ⅴ. 08-11。

分布: 陕西(华阴)、山西、四川。

(870) 多边菜花露尾甲 *Meligethes polyedricus* Lin, Chen, Huang *et* Yang, 2015

Meligethes polyedricus Lin, Chen, Huang *et* Yang, 2015: 209.

鉴别特征: 体长 1.70mm。体褐色，具强烈的蓝色金属光泽。头和前胸背板具黄色绒毛。体卵圆，中度隆凸；前胸背板前角尖锐，后角钝，侧缘波曲，盘区刻点稀疏；鞘翅两侧弧形弯曲，刻点与前胸背板相同；臀板隆凸，端部钝圆。

采集记录: 2♂，周至秦岭植物园，925m，2012. Ⅶ. 05。

分布: 陕西(周至)。

(871) 莎氏菜花露尾甲 *Meligethes schuelkei* Audio, Sabatelli *et* Jelínek, 2014

Meligethes schuelkei Audio, Sabatelli *et* Jelínek, 2014: 83.

鉴别特征: 体长 2.80mm。体黑褐色，触角第 2 节及足浅褐色。体长形；前胸背板明显窄于鞘翅基部；头、前胸背板和鞘翅刻点相似；雄虫后胸腹板中部之后具浅纵凹。

采集记录：1♀，宝鸡，1998. Ⅵ. 21-23。

分布：陕西(宝鸡)、四川。

(872) 籽菜花露尾甲 *Meligethes semenovi* Kirejtshuk, 1979

Meligethes semenovi Kirejtshuk, 1979: 66.

鉴别特征：体长 2.90～3.50mm。体黑色；前胸背板橘黄色，盘区具 1 个大黑斑；触角、足和体背毛橘黄色。外部特征与 *M. binotatus* Grouvelle 非常相似，但雌雄臀板端部小，钝圆。

采集记录：2♂1♀，周至厚畛子，1600m，1998. Ⅵ. 30。

分布：陕西(周至)、四川；俄罗斯。

(873) 黑头菜花露尾甲 *Meligethes simulator* Audio, Sabatelli *et* Jelínek, 2014

Meligethes simulator Audio, Sabatelli *et* Jelínek, 2014: 87.

鉴别特征：体长 2.80～3.10mm。体黄褐色，具金属光泽；头部黑色；前胸背板黄褐色，盘区黑色；小盾片黑色；鞘翅肩角、侧缘、端部 1/5 区域黑色，小盾片两侧各具 1 个黑斑；足黄褐色。体长形；前胸背板稍窄于鞘翅基部；鞘翅刻点浅于前胸背板；雄虫后胸腹板具显著中纵线。

采集记录：1♂1♀，周至厚畛子，1600m，1998. Ⅵ. 30。

分布：陕西(周至)、甘肃。

(874) 橘黄菜花露尾甲 *Meligethes xenogynus* Audio, Sabatelli *et* Jelínek, 2014

Meligethes xenogynus Audio, Sabatelli *et* Jelínek, 2014: 97.

鉴别特征：体长 2.20～2.50mm。体橘黄色。体中度隆凸，头部突出，呈三角形，触角短，端部 3 节锤状；前胸背板基部与鞘翅等宽，端部较窄，盘区刻点明显；鞘翅基部宽，到端部逐渐变窄，刻点与前胸背板相同。

采集记录：4♂，周至厚畛子，1500m，1996. Ⅵ. 26；2 头，华山，1991. Ⅵ. 17-21。

分布：陕西(周至、华阴)、四川。

(875) 堇菜花露尾甲 *Meligethes violaceus* Reitter, 1873

Meligethes violaceus Reitter, 1873: 71.

鉴别特征：体长 2.50 ~ 3.60mm。体背腹面黑色，具蓝紫色金属光泽；前胸背板两侧红褐色或黄褐色；触角和足黄色或橘黄色。体椭圆形，背面强烈隆凸；前胸背板后角突出，盘区刻点密集；鞘翅刻点与前胸背板相同。

采集记录：2 头，略阳，2005. Ⅶ. 22。

分布：陕西（略阳），安徽、浙江、湖北、江西、福建、四川、贵州、云南；俄罗斯，日本。

（二）长鞘露尾甲亚科 Epuraeinae

鉴别特征：体小型，体长 1 ~ 4mm，大多数身体扁平或中度凸起，近卵圆形或长形。前胸背板较宽大，有明显的边缘；小盾片三角形或半圆形；鞘翅完整或仅臀板外露，鞘翅顶端平截或斜截；背部刻点扩散状分布，柔毛明显；上唇自由，不与额相融合；触角 11 节，末 3 ~ 8 节膨大成触角棒；跗式 5-5-5，中、后足胫节细长，外边缘有 2 层刺；雄虫肛门骨片在臀板顶端外露。

分类：世界已知 20 属 459 种，中国记录 5 属 63 种，秦岭地区发现 1 属 1 种。

330. 长鞘露尾甲属 *Epuraea* Erichson, 1843

Epuraea Erichson, 1843: 207. **Type species:** *Nitidula silacea* Herbst, 1784.

属征：通常卵圆形或长形，稍微或中度凸起；虫体色浅，体壁骨化不强烈，背部具不太明显的刻点，表面呈微细网状；前胸背板及鞘翅缘边平展；触角棒延长，较松散；前足基节间的前胸腹板突较窄，通常沿前足基节基部弯曲；大多数中足基节距较近，后足基节距中度分开；鞘翅缩短；足中度发达，细长，跗节 3 节；雌雄足部特征分化；两性外生殖器骨化弱，特征结构未分化。

分布：全北区，东洋区。世界已知 358 种，中国记录 45 种，秦岭地区发现 1 种。

（876）黑斑露尾甲 *Epuraea* (*Haptoncus*) *ocularis* Fairmaire, 1849（图版 30）

Haptoncus ocularis Fairmaire, 1849: 363.

Haptoncus bisignata Boheman, 1851: 565.

Nitidula signijicans Walker, 1858: 206.

Haptoncus tetragona Murray, 1864: 401.

Haptoncus decorata Reitter, 1873: 41.

Haptoncus thiemei Reitter, 1873: 41.

Haptoncus bifasciata Kraatz, 1895: 148.

Haptoncus bohemani Plavilshchikov, 1924: 232.

Haptoncus barbula Gillogly, 1962: 172.

鉴别特征: 前胸背板前缘凹陷明显，顶端稍窄于基部，宽是长的 2 倍，前缘角圆形，后缘角近直角，稍高于鞘翅，边缘弧形，平展不明显。鞘翅长稍大于两翅合宽，顶点平截，两翅合缝处呈钝角，鞘翅长远远小于前胸背板的 2 倍。前胸腹板突延长，稍沿基节弯曲，顶端呈扇形加宽。阳茎基骨化明显，侧面观呈弧形，腹侧顶端有绒毛，中间呈"V"形凹陷。中叶骨化较弱，顶端平截。

采集记录: 5♂5♀，杨凌西农北校，460m，2013. Ⅷ. 24，赵萌娇采。

分布: 陕西(杨凌)、台湾；韩国，日本，印度，欧洲，澳大利亚。

参考文献

Audisio P., De Biase, A. and Antonini, G. 2003: A new exceptional *Meligethes* of the *M. aeneus* species-group from Western Alps and an updated key to identification of *M. aeneus* and allied species (Coleoptera: Nitidulidae: Meligethinae). *Insect Systematics and Evolution*, 34: 121-130.

Audisio P., Sabatelli, S. and Jelínek, J. 2014. Revision of the pollen beetles genus *Meligethes* (Coleoptera: Nitidulidae). *Fragmenta entomologica*, 41(1-2): 19-112.

Audisio P., Jelínek, J. and Cooter, J. 2005. New and little known species of *Meligethes* Stephens 1830 from China (Coleoptera: Nitidulidae). *Acta Entomologica Musei Nationalis Pragae*, 45: 111-127.

Easton, A. M.. 1957. *The Meligethes* of Japan (Coleoptera: Nitidulidae). *The Transactions of the Entomological Society of London*, 109: 395-420.

Erichson, W. F. 1843. Beitrag zur Insecten-Fauna von Angola, in besonderer Beziehung zur geographischen Verbreitung der Insecten. *Archiv für Naturgeschichte*, 9: 199-267.

Everts, E. J. G. 1920. Nieuwe vondsten voor de Niederlandische Coleopterenfauna, XXVII. *Entomologische Berichten*, 5: 226-231.

Fabricius, J. C. 1775. *Systema entomologiae, sistens insectorum classes, ordines, genera, species, adiectis synonymis, locis, descriptionibus, observationibus*. Flensburgi et Lipsiae: Korte, xxxii + 832 pp.

Fairmaire, L. 1849. Essai sur 1es coléoptères de la Polynésie. (Suite). *Revue et Magasin de Zoologie Pure et Appliquée*, (2) 1: 352-365.

Gillogly, L. R. 1962. Insects of Micronesia. Coleoptera: Nitidul idae. *Insects of Micronesia*, 16 (4): 133-188.

Gistel, J. N. F. X. 1857. Achthundert und zwanzig neue oder unbeschriebene wirbellose Thiere. Pp. 513-606. In: *Vacuna oder die Geheimnisse aus der organischen und leblosen Welt. Unterdruckte Originalien-Sammlung von grösstentheils noch lebenden und verstorbenen Gelehrten aus dem Gebiete sämmtlicher Naturwissenschaften, der Medizim, Litteraturgeschichte, des Forst-und Jagtwesens, der Oekonomie*, Geschichte, Biographie, und der freien schönen Künste, herausgegeben von Professor Dr. Johannes Gistel. Zweiter Band. Straubing: Schomer, 1031 pp. [Also issued as separate in 1857 by Schomer, 1-94 pp.].

Guillebeau, F. 1897. Descriptions de quelques espèces nouvelles de coléoptères. *Bulletin de la Société*

Entomologique de France, 1897: 222-227.

Jelínek, J. and Audisio, P. 2007. *Catalogue of Palaearctic Coleoptera*. Volume 4: Elateroidea-Derodontoidea-Bostrichoidea-Lymexyloidea-Cleroidea-Cucujoidea. Loebl, I. and Smetana, A. editors: Apollo Books. 1-935.

Kirejchuk, A. G. 1979. New species of coleopterous beetles of the subfamily Meligethinae (Coleoptera, Nitidulidae) from Asiatic regions of USSR and adjacent territories. *Trudy Zoologicheskogo Instituta, Akademii Nauk SSSR*, 88: 50-68[in Russian].

Kirejchuk, A. G. 1980. New species of Meligethinae (Coleoptera, Nitidulidae) from the Oriental region and adjacent territories. *Entomologicheskoe Obozrenie*, 59(4): 833-851.

Kirejtshuk, A. G. 1997. New Palaearctic nitidulid beetles, with notes on synonymy and systematic position of some species (Coleoptera: Nitidulidae). *Zoosystematica Rossica*, 6: 255-268.

Kraatz, G. 1895. Nitidulidae von Togo. *Deutsche Entomologische Zeitschrift*, 1895: 145-153.

Lin, X., Chen, Y., Huang, M. and Yang, X. 2015. A new species of the genus *Meligethes* Stephens (Coleoptera: Nitidulidae: Meligethinae) from China. *Zoological Systematics*, 40(3): 268-289.

Plavilshchikov, N. N. 1924. Analecta Coleopterologica. *The Annals and Magazine of Natural History*, (9) 13: 230-233.

Reitter, E. 1871. Revision der europäischen Meligethes-Arten. *Verhandlungen des Naturforschenden Vereins in Brünn*, 9 [1870]: 39-169, pls. 1-6.

Reitter, E. 1873. Die Rhizophaginen, monographisch bearbeitet. *Verhandlungen des Naturforschenden Vereins in Brünn*, 11 [1872]: 27-48, pl. 1.

Stephens, J. F. 1830. *Illustrations of British entomology or, a synopsis of indigenous insects: containing their generic and specific distinctions; with an account of their metamorphoses, times of appearance, localities, food, and economy, as far as practicable. Mandibulata. Volume* Ⅲ. London: Baldwin and Cradock, 447 + [1] pp., pis. XⅥ-ⅥX.

Walker, F. 1858. Characters of some apparently undescribed Ceylon insects. *The Annals and Magazine of Natural History*, (3) 2: 202-209, 280-286.

二十六、伪瓢虫科 Endomychidae

常凌小 任国栋

（河北大学生命科学学院，河北 保定 071002）

鉴别特征：成虫体长 1～20mm，虫体以宽卵形为主，有些种类呈圆形。触角通常 11 节，端部 3 节膨大。鞘翅背面强烈拱隆到较为平坦，光滑或被毛。有些种类（至少雄虫）的鞘翅具瘤和（或）发达的刺。体色多为黑色、棕色、红色或黄色，鞘翅和（或）前胸背板通常具明显斑纹，一些种类具金属光泽。跗式 4-4-4。腹部可见腹板 5 节。

分类：世界已知 9 亚科 90 属 2000 余种（亚种），中国已知 5 亚科 34 属近 200 种，陕西秦岭地区发现 3 属 3 种。

分属检索表

1. 前胸腹板突将基节明显分开，中胸腹板突窄 ………………………… **华伪瓢虫属 *Sinocymbachus***
   前胸腹板突不能将基节明显分开 …………………………………………………………………… 2
2. 中胸腹板突梯形 …………………………………………………………………… **蕈伪瓢虫属 *Mycetina***
   中胸腹板突非梯形，鞘翅基边变厚 ……………………………………… **弯伪瓢虫属 *Ancylopus***

331. 蕈伪瓢虫属 *Mycetina* Mulsant, 1846

Mycetina Mulsant, 1846: 15. **Type species**: *Chrysomela cruciata* Schaller, 1783.

Phaeomychus Gorham, 1887: 649. **Type species**: *Endomychus rufipennis* Motschulsky, 1861.

Mycetinina Pic, 1929: 35. **Type species**: *Pseudindalmus testaceitarsis* Pic, 1926.

属征：体卵形，中度拱隆。头部分缩入前胸；触角粗，短于体长的1/2；前胸背板横宽，侧缘中部之前近平行，之后收狭，前缘发音片大，盘区拱隆；鞘翅两侧近平行，缘折中等宽，末端不完整；足胫节、跗节被较密的毛；腹部可见5节，第1节长于其后3节长度之和。

分布：全北区，东洋区，非洲区。世界已知70余种，中国记录14种，秦岭地区发现1种。

(877) 华丽蕈伪瓢虫 *Mycetina superba* Mader, 1941（图版44：8）

Mycetina superba Mader, 1941: 932.

鉴别特征：体长4mm。椭圆形，中等拱隆，光亮，刻点细密。体棕黄色，头、触角和腿黑色。前胸背板侧缘基部1/3近平行，此后向端部突然收缩。前角弱突。侧缘饰边甚窄，前缘发音片大而显著。侧沟较深，线形，略内弯，基部具三角形凹痕；基沟深，弧形。盘区棕色，两侧微黄。鞘翅近中部最宽，每翅具2对黑斑和2对黄斑，黑斑分别位于肩部和翅端附近，第1对黄斑呈哑铃形，第2对黄斑位于端部黑斑之前；靠近翅缝的点条线上有黑点；鞘翅折缘末端或多或少变黑。雄虫前足胫节内缘片状隆起。

采集记录：3♂12♀，宁陕旬阳坝，1325m，2013. Ⅷ. 12。

分布：陕西（宁陕）、福建。

332. 华伪瓢虫属 *Sinocymbachus* Strohecker *et* Chûjô, 1970

Sinocymbachus Strohecker *et* Chûjô, 1970: 511. **Type species**: *Engonius excisipes* Strohecker, 1943.

属征：体卵形，强烈隆凸。头部分缩入前胸，复眼间具浅而长的凹面；后头音锉大，基部宽，具细脊；触角约为体长的1/2，棒节3节；前胸背板基部最宽，侧缘波状，盘区中等拱隆；鞘翅近中部最宽缘折较窄；足胫节细，跗节末节长为第3节的5倍；腹部可见5节，第1节长为后3节长度之和。

分布：东洋区。世界已知10种，中国均有分布，秦岭地区发现1种。

(878) 狭纹华伪瓢虫 *Sinocymbachus angustefasciatus* (Pic, 1940)

Engonius angustefasciatus Pic, 1940: 11.
Sinocymbachus angustefasciatus: Strohecker & Chûjô, 1970: 517.

鉴别特征：与 *S. quadriundulatus* (Chûjô) 十分相似，两者主要区别：本种触角棒节宽，第9节长略大于宽，前胸背板和鞘翅刻点细小，鞘翅端部1/3处向末端强烈收狭；雄虫中足胫节左右齿突位置不对称。

采集记录：1♀，留坝财神庙，1212m，2013. Ⅷ. 17，朱喜超、田颖采；2♂，宁陕平河梁，2388m，2013. Ⅷ. 15，朱喜超、田颖采。

分布：陕西(留坝、宁陕)、四川、云南。

333. 弯伪瓢虫属 *Ancylopus* Costa, 1850

Ancylopus Costa, 1850: 13. **Type species**: *Endomychus melanocephalus* Olivier, 1808.

属征：体长形，两侧近平行。头部分缩入前胸；后头音锉似三角形；触角略短于体长的1/2，棒节3节，较窄；前胸背板近端部1/3处最宽，前缘发音片发达，盘区略隆凸；鞘翅长，两侧平行，端部钝圆，缘折窄；足腿节长，略呈棒状，胫节端部宽，后足胫节内侧具细齿列；跗节末节长是第3节的6倍。

分布：世界性分布。全世界已知23种(亚种)，中国记录3种，秦岭地区发现1种。

(879) 彩弯伪瓢虫亚洲亚种 *Ancylopus pictus asiaticus* Strohecker, 1972

(图33；图版44：9)

Ancylopus pictus asiaticus Strohecker, 1972: 706.

鉴别特征：长卵形，弱隆凸。具微弱的光泽，前胸背板、胸部和腹部腹面、腿节基部及鞘翅斑橘黄色或棕黄色，头、鞘翅基部及翅缝、中胸侧片和后胸前侧片为黑色，触角棕色。前胸背板中部之前最宽，布稠密的细小刻点；前缘饰边明显宽，两侧缘窄；基沟发达，弧形，侧沟线形，近平行，长且深；雌虫侧沟端部由1条弯曲的深横沟相连。前角突钝，后角近直角。鞘翅刻点比前胸背板的粗糙且稠密；基斑与端斑在内侧由 1 条几乎与翅缝平行的窄带相连，并在端斑后侧围成 1 块卵形黑色区域。雄虫中足胫节内侧中部与端部之间有 1 个小齿；后足胫节内侧有大小不等的 1 列小齿。雄虫第 5 可见腹板后缘弧形缺刻，雌虫宽圆。

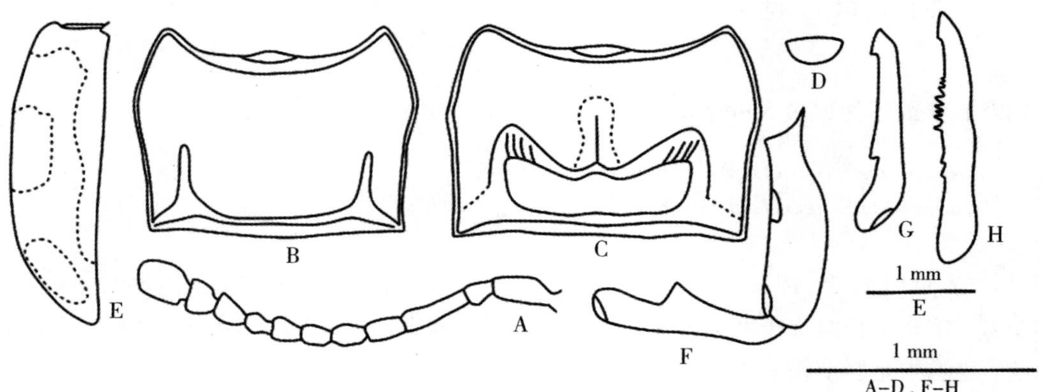

图 33 彩弯伪瓢虫亚洲亚种 *Ancylopus pictus asiaticus* Strohecker

A. 触角；B. 雄性前胸背板；C. 雌性前胸背板；D. 小盾片；E. 鞘翅；F. 雄性前足胫节；G. 雄性中足胫节；H. 雄性后足胫节

分布： 陕西(秦岭)、河南、山东、江苏、上海、浙江、江西、福建、台湾、海南、广西、四川、云南。

参考文献

Gorham, H. S. 1887. Revision of the Japanese species of the colèoptérous family Endomychidae. *Proceedings of the General Meetings for Scientific Business of the Zoological Society of London*, 1887: 642-653.

Mader, L. 1941. Erotylidae und Endomychidae (Col.) von Fukien. *Mitteilungen der Münchner Entomologische Gesellschaft*, 31: 927-933.

Mulsant, E. 1846. *Histoire Naturelle des Colèoptéres de France*. Sulcicolles-Securipalpes. Maison, Paris, xxiv + 280pp., 1pl.

Pic, M. 1929. Nouvéautes diverses. *Melanges Exotic-Entomologiques*, 54: 1-36.

Pic, M. 1940. Diagnoses de Colèoptéres exotiques. *L'Echange, Revue Linneenne*, 56: 10-12.

Strohecker, H. F. 1972. The genus *Ancylopus* in Asia and Europe (Coleoptera: Endomychidae). *Pacific Insects*, 14(4): 703-708.

Strohecker, H. F. and Chujo, M. 1970. *Sinocymbachus*, new genus from Orient (Coleoptera: Endomychidae). *Pacific Insects*, 12(3): 511-518.

二十七、瓢虫科 Coccinellidae

李文景　王兴民　任顺祥
（华南农业大学农学院，生物防治教育部工程研究中心，广州 510642）

鉴别特征：体多为卵圆形，个别为长形。体色多变。头部多被前胸背板覆盖；触角 11 节，少数 7 节，呈锤状、短棒状等；下颚须多为斧刃状，少数平切或锥状；前胸背板横宽，鞘翅盖及腹端；足腿节一般不外露，跗式 4-4-4，第 2 节多为双叶状，第 3 节小，位于其间，个别类群跗节愈合成 1 节；腹部可见 5 ~ 6 节，第 1 节较长，中部前缘伸向后足基节间。

生物学：多数种类是天敌昆虫，捕食蚜虫、蚧虫、螨类等，其余取食植物及真菌。

分类：世界已知 360 属 6000 余种，中国记录 92 属 974 种，陕西秦岭地区发现 34 属 85 种。

分亚科检索表

1. 触角着生处位于头部的背面或侧面；唇基不向两侧延伸，即使延伸亦不遮盖触角的基部 …… 2
   触角着生处位于头部的腹面；唇基向前及两侧伸展成片状，包围复眼前缘，遮盖触角基部 ……………… **盔唇瓢虫亚科 Chilocorinae**
2. 触角着生处位于两复眼之间；背面被毛或光滑 …… 3
   触角着生处位于两复眼延线之前；背面密被细毛；下颚须末节斧状 ……………… **食植瓢虫亚科 Epilachninae**
3. 体背光滑，不被细毛；下颚须末节斧状；触角 11 节 …… 4
   体背密被细毛；触角 11 节或少于 11 节 …… 5
4. 前胸背板与鞘翅基缘紧密衔接，其后角近于直角；鞘翅缘折及腹面有深凹以承受中、后足股节；胫节外缘有角状突起；触角短于头长，体周缘为匀称的卵形；小盾片较大；体小至中型 ……………… **显盾瓢虫亚科 Hyperaspinae**
   前胸背板与鞘翅不紧密衔接，其后角钝圆；鞘翅缘折及腹面无深凹，或仅于鞘翅缘折上有浅凹以承受股节末端；胫节正常，外缘无角状突起；体中至大型 …… **瓢虫亚科 Coccinellinae**
5. 前胸背板常窄于鞘翅基缘，其后角钝圆，与鞘翅基缘不紧密相接；如前胸背板与鞘翅基缘同宽，且与鞘翅基缘紧密衔接，则前胸背扳中部或近中部处最宽；体中型 ……………… **红瓢虫亚科 Coccidulinae**
   前胸背板与鞘翅基缘同宽，两者紧密衔接；前胸背板侧缘向前收窄，其最宽处近于基部；体微小至小型，少数中型 …… **小毛瓢虫亚科 Scymninae**

(一)盔唇瓢虫亚科 Chilocorinae

鉴别特征: 唇基向两侧伸展于复眼之前，遮盖触角基部；触角短，7～10 节，其基部着生于头部的腹面。

分类: 世界已知 32 属 390 余种，中国记录 10 属 62 种，秦岭地区发现 4 属 6 种。

分属检索表

1. 中足及后足有距刺，腹部后基线完整或近乎完整…………………………………… 2
   中足及后足无距刺，腹部后基线完整或不完整…………………………………… 3
2. 前胸背板基部有边界线 ……………………………………… **光缘瓢虫属 *Exochomus***
   前胸背板基部无边界线 ……………………………………… **黑缘光瓢虫属 *Xanthocorus***
3. 腹部后基线不完整 ……………………………………… **盔唇瓢虫属 *Chilocorus***
   腹部后基线完整 ……………………………………… **广盾瓢虫属 *Platynaspis***

334. 盔唇瓢虫属 *Chilocorus* Leach, 1815

Chilocorus Leach, 1815: 116. **Type species**: *Coccinella cacti* Linnaeus, 1767.

属征: 虫体近乎圆形，背面明显拱起，光滑，仅前胸背板前角有稀疏细毛；触角 8 节；下颚须末节长宽近乎相等，末端明显倾斜；前胸腹板突无纵隆线；鞘翅缘折有圆形的凹槽以承纳股节末端；足胫节无距刺；腹部后基线不完整。

分布: 世界已知 80 种，中国记录 18 种，秦岭地区发现 2 种。

分种检索表

前胸背板与鞘翅全黑色，鞘翅中央各具 1 个橙红色圆斑 ……………… **红点唇瓢虫 *C. kuwanae***
前胸背板与鞘翅全黑色，且反射蓝色金属光泽；鞘翅中央各具 1 个橙红色长卵圆形斑 ……………
…………………………………………………… **闪蓝红点唇瓢虫 *C. chalybeatus***

(880) 红点唇瓢虫 *Chilocorus kuwanae* Silvestri, 1909 (图版 31: 1)

Chilocorus kuwanae Silvestri, 1909: 126.
Chilocorus similis: Lewis, 1896: 31.
Chilocorus similis var. *japoniicus*: Sicard, 1907: 211.
Chilocorus renipustulatus: Lewis, 1873: 56.

鉴别特征： 鞘翅黑色，鞘翅中央各有 1 个橙红色圆斑；生殖器阳基中叶正面中部最宽，明显短于侧叶。

采集记录： 1♀，柞水凤凰古镇，900m，2014. Ⅵ. 25-26，李文景采；1♂，镇安云盖寺镇，850～1200m，2014. Ⅵ. 18-21，李文景采。

分布： 陕西（柞水、镇安）、黑龙江、吉林、辽宁、北京、河北、山西、山东、河南、宁夏、甘肃、江苏、上海、安徽、浙江、湖北、江西、湖南、福建、广东、香港、广西、四川、贵州、云南；朝鲜，日本，美国（引入），意大利。

（881）闪蓝红点唇瓢虫 *Chilocorus chalybeatus* Gorham，1892（图版 31：2）

Chilocorus chalybeatus Gorham，1892：24.

鉴别特征： 前胸背板与鞘翅黑色且反射蓝色金属光泽，鞘翅中央各有 1 个橙红色长卵圆斑；生殖器阳基中叶正面较细长，与侧叶长度相当。

采集记录： 2♂，丹凤蔡川镇，1128m，2014. Ⅵ. 30，李文景采；2♂1♀，柞水凤凰古镇龙潭村，1000m，2014. Ⅵ. 26，李文景采。

分布： 陕西（丹凤、柞水）、安徽、浙江、江西、湖南、福建、广东、广西、四川。

335. 光缘瓢虫属 *Exochomus* Redtenbacher，1843

Exochomus Redtenbacher，1843：11. **Type species**：*Coccinella quadripustulata* Linnaeus，1758.

属征： 体卵圆形，背面适度拱起，表面光滑。触角 10 节；下颚须末节斧状；前胸背板基部有分界线，前胸腹板突无纵隆线；鞘翅缘折无凹槽以承纳股节末端；中、后足胫节有距刺；腹部后基线完整或近乎完整。

分布： 世界已知 75 种，中国记录 7 种，秦岭地区发现 1 种。

（882）蒙古光瓢虫 *Exochomus mongol* Barovsky，1922（图版 31：3）

Exochomus（*Anexochomus*）*mongol* Barovsky，1922：291.

Exochomus mongol：Liu，1963：79.

Exochomus freyi Fürsch，1960：298.

Exochomus georgi Fürsch，1963：52.

Exochomus（*Exochomus*）*mongol*：Savoiskaya，1971：108.

Brumus mongol：Kovář，1997：77.

鉴别特征： 鞘翅及前胸背板黑色，鞘翅上各有两个橙色的圆斑。

采集记录： 1 头，华县高塘镇，859～1070m，2014. Ⅶ. 07-08，李文景采。

分布：陕西(华县)、黑龙江、辽宁、内蒙古、北京、河北、宁夏、山西、山东、江苏；蒙古，俄罗斯(远东地区)，韩国。

336. 黑缘光瓢虫属 *Xanthocorus* Miyatake, 1970

Exochomus (*Xanthocorus*) Miyatake, 1970: 312. **Type species**: *Exochomus* (*Xanthocorus*) *nigromarginatus* Miyatake, 1970.

属征：体圆形或卵圆形，背面适度拱起，表面光滑。触角 10 节；下颚须末节斧状，末端明显倾斜；前胸背板基部无分界线，前胸腹板突较窄且无纵隆线；鞘翅缘折无凹槽以承纳股节末端；中、后足胫节有距刺；腹部后基线近乎完整。

分布：世界已知 3 种，中国记录 3 种，秦岭地区发现 1 种。

(883) 黑缝光瓢虫 *Xanthocorus nigrosuturarius* Li et Ren, 2015 (图版 31: 4)

Xanthocorus nigrosuturarius Li *et* Ren, 2015: 92.

鉴别特征：鞘翅黄色，仅周缘和鞘缝为黑色；前胸背板黑色，仅前角黄色。

采集记录：2♂1♀，佛坪大古坪西河，1428m，2009. Ⅶ. 22，王兴民采。

分布：陕西(佛坪)、湖北、四川。

337. 广盾瓢虫属 *Platynaspis* Redtenbacher, 1843

Platynaspis Redtenbacher, 1843: 11. **Type species**: *Coccinella luteorubra* Goeze, 1777.

属征：体小至中型，虫体卵圆形；适度拱起，背面密披细毛。触角 9 节；前胸背板与鞘翅同宽，且紧密相连；鞘翅缘折至中部消失；有凹陷承纳中、后足股节。

分布：世界已知 61 种，中国记录 14 种，秦岭地区发现 2 种。

分种检索表

鞘翅中央各有两个前后排列的黑斑，前斑大后斑小 ························ **四斑广盾瓢虫 *P. maculosa***

鞘翅中央各有两个前后排列的黑斑，大小相似 ································ **艳色广盾瓢虫 *P. lewisii***

(884) 艳色广盾瓢虫 *Platynaspis lewisii* Crotch, 1874 (图版 31: 5)

Platynaspis lewisii Crotch, 1874: 198.

Platynaspis lewisii Lewis, 1896: 56.

Platynaspis lewisi var. *obscura* Sicard, 1907: 211.

Phymatosternus lewisii: Miyatake, 1961: 168.

鉴别特征：前胸背板黑色至黑棕色，两肩角有黄斑；鞘翅的基缘、鞘缝及外缘均为黑色，每一鞘翅上各有2个黑色圆斑，前后排列，大小相似。

采集记录：1头，洛南巡检镇，1160m，2014. Ⅶ.04-05，李文景采；1头，镇安云盖寺，850m，2014. Ⅵ.18，李文景采；2头，镇安云盖寺茨沟村，1500m，2014. Ⅵ.21，李文景采。

分布：陕西(洛南、镇安)、山西、山东、甘肃、江苏、上海、浙江、湖北、江西、福建、台湾、广东、海南、广西、云南；朝鲜，日本，缅甸，印度。

（885）四斑广盾瓢虫 *Platynaspis maculosa* Weise, 1910（图版31：6）

Platynaspis maculosa Weise, 1910: 48.

鉴别特征：前胸背板黑色至黑棕色，有黄色侧斑；鞘翅黄色至棕红色，鞘缝黑色，每一鞘翅上各有2个黑色圆斑，前后排列，前斑大，后斑小。

采集记录：5头，旬阳前坪村，537m，2014. Ⅵ.23，李文景采；3头，柞水凤凰古镇龙潭村，1000m，2014. Ⅵ.26，李文景采；4头，山阳薛家沟，916m，2014. Ⅵ.28，李文景采；3头，丹凤蔡川镇，1128m，2014. Ⅵ.30，李文景采。

分布：陕西(旬阳、柞水、山阳、丹凤)、山西、山东、河南、甘肃、江苏、安徽、浙江、湖北、江西、福建、台湾、广东、海南、香港、广西、四川、贵州、云南；越南。

（二）小毛瓢虫亚科 Scymninae

鉴别特征：体微小至小型，少数中型。背面密被细毛。前胸背板近基部处最宽，其后缘与鞘翅基缘同宽，两者紧密衔接；触角着生于复眼之前头部背面或侧面，不被唇基遮盖；下颚须斧状，如两侧向前收窄，则端部较扁平，不成锥形、卵形或圆筒形；复眼前面裸露，其前缘无带毛的窄带；前胸腹板成正常的"T"形，或前缘中央向前及向下弧形突出，或基片甚长，或基片甚短而成细窄的横带；可见腹板6节，有时还可见外露的第7节；跗节隐4节式，一些种类跗爪端节仅有1节。

分类：世界已知32属1500余种，中国记录11属368种，秦岭地区发现2属14种。

338. 小毛瓢虫属 *Scymnus* Kugelann, 1794

Scymnus Kugelann, 1794: 545. **Type specis**: *Scymnus nigrinus* Kugelann, 1794.

属征: 虫体小至微小，少数中等大小，卵圆形或长卵形。背面中度拱起，密披细毛。触角 11 节，少数 10 节；下颚须末节近斧状；前胸腹板"T"形，纵隆线明显且伸达前缘。

分布: 世界已知 920 余种，中国记录 267 种，秦岭地区发现 12 种。

分亚属检索表

1. 触角 11 节…………………………………………………………………………………… 2
   触角 10 节 ………………………………………………………………… 毛瓢虫亚属 *S.* (*Neopullus*)
2. 后基线完整 ……………………………………………………………… 小瓢虫亚属 *S.* (*Pullus*)
   后基线不完整 …………………………………………………………… 小毛瓢虫亚属 *S.* (*Scymnus*)

338-1. 毛瓢虫亚属 *Scymnus* (*Neopullus*) Sasaji, 1971

Scymnus (*Neopullus*) Sasaji, 1971: 177. **Type species**: *Scymnus hoffmanni* Weise, 1879.
Scymnus (*Caledonus*) Bielawski, 1973: 397. **Type species**: *Scymnus angusticollis* Fauvel, 1903.

鉴别特征: 体常为长卵形。触角 10 节；前胸腹板上具明显纵隆线；后基线完整，外侧伸达第 1 腹板前缘。

分布: 秦岭地区发现 1 种。

(886) 宁陕毛瓢虫 *Scymnus* (*Neopullus*) *ningshanensis* Yu *et* Yao, 2000 (图版 32: 1)

Scymnus (*Neopullus*) *ningshanensis* Yu *et* Yao, 2000: 162.

鉴别特征: 体长卵形。背面中度拱起，被白色细毛。头部黑色，口器深褐色；前胸背板黑色，仅两侧及前缘深褐色；小盾片黑色；鞘翅深褐色，基部 1/8 黑色，黑色斑沿鞘缝延伸至翅长的 1/3，后收窄并延伸至翅长 5/6 处，侧缘黑色部分向后延伸至翅长的 2/3 处，在中后部具 1 个长卵形黑斑。

采集记录: 2♂2♀，宁陕火地塘，1998. Ⅳ. 09，姚德富等采。

分布: 陕西(宁陕)、四川。

338-2. 小瓢虫亚属 *Scymnus* (*Pullus*) Mulsant, 1846

Scymnus (*Pullus*) Mulsant, 1846: 241. **Type species**: *Coccinella subvillosa* Goeze, 1777.

Pullus: Motschulsky, 1866: 426.

鉴别特征: 体常为卵圆形或长卵形。触角 11 节；前胸腹板上具明显的纵隆线；后基线完整，外侧伸达第 1 腹板前缘。

分布: 秦岭地区发现 7 种。

分种检索表

1. 鞘翅除末端暗黄色外，其余全黑色 …… 2
   鞘翅中部棕红色或整个鞘翅棕红色 …… 6
2. 前胸背板全黑或中部黑色 …… 3
   前胸背板全黄色 …… 5
3. 前胸背板仅中部黑色 …… 4
   前胸背板全黑色 …… **后斑小瓢虫 *S.*（*P.*）*posticalis***
4. 阳基中叶明显长于侧叶 …… **双旋小瓢虫 *S.*（*P.*）*bistortus***
   阳基中叶与侧叶长度相等 …… **河源小瓢虫 *S.*（*P.*）*heyuanus***
5. 阳基中叶末端平直 …… **日本小瓢虫 *S.*（*P.*）*japonicus***
   阳基中叶末端向内侧弯曲 …… **端手小瓢虫 *S.*（*P.*）*takabayashii***
6. 整个鞘翅棕色 …… **矛端小瓢虫 *S.*（*P.*）*lonchiatus***
   鞘翅中央棕红色，周围黑色 …… **哑铃小瓢虫 *S.*（*P.*）*yaling***

（887）双旋小瓢虫 ***Scymnus*（*Pullus*）*bistortus* Yu, 1995**（图版 32：2）

Scymnus（*Pullus*）*bistortus* Yu, 1995: 135.

鉴别特征: 头部棕色或黑色；前胸背板黑色；小盾片黑色；鞘翅黑色，末端 1/4 暗褐色。弯管简单，弯管端部有 1 个小突起；阳基中叶稍长于侧叶。

采集记录: 1♂，西安长安翠华山，1300m，2009. Ⅶ. 30，陈晓胜采。

分布: 陕西（西安）、安徽、台湾、广西、西藏。

（888）河源小瓢虫 ***Scymnus*（*Pullus*）*heyuanus* Yu, 2000**（图版 32：3）

Scymnus（*Pullus*）*heyuanus* Yu, 2000: 179.

鉴别特征: 头部、触角及口器黄褐色；前胸背板黄褐色，基部中央具 1 个近三角形黑斑，向前延伸至近前缘；小盾片黑色；鞘翅黑色，末端黄褐色；弯管末端有膜状附属物；阳基侧叶几乎与中叶相等。

采集记录: 1♂1♀，佛坪大古坪，1170 m，2009. Ⅶ. 21，陈晓胜采。

分布: 陕西（佛坪）、山西、河南、宁夏、甘肃、安徽、浙江、湖北、贵州、云南。

(889) 日本小瓢虫 *Scymnus* (*Pullus*) *japonicus* Weise, 1879 (图版 32：4)

Scymnus ferrufatus var. *japonicus* Weise, 1879: 151.
Scymnus (*Pullus*) *ferrufatus japonicus*: Mader, 1955: 903.
Scymnus (*Pullus*) *japonicus*: Sasaji, 1971: 167.

鉴别特征：头部、触角及口器黄褐色；前胸背板黄褐色，有时基部中央具黑斑；小盾片黑色；鞘翅黑色，末端边缘红褐色；弯管端部有很长的丝状附属物；阳基中叶稍短于侧叶。

采集记录：1♂，宁陕火地塘，1580m，1998. Ⅶ. 27，采集人未知。

分布：陕西(宁陕)、安徽、浙江、湖北、江西、湖南、福建、广东、海南、四川、贵州、云南；日本。

(890) 矛端小瓢虫 *Scymnus* (*Pullus*) *lonchiatus* Pang *et* Huang, 1985 (图版 32：5)

Scymnus (*Pullus*) *lonchiatus* Pang *et* Huang, 1985: 35.
Scymnus (*Pullus*) *ionchiatus* Pang *et* Huang, 1985: 33 (Misspelling).

鉴别特征：头部黄色，触角及口器黄褐色；前胸背板、小盾片及鞘翅棕色；腹面黄褐色，足黄褐色；弯管末端矛状；阳基中叶明显短于侧叶，侧叶密附长刚毛。

采集记录：6♂1♀，西安长安翠华山，1300m，2009. Ⅶ. 30，陈晓胜等采；5♂1♀，凤县嘉陵江源头，2006. Ⅷ. 30，王兴民采；8♂2♀，汉中佛坪大古坪，1170m，2009. Ⅶ. 21，陈晓胜等采。

分布：陕西(西安、凤县、佛坪)、河南、甘肃、安徽、浙江、湖北、江西、福建、重庆、四川、贵州、云南。

(891) 后斑小瓢虫 *Scymnus* (*Pullus*) *posticalis* Sicard, 1912 (图版 32：6)

Scymnus posticalis Sicard, 1912: 530.
Scymnus (*Pullus*) *posticalis*: Korschefsky, 1931: 144.

鉴别特征：头部黄褐色，触角及口器深褐色；前胸背板黄棕色，基部中央具 1 个三角形黑斑，有时黑斑扩大，仅前侧缘棕色；小盾片黑色；鞘翅黑色，端部 1/6 黄棕色；足棕色；弯管端较钝，呈方形；阳基中叶近似"S"形，明显短于侧叶。

采集记录：1♂，长安翠华山，1300m，2009. Ⅶ. 30，陈晓胜采；1♀，凤县嘉陵江源头，2006. Ⅷ. 30，王兴民采；1♀，佛坪大古坪，1170m，2009. Ⅶ. 21，郝俊义采。

分布：陕西(长安、凤县、佛坪)、山西、河南、甘肃、安徽、浙江、湖北、江西、福建、台湾、广东、海南、广西、四川、贵州、云南、西藏；日本，缅甸，越南。

(892) 端手小瓢虫 ***Scymnus* (*Pullus*) *takabayashii* (Ohta, 1929)** (图版 33：1)

Pullus takabayashii Ohta, 1929: 4.

Scymnus (*Pullus*) *takabayashii*: Korschefsky, 1931: 145.

鉴别特征：头部、触角及口器黄褐色；前胸背板黄棕色；小盾片黑色；鞘翅黑色，末端边缘红棕色；足红棕色；弯管端部附着细管状附属物；阳基中叶长度几乎与中叶相等。

采集记录：13♂9♀，佛坪大古坪，1170m，2009. Ⅶ.21，陈晓胜等采。

分布：陕西(佛坪)、湖北、江西、湖南、福建、广东、广西、四川、贵州、云南；日本。

(893) 哑铃小瓢虫 ***Scymnus* (*Pullus*) *yaling* Yu, 1999** (图版 33：2)

Scymnus (*Pullus*) *yaling* Yu, 1999: 66.

鉴别特征：头部黑色，触角黄色，口器棕色；前胸背板黑色，前缘红棕色，很窄，侧缘红棕色；小盾片黑色；鞘翅黑色，每一鞘翅具 1 个棕色哑铃形条斑，鞘翅末端边缘棕色；足除腿节深褐色外，其余黄棕色；弯管简单；阳基中叶明显短于侧叶。

采集记录：1♀，西安长安翠华山，1300m，2009. Ⅶ.30，陈晓胜采。

分布：陕西(西安)、河南、宁夏、湖北。

338-3. 小毛瓢虫亚属 *Scymnus* (*Scymnus*) Kugelann, 1794

Scymnus Kugelann, 1794: 545. **Type species**: *Scymnus* (*Scymnus*) *nigrinus* Kugelann, 1794.

Scymnus (*Scymnus*): Mulsant, 1846: 219.

鉴别特征：体常为卵圆形或长卵形。触角 11 节，前胸腹板上具明显的纵隆线，后基线不完整。

分布：秦岭地区发现 4 种。

分种检索表

1. 鞘翅除末端黄色外，其余黑色 ………………………… 2
   鞘翅棕色 ………………………… **肥厚小毛瓢虫 *S.* (*S.*) *pinguis***
2. 前胸背板全黑或中央黑色 ………………………… 3
   前胸背板全黄色 ………………………… **长爪小毛瓢虫 *S.* (*S.*) *dolichonychus***
3. 前胸背板仅中央黑色 ………………………… **长毛小毛瓢虫 *S.* (*S.*) *crinitus***

前胸背板全黑色 ………………………………………………… **线管小毛瓢虫 *S.*（*S.*）*grammicus***

（894）肥厚小毛瓢虫 *Scymnus*（*Scymnus*）*pinguis* Yu，1999（图版 33：3）

Scymnus（*Scymnus*）*pinguis* Yu，1999：65.

鉴别特征：体短卵形。背面强烈拱起，被黄色细毛。体全为红棕色。弯管端部波浪形；阳基中叶侧面很窄，长度与侧叶相似。

采集记录：3♂2♀，长安翠华山，1300m，2009. Ⅶ. 30，陈晓胜采；2♀，佛坪大谷坪，1170m，2009. Ⅶ. 21，陈晓胜采。

分布：陕西(长安、佛坪)、河南、湖北、江西、湖南、广东、广西、四川、贵州。

（895）长毛小毛瓢虫 *Scymnus*（*Scymnus*）*crinitus* Fürsch，1966（图版 33：4）

Scymnus crinitus Fürsch，1966：40.

Scymnus（*Scymnus*）*crinitus*：Yu & Pang，1992：40.

鉴别特征：头部、触角及口器棕色；前胸背板棕色，基部中央具 1 个三角形黑斑；小盾片黑色；鞘翅黑色，末端边缘棕色；足棕色；弯管端部具膜质附属物；阳基中叶明显短于侧叶。

采集记录：10♂2♀，长安翠华山，1300m，2009. Ⅶ. 30，陈晓胜采。

分布：陕西(长安)、辽宁、河北、山西、河南、宁夏、甘肃、湖北、重庆、四川。

（896）长爪小毛瓢虫 *Scymnus*（*Scymnus*）*dolichonychus* Yu *et* Pang，1994（图版 33：5）

Scymnus（*Scymnus*）*dolichonychus* Yu *et* Pang，1994：474.

鉴别特征：头部、触角及口器黄褐色；前胸背板黄色；小盾片黄色，周缘黑色；鞘翅黑色，末端 1/4 黄色；足黄色，跗爪极长；弯管端部钩状，末端具附丝；阳基稍细，侧叶略长于中叶。

采集记录：1♀，佛坪大古坪，1170m，2009. Ⅶ. 21，陈晓胜采。

分布：陕西(佛坪)、河南、安徽、浙江、湖北、江西、湖南、四川、贵州、云南。

（897）线管小毛瓢虫 *Scymnus*（*Scymnus*）*grammicus* Yu，1995（图版 33：6）

Scymnus（*Scymnus*）*grammicus* Yu，1995：130.

鉴别特征：头部、触角及口器暗褐色；前胸背板深褐色；小盾片黑色；鞘翅黑色，末端 1/4 黄色；足黄褐色至深褐色；弯管端部鞭丝状；阳基粗壮，侧叶细长，明显长于中叶。

采集记录： 1♂1♀，佛坪大古坪，1170 m，2009. Ⅶ. 21，陈晓胜采。

分布： 陕西（佛坪）、台湾。

339. 食螨瓢虫属 *Stethorus* Weise, 1885

Scymnus (*Stethorus*) Weise, 1885: 74. **Type species**: *Stethorus punctillum* Weise, 1891.

Stethorus: Casey, 1899: 135.

属征： 体型微小，体长仅为 0.85 ~ 1.75mm。虫体卵圆形，背面密被细毛。前胸背板后缘与鞘翅基缘同宽，且紧密相接；前胸腹板前缘向下且向前弧形突出，无纵隆线，静止时口器大部分可隐于前胸腹板的突出部分内；腹部后基线完整。

分布： 世界已知 86 种，中国记录 25 种，秦岭地区发现 2 种。

分种检索表

阳基中叶正面近似哑铃状，且末端平截 ………………………… **阿穆尔食螨瓢虫 *S.* (*A.*) *amurensis***

阳基中叶正面近似三角形 ……………………………………………… **束管食螨瓢虫 *S.* (*A.*) *chengi***

(898) 阿穆尔食螨瓢虫 *Stethorus* (*Allostethorus*) *amurensis* Iablokoff-Khnzorian, 1972 （图版 34：1）

Stethorus (*Allostethorus*) *amurensis* Iablokoff-Khnzorian, 1972: 121.

Stethorus (*Allostethorus*) *shaanxiensis* Pang *et* Mao, 1975: 420.

鉴别特征： 弯管端部轻微膨大，且有膜状附属物；阳基中叶正面近似哑铃状，且末端平截。

采集记录： 1♂，陕西眉县，1974. Ⅷ，姜元振采。

分布： 陕西（眉县）、辽宁、北京、山西、河南、湖北；俄罗斯，韩国。

(899) 束管食螨瓢虫 *Stethorus* (*Allostethorus*) *chengi* Sasaji, 1968 （图版 34：2）

Stethorus chengi Sasaji, 1968: 4.

Stethorus (*Allostethorus*) *chengi*: Pang & Mao, 1975: 419.

鉴别特征： 弯管逐渐向末端收窄，末端明显膨大且平截，有 1 个逐渐向末端收缩的长的管状附属物。

采集记录: 1♂2♀, 太白山蒿坪寺, 1100m, 2006. Ⅷ. 29, 王兴民采。

分布: 陕西(太白山)、安徽、浙江、湖北、江西、湖南、台湾、四川、贵州。

(三)瓢虫亚科 Coccinellinae

鉴别特征: 个体较大, 多数大于3mm。体背光滑无毛, 或个别体背被密毛。下颚须末节斧形; 触角 11 节, 较长, 通常长于头宽的 2/3, 着生于头的背面两侧。

分类: 世界已知 95 属超过 1500 种, 中国记录 37 属 165 种, 秦岭地区发现 21 属 42 种。

分族检索表

1. 身体光滑, 不披毛 …………………………………………………………………… 2
   身体密披细毛 …………………………………………………… **新红瓢虫族 Singhikaliini**
2. 上颚末端分裂为 2 个小齿, 唇基的两前角呈三角形突出 ………………… **瓢虫族 Coccinellini**
   上颚末端分裂为 5 ~ 8 个小齿; 唇基的两前角不向前突出 ………… **食菌瓢虫族 Psylloborini**

瓢虫族 Coccinellini Mulsant, 1850

分属检索表

1. 鞘翅基缘宽度远大于前胸背板后缘, 鞘翅缘折完全; 触角明显长于额宽 ………………… 2
   鞘翅基缘宽度稍大于或等于前胸背板后缘, 鞘翅缘折完全………………………………… 5
2. 前胸背板缘折无凹陷, 缘折前部背面有 1 个圆形凹陷; 体中型(一般在 7mm 以下)弯管比较长, 后基线不分叉 …………………………………………………………………………… 3
   前胸背板缘折有凹陷, 缘折前部背面无圆形凹陷; 体大型(体长一般在 8mm 以上)弯管比较短, 后基线分叉 ……………………………………………………… **异斑瓢虫属 *Aiolocaria***
3. 鞘翅红色或黑色, 有斑纹………………………………………………………………… 4
   鞘翅全黑色, 无斑纹 ……………………………………………………… **新丽瓢虫属 *Synona***
4. 触角后内陷入内缘成宽而浅的内突; 复眼正常大, 复眼间距相当于头宽的 1/2 ……………… …………………………………………………………………………… **盘瓢虫属 *Lemnia***
   触角后内陷入内缘成长而深的内突; 复眼较大, 复眼间距相当于头宽的 1/3 ……………… ……………………………………………………………………… **星盘瓢虫属 *Phrynocaria***
5. 后基线完整, 或不完整而具分叉……………………………………………………………… 6

后基线不完整，也不分叉 …………………………………………………………………… 14
6. 前胸腹板突扁平，常具纵隆线……………………………………………………………… 7
前胸腹板突狭窄，无纵隆线；中胸腹板前缘中部无凹入 ………………… **大丽瓢虫属 *Adalia***
7. 弯管囊明显 ……………………………………………………………………………… 8
弯管囊不明显…………………………………………………………… **长足瓢虫属 *Hippodamia***
8. 触角不短于额宽，末节大，横截状或长圆形；鞘翅外缘有镶边 ………………………… 9
触角短，短于或等于额宽，末节甚短小；鞘翅外缘无镶边，鞘翅缘折完全……………… ……………………………………………………………… **宽柄月瓢虫属 *Chilomenes***
9. 中胸腹板前缘中央齐平 ………………………………………………………………… 10
中胸腹板前缘不齐平，中央有凹入 ……………………………………………………… 13
10. 前胸腹板纵隆线不达前缘 ……………………………………………………………… 11
前胸腹板纵隆线几乎达前缘 …………………………………………………………… 12
11. 鞘翅黄色，无黑色圆斑 …………………………………………… **黄壮瓢虫属 *Xanthadalia***
鞘翅黄色，有黑色圆斑 ……………………………………………………… **瓢虫属 *Coccinella***
12. 鞘翅基缘与前胸背板后缘等宽，鞘翅外缘无极窄卷边 ………………… **长隆瓢虫属 *Coccinula***
鞘翅基缘稍宽于前胸背板后缘………………………………………………… **中齿瓢虫属 *Myzia***
13. 足胫节有距；前胸背板缘折内角凹陷，后基线不完整 ………………… **小巧瓢虫属 *Oenopia***
足胫节无距或极短，前胸背板缘折无凹陷 ………………………………… **和谐瓢虫属 *Harmonia***
14. 腹面深红或浅红色；背面红黄色或红褐色，或黑色且具浅色斑点或条状纹…… **裸瓢虫属 *Calvia***
腹面完全或部分黑色；背面黄色且具黑色斑纹或黑色带形斑，或黑色且具黄色斑 …………… …………………………………………………………………… **龟纹瓢虫属 *Propylea***

340. 大丽瓢虫属 *Adalia* Mulsant, 1846

Adalia Mulsant, 1846: 2. **Type species**: *Coccinella bipunctata* Linnaeus, 1758.

属征：鞘翅缘折较窄，消失于第 3 腹板后缘处。鞘翅相接处紧密。小盾片甚小，其宽为前胸背板的 1/12，无纵隆线。中胸腹板前缘直形。

分布：世界已知 7 种，中国记录 2 种，秦岭地区发现 1 种。

(900) 二星瓢虫 *Adalia bipunctata* (Linnaeus, 1758)（图版 34：3）

Coccinella 2-punctata Linnaeus, 1758: 364.
Adalia bipunctata: Mulsant, 1850: 58.

鉴别特征：前胸背板斑纹多变，常具 1 个白色的“M”形黑斑；鞘翅斑纹多变，典型的是鞘翅红色，中央各具 1 个黑色小圆斑。或鞘翅具 3 列黑斑，2-3-2 排列，斑纹融合或消失；黑色型的鞘翅具红色斑纹，具 6 个、4 个或 2 个红斑，或红色区域扩大，仅剩鞘翅基部侧缘红色。

采集记录：1头，陕西师范大学校园，1959. Ⅴ.13，郑哲民采；2头，陕西师范大学校园，1964. Ⅹ.16，郑哲民采。

分布：陕西(西安)、黑龙江、吉林、辽宁、北京、河北、山西、山东、河南、宁夏、甘肃、新疆、江苏、浙江、江西、福建、四川、云南、西藏；广布于亚洲、欧洲、非洲北部和中部及北美洲。

341. 异斑瓢虫属 *Aiolocaria* Crotch, 1871

Aiolocaria Crotch, 1871: 6. **Type species**: *Coccinella hexaspilota* Hope, 1831.

属征：体型大，大于8mm。鞘翅基部明显宽大于前胸背板基部，鞘翅侧缘向外延伸很宽。前胸背板侧缘明显圆弧形；中、后足胫节具2距刺，爪具1个基齿。后基线不完整且分叉。

分布：世界已知1种，中国记录1种，秦岭地区发现1种。

(901) 六斑异瓢虫 *Aiolocaria hexaspilota* (Hope, 1831)(图版34：4)

Coccinella hexaspilota Hope, 1831: 31.
Aiolocaria hexaspilota: Korschefsky, 1932: 277.

鉴别特征：体圆而大，体背无毛。头部黑色；前胸背板黑色，两侧具白色或浅黄色大斑。鞘翅红黑两色，斑纹变化多；鞘翅的中后部有1条黑色的横带，或者横带分裂成两部分；有些个体鞘翅全黑色。

采集记录：1♂1♀，镇安云盖寺镇，850~1200m，2014. Ⅵ. 18-21，李文景采；2♂，丹凤蔡川镇，1178~1417m，2014. Ⅵ.30-Ⅶ.02，李文景采。

分布：陕西(镇安、丹凤)、吉林、内蒙古、北京、河北、河南、甘肃、湖北、福建、台湾、四川、贵州、西藏；俄罗斯，朝鲜，日本，缅甸，印度，尼泊尔，克什米尔地区。

342. 裸瓢虫属 *Calvia* Mulsant, 1846

Calvia Mulsant, 1846: 140. **Type species**: *Coccinella decemguttata* Linnaeus, 1758: 367.

属征：前胸背板侧缘稍凸出，具镶边，缘折前部有狭窄凹陷。中胸腹板前缘明显隆起。小盾片为三角形，宽稍大于长，约为前胸背板宽度的1/9。鞘翅侧缘向外稍延伸并具镶边，缘折为体宽的1/7，消失于末端之前。后基线不完整，不分叉。

分布：世界已知85种，中国记录15种，秦岭地区发现5种。

分种检索表

1. 鞘翅具奶白色斑点 …………………………………………………………………… 2
   鞘翅有 4 条浅灰色的条形斑纹 ………………………………… **三纹裸瓢虫 *C. championorum***
2. 前胸背板左右两侧无 1 对“八”字形斑 …………………………………………………… 3
   前胸背板左右各具 1 对“八”字形斑……………………………………… **四斑裸瓢虫 *C. muiri***
3. 阳基侧面末端平直 ……………………………………………………………………… 4
   阳基侧面末端向外弯曲 ……………………………… **十四星裸瓢虫 *C. quatuordecimguttata***
4. 鞘翅具 7 个白斑，3 个独立，其余 4 个由白色细条纹相连 ……………… **枝斑裸瓢虫 *C. hauseri***
   鞘翅具 7 个白斑，呈 2-2-2-1 排列 ……………………… **十五星裸瓢虫 *C. quindecimguttata***

（902）三纹裸瓢虫 *Calvia championorum* Booth，1997（图版 34：5）

Calvia championorum Booth，1997：931.

鉴别特征：背面浅黄至黄绿色。每一鞘翅上有 4 条浅灰色的条形斑纹，其中 1 条位于鞘缝处，很窄。

采集记录：1♀，长安沣峪林场，1600m，2009. Ⅶ. 27，王兴民等采；1♀，华县高塘镇，1000m，2014. Ⅶ. 07-08，李文景采；1♂，镇安云盖寺镇，850～1200m，2014. Ⅵ. 18-21，李文景采；2♂2♀，丹凤蔡川镇，1178～1417m，2014. Ⅵ. 30-Ⅶ. 02，李文景采。

分布：陕西（长安、华县、镇安、丹凤）、甘肃、台湾、四川、云南；印度。

（903）四斑裸瓢虫 *Calvia muiri*（Timberlake，1943）（图版 34：6）

Eocaria muiri Timberlake，1943：38.
Calvia muiri：Pang & Mao，1980：39.

鉴别特征：体形卵圆形，背面黄褐色。前胸背板左右两侧各有 1 对“八”字形白斑，共 4 个斑，鞘翅典型斑纹为各具 6 个黄白色斑点，1-2-2-1 排列；有时有其他变斑，但前胸背板 4 个白斑不会变。

采集记录：2♂2♀，长安沣峪林场，1600m，2009. Ⅶ. 27，王兴民等采；1♂，华县高塘镇，1000m，2014. Ⅶ. 07-08，李文景采；10♂6♀，柞水凤凰古镇，900m，2014. Ⅵ. 25-26，李文景采；1♂1♀，镇安云盖寺镇，850～1200m，2014. Ⅵ. 18-21，李文景采；6♂11♀，丹凤蔡川镇，1178～1417m，2014. Ⅵ. 30-Ⅶ. 02，李文景采。

分布：陕西（长安、华县、柞水、镇安、丹凤）、北京、河北、山西、河南、浙江、福建、台湾、广东、广西、重庆、四川、贵州、云南；日本。

(904) 十四星裸瓢虫 *Calvia quatuordecimguttata* (Linnaeus, 1758) (图版 35: 1)

Coccinella 14-guttata Linnaeus, 1758.

Calvia quatuordecimguttata: Mulsant, 1846: 146.

鉴别特征: 本种斑纹变异大，主要包括 7 种类型。①十四星型: 鞘翅棕黄色或黑色，每个鞘翅上有 7 个奶白色斑点，1-3-2-1 排列。②十二黑斑型: 前胸背板有两个大黑斑; 鞘翅上共有 11 个黑斑，11/2-2-11/2-1/2 排列。③黑缘型: 十二星型的变型，前胸背板上的黑斑扩大，边缘浅色; 鞘翅红棕色，外缘黑色。④条纹型: 前胸背板奶白色，具 1 对棕色大斑; 鞘翅棕黄色，鞘缝及外缘奶白色，近外缘有 2 个奶白色条斑。⑤点条型: 鞘翅上的斑纹为十四星型与条纹型相加，即两种斑纹型的奶白色区域均显示在鞘翅上。⑥网纹型: 前胸背板具 2 个大黑斑; 鞘翅黑色，具网纹型黑斑。⑦十二白斑型: 背面红褐色，前胸背板两侧具大白斑，每一鞘翅具 6 个白斑，1-2-2-1 分布。

采集记录: 1♂1♀，华县高塘镇，1000m，2014. Ⅶ. 07-08，李文景采; 2♂1♀，柞水凤凰古镇，900m，2014. Ⅵ. 25-26，李文景采; 1♂2♀，镇安云盖寺镇，850 ~ 1200m，2014. Ⅵ. 18-21，李文景采; 1♀，山阳城关镇权垣村，670 ~ 916m，2014. Ⅵ. 27-29，李文景采; 1♂2♀，丹凤蔡川镇，1178 ~ 1417m，2014. Ⅵ. 30-Ⅶ. 02，李文景采。

分布: 陕西(华县、柞水、镇安、山阳、丹凤)、黑龙江、吉林、内蒙古、北京、河北、山西、甘肃、湖北、台湾、四川、云南、西藏; 俄罗斯，朝鲜，日本，欧洲，北美洲。

(905) 十五星裸瓢虫 *Calvia quindecimguttata* (Fabricius, 1777) (图版 35: 2)

Coccinella quindecimguttata Fabricius, 1777: 217.

Calvia quindecimguttata: Lewis, 1873: 54.

鉴别特征: 前胸背板有 5 个白斑，前后角及基部各 1 个。鞘翅基色浅黄色或黄褐色，每个鞘翅有 7 个白斑，呈 2-2-2-1 排列。

采集记录: 1♂，旬阳白柳镇前坪村，621m，2014. Ⅵ. 23，李文景采; 1♀，镇安云盖寺镇，850 ~ 1200m，2014. Ⅵ. 18-21，李文景采。

分布: 陕西(旬阳、镇安)、山西、河南、甘肃、江苏、浙江、安徽、湖北、江西、湖南、福建、台湾、广东、香港、广西、四川、贵州、云南; 俄罗斯，朝鲜，日本，印度，欧洲。

(906) **枝斑裸瓢虫 *Calvia hauseri* (Mader, 1930)** (图版 35：3)

Anisocalvia hauseri Mader, 1930: 163.

Calvia hauseri: Liu, 1963: 46.

鉴别特征：前胸背板浅棕色，中部具 1 条箭头型白纹，指向小盾片，有时消失；鞘翅褐色，具白色外缘，鞘缝中部也呈白色，每一鞘翅具 7 个白斑，内侧 3 个斑独立，其余 4 个斑由白色细条纹相连。

采集记录：1 头，留坝庙台子，1350m，1998. Ⅶ. 22，采集人不详；1 头，佛坪，870m～1000m，1998. Ⅶ. 25，采集人不详；6 头，佛坪，890m，1999. Ⅵ. 26-27，采集人不详。

分布：陕西(留坝、佛坪)、河南、甘肃、台湾、四川、贵州、云南；印度。

343. 宽柄月瓢虫属 *Chilomenes* Crotch, 1874

Cheilomenes Mulsant, 1850: 429. **Type species**: *Coccinella lunata* Fabricius, 1781.

Chilomenes Crotch, 1874: 179.

Menochilus Timberlake, 1943: 40. **Type species**: *Coccinella sexmaculata* Fabricius, 1781.

属征：前胸背板前缘凹入较深，呈梯形，侧缘匀称弧形，具镶边，后角钝圆形，缘折倾斜，几乎无凹陷。前胸腹板中部隆起，纵隆线平行伸至基片 2/3 处。中胸腹板中部弧形凹入。小盾片三角形。鞘翅外缘向外伸，无镶边，缘折完全，极倾斜，在后足腿节外端处有凹陷。后基线不完整，二分叉，侧支弧形弯曲。中、后足胫节各具 2 个距，爪基部有齿。

分布：世界已知 85 种，中国记录 15 种，秦岭地区发现 1 种。

(907) **六斑月瓢虫 *Chilomenes sexmaculatus* (Fabricius, 1781)** (图版 35：4)

Coccinella sexmaculata Fabricius, 1781: 96.

Cheilomenes sexmaculata: Dejean, 1837: 435.

鉴别特征：前胸背板白色，靠近基部有 1 个类似"工"字形的黑斑；鞘翅斑纹多变，常见的是鞘缝及其外缘黑色，每一鞘翅上有 3 个横向黑斑(六斑型)；另一种黑色的鞘翅上各有 2 个红斑，1 个在鞘翅基部，1 个在近端部(四斑型)。

采集记录：1♀，华县高塘镇，1000m，2014. Ⅶ. 07-08，李文景采；1♂，旬阳白柳镇前坪村，621m，2014. Ⅵ. 23，李文景采；2♂3♀，柞水凤凰古镇，900m，2014. Ⅵ. 25-26，李文景采；2♂4♀，山阳城关镇权垣村，670～916m，2014. Ⅵ. 27-29，李文

景采。

分布: 陕西(华县、旬阳、柞水、山阳)、黑龙江、吉林、辽宁、山东、河南、甘肃、江苏、浙江、江西、湖南、福建、台湾、广东、海南、香港、广西、四川、贵州、云南;日本,泰国,印度,阿富汗,伊朗,斯里兰卡,柬埔寨,菲律宾,马来西亚,印度尼西亚,密克罗尼西亚,新几内亚。

344. 瓢虫属 *Coccinella* Linnaeus, 1758

Coccinella Linnaeus, 1758: 364. **Type species**: *Coccinella septempunctata* Linnaeus, 1758.

属征: 体椭圆形。头部黑色,额部于复眼内侧各有 1 个黄白色斑(额斑)。触角长大于额宽,锤节紧密,末节前端平截。唇基前缘中部平直,两侧各有 1 个突起,触角后突(又称复眼内突)黄色且狭长。前胸背板黑色,两前角有近方形和三角形黄斑。前胸背板缘折扁平,前端与前部黄色;前胸腹板纵隆线平行,其前端仅伸过前足基节窝前缘连线,远不达腹板前缘。中胸腹板前缘平直,中央稍弯曲。小盾片正三角形,黑色。鞘翅橙黄至红色,具黑色斑点或斑纹;基部在小盾片两侧各具 1 个白色横斑,鞘翅缘折黄色,外侧倾斜,内脊于第 4 腹板以后消失。腹面黑色,后基线二分叉,主支沿第 1 腹板后缘向外延伸,侧支斜伸向腹板前角。足黑色。中、后足胫节具 2 个距,爪较细,具 1 个基齿。

分布: 世界已知 70 种,中国记录 17 种,秦岭地区发现 6 种。

分种检索表

1. 鞘翅具黑色点状斑纹 …… 2
   鞘翅具黑色带状斑纹 …… 4
2. 鞘翅具 11 个黑色斑纹 …… 3
   鞘翅具 7 个黑色斑纹 …… **七星瓢虫 *C. septempunctata***
3. 除肩角斑纹较小外,其余 9 个斑纹明显较大 …… **华日瓢虫 *C. ainu***
   鞘翅除第 2 排靠鞘缝斑纹较大外,其余小 …… **横斑瓢虫 *C. transversoguttata***
4. 鞘翅上带状条纹横向分布 …… 5
   鞘翅上有 3 条纵向分布的带状条纹 …… **纵条瓢虫 *C. longifasciata***
5. 鞘翅上有 5 条横向分布的带状条纹 …… **横带瓢虫 *C. trifasciata***
   鞘翅基半部具 1 个"口"字形黑斑 …… **黄绣瓢虫 *C. luteopicta***

(908) 华日瓢虫 *Coccinella ainu* Lewis, 1896 (图版 35: 5)

Coccinella ainu Lewis, 1896: 27.

鉴别特征: 前胸背板黑色，前角白斑三角形，雄性背板前缘浅色，两白斑相连；鞘翅红色，具 11 个黑斑，11/2-2-2 排列，除肩角斑纹较小外，其余 9 个斑纹明显较大。

采集记录: 1♂，凤县，1982. Ⅶ. 26，魏建华采；1 头，黄龙，1982. Ⅷ. 11，魏建华采。

分布: 陕西(黄龙)、宁夏、甘肃、四川、贵州；俄罗斯，朝鲜，日本。

(909) 黄绣瓢虫 *Coccinella luteopicta* (**Mulsant, 1866**)(图版 35：6)

Adalia luteopicta Mulsant, 1866: 45.
Lioadalia luteopicta: Crotch, 1874: 104.
Coccinella (*Coccinella*) *luteopicta*: Iablokff-Khnzorian, 1982: 395.
Coccinella luteopicta: Jing, 1992: 544.

鉴别特征: 前胸背板黑色，前角具方形白斑。鞘翅黄棕色，每一鞘翅的基半部具 1 个“口”字形黑斑；鞘翅端半部有 1 个折角的黑斑，不与鞘翅或侧缘、翅端相接。

采集记录: 1 头，凤县嘉陵江源头，2006. Ⅷ. 30，王兴民采。

分布: 陕西(凤县)、四川、云南、西藏；印度，尼泊尔，不丹。

(910) 七星瓢虫 *Coccinella septempunctata* **Linnaeus, 1758**(图版 36：1)

Coccinella 7-punctata Linnaeus, 1758: 365.
Coccinella septempunctata: Korschefsky, 1932: 486.

鉴别特征: 前胸背板黑色，在其前角上各有 1 个大型的近于四边形的淡黄色斑，伸展到缘折上形成窄条；鞘翅红色或橙红色，两鞘翅上共有 7 个黑斑，其中位于小盾片下方的小盾斑被鞘翅中缝分割为两半，其余每一鞘翅上各有 3 个黑斑。

采集记录: 4♂3♀，华县高塘镇，1000m，2014. Ⅶ. 07-08，李文景采；1♀，旬阳白柳镇前坪村，621m，2014. Ⅵ. 23，李文景采；12♂20♀，柞水凤凰古镇，900m，2014. Ⅵ. 25-26，李文景采；3♂5♀，镇安云盖寺镇，850～1200m，2014. Ⅵ. 18-21，李文景采；1♂2♀，山阳城关镇权垣村，670～916m，2014. Ⅵ. 27-29，李文景采；12♂7♀，丹凤蔡川镇，1178～1417m，2014. Ⅵ. 30-Ⅶ. 02，李文景采。

分布: 陕西(华县、旬阳、柞水、镇安、山阳、丹凤)、黑龙江、吉林、北京、河北、河南、新疆、福建、台湾、广东、海南、广西、四川、贵州、云南；蒙古，俄罗斯，朝鲜，日本，印度，欧洲。

(911) 横斑瓢虫 *Coccinella transversoguttata* **Faldermann, 1835**(图版 36：2)

Coccinella transversoguttata Faldermann, 1835: 117.

鉴别特征：前胸背板黑色，前角各具1个四边形黄斑，且伸展到腹面缘折，呈小三角形黄斑；鞘翅黄褐色，基部在小盾片两侧各具1个黄白色横斑；在1/6处两肩胛之间有横贯黑色带纹1条，两端稍微前弯；在1/3处外缘附近有1个小黑斑，内宽外窄，有时分为2个独立黑斑。

采集记录：2♂，华县高塘镇，1000m，2014. Ⅶ.07-08，李文景采；5♂9♀，山阳城关镇权垣村，670～916m，2014. Ⅵ.27-29，李文景采；3♂4♀，丹凤蔡川镇，1178～1417m，2014. Ⅵ.30-Ⅶ.02，李文景采。

分布：陕西(华县、山阳、丹凤)、黑龙江、内蒙古、河北、山西、河南、甘肃、青海、新疆、四川、云南、西藏；俄罗斯，中亚地区，欧洲，北美洲。

(912) 横带瓢虫 *Coccinella trifasciata* Linnaeus, 1758 (图版36：3)

Coccinella trifasciata Linnaeus, 1758: 365.

鉴别特征：鞘翅黄色，鞘翅各有3条黑色的近于平行的横带纹。

采集记录：1头，宁陕，采集时间不详，陈鹏程采。

分布：陕西(宁陕)、黑龙江、内蒙古、河北、宁夏、甘肃、青海、新疆、四川、西藏；蒙古，俄罗斯，北美洲。

(913) 纵条瓢虫 *Coccinella longifasciata* Liu, 1962 (图版36：4)

Coccinella longifasciata Liu, 1962: 265.

鉴别特征：前胸背板几乎全黑，仅侧缘和前缘黄色；鞘翅共有3个纵向的条形黑斑，中间1个起于小盾片沿鞘缝伸向鞘翅末端，其余两条各在1个鞘翅中部，起于鞘翅基缘，末端不接近端部。

采集记录：1头，留坝大洪渠，2500m，1998. Ⅶ.20，采集人不详；1头，佛坪凉风垭，1900m～2000m，1998. Ⅶ.24，采集人不详；1头，宁陕平河梁，2500m，1998. Ⅶ.20，采集人不详。

分布：陕西(留坝、佛坪、宁陕)、河北、宁夏、甘肃、青海、新疆、四川、西藏；蒙古。

345. 长隆瓢虫属 *Coccinula* Dobzhansky, 1925

Coccinula Dobzhansky, 1925: 241. **Type species**: *Coccinella quatuodecimpustulata* Linnaeus, 1758.

属征：额较宽，触角后突狭长，触角长度与额宽几乎相等，第9、10节梯形，末节近方形。唇基前缘直。前胸背板侧缘呈浅弧形。前胸背板缘折扁平，无凹陷。前胸腹板突狭窄而扁平，其上的纵隆线接近前缘。中胸腹板前缘直形。小盾片正三角形。鞘翅外缘具窄的镶边，缘折近似水平状，内有脊起消失于第4腹板前缘。后基线不完整，二分叉。中、后足具2个距，爪基部具1个齿。

分布：世界已知29种，中国记录4种，秦岭地区发现1种。

(914) 中国双七星瓢虫 *Coccinula sinensis* Weise, 1889（图版36：5）

Coccinula quatuordecimpustulata sinensis Weise, 1889: 375.

Coccinula quatuordecimpustulata: Sasaji, 1971: 257.

Coccinula sinensis: Bielawski, 1959: 208.

鉴别特征：前胸背板黑色，前缘黄色，中央向后扩大呈三角形黄斑，两前角处各有1个黄色大斑与前缘连接；鞘翅各有7个橘黄色斑，成2-2-2-1排列，靠近鞘缝的2列斑较宽，而靠近鞘翅外缘的2列斑仅为鞘缝边缘斑的1/2宽，末端1对斑横长。

采集记录：4♂6♀，华县高塘镇，1000m，2014. Ⅶ. 07-08，李文景采；2♀，旬阳白柳镇前坪村，621m，2014. Ⅵ. 23，李文景采；3♂4♀，柞水凤凰古镇，900m，2014. Ⅵ. 25-26，李文景采；1♂，镇安云盖寺镇，850～1200m，2014. Ⅵ. 18-21，李文景采；5♂6♀，山阳城关镇权垣村，670～916m，2014. Ⅵ. 27-29，李文景采；1♂1♀，丹凤蔡川镇，1178～1417m，2014. Ⅵ. 30-Ⅶ. 02，李文景采。

分布：陕西（华县、旬阳、柞水、镇安、山阳、丹凤）、黑龙江、吉林、辽宁、内蒙古、北京、河北、山西、山东、河南、宁夏、甘肃、江西、四川；俄罗斯（远东地区），朝鲜半岛，蒙古，日本。

346. 和谐瓢虫属 *Harmonia* Mulsant, 1850

Harmonia Mulsant, 1850: 74. **Type species**: *Coccinella marginepunctata* Schaller, 1783 (= *Harmonia quadripunctata* Pontoppidan, 1763).

属征：体卵形至近圆形，背面中度至高度拱起。唇基前缘平直，前侧角突出。前胸背板前内深内凹，不盖住复眼，背板缘折前端无凹陷。前胸腹板突宽大，不隆起，两侧具细纵隆线；中胸腹板前缘中央稍内凹，或平直。鞘翅侧缘明显向外扩展，或稍扩展，具窄的镶边：鞘翅缘折无凹陷。中、后足胫节端无距刺。第1腹板后基线不完整，沿后缘伸向外侧，并在外侧具1分支的斜线。

分布：世界已知20种，中国记录7种，秦岭地区发现3种。

分种检索表

1. 前胸背板具“M”形斑纹 ………………………………………………………………… 2
   前胸背板具 7 个黑斑 …………………………………… **四斑和瓢虫 *H. quadripunctata***
2. 鞘翅末端有已明显的横脊 …………………………………………… **异色瓢虫 *H. axyridis***
   鞘翅末端没有已明显的横脊 ……………………………………… **隐斑瓢虫 *H. yedoensis***

(915) 异色瓢虫 *Harmonia axyridis* (Pallas, 1773)（图版 36：6）

Coccinella axyridis Pallas, 1773: 726.
Harmonia axyridis: Jacobson, 1916: 984.

鉴别特征：体色和斑纹变异较大，绝大多数个体在鞘翅末端 7/8 处具 1 个明显的横脊，可作为异色瓢虫最重要的鉴别特征之一。

采集记录：10♂8♀，华县高塘镇，1000m，2014. Ⅶ. 07-08，李文景采；1♂3♀，旬阳白柳镇前坪村，621m，2014. Ⅵ. 23，李文景采；15♂23♀，柞水凤凰古镇，900m，2014. Ⅵ. 25-26，李文景采；11♂17♀，镇安云盖寺镇，850～1200m，2014. Ⅵ. 18-21，李文景采；18♂9♀，山阳城关镇权垣村，670～916m，2014. Ⅵ. 27-29，李文景采；35♂42♀，丹凤蔡川镇，1178～1417m，2014. Ⅵ. 30-Ⅶ. 02，李文景采。

分布：陕西(华县、旬阳、柞水、镇安、山阳、丹凤)，中国(除广东南部及香港无分布外)广布；蒙古，俄罗斯，朝鲜，日本，越南，引入或扩散到欧洲、北美洲和南美洲。

(916) 隐斑瓢虫 *Harmonia yedoensis* (Takizawa, 1917)（图版 37：1）

Ptychanatis yedoensis Takizawa, 1917: 220.
Ballia obscurosignata Liu, 1962: 263.
Harmonia yedoensis: Sasaji, 1972: 31.

鉴别特征：前胸背板褐色或黑色，两侧具白色大斑；鞘翅颜色多变，鞘翅基色为黄色时，鞘翅上各有 9 个黑斑，呈 2-3-3-1 排列，斑点数量非常少，甚至无斑点；鞘翅基色为黑色时，鞘翅上各有 12 个黄斑，呈 2-1-2-1 排列。

采集记录：1♂1♀，镇安云盖寺镇，850～1200m，2014. Ⅵ. 18-21，李文景采；2♀，山阳城关镇权垣村，670～916m，2014. Ⅵ. 27-29，李文景采；4♂6♀，丹凤蔡川镇，1178～1417m，2014. Ⅵ. 30-Ⅶ. 02，李文景采。

分布：陕西(镇安、山阳、丹凤)、北京、河北、山东、河南、浙江、江西、湖南、福建、台湾、广东、香港、广西、四川、贵州、云南；朝鲜，日本，越南。

(917) 四斑和瓢虫 *Harmonia quadripunctata* (Pontoppidan, 1763)(图版 37：2)

Coccinella quadripunctata Pontoppidan, 1763: 669.
Harmonia quadripunctata: Mader, 1926(1932): 211.

鉴别特征： 前胸背板浅黄褐色，具 7 个黑斑，除小盾片前方的黑斑外，其他 6 个成对排列，其中前方的 1 对呈倒“八”字形排列，另 2 对近基部，外斑较小，内斑大，并与背板后缘相连。小盾片黑色。鞘翅浅黄褐色，鞘缝黑色，每一鞘翅上具 8 个黑斑，呈 2-3-3 排列，或具 10 个斑，呈 2-3-3-2 排列，有时小盾片处有 1 个纵形黑斑(共同斑)，个别斑可消失。

采集记录： 2♂2♀，长安沣峪林场，1600m，2009. Ⅶ. 27，王兴民等采；2 头(1♂)，留坝庙台子，2005. Ⅵ. 14，巴义彬采。

分布： 陕西(长安、留坝)、四川、云南；俄罗斯(远东地区)，欧洲，美国东部(引入)。

347. 长足瓢虫属 *Hippodamia* Chevrolat, 1836

Hippodamia Chevrolat, 1836: 456. **Type species**: *Coccinella tredecimpunctata* Linnaeus, 1758.

属征： 体长卵形，背面轻度或中度拱起。体色橙黄至橙红色。中、后足胫节端部有 2 个显著的距刺，爪具基齿，在中部分为 2 个叉；后基线完整，明显或消失；弯管无弯管囊。

分布： 世界已知 35 种，中国记录 9 种，秦岭地区发现 2 种。

分种检索表

前胸背板除前角白色外，其余为黑色 ………………………………………… **黑斑突角瓢虫 *H. potanini***
前胸背板白色，基部有 4 条黑色横带 ………………………………………… **多异瓢虫 *H. variegate***

(918) 黑斑突角瓢虫 *Hippodamia potanini* (Weise, 1889)(图版 37：3)

Semiadalia potanini Weise, 1889: 656.
Hippodamia (*Asemiadalia*) *potanini*: Iablokoff-Khnzorian, 1982: 330.
Hippodamia potanini: Pang *et al.*, 2004: 36.

鉴别特征： 前胸背板除前角白色外，其余为黑色；鞘翅黄棕色，斑纹多变，常见斑纹为鞘翅上各具 5 个斑，呈 11/2-1-1-1 排列，贴近小盾片鞘缝上的两斑合成 1 个大斑，翅中央各有 1 个椭圆形斑，翅端各有 1 个黑斑，另 1 个圆斑在翅中间和翅端两斑中间靠鞘外缘处；其他斑类型在此基础上，或在鞘翅基部外侧肩斑的后侧方多1个卵形黑斑，或小盾片向后延伸，即整个鞘缝呈黑色，或斑纹相连，即肩斑与小盾斑相连，肩斑与后侧的斑纹相连；或斑纹减少，只剩小盾斑和肩斑。

采集记录： 2♂3♀，镇安云盖寺镇，850～1200m，2014. Ⅵ. 18-21，李文景采。

分布： 陕西(镇安)、宁夏、甘肃、江苏、湖北、四川、云南、西藏。

(919) 多异瓢虫 *Hippodamia variegate* (Goeze, 1777)（图版 37：4）

Coccinella variegata Goeze, 1777: 246.
Adonia variegata: Mulsant, 1846: 39.
Hippodamia variegata: Belicek, 1976: 338.

鉴别特征： 前胸背板黄白色，后缘有镶边反卷，基部的黑色横带向前分出4条黑带，有时该4条黑带在前部左右分别愈合，构成两个"口"字形斑，有时黑斑扩大，仅留2个黄白色小圆点。鞘翅黄褐至红褐色，基缘各有1个黄白色分界不明显的横长斑。背面共13个黑斑，除小盾片下方鞘缝有1个黑斑外，每鞘翅各有6个黑斑。黑斑变异甚大，常相互连接或消失，形成11个斑、9个斑、7个斑等。

采集记录： 1♀，镇安云盖寺镇，850～1200m，2014. Ⅵ. 18-21，李文景采。

分布： 陕西(镇安)、吉林、辽宁、内蒙古、北京、河北、山西、山东、河南、宁夏、甘肃、青海、新疆、福建、四川、云南、西藏；日本，印度，古北区，非洲东部。

348. 盘瓢虫属 *Lemnia* Mulsant, 1850

Lemnia Mulsant, 1850: 376. **Type species**: *Lemnia fraudulenta* Mulsant, 1850.
Phrynocaria Timberlake, 1943: 34. **Type species**: *Coccinella congener* Billberg, *in* Schönherr, 1808.

属征： 前胸腹板具2条纵隆线，中胸腹板前缘中央三角形内凹。鞘翅基部明显宽于前胸背板。后基线不完整。中、后足胫节具2枚距刺。爪具1个基齿。

分布： 世界已知100种，中国记录9种，秦岭地区发现2种。

分种检索表

雄虫鞘翅全黄色，雌虫鞘翅周缘黑色 ………………………… **周缘盘瓢虫 *L. circumvelata***
鞘翅黑色，中央各具1个圆形黄斑 ………………………………… **黄斑盘瓢虫 *L. saucia***

(920) 周缘盘瓢虫 *Lemnia circumvelata* (Mulsant, 1853)（图版 37：5）

Coelophora circumvelata Mulsant, 1853: 388.

Coelophora cincta Hope, 1831: 31.
Lemnia circumvelata: Jing, 1988: 57.

鉴别特征: 雌雄异型，雄性除鞘翅边缘有极窄的黑边外，全体为黄褐色，腹面仅后胸腹板后半部及第1腹板的中部黑色。雌性头部黑色，口器及触角褐色，前胸背板黑色，前缘、侧缘褐色且颇窄。小盾片黑色。翅鞘褐色，外缘黑色。

采集记录: 1♂，柞水凤凰古镇，900m，2014. Ⅵ.25-26，李文景采；1♂1♀，镇安云盖寺镇，850～1200m，2014. Ⅵ.18-21，李文景采；1♂，山阳城关镇权垣村，670～916m，2014. Ⅵ.27-29，李文景采；2♂1♀，丹凤蔡川镇，1178～1417m，2014. Ⅵ.30-Ⅶ.02，李文景采。

分布: 陕西(柞水、镇安、山阳、丹凤)、河南、甘肃、浙江、湖南、台湾、广东、四川、贵州；尼泊尔。

(921) 黄斑盘瓢虫 *Lemnia saucia* (Mulsant, 1850) (图版37: 6)

Lemnia saucia Mulsant, 1850: 380.

鉴别特征: 前胸背板在两肩角延至后缘各有1个橙黄色大斑，有时前缘也为橙黄色。鞘翅缘折较宽。鞘翅中央在外线与中线间，形成近椭圆形而在后缘稍凹入的肾形斑。

采集记录: 1♂2♀，旬阳白柳镇前坪村，621m，2014. Ⅵ.23，李文景采。

分布: 陕西(旬阳)、内蒙古、山东、河南、甘肃、上海、浙江、江西、湖南、福建、台湾、广东、海南、香港、广西、四川、贵州、云南；日本，泰国，印度，尼泊尔，菲律宾。

349. 中齿瓢虫属 *Myzia* Mulsant, 1846

Myzia Mulsant, 1846: 277 (in index part).
Mysia Mulsant, 1846: 129 (nec Lamarch, 1818). **Type species**: *Coccinella oblongoguttata* Linnaeus, 1758.
Neomysia Casey, 1899: 98. **Type species**: *Coccinella pullata* Say, 1826.
Paramysia Reitter, 1911: 144. **Type species**: *Coccinella oblongoguttata* Linnaeus, 1758.

属征: 触角长，约为额宽的2倍，端节长卵形；前胸腹板扁平，无纵隆线。中胸腹板前缘轻微内凹；后基线不完整，无分支；中、后足胫节具2枚距刺；爪具1个基齿。

分布: 世界已知7种，中国记录4种，秦岭地区发现1种。

(922) 黑中齿瓢虫 *Mysia gebleri* (Crotch, 1874) (图版 38: 1)

Mysia gebleri Crotch, 1874: 33.

Coccinella ramosa Faldermann, 1833: 71.

Neomysia kasai Kurisaki, 1920: 231.

Sospita (*Mysia*) *gebleri*: Iablokoff-Khnzorian, 1982: 158.

Neomysia ramosa: Korschefsky, 1932: 546.

鉴别特征: 头基部有 1 条黑色窄条。前胸背板黑褐色, 两侧各有 1 个黄白色大斑, 基部有 1 个暗黄色"V"形斑; 小盾片为黄褐色, 周缘为黑色; 鞘翅基色为橙黄色, 小盾片两边各有 1 个长形黄白斑; 每鞘翅各有 4 条纵纹, 接近鞘缝的纵条纹几乎达鞘翅前缘, 直至鞘翅末端, 第 2 条在 3/5 处与第 1 条相连接, 第 3、4 条在鞘翅末端与第 1 条相连接。

采集记录: 1♂, 宁陕火地塘, 2000. Ⅶ. 20-22, 西北农林科技大学; 1 头, 宁陕火地塘林场, 2005. Ⅶ. 10-15, 曹岳飞采; 1♂, 丹凤蔡川镇, 1178 ~ 1417m, 2014. Ⅵ. 30-Ⅶ. 02, 李文景采。

分布: 陕西(宝鸡、宁陕、丹凤)、黑龙江、内蒙古、北京、宁夏、甘肃、贵州; 蒙古, 俄罗斯, 日本。

350. 小巧瓢虫属 *Oenopia* Mulsant, 1850

Oenopia Mulsant, 1850: 374, 420. **Type species**: *Oenopia cinctella* Mulsant, 1850.

属征: 触角长于额宽, 锤节粗短而结合紧密。鞘翅缘折消失于末端之前, 其宽度为体宽的 1/9。唇基前缘仅轻微凹入。前胸背板缘折在内前角有圆形凹陷。

分布: 世界已知 119 种, 中国记录 25 种, 秦岭地区发现 7 种。

分种检索表

1. 前胸背板无点状斑点 ······ 2
   前胸背板具 7 个黑斑 ······ **点斑巧瓢虫 *O. signatella***
2. 前胸背板中央黑色, 两侧白色 ······ 3
   前胸背板中央黑色且呈"V"形 ······ 6
3. 鞘翅各具 3 个白色或红色圆斑纹 ······ 4
   鞘翅无白色或红色圆斑纹 ······ 5
4. 3 个斑纹呈 2-1 分布 ······ **粗网巧瓢虫 *O. chinensis***
   3 个斑纹呈 1-1-1 分布 ······ **六斑巧瓢虫 *O. sexmaculata***
5. 鞘翅基色黑色, 各有 6 个黄斑 ······ **双六巧瓢虫 *O. billieti***

鞘翅基色黄色，翅上有 2 个黑斑，鞘缝有 2 个黑斑 ……………………… **黄缘巧瓢虫 *O. sauzeti***
6. 鞘翅各 6 个斑，周缘 3 个斑长条形，有时连成一片 …………………… **梯斑巧瓢虫 *O. scalaris***
鞘翅各 6 个斑，周缘 3 个斑圆形 ……………………………… **十二斑巧瓢虫 *O. bissexnotata***

(923) 十二斑巧瓢虫 *Oenopia bissexnotata* (Mulsant, 1850)（图版 38：2）

Leise bissexnotata Mulsant, 1850: 269.

Synharmonia bissexnotata: Mader, 1926 (1931): 198.

Oenopia bissexnotata: Pang & Mao, 1980: 38.

鉴别特征：前胸背板黑色，前缘和侧缘有细窄镶边，前缘黄色，两侧与前角大型的四边形黄斑相连，中部向后伸出 1 条黄色纵纹，伸达前胸背板中后部。小盾片黑色。鞘翅黑色，外缘向外伸出，有镶边，各有 6 个黄斑，排列为内外两纵行，外行靠近外缘，内缘与鞘翅有相当的距离。第 2 个斑位于肩角处，长形，由基缘沿肩胛外侧向后伸展达外缘 1/6 处，第 3 个斑位于鞘翅 1/3 处，横长。其他 4 个斑略小，圆形。

采集记录：2♂1♀，柞水凤凰古镇，900m，2014. Ⅵ. 25-26，李文景采；2♂3♀，镇安云盖寺镇，850 ~ 1200m，2014. Ⅵ. 18-21，李文景采；4♂4♀，丹凤蔡川镇，1178 ~ 1417m，2014. Ⅵ. 30-Ⅶ. 02，李文景采。

分布：陕西(柞水、镇安、丹凤)、黑龙江、吉林、辽宁、河北、山东、甘肃、青海、新疆、湖北、四川、贵州、云南；俄罗斯。

(924) 粗网巧瓢虫 *Oenopia chinensis* (Weise, 1912)（图版 38：3）

Coelophora chinensis Weise, 1912: 113.

Oenopia chinensis: Pang & Mao, 1980: 38.

鉴别特征：前胸背板黑色，两前角各有 1 个黄色大斑，几乎伸达至后角；鞘翅黑色，各具 3 个黄色大斑，前角 2 个长圆形斑并列，后面 1 个卵圆形斑，位于鞘翅的端部。

采集记录：1♂1♀，镇安云盖寺镇，850 ~ 1200m，2014. Ⅵ. 18-21，李文景采。

分布：陕西(镇安)、山东、江苏、上海、浙江、湖南、福建、台湾、广东、广西、四川、贵州、云南。

(925) 黄缘巧瓢虫 *Oenopia sauzeti* Mulsant, 1866（图版 38：4）

Oenopia sauzeti Mulsant, 1866: 281.

鉴别特征：前胸背板黑色，前角上各有 1 个四边形的黄白色斑，沿外缘伸达后角。鞘翅黄色，基缘及周缘狭窄且呈黑色或黑褐色，鞘缝黑色，在中央部分扩展成横椭圆形黑斑，近端部未膨大为横四边形的黑斑；此外，每个鞘翅各有2个大黑斑，前部中央斑最大，为横四边形；另1个四边形斑稍小，位于中线的1/2至2/3处。

采集记录：1♂，旬阳白柳镇前坪村，621m，2014. Ⅵ.23，李文景采；3♂1♀，柞水凤凰古镇，900m，2014. Ⅵ.25-26，李文景采；1♂，镇安云盖寺镇，850～1200m，2014. Ⅵ.18-21，李文景采；8♂6♀，山阳城关镇权垣村，670～916m，2014. Ⅵ.27-29，李文景采；1♂1♀，丹凤蔡川镇，1178～1417m，2014. Ⅵ.30-Ⅶ.02，李文景采。

分布：陕西（旬阳、柞水、镇安、山阳、丹凤）、河南、甘肃、湖北、福建、台湾、广东、广西、四川、贵州、云南、西藏；越南，缅甸，印度。

(926) 梯斑巧瓢虫 *Oenopia scalaris* (Timberlake, 1943)（图版38：5）

Protocaria scalaris Timberlake, 1943: 29.
Oenopia (*Protocaria*) *scalaris*: Sasaji, 1971: 260.
Oenopia scalaris: Iablokoff-Khnzorian, 1982: 412.

鉴别特征：头部黄色，额后缘黑色，并在中部向后延伸；前胸背板黄色，具1个黑色大基斑，中线亦为黄色；鞘翅黑色，各具3个黄色斑，均近于鞘缝。前斑三角形，与鞘翅基缘相接；中斑大，卵形；后斑圆，略比中斑小；鞘翅周缘黄色，边缘呈波状，在两黄斑间内凹。

采集记录：1♂1♀，丹凤蔡川镇，1178～1417m，2014. Ⅵ.30-Ⅶ.02，李文景采。

分布：陕西（丹凤）、北京、河北、山西、山东、河南、福建、台湾、广东、广西、贵州；朝鲜半岛，日本，越南，密克罗尼西亚，夏威夷地区。

(927) 点斑巧瓢虫 *Oenopia signatella* (Mulsant, 1866)（图版38：6）

Harmonia signatella Mulsant, 1866: 58.
Oenopia signatella: Jing, 1987: 414.

鉴别特征：前胸背板白色，具7个黑斑，前排4个，两侧的2个可以消失，后排3个，与基缘相接；鞘翅象牙白色，鞘缝黑色，无斑纹。

采集记录：2♀，镇安云盖寺镇，850～1200m，2014. Ⅵ.18-21，李文景采。

分布：陕西（镇安）、广西、四川、云南、西藏；缅甸，印度。

(928) 双六巧瓢虫 *Oenopia billieti* (Mulsant, 1853)（图版39：1）

Harmonia billieti Mulsant, 1853: 144.
Coccinella billieti: Kapur, 1958: 327.

Oenopia billieti：Iablokoff-Khnzorian，1982：410.

鉴别特征：前胸背板白色，中部具1个大黑斑，基半部大；鞘翅黑色，鞘翅各具6个橙色或黄色斑，略呈1-2-2-1排列，或近鞘缝处有3个斑，近圆形，其中基斑与鞘翅相接；有时黑色区域减少，近鞘缝的斑与外缘或外斑相接。

采集记录：1♂，凤县嘉陵江源头，2006.Ⅷ.30，王兴民采；1♀，太白大贯子农场，2006.Ⅷ.29，王兴民采。

分布：陕西（凤县、太白）、甘肃、四川、云南、西藏；印度，克什米尔地区。

（929）六斑巧瓢虫 *Oenopia sexmaculata* Jing，1986（图版39：2）

Oenopia sexmaculata Jing，1986：206.

鉴别特征：雄虫头部黄色，雌虫头部黑色。触角、口器浅褐色；前胸背板黑色，两前角具黄色大斑；鞘翅黑色，每鞘翅具3个黄斑：小盾斑位于小盾片的两侧，近于圆形，前缘达鞘翅基缘，后缘达鞘翅前1/5处，缘斑为圆形，大于小盾斑，位于中线之外，近于鞘翅长的1/2处，端斑也为圆形，与缘斑等大，位于端角处，与小盾斑近于同一条线上。

采集记录：1♀，佛坪大古坪西河，1100m，2009.Ⅶ.22，王兴民、陈晓胜、郝俊义采。

分布：陕西（佛坪）、湖北、广西、四川、贵州。

351．星盘瓢虫属 *Phrynocaria* Timberlake，1943

Phrynocaria Timberlake，1943：34. **Type species**：*Coccinella congener* Billberg，*in* Schönherr，1808.

属征：鞘翅边缘具窄隆线。前胸腹板中央具两条纵隆线，中胸腹板前缘中部三角形内凹。后基线伸达近于第1腹板的后角处。

分布：世界已知22种，中国记录4种，秦岭地区发现1种。

（930）小圆纹裸瓢虫 *Phrynocaria circinatella*（Jing，1992）（图版39：3）

Bothrocalvia circinatella Jing，1992：542.

Phrynocaria circinatella：Yu，2010：83.

鉴别特征：体背面黄褐色，小盾片和鞘缝黑色，但很窄，每一鞘翅上具4个黑色圆斑，呈1-2-1排列，基斑位于肩角处，稍偏内侧，中间2个斑位于翅中，端斑位于鞘翅 3/4 处。

采集记录：1♀，柞水凤凰古镇，900m，2014. Ⅵ.25-26，李文景采；1♂，镇安云盖寺镇，850～1200m，2014. Ⅵ.18-21，李文景采。

分布：陕西(柞水、镇安)、四川、云南。

352. 龟纹瓢虫属 *Propylea* Mulsant, 1846

Propylea Mulsant, 1846: 147, 152. **Type species**: *Coccinella quatuordecimpunctata* Linnaeus, 1758.

属征：前胸背板前角向前突出，侧缘有狭窄镶边，后角钝圆。前胸背板缘折前内角显著凹陷。前胸腹板两纵隆线之间凹入，但雄虫较平坦。中胸腹板前缘中央呈三角形凹陷。小盾片三角形，宽显著大于长，其宽为前胸背板后缘的 1/10。鞘翅基缘较前胸背板宽。鞘翅外缘有镶边，向外扩张。鞘翅缘折内部一半水平状，外部一半倾斜，内缘有脊。后基线向后延伸至第 1 腹板附近再伸向侧缘。爪基部具齿。

分布：世界已知 4 种，中国记录 4 种，秦岭地区发现 2 种。

分种检索表

体型较小，稍隆起；鞘翅黑斑变异较大，呈鼎斑、锚状等，第 2 斑和第 4 斑，位于鞘缝两侧，并与之相接 ………………………………………………………………………………… **龟纹瓢虫 *P. japonica***

体型较大，椭圆形，强度拱起；鞘翅颜色和斑纹变化较大。鞘翅黑色者，每鞘翅上或具 5 个黄斑，或 4 个黄斑；鞘翅黄褐色者，每鞘翅上有 5 个黑斑，呈 3-2 排列 ……… **黄宝盘瓢虫 *P. luteopustulata***

(931) 龟纹瓢虫 *Propylea japonica* (Thunberg, 1781)（图版 39：4）

Coccinella japonica Thunberg, 1781: 12.

Propylea japonica: Lewis, 1896: 30.

鉴别特征：前胸背板中央有 1 个大型黑斑，其基部与后缘相连，有时几乎扩展至全前背板而仅留黄色的前缘及后缘；鞘缝黑色，在距基部 1/3、2/3 及 5/6 处各有方形和齿形的外伸部分，鞘翅的肩胛上有 1 个斜置的长斑，中部还有 1 个斜置的方斑与鞘缝的 2/3 处伸出的黑色部分相连接；鞘翅上的黑斑常有变异，黑斑扩大相连或黑斑缩小而成独立的斑点，有时甚至黑斑消失或全部为黑色。

采集记录：9♂13♀，华县高塘镇，1000m，2014. Ⅶ.07-08，李文景采；3♂3♀，旬阳白柳镇前坪村，621m，2014. Ⅵ.23，李文景采；17♂14♀，柞水凤凰古镇，900m，2014. Ⅵ.25-26，李文景采；7♂5♀，镇安云盖寺镇，850～1200m，2014. Ⅵ.18-21，李文景采；5♂3♀，山阳城关镇权垣村，670～916m，2014. Ⅵ.27-29，李文景采；23♂

19♀，丹凤蔡川镇，1178～1417m，2014. Ⅵ. 30-Ⅶ. 02，李文景采。

分布：陕西（华县、旬阳、柞水、镇安、山阳、丹凤）、黑龙江、吉林、辽宁、内蒙古、北京、河北、山东、河南、宁夏、甘肃、新疆、江苏、上海、浙江、湖北、江西、湖南、福建、台湾、海南、广东、广西、四川、贵州、云南；俄罗斯，日本，印度。

（932）黄宝盘瓢虫 *Propylea luteopustulata* (Mulsant, 1850)（图版 39：5）

Oenopia (*Pania*) *luteopustulata* Mulsant, 1850: 421.

Propylea luteopustulata: Vandenberg & Gordon, 1991: 30.

鉴别特征：鞘翅颜色和斑纹变化较大。鞘翅黑色者，每鞘翅上或具 5 个黄斑且呈 2-2-1 排列，或 4 个黄斑（鞘翅侧缘 3 个，鞘翅基缘靠鞘缝 1 个长形黄斑），或前面两个黄斑相连形成两条黄色横带；或前后横带相连。鞘翅黄褐色者，每鞘翅上有 5 个黑斑且呈 3-2 排列。

采集记录：2♂1♀，佛坪大古坪西河，1100m，2009. Ⅶ. 22，王兴民等采；3♂4♀，旬阳白柳镇前坪村，621m，2014. Ⅵ. 23，李文景采；5♂6♀，柞水凤凰古镇，900m，2014. Ⅵ. 25-26，李文景采；2♂6♀，镇安云盖寺镇，850～1200m，2014. Ⅵ. 18-21，李文景采；1♀，山阳城关镇权垣村，670～916m，2014. Ⅵ. 27-29，李文景采；1♂3♀，丹凤蔡川镇，1178～1417m，2014. Ⅵ. 30-Ⅶ. 02，李文景采。

分布：陕西（佛坪、旬阳、柞水、镇安、山阳、丹凤）、河南、湖南、福建、台湾、广东、广西、四川、贵州、云南、西藏；泰国，缅甸，印度，尼泊尔，不丹。

353. 新丽瓢虫属 *Synona* Pope, 1989

Synia Mulsant, 1850: 375 (nec Duponchel, 1845). **Type species**: *Synia melanaria* Mulsant, 1850.

Synona Pope, 1989: 660 (new name for *Synia* Mulsant, 1850).

属征：虫体近乎圆形，背面半球形拱起。已知种具黄棕色的头和前胸背板，前胸背板有时具程度不同的黑斑，鞘翅全黑色；唇基前缘明显弧形内凹，前胸背板前角外缘弧形外凸，不内凸；触角较短，约为复眼间距的 1.50 倍。

分布：世界已知 5 种，中国记录 1 种，秦岭地区发现 1 种。

（933）红颈瓢虫 *Synona consanguinea* Poorani, Ŝlipiński *et* Booth, 2008（图版 39：6）

Synona consanguinea Poorani, Ŝlipiński *et* Booth, 2008: 592.

鉴别特征：体圆形。头部和前胸背板橘红色，上颚、复眼、小盾片及鞘翅黑色，其余均为黄褐色。

采集记录： 1♂，华县高塘镇，1000m，2014. Ⅶ. 07-08，李文景采；1♂，山阳城关镇权垣村，670～916m，2014. Ⅵ. 27-29，李文景采。

分布： 陕西(华县、山阳)、甘肃、湖北、湖南、福建、台湾、广东、广西、四川、贵州、云南、西藏；越南，印度，斯里兰卡，菲律宾。

354. 黄壮瓢虫属 *Xanthadalia* Crotch, 1874

Xanthadalia Crotch, 1874: 94. **Type species**: *Harmonia rufescens* Mulsant, 1850.

属征： 体卵圆形，中小型。前胸背板缘折光滑，无凹陷；鞘翅缘折无凹陷，约为体宽的1/8；前胸腹板突不隆起，具2条纵隆线，不达前缘；中胸腹板前缘平直或稍内凹；后基线伸达后缘后伸向外侧；足胫节无距刺，附爪具1个方形基齿。

分布： 世界已知4种，中国记录2种，秦岭地区发现1种。

(934) 滇黄壮瓢虫 *Xanthadalia hiekei* Iablokoff-Khnzorian, 1977 (图版40：1)

Xanthadalia hiekei Iablokoff-Khnzorian, 1977: 250.

鉴别特征： 前胸背板黑色，侧缘白色，中间收窄。鞘翅斑纹大致分为黑缝型和四斑型两种类型：黑缝型鞘翅黄褐色，仅鞘缝黑色；四斑型鞘翅黑色，侧缘黄色，在鞘翅端扩大，黑色区域各具2个黄斑，前斑方形，位于基部，后斑长卵形，位于鞘翅中部稍前。

采集记录： 3♂3♀，太白大贯子农场，2006. Ⅷ. 29，王兴民采。

分布： 陕西(太白)、四川、云南、西藏。

食菌瓢虫族 Psylloborini Casey, 1899

分属检索表

1. 前胸背板前缘浅弧形内凹，或几乎齐平，复眼几乎全部被前胸背板覆盖 ………………………… 2
   前胸背板前缘明显内凹，内凹近于梯形，复眼上半部被前胸背板所遮盖。雄性外生殖器的弯管自中部之前肿大，但无膜状构造；弯管端部有短的端区，有时有短的突起 ……………………………………………………………………………………… **食菌瓢虫属 *Psyllobora***
2. 鞘翅外缘明显向外伸展，虫体扁平 ……………………………………………………………… 3
   鞘翅外缘不明显向外伸展，虫体拱起。雄性外生殖器的弯管有背沟，且有侧膜，如无侧膜，则

端区及端前区甚长。鞘翅常为深褐色而有白斑 ………………………………… **褐菌瓢虫属 *Vibidia***

3. 下颚须末节不成团扇形 ………………………………………………………………………………… 4

下颚须末节团扇形；雄性外生殖器的弯管简单，无纵沟，中部至末端之前不肿大，弯管端弯曲、扩大或形成端区 ………………………………………………………………… **素菌瓢虫属 *Illeis***

4. 下颚须末节斧状；弯管自中部至端部之前渐次收窄而达端区，有背沟，弯管的端区短，端前区短小或仅为1个小突起 ………………………………………………………… **黄菌瓢虫属 *Halyzia***

下颚须末节有对称的侧缘，宽为长的3倍；弯管于端部之前肿大，有沟，且有叶状突，端区及端前区细长 ……………………………………………………………… **大菌瓢虫属 *Macroilleis***

355. 食菌瓢虫属 *Psyllobora* Chevrolat, 1836

Psyllobora Chevrolat, *in* Dejean, 1836: 458. **Type species**: *Coccinella lineola* Fabricius, 1792.

属征：前胸背板前缘内凹明显，复眼只部分被遮盖。前胸腹板突无纵隆线。胫节端无距刺。爪具1个方形基齿。

分布：世界已知52种，中国记录2种，秦岭地区发现1种。

(935) 二十二星菌瓢虫 *Psyllobora vigintiduopunctata* (Linnaeus, 1758)（图版40：2）

Coccinella vigintiduopunctata Linnaeus, 1758: 366.

Psyllobora vigintiduopunctata: Iablokoff-Khnzorian, 1982: 300.

鉴别特征：前胸背板具5个黑斑，前排2个，后排3个；鞘翅上共有22个黑斑，每一鞘翅上呈3-4-1-2-1排列。

采集记录：华山，1979. Ⅴ，田畴采；1♀，华县高塘镇，1000m，2014. Ⅶ. 07-08，李文景采。

分布：陕西（华阴、华县）、黑龙江、内蒙古、北京、河北、山西、山东、河南、甘肃、新疆、湖北；蒙古，俄罗斯，朝鲜，欧洲，中亚地区，非洲北部。

356. 黄菌瓢虫属 *Halyzia* Mulsant, 1846

Halyzia Mulsant, 1846: 141. **Type species**: *Coccinella sedecimguttata* Linnaeus, 1758.

属征：前胸背板前缘呈浅的弧形凹入，复眼全部被前胸背板所覆盖。鞘翅外缘外展部较宽，但不呈折角。下颚须末端斧状，其端末宽为端节长的2倍。雄性外生殖器弯管有背沟。

分布：世界已知12种，中国记录5种，秦岭地区发现2种。

分种检索表

虫体背面橙黄色，前胸背板中间具1个白斑，两侧各具2个白斑，每一鞘翅具11个白斑 ……………………………………………………………………………………………………… **梵文菌瓢虫 *H. sanscrita***

虫体背面棕红色，前胸背板中间具1个黄斑，两侧各具2个黄斑，每一鞘翅上各有6个白斑 ……………………………………………………………………………………… **十六斑黄菌瓢虫 *H. sedecimguttata***

(936) **十六斑黄菌瓢虫 *Halyzia sedecimguttata* (Linnaeus, 1758)**(图版40: 3)

Coccinella sedecimguttata Linnaeus, 1758: 366.

Halyzia sedecimguttata: Mulsant, 1846: 148.

鉴别特征：头部黄白色；前胸背板上有5个黄白色斑，前角各1个，后角各1个，后缘中央1个向前伸且呈长形斑；每个鞘翅上有8个黄白色圆斑，其排列为1-1-1-1-2-1-1。

采集记录：2♂2♀，旬阳白柳镇前坪村，621m，2014. Ⅵ.23，李文景采；1♀，柞水凤凰古镇，900m，2014. Ⅵ.25-26，李文景采；1♂，镇安云盖寺镇，850～1200m，2014. Ⅵ.18-21，李文景采。

分布：陕西(旬阳、柞水、镇安)、辽宁、吉林、内蒙古、河北、甘肃、新疆、台湾、四川、云南；蒙古，俄罗斯，朝鲜，日本，中亚地区，欧洲。

(937) **梵文菌瓢虫 *Halyzia sanscrita* Mulsant, 1853**(图版40: 4)

Halyzia sanscrita Mulsant, 1853: 152.

鉴别特征：头部白色或黄白色；前胸背板褐色，两侧透明，具5个白斑，1个位于中央，呈条状，近基部斑纹大，侧面各有2对白斑。鞘翅黄褐色，两侧透明，鞘缝白色，每一鞘翅上具11个白斑，近鞘缝具6个白斑，有时近翅基的2个可相连；鞘翅中部具2个白色条斑，内侧的条纹可与近鞘缝的第3个斑相连；此外，还有3个白斑位于翅缘，均不与外缘相连。

采集记录：2头，宁陕火地塘，1580m，1998. Ⅶ.26-27，采集人不详。

分布：陕西(宁陕)、河北、山西、河南、甘肃、江苏、浙江、福建、湖南、台湾、广西、四川、贵州、云南、西藏；印度，也门，不丹。

357. 素菌瓢虫属 *Illeis* Mulsant, 1850

Psyllobora (*Illeis*) Mulsant, 1850: 166. **Type species**: *Coccinella cincta* Fabricius, 1798.

属征：体稍扁平，前胸背板前缘呈浅弧形凹入，复眼全部被前胸背板所覆盖。鞘翅外缘延伸较宽，但不成折角。下颚须末端呈圆扇形。鞘翅纯黄色，无斑纹。雄性外生殖器简单，无背沟。

分布：世界已知17种，中国记录5种，秦岭地区发现1种。

（938）陕西素菌瓢虫 *Illeis shensiensis* Timberlake, 1943（图版40：5）

Illeis shensiensis Timberlake, 1943: 61.

Illeis (*Illeis*) *shensiensis*: Iablokoff-Khnzorian, 1982: 292.

鉴别特征：前胸背板黄白色，在其后缘中部两侧各有1个圆形黑斑；鞘翅黄色，鞘翅无斑纹；生殖器阳基中叶基部4/5均很宽，端部1/5渐渐收窄，端末细而钝圆，中叶长于侧叶。侧叶中部较细，两端较粗，弯管端部之前较细，末端钝圆，无背沟。

采集记录：3♂5♀，旬阳白柳镇前坪村，621m，2014. Ⅵ.23，李文景采；2♂1♀，镇安云盖寺镇，850～1200m，2014. Ⅵ.18-21，李文景采；1♂，山阳城关镇权垣村，670～916m，2014. Ⅵ.27-29，李文景采。

分布：陕西（旬阳、镇安、山阳）、河北、河南、湖北、福建、台湾、海南、广西、贵州、云南。

358. 大菌瓢虫属 *Macroilleis* Miyatake, 1965

Macroilleis Miyatake, 1965: 71. **Type species**: *Halyzia hauseri* Mader, 1930.

属征：前胸背板前缘呈弧形内凹，复眼全部被前胸背板所覆盖。鞘翅外缘伸展部分较宽，但不成折角。下颚须末端斧状，其末端宽度为末节长度的3倍。鞘翅上有条状斑。雄性外生殖器弯管有背沟，在端部之前肿大。阳基侧叶两裂，内叶短于外叶。

分布：世界已知1种，中国记录1种，秦岭地区发现1种。

（939）白条菌瓢虫 *Macroilleis hauseri* (**Mader, 1930**)（图版40：6）

Halyzia hauseri Mader, 1930: 162.

Macroilleis hauseri: Miyatake, 1965: 71.

鉴别特征：前胸背板褐黄色，比较透明，无斑纹，有时两边各有1个大白斑，中间具1条白色细纵纹；每鞘翅各有4条白色纵带，靠近外缘和鞘缝的2条最宽，中间2条细，第1和第2、3及第4条分别在末端愈合。

采集记录: 1♂, 柞水凤凰古镇, 900m, 2014. Ⅵ. 25-26, 李文景采; 1♂, 镇安云盖寺镇, 850 ~ 1200m, 2014. Ⅵ. 18-21, 李文景采; 1♀, 丹凤蔡川镇, 1178 ~ 1417m, 2014. Ⅵ. 30-Ⅶ. 02, 李文景采。

分布: 陕西(柞水、镇安、丹凤)、河南、甘肃、湖北、湖南、福建、台湾、海南、广西、四川、贵州、云南、西藏; 印度, 不丹。

359. 褐菌瓢虫属 *Vibidia* Mulsant, 1846

Vibidia Mulsant, 1846: 147. **Type species**: *Coccinella duodecimguttata* Poda, 1761.

属征: 前胸背板前缘呈弧形内凹, 复眼几乎被前胸背板所遮盖。鞘翅外缘外展部狭窄并与拱起部分呈折角。

分布: 世界已知 13 种, 中国记录 5 种, 秦岭地区发现 1 种。

(940) 十二斑褐菌瓢虫 *Vibidia duodecimguttata* (Poda, 1761) (图版 41: 1)

Coccinella duodecimguttata Poda, 1761: 25.

Vibidia duodecimguttata: Mulsant, 1846: 150.

鉴别特征: 前胸背板两侧各具 1 条白色纵条, 有时分为前角和基角两斑, 或连成 1 个大白斑。鞘翅上各有 6 个白色斑点: 第 1 个斑位于鞘翅基角, 近于方形; 第 2 个斑位于外缘 1/6 处, 长圆形, 一侧向外延伸接近外缘; 第 3 个斑在中线偏内 1/3 处, 近圆形; 第 4 斑位于 2/3 处, 近圆形, 一侧向外伸延接近外缘; 第 5 斑略后于第 4 斑靠近鞘缝, 长圆形; 第 6 斑位于端角中部, 圆形, 横长。

采集记录: 5♂3♀, 华县高塘镇, 1000m, 2014. Ⅶ. 07-08, 李文景采; 1♀, 镇安云盖寺镇, 850 ~ 1200m, 2014. Ⅵ. 18-21, 李文景采; 1♂, 山阳城关镇权垣村, 670 ~ 916m, 2014. Ⅵ. 27-29, 李文景采。

分布: 陕西(华县、镇安、山阳)、吉林、北京、河北、河南、甘肃、青海、上海、湖南、福建、广西、四川、贵州、云南; 蒙古, 俄罗斯, 朝鲜, 日本, 越南, 西亚地区, 中亚地区, 欧洲。

新红瓢虫族 Singhikaliini Kapur, 1963

360. 新红瓢虫属 *Singhikalia* Kapur, 1963

Singhikalia Kapur, 1963: 16. **Type species**: *Singhikalia ornata* Kapur, 1963.

属征: 本属看上去与食植瓢虫一样，身体背面具毛；本属复眼近触角具额距刺，上颚末端分裂为2个小齿。

分布: 世界已知4种，中国记录2种，秦岭地区发现1种。

(941) 十二斑新红瓢虫 *Singhikalia duodecimguttata* Xiao, 1993 (图版41: 2)

Singhikalia duodecimguttata Xiao, 1993: 378.

鉴别特征: 前胸背板具4个大黑斑，长条形；鞘翅上共有12个黑斑，各斑较大，第2排的2个黑斑可相连，近翅端的4个斑均不与翅缘相连；腹面红褐色，后胸大部分黑色。

采集记录: 1♀，柞水凤凰古镇，900m，2014. Ⅵ. 25-26，李文景采；2♂，镇安云盖寺镇，850～1200m，2014. Ⅵ. 18-21，李文景采；1♀，山阳城关镇权垣村，670～916m，2014. Ⅵ. 27-29，李文景采。

分布: 陕西(柞水、镇安、山阳)、湖北、湖南、四川、贵州。

(四) 红瓢虫亚科 Coccidulinae

鉴别特征: 虫体中型，少数小型，背面被绒毛。触角8～11节；有些种群小眼面粗大；前胸背板常窄于鞘翅基缘，其后角钝圆，与鞘翅基缘不紧密衔接，如前胸背板与鞘翅基缘同宽，则两者紧密衔接，且前胸背板中部或近中部最宽；可见腹板5～6节；跗节隐4节式或3节式，跗爪端节常仅有1节。

分类: 世界已知69属超过400种，中国记载4属25种，陕西秦岭地区发现2属3种。

分族检索表

复眼的小眼面特别粗；前胸背板后缘与鞘翅基缘紧密衔接，其最宽处在前胸背板的中部 ……………………………………………………………… 粗眼瓢虫族 Coccidulini

复眼的小眼面不特别粗；前胸背板后角钝圆，狭于鞘翅基缘，两者不紧密衔接 ……………………………………………………………… 短角瓢虫族 Noviini

粗眼瓢虫族 Coccidulini Costa, 1849

361. 粒眼瓢虫属 *Sumnius* Weise, 1892

Sumnius Weise, 1892: 29. **Type species**: *Sumnius cardoni* Weise, 1892: 30.

属征：虫体长卵圆形，被密毛；触角 10 节，复眼小眼面粗；前胸腹板无纵隆线。前胸背板缘折前缘凹陷，鞘翅缘折不达鞘翅末端。后基线完整，围绕区呈三角形。

分布：世界已知 14 种，中国记录 5 种，秦岭地区发现 1 种。

(942) 云南粒眼瓢虫 *Sumnius yunnanus* Mader, 1955(图版 41: 3)

Sumnius yunnanus Mader, 1955: 978.

鉴别特征：虫体近卵圆形，末端较尖，密被黄金色细毛。头暗红色；前胸背板黑色，前缘及外缘暗红色；鞘翅黑色至黑红色。弯管简单，阳基中叶长度不及侧叶的 1/2。

采集记录：1♀，镇安云盖寺镇，850~1200m，2014. Ⅵ. 18-21，李文景采。

分布：陕西(镇安)、北京、云南。

短角瓢虫族 Noviini Gangelbauer, 1899

362. 红瓢虫属 *Rodolia* Mulsant, 1850

Rodolia Mulsant, 1850: 901, **Type species**: *Rodolia ruficollis* Mulsant, 1850.

属征：虫体周缘卵形，被密毛；触角 8 节；复眼小眼面细；前胸腹板呈长梯形，前高后低；中胸腹板前缘齐平；足胫节扁平，外缘角状突起。

分布： 世界已知 69 种，中国记录 17 种，秦岭地区发现 2 种。

分种检索表

鞘翅黑色，只有周缘红色 ·· **红环瓢虫 *R. limbata***
鞘翅红色，各有 3 个方形黑斑 ·· **四斑红瓢虫 *R. quadrimaculata***

(943) 红环瓢虫 *Rodolia limbata* (Motschulsky, 1866)（图版 41：4）

Novius limbata Motschulsky, 1866: 178.
Rodolia limbata: Lewis, 1896: 39.

鉴别特征： 头部黑色，复眼黑色，但常具浅色周缘；前胸背板基色黑色，前缘和肩角至基角部分红色；鞘翅基色黑色，其外缘和鞘缝被红色宽环所围绕。

采集记录： 1♀，周至，1550m，2009. Ⅶ. 19，王兴民采；1♀，丹凤蔡川镇，1178～1417m，2014. Ⅵ. 30-Ⅶ. 02，李文景采。

分布： 陕西（周至、丹凤）、黑龙江、吉林、辽宁、北京、天津、河北、山西、山东、河南、江苏、浙江、广东、广西、四川、贵州、云南；俄罗斯（西伯利亚），蒙古，朝鲜，日本。

(944) 四斑红瓢虫 *Rodolia quadrimaculata* Mader, 1939（图版 41：5）

Rodolia quadrimaculata Mader, 1939: 48.

鉴别特征： 头部红褐色，复眼黑色；前胸背板红褐色，后缘有两个大的黑色方斑并排排列；鞘翅红色，小盾片红色，鞘翅上各有 3 个较大的黑色方斑，呈 2-1 排列。

采集记录： 1♂，镇安云盖寺镇，850～1200m，2014. Ⅵ. 18-21，李文景采；1♂1♀，山阳城关镇权垣村，670～916m，2014. Ⅵ. 27-29，李文景采；1♀，丹凤蔡川镇，1178～1417m，2014. Ⅵ. 30-Ⅶ. 02，李文景采。

分布： 陕西（镇安、山阳、丹凤）、安徽、浙江、江西、湖南、福建、台湾、海南、贵州；日本。

（五）食植瓢虫亚科 Epilachninae

鉴别特征： 体中至大型。虫体卵圆形、卵形，或端部收窄而近似于心形；绝大多数为瓢形，少数近于突肩形。触角 11 节；触角着生处位于两复眼前缘延线之后，即较近于两复眼之间，而不在复眼之前；背面密被细毛；唇基不向两侧伸展，亦不向前伸展，触角及上唇的基部不被覆盖；中胸后侧片方形；大多数种上颚无基齿，端齿上有锯齿状的小齿；下颚须末节斧状。跗节隐4节式。已知食性的种全为植食性。

分类：世界已知22属1051余种，中国记录7属147种，陕西秦岭地区发现4属16种。

分属检索表

1. 跗爪分裂且有基齿 …… 2
   跗爪分裂而无基齿；雄性外生殖器的中叶上无基刃，亦无细毛，上颚有个端齿，除端齿外还有侧齿 …… **食植瓢虫属 *Epilachna***
2. 雌性第6腹片中央无纵缝；雄性外生殖器的中叶上无基刃，亦无细毛 …… 3
   雌性第6腹片中央有纵缝；雄性外生殖器的中叶基部背面有基刃，基刃之前有细毛 …… **裂臀瓢虫属 *Henosepilachna***
3. 上颚无侧齿；体短卵形，前胸背板最宽处接近基部，鞘翅侧缘弧形 …… **小崎齿瓢虫属 *Afidentula***
   上颚无侧齿；体长卵形，前胸背板最宽处接近中部，鞘翅侧缘较平直，足股节可露出于体缘之外 …… **长崎齿瓢虫属 *Afissula***

363. 小崎齿瓢虫属 *Afidentula* Kapur, 1955

Afidentula Kapur, 1955: 324. **Type species**: *Epilachna manderstjernae* Mulsant, 1853.

属征：上颚近于三角形，有3个端齿，无侧齿，上颚齿上无锯状小齿；跗爪分裂有基齿，内齿短于外齿，基齿近于三角形；雌性第6腹板中央无纵缝；雄性外生殖器的构造不特别简单；体短卵形，前胸背板最宽处接近基部，鞘翅侧缘弧形。

分布：世界已知21种，中国记录4种，秦岭地区发现1种。

(945) 十五斑崎齿瓢虫 *Afidentula quinquedecemguttata* (Dieke, 1947)（图版41：6）

Afissa quinquedecemguttata Dieke, 1947: 126.

Afidentula quinquedecemguttata: Pang & Mao, 1979: 122.

鉴别特征：前胸背板黑色，仅留浅色的外缘；鞘翅在鞘缝上于距基部的2/3处有1个缝斑；除缝斑外，每个鞘翅上有7个黑斑，呈2-2-2-1排列。第3排的2个黑斑互相连合而成中央收窄的横斑；端斑方形，紧靠鞘翅的末端，因而亦与另1个鞘翅上相对应的斑点相互连接。

采集记录：1♂1♀，太白县大贯子农场，2006. Ⅷ. 29，梁江波采。

分布：陕西(太白)、四川、贵州、云南、西藏。

364. 长崎齿瓢虫属 *Afissula* Kapur, 1955

Afissula Kapur, 1955: 319. **Type species**: *Afissula rana* Kapur, 1955.

属征：触角细长，稍长于头宽。上颚有 3 个端齿和 1 个侧齿，齿上无锯状小齿；跗爪分裂且有基齿；雌性第 6 腹板中央无纵缝；体长卵形，前胸背板最宽处接近中部或在中部之后，鞘翅侧缘较平直，足股节末端可露出体缘之外。

分布：世界已知 24 种，中国记录 14 种，秦岭地区发现 1 种。

(946) 河南长崎齿瓢虫 *Afissula henanica* Yu, 2000(图版 42: 1)

Afissula henanica Yu, 2000: 68.

鉴别特征：前胸背板中央有 1 个大型黑色斑。鞘翅上各有 5 个黑斑，第 1 个斑三角形，基部不与翅基相连；第 2 个斑位于肩胛上；第 1、2 个斑独立，或在后侧稍相连；第 3 个斑横形稍斜，接近鞘缝或与鞘缝相连；第 4 个斑外缘接近翅缘，但不与翅侧缘相连；第 3、4 个斑独立或相连；第 5 个斑接近侧缘和鞘缝，远离翅端。

采集记录：1♂，长安翠华山，1300m，2009. Ⅶ. 29，王兴民采；1♀，长安沣峪林场，1600m，2009. Ⅶ. 27，王兴民采；21 头，周至厚畛子太白山，1600m，2009. Ⅶ. 18，王兴民、陈晓胜、郝俊义采；8 头，周至厚畛子，1550m，2009. Ⅶ. 19，王兴民、陈晓胜、郝俊义采。

分布：陕西(长安、周至)、河南。

365. 食植瓢虫属 *Epilachna* Chevrolat, 1837

Epilachna Chevrolat *in* Dejean, 1837: 460. **Type species**: *Coccinella borealis* Fabricius, 1775.

属征：上颚有 3 个端齿和 2 个侧齿，侧面有锯齿状小齿，无基齿；跗爪分裂而无基齿。雌性第 6 腹板中央无纵缝；雄性外生殖器中叶背面无基刃，亦无细毛。

分布：世界已知 590 种，中国记录 99 种，秦岭地区发现 12 种。

分种检索表

1. 鞘翅上各有 5 个黑斑，有时互相连成横带 ························ 2
   鞘翅上黑斑数大于 5 个 ························ 11

2. 鞘翅上各个斑点独立 …………………………………………………………… 3
鞘翅上各个斑点至少连成1条横带 ……………………………………………… 8
3. 前胸背板有黑斑 ……………………………………………………………… 4
前胸背板无斑纹；弯管逐渐向末端变细，最终形成丝状末端 ……… **端生食植瓢虫 *E. apicilaris***
4. 5个斑纹2-2-1排列，内斑都不紧贴鞘缝 ……………………………………… 5
5个斑纹2-2-1排列，至少具1对内斑，都紧贴鞘缝 …………………………… 6
5. 鞘翅各斑周围无环斑，阳基中叶末端正面分叉 ……………… **安徽食植瓢虫 *E. anhweiana***
鞘翅各斑周围有棕红色环斑，阳基中叶正面末端不分叉 ……………………………………
…………………………………………………… **眼斑食植瓢虫 *E. ocellatae-maculata***
6. 前胸背板几乎全黑色，只有周缘棕红色；弯管构造简单 ……………………………… 7
前胸背板有两小黑斑，弯管端有1个较长的管状附属物………… **端尖食植瓢虫 *E. quadricollis***
7. 阳基中叶宽大，弯管端反向180°弯曲 ……………………………… **中华食植瓢虫 *E. chinensis***
阳基中叶较细，弯管端有1个小突起 ……………………………… **九斑食植瓢虫 *E. freyana***
8. 体卵圆形，鞘翅末端圆滑……………………………………………………………… 9
体长卵形，鞘翅末端较尖锐 …………………………………………… **尖锐食植瓢虫 *E. acuta***
9. 第1排斑纹相连形成"U"形，第2排斑纹不相连 ………………………………………… 10
第1排斑纹相连形成"U"形，第2排斑纹相连形成横带 ………… **峨眉食植瓢虫 *E. emeiensis***
10. 斑纹粗大，第2排内侧斑纹新月状………………………………… **新月食植瓢虫 *E. bicrescens***
斑纹较细，第2排内侧斑纹横带状 ………………………………………… **艾菊瓢虫 *E. plicata***
11. 鞘翅上各具6个斑，鞘缝上各两斑联合成1个大圆斑，有时1、2排斑纹连在一起变为带状斑纹 …………………………………………………………………… **瓜茄瓢虫 *E. admirabilis***
鞘翅上各有8个菱形黑斑……………………………………………… **菱斑食植瓢虫 *E. insignis***

(947) 尖锐食植瓢虫 *Epilachna acuta* (**Weise, 1900**)(图版42：2)

Epilachna acuminata Weise, 1889: 648(nec Mulsant, 1853).

Solanophila acuta Weise, 1900: 384 (new name for *Epilachna acuminata* Weise, 1889).

Solanophila acutula Weise, 1902: 496 (unnecessary new name for *Epilachna acuminata* Weise, 1889).

鉴别特征：体形在本属中较为特殊，近似三角形，鞘翅末端尖锐；鞘翅上斑纹横向连成横斑；弯管端部明显膨大。

采集记录：1♂2♀，长安翠华山，1300m，2009. Ⅶ. 29，王兴民、陈晓胜、郝俊义采；1♂，周至厚畛子，1550m，2009. Ⅶ. 19，王兴民采；2♂2♀，周至厚畛子太白山，1600m，2009. Ⅶ. 18，王兴民、陈晓胜、郝俊义采；9头，宁陕火地塘，2004. Ⅶ. 15-19，刘永欢、夏聪、杜娟等采；1♂，宁陕火地塘林场，2005. Ⅶ. 10-15，李春玲采；4♂3♀，旬阳白柳镇前坪村，621m，2014. Ⅵ. 23，李文景采；1♀，柞水凤凰古镇，900m，2014. Ⅵ. 25-26，李文景采；3♂2♀，镇安云盖寺镇，850～1200m，2014. Ⅵ. 18-21，李文景采；1♂4♀，山阳城关镇权垣村，670～916m，2014. Ⅵ. 27-29，李文景采；1♂1♀，丹凤蔡川镇，1178～1417m，2014. Ⅵ. 30-Ⅶ. 02，李文景采。

分布：陕西（长安、周至、宁陕、旬阳、柞水、镇安、山阳、丹凤）、河南、甘肃、江苏、湖北、台湾。

（948）瓜茄瓢虫 *Epilachna admirabilis* Crotch，1874（图版42：3）

Epilachna admirabilis Crotch，1874：81.

Afissa admirabilis continentalis Dieke，1947：118.

Epilachna admirabilis taiwanensis Miyatake，1965：50.

Afissa admirabilis continentalis：Liu，1963：28.

鉴别特征：虫体周缘近于心形，中部之前最宽，端部收窄。背面棕色至棕红色。前胸背板无黑斑或有1个黑色的中斑，或中斑中央分离而成左右两斑；鞘翅上有6个黑色斑点；在浅色型中，斑点缩小，常不规则，或部分斑点消失。

采集记录：2♂1♀，长安翠华山，1300m，2009.Ⅶ.29，王兴民、陈晓胜、郝俊义采；1♂，周至厚畛子太白山，1600m，2009，Ⅶ，18，王兴民采；1♂，柞水凤凰古镇，900m，2014.Ⅵ.25-26，李文景采；2♂1♀，丹凤蔡川镇，1178～1417m，2014.Ⅵ.30-Ⅶ.02，李文景采。

分布：陕西（周至、长安、柞水、丹凤）、河南、江苏、安徽、浙江、湖北、福建、台湾、海南、广西、四川、云南；日本，越南，泰国，缅甸，印度，尼泊尔，孟加拉国。

（949）安徽食植瓢虫 *Epilachna anhweiana*（Dieke，1947）（图版42：4）

Afissa anhweiana Dieke，1947：147.

Epilachna anhweiana：Pang & Mao，1979：149.

鉴别特征：前胸背板横向，中间有1个黑色圆斑。每个鞘翅上有5个黑色斑点，2-2-1排列，第5斑较其他斑圆且小。

采集记录：1♂2♀，长安沣峪，1500m，2009.Ⅶ.28，王兴民、陈晓胜、郝俊义采。

分布：陕西（长安）、河南、江苏、安徽、浙江、湖北、江西、湖南、广东、广西、贵州、云南。

（950）端生食植瓢虫 *Epilachna apicilaris* Yu，2000（图版42：5）

Epilachna apicilaris Yu，2000：67.

鉴别特征：前胸背板中央的两侧各有1个黑色斑，有时黑斑不明显或消失。鞘翅上各有5个黑斑：第1个斑独立，或与另1个鞘翅上的对应斑构成缝斑，位于小盾片末端之后；第2个斑前缘弯曲，围绕肩胛突起；第3个斑离鞘缝的距离长于第4个斑离翅缘的距离；第 3 个斑与 4 斑独立或相连；第 5 个斑横长；第 2 斑和第 5 斑均不与翅缘或鞘缝相连。

采集记录：1♀，长安沣峪，1500m，2009. Ⅶ. 28，王兴民采；1♀，佛坪大古坪西河，1100m，2009. Ⅶ. 22，王兴民采。

分布：陕西(长安、佛坪)、河南、甘肃、湖北。

(951) 新月食植瓢虫 *Epilachna bicrescens* (Dieke, 1947)（图版 42：6）

Aflssa bicrescens Dieke, 1947: 142.
Epilachna bicrescens: Pang & Mao, 1979: 152.

鉴别特征：前胸背板中央有 1 个黑色的大斑，黑色部分几乎扩及整个前胸背板，仅留浅色的周缘。鞘翅上各有 5 个黑色斑点，呈 2-2-1 排列：其中第 1 个斑长形；第 2 个斑新月形，后内角与第 1 个斑相接近，内缘围绕肩胛突起；第 3 个斑亦为新月形弯曲，其后角与鞘缝及第 4 个斑相连；第 4 个斑与外缘相接；第 5 个斑较大，接近外缘及鞘缝。

采集记录：1♂，佛坪大古坪西河，1100m，2009. Ⅶ. 22，王兴民采。

分布：陕西(佛坪)、安徽、湖北、湖南、四川、贵州。

(952) 中华食植瓢虫 *Epilachna chinensis* (Weise, 1912)（图版 43：1）

olanophila chinensis Weise, 1912: 112.
Afissa chinensis var. *separata* Dieke, 1947: 150.
Afissa chinensis tsushimana Nakane *et* Araki, 1960a: 118.
Epilachna chinensis: Li & Cook, 1961: 74.

鉴别特征：前胸背板中央有 1 个黑色横斑。鞘翅上各有 5 个黑斑，呈 2-2-1 排列：浅色型中第 1 个斑位于小盾片之后，不与鞘缝相连，深色型中可连至鞘缝；第 2 个斑位于肩胛上；第 3 个斑横置，独立；第 5 个斑稍横置，接近鞘缝及外缘。

采集记录：1♀，周至厚畛子太白山，1600m，2009. Ⅶ. 18，王兴民采；1♂2♀，旬阳白柳镇前坪村，621m，2014. Ⅵ. 23，李文景采；1♀，镇安云盖寺镇，850～1200m，2014. Ⅵ. 18-21，李文景采；2♂2♀，山阳城关镇权垣村，670～916m，2014. Ⅵ. 27-29，李文景采。

分布：陕西(周至、旬阳、镇安、山阳)、河南、安徽、湖北、江西、福建、台湾、广东、广西、贵州、云南；日本。

(953) 峨眉食植瓢虫 *Epilachna emeiensis* Zeng, 2000（图版 43：2）

Epilachna emeiensis Zeng, 2000: 32.

鉴别特征：前胸背板黑色，仅两前缘及侧缘浅色。鞘翅上各有 5 个斑：第 1 个斑后侧角与第 2 个斑相连，并与鞘缝相连而与另 1 个鞘翅上相对应的斑点构成缝斑；第 2 个斑与鞘翅前缘及侧缘相连；第 3 个斑与第 4 个斑相连而形成横贯整个鞘翅中部的横带；第 5 个斑相互独立，不与鞘缝及鞘翅后缘相连。

采集记录：20 头，周至厚畛子，1550m，2009. Ⅶ. 19，王兴民、陈晓胜、郝俊义采；1♂，佛坪大古坪西河，1100m，2009. Ⅶ. 22，王兴民采；1♂1♀，宁陕旬阳坝，1600m，2009. Ⅶ. 23-24，王兴民、陈晓胜采。

分布：陕西（周至、佛坪、宁陕）、河南、湖北、四川、贵州。

(954) 九斑食植瓢虫 *Epilachna freyana* Bielawski, 1965（图版 43：3）

Epilachna freyana Bielawski, 1965: 219.

鉴别特征：背面红棕色；头部中央有 1 个大型的黑斑；前胸背板中央黑色，周缘红棕色；鞘翅上各有 5 个黑色斑点，斑点较大。

采集记录：10 头，佛坪凉风垭，1750～2150m，1999. Ⅵ. 28，采集人不详；2 头，佛坪凉风垭，1580～1650m，1999. Ⅵ. 26，采集人不详。

分布：陕西（佛坪）、福建、海南、四川、云南。

(955) 菱斑食植瓢虫 *Epilachna insignis* Gorham, 1892（图版 43：4）

Epilachna insignis Gorham, 1892: 84.

鉴别特征：前胸背板侧缘弧形，后缘向两侧斜伸，后角成钝角；鞘翅外缘约 1/10 向上翻起，两侧缘向后收窄；前胸背板上有 1 个黑色的中等大小的斑；鞘翅上有 7 个黑色斑点。

采集记录：3 头，太白山蒿坪寺，2006. Ⅷ. 29，王兴民采；1♀，镇安云盖寺镇，850～1200m，2014. Ⅵ. 18-21，李文景采。

分布：陕西（太白、镇安）、山西、河南、安徽、浙江、江西、湖南、福建、广东、广西、四川、贵州、云南。

(956) 眼斑食植瓢虫 *Epilachna ocellatae-maculata* (Mader, 1930)（图版 43：5）

Solanophila ocellatae-maculata Mader, 1930: 183.
Epilachna ocellatae-oculata [sic!]: Hoàng, 1983: 116.

鉴别特征：前胸背板浅棕红色，在中央之前有 1 个横斑；在浅色型中，此横斑被分割为中斑及两侧斑；鞘翅上有 5 个黑色的斑点，呈 2-2-1 排列，与大多数具 5 个斑的类型的排列方式相似，但黑斑的外缘常有由浅棕红色的环所围绕而成的眼斑。

采集记录： 1♂，柞水凤凰古镇，900m，2014. Ⅵ. 25-26，李文景采；2♂1♀，镇安云盖寺镇，850～1200m，2014. Ⅵ. 18-21，李文景采；3♂3♀，丹凤蔡川镇，1178～1417m，2014. Ⅵ. 30-Ⅶ. 02，李文景采。

分布： 陕西(柞水、镇安、丹凤)、湖北、四川、贵州、云南。

(957) 艾菊瓢虫 *Epilachna plicata* Weise, 1889 (图版 43：6)

Epilachna plicata Weise, 1889: 649.

鉴别特征： 前胸背板上有 1 个黑色的横斑，或分割成 7 个不明显的小斑；鞘翅上的斑纹由 5 个斑连接而成，第 1 和第 2 个斑形成前缘弧形弯曲的横带，第 3 及第 4 个斑均横置，或连成横带，第 5 个斑亦为横形。

采集记录： 7♂13♀，长安沣峪林场，1600m，2009. Ⅶ. 27，王兴民、陈晓胜、郝俊义采；5♂24♀，长安沣峪，1500m，2009. Ⅶ. 28，王兴民、陈晓胜、郝俊义采；9♂16♀，周至厚畛子，1550m，2009. Ⅶ. 19，王兴民、陈晓胜、郝俊义采；1♂，周至厚畛子太白山，1600m，2009. Ⅶ. 18，王兴民采；3♂2♀，佛坪大古坪，1100m，2009. Ⅶ. 22，王兴民、陈晓胜、郝俊义采；1♂，旬阳白柳镇前坪村，621m，2014. Ⅵ. 23，李文景采；1♂，柞水凤凰古镇，900m，2014. Ⅵ. 25-26，李文景采；2♂1♀，镇安云盖寺镇，850～1200m，2014. Ⅵ. 18-21，李文景采。

分布： 陕西(长安、周至、佛坪、旬阳、柞水、镇安)、河南、甘肃、四川、云南。

(958) 端尖食植瓢虫 *Epilachna quadricollis* (Dieke, 1947) (图版 44：1)

Aflssa quadricollis Dieke, 1947: 134.

Epilachna quadricollis: Pang & Mao, 1979: 149.

鉴别特征： 前胸背板中央的两侧各有 1 个黑色大斑，或黑斑缩小而出现 4 个横列的黑斑；鞘翅上各有 5 个黑色斑点，第 2 个斑的前缘弯曲，围绕肩胛突起，第 1 个斑独立，或与另 1 个鞘翅上相对应的斑点构成缝斑，其他各斑均互相独立，不与外缘及鞘缝相接。

采集记录： 1♂，山阳城关镇权垣村，670～916m，2014. Ⅵ. 27-29，李文景采；1♂1♀，丹凤蔡川镇，1178～1417m，2014. Ⅵ. 30-Ⅶ. 02，李文景采。

分布： 陕西(山阳、丹凤)、天津、河北、山东、江苏、浙江、江西、福建、广东、广西、四川。

366. 裂臀瓢虫属 *Henosepilachna* Li, 1961

Henosepilachna Li *in* Li *et* Cook, 1961: 35. **Type species**: *Coccinella sparsa* Herbst, 1786 (= *Coccinella vigintioctopunctata* Fabricius, 1775).

Henosepilachna (*Elateria*) Fürsch, 1964: 182. **Type species**: *Coccinella elaterii* P. Rossi, 1794.

属征: 跗爪分裂而有基齿; 雌性第6腹板中央有纵缝; 雄性外生殖器中叶背面有基刃, 基刃之前有细毛。

分布: 世界已知277种, 中国记录23种, 秦岭地区发现2种。

分种检索表

鞘翅上有6个基斑及8个变斑, 鞘翅斑纹较大, 经常连在一块; 阳基中叶侧面内侧中间有1排小齿 ………………………………………………………… **马铃薯瓢虫 *H. vigintioctomaculata***

鞘翅上有6个基斑及8个变斑, 鞘翅斑纹较小; 阳基中叶侧面内侧中间无小齿 ………………………………………………………… **茄二十八星瓢虫 *H. vigintioctopunctata***

(959) 马铃薯瓢虫 *Henosepilachna vigintioctomaculata* (Motschulsky, 1857) (图版44: 2)

Epilachna 28-maculata Motschulsky, 1857: 40.

Henosepilachna vigintioctomaculata: Li & Cook, 1961: 48.

鉴别特征: 前胸背板上有7个黑斑, 其中中间3个斑连合成黑斑, 两侧两个斑分别连接形成黑斑, 有些个体前胸背板黑色, 只留浅色的前缘及外缘。鞘翅上有6个基斑及8个变斑; 被毛为黄灰色, 在黑斑上的则为黑色, 但也有黄色的。

采集记录: 2头, 周至厚畛子, 1750~2150m, 1999. Ⅵ. 28, 采集人不详; 1头, 留坝, 1470m, 1999. Ⅶ. 01, 采集人不详。

分布: 陕西(周至、留坝)、黑龙江、吉林、辽宁、河北、山西、山东、河南、甘肃、江苏、浙江、湖北、广西、四川、贵州、云南、西藏; 俄罗斯, 朝鲜, 日本。

(960) 茄二十八星瓢虫 *Henosepilachna vigintioctopunctata* (Fabricius, 1775) (图版44: 3)

Coccinella 28 punctata Fabricius, 1775: 84.

Henosepilachna vigintioctopunctata: Li & Cook, 1961: 40.

鉴别特征：前胸背板上有 7 个黑色斑点：在浅色型中，斑点部分消失以至全部消失；在深色型中，斑点扩大、连合以至前胸背板黑色而仅留浅色的前缘及外缘。每个鞘翅上有 6 个基斑和 8 个变斑，在一些个体中变斑部分消失或全部消失而仅留 6 个基斑，或基斑扩大、连合而成各种斑纹。

采集记录：1♂，太白山蒿坪寺，2006. Ⅷ. 28，王兴民采。

分布：陕西(太白山)、河北、山东、河南、江苏、浙江、安徽、四川、江西、福建、台湾、广东、香港、海南、广西、贵州、云南、西藏；日本，泰国，缅甸，印度，尼泊尔，不丹，印度尼西亚，新几内亚，澳大利亚。

(六) 显盾瓢虫亚科 Hyperaspinae

鉴别特征：虫体小至中型，长卵圆形，半圆形拱起。背面光滑无毛。鞘翅末端平截，腹部末节外露；触角短于头长，锤节圆锥形；前胸背板与鞘翅基缘紧密衔接，其后角近于直角形；鞘翅缘折及腹面有深凹以承受中、后足股节；胫节外缘有角状突起；小盾片较大；阳基中叶不对称。

分类：世界已知 10 属 390 余种，中国记载 1 属 5 种，陕西秦岭地区发现 1 属 4 种。

367. 显盾瓢虫属 *Hyperaspis* Redtenbacher, 1843

Hyperaspis Redtenbacher, 1843: 8. **Type species**: *Coccinella reppensis* Herbest, 1783.

属征：虫体卵圆形，中度拱起。表面光滑无毛。前胸背板两侧缘平直，与鞘翅基缘紧密相连，其后角近于直角；小盾片较大；鞘翅缘折及腹面有深凹以承受中、后足股节的末端；可见腹板 6 节，后基线不完整，其外端弯向第 1 腹板外缘；阳基中不对称。

分布：世界已知 300 种，中国记录 5 种，秦岭地区发现 4 种。

分种检索表

1. 鞘翅上全黑色，有红色或黄色圆斑 ………………………………………… 2
   鞘翅全黑色，无任何斑纹 ………………………………… **黑背显盾瓢虫 *H. amurernsis***
2. 每个鞘翅上圆斑个数大于 1 ………………………………………… 3
   每个鞘翅在接近鞘翅末端有 1 个红色圆斑 ……………………… **亚洲显盾瓢虫 *H. asiatica***
3. 每个鞘翅有 3 个黄斑，呈 1-1-1 排列，中间的斑纹贴近鞘翅外缘，其余两斑在鞘翅中间 ………
   ……………………………………………………………… **六斑显盾瓢虫 *H. gyotokui***
   每个鞘翅有两个红斑，呈 1-1 排列，分布在鞘翅中间 ……………… **四斑显盾瓢虫 *H. leechi***

(961) 黑背显盾瓢虫 *Hyperaspis amurernsis* Weise, 1887（图版 44：4）

Hyperaspis amurernsis Weise, 1887：183.

鉴别特征：头部黑色，雄性额区大部分为白色；前胸背板黑色，两前角白色；鞘翅黑色，小盾片黑色。

采集记录：1♀，镇安云盖寺镇，850～1200m，2014. Ⅵ. 18-21，李文景采。

分布：陕西（镇安）、河南、浙江、湖北；俄罗斯。

(962) 亚洲显盾瓢虫 *Hyperaspis asiatica* Lewis, 1896（图版 44：5）

Hyperaspis asiatica Lewis, 1896：33.

鉴别特征：雄虫头部额区橙黄色，雌虫黑色，触角、口器、前足黄褐色；前胸背板靠近两侧缘各有 1 块橙黄色斑；雄虫紧靠前缘有 1 条窄的橙黄色纹与左右两斑相连，雌虫无此纹；鞘翅末端各有 1 个斜椭圆形橙黄色斑。

采集记录：1♀，华县高塘镇，1000m，2014. Ⅶ. 07-08，李文景采。

分布：陕西（华县）、黑龙江、吉林、辽宁、河北、山东、江苏、浙江；日本。

(963) 六斑显盾瓢虫 *Hyperaspis gyotokui* Kamiya, 1963（图版 44：6）

Hyperaspis gyotokui Kamiya, 1963：83.

鉴别特征：前胸背板黑色，两侧各有 1 个橙黄色斑，雄虫前胸背板前缘有 1 条细窄的黄纹与两侧斑相连，雌虫无此纹。鞘翅上各有 3 个橙黄色斑：前斑圆形，位于鞘翅基部中线的 1/3 处；中斑位于鞘翅侧缘中部；后斑肾形，横置于鞘翅末端 1/3 处。

采集记录：1♂，华县高塘镇，1000m，2014. Ⅶ. 07-08，李文景采。

分布：陕西（华县）、河北；日本。

(964) 四斑显盾瓢虫 *Hyperaspis leechi* Miyatake, 1961（图版 44：7）

Hyperaspis leechi Miyatake, 1961：151.

鉴别特征：前胸背板中央有梯形大黑斑，两侧有黄斑，有的雄虫个体前胸背板前缘有黄色横带与两侧黄斑相连。鞘翅黑色，各有 2 个橘红色斑：1 个是圆形，位于鞘翅中线的 2/5 处；另 1 个是横长圆形，位于鞘翅 4/5 处，靠近外缘。

采集记录：1 头，宁陕故城，1981. Ⅷ. 04，采集人不详。

分布：陕西（宁陕）、福建；蒙古，俄罗斯（西伯利亚），朝鲜。

参考文献

Barovsky, V. 1922. Revisio specierum palaearticarum Coccinellidarum generis *Exochomus* Redtb. *Annuaire du Musée Zoologique de l'Académie des Sciences de Russie*, 23, 289-303.

Bielawski, R. 1959. Coccinellidae (Coleopt.) von Sumba, Sumbawa, Flores, Timor und Bali. *Wissenschaftliche Ergebnisse der Sumba Expedition des Museums fur Volkerkunde und des Naturhistorischen Museums in Basel*, 144-166.

Bielawski, R. 1965. Contribution to the knowledge of Coccinellidae (Coleoptera). Ⅳ. *Annales Zoologici. Warszawa*, 23 (8): 211-236.

Bielawski, R. 1975. Ergebnisse der zoologischen Forschungen von Dr. Z. Kaszab in der Mongolei, Nr. 352. Coccinellidae Ⅴ and Ⅵ (Coleoptera). *Fragmenta Faunistica* (Warzawa), 20: 247-271.

Booth, R. G., 1997. A review of the species of Calvia (Coleoptera: Coccinellidae) from the Indian subcontinent, with descriptions of two new species. *Journal of Natural History*, 31: 917-934.

Cao, C-Y. 1992. *Lady beetles of yunnan*, China. Yunnan: Yunnan Science and Technology Press, 242pp. [曹诚一. 1992. 云南瓢虫志. 云南: 云南科技出版社, 242.]

Casey, T. L. 1899. Revision of the American Coccinellidae. *Journal of the New York Entomological Society*, 7: 71-169.

Chevrolat, L. In: Dejean P. F. M. A. 1833. *Catalogue des coléoptères de la collection de M. le comte Dejean. Troisième edition revue, corrigée*. Livraison 5. *Paris*: Méquignon-Marvis Père et Fils, 385-503.

Crotch, G. R. 1871. *List of Coccinellidae*. Cambridge: Printed by the author, 8 pp.

Crotch, G. R. 1874. *A Revision of the Coleopterous Family Coccinellidae*. E. W. Janson, London, 311pp.

Dejean, P. F. M. A. 1837. *Catalogue des Coléoptères de la collection de M. la comte Dejean, Troisime édition, revue, corrigé et augmentée*. Paris, Méquignon – Marvis, 1836-1837, 503 pp.

Dieke, G. H. 1947. Ladybeetles of the genus *Epilachna* (sens, lat.) in Asia, Europe, and Australia. *Smithsonian Miscellaneous Collections, Washington*, 106(15): 1-183.

Dobzhansky, 1925. Th. Zur kenntnis der gattung *Coccinella* auct. *Zoologischer Anzeiger*, 62: 241-249.

Fabricius, J. Ch. 1775. *Systema Entomologiae, sistens Insectorum Classes, Ordines, Genera, Species, adiectis Synonymis, Locis, Descriptionibus, Observationibus*. Officina Libraria Kortii, Flensburgi et Lipsiae. [32] + 832 pp.

Fabricius, J. Ch. 1781. *Species Insectorum exhibentes eorum differentias specificas, synonyma auctorum, loca natalia, metamorphosin adiectis observationibus, descriptionibus*. Tom. I. Impensis Carol. Emest. Bohnii, Hamburgi et Kilonii. Ⅷ +552 pp.

Faldermann, F. 1835. Coleopterorum ab ill. Bungio in China boreali, Mongolia et montibus Altaicis collectorum, nee non ab ill. Turczaninoffio et Stschukino e provincia Irkutzk missorum illustrationes. *Memoires de l'Academie Imperiale des Sciences des Saint Petersbourg*, 2: 337-464.

Fürsch, H. 1960. Neue Coccinellidae aus dem Museum Frey. *Entomologische Arbeiten aus dem Museum G. Frey Tutzing bei Muenchen*, 11: 298-303.

Fürsch, H. 1963. Sind Änderungen der Gattungsnamen bei den Coccinelliden notwendig? *Nachrichtenblatt der Bayerischen Entomologen*, 12: 49-52.

Fürsch, H. 1966. Die Coccinelliden der Sven Hedin-Expedition nach Sudkansu und Nordost Szechuan. *Entomologisk Tidskrift*, 87(1-2): 40-42.

Goeze, J. A. E. 1777. *Entomologische Beytrage I*. Leipzig: Weidmanns Erben und Reich, xiv + 736 pp.

Gorham, H. S. 1892. *Coleoptera* from Central China and the Korea. *The Entomologist* (*Supplement*), London, 25 (4): 81-85.

Hope, F. W. 1831. *Synopsis of the new species of Nepaul insets in the collection of Major Ceneral Hadwicke*. In Gray, J. E. Zoologica1 Miscellany, pp. 21-32.

Iablokoff-Khnzorian, S. M. 1972. New species of Coccinellidae from USSR (Coleoptera: Coccinellidae). *Doklady Akademii Nauk Armyanskoy SSR*, 55 (2): 116-122.

Iablokoff-Khnzorian, S. M. 1982. *Les Coccinelles. Coleoptères-Coccinellidae. Société nouvelle des editions Boubée*. Paris. 568 pp.

Jacobson, G. G. 1916. *žuki Rossii i zapadnoj Evropy*. Cocincllidae. Petrograd, pp. 967-991.

Kamiya, H. 1963. A Revision of the Tribe Hyperaspini of Japan (Coleoptera: Coccinellidae). *The Memoirs of the Faculty of Liberal Arts*, *Fukui University Ser.* Ⅱ, *Natural Science*, 13(3): 79-86.

Kapur, A. P. 1955. Coccinellidie of Nepal. *Records of the Indian Muzeun*, 53: 309-338.

Kapur, A. P. 1963. The Coccinellidae of the third Mount Everest expedition, 1924 (Coleoptera). *Bulletin of the British Museum* (*Natural History*), *Entomology*, 14: 1-48.

Korschefsky, R. 1931. Coccinellidae I. In Junk W. and S. Schenkling (Eds). *Coleopterorum Catalogus Pars 118*. Berlin: 224pp.

Korschefsky, R., 1932. Pars 120: Coccinellidae. Ⅱ. pp. 225-659 in Junk, W. & Schenkling, S. (eds), *Coleopterorum Catalogus*. Berlin: W. junk.

Kovar, I. 1997. Revision of the genera Brumus Muls. and *Exochomus* Redtb. (Coleoptera: Coccinellidae) of the Palaearctic region. Part I. *Acta Entomologica Musei Nationalis Pragae*, 44: 5-124.

Kovar, I. 2007. New nomenclatorial and taxonomic acts and comments Coccinellidae, pp. 568-631. Löbl I. and A. Smetana. (Eds), *Catalogue of Palaearctic Coleoptera*. Apollo books, Stenstrup.

Kugelann, J. G. 1794. Verzeihniss der in einigen Gegenden Preussens bis jetzt entdeckten Käferarten, nebest kurzen Nachrichten von denselben. *Neuestes Magazin für die Liebhaber der Entomologie*, 1 (5): 513-582. 545.

Leach, W. E. 1815. In Brewster: Articles on Entomology. *Edinburgh Encyclopaedia*, 9: 57-172.

Lewis, G. 1873. Notes on Japanese Coccinellidae. *Entomologists' Monthly Magazine*, 10: 54-56.

Lewis, G. 1896. On the Coccinellidae of Japan. *Annals and Magazine of Natural History*, 17(6): 22-41.

Li, C. S. and Cook, E. F. 1961. The *Epilachninae* of Taiwan (Col.: Coccinellidae). *Pacific Insects*, *Honolulu*, 3 (1): 31-91.

Li, W. J., Chen, X. S., Wang, X. M. and Ren, S. X. 2015. Contribution to the genus *Xanthocorus* Miyatake (Coleoptera: Coccinellidae: Chilocorini). *Zookeys*, 511: 89-98.

Linnaeus, C. 1758. *Systema naturae per regna tria naturae*, *secundum classes*, *ordines*, *genera*, *species cum chatacteribus*, *differentiis*, *synonymis*, *locis*. Holmiae: Laurentii Salvii Vol. 1 Edn 10 (reformate), 823pp.

Liu, C-L. 1963. Coleoptera: Coccinellidae. *Economic Entomology of China*, 5. Science Press, Beijing, 101 pp. [刘崇乐. 1963. 中国经济昆虫志 第5册 瓢虫科(一). 北京: 科学出版社, 101.]

Mader, L. 1926-1934. Evidenz der palaarktischen Coccinelliden nnd ihrer aberrationen in Wort und Bild, l-Teil, Epilachnini, Coccinellini, Halyziini und Synonychini. *Zeitschrift des Vereins der Naturbeobachter und Sammler*, *Wien*, 1931(6): 169-204; 1932(7): 205-244.

Mader, L. 1930. Neue Coccinelliden aus Yü-nan und Sze-tschwan (China). *Entomologischer Anzeiger*, *Wien*, 10 (10): 181-184.

Mader, L. 1955. Neue Coleopteren aus Fukien (China). Helotidae, Languriidae, Erotylidae, Endomychidae, Coccinellidae. *Koleopteraologische Rundschau*, 33: 62-78.

Mader, L. 1955. Evidenz der palaarktischen Coccinelliden und ihrer Aberrationen in Wort und Bild. 2. *Entomologische Arbeiten aus dem Museum G. Frey Tutzing bei Muenchen*, 6: 765-1035.

Miyatake, M. 1961. The East-Aisan coccinellid beetles preserved in the California Academy of Science, Tribe Hyperaspini. *Memoris of the Ehime University*, *Sect.* Ⅵ (*Agriculture*), 6: 147-155.

Miyatake, M. 1965. Some coccinellidae (excluding scymnini) of Formosa (Coleoptera). *Special Bulletin of Lepidopterological Society of Japan*, 1: 50-74.

Miyatake, M. 1970. The East-Asian coccinellid beetles preserved in the California Academy of Sciences. Tribe Chilocorini. *Memoirs of the College of Agriculture*, *Ehime University*, 14 (3): 19-56.

Motschulsky, V. 1866. Essai d'un Catalogue des Insectes de l'ile de Ceylan. Supplement. *Bulletin de la Societe Imperiale des Naturalistes de Moscou*, 39(1): 393-446.

Mulsant, E. 1846. *Sulcicolles-Sécuripalpes. Histoire Naturelle des Coléoptères de France*. Paris: Maison xxiv +26pp. +280pp. +1pl.

Mulsant, E. 1850. *Species des Coléoptères Trimères Sécuripalpes.* Annales des Sciencies Physiques et Naturelles, d'Agriculture et d'Industrie, publiées par la Société nationale d'Agriculture, etc., de Lyon, Deuxième Série, 2, xv + 1-1104 pp. (part 1, pp. 1-450; part 2, pp. 451-1104)

Mulsant, E. 1866. *Monographie des Coccinellides.* Paris: Savy et Deyrolle 292pp.

Ohta, Y. 1929. Scymninen Japans. *Insecta Matsumurana*, 4(1-2): 1-16.

Pang, X. F and Mao, J. L. 1975. Important natural enemies of the tetranychid mites-*Stethorus* Weise. *Acta Zootaxonomica Sinica*, 18(4): 294-304. [庞雄飞，毛金龙. 1975. 叶螨的重要天敌：食螨瓢虫(瓢虫科，食螨瓢虫属 Stethorus). 昆虫学报，18(4): 294-304.]

Pang, X. F, Mao, J. L. 1979. Coleoptera: Coccinellidae Ⅱ. *Economic Entomology of China*, *14*. Science Press, Beijing, 170 pp. [庞雄飞，毛金龙. 1979. 中国经济昆虫志(第14册)：瓢虫科. 北京：科学出版社，17页.]

Pang, X. F and Mao, J. L. 1980. The checklist of Coccinellinae (Coccinellidae) in China. *Natural Enemies of Insects*, 2: 32-39, 47. [庞雄飞，毛金龙. 1980. 我国瓢虫亚科昆虫名录(Coccinellidae: Coccinellinae). 昆虫天敌，2: 32-39, 47.]

Pang, X. F and Huang, B-K. 1985. Descriptions of twelve new species of ladybeetles from Fujian Province (Coleoptera: Coccinellidae: Scymnini). *Journal of Wuyi Science*, 5: 29-46. [庞雄飞，黄邦侃. 1985. 福建小毛瓢虫族(Scymnini) 12个新种记述(鞘翅目：瓢虫科). 武夷科学，5: 29-46.]

Pang, H., Ren, S. X., Zeng, T., Pang X. F. 2004. *Biodiversity and their utilization of Coccinellidae in China*. Science and Technology Press of Guangdong, Guangzhou, 168 pp.

Poorani, J. 2002. An annotated checklist of the Coccinellidae (Coleoptera) (Excluding Epilachninae) of the Indian Subregion. *Oriental Insects*, 36: 307-383.

Poorani, J. K., Slipinski, A. and Booth, R. G. 2008. A revision of the genus Synona Pope, 1989 (Coleoptera: Coccinellidae: Coccinellini). *Annales Zoologici* (*Warszawa*), 58(3): 579-594.

Pope, R. D. 1989. A revision of the Australian Coccinellidae (Coleoptera). Part Ⅰ. Subfamily Coccinellinae. *Invertebrate Taxonomy*, 2: 633-735.

Redtenbacher, L. 1843. *Tetamen dispositionis generum et specierum Coleopterorum Pseudotrimeorum Archiducatus Austriae*. Vindobone: Disert. Inaug, 32 pp.

Ren, S. X. and Pang. X. F. 1996. The genus *Stethorus* Weise (Coleoptera, Coccinellidae) of China. *Elytra, Tokyo*, 24(2): 317-329.

Ren, S-X, Wang, X-M, Pang, H, Peng, Z-Q and Zeng T. 2009. *Colored pictorial handbook of ladybird beetles in China*. Science Press, Beijing, 336 pp. [任顺祥，王兴民，庞虹，彭正强，曾涛. 2009. 中国瓢虫原色图鉴. 北京：科学出版社. 336.]

Sasaji, H. 1968. A revision of the Formosan Coccinellidae (Ⅱ) tribes Stethorini, Aspidimerini and Chilocorini (Coleoptera). *Etizenia, Fukui*, 32: 1-24.

Sasaji, H. 1971. *Fauna Japonica: Coccinellidae (Insecta: Coleoptera)*. Academic Press of Japan, Tokyo, 340 pp.

Savoiskaya, G. I. 1971. Kokcinellidy triby Hyperaspini (Col., Coccinellidae) iz južnogo i jugo-vostočnogo Kazachstana. *Trudy Instituta Zoologii AN Kaz SSR, Alma Ata*, 32: 98-110.

Sicard, A. 1907. *Coleopteres Coccinellides du Japon, recueillis par MM. Harmand et Gallois. Liste et description d'especes nouvelles*. Bulletin du Museum National d'Histoire Naturelle, Paris, 211pp.

Silvestri, F. 1909. Nuovo Coccinellide introdutto in Italia. *Rivista Coleotterologica Italiana*, 7: 126-129.

Thunberg, C. P. 1781. *Dissertatio Entomologica Novas insectorum Species sistens*, pars 1-28pp., 1 pl., Upsaliae.

Timberlake, P. H. 1943. The Coccinellidae or ladybeetles of the Koebele Collection-Part I. *The Hawaiian Planters' Record*, 47 (1): 7-67.

Vandenberg, N. and Gordon, R. D. 1991. Farewell to Pania Mulsant (Coleoptera: Coccinellidae); a new synonym of *Propylea Mulsant*. *Coccinella*, 3(2): 30-35.

Weise, J. 1879. Beitage zur Kaferfauna von Japan. (Funftes Stuck). *Deutsche Entomologische Zeitschrift*, 23: 147-152.

Weise, J. 1885. Bestimmungs-Tabellen der europäischen Coleopteren. Ⅱ. Coccinellidae. *Auflage mit Berücksichtung der Arten aus demnördlichen Asien*. Mödling, 83 pp.

Weise, J. 1889. *Insecta*, a Cl. G. N. Potanin in China et in Mongolia Novissime Lecta. IX. Chrysomelidae et Coccinellidae. *Horae Societatis Entomologicae Rossicae, S.-Peterburg*, 23: 560-653.

Weise, J. 1892. Coccinellidae d'Europe et du Nord de l'Asie. *L'Abeille*, 28: 1-95.

Weise, J. 1900. Synonymische Bemerkungen. *Deutsche Entomologische Zeitschrift, Berlin*, 1899 (2): 384.

Weise, J. 1902. Coccinelliden aus der Sammlung des Ungarischen Nationa-Museums. *Természetrajzi Füzetek, Budapest*, 25: 489-520.

Weise, J. 1912. Uber Hispien und Coccinelliden. *Archiv fur Naturgeschichte*, 78: 101-120.

Xiao, N-N and Li. H-X. 1993. Coleoptera: Coccinellidae. Pp. 368-390. In: Huang, F. et al. (Eds.): *Insects of Wuling Mountains Area, Southwestern China*. Science Press, pp. 778. [肖宁年，李鸿兴. 1993. 鞘翅目：瓢虫科. 368-390. 见：黄复生等主编. 西南武陵山地区昆虫. 科学出版社，778.]

Yu, G. Y. 1995. The Coccinellidae (excluding Epilachninae) collected by J. Klapperich in 1977 on Taiwan (Insecta: Coleoptera). *Spixiana*, 18: 123-144.

Yu, G. Y. 1999. Coleoptera: Coccinellidae, pp, 336-344. In: Shen, X. C. and Pei, H. C. (Eds), *The fauna and taxonomy of insects in Henan*, *Vol.* 4, *Insects of the Mountains Funiu and Dabie Regions*. China Agricultural Scientech Press, Beijing: 415pp. [虞国跃. 1999. 河南伏牛山瓢虫科新种记述. 336-344. 见: 申效诚等主编. 伏牛山南坡及大别山区昆虫. 河南昆虫区系研究(第4卷). 北京: 中国农业出版社, 415.]

Yu, G. Y. 2010. *Chinese lady beetles (the subfamily Coccinellinae)*. Chemical Industry Publisher, 180pp. [虞国跃. 2010. 中国瓢虫亚科图志. 北京: 化学工业出版社, 180.]

Yu, G. Y and Pang, X-F. 1992. A review of Chinese *Scymnus* Kugelann (Coleoptera: Coccinellidae). *Journal of South China Agricultural University*, 13(4): 39-47. [虞国跃, 庞雄飞. 中国小毛瓢虫属厘定(鞘翅目: 瓢虫科). 华南农业大学学报, 1992, 13(4): 39-47.]

Yu, G. Y., Montgomery, M. E. and Yao, D. F. 2000. Lady Beetles (Coleoptera: Coccinellidae) from Chinese Hemlocks infested with the Hemlock Woolly Adegid, *Adelges tsugae* Annand (Homoptera: Adelgidae). *The Coleopterists Bulletin*, 54 (2): 154-199.

Zeng, T. 2000. Three new species of the genus *Epilachna* Chevrolat, 1837 (Coleoptera, Coccinellidae) in Emei mountain Sichuan Province, China. *Journal of South China Agricultural University*, 2(21): 32-33. [曾涛. 2000. 四川峨眉山食植瓢虫属三新种(鞘翅目: 瓢虫科). 华南农业大学学报, 2(21): 32-33.]

二十八、薪甲科 Latridiidae

任玲玲 刘梅柯 黄敏

(西北农林科技大学植物保护学院 教育部植保资源及害虫综合治理重点实验室, 陕西 杨凌 712100)

鉴别特征: 前胸背板宽于头部, 窄于鞘翅, 两侧圆弧形, 具细齿突, 或侧缘宽阔平展; 背部扁平或隆起, 或具各种隆脊或凹陷。两鞘翅分离或愈合, 遮盖腹部。后翅发达, 着生短的缘毛, 个别种类后翅退化。前足基节圆锥形突出, 左右相接或几乎相接, 或球形而左右远离, 前足基节窝后方关闭。中胸后侧片不伸达中足基节窝。后足基节不突出, 左右远离。跗式 3-3-3, 个别雄虫跗式为 2-3-3 或 2-2-3, 各节长, 爪简单。

分类: 世界已知 29 属 929 种, 中国已知 10 属 42 种, 陕西秦岭地区发现 5 属 6 种。

分属检索表

1. 唇基低于额平面, 额唇基沟深; 鞘翅行间隆起呈龙骨状或脊状, 表面光滑或极少有明显的毛;

前足基节分离 ………………………………………………………… **龙骨薪甲属 *Enicmus***
唇基与额位于同一平面上，额唇基沟浅；鞘翅行间不隆起，不呈龙骨状，常被明显的绒毛；前足基节相接或近于相接 ………………………………………………………………………… 2

2. 颏和亚颏为明显分开的两个骨片 ………………………………… **长跗薪甲属 *Melanophthalma***
颏和亚颏愈合为 1 个长形骨片 ………………………………………………………………… 3

3. 前胸腹板在前足基节之前具 1 个多刚毛的小窝，雌虫具 5 节可见腹板，雄虫在前足胫节近端部具 1 个不明显的钙化的小刺 ………………………………………… **光鞘薪甲属 *Corticaria***
前胸腹板在前足基节之前不具 1 个多刚毛的小窝，雌虫具 6 节可见腹板，雄虫在前足胫节近端部具 1 个明显的大刺 ………………………………………………………………………… 4

4. 第 2 跗节着生于第 1 跗节近中部处，但不超过，或仅超过第 1 节；前胸背板在后面的转角处有角状突起，前胸背板在中间后部 1/3 处有圆形的凹陷 ………………… **肖花薪甲属 *Corticarina***
第 2 跗节着生处靠近第 1 跗节末端；前胸背板在后面的转角处没有角状突起，前胸背板上从中间到后方转角处有 1 个倾斜的凹陷 ……………………………… **花薪甲属 *Cortinicara***

368. 龙骨薪甲属 *Enicmus* Thomson, 1859

Enicmus Thomson, 1859: 93. **Type species**: *Ips ransversus* Olivier, 1790.
Permidius Motschulsky, 1866: 243. **Type species**: *Latridius rugosus* Herbst, 1793.

属征：前胸背板稍横长，在中部不缢缩，不具明显的中脊线或只存在于前胸背板底部，后翅具单一的臀脉，腹板在中足基节之间有两个凸起。鞘翅宽于前胸背板，每鞘翅具 8 行刻痕，7 个行间隆起，鞘翅缘折狭窄，完全达顶点。前足基节圆形，中等大小，相接；前胸腹板突龙骨状隆起，两侧平行，延伸到顶点。中后胸、中足基节适度紧密相连，之间的腹板有两个凸起，中足基节窝表面上外部关闭。后胸腹板横长，中部具刻痕，几乎延伸到前面半圆形的刻痕，后胸腹板外缘有 1 对腺腔，后足基节适度分开。足细长，腿节向顶端膨胀，胫节狭窄，有两个端距，跗节 1、2 节等长，第 3 节明显长于前两节之和，爪简单。腹部长宽相等，第 1 节腹面明显长于第 2 节。

分布：全北区，东洋区。世界已知 57 种，中国记录 2 种，秦岭地区发现 1 种。

(965) 皱纹龙骨薪甲 *Enicmus rugosus* (Herbst, 1793)(图版 45)

Latridius rugosus Herbst, 1793: 6.
Latridius ruficornis Kugelann, 1794: 574.
Latridius depressus Grimmer, 1841: 45.
Lathridius planatus Mannerheim, 1844: 93.
Lathridius rugipennis Mannerheim, 1844: 92.
Enicmus lederi Reitter, 1875: 327.
Enicmus ferrugineus Belon, 1895: 92.
Enicmus ferrugineus Gerhardt, 1912: 538.

Enicmus frater Weise, 1972: 161.
Enicmus rugosus: Trikhleb, 2008: 19.

鉴别特征: 前胸背板横长，明显窄于鞘翅，在端部1/3处最宽，两侧圆弧形，侧缘明显隆起。背板近基部具1个长形横凹陷，横凹两侧各具1个较深的圆形凹陷，中部具1条明显的中纵沟，从背板近端部伸达近基部横凹处。中胸小盾片不明显，呈横椭圆形。鞘翅椭圆形，约为前胸背板长的3倍，肩角略呈1个角，近圆弧状，翅端钝圆，盖过腹部。每鞘翅具8行刻点，刻点小，刻点间表皮光滑，行间扁平。足较短，腿节粗壮。跗式3-3-3，第1跗节和第2跗节短，近等长，第3跗节长于第1和第2跗节之和。跗爪简单。雄虫外生殖器环式，阳茎基和中叶骨化程度一般。阳茎中叶细长，侧面观呈钝角，背面观两侧几乎平行，顶端狭窄且略弯曲。阳茎基端部呈环状套接在阳茎中叶中下部。

采集记录: 2♀，太白黄柏塬，2012. Ⅵ. 19，任玲玲采；2♂，留坝，2012. Ⅵ. 23，任玲玲采。

分布: 陕西(太白、留坝)、黑龙江；俄罗斯，蒙古，伊朗，英国，奥地利，北美洲。

369. 光鞘薪甲属 *Corticaria* Marsham, 1802

Corticaria Marsham, 1802: 106. **Type species**: *Corticaria ferruginea* Marsham, 1802.
Abothria Belon, 1897: 146. **Type species**: *Latridius elongatus* Gyllenhal, 1827.
Adasia Belon, 1897: 147. **Type species**: *Dermestes serratus* Paykull, 1798.
Brevina Belon, 1897: 140. **Type species**: *Corticaria sylvicola* C. N. F. Brisout de Barneville, 1863.
Dapeda Belon, 1897: 197. **Type species**: *Corticaria cucujiformis* Reitter, 1881.
Diarthrocera Broun, 1893: 1348. **Type species**: *Diarthrocera formicaephila* Broun, 1893.
Epipeda Belon, 1897: 145. **Type species**: *Corticaria cucujiformis* Reitter, 1881.
Epipedana E. Strand, 1942: 391. **Type species**: *Corticaria cucujiformis* Reitter, 1881.
Parascheva Gozis, 1886: 10. **Type species**: *Latridius pubescens* Gyllenhal, 1827.

属征: 体形长，长卵圆形到近似平行，从适度隆起到具明显的凹陷。柔毛长，明显，在鞘翅上连续排列。头部横长，明显不具小点；复眼大且突出；颞颥明显可见，长度有种间差异，但不会超过复眼直径的1/3。前胸背板通常近心形，稍横长，端部稍圆；后角稍圆，通常具突出的小齿；表面不具脊状突起，基部通常具明显的圆形或横长的凹窝；侧边圆齿状，近基部的圆齿较大。前胸腹板通常长于基节的长度，具粗糙的小点，具1个横向被柔毛的小窝。基节窝分开狭窄，基节突出并连接或近乎连接。雄虫6节可见腹板，雌虫5节可见腹板。第1可见腹板长度与其后的3节可见腹板长度几乎相等，其后的腹板长度递减，第5可见腹板通常是第4可见腹板长度的1/2，常具中凹窝或顶凹窝(雌虫和雄虫不同)。

分布：东洋区。世界已知 255 种，中国记录 7 种，秦岭地区发现 1 种。

(966) 铁锈光鞘薪甲 *Corticaria ferruginea* Marsham, 1802

Corticaria ferruginea Marsham, 1802: 111.
Corticaria denticulata Kirby, 1837: 110.
Latridius nigricollis Zetterstedt, 1838: 199.
Latridius rufulus Zetterstedt, 1838: 199.
Latridius nigriceps Waltl, 1839: 224.
Corticaria subacuminata Mannerheim, 1844: 46.
Corticaria deleta Mannerheim, 1853: 212.
Corticaria obtusa LeConte, 1855: 300.
Corticaria rugulosa LeConte, 1855: 300.
Corticaria kirbyi LeConte, 1855: 300.
Corticaria boreophila Motschulsky, 1867: 65.
Corticaria longula Broun, 1910: 26.

鉴别特征：前胸背板横长，近四方形，最宽处位于中部之前，基部和端部几乎等长；侧缘前部宽圆形，后方稍窄，边缘略呈锯齿状，有 2～4 个较大的锯齿。后胸腹板长于第 1 可见腹板；中足基节明显分离，分开距离不到基节宽度的 1/2。阳茎稍粗，呈环式，阳茎中叶背面观顶端变细，侧面观呈钝角。雄性前足胫节和中足胫节在端部稍弯曲，胫节端距不明显；第 5 可见腹节无明显特征。雌性胫节笔直，第 5 可见腹节无明显特征。

采集记录：1♂，周至秦岭植物园，720m，2012.Ⅶ.06，任玲玲采。

分布：陕西(周至)、黑龙江、安徽、吉林；俄罗斯，蒙古，欧洲。

370. 肖花薪甲属 *Corticarina* Reitter, 1881

Corticarina Reitter, 1881: 70. **Type species**: *Corticarina truncatella* Mannerheim, 1844.
Oropsime Gozis, 1881: 161. **Type species**: *Melanophthalma carinulata* Motschulsky, 1867.

属征：触角棒 3 节，雌虫和雄虫均具 6 节可见腹板，后足第 1 跗节前侧明显伸长。柔毛长，且明显。第 2 跗节远短于第 1 跗节；前胸背板侧边无角；基节内板非常狭窄，通常不明显可见，基节连接或近于连接；第 1 腹板不接凹陷线，前胸腹板突较宽且短截，后胸腹板侧缘无缺刻；复眼小；颞颥通常缺失；雄虫前足胫节在中部内缘具 1 个小齿。

分布：古北区。世界已知 118 种，中国记录 10 种，秦岭地区发现 2 种。

分种检索表

前胸背板明显窄于鞘翅 …………………………………………………………… **拟肖花薪甲 *C. similata***
前胸背板稍窄于鞘翅或不窄于鞘翅 ……………………………………………… **小肖花薪甲 *C. minuta***

(967) 小肖花薪甲 *Corticarina minuta* (Fabricius, 1792)(图版 46)

Dermestes minuta Fabricius, 1792: 235.
Latridius fuscula Gyllenhal, 1827: 133.
Corticarina americana Mannerheim, 1844: 50.
Corticarina brevicollis Mannerheim, 1844: 52.
Corticarina trifoveolata Redtenbacher, 1849: 211.
Corticarina compta LeConte, 1855: 301.
Corticarina melanocara Gistel, 1857: 585.
Melanophthalma ovalipennis Reitter, 1875: 441.
Corticarina minuta: Johnson, 1972: 186.

鉴别特征: 鞘翅椭圆形，长约为前胸背板长的 3 倍，背面隆起，翅端钝圆，盖过腹部；鞘翅边缘轻度弯曲；鞘翅基部稍平截。腹部具 6 节可见腹板。阳茎较粗，阳茎基端部呈菱形，基部呈环状套在阳茎中叶基部；阳茎中叶端部变细。

采集记录: 2♂4♀，周至秦岭植物园，720m，2012. Ⅶ.06，任玲玲采。

分布: 陕西(周至)、黑龙江、河北；欧洲，新北区。

(968) 拟肖花薪甲 *Corticarina similata* (Gyllenhal, 1827)(图版 47)

Latridius similata Gyllenhal, 1827: 134.
Latridius fulvipes Comolli, 1837: 39.
Corticarina subtilis Mannerheim, 1844: 57.
Melanophthalma pusilla Rey, 1889: 54.
Corticarina similata: Schiller, 1984: 104.

鉴别特征: 鞘翅椭圆不太明显，端部稍圆或平截，长约为前胸背板长的 3 倍；表面具非常明显的点状条纹，行间稍隆起并明显具小点列。刻点和行间均具倾斜的柔毛。腹部具 6 节可见腹板，腹面具稀疏的小点，腹部具微小的小点。阳茎较粗，阳茎中叶腹面观具 1 个椭圆形凹陷，侧面观近中部弯曲，顶端极为细。雄虫前足胫节中部之前具 1 个小齿,雌虫前足胫节不具齿。

采集记录: 4♂2♀，周至秦岭植物园，720m，2012. Ⅶ.06，任玲玲采。

分布: 陕西(周至)、湖南；欧洲，土耳其。

371. 花薪甲属 *Cortinicara* Johnson, 1975

Cortinicara Johnson, 1975: 283. **Type species**: *Latridius gibbosus* Herbst, 1793.

属征：头部较前胸背板略狭；前胸背板较狭，侧缘稍拱出，后角无齿，盘区中部偏后有1个横凹，约占前胸背板宽度的3/4；腹部可见5节腹板，雄虫有时可见6节；雄虫前胫节在端部的1/4处有1个小齿，基腹节不向下1节腹面伸出；阳茎对称。

分布：古北区，东洋区。世界已知9种，中国记录1种，秦岭地区发现1种。

(969) 隆背花薪甲 *Cortinicara gibbosa* (Herbst, 1793)

Latridius gibbosa Herbst, 1793: 5.
Corticaria pallida Marsham, 1802: 109.
Latridius herbacea Gistel, 1857: 527.
Corticaria resecta Walker, 1859: 53.
Coricaria juscotestacea Motschulsky, 1861: 128.
Melanophthalma cylindricollis Motschulsky, 1866: 289.
Melanophthalma gibbula Motschulsky, 1866: 287.
Melanophthalma intricata Rey, 1889: 54.
Cortinicara gibbosa: Johnson, 1975: 284.

鉴别特征：腹部可见背板8节，末2节骨化明显较其他节强，臀板端缘稍狭，略拱出，被毛及刻点；腹部具5节可见腹板，具稀疏的小点。第1腹板长度与其后3节腹板长度之和相等，其后腹板长度逐渐缩短，第5可见腹板约为第4可见腹板长度的2倍。雄虫外生殖器环式，阳茎后部宽扁并弯拱，末端短而尖，阳基较宽，端部呈环状套接在阳茎中部。雄虫前足胫节呈弧形，距端部1/4处的内缘具1个尖锐的小齿；前足第1跗节稍加宽；第6腹板通常可见，第5腹板比雌虫短且明显平截。雌虫胫节、跗节和转节与雄虫一样；很少具第6可见腹板，第5可见腹板与前两节腹板长度之和相等，端部圆形，较窄。

采集记录：21♂，11♀，周至秦岭植物园，720m，2012. Ⅶ. 06，任玲玲采。

分布：陕西(周至)、河北、湖北。

372. 长跗薪甲属 *Melanophthalma* Motschulsky, 1866

Melanophthalma Motschulsky, 1866: 269. **Type species**: *Latridius transversalis* Gyllenhal, 1827.

属征：触角11节，触角棒3节；每个鞘翅在基部呈圆形，具突出的毛发；腹部第

1腹板具长纵向的基节线；雄虫前足胫节在中部内缘具1个发达的小齿。前胸背板基部的横向凹陷延伸到侧缘。后足第2跗节与第1跗节等长，或稍长于第1跗节。前胸背板侧边具角；基节内板窄，但在前足基节之间明显可见；第1腹板具凹陷；前胸腹板突在顶端平截，后胸腹板侧缘中部具小齿突，缺刻深度大于宽度，侧边平行或稍聚敛，端部圆形；复眼相当大，颞颥短；雄虫前足胫节无小齿。

分布：东洋区，古北区。世界已知156种，中国记录1种，秦岭地区发现1种。

(970) 类长跗薪甲 *Melanophthalma similis* Mika, 2000

Melanophthalma similis Mika, 2000: 128.

鉴别特征：鞘翅椭圆形，长为宽的1.40倍，最宽处位于鞘翅前部，鞘翅顶端分别呈圆形。第1可见腹节腹板具1条明显的长纵向的基节线。第5可见腹板外缘中部具1个浅浅的凹陷，此凹陷被每边的突起限定。前足胫节中部内缘具1个狭窄的齿。阳茎细长，顶部变窄。

采集记录：1♂1♀，周至秦岭植物园，720m，2012. Ⅶ. 06，任玲玲采。

分布：陕西(周至)、河南、湖南、福建；泰国。

参考文献

Belon, M. J. 1895. Nouvelle contribution à l'etude des lathridiens. *Annales de la Société Entomologiue de Belgique*, 39: 75-105.

Belon, M. J. 1897. Essai de classification Générale des Lathridiidae. Avec le catalogue systématique et alphabétique de toute les espèces du globe. *Revue d'Entomologie*, 16: 105-221.

Broun, T. 1893. *Manual of the New Zealand Coleoptera. Part V.* Wellington: Colonial Museum and Geological Survey Department, xvii + 975-1320 pp.

Broun, T. 1910. Descriptions of new genera and species of Coleoptera. *Bulletin of the New Zealand Institute*, 1: 3-78.

Comolli, A. 1837. *De Coleopteris novis ac rarioribus minusve cognitis provinciae Novocomi.* Ticini: Fusi et Socii, vi + 7-54 pp.

Gerhardt, J. 1912. Neuheiten der schlesischen Käferfauna aus dem Jahre 1911. *Deutsche Entomologische Zeitschrift*, 1912: 538.

Gozis, M. des. 1881. Révision des Latridiidae d'Europe par Edmond Reitter. Traduit de l'allemand par M. Des Gozis accompagnée de généralitités sur l'histoire, les moeurs, la distribution géographique, la bibliographie de cette tribu avec addition des espèces extra européennes de l'ancien monde. *L'Abeille, Journal d'Entomologie*, 18: 1-178.

Gozis, M. des. 1886. *Recherche de l'espèce typique de quelques anciens genres. Rectification synonymiques et notes diverses.* Montlugon: Herbin, 36 pp.

Grimmer, C. H. B. 1841. *Steiermarks Coleopteren mit Einhundertsechs neu beschriebenen Species.* Graz:

Damian, iv + 5-50 pp.

Gyllenhal, L. 1827. *Insecta Suecica. Classis* Ⅰ. *Coleoptera sive Eleuterata. Tomi* Ⅰ. *Pars* Ⅳ. *Cum appendice ad partes priores*. Lipsiae: F. Fleischer, viii + [2] + 761 + [1] pp.

Herbst, J. F. W. 1793. *Natursystem aller bekannten in-und ausländischen Insecten, als eine Fortsetzung der von Büffonschen Naturgeschichte. Der Käfer fünfter Theil*. Berlin: Paulischen Buchhandlung, xvi + 392 pp., 16pls.

Johnson, C. 1972. Studies on the genera Corticarina Reitter and Melanophthalma Motschulsky (Col., Lathridiidae). *Nouvelle Revue d'Entomologie*, 2: 185-199.

Johnson, C. 1975. Cortinicara, a new genus of Corticariinae (Coleoptera: Lathridiidae). *Entomologica Scandinavica*, 6: 283-285.

Kugelann, J. G. 1794. Verzeihniss der in einigen Gegenden Preussens bis jetzt entdeckten Käferarten, nebst kurzen Nachrichten von denselben. *Neuestes Magazin fiir die Liebhaber der Entomologie*, 1 (5): 513-582.

LeConte, J. L. 1855. Synopsis of the lathridiides of the United States, and northern contiguous territories. *Proceedings of the Academy of Natural Sciences of Philadelphia*, 7 [1854-1855]: 299-305.

Mannerheim, C. G. von. 1844. Versuch einer monographischen Darstellung der Käfergattungen Corticaria und Lathridius. *Zeitschrift für die Entomologie*, 5: 1-112.

Marsham, T. 1802. *Entomulugia Britannica, sistens insecta britanniae indigena, secundum methodum linnaeanam disposita. Tomus I. Coleoptera*. Londini: Wilks et Taylor, J. White, xxxi + 548 pp.

Motschulsky, V. de. 1861. Essai d'un catalogue des insectes de l'île Ceylan. *Bulletin de la Société Impériale des Naturalistes de Moscou*, 34 (1): 95-155.

Motschulsky, V. de. 1866. Enumération des espèces de coléoptères rapportés de ses voyages. *Bulletin de lam Société Impériale des Naturalistes de Moscou*, 39 (3): 225-290.

Motschulsky, V. de, 1867. Enumération des espèces de coléoptères rapportées de ses voyages. 5-ème article. *Bulletin de la Société Impériale des Naturalistes de Moscou*, 40 (1): 39-103.

Redtenbacher, L. 1849. *Fauna Austriaca. Die Käfer. Nach der analytischen Methode bearbeitet*. Wien: Carl Gerold, xxvii + 883 pp., 2 pls.

Reitter, E. 1875. Revision der europäischen Lathridiidae. *Entomologische Zeitung* (Stettin), 36: 297-340, 410-445.

Reitter, E. 1881. Bestimmungs-Tabellen der europäischen Coleopteren. Ⅲ Heft. I. Autlage. Enthaltend die Familien: Scaphidiidae, Lathridiidae und Dennestidae. *Verhandlungen der Königlich-Kaiserlichen Zoologisch-Botanischen Gesellschaft in Wien*, 30 [1880]: 41-94.

Rey, C. 1889. Remarques en passant. Famille des Lathridides. *L'Échange. Revue Linnéenne*, 5 (55): 54-55.

Schiller, W. 1984. Corticarina alemannica n. sp., ein neuer Schimmelkäfer aus Sudbaden (Col. Lathridiidae). *Entomologische Blätter*, 80: 103-106.

Strand, E. 1942. Miscellanea nom-enclatorica zoologica et palaeontologica. Ⅺ. *Folia Zoologica et Hydrobiologica*, 11: 386-402.

Thomson, C. G. 1859. *Skandinaviens Coleoptera. synoptiskt bearbetade*. Tom Ⅰ. Lund: Berlingska, [6] + 290 pp.

Walker, F. 1859. Characters of some apparently undescribed Ceylon Isects. *The Annals and Magazine of*

Natural History, (3) 3: 50-56, 258-265.

Waltl, 1. 1839. Verzeichniss der UM Passau vorkommenden seltener Käfer nebst Beschreibung der neuen Arten. *Isis von Oken*, 5: 221-227.

Weise, E. 1972: Zwei neue Arten der Gattung Enicmus Thoms. (Col., Lathridiidae). *Entomologische Blätter*, 68: 159-163.

Zetterstedt, J. W. 1838. Coleoptera. Columns 7-868. In: *Insecta Lapponica. Sectio prima. Coleoptera, Orthoptera et Hemiptera*. Lipsiae: Leopoldi Voss, vi + 1140 columns [issued in parts: 1838-1840].

XI. 拟步甲总科 Tenebrionoidea

二十九、花蚤科 Mordellidae

刘扬[1] 杨星科[2]

(1. 西北大学，西安 710069; 2. 中国科学院动物研究所，北京 100101)

鉴别特征: 体小至中型，个别种类为大型。体细长，尾部楔形且有臀锥，末端尖锐。体色多为褐色至黑色或黑色有黄斑。复眼大，明显分开。前胸背板发达，中胸盾片有"V"形盾间缝。足细长，基节发达。鞘翅密被刚毛，翅宽于头部，完全覆盖腹部。阳基侧突骨化稳定，左右页嵌合，连接阳基，腹面与阳茎相连。

生物学: 花蚤科 Mordellidae 隶属昆虫纲 Insecta 鞘翅目 Coleoptera，是一类小型甲虫。花蚤成虫体型独特，身体侧扁，头、胸显著向下弯曲，末端呈楔形，形似"跳蚤"。英文俗称"tumbling flower beetles"，表明其受到惊吓后会快速地翻滚、跳跃。花蚤科昆虫体型小，外形差异小，相似及近缘种多，识别困难。花蚤成虫多栖息于花中，是植物传花授粉的重要媒介。其幼虫多取食植物茎秆，是常见的农业害虫，严重危害向日葵、大麻等。

分类: 世界性分布，古北区、东洋区和澳洲区较多。世界已知 3 亚科 115 属 2308 种，中国仅知 1 亚科 24 属 106 种，陕西秦岭地区发现 4 属 7 种。

分属检索表

1. 下颚须端节三角形 ································ **阻花蚤属 *Variimorda***
   下颚须端节非三角形 ································ 2
2. 中足胫节短于跗节，倒数第 2 跗节非双叶状 ································ **姬花蚤属 *Mordellistena***
   中足胫节长于跗节，倒数第 2 跗节双叶状 ································ 3
3. 体被金属色刚毛；臀锥粗短，宽不及长的 1/2 ································ **带花蚤属 *Glipa***
   体被褐色短毛；臀锥细长，长是宽的 3 倍多 ································ **伪花蚤属 *Pseudotolida***

373. 带花蚤属 *Glipa* LeConte, 1859

Glipa LeConte, 1859: 17. **Type species**: *Glipa hilaris* Say, 1835.

属征：本属为花蚤科中体型最大的类群，体长 4 ~ 10mm。大多体呈黑色或棕色，复眼长圆形，几乎不具眼刻，部分翅上间有浅黄色斑纹。体细长，尾部楔形，中足胫节长于跗节，前、中足跗节倒数第 2 节有双叶状缺刻。鞘翅呈棕色，略宽于头部，两侧平行，完全盖住腹部，中缝向端部裂开，翅面密被金属色刚毛。阳基侧突骨化稳定，左右页嵌合，连接阳基，腹面与阳茎相连。雄虫体型略小于雌虫，雄虫前足腿节内侧多 1 排长鬃毛，且大多臀下板中部有凹刻。

分布：古北区，东洋区。世界已知 4 亚属 136 种，中国记录 25 种。秦岭地区发现 3 种。

分种检索表

1. 前胸背板具 3 个深色斑，且连成一体；小盾片白色 ………………… **白盾带花蚤 *G. alboscutellata***
   前胸背板无斑，小盾片非白色 ……………………………………………………………… 2
2. 鞘翅具斑 ……………………………………………………………… **台湾带花蚤 *G. formosana***
   鞘翅无斑 ……………………………………………………………… **皮氏带花蚤 *G. pici***

(971) 白盾带花蚤 *Glipa alboscutellata* Kono, 1934(图版 48: 1)

Glipa alboscutellata Kono, 1934: 116.

鉴别特征：属于本属中体型极小的种类。体黑色，前胸背板 3 个深色斑连成一体，小盾片白色，故名白盾带花蚤。鞘翅长度约 4mm，盘区密被金属色刚毛，斑纹金黄色；中足胫节长于跗节，前、中足跗节倒数第 2 节有双叶状缺刻；臀锥粗壮，向端部收缩均匀。

采集记录：1♂，太白，1981. Ⅴ. 22；1♂，佛坪，950m，1998. Ⅶ. 23。

分布：陕西(太白、佛坪)。

(972) 台湾带花蚤 *Glipa formosana* Pic, 1911(图 34；图版 48: 2)

Glipa formosana Pic, 1911: 190.

鉴别特征：雄虫下颚须棕黄色，最后 1 节端缘长于内缘；触角基部 1 ~ 4 节棕色稍淡，第 5 ~ 10 节锯齿状且颜色略深，末端呈倒卵形或方形，长宽比为 2.20 ~ 3.00；

前胸背板密被金黄色短毛。鞘翅较短，基部1/2以上呈棕色，斑纹描述如下：前部区域有1～2对斜纹，其中的1对与"X"形斑纹在前中部连接，后缘具横带斑纹。臀板很短，端部截面非常窄；前足胫节背面观弓形，侧面观近直或略弯曲；雄性外生殖器细长，阳基侧突左右叶嵌合，其中左叶端部分叉，右叶延伸呈斧状，端部的分叉延长较多。雌虫前胸背板边缘有淡黄色短毛。

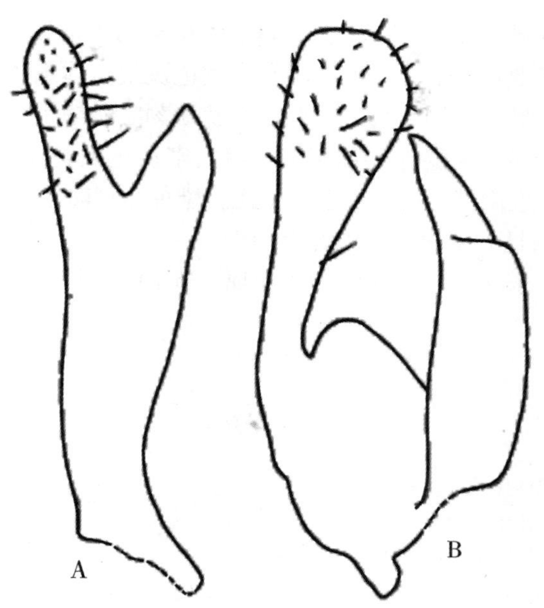

图34　台湾带花蚤 *Glipa formosana* Pic, 1911 雄性外生殖器
A. 侧面观；B. 背面观

采集记录： 2♂，佛坪，950m，1998. Ⅶ. 23；1♂，宁陕，1984. Ⅷ. 15。

分布： 陕西(佛坪、宁陕)。

(973) 皮氏带花蚤 *Glipa pici* Ermisch, 1940(图35)

Glipa formosana Pic, 1911: 190-191.

Glipa formosana Kono, 1936: 18.

Glipa pici Ermisch, 1940: 163.

Glipa formosana, Nakane *et* Nomura, 1950: 1.

鉴别特征： 体黑色。复眼长圆形，淡黄色；触角黑色，第5～10节锯齿状；体细长，尾部楔形；前胸背板宽大于长，侧缘弯曲，后侧角圆钝；鞘翅略宽于头部，完全盖住腹部，两侧平行，中缝向端裂开，翅面密被金属色刚毛，呈浅黄色斑纹；中足胫节长于跗节，前、中足跗节倒数第2节有双叶状缺刻；阳基侧突骨化稳定，左右页嵌合，连接阳基，腹面与阳茎相连。

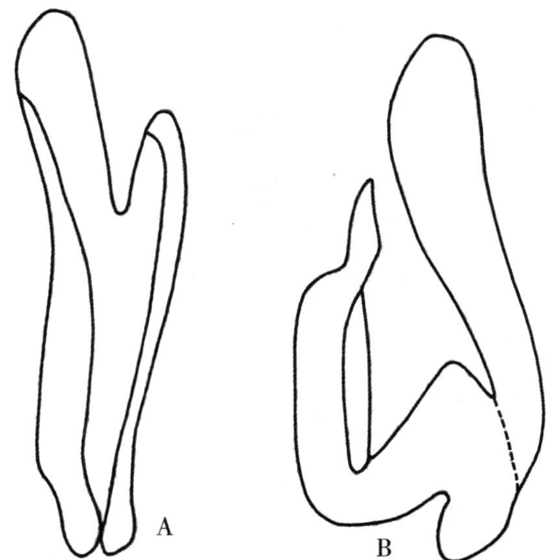

图 35　皮氏带花蚤 *Glipa pici* Ermisch,1940 雄性外生殖器
A. 侧面观；B. 背面观

采集记录： 1♂，留坝庙台子，1983. Ⅷ. 13；1♂，柞水，1982. Ⅶ。

分布： 陕西(留坝、柞水)、上海、浙江、福建、台湾、海南、广西、四川、贵州、云南；日本，越南。

374. 姬花蚤属 *Mordellistena* Costa, 1854

Mordellistena Costa, 1854: 16. **Type species**: *Mordellistena confinis* Costa, 1854.

属征： 体黑色，具金色光泽，密被褐色短毛。触角多黑色，基部 4 节明显短于第 5 节，5～10 节锯齿状；下颚须内缘长于端缘；前胸背板宽大于长，侧缘弯曲，后侧角圆钝；前、中足倒数第 2 跗节有缺刻，不呈双叶状，胫节基部 2 条侧脊倾斜；臀锥细长，末端尖锐，是臀下板长度的 2 倍。

分布： 古北区，东洋区，新北区。世界已知 567 种。中国记录 11 种，秦岭地区发现 2 种。

(974) 向日葵姬花蚤 *Mordellistena parvuliformis* Stsñhegoleva-Barovskaja, 1930 (图 36；图版 48：3)

Mordellistena parvuliformis Stsñhegoleva-Barovskaja, 1930: 540.
Mordellistena falsoparvuliformis Ermisch, 1963: 4.

鉴别特征： 体黑色，密被褐色短毛，具金色光泽。雄虫头部前缘呈淡橘黄色；触角黑色；前、中足腿节和胫节、跗节棕褐色或褐色，后足黑色。雌虫头前缘无淡色区，仅唇基前缘和上唇棕色；足黑色，仅前足腿节、胫节及中足腿节棕色。额呈球形隆起；触角基部 4 节明显短于第 5 节，5～10 节锯齿状，长宽比约为 1.70～2.00；下颚须内缘长于端缘；前胸背板宽大于长，侧缘弯曲，后侧角圆钝；前、中足倒数第 2 跗节无缺刻，胫节基部两条侧脊倾斜，横穿胫节外侧面臀锥细长，末端尖锐，是臀下板长度的 2 倍；阳基侧突左右两叶均在基部 1/3 处分叉。

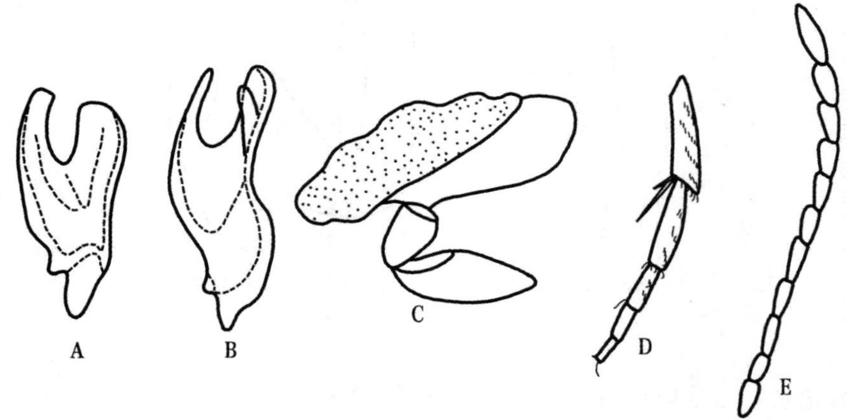

图 36　向日葵姬花蚤 *Mordellistena parvuliformis* Stsñhegoleva-Barovskaja，1930
A. 雄性外生殖器侧面观；B. 雄性外生殖器背面观；C. 下颚须；D. 前足胫节和跗节；E. 触角

采集记录： 1♂，周至楼观台，1962. Ⅷ. 08，杨集昆采。
分布： 陕西(周至)；俄罗斯，日本。

(975) 杨氏姬花蚤 *Mordellistena yangi* Yang，1995(图 37)

Mordellistena yangi Yang，1995：23

鉴别特征： 体黑色，密被褐色短毛，具金色光泽。雄性头部前缘及唇基黄色或橘黄色；触角黑色；前足腿节、胫节及中足腿节棕黄色，前足跗节及中足胫节、跗节棕褐色，后足黑色。雌性头前缘无淡色区，仅唇基前缘和上唇棕红色；足黑色，仅前足腿节、胫节及中足腿节棕红色。额呈球形隆起；触角基部 4 节明显短于第 5 节，5～10 节锯齿状，长宽比约为 1.80～2.00；下颚须内缘长于端缘；前胸背板宽大于长，侧缘弯曲，后侧角圆钝；前、中足倒数第 2 跗节有缺刻，不呈双叶状；胫节基部 2 条侧脊倾斜，横穿胫节外侧面；后足胫端距 2 个，内端距是外端距的 2.50 倍；臀锥细长，末端尖锐，是臀下板长度的 2 倍；阳基侧突左右两叶均在基部 1/3 处分叉。

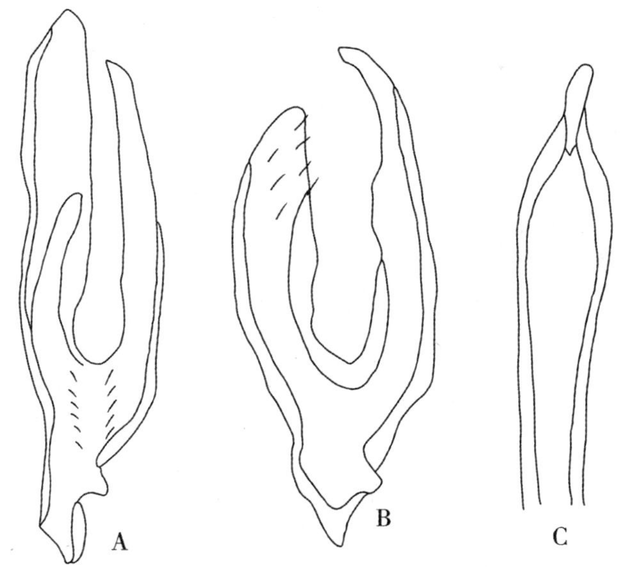

图 37 杨氏姬花蚤 *Mordellistena yangi* Yang, 1995 雄性外生殖器
A. 背面观; B. 侧面观; C. 阳茎顶端

采集记录: 5♂, 周至厚畛子, 2009. Ⅴ.15, 盛茂领采。

分布: 陕西(周至)、河北。

寄主: 向日葵, 苍耳。

375. 阻花蚤属 *Variimorda* Mequignon, 1946

Variimorda Mequignon, 1946: 74. **Type species**: *Variimorda fagniezi* (Mequignon, 1946).

属征: 体长 4~6mm。体黑色。触角基部 4 节明显短于第 5 节, 5~10 节锯齿状; 复眼近圆形, 下颚须端节宽, 或呈等边三角形; 体背面密布棕黑色或褐色短毛, 腹面毛黄色或棕黄色; 前胸背板宽大于长, 侧缘弯曲, 后侧角圆钝; 鞘翅肩部及中部各有金黄色毛斑; 臀锥细长, 末端尖锐, 是臀下板长度的 2 倍; 后足胫节外端距是内端距长度的 1/2。

分布: 古北区, 东洋区。世界已知 22 种, 中国记录 1 种, 秦岭地区有分布。

(976) 黄斑花蚤 *Variimorda flavimana* (Marseul, 1876) (图 38)

Mordella flavimana Marseul, 1876: 472.

Variimorda flavimana: Horak, 1985: 4.

鉴别特征： 体长5～6mm。体黑色，触角基部4节、唇基、下颚须、前足等黄色。体背密布棕黑色短毛，腹面毛黄色；鞘翅肩部及中部各有金黄色毛斑。复眼近圆形，触角基部1～4节短，5～10节长，弱锯齿状；下颚须端节宽，或呈等边三角形；臀锥细长，长度接近鞘翅的1/2；后足胫节外端距是内端距长度的1/2。

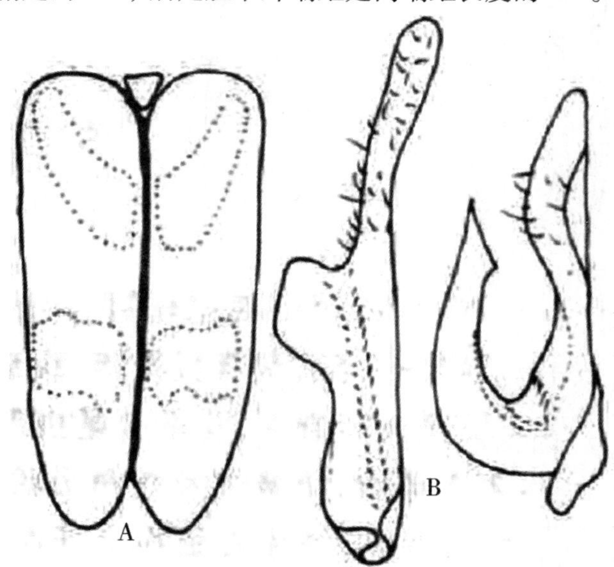

图38　黄斑花蚤 *Variimorda flavimana*（Marseul，1876）
A. 鞘翅（示金色毛斑）；B. 阳基侧突

采集记录： 2♂，周至，1320m，2006. Ⅶ. 15-23；1♂，佛坪凉风垭，1750～2150m，1999. Ⅵ. 28。

分布： 陕西(周至、佛坪)、湖北、福建、台湾、广东、四川、贵州；日本。

376. 伪花蚤属 *Pseudotolida* Ermisch，1950

Pseudotolida Ermisch，1950：86. **Type species**：*Pseudotolida awana*（Kono，1932）.

属征： 体长2.50～4.00mm。通体深棕红色或棕褐色，鞘翅端部颜色略深。头部及虫体腹面密被细弱的淡黄色短毛，体背面短毛棕色且略粗壮。复眼大，隆起近圆形，有稀疏的银色短毛；前胸背板宽大于长，侧缘圆弧形，外侧角圆钝；小盾片极小，呈等腰三角形；鞘翅长约为宽的2.00～2.50倍；臀锥较之其他种类细长，长度大都是宽度的3～4倍，圆锥形，端截面小；阳基侧突骨化稳定，左右两叶均在基部1/3处分叉。

分布： 古北区，东洋区，新北区。世界已知8种，中国记录4种，秦岭地区发现1种。

(977) 中华异须花蚤 *Pseudotolida sinica* Fan *et* Yang, 1995(图 39)

Pseudotolida sinica Fan *et* Yang, 1995: 96.

鉴别特征: 体长 2.50 ~ 3.00mm。通体深棕红色，鞘翅端部颜色略深。头部及虫体腹面密被细弱的淡黄色短毛，体背面短毛棕色且略粗壮。复眼大，隆起近圆形，有稀疏的银色短毛；触角细长，基部 4 节短，棕黄色，端部各节狭长，长约为宽的 3 倍；下颚须淡黄色，端节肾形，外端缘有宽大的凹陷；前胸背板宽大于长。侧缘圆弧形，外侧角圆钝；小盾片极小，三角形；鞘翅长约为宽的 2 倍。雄虫前足腿节内侧有细长鬃毛，前、中足跗节倒数第 2 节呈双叶状，中足胫节略长于跗节；后足胫节端距 1 对，细长，接近第 1 跗节长度的 3/4；臀锥细长，圆锥形，端截面小。

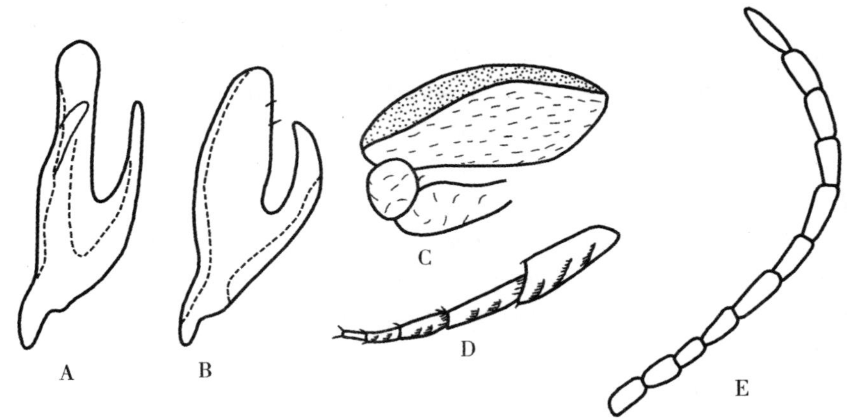

图 39　中华异须花蚤 *Pseudotolida sinica* Fan *et* Yang, 1995
A. 雄性外生殖器侧面观；B. 雄性外生殖器背面观；C. 下颚须；D. 前足胫节和跗节；E. 触角

采集记录: 2♂，长安南五台，1957. Ⅷ. 06；1♂，太白，1987. Ⅷ. 14；1♂，宁陕火地塘，1580m，1998. Ⅶ. 29。

分布: 陕西(长安、太白、宁陕)、浙江。

参考文献

Ermisch, K. 1940. Revision der ostasiatischen *Glipa-Arten* (Col.: Mord.). *Entomologische Blaetter Krefeld*, 36: 161-173.

Ermisch, K. 1965. Mordellidae Ⅱ. Ergebnisse der zoologischen Forschungen von Dr. Z. Kaszab in der Mongolei (Coleoptera) (44. Beitrag zur Kenntnis der Mordelliden). *Reichenbachia Dresden*, 7: 63-80.

Fan, X. and Yang, C. K. 1993. Revision of the genus *Glipa* of China (Coleoptera: Mordellidae). *Memoirs of Beijing Natural History Museum*, 53: 45-68.

Fan, X. and Yang, C. K. 1995. A new species and a new record species of genus *Mordellistena* (Coleoptera: Mordellidae). *Entomotaxonomia*, 17: 23-25.

Horak, J. 1985. Ergebnisse der tschechoslowakisch-iranischen entomologischen Expeditionen nach Iran 1970, 1973 und 1977. Coleoptera: Mordellidae 1. (Stenaliini, Mordellini). *Entomologische Abhandlungen* (Dresden), 49(1): 1-25.

Kono, H. H. 1934. Sauter's Formosa Ausbeute: Mordellidae. *Insecta Matsumurana*, Sapporo, 8: 116-118.

Lu, W. and Fan, X. 2000. Two new Chinese *Glipidiomorpha Franciscolo* (Coleoptera: Mordellidae) and a key to mainland species. *Coleopterists Bulletin*, 54(1): 1-10.

Mequignon, A. 1946. Contribution a l'etude des Mordellides palearctiques. *Revue Francaise d'Entomologie*, 13: 52-76.

Nakane, T. and Nomura, S. 1950. New or little known Coleoptera from Japan and its adjacent regions. I. Mordellidae-Mordellinae. *Transactions of the Kansai Entomological Society*, 15: 1-17.

Odnosum, V. K. and Litvin, O. 2009. Descripton of *Mordellistena parvuliformis* larva (Coleoptera: Mordellidae). *Vestnik Zoologii*, 43(6): 539-541.

Pic, M. 1911. H. Sauters Formosa-Ausbeute. Cantharidae, Lampyridae, Mordellidae. *Deutsche Entomologische National-Bibliothek Berlin*, 2: 188-189.

Stshegoleva-Barovskaja, T. 1930. De duabus novis Mordellidarum speciebus e tesquis ponticis (Coleoptera). *Revue Russe d'Entomologie*, 24: 56-58.

Schilsky, J. 1908. Mordellidae. *Jena Denkschriften der Med Gesellschaft*. 13: 137-138.

Takakuwa M. 1986. The group of *Glipa formosana* (Coleoptera: Mordellidae) from Amami-Oshima Island of the Ryukyus. *Coleopterists Association of Japan*, Tokyo. 257-263.

Takakuwa M. 1999. A synonym and a new record in the genus *Glipa* (Coleoptera: Mordellidae) from Taiwan. *Elytra*, 27(2): 451-452.

三十、拟步甲科 Tenebrionidae

苑彩霞[1,2]　田颖[2]　任国栋[2]

(1. 延安大学生命科学学院，陕西 延安716000；2. 河北大学生命科学学院，河北 保定071002)

鉴别特征： 体型变化甚大，一般体长1～80mm。北方种类多黑色或棕色；热带地区种类绿色、蓝色或紫色等多种颜色不等，并有不同光泽。体光滑或被毛。有眼或稀见无眼，有时被后颊分割为两部分。触角丝状、抱茎状、锤状或梳齿状，常见11节，稀见9～10节。鞘翅大多有9～10条纵条纹，一般有小盾片线；具后翅或无，异脉序。跗节通常5-5-4式，稀见5-4-4式(如Cossyphodini族)或4-4-4式(见于*Rhipidandrus*和*Archaeoglenes*属)，少数有叶状节；跗爪简单，少数有齿突。可见腹板1～3节愈合，第4～5节可动，少见多于5节者。

生物学： 本科昆虫是森林生态系统林木和菌类重要的分解者，食性极为复杂，成虫大多数取食植物叶片、皮层和花果，相当一部分钻蛀朽木并以感菌木质素为食，有些直接取食蘑菇等真菌，少数取食动物粪便、尸体并捕食小型活体动物；幼虫多以植物根部为食，一些生活在木质隧道或皮下取食被真菌侵染的木质素，有些则取食腐殖质，还有些见于动植物贮存场所。

分类： 世界已知 9 亚科 97 族约 2300 属 20000 种左右，中国已知 7 亚科 45 族 254 属 1900 余种(亚种)，陕西秦岭地区发现 18 属 36 种，其中 4 种属陕西省新纪录。

分属检索表

1. 倒数第 2 跗节常为叶状，端跗节着生在倒数第 2 跗节的背侧端部之前；鞘翅如有刻点行，则每翅 10 条 …………………………………… 2

 倒数第 2 跗节稀见叶状，若如此，则每翅刻点行 9 条；鞘翅如有刻点行，则每翅少于 10 条 …………………………………… 5

2. 腹部无 7/8 防御腺 …………………………………… **莱甲属 *Laena***

 腹部有 7/8 防御腺 …………………………………… 3

3. 触角较短粗，端节不延长 …………………………………… **小垫甲属 *Luprops***

 触角丝状，端节大多甚延长，多数种雄虫更为明显 …………………………………… 4

4. 雄性触角节变形，或不平坦而膨大，末节腹面常凹陷 …………………………………… **角伪叶甲属 *Cerogria***

 雄性触角简单，不具个别膨大的节，末节腹面不凹陷 …………………………………… **伪叶甲属 *Lagria***

5. 跗爪呈梳齿状 …………………………………… **栉甲属 *Cteniopinus***

 跗爪简单，非梳齿状 …………………………………… 6

6. 中足和后足胫节在外缘(背面)有 1 条纵向的细圆齿状的龙骨状脊；胫节外侧具 1 条浅纵沟或脊，脊的外面具前、后缘 …………………………………… 7

 胫节一般不如上述，胫节如上所述，则身体扁平 …………………………………… 9

7. 前足转节异型，身体非瓢形 …………………………………… **菌甲属 *Diaperis***

 前足转节正常，身体瓢形 …………………………………… 8

8. 两性头部均简单，颊和唇基无直立的角突或尖角 …………………………………… **斑舌甲属 *Derispia***

 雄性唇基具直立角突或颊的两侧具尖的弯角或扁长小角 …………………………………… **角舌甲属 *Derispiola***

9. 腹部 3 ~ 5 节可见腹板间的节间膜隐蔽，雄性头部具角，雌性复眼内眶突起 …………………………………… **隐毒甲属 *Cryphaeus***

 腹部 3 ~ 5 节可见腹板间的节间膜外露，头部特征不如上述 …………………………………… 10

10. 触角第 8 ~ 10 节球形；中胸前侧片与鞘翅缘折的内缘相连；前胸背板基部边缘平截，紧紧围绕和套叠在鞘翅基部 …………………………………… **琵甲属 *Blaps***

 触角第 8 ~ 10 节非球形；中胸前侧片与鞘翅缘折的内缘未相连 …………………………………… 11

11. 唇基前缘中部具三角形深缺刻或弓形的凹槽 …………………………………… 12

 唇基前缘无深的三角形深缺刻，至多浅凹；唇基隔膜暴露在外或不可见 …………………………………… 16

12. 雄性前、中足跗节宽扁，腹面具海绵状毛 …………………………………… **扁足甲属 *Blindus***

 雄性和雌性跗节通常细瘦或倒数第 2 跗节双叶状 …………………………………… 13

13. 鞘翅刻点不规则，无刻点行 …………………………………… **异土甲属 *Heterotarsus***

 鞘翅具成行刻点或粒点 …………………………………… 14

14. 复眼被颊分为上下两部分；背面被密长毛 …………………………………… **毛土甲属 *Mesomorphus***

复眼完整；背面有疏毛或近于光裸 ………………………………………………………………………… 15

15. 中足基节后缘到后足基节前缘之间的后胸显长于中足基节纵径(1.20 倍)；鞘翅行间无瘤，后翅发达 …………………………………………………………………… **土甲属 *Gonocephalum***

中足基节后缘到后足基节前缘之间的后胸短于中足基节纵径；鞘翅大部分具较凸的行间或行间具平滑的瘤，多数缺后翅 ……………………………………………………… **沙土甲属 *Opatrum***

16. 静止时头部下折，与前胸近垂直，且嵌入前胸几乎达到复眼中间，眼大，围绕触角窝插入颊；上唇唇基隔膜清晰可见；触角至少端部 3 节具复合的星形感器 …… **邻烁甲属 *Plesiophthalmus***

静止时头近水平，不下折；唇基隔膜暴露在外或不可见；触角有或无复合的星形感器 …… 17

17. 腹部第 7 背板部分暴露成为臀板；前足胫节外缘(背面)锯齿状，触角具大的板状感器，第 3 节具指状突 …………………………………………………………………… **齿甲属 *Uloma***

腹部第 7 背片被鞘翅遮盖；前足胫节外缘(背面)不呈锯齿状，触角无板状感器…………………………………………………………………………………… **齿刺甲属 *Oodescelis***

377. 琵甲属 *Blaps* Fabricius, 1775

Blaps Fabricius, 1775: 254. **Type species**: *Tenebrio mortisagus* Linnaeus, 1758.

Leptomorpha Faldermann, 1835: 406. **Type species**: *Leptomorpha chinensis* Faldermann, 1835.

Agroblaps Motschulsky, 1860: 531. **Type species**: *Blaps fatidica* Stum, 1807 (= *Blaps lethifera* Marshhm, 1802).

Blapimorpha Motschulsky, 1860: 531. **Type species**: *Blaps reflexa* Gebler, 1832.

Blapisa Motschulsky, 1860: 530. **Type species**: *Blaps jaegeni* Hummel, 1827 (= *Blaps mortisaga* Linnaeus, 1758).

Lithoblaps Motschulsky, 1860: 532. **Type species**: *Blaps enebrio gigas* Linnaeus, 1767.

Platyblaps Motschulsky, 1860: 531. **Type species**: *Blaps holconota* Fischer von Waldheim, 1844.

Rhizoblaps Motschulsky, 1860: 532. **Type species**: *Blaps pruinosa* Eversmann, 1836 (= *Blaps lusitanica* Herbst, 1799).

Uroblaps Motschulsky, 1860: 530. **Type species**: *Blaps product* Laporte, 1840.

Leptocolena Allard, 1880: 320. **Type species**: *Blaps emoda* Allard, 1880.

Acanthoblaps Reitter, 1889: 687. **Type species**: *Blaps dentitia* Reitter, 1889.

Blapidurus Fairmaire, 1891: xcvi. **Type species**: *Blapidurus crassicornis* Fairmaire, 1891.

Nanoblaps Semenov *et* Bogatchev, 1936: 565. **Type species**: *Blaps jakovlevi* Semenov *et* Bogatchev, 1936.

属征：体通常呈圆形或琵琶形，中至大型。触角第 8 ~ 10 节球形。鞘翅愈合，翅面具皱纹、刻点、颗粒或完全光滑，通常无刻点行，大多有明显翅尾，尤以雄性明显，雌性翅尾通常较短。鞘翅缘折宽并达腹部末端。许多种类雄性腹部可见第 1 和第 2 腹板间常有锈红色毛刷。端跗节在爪下的跗垫突起尖三角形或顶端直裂或宽圆形。

分布：古北区，东洋区，新北区，澳洲区。秦岭地区发现 3 种。

分种检索表

1. 前胸背板侧边明显变扁 ………………………………………… **周氏琵甲 *B.*（*B.*）*choui***
   前胸背板侧边正常，不变扁 ……………………………………………………………… 2
2. 雄性第1、2可见腹板间具毛刷 …………………………………… **四川琵甲 *B.*（*B.*）*sztschwana***
   雄性第1、2可见腹板间无毛刷 …………………………………… **中华琵甲 *B.*（*B.*）*chinensis***

(978) 中华琵甲 *Blaps*（*Blaps*）*chinensis*（Faldermann, 1835）（图版49：1）

Leptomorpha chinensis Faldermann, 1835: 407.
Blaps（*Blaps*）*chinensis*: Allard, 1880: 299.

鉴别特征： 体长16.50～20.00mm。体细长，黑色，具微弱的绸缎状光泽。雄虫上唇前缘中间稍凹，眼内侧具1对深凹坑；触角向后超过前胸背板基部。前胸背板长方形；侧缘近直，端部1/3最宽，饰边完整；基部弱弯，粗饰边中断；盘区纵中线稍明显，布稠密的细刻点。鞘翅长卵形，侧缘弧形，中部最宽，背面观仅见基部饰边；盘区具8条明显扁脊；无翅尾；第1、2可见腹板间无毛刷。

采集记录： 1♀，宁陕火地塘，1964. Ⅶ. 20，西北林学院。

分布： 陕西（宁陕）、辽宁、内蒙古、北京、河北、山西、山东、河南、甘肃、湖北、江西。

(979) 周氏琵甲 *Blaps*（*Blaps*）*choui* Ren *et* Wang, 2001

Blaps（*Blaps*）*choui* Ren *et* Wang, 2001: 21.

鉴别特征： 体长11mm。体暗黑色。雌性上唇前缘凹，头顶略隆起，有刻点；触角向后超过前胸背板基部。前胸背板宽是长的1.50倍，前缘凹；侧缘饰边完整并变扁，中部之前最宽，由此向前弧形，向后直线地收缩；前角钝，后角直角形；盘区有刻点。鞘翅卵形，基部明显宽于前胸背板基部；侧缘由背面看不到全长；翅面平坦，无刻点，有纵纹的痕迹，翅坡下降较陡，端部急剧收缩变为尖圆；假缘折宽阔，从第2可见腹板末端开始急剧收缩。

采集记录： 1♀，太白山大殿，1983. Ⅴ. 20，西北农业大学。

分布： 陕西（太白）。

(980) 四川琵甲 *Blaps*（*Blaps*）*sztschwana* Schuster, 1923

Blaps（*Blaps*）*sztschwana* Schuster, 1923: 156.

鉴别特征： 体长 24.00～25.50mm。体长卵形，暗黑色，跗节褐色。雄性上唇弧凹，头顶平坦，粗刻点稠密；触角向后长达前胸背板基部。前胸背板宽是长的 1.20 倍，前缘弱凹，饰边不明显；侧缘饰边完整，中部之前圆弧形，中部之后斜直收缩；基部平直，饰边不明显；前角圆钝，后角稍钝角形；盘区中部扁平。鞘翅卵形，饰边在基部 1/3 背面观可见；盘区平坦，具稍稠密的光亮小颗粒；翅尾扁阔；假缘折端部宽，向后急缩。腹部第 1、2 可见腹板间毛刷红色。雌性翅尾短且钝圆或不明显。

采集记录： 1♂5♀，留坝，1991. Ⅷ. 23，陈军采。

分布： 陕西(留坝)、四川、贵州、云南。

378. 扁足甲属 *Blindus* Mulsant *et* Rey, 1853

Blindus Mulsant *et* Rey, 1853: 206, **Type species**: *Pedinus strigosus* Faldermann, 1835.

属征： 体椭圆形，背面光裸。复眼被颊完全分为上、下两部分。颊上有纵脊。鞘翅有刻点行；缘折达中缝角，无后翅。雄性前、中足跗节显著变宽，中足胫节从基部向端部变宽明显，呈明显的"S"形弯曲。雄性后足腿节下面弯曲并着生稠密的黄色刷状毛，前足腿节腹面被黄色绒毛。

分布： 古北区，东洋区。秦岭地区发现 1 种。

(981) 瘦直扁足甲 *Blindus strigosus* (Faldermann, 1835) (图版 49: 2)

Pedinus strigosus Faldermann, 1835: 410.
Blindus strigosus: Mulsant & Rey, 1853: 206.
Colpotus faldermanni Baudi di Selve, 1876: 46.

鉴别特征： 体长 7.00～9.80mm。体扁平，长卵形。黑色并有较强光泽，口须、触角端部和跗节棕红色。头部有均匀的小刻点。前胸两侧几乎从基部到端部渐缩成圆形，近基部最宽，后角略尖，后缘明显凹入，刻点明显延长且部分相互融合。鞘翅刻点行明显，行间刻点较大。雄性前足跗节基部 3 节宽扁，腹面被褐色绒毛(海绵状毛)。

采集记录： 1♂，华县高塘东峪黄边沟，1070m，2014. Ⅶ. 07，苑彩霞、田颖采；1♂，镇安云镇黑窑沟，1217m，2014. Ⅵ. 20，苑彩霞、田颖采。

分布： 陕西(华县、镇安)、辽宁、内蒙古、北京、河北；俄罗斯，朝鲜半岛。

379. 角伪叶甲属 *Cerogria* Borchmann, 1909

Cerogria Borchmann, 1909: 210. **Type species**: *Cerogria anisocera* Borchmann, 1909.
Cerogriodes Borchmann, 1941: 25. **Type species**: *Cerogria klapperichi* Borchmann, 1941.

Aeschrocera Chen *et* Chou, 1996: 265. **Type species**: *Cerogria brunneocollis* Chen *et* Chou, 1996.

属征：体型大小差异大，常有彩色光泽。头略呈圆形；下颚须末节呈宽三角形，上唇和唇基前缘凹，额唇基沟多较深；额侧突基瘤多十分发达，光亮；复眼前缘明显凹；触角多数很长，且变化较多，中部常有复杂的形状（或齿状膨大，或端部凹陷等）和修饰（或有刃脊，或有纵沟），末节大多强烈延长，腹面常凹。前胸背板侧缘下弯，近圆柱形。鞘翅向后多少膨大，有刻点和横皱纹。足多强壮，有些种端部2节可见腹板侧缘明显弧形突出。

分布：古北区，东洋区，热带区。秦岭地区发现1种。

（982）普通角伪叶甲 *Cerogria*（*Cerogria*）*popularis* Borchmann, 1937（图版49：3）

Cerogria popularis Borchmann, 1937: 121.

鉴别特征：体长14.50～15.50mm。体黑色，鞘翅有金绿色至紫铜色光泽，前胸背板多有紫绿色光泽；背面被直立的白色长毛。头部复眼处明显窄于前胸背板，额不平坦，刻点较稀疏，但粗大；触角向后远超过鞘翅肩部，第4～6节端部凹，第5～6节腹面呈元宝形，第4～7和9节腹面内侧有近圆形光斑，第6～7节的光斑内侧有纵沟，第7和9节齿状膨大，第10节腹面凹，末节弯曲，腹面凹，等于其前6节长度之和。前胸背板背面基半部两侧有横压痕，中部之前两侧有小圆坑。鞘翅饰边仅肩部不可见。

采集记录：3♀，佛坪，2005.Ⅵ.25-26，巴义彬采；1♂5♀，南郑碑坝，2005.Ⅵ.19-22，巴义彬采；1♀，旬阳，1983.Ⅵ.13，李岭采；4♀，宁强，2005.Ⅵ.19-22，巴义彬采；1♂，汤坪，1983.Ⅳ.14，廉伟采；1♂1♀，岚皋民主镇，2003.Ⅶ.04，刘双玉、苑彩霞采。

分布：陕西（佛坪、南郑、旬阳、宁强、汤平、岚皋）、山东、河南、甘肃、浙江、湖北、福建、广西、重庆、四川、贵州、云南。

380. 隐毒甲属 *Cryphaeus* Klug, 1833

Cryphaeus Klug, 1833: 19. **Type species**: *Cryphaeus aries* Klug, 1833.

属征：体黑色至褐色。伸直，两侧近平行，通常背面纵向隆起。复眼被颊完全分割为上、下两个部分。触角端部有3～4个扁棒节。雄性头部有2个眼内角，但无唇基角。

分布：东洋区。秦岭地区发现1种。

(983) 短毛隐毒甲 *Cryphaeus barbellatus* Wu *et* Ren, 2008 陕西新纪录(图版 49：4)

Cryphaeus barbellatus Wu *et* Ren, 2008：1071.

鉴别特征：体长 8.50～9.50mm。雄虫体被灰黄色毛，褐色至棕色，足和触角红棕色。唇基前缘浅凹，中部隆起，眼内角圆锥形，角上具刻点和毛。前胸背板宽为长的 1.70 倍；盘区刻点粗密并具毛，刻点之间有小刻点；基部中间和缝角两侧各有 1 个小凹。小盾片舌形。鞘翅刻点行深，行间隆起并具清晰的小刻点。颏心形，中间凹，两侧有三角形毛突，毛色黄而稠密。雌虫唇基前角圆，眼内侧稍隆。

采集记录：2♂1♀，周至厚畛子，2013. Ⅷ. 26，朱熹超、田颖采；1♀，镇安县云盖寺镇，850m，2014. Ⅵ. 18，苑彩霞、田颖采。

分布：陕西(周至、镇安)、河南、安徽。

381. 栉甲属 *Cteniopinus* Seidlitz, 1896

Cteniopinus Seidlitz, 1896：200. **Type species**：*Cistela altaica* Gebler, 1830.

属征：体长圆筒形，密被短伏毛。头较长，口器前伸；上颚尖；下颚须端节长于前 1 节，略呈长刀状；下唇须端节微斧状；上唇宽，弱心脏形；触角多少呈线状，偶见弱锯齿状，第 2 节总是略长于端部宽度，末节端部变细；复眼间距至少是眼直径的 3 倍；颈微弱变细。前胸背板大多横阔；基部宽度约是端部的 2 倍；基角近于直角形，向前足基节倾斜；鞘翅多较直，大多有粗刻点，刻纹通常较乱；行间弱拱，有非常稠密的小刻点；缘折窄，未达翅端。腿节粗壮，超过鞘翅侧缘宽度，略扁，密布细刻点；胫节弱弯，向端部微扩展；胫节均有 2 个小的微弱的弯，端部有距；前足跗节常弱扩；后足跗节常与胫节等长。腹部具 6 个可见腹板，雄性肛节多少切截，非常扁拱，侧板上有直立刚毛。

分布：古北区，东洋区。秦岭地区发现 8 种。

分种检索表

1\. 前胸背板和鞘翅为红色 …………………… **红色栉甲 *C.*（*C.*）*ruber***
 前胸背板和鞘翅非红色 …………………… 2
2\. 头部暗黑色 …………………… **波氏栉甲 *C.*（*C.*）*potanini***
 头部浅色 …………………… 3
3\. 前胸背板有明显凹陷 …………………… **异角栉甲 *C.*（*C.*）*varicornis***
 前胸背板无明显凹陷 …………………… 4
4\. 触角完全黑色 …………………… **隆背栉甲 *C.*（*C.*）*protuberans***
 触角部分黑色，至少基节非黑色 …………………… 5

5. 触角第 3 节黑色 ………………………………………………………………………… 6
   触角第 3 节非黑色 ……………………………………………………………………… 7
6. 跗节浅色，体长 11 ~ 12mm ………………………………… 窄跗栉甲 *C.*（*C.*）*tenuitarsis*
   胫节和跗节黑色，体长 15 ~ 18mm ……………………………… 杂色栉甲 *C.*（*C.*）*hypocrita*
7. 触角短于体长的 1/2，体长 13 ~ 15mm ……………………… 吉林栉甲 *C.*（*C.*）*tschiliensis*
   触角长于体长的 1/2，体长 12.00 ~ 13.50mm ……………… 棕毛栉甲 *C.*（*C.*）*brunneicapilus*

（984）棕毛栉甲 *Cteniopinus*（*Cteniopinus*）*brunneicapilus* Yu *et* Ren，1997

Cteniopinus（*Cteniopinus*）*brunneicapilus* Yu *et* Ren，1997：9.

鉴别特征：体长 12.00 ~ 13.50mm。体浅棕黄色，足膝部、跗节、下颚须及触角第7 ~ 11节为浅棕色，上颚端部、胫节端距为棕褐色。触角长达鞘翅中部。前胸明显横宽，适度凸起，具大而圆的发光刻点和棕色毛，中沟不明显，侧缘基部 2/3 呈直线，再向前圆缩，基侧 1/3 具细边。鞘翅被棕色毛，行间凸起，中部被黄毛。小盾片狭三角形，发光，毛稀。体腹面浅黄褐色,被黄毛。

采集记录：1♀，宁陕火地塘，1983. Ⅵ. 12，李后魂采。

分布：陕西（宁陕）、宁夏。

（985）杂色栉甲 *Cteniopinus*（*Cteniopinus*）*hypocrita*（Marseul，1876）（图版 49：5）

Cteniopus hypocrita Marseul，1876b：329.

Cteniopus potanini Heyden，1889：677.

Cteniopinus（*Cteniopinus*）*hypocrita*：Borchmann，1930：145.

鉴别特征：体长 15 ~ 18mm。体黄色，触角第 3 ~ 11 节、眼、胫节、跗节黑色。上唇布细刻点与长毛；触角第 1、2 节色较浅。前胸背板近梯形，侧缘基半部近平行，端半部圆弧状急剧收缩，饰边在侧缘近端部常消失；盘区密布黄毛。鞘翅较宽刻点行近端部常断断续续；行间具横向皱纹，腿节端缘具深色边或不明显，胫节具宽凹，侧板具毛丛。

采集记录：1♀，华县高塘东峪黄边沟，1070m，2014. Ⅶ. 07，苑彩霞、田颖采；2♀，镇安云镇黑窑沟，1217m，2014. Ⅵ. 20，苑彩霞、田颖采。

分布：陕西（华县、镇安）、北京、河北、河南、甘肃、湖北、江西、湖南、福建、广东、广西、四川、贵州、西藏；朝鲜半岛，日本。

（986）波氏栉甲 *Cteniopinus*（*Cteniopinus*）*potanini* Heyd，1889

Cteniopinus potanini Heyd，1889：677.

鉴别特征: 体长 11 ~13mm。体窄长。前胸背板、鞘翅及足黄色,其余褐色至黑色。上唇近正方形,前缘具凹,色较浅,周缘具浅色长毛;触角长度达鞘翅中部,第 11 节端部缢缩,浅色;口须全深色。前胸背板近似梯形,较窄,由基部向前缓慢收缩;盘区密布黄毛和细刻点;小盾片近舌状。鞘翅窄长,饰边与中缝栗色;盘区密布伏毛。

采集记录: 1♀,佛坪,890m,1999. Ⅵ. 26,章有为采;1♀,山阳县城(N),679m,2014. Ⅵ. 27,苑彩霞、田颖采;1♂,丹凤蔡川镇,1178m,2014. Ⅵ. 30,苑彩霞、田颖采;1♀,丹凤蔡川镇,1208m,2014. Ⅶ. 02,苑彩霞、田颖采。

分布: 陕西(佛坪、山阳、丹凤)、北京、河北、河南、甘肃、上海、江西、湖南、福建、广西、四川、西藏;朝鲜半岛,日本。

(987) 隆背栉甲 *Cteniopinus* (*Cteniopinus*) *protuberans* Yu *et* Ren, 1997

Cteniopinus protuberans Yu *et* Ren, 1997: 8.

鉴别特征: 体长 11.50 ~13.20mm。体黄色,发亮;触角、下颚须、足转节、腿节端部、胫节和跗节均为黑色。上唇和唇基略宽,唇基刻点较额部大而稀;两性触角均达鞘翅中部。前胸背板明显隆起,背面大部被浅褐色毛,周缘被黄毛;小盾片三角形,基部平坦,端部尖圆。鞘翅两侧缘几乎平行;背面隆起,密被黄色伏毛,刻点沟深而规则,行间弱凸。身体腹面黄色并被黄毛。

采集记录: 1♀,留坝,1991. Ⅶ. 19,陈军采;1♂1♀,宁陕火地塘,1983. Ⅵ. 12,李后魂采。

分布: 陕西(留坝、宁陕)。

(988) 红色栉甲 *Cteniopinus* (*Cteniopinus*) *ruber* Pic, 1923 陕西新纪录

Cteniopinus ruber Pic, 1923: 76.

Cteniopinus (*Cteniopinus*) *ruber*: Borchmann, 1930: 151.

鉴别特征: 体长 13 ~20mm。体稍宽,红色;头、触角、眼、口须、足及身体腹面黑色,小盾片黑褐色;触角达到身体的 1/2。前胸背板扁拱,具完整饰边,中线明显。小盾片三角形。鞘翅肩角宽圆,两侧中间内弯;盘区隆起,刻点行规则,行上镶以粗圆刻点,行间扁拱;布倒伏的稠密黄毛。身体腹面被倒伏的黄毛,胸部稍密,腹部稀。第 5 腹节端缘直截,端部有宽大浅凹;肛节中央凸起。

采集记录: 1♂1♀,柞水凤凰镇中河村,900m,2014. Ⅵ. 25,苑彩霞、田颖采;1♂,镇安云镇茨沟村,1100m,2014. Ⅵ. 21,苑彩霞、田颖采。

分布: 陕西(柞水、镇安)、甘肃、海南、广西、四川、贵州、云南。

(989) 窄跗栉甲 *Cteniopinus* (*Cteniopinus*) *tenuitarsis* Borchmann, 1930

Cteniopinus (*Cteniopinus*) *tenuitarsis* Borchmann, 1930: 157.

鉴别特征：体长 11 ~ 12mm。体窄长，黄色；口须端节、腿、上颚端部、触角第 2 ~ 11节和腹部褐色至黑色。头较短，上唇较长，周缘密布长毛，具刻点，盘区布粗刻点和稀疏的长毛；触角不及鞘翅中部，密布深色毛，第 11 节端部缢缩且色较浅；前胸背板近正方形，较窄，两侧近平行，近端部突然急剧收缩；具完整的红褐色饰边；盘区均布黑色伏毛和粗刻点。小盾片三角形，布稀疏的毛和细刻点。鞘翅窄长，刻点行及附近布黑色伏毛，行间密布黄色伏毛；饰边及中缝红褐色。身体腹面密布黄色毛。

采集记录：2♀，周至厚畛子，1350m，1999. Ⅵ. 24-25，姚建、刘缠民采；3♀，宁陕火地塘，1580m，1999. Ⅵ. 25，袁德成采；3♀，宁陕旬阳坝，1983. Ⅵ. 18-19，朱秀江、王瑛采；1♀，宁陕大水沟，1500 ~ 1760m，1999. Ⅵ. 30，袁德成采。

分布：陕西(周至、宁陕)、内蒙古、河南、宁夏、甘肃；朝鲜。

(990) 吉林栉甲 *Cteniopinus* (*Cteniopinus*) *tschiliensis* Borchmann, 1930

Cteniopinus (*Cteniopinus*) *tschiliensis* Borchmann, 1930: 157.

鉴别特征：体长 13 ~ 15mm。体黄色，头部发亮，眼黑色，腹部色稍深。上唇前缘具浅凹；触角未达鞘翅中部，第 1 ~ 3 节和第 4 节基半部黄色，其余为黑褐色。前胸背板近似梯形，盘区密布黄色伏毛；具完整饰边，端半部具较长的黄毛。鞘翅扁拱，密布黄毛。

采集记录：1♂，留坝庙台子，1350m，1998. Ⅶ. 21，姚建采；1♀，留坝县城，1020m，1998. Ⅶ. 18，姚建采；3♂2♀，柞水凤凰镇中河村(N)，731m，2014. Ⅵ. 25，苑彩霞、田颖采；2♂，柞水凤凰古镇龙潭村(N)，785m，2014. Ⅵ. 26，苑彩霞、田颖采；1♂2♀，旬阳白柳镇刘家厂村(N)，439m，2014. Ⅵ. 22，苑彩霞、田颖采；1♀，镇安云盖寺镇，803m，2014. Ⅵ. 21，苑彩霞、田颖采。

分布：陕西(留坝、柞水、旬阳、镇安)、吉林、内蒙古、河北；蒙古，俄罗斯。

(991) 异角栉甲 *Cteniopinus* (*Cteniopinus*) *varicornis* Ren *et* Bai, 2005

Cteniopinus (*Cteniopinus*) *varicornis* Ren *et* Bai, 2005: 383.

鉴别特征：体长 11 ~ 14mm。体细长，光裸。体浅黄至暗黄色，头和鞘翅发亮，触角第 2 节、腿节、跗节和口须黄色，上颚端部黑色，腹部色较深。头部密布刻点。

触角长于身体的1/2；触角第3~8节的基部黄色，端部深褐至黑色。前胸背板具完整饰边，其在前缘中间较粗且色深。小盾片三角形，并具微毛。鞘翅肩角宽圆，两侧中间内弯，饰边从背面清楚可见；肛节腹面中间具1个宽沟，侧端微凸并具毛束。

采集记录： 1♂，留坝大洪渠，2500m，1998.Ⅶ.20，姚建采；2♂，宁陕火地塘，1580m，1998.Ⅶ.29，张学忠、姚建采；8♀，宁陕火地塘，1580m，1998.Ⅶ.08-27，姚建、张学忠、袁德成采。

分布： 陕西(留坝、宁陕)、甘肃。

382. 斑舌甲属 *Derispia* Lewis, 1894

Derispia Lewis, 1894: 389. **Type species**: *Derispia maculipennis* Marseul, 1876.

属征： 体半球形，似瓢虫。头横宽，具1对小且强烈隆起的横向复眼；复眼间额宽平；复眼前颊向前变窄，一般无卷曲；唇基沟无凹陷，唇基前缘直截，通常无隆起；上唇裸露，与唇基间节间膜明显。头顶后方无横沟或粗糙刻点。触角较短，扁平，由第4节至第10节形状大小近乎一致，第3节长于第4节，个别种长度相等，第2节球状。下颚须端节短粗，椭圆形。颏平，横向。前胸背板横向强烈隆起，纵向上几乎无隆起，后缘波曲状；前缘凹，弱波曲状；前后角均圆；盘区完全光滑。小盾片大，三角形。前胸腹突狭长且平或弱凹。前足基节横向，发达。前胸侧板平。中胸腹突短，与中足基节等长或略短。足短，腿节未达身体侧缘；胫节多直，横截面近圆形，无沟和脊；跗节长，下侧有短小的毛，跗节各节下侧无强烈突出。鞘翅高拱近圆形或短卵形，无肩突；盘区表面光滑，或有刻点或刻点列，刻点列间多平；鞘翅缘折前端宽凹，后端平，且明显变窄，内缘有细饰边。雄性外生殖器对称或不对称，并向一侧弯曲。

分布： 古北区，东洋区。秦岭地区发现1种。

(992) 多斑舌甲 *Derispia maculipennis* (Marseul, 1876)(图版49: 6)

Diaperis maculipennis Marseul, 1876a: 105.

Derispia maculipennis Lewis, 1894: 389.

Derispia klapperichiana Kaszab, 1954: 253.

鉴别特征： 体长3~4mm。体短卵形，强烈隆起。头和前胸背板黄色或橘黄色，前胸背板基部通常色深，鞘翅黄色或橘黄色，有黑色斑。头部简单，有几个不可辨的刻点。鞘翅斑纹如下：基部中间有1个横向斑，鞘翅缝上小盾片之后和中后部各有1个长形斑，这两斑相互连接且与端斑连接，鞘翅末端宽，黑色，盘区有1个大的长卵形斑，其后有2个小斑，靠近侧缘有1个长且窄的斑，通常与基斑连接，鞘翅侧缘宽，呈黄色或橘黄色，仅末端黑色，鞘翅斑纹存在变形。

采集记录：4 头. 镇安云镇黑窑沟，1217m，2014. Ⅵ. 20，苑彩霞、田颖采。

分布：陕西（镇安）、湖南、福建、广西、四川；日本。

383. 角舌甲属 *Derispiola* Kaszab, 1946

Derispiola Kaszab, 1946: 115. **Type species**: *Derispiola fruhstorferi* Kaszab, 1946.

属征：体半球形，瓢虫状。头横宽，上唇裸露，唇基沟不切截；雄性唇基中央具纵向尖脊，端部具小齿，雌性唇基无角；眼间额宽凹；复眼发达，强烈隆起且横宽；眼前颊拱形，外缘强烈弧形弯曲。触角短，第 2 节球形，第 3 与第 4 节近乎等长，但略窄，第 4～10 节一致，端节近圆形。下颚须端节粗，短卵形。颏平，横向。前胸背板横宽，横向强烈隆起，前缘深凹，波曲状，后缘半圆形，中部弱波曲状，侧缘向前强烈收缩，前角多圆钝角形，后角圆直角形。小盾片三角形，较发达，无刻点。前胸腹突平，前足基节横宽；中胸腹突短，中、后足基节之间的后胸腹板几乎不长于中足基节。足短，腿节未达身体侧缘，胫节短，近圆形，无沟和脊；跗节狭长，雄性前、中足跗节第 3 节与后足跗节第 2 节下侧略向前突出。鞘翅布刻点，肩部圆钝角形，无肩瘤，鞘翅缘折前部宽凹，向后强烈变窄且平，位于鞘翅末端之前。雄性外生殖器简单，对称。

分布：古北区，东洋区。秦岭地区发现 1 种。

(993) 独角舌甲 *Derispiola unicornis* Kaszab, 1946 陕西新纪录（图版 49：7）

Derispiola unicornis Kaszab, 1946: 116.

鉴别特征：体长 2.60mm。雄性短卵形，黑色，有弱金属光泽，鞘翅布黄色斑。额凹，具向前的锥状凸起，触角基部棕黄色，向端部逐渐变为黑色。前胸背板梯形，横向隆起，两侧陡降，盘区布稀疏的极小刻点。小盾片尖三角形。鞘翅具近圆形小斑，1 个斑在鞘翅基部靠近小盾片处，1 个斑在中后部靠近鞘翅侧缘，1 个斑在鞘翅端部之前。雌性头部无角状凸出。

采集记录：117♂40♀，柞水凤凰镇中河村，900m，2014. Ⅵ. 25，苑彩霞、田颖采；10♂15♀，柞水龙潭村，1026m，2014. Ⅵ. 26，苑彩霞、田颖采；24♂26♀，镇安茨沟村，1100m，2014. Ⅵ. 21，苑彩霞、田颖采；1♀，镇安云镇黑窑沟，1217m，2014. Ⅵ. 20，苑彩霞、田颖采；12♂27♀，山阳权垣村，855m，2014. Ⅵ. 29，苑彩霞、田颖采。

分布：陕西（柞水、镇安、山阳）、山东、河南、浙江、湖北、江西、湖南、福建、广东、广西、贵州、云南；老挝。

384. 菌甲属 *Diaperis* Geoffroy, 1762

Diaperis Geoffroy, 1762: 337. **Type species**: *Chrysomela boleti* Linnaeus, 1758.

属征：体短卵形，具光泽，背面强烈隆起，近半球形。头前方宽圆；复眼大而突出，肾形；前颊切入复眼很深；触角短小，棒状，端部8节向一侧扩展。下颚须近圆筒状或近梭形；前胸背板宽大于长，前缘钝圆，两侧向后角明显变宽，后缘中间在小盾片处明显突出。小盾片小，三角形。鞘翅具刻点行或刻纹，常有不同的颜色或花纹；鞘翅缘折端部短截。前胸腹突高隆，与中胸腹板接触。基腹板窄突，端尖或宽圆。后足第1跗节长于第2节。

分布：古北区，东洋区，新北区，新热带区。秦岭地区发现1种。

(994) 刘氏菌甲 *Diaperis lewisi lewisi* Bates, 1873(图版 49: 8)

Diaperis lewisi Bates, 1873: 14.

Diaperis rubrofasciata Reitter, 1879: 226.

Diaperis sinensis Gebien, 1925: 155.

鉴别特征：体长6~8mm。雄性头黑色，光亮，近半球形；鞘翅底色红色，基部、中部具2条黑色饰带。触角端部向后达前胸背板中部。前胸背板宽为长的1.67倍。小盾片小三角形，具稀疏的小刻点。鞘翅是宽的1.50倍，基部黑带宽阔，被分为数个大小不等的黑斑，于鞘翅缝处前后贯通，翅缝黑色；端部黑带窄，前、后缘均为不规则齿状。

采集记录：2头，山阳县城驾校(N), 679m, 2014. Ⅵ. 27，苑彩霞、田颖采。

分布：陕西(山阳)、河南、浙江、湖北、台湾、香港、广西、贵州；日本，越南，老挝，缅甸。

385. 土甲属 *Gonocephalum* Solier, 1834

Gonocephalum Solier, 1834: 498. **Type species**: *Opatrum pygmaeum* Steven, 1829.

属征：复眼不完全被颊分为上、下两部分。前胸背板基部有2个缺刻，背面有细颗粒，这些颗粒可能陷入不大的坑内。鞘翅上的沟明显或不明显，行间有细颗粒。中、后足基节间距离大于中足基节的纵径。

分布：古北区，东洋区，热带区，澳洲区。秦岭地区发现4种。

分种检索表

1. 所有跗节的末跗节很长，比其余节之和略长；触角第 3 节短，长不超过第 2 节的 3 倍 …………………… 网目土甲 ***G.*（*G.*）*reticulatum***
   所有跗节的末跗节较其余节之和短；触角第 3 节长，通常长是第 2 节的 3 倍多 …………………… 2
2. 雄性的足简单，无第二性征 …………………… 亚刺土甲 ***G.*（*G.*）*subspinosum***
   雄性的足常有第二性征 …………………… 3
3. 雄性仅前足胫节下侧有钝齿，中、后足胫节无齿 …………………… 弯胫土甲 ***G.*（*G.*）*curvicolle***
   雄性前足胫节下侧有钝齿，中、后足胫节有尖齿 …………………… 双齿土甲 ***G.*（*G.*）*coriaceum***

(995) 网目土甲 *Gonocephalum*（*Gonocephalum*）*reticulatum* Motschulsky, 1854

Gonocephalum reticulatum Motschulsky, 1854: 47.
Gonocephalum mongolicum Reitter, 1889: 706.
Gonocephalum（*Gonocephalum*）*reticulatum*: Iwan & Löbl, 2008: 265.

鉴别特征：体长 4.50～7.00mm。体锈褐色至黑褐色，前胸背板两侧浅棕红色。唇基前缘宽凹，但不太深，颊和唇基之间微凹，上唇两侧圆且各有 1 束棕色长毛；前颊向外斜伸，颊角尖直角形，两颊角间距离与前胸背板前缘近于等宽；背面刻点粗；触角向后达前胸背板中部。前胸背板宽是长的 1.70 倍；前缘浅凹，侧缘圆弧形弯曲并有少量锯齿，在后角之前略凹陷；基部中央宽弧形向后突出；前角呈宽锐角形，后角呈尖直角形；背面密布粗网状刻点和少量光滑斑点，其中有 2 个明显的瘤突。

采集记录：1♂，宁陕，1980. Ⅶ，王家儒采。

分布：陕西（宁陕）、黑龙江、吉林、内蒙古、北京、天津、河北、山西、河南、宁夏、甘肃、青海、江苏、上海；蒙古，朝鲜半岛。

(996) 弯胫土甲 *Gonocephalum*（*Gonocephalum*）*curvicolle* Reitter, 1889

Gonocephalum curvicolle Reitter, 1889: 705.
Gonocephalum（*Gonocephalum*）*curvicolle*: Iwan & Löbl, 2008: 263.

鉴别特征：体长 9.50～10.80mm。体黑色，无光泽，下颚须、触角及跗节略棕色；触角向后达前胸背板基部。前胸背板宽是长的 1.64 倍；前缘深凹，两侧有饰边；侧缘中部之后最宽，向前缓慢收缩，后角之前拱弯收缩；前角钝角形伸出，后角锐角形突出；盘区略拱，有皱纹及光亮的小颗粒，被稀疏的毛。鞘翅两侧不平行，长是宽的 1.34 倍，翅面密布光亮小颗粒，每行间布 2～3 列细毛，毛向后弯曲。

采集记录：2♂2♀，佛坪龙草坪，1986. Ⅵ. 25，邢瑞采。

分布：陕西（佛坪）、内蒙古、山西、甘肃、新疆、湖北、四川、西藏；蒙古，印度。

(997) 亚刺土甲 *Gonocephalum* (*Gonocephalum*) *subspinosum* (Fairmaire, 1894) (图版 49：9)

Hopatrum subspinosum Fairmaire, 1894: 19.

Gonocephalum subspinosum: Gebien, 1910: 327.

Gonocephalum (*Gonocephalum*) *subspinosum*: Iwan & Löbl, 2008: 266.

鉴别特征：体长 11～12mm。体大型，粗壮，强拱。体黑色，无光泽。口须、触角及跗节棕红色。唇基前缘缺刻深，两侧角不呈半圆形；颊和唇基之间缺刻明显深；唇基沟深而宽凹；颊角三角形向外突出，距复眼外缘很远，几乎比前胸背板前角的外缘宽；眼内侧有隆起的褶。前胸背板宽是长的 1.90 倍；侧缘中后部最宽，向前逐渐圆缩，向后突然收缩，在后角之前有 1 个深切口；基部有 3 个弯，两侧衬以饰边；前角呈宽锐角形，后角规则地斜向外伸出；盘区有深而不平坦的凹，并布有直立的呈"m"形的瘤突。

采集记录：1♀，佛坪，1986. Ⅶ. 22，干建平采；1♂1♀，佛坪龙草坪，1986. Ⅷ. 27，黄新平采。

分布：陕西(佛坪)、江苏、湖北、湖南、福建、台湾、广东、四川、贵州、云南、西藏；缅甸，印度，尼泊尔。

(998) 双齿土甲 *Gonocephalum* (*Gonocephalum*) *coriaceum* Motschulsky, 1858

Gonocephalum coriaceum Motschulsky, 1858: 34.

Gonocephalum (*Gonocephalum*) *coriaceum*: Iwan & Löbl, 2008: 263.

鉴别特征：体长 7～8mm。体窄而平行。体黑色，无光泽。唇基前缘中央深凹，颊和唇基间无缺刻；触角向后达前胸背板中部。前胸背板宽是长的 1.75 倍；前缘略凹，有饰边；侧缘弱圆，有饰边，中部最宽，在后角之前不拱弯；基部中间凹，两侧弧形凹；前角钝角形，后角尖角形伸出；背面盘区拱起，背面有发亮的小颗粒。小盾片半圆形，着生密的小锉纹状颗粒。鞘翅长是宽的 1.63 倍，翅面毛短而稀疏，布满发亮的小颗粒。雄性第 1、2 节腹板中央有 1 个纵坑。

采集记录：1♂1♀，华县高塘东峪黄边沟，1070m，2014. Ⅶ. 07，苑彩霞、田颖采；1♂4♀，佛坪，890m，1998. Ⅵ. 26-27，章有为、贺同利、姚健采；36♂46♀，佛坪，950m，1998. Ⅵ. 28，张学忠、姚健采；14♂11♀，洋县，1996. Ⅶ. 30，马峰采；1♂1♀，宁陕关口锁，1982. Ⅷ，史卫东采；1♂2♀，柞水凤凰古镇龙潭村(N)，785m，2014. Ⅵ. 26，苑彩霞、田颖采；1♂2♀，镇安云盖寺镇，850m，2014. Ⅵ. 18，苑彩霞、田颖采；1♂2♀，镇安云盖寺镇，2014. Ⅵ. 21，803m，苑彩霞、田颖采；22♂8♀，山阳县驾校(N)，679m，2014. Ⅵ. 27，苑彩霞、田颖采。

分布：陕西(华县、佛坪、洋县、宁陕、柞水、镇安、山阳)、内蒙古、河北、山西、河南、甘肃、新疆、浙江、湖南、福建、台湾、广西、广东、四川、贵州；朝鲜，日本，尼泊尔。

386. 异土甲属 *Heterotarsus* Latreille, 1829

Heterotarsus Latreille, 1829: 26. **Type species**: *Heterotarsus tenebrioides* Guérin-Méneville, 1837.

Helopimorphus Desbrochers des Loges, 1881: 141. **Type species**: *Helopimorphus angulipennis* Desbrochers des Loges, 1881.

Hopatropteron Reitter, 1889: 701. **Type species**: *Hopatropteron subcostatum* Reitter, 1889.

Oubanghinum Pic, 1933d: 4. **Type species**: *Oubanghinum atrum* Pic, 1933.

属征：复眼肾形。触角第3节最长，具4~5个棒节。下颚须末节呈斧状。前胸背板圆盘形或横向隆起，侧缘具饰边。小盾片三角形。鞘翅具9条纹。鞘翅缘折宽，具锐边。跗节(除端跗节外)端部深截，前、中足1~3跗节和后足1~2跗节加宽，腹面具毛。雄性外生殖器具基板。

分布：古北区，东洋区。秦岭地区发现1种。

(999) 隆线异土甲 *Heterotarsus carinula* Marseul, 1876(图版50：1)

Heterotarsus carinula Marseul, 1876a: 127.

Hopatropteron subcostatus Reitter, 1889: 701.

鉴别特征：体长9.00~11.60mm。前胸背板的前角尖角形突出；前缘弧凹较深，具饰边；侧缘在中部偏后处最宽，后角之前直截，向前角圆扩并急剧地收缩，有完整的侧缘饰边；后角近于直；基部中间轻轻凸出；背面有明显的皱纹状粗点。鞘翅光裸无毛，所有行间明显拱隆起，第3行间的基部不拱直，第1、2行间在基部相连；第8行间在中部之后有光滑脊突，其底部有非常小的暗粒，颗粒行中间多次出现断裂，若有平脊者，则刻纹很明显。

采集记录：1♂，华县高塘东峪黄边沟，1070m，2014.Ⅶ.07，苑彩霞、田颖采。

分布：陕西(华县)、山东、甘肃、江苏、安徽、浙江、湖北、福建、台湾、海南、四川、贵州；俄罗斯(亚洲)，朝鲜半岛，日本。

387. 莱甲属 *Laena* Dejean, 1821

Laena Dejean, 1821: 64. **Type species**: *Scaurus viennensis* J. Sturm, 1807.

Catalaena Reitter, 1900: 282. **Type species**: *Laena turkestanica* Reitter, 1897.

Ebertius Jedlička, 1965: 98. **Type species**: *Ebertius nepalensis* Jedlička, 1965.

Laena Latreille, 1829: 39(nec Dejean, 1821). **Type species**: *Scaurus viennensis* J. Sturm, 1807.
Psilolaena Heller, 1923: 70. **Type species**: *Psilolaena schusteri* Heller, 1923.

属征：体黑色或棕色，高拱，具明显的刻点和毛，后翅退化。唇基前缘直或浅凹，上唇和唇基之间无基间膜；复眼不退化，圆形或椭圆形；触角念珠状，末节最大，水滴形；前胸背板形状多变，有圆形、椭圆形、心形、方形、梯形等；鞘翅缘折达翅端，鞘翅有明显的鞘翅行，且行间有较小的刻点；腹部第 3 和第 4 可见腹部后缘有节间膜；腿节粗棍棒状，具齿或无齿；爪镰形；雄性的外生殖器阳基侧突愈合。若具雌雄二型现象，则体现为雄性胫节具不同的结构性特征，如内侧具颗粒、端部内侧具钩、中部具刺、中部弯曲等。若无雌雄二型现象，则体现为胫节简单，无特殊变化。

分布：古北区、东洋区，非洲区。秦岭地区发现 5 种。

分种检索表

1. 两性所有腿节或至少前足腿节中部具齿或角 ………………………………………… 2
   所有腿节正常 ……………………………………………………………………………… 3
2. 前胸背板和鞘翅表面暗淡粗糙，毛长且直，稠密 ……………………… **秦岭莱甲 *L. qinlingica***
   前胸背板和鞘翅表面光泽，毛短且倒伏，稀少 ………………………… **沣河莱甲 *L. fengileana***
3. 鞘翅(不包括前胸背板)无毛，或鞘翅行和行间有非常短的毛 …… **郎木寺莱甲 *L. langmusica***
   鞘翅行和(或)行间有明显倒伏的短毛或长毛 ………………………………………… 4
4. 雄性后足胫节中部具 1 个显齿；雄性外生殖器端部宽，铲状 ……… **太白山莱甲 *L. houzhenzica***
   雄性后足胫节端内侧仅具小钩；雄性外生殖器端部长，三角形 ……… **二点莱甲 *L. bifoveolata***

(1000) 二点莱甲 *Laena bifoveolata* Reitter, 1889

Laena bifoveolata Reitter, 1889: 678.

鉴别特征：体长 8.30 ~ 9.50mm。体黑色，触角、跗节色相对淡，全身密布刻点。唇基前缘浅凹并具 4 根长毛；触角伸达前胸背板基部。前胸背板心形，长宽相等，中间最宽；盘区密集大刻点成簇，其上被短毛，表面粗糙，鞘翅两侧几乎平行，行上刻点不连成点线，每个刻点有 1 根短毛；行间具被短毛刻点行，所有行间平坦暗淡，前足腿节中部有明显颗粒。所有胫节端部内侧有钩。

采集记录：1♀，秦岭，2000m，2002. Ⅶ. 01，Stary 采(德国斯图加特自然博物馆)；1♂，宁陕，1984. Ⅷ. 15，采集者不详。

分布：陕西(秦岭，宁陕)、甘肃、湖北、四川。

(1001) 沣河莱甲 *Laena fengileana* Masumoto, 1996

Laena fengileana Masumoto, 1996: 180.

鉴别特征：体长5.70mm。体黑色，鞘翅、胫节、跗节色相对淡，全身密布刻点。唇基前缘直并具6根长毛；触角伸达前胸背板中部。前胸背板倒梯形，长宽相等，端部最宽；盘区刻点大，有倒伏的长毛；鞘翅卵圆形，中部最宽；鞘翅行上刻点不连成点线，每个刻点有1簇长毛；行间有非常小的刻点，且每个刻点都有1簇长毛；所有行间平坦而光泽；第9行间有3个脐状毛孔。所有腿节有强烈齿，后足胫节中部轻微扩展。

采集记录：2头，2♂，西安秦岭，2600m，2001. Ⅶ. 25，A. Smetana采（德国斯图加特自然博物馆）；2头，秦岭，1650m，1995. Ⅸ. 01-02，A. Pütz采；2头，秦岭，1650m，1995. Ⅸ. 01-02，M. Schülke采；2头，秦岭，2000m，2002. Ⅶ. 01，Stary采；4头，秦岭，1990m，2001. Ⅶ. 02-04，D. Wrasi采；6头，秦岭，1990m，2001. Ⅶ. 02-04，A. Smetana采。

分布：陕西（西安、秦岭）。

（1002）太白山莱甲 *Laena houzhenzica* Schawaller, 2001（图版50：2）

Laena houzhenzica Schawaller, 2001: 22.

鉴别特征：体长6.50mm。体黑色，全身密布大刻点，粗糙。唇基浅凹并具6根长毛；触角伸达前胸背板基部。前胸背板圆形，长宽相等，中间最宽；盘区密布大刻点，一些刻点成簇，其上有短毛，表面不平整且粗糙。鞘翅卵圆形，中部最宽；鞘翅行上刻点不连成点线，行间有不规则的小刻点行，刻点均被1簇短毛，中间第7行间显著隆起，其端部龙骨状；第9行间有3个脐状毛孔。所有腿节无齿，前足胫节内侧有小颗粒，所有胫节端部内侧有钩。

采集记录：1♂，周至厚畛子，1300～1700m，1998. Ⅵ. 09-Ⅶ. 03，P. Jager & J. Martens采；1♀，镇坪，2850m，2001. Ⅶ. 13，D. Wrase采；3头，1♂，镇坪，2850m，2001. Ⅶ. 14，A. Smetana采（德国斯图加特自然博物馆）。

分布：陕西（周至、镇坪）。

（1003）郎木寺莱甲 *Laena langmusica* Schawaller, 2001

Laena langmusica Schawaller, 2001: 25.

鉴别特征：体长6.80～8.00mm。体黑色，胫节、跗节色淡，全身密布刻点。唇基浅凹并具6根长毛；触角伸达前胸背板基部。前胸背板略圆形，宽是长的1.20倍，中间最宽，后缘向下弯曲；盘区散布较大刻点，多数刻点有较长的毛。鞘翅卵圆形，中部最宽；鞘翅刻点行不连成点线，刻点均被短毛；行间有1排小刻点行，多数刻点有短毛；第9行间有3个脐状毛孔。所有腿节无齿，前足胫节中部具颗粒，中、后足胫节端部内侧有小钩。

采集记录： 1♂，周至厚畛子，3000m，1998. Ⅵ. 29-Ⅶ. 02，O. Šafránek & M. Trýzna 采(德国斯图加特自然博物馆)。

分布： 陕西(周至)、四川。

(1004) 秦岭莱甲 *Laena qinlingica* Schawaller, 2001

Laena qinlingica Schawaller, 2001: 32.

鉴别特征： 体长5.30～5.50mm。体棕红色，触角、足色相对淡，全身密布刻点和长毛。唇基前缘浅凹并具6根长毛；触角向后伸达鞘翅基部。前胸背板心形，宽是长的1.10倍，端部最宽；盘区散布大刻点，被直立长毛。鞘翅卵圆形；鞘翅刻点行不连成点线，被直立长毛；行间有1排被直立长毛的小刻点行，第9行间有3个不明显的脐状毛孔。所有腿节具强烈的齿；中、后足胫节端部内侧有钩，后足胫节中部略膨大。

采集记录： 1♀，周至厚畛子，1700～2600m，1998. Ⅵ. 09-Ⅶ. 03，P. Jäger & J. Martens 采；3头，秦岭，1990m，2001. Ⅶ. 02-04，A. Smetana 采(德国斯图加特自然博物馆)。

分布： 陕西(周至、秦岭)、四川。

388. 伪叶甲属 *Lagria* Fabricius, 1775

Lagria Fabricius, 1775: 124. **Type species**: *Chrysomela hirta* Linnaeus, 1758.
Lachna Billberg, 1820: 35. **Type species**: *Chrysomela hirta* Linnaeus, 1758.

属征： 头部略呈圆形；下颚须末节多样，宽三角状，椎状或斧状，上唇和唇基前缘略凹陷；额侧突基瘤不发达；复眼前缘多具深凹陷；触角简单，但形状变化大，触角节或有修饰或大小不等，末节多延长或很短。前胸背板形状各异，多圆柱形，盘区时有隆脊、压痕和横皱褶等特征，侧缘下弯，背面观不可见。鞘翅刻点不规则，常呈皱纹状，末端大多宽而钝。足多强壮，胫节常具性二型特征。

分布： 古北区，东洋区，澳洲区，非洲区。秦岭地区发现1种。

(1005) 黑胸伪叶甲 *Lagria nigricollis* Hope, 1843(图版50: 3)

Lagria nigricollis Hope, 1843: 63.
Lagria picea Brancsic, 1914: 58.
Lagria subtilipunctata Seidlitz, 1898: 340.

鉴别特征：体长6.00～8.80mm。体前部黑色，触角、中胸小盾片和足黑褐色，鞘翅褐色，有较强的光泽。头、前胸背板被长且直立的深色毛，鞘翅被长而半直立的黄色绒毛。复眼较小，前缘深凹，眼间距为复眼横径的1.50倍；触角向后约超过鞘翅肩部，第3～10节逐渐变短变粗，第11节略弯曲，端部弯曲，约等于其前5节长度之和或稍短。前胸背板刻点小，稀疏。鞘翅细长，有不明显的纵脊线，刻点较稀疏，鞘翅饰边除肩部外，其余可见。

采集记录：2♂，留坝庙台子，2005.Ⅵ.15-16，巴义彬采。

分布：陕西(留坝)、黑龙江、吉林、辽宁、北京、河北、山西、河南、宁夏、青海、新疆、安徽、浙江、湖北、江西、湖南、福建、重庆、四川；俄罗斯，朝鲜，日本。

389. 小垫甲属 *Luprops* Hope, 1833

Luprops Hope, 1833: 63. **Type species**: *Luprops chrysophthalmus* Hope, 1833.
Etazeta Fairmaire, 1889: 358. **Type species**: *Etazeta aeneicolor* Fairmaire, 1889.
Oligorus Dejean, 1834: 206. **Type species**: *Tagenia indica* Wiedemann, 1823.
Syggona Fahraeus, 1870: 330. **Type species**: *Syggina concinna* Fahraeus, 1870.

属征：体卵圆形，扁。触角短，末节略延长。前胸背板侧缘不扩展。小盾片三角形。鞘翅刻点行不明显，具微弱的光泽和明显刻点，前、中足跗节1～3节加宽，腹面具毛。

分布：东洋区，非洲区。秦岭地区发现1种。

(1006) 东方小垫甲 *Luprops orientalis* (Motschulsky, 1868)(图版50: 4)

Anaedus orientalis Motschulsky, 1868: 195.
Luprops sinensis Marseul, 1876a: 126.
Luprops orientalis: Kaszab, 1983: 137.

鉴别特征：体长8.00～10.50mm。体扁。体黑棕色，触角、足和口器红棕色，被极短的毛。头部复眼处稍窄于前胸背板，额不平坦，散布稀疏粗大的刻点；触角短，向后略超过鞘翅肩部，末节约等于其前2节长度之和，前胸背板向后变窄；鞘翅布有稀疏刻点。

分布：陕西(秦岭)、黑龙江、吉林、辽宁、内蒙古、河北、山西、河南、甘肃、宁夏、江苏、浙江、湖北、江西、福建、台湾、海南、四川；蒙古，朝鲜半岛，日本，东洋区。

390. 毛土甲属 *Mesomorphus* Miedel, 1880

Mesomorphus Miedel, 1880: 140. **Type species**: *Opatrum murinum* Baudi di Selve, 1876 (= *Opatri-*

nus setosus Mulsant *et* Rey, 1853).

Clitobius (*Pentholasius*) Reitter, 1904: 178. **Type species**: *Penthicus variolatus* Allard, 1884.

属征: 体较阔，背面被毛。复眼被颊完全分为上、下两部分。鞘翅有粒点或成行刻点。有些雄性前、后足跗节第1~3节宽，其腹面密被海绵状毛。

分布: 古北区，东洋区，非洲区，澳洲区。秦岭地区发现1种。

(1007) 扁毛土甲 *Mesomorphus villiger* (Blanchard, 1853) (图版50: 5)

Opatrum villiger Blanchard, 1853: 154.

Gonocephalum puberulus Fauvel, 1867: 187.

Gonocephalum ussuriensis Solsky, 1871: 374.

Opatrum mustelinus Fairmaire, 1882: 221.

Opatrum dispersus Champion, 1894: 361.

Mesomorphus asperulus Fairmaire, 1898: 234.

Mesomorphus dermestoides Reitter, 1904: 74.

Mesomorphus villiger: Gebien, 1920: 12.

鉴别特征: 体长6.50~8.00mm。体细长，两侧略平行。体黑褐色或棕色，无光泽。被稀疏、较长而紧贴体壁的灰黄色毛。触角、口须及跗节略棕红色，触角向后不达前胸背板基部。前胸背板宽为长的1.53倍；侧缘饰边完全；背板宽隆，圆刻点有大小两种。小盾片半六角形。鞘翅长于宽的1.58倍。雄性腹部基部2节中央微凹，雌性腹部隆起。

采集记录: 9♂10♀，高塘东峪黄边沟，1070m，2014.Ⅶ.07，苑彩霞、田颖采。

分布: 陕西(华县)、黑龙江、辽宁、内蒙古、河北、山西、山东、河南、宁夏、江苏、安徽、湖北、湖南、福建、台湾、广东、香港、广西、海南、四川、贵州、云南；俄罗斯(亚洲)，韩国，日本，印度，尼泊尔，阿富汗。

391. 沙土甲属 *Opatrum* Fabricius, 1775

Opatrum Fabricius, 1775: 76. **Type species**: *Silpha sabulosa* Linnaeus, 1760.

属征: 复眼不完全被颊分为上、下两部分。前胸背板沿侧缘通常变扁，无饰边，有时有细边；基部常有2个缺刻；背面颗粒状。中、后足基节间的后胸不长于中足基节的纵径。鞘翅有不明显的刻点行，行间两侧有若干光亮的突起，奇数行间较偶数行间凸出，两种行间均有稠密的粒点。前足胫节端部外侧只有1枚齿。

分布: 古北区，东洋区，非洲区。秦岭地区发现1种。

（1008）类沙土甲 ***Opatrum*（*Opatrum*）*subaratum* Faldermann，1835**（图版 50：6）

Opatrum subaratum Faldermann，1835：413.
Opatrum（*Opatrum*）*subaratum*：Reichardt，1936：127.

鉴别特征：体长 6.50～9.00 mm。体椭圆形，粗短。体黑色，略有锈红色，无光泽；触角、口须和足锈红色，腹部暗褐色且略有光泽。唇基前缘中央三角形深凹；头顶整个隆起；触角向后只达前胸背板中部。前胸背板横阔，中后部最宽，宽大于长的 1.90 倍；前缘深凹，中央宽直，两侧有饰边；侧缘前部强圆收缩，前角钝圆，后部略收缩，后角直角形；基部中央突出，两侧浅凹，沿两侧到中间无饰边的痕迹；盘区隆起，布均匀粒点。鞘翅每行间有 5～8 个瘤突，行间布细小颗粒，雄性第 1、2 节腹板中央有 1 个纵凹。

采集记录：2♀，秦岭太白山，2002. Ⅶ. 17；任国栋采；1♀，山阳县驾校（N），679m，2014. Ⅵ. 27，苑彩霞、田颖采。

分布：陕西（太白、山阳）、黑龙江、吉林、辽宁、内蒙古、河北、山西、山东、河南、宁夏、甘肃、青海、安徽、湖北、江西、湖南、台湾、广西、四川、贵州；蒙古，俄罗斯，朝鲜半岛，日本。

392. 齿刺甲属 *Oodescelis* Motschulsky，1845

Oodescelis Motschulsky，1845：76. **Type species**：*Blaps polita* Sturm，1807.

属征：体椭圆形，明显隆起。前足基节间的前胸腹突延伸到基节的后缘，顶尖圆形、直或尖角形。鞘翅光裸或被刚毛。雄性前足胫节端部常常非常扩展，其下表面不凹，外缘钝。前足腿节下缘内侧端部有尖齿或钝齿。雌性前、中足跗节急剧扩展并在跗垫上被浓密的刷状毛。

分布：古北区。秦岭地区发现 3 种。

分种检索表

1. 唇基沟凹；雄性外生殖器端部侧面呈犁尖状，其顶端圆，中间微凹 ………………………… 犁茎齿刺甲 ***O.*（*A.*）*pyripenis***
   唇基沟有轻度压痕或无压痕 ………………………… 2
2. 前胸背板盘区布很稀疏的粗刻点，但不呈长圆形；体长 13.50～14.80mm ………………………… 埃氏齿刺甲 ***O.*（*A.*）*emmerichi***
   前胸背板盘区布粗密刻点，在侧缘纵向汇合；体长 11.00～12.50mm ………………………… 多点齿刺甲 ***O.*（*A.*）*punctatissima***

(1009) 埃氏齿刺甲 *Oodescelis* (*Acutoodescelis*) *emmerichi* Kaszab, 1940

Oodescelis (*Acutoodescelis*) *emmerichi* Kaszab, 1940: 953.

鉴别特征: 体长 13.50~14.80mm。体黑色,相当光亮。头部布粗密、略圆的刻点;前胸背板盘区布很稀疏的粗刻点,但不呈长圆形;基部最宽,向中部几乎直,而中部到端部强度收缩;前缘深凹;侧缘饰边粗,中部靠侧缘较扁平;后缘弯截很弱。鞘翅向中部相当强烈地扩展;饰边由背面观仅在中部可见;前足腿节有较粗的齿;雄性前足跗节强列扩展,与前足胫节末端一样宽。

采集记录: 1♂1♀,周至厚畛子,1354m,2013.Ⅷ.27,朱喜超、田颖采;1♀,太白山药场,1983.Ⅴ.12,陕西太白山昆虫考察组陈彤采。

分布: 陕西(周至、太白)。

(1010) 多点齿刺甲 *Oodescelis* (*Acutoodescelis*) *punctatissima* (Fairmaire, 1886) (图版 50:7)

Platyscelis punctatissima Fairmaire, 1886: 345.
Oodescelis (*Acutoodescelis*) *punctatissima*: Kaszab, 1940: 951.

鉴别特征: 体长 11.00~12.50mm。体黑色,光亮。头具粗密刻点;触角伸达前胸背板基部。前胸背板横阔,宽是长的 1.30 倍;基部最宽,前缘深凹,近于半圆形;侧缘饰边粗,向前后两侧均匀弯曲;后缘近于直;盘区布长圆形粗密刻点,在侧缘变为纵向拉伸。鞘翅长是宽的 1.20 倍,饰边由背面观达中部;翅面刻点粗大。前足腿节有锐齿,胫节从基部到中部均匀变粗,雄性腹部前 2 节有虚弱的环状毛。

采集记录: 1♂,丹凤蔡川镇,1200m,2014.Ⅶ.01,苑彩霞、田颖采;3♂,丹凤蔡川镇,1417m,2014.Ⅶ.02,苑彩霞、田颖采。

分布: 陕西(丹凤)、内蒙古、北京、天津、河北、山西、新疆。

(1011) 梨茎齿刺甲 *Oodescelis* (*Acutoodescelis*) *pyripenis* Ren, 1999

Oodescelis (*Acutoodescelis*) *pyripenis* Ren, 1999: 293.

鉴别特征: 体长 11.00~13.50mm。体黑色,较光亮。前胸背板近梯形,基部最宽,向前角较直地弯缩,前面 1/3 收缩较强烈;前缘深凹,后缘中央直截,均无饰边;盘区有稀疏的长刻点,刻点向两侧渐变粗且变密。鞘翅两侧基部和中部近于平行,饰边完整;背面有较密的圆刻点。前足腿节下缘端部有直立的大钝齿,雄性跗节强烈扩展,与胫节端部等宽;中、后足胫节较直并具毛;前、中足跗节两侧有密毛,背面也有毛。

采集记录：1♂，佛坪龙草坪，1986. Ⅶ. 29，无采集人；2♂1♀，宁陕火地塘，1984. Ⅶ. 20，无采集人。

分布：陕西（佛坪、宁陕）。

393. 邻烁甲属 *Plesiophthalmus* Motschulsky, 1858

Plesiophthalmus Motschulsky, 1858: 34. **Type species**: *Plesiophthalmus nigrocyaneus* Motschulsky, 1858.

Cyriogeton Pascoe, 1871: 356. **Type species**: *Cyriogeton insignis* Pascoe, 1871.

属征：具后翅，长卵形，大多强烈隆起。背面颜色多样，常具金属或丝般光泽，某些类群昏暗，罕见被毛斑者，腹面略被密毛。头部几乎垂直于前胸背板，并深深插入其中；唇基大多横宽；颊钝突；眼大，靠近。下颚须端节斧形。触角呈丝状，细长。前胸背板梯形，前缘有饰边，后缘无；盘区隆起，小盾片呈三角形。鞘翅隆起，有刻点线，或成列刻点；列间扁平或隆起；缘折完整。腹部通常宽盾形；雄性肛节端部凹。足细长，前足腿节具齿（某些种不明显），雄性前足胫节向内弯曲，端部内侧多加粗；跗节长，爪镰刀状，尖锐。雄性外生殖器多长纺锤形，有时明显延长，背面观略向下弯曲，基侧突端部侧面观大多锉状，顶端罕见匙形。

分布：古北区，东洋区。秦岭地区发现 1 种。

(1012) 长茎邻烁甲 *Plesiophthalmus longipes* Pic, 1938 陕西新纪录（图版 50：8）

Plesiophthalmus longipes Pic, 1938: 8.

鉴别特征：体长 14 ~ 17mm。体长卵形，暗黑色，头和身体前下方密生白色短柔毛。眼间距极窄，约为其自身横径的 1/4；触角几乎伸达鞘翅基部 1/3，前胸背板宽大于长的 1.35 倍，基部最宽，基部 2/5 稍收缩，两侧饰边细，背面观可见；盘区强烈隆起。鞘翅长大于宽的 1.50 倍，中部稍后最宽，背面强烈隆起，盘区刻点线细，行间扁平；雄性前足胫节基半部弯曲，端半部直，端部 3/5 内侧加粗具毛。

采集记录：1♀，留坝韦驮沟，1359m，2013. Ⅷ. 20，朱熹超、田颖采；2♂1♀，宁陕药王堂，1258m，2013. Ⅷ. 11，朱熹超、田颖采；2♂，宁陕广货街，1135m，2013. Ⅷ. 10，朱熹超、田颖采；2♂2♀，柞水龙潭村，1026m，2014. Ⅵ. 26，苑彩霞、田颖采；2♂2♀，柞水凤凰镇中河村，900m，2014. Ⅵ. 25，苑彩霞、田颖采；1♂1♀，镇安云镇黑窑沟，1217m，2014. Ⅵ. 20，苑彩霞、田颖采；1♀，丹凤蔡川镇，1417m，2014. Ⅶ. 02，苑彩霞、田颖采。

分布：陕西（留坝、宁陕、柞水、镇安、丹凤）、福建、重庆、贵州、云南、西藏。

394. 齿甲属 *Uloma* Dejean, 1821

Uloma Dejean, 1821: 67. **Type species**: *Tenebrio culinaris* Linnaeus, 1758.

Melasia Perroud *et* Mulsant, 1856: 160. **Type species**: *Melasia gagatina* Perroud *et* Mulsant, 1856.

Prioscelida White, 1846: 11. **Type species**: *Prionoscelida tenebrionoides* White, 1846.

属征：体长 3～25mm。体小至大型，扁平，棕色至黑色。头小，上唇横宽唇基前缘直或弯，额唇基沟明显；前、后颊切入眼很深，但不完全将眼分隔为上下两部分，眼的上半部横卵形，与颊不处在同一直线上；颏形状多变，两侧圆，表面光滑或有环沟，有些具毛环；下颚须末节斧状或刀状；下唇须末节短，近椭圆形；触角短，向端部逐渐变粗变扁，末节横卵形、半球形或球形。前胸背板正方形或略宽，侧缘饰边明显，基部两弯。鞘翅刻点行明显，缘折向端部明显变窄。前足胫节扁平，由基部向端部明显扩展，外缘具齿；中足胫节粗糙；后足腿节粗壮，胫节光滑。

分布：东洋区，澳洲区，新热带区。秦岭地区发现 1 种。

(1013) 梁氏齿甲 *Uloma liangi* Ren *et* Liu, 2004(图版 50: 9)

Uloma liangi Ren *et* Liu, 2004: 298.

鉴别特征：体长 11.00～11.50mm。体扁平，椭圆形。体暗红棕色，触角、口须和足浅红色。颏近心形，前缘突出，中间扁平，两侧有 1 对半圆形毛环；前胸背板近前缘有 1 个大凹，并有 2 对小突起分别位于凹坑前缘和后缘，凹内布不一致的稀疏刻点，盘区刻点稀疏且细小，周围刻点粗大。小盾片五边形，布稀疏的小刻点。鞘翅具清晰的刻点行。前足胫节端部强烈变宽，端部内侧有 1 列短毛；外侧 8～10 枚尖齿。雌性颏无毛，前胸背板无凹。

采集记录：1♂，留坝财神庙，1212m，2013. Ⅶ. 17，朱熹超、田颖采。

分布：陕西(留坝)、云南。

参考文献

Allard, E. 1880. Essai de classification des blapsides de l'ancien monde. 1e partie. *Annales de la Société Entomologique de France*, (5) 10: 269-320.

Bates, F. 1873. Notes on Heteromera, and description of new genera and species (No. 8), (No. 9). *The Entomologist's Monthly Magazine*, 9 [1873-1874]: 14-17, 45-52.

Blanchard, É. 1853. Insectes. *In*: Hombrom, J. B. and Jacquinot, H. (eds). Atlas d'Histoire naturelle Zoologie. *In*: *Voyage au Pôle Sud et dans l'Océanie sur les corvettes l'Astrolabe et la Zélée*, *executé par l'ordre du Roi pendant les année* 1837-1838-1839-1840 *sous le commandement de M. J.*

Dumont-d'Urville, Capitaine de vaisseau; Zoologie. Tome Quatrième. Deuxième partie. Coléoptères et autres ordres. Paris: J. Tastu, 1-716.

Borchmann, F. 1909. Neue asiatische und australische Lagriiden hauptsächlich aus dem Museum in Genua. *Bollettino della Società Entomologica Italiana*, 41[1911]: 201-234.

Borchmann, F. 1930. Die Gattung Cteniopinus Seidlitz. *Koleopterologische Rundschau*, 15: 143-164.

Borchmann, F. 1937. Neue Alleculiden aus dem Deutschen Entomologischen Institut, Berlin-Dahlem. (Coleoptera.). *Arbeiten über Morphologische und Taxonomische Entomologie aus Berlin Dahlem*, 4: 210-231.

Borchmann, F. 1941. Über die von Herm J. Klapperich jn China gesammelten Heteromeren. *Entomologische Blätter*, 37: 22-29.

Broun, T. 1880. *Manual of the New Zealand Coleoptera.* Wellington: J. Hughes, 1-652.

Champion, G. C. 1894. On the Tenebrionidae collected in Australia and Tasmania by Mr. James J. Walker, R. N., F. L. S., during the voyage of H. M. S. "Penguin" with descriptions of new genera and species. *Transactions of the Entomological Society of London*, 1894: 351-408.

Chen, B. and Chou, I. 1996. A new subgenus and two new species of the genus *Cerogria* Borchmann (Coleoptera: Lagriidae) from China. *Entomotaxonomia*, 18(4): 265-269.

Dejean, P. F. M. A. 1821. *Catalogue de la collection de coléoptères de M le Baron Dejean.* Paris: Crevot, 1-136.

Dejean, P. F. M. A. 1834. *Catalogue des coléoptères de la collection de M. le Comte Dejean. Deuxième édition. 3e Livraison.* Paris: Méquignon-Marvis Pères *et* Fils, 177-256.

Desbrochers, des Loges, I. 1881. Insectes coléoptères du nord de l'Afrique nouveaux ou peu connus. ler Mémoire. Ténébrionides. *Bulletin de l'Académie d'Hippone*, 16: 51-168.

Fabricius, J. C. 1775. *Systema entomologicae, systens insectorum classes, ordines, genera, species, adiectis synonymis, locis, descriptionibus, observationibus.* Flensburgi *et* Lipsiae: Libraria Kortii, 1-832.

Fahraeus, O. I. von. 1870. Coleoptera Caffrariae, annis 1838-1854 a J. A. Wahlberg collecta. Heteromera. *öfversigt af Kongliga Svenska Vetenskaps-Akademiens Förhandlingar*, 27: 234-358.

Fairmaire, L. 1882. Coléoptères hétéromères de Sumatra. *Notes from the Leyden Museum*, 4: 219-265.

Fairmaire, L. 1886. Descriptions de coléoptères de l'intérieure de la Chine. *Annales de la Société Entomologique de France*, (6) 6: 303-356.

Fairmaire, L. 1889. Descriptions de coléoptères de l'Indo-Chine. *Annales de la Société Entomologique de France*, (6)8[1888]: 333-378.

Fairmaire, L. 1891. Descriptions de coléoptères des Montagnes de Kashmir. *Comptes-Rendus des Séances de la Société Entomologique de Belgique*, 1891: lxxxviii-ciii.

Fairmaire, L. 1894. Hétéromères du Bengale. *Annales de la Société Entomologique de Belgique*, 38: 16-43.

Fairmaire, L. 1898. Matériaux pour la faune coléoptèrique de la région malgache. 5e note. *Annales de la Société Entomologique de Belgique*, 42: 222-260.

Faldermann, F. 1835. Coleopterorum ab illustrissimo Bungio in China boreali, Mongolia, et Montibus Altaicis collectorum, nec non ab ill. Turczaninoffio et Stchukino e provincia Irkutsk missorum illustrationes. *Mémoires de l'Académie Impériale des Sciences de St. Pétersbourg. Sixième Série. Sciences Mathematiques, Physiques et Naturelles*, 3 (1): 337-464.

Fauvel A. 1867. Catalogue des coléoptères de la Nouvelle Calédonie et dépendances, avec descriptions, notes et synonymies nouvelles. *Bulletin de la Société Linnéenne de Normandie*, (2) 1 [1865-1866]: 172-215.

Gebien, H. 1910. 7. Coleoptera. 19. Tenebrionidae. 363-397. *In*: Sjostedt, Y. (ed.): *Wissenschaftliche Ergebnisse der Schwedischen Zoologischen Expedition nach dem Kilimandjaro, dem Meru und den umgebenden Massaisteppen Deutsch-Ostafrikas* 1905-1906 *unter der Leitung von Prof. Dr. Yngve Sjörstedt. l. Band*. Stockholm: Königl. Schwedisches Akademie der Wissenschaften, 1-442.

Gebien, H. 1920. *Käfer aus der Familie Tenebrionidae gesammelt auf der "Hamburger deutschsüdwestafrikanischen Studienreise* 1911". *Hamburgische Universität, Abhandlungen aus der Auslandskunde. Band* 5. *Reihe C Naturwissenschaften Band* 2. Hamburg: L. Friederichsen & Co., 1-168.

Gebien, H. 1925. Die Tenebrioniden (Coleoptera) des Indomalayischen Gebietes, unter Beruecksichtigung der benachbarten Faunen. Ⅳ. Die Gattungen Phloeopsidus, Dysantes, Basanus, und Diaperis. *The Philippine Journal of Science*, 27(1): 131-157, 257-288.

Gebien, H. 1938. [new taxa]. *In*: Schuster A. and Gebien H.. Tenebrioniden (Col.) aus Arabien. *Entomologische Blätter*, 34: 49-62.

Gebien, H. 1939. Katalog der Tenebrioniden. *Mitteilungen der Münchener Entomologischen Gesellschaft*, 29: 443-474.

Gebien, H. 1941. Katalog der Tenebrioniden. *Mitteilungen der Münchener Entomologischen Gesellschaft*, 31: 658-689.

Geoffroy, E. L. 1762. *Histoire abrégée des insectes qui se trouvent aux environs de Paris; dans laquelle ces animaux sout rangés suivant un ordre méthodique*. [1762-1763] Tome première. Paris: Durand, 1-523.

Heller, K. M. 1923. Die Coleopterenausbeute der Stötznerschen Sze-Tschwan-Expedition (1913-1915). *Entomologische Blätter*, 19: 61-79.

Hope, F. W. 1833. On the characters of several new genera and species of coleopterous insects. *Proceedings of the Zoological Society of London*, 1: 61-64.

Hope, F. W. 1843. Description of the coleopterous insects sent to England by Dr. Cantor from Chusan and Canton, with observation on the entomology of China. *The Annals and Magazine of Natural History*, (6) 11: 62-66.

Iwan, D. and Löbl I. 2008. Opatreini. *In*: Löbl, I. and Smetana, A. (eds): *Catalogue of Palaearctic Coleoptera*. Vol. Ⅴ. Stenstrup, Apollo Books. 2008, 1-670.

Jacquelin, du Val C. 1861. 273-352. *In*: *Manuel Entomologique. Genera des coléoptères d'Europe comprenant leur classification en familles naturelles, la description de tous les genres, des tableaux synoptiques destinés à faciliter l'étude, le Catalogue de toutes les espèces de nombreux dessins au trait de charactères et plus de treize cents types représentant un ou plusieurs insectes de chaque genre dessinés et peints d'après nature avec le plus grand soin par M. Jules Migneaux. Tome troisième. Paris*: *A. Deyrolle Deyrolle* [1859-1863, 464 + 200 pp.].

Kaszab, Z. 1940. Revision der Tenebrioniden-Tribus Platyscelini (Col. Teneb.). *Mitteilungen der Münchener Entomologischen Gesellschaft*, 30: 896-1003.

Kaszab, Z. 1946. *Monographie der Leioehrinen*. Budapest: Ungarisches Naturwissenschaftliches Museum, 1-221.

Kaszab, Z. 1954. Über die von Herm J. Klapperich in der chinesischen Provinz Fukien gesammelten Tenebrioniden (*Coleoptera*). *Annales Historieo-Naturales Musei Nationalis Hungarici*, (S. N.) 5: 248-264.

Kaszab, Z. 1963. Die paläarktischen und orientalischen Arten der Gattung Mesomorphus Seidl. (Coleoptera: Tenebrionidae). *Acta Zoologica Academiae Scientiarum Hungaricae*, 9: 333-354.

Kaszab, Z. 1972. Missione 1965 del Prof. Giuseppe Scortecci nello Yemen (Arabia meridionale). *Atti della Società Italiana di Scienze Naturali e del Museo Civico di Storia Naturale di Milanom*, 113 (4): 366-384.

Lewis, G. 1894. On the Tenebrionidae of Japan. *The Annals and Magazine of Natural History*, (6) 13: 377-400, 465-485.

Linnaeus, C. 1758. *Systema Naturae per regna tria naturae, secundum classes, ordines, genera, species, cum characteribus, differentiis, synonymis, locis. Tomus* 1. *Ed. Decima, Reformata.* Holmiae: Laurentii Salvii, [5] +6-823.

Marseul, S. A. de. 1876a. Coléoptères du Japon recueillis par M. Georges Lewis. Énumération des Hétéromères avec la description des espèces nouvelles. *Annales de la Société Entomologique de France*, (5) 6: 93-142.

Marseul, S. A. de. 1876b. Coléoptères du Japon recueillis par M. Georges Lewis. 2. mémoire. Enumération des hétéromères avec la description des espèces nouvelles. 2. Partie. *Annales de la Société Entomologique de France*, (5) 6: 315-349, 447-464.

Masumoto, K. 1996. Fourteen new Laena (Coleoptera: Tenebrionidae) from China, vietnam and Thailand. *Bulletin of the National Science Museum*, Tokyo, (Ser. A) 22: 165-187.

Medvedev, G. S. 1968. *Zhuki-chernotelki (Tenebrionidae) podsemeystvo Opatrinae Triby Platynotini, Dendarini, Pedinini, Dissonomini, Pachypterinmi, Opatrini (chast) i Heterotarsini.* Fauna SSSR Zhestkokrylye TomXIX vypusk 2. Leningrad: Nauka, 1-285.

Motschulsky, V. de. 1845. Remarques sur la collection de coléoptères russes de victor de Motschulsky. *Bulletin de la Société Impériale des Naturalistes de Moscou*, 18 (1): 3-127.

Motschulsky, V. de. 1854. Diagnoses de coléoptères nouveaux, trouvés par MM. Tatarinoff et Gaschkéwitsch aux environs de Pékin. *Études Entomologiques*, 2: 44-51.

Motschulsky, V. de. 1860. Coléoptères rapportés en 1859 par M. Sévertsef des steppes méridionales des Kirghises, et énumérés. *Bulletin de l'Académie Impériale des Sciences de St. Pétersbourg*, 2: 513-544.

Motschulsky, V. de. 1868. Énumération des nouvelles espèces de coléoptères rapportés de ces voyages. 6-ième Article. *Bulletin de la Société Impériale des Naturalistes de Moscou*, 41 (2) [1868-1869]: 170-201.

Mulsant, E. and Rey, C. 1853. Essai d'une division des derniers mélasomes. *Opuscules Entomologiques*, 4: 1-235.

Perroud, B. P. and Mulsant, E. 1856. Description de deux nouvelles espèces de coléoptères constituant un genre nouveau dans la famille des ulomiens. *Opuscules Entomologiques*, 7: 160-165.

Pic, M. 1923. Nouveaux coléoptères exotiques. *Annales de la Société Linnéenne de Lyon* (N. S.), 69 [1922]: 73-76.

Pic, M. 1933. Nouveautés diverses. *Mélanges Exotico-Entomologiques*, 62: 1-36.

Pic, M. 1938. Nouveautés diverses, Mutations. *Mélanges Exotico-Entomologiques*, 70: 1-36.

Reichardt, A. N. 1936. Zhuki-chemotelki triby Opatrini palearkticheskoy oblasti. Révision des opatrines (Coleoptera: Tenebrionidae) de la région paléarctique. *Tableaux analytiques de la Faune de l'URSS*, 19, Moskva, Leningrad: Nauka, 1-224.

Reitter, E. 1879. Verzeichniss der von H. Christoph in Ost-Sibirien gesammelten Clavicomier etc. *Deutsche Entomologische Zeitschrift*, 23: 208-226.

Reitter, E. 1889. Insecta, a cl. G. N. Potanin in China et in Mongolia novissime lecta. XIII. Tenebrionidae. *Horae Societatis Entomologicae Rossicae*, 23: 678-710.

Reitter, E. 1900. Weitere Beiträge zur Kenntniss der Coleopteren-Gattung *Laena* Latr. *Deutsche Entomologische Zeitschrift*, 1899: 282-286.

Reitter, E. 1904. Bestimmungs-Tabelle der Tenebrioniden-Unterfamilien: Lachnogyini, Akidini, Pedinini, Opatrini und Trachyscelini aus Europa und den angrenzenden Ländern. *Verhandlungen des Naturforschenden Vereines in Brünn*, 42 [1903]: 25-189.

Ren, G. D. 1999. [new taxa]. *In*: Ren, G. D. and Yu, Y. Z. *The darkling beetles from deserts and semideserts of China*. Hebei University Publishing House, 1-395. [任国栋, 1999. 新分类单元. 见: 任国栋, 于有志. 1999. 中国荒漠半荒漠地区拟步甲分类研究. 保定: 河北大学出版社, 1-395.]

Ren, G. D. and Bai, M. Coleoptera: Tenebrionidae. pp. 379-389. *In*: Yang, X. K. (ed.): Insect Fauna of Middle-West Qingling Range and South Mountains of Gansu Province. Beijing: Science Press, 1-1055. [任国栋, 白明. 2005. 鞘翅目: 拟步甲科. 379-389. 见: 杨星科主编: 秦岭西段及甘南地区昆虫. 北京: 科学出版社. 1-1055.]

Ren, G. D and Wang, X. P. 2001. Eight new species of the genus *Blaps* Fabricius (Coleoptera: Tenebrionidae: Blaptini) of China. *Entomotaxonomia*, 23: 15 – 27. [任国栋, 王新谱. 2001. 中国琵甲属八新种(鞘翅目: 拟步甲科: 琵甲族). 昆虫分类学报, 23(1): 15-27.]

Schawaller, W. 2001. The genus *Laena* Latreille (Coleoptera: Tenebrionidae) in China, with descriptions of 47 new species. *Stuttgarter Beiträge zur Naturkunde Serie A (Biologie)*, 632: 1-62.

Schawaller, W. 2005. New species and records of Leiochrini (Coleoptera: Tenebrionidae) from continental southeastern Asia. *Entomologica Basiliensia*, 27: 209-226.

Schuster, A. 1923. Neue paläarktische Tenebrioniden (Coleopt.). *Wiener Entomologische Zeitung*, 40: 156-162.

Seidlitz, G. C. M. von. 1893. Tenebrionidae. 201-400. *In*: Kiesenwetter, H. von. and Seidlitz, G. C. M. von. *Naturgeschichte der Insecten Deutschlands. Begonnen von Dr. W. F. Erichson, fortgesetzt von Prof. Dr. H. Schaum, Dr. G. Kraatz, H. v. Kiesenwetter, Julius Weise, Edm. Reitter und Dr. G. Seidlitz. Erste Abteilung Coleoptera. Fünfter Band. Erste Hälfte.* Berlin: Nicolaische Verlags-Buchhandlung, 1-877.

Seidlitz, G. C. M. von. 1898. Lagriidae, pp. 306-364; Melandryidae, pp. 365-680. *In*: *Naturgeschichte der Insecten Deutschlands. Begonnen von Dr. W. F. Erichson, fortgesetzt von Prof. Dr. H. Schaum, Dr. G. Kraatz, H. v. Kiesenwetter, Julius Weise, Edm. Reitter und Dr. G. Seidlitz. Erste Abtheilung Coleoptera. Fünfter Band. Zweite Hälfte. Lieferungen* 1-3. Berlin: Nicolaische Verlags-Buchhandlung,

1-968.

Semenov, A. P. and Bogatchev, A. V. 1936. Supplément à la révision du genre Blaps F. (Coleoptera: Tenebrionidae) de G. Seidlitz, 1893. *Festschrift zum 60. Geburtstage von Professor Dr. Embrik Strand* (Riga), 1: 553-568.

Solier, A. 1. J. 1834. Essai d'une division des coléoptères hétéromères, et d'une monographie de la famille des collaptèrides. *Annales de la Société Entomologique de France*, 3: 479-636.

Solsky [=Solskij], S. M. 1871. Coléoptères de la Sibirie orientale. *Horae Societatis Entomologicae Rossicae*, 7 [1870-1871]: 334-406.

Wu, Q. Q and Ren, G. D. 2008. A taxonomic study of the genus *Cryphaeus* Klug (Coleoptera: Tenebrionidae: Toxicini) from China with descriptions of four new species. *Acta Entomologica Sinica*, 51 (10): 1065-1076. [吴琦琦，任国栋. 2008. 中国隐毒甲属分类研究及四新种记述. 昆虫学报，51(10): 1065-1076.]

Yu, Y. Z. and Ren, G. D. 1997. Five new species of the genus *Cteniopinus* from China (Tenebrionidae: Alleculinae). *Sichuan Journal of Zoology*, 16 (1): 8-12. [余有志，任国栋. 1997. 中国栉甲属5新种(鞘翅目：朽木甲亚科). 四川动物，16 (1): 8-12].

Znojko, D. V. 1950. [new taxa]. *In*: Ogloblin, D. A. and Znojko, D. V. *Fauna SSSR*, *Zhestkokrylye*, *Tom* 18, *vyp.* 8. *Pylceedy* (*Cem. Alleculidae*), *ch.* 2, *podsem. Omophlinae*. Moskva, Leningrad: Akademiya Nauk SSSR, 1-133.

三十一、芫菁科 Meloidae

潘昭 任国栋

（河北大学生命科学学院，河北保定 071002）

鉴别特征：成虫体小至中型，体长5～45mm。体黑色、红色或绿色等。头下垂，宽过前胸背板，后头急剧缢缩；口器前口式；触角多为丝状、棒状，部分触角节呈栉(锯)齿状或念珠状，部分种类性二型现象明显。前胸背板窄于鞘翅基部，通常端部最窄。鞘翅柔软，完整或短缩，颜色多变。跗节5-5-4式，爪二裂，背叶腹缘光滑或具齿。腹部可见腹板6节，缝完整。

分类：世界已知4亚科127属近3000种，中国已知2亚科26属196种，陕西秦岭地区发现3属6种，其中陕西新纪录1种。

分属检索表

1. 爪背叶腹缘具2排栉状齿；体黄色 …………………………………… **窄栉芫菁属** ***Zonitoschema***

  爪背叶腹缘光滑无齿；体多为黑色，有时具红斑，但绝非黄色 …………………………………… 2

2. 前足腿节腹面端半部表面凹陷，凹陷处密生平卧的软毛 …………………… **豆芫菁属 *Epicauta***
前足腿节腹面端半部无凹陷 ………………………………………………………… **绿芫菁属 *Lytta***

395. 豆芫菁属 *Epicauta* Dejean, 1834

Epicauta Dejean, 1834: 224. **Type species**: *Meloe erythrocephalus* Pallas, 1771.

Causima Dejean, 1834: 226. **Type species**: *Lytta vidua* Klug, 1829.

Henous Haldeman, 1852: 377. **Type species**: *Henous techanus Haldeman*, 1852 (= *Meloe conferta* Say, 1824).

Isopentra Mulsant *et* Rey, 1858: 180. **Type species**: *Lytta megalocephala* Gebler, 1817.

Pleuropompha LeConte, 1862: 273. **Type species**: *Lytta costata* LeConte, 1854.

Nomaspis LeConte, 1866: 156. **Type species**: *Meloe parvus* Haldeman, 1852 (= *Meloe parvulus* Haldeman, 1854).

Anomalonyx Denier, 1935: 161(nec Weise, 1903). **Type species**: *Lytta fumosa* Germar, 1824.

Anomalonychus Saylor, 1940: 46(new name for *Anomalonyx* Denier, 1935).

Maculicauta Dillon, 1952: 416. **Type species**: *Epicauta stuarti* LeConte, 1868.

属征：体黑色，头部红色或黑色。触角通常丝状，长达或超过鞘翅中部；少数种类的雄性触角中央数节栉齿状。鞘翅长达体末端，黑色，有时在侧缘、后缘或中纵线上被白色短毛。前足腿节端半部腹面凹陷，凹陷内密被黄色柔毛簇；跗爪背叶腹缘光滑无齿。阳茎仅具1个端背钩。

分布：除澳大利亚、新西兰和马达加斯加外，世界广布。世界已知381种，中国记录30种，秦岭地区发现3种。

分种检索表

1. 头完全红色；后胸短，约与中足基节等长；后翅全展开时，至多与鞘翅等长。雄性前足第1跗节柱状；前足胫节仅具1个内端距；触角近丝状，仅第3～7节略扁，除末4节外均被长毛 ……………………………………………………………………………… **短翅豆芫菁 *E.*（*E.*）*aptera***
头不完全红色，至少触角基瘤黑色；后胸明显长于中足基节；后翅全展开时，明显长于鞘翅。雄性前足第1跗节基部细，端部侧扁膨大，呈斧状；前足胫节端距2枚；触角第4～9节向一侧强烈展宽，近栉齿状，各节不被长毛 ……………………………………………………… 2
2. 头部除触角基部瘤之外，全部红色；雄性触角第3～7节展宽一侧具纵沟 …………………………………………………………………………………… **扁角豆芫菁 *E.*（*E.*）*impressicornis***
头部除触角基部瘤之外，仅部分红色；雄性触角第3～7节展宽一侧不具纵沟 …………………………………………………………………………………… **西北豆芫菁 *E.*（*E.*）*sibirica***

(1014) 短翅豆芫菁 *Epicauta* (*Epicauta*) *aptera* Kaszab, 1952(图版51：1)

Epicauta aptera Kaszab, 1952: 590.

Epicauta (*Epicauta*) *aptera*: Bologna, 2008: 372.

鉴别特征：体长 11 ~ 14mm。雄性体黑色，头部及唇基基部和前缘红色。体完全被黑毛，前足腿节内侧有时被灰白毛；下颚须、触角除末端 4 节及各足基节窝周围、前足腿节基半部下方和胫节外侧、后胸和腹部近中央两侧被直立的黑长毛。头近圆形，头顶具 1 条深色的中央纵纹；触角细长，第 3 ~ 7 节略扁，第 3 节长约为第 2 节的 2 倍，第 4 节短于第 3 节长的 1/3。前胸背板盘区具 1 条非常浅的中央纵线，基部具 1 个三角形凹，两侧近基部 1/3 处各具 1 个圆凹。后翅短，完全展开时至多与鞘翅等长。后胸短，至多与中足基节等长。前足第 1 跗节正常柱状，前足胫节仅具 1 个内端距。雌性与雄性相似，但体不被长毛，触角丝状，前足胫节端距 2 枚。

采集记录：4 头，旬阳白柳镇前坪村，621m，2014. Ⅵ. 23，苑彩霞、田颖采；1 头，柞水凤凰古镇龙潭村水利沟，1026m，2014. Ⅵ. 26，苑彩霞、田颖采；1 头，镇安云盖寺镇，850m，2014. Ⅵ. 18，苑彩霞、田颖采。

分布：陕西(旬阳、柞水、镇安)、甘肃、浙江、福建、江西、广西、海南、重庆、四川、贵州、云南。

(1015) 扁角豆芫菁 *Epicauta* (*Epicauta*) *impressicornis* (Pic, 1913) (图版 51：2)

Lytta impressicornis Pic, 1913: 163.
Epicauta impressicornis: Borchmann, 1917: 76.
Epicauta (*Epicauta*) *impressicornis*: Bologna, 2008: 373.

鉴别特征：体长 9 ~ 14mm。雄性体黑色，头部除触角基瘤外，唇基前缘、上唇端部中央和触角基部 3 节一侧为红色。触角基部 4 节腹面一侧、鞘翅侧缘及各足基节窝周围，前足腿、胫和第 1 跗节内侧被灰白毛。头顶具 1 条深色中央纵纹，刻点细密；触角长达身体的 1/3 处，第 3 ~ 7 节扁平，展宽一侧各具 1 条纵沟，第 3 节长三角形，第 4 节最宽。前胸背板近前端 1/3 处最宽，后缘平直；盘区具 1 条明显的中央纵沟，基部中央具 1 个明显凹陷，刻点与头部的相似。前足第 1 跗节扁平，基部细，端部膨阔，近斧状，胫节具 2 个端距。雌性与雄性相似，但触角近丝状，前足第 1 跗节正常柱状。

采集记录：1 头，佛坪，890m，1999. Ⅵ. 26；1 头，佛坪窑沟，870 ~ 1000m，1998. Ⅶ. 25。

分布：陕西(佛坪)、甘肃、重庆、贵州、云南；日本，越南，老挝。

注：本种由谭娟杰和马文珍(2005)记载。

(1016) 西北豆芫菁 *Epicauta* (*Epicauta*) *sibirica* (Pallas, 1773) (图版 51：3)

Meloe sibirica Pallas, 1773: 720.

Meloe pectinata Goeze, 1777: 701.

Lytta dubia Fabricius, 1781: 329.

Cantharis dubia: Olivier, 1795: 283.

Lytta sibirica: Dejean, 1821: 75.

Cantharis sibirica: Fischer, 1827: 21.

Epicauta sibirica: Dejean, 1834: 225.

Lytta chinensis Laporte, 1840: 274.

Epicauta chinensis: Motschulsky, 1854: 48.

Epicauta dubia: Mulsant & Rey, 1858: 172.

Cantharis chinesis: Gemminger & Harold, 1870: 2148.

Epicauta (*Epicauta*) *chinensis*: Bologna, 2008: 372.

Epicauta (*Epicauta*) *dubia*: Bologna, 2008: 373.

Epicauta (*Epicauta*) *sibirica*: Bologna, 2008: 374.

鉴别特征：体长11～20mm。雄性体黑色，额中央及两颊红色，唇基前缘和上唇端部中央红色，触角基节和下颚须各节基部暗红色。触角第1～6节腹面、下颚须背面、头腹面及各足基节窝周围，前足腿、胫和第1跗节内侧，前、中足腿节外侧被灰白毛，有时前、中胸腹板和后胸两侧，鞘翅侧缘和端缘亦被灰白毛。头顶中央具1条深色纵纹；触角第4～9节扁，向一侧展宽，第4节宽为长的1.50～4.00倍，第6节最宽。前胸背板中央具1条明显的纵沟，基部中央具1个凹洼。前足第1跗节侧扁，基部细，端部膨阔，斧状。雌性触角略扁，第4～9节不展宽；前足第1跗节正常柱状。

采集记录：1头，略阳女山，2003.Ⅶ.02，巴义彬、于洋采；7头，华县高塘镇东峪黄边沟，1070m，2014.Ⅶ.07，苑彩霞、田颖采；1头，留坝庙台子，2005.Ⅵ.10-15，巴义彬采；5头，佛坪，890m，1999.Ⅵ.26；2头，山阳城关镇权垣村石灰沟，855m，2014.Ⅵ.29，苑彩霞、田颖采；1头，洛南巡检镇罗家沟，1214m，2014.Ⅶ.05，苑彩霞、田颖采。

分布：陕西(略阳、华县、留坝、佛坪、山阳、洛南)、黑龙江、吉林、辽宁、内蒙古、北京、河北、山西、山东、河南、宁夏、甘肃、青海、新疆、江苏、安徽、浙江、四川、西藏；俄罗斯，蒙古，朝鲜半岛，日本，哈萨克斯坦。

396. 绿芫菁属 *Lytta* Fabricius, 1775

Lytta Fabricius, 1775: 260. **Type species**: *Meloe vesicatorius* Linnaeus, 1758.

属征：体黑色或绿色。触角常念珠状或丝状，多数种类的雄性触角较长。前胸背板形状多变，多为近六边形或方形，部分近圆形。鞘翅一般完全覆盖腹部。雄性前足胫节末端具1枚距或2枚距，第1跗节异形；中足胫节端距2枚，或1枚，第1

跗节或接近斧状；跗爪背叶腹缘平滑无齿。阳茎具 2 个背钩。

分布：全北区，东洋区。世界已知 109 种，中国记录 21 种，秦岭地区发现 1 种。

（1017）沟胸绿芫菁 *Lytta*（*Asiolytta*）*fissicollis*（Fairmaire，1886）（图版 51：4）

Cantharis fissicollis Fairmaire，1886：350.

Lytta fissicollis：Borchmann，1917：94.

Lytta（*Poreospasta*）*fissicollis*：Kaszab，1962：296.

Lytta rubra Tan *et* Ma，2005：343（nec Hope，1831）.

Lytta（*Asiolytta*）*fissicollis*：Shapovalov，2016：99.

鉴别特征：体长 7～17mm。雄性体黑色，具蓝色金属光泽，被黑色长毛。上颚近端部 1/4 处暗红色；鞘翅黄至红色。头部近方形，刻点稀疏，后头缢痕深；触角丝状，向后伸达体长的 1/2，第 1 节膨大，第 2 节极短，第 3～10 节渐长，末节最长，顶尖。前胸背板近圆形，长宽近相等，近中部最宽；盘区散布刻点，中部至端部具 1 个浅凹。前足胫节端距 2 枚，细长；中足胫节端距 2 枚。倒数第 1 可见腹板后缘中部具 1 个纵凹，两端锐突。雌性与雄性近似，但触角略短，向后仅伸达鞘翅基部；身体被毛较雄性短；倒数第 1 可见腹板后缘中央钝角凹陷。

采集记录：1 头，留坝大洪渠，1998. Ⅶ. 19；3 头，宁陕火地塘，2300m，1979. Ⅷ. 06，赛恒采；8 头，宁陕火地塘，580m，1998. Ⅶ. 27，袁德成采；5 头，宁陕平河梁，2020m，1998. Ⅶ. 27，陈军采。

分布：陕西（留坝、宁陕）、河南、甘肃、四川、贵州、云南、西藏。

397. 窄栉芫菁属 *Zonitoschema* Péringuey，1909

Zonitoides Fairmaire，1883：31（nec Lehman，1862）. **Type species**：*Zonitoides megalops* Fairmaire，1883.

Zonitoschema Péringuey，1909：274. **Type species**：*Lytta coccinea* Fabricius，1801.

Zonitopsis Wellman，1910：395（new name for *Zonitoides* Fairmaire，1883）.

Stenoderistella Reitter，1911：395. **Type species**：*Stenodera pallidissima* Reitter，1908.

属征：体黄色。复眼大，与头腹面几乎相接；触角丝状，长，通常超过鞘翅中部。前胸背板接近钟形；鞘翅完全覆盖腹部；跗爪背叶腹缘具 2 排栉状齿。阳基侧突几乎完全愈合；阳茎无钩。具趋光性。

分布：古北区，东洋区，非洲区，澳洲区。世界已知 60 种，中国记录 8 种，秦岭地区发现 2 种。

分种检索表

各足腿节端部黑色；触角第 1 节黑色 ………………………………… **日本窄栉芫菁 *Z. japonica***

各足腿节完全黄色；触角第 1 节黄色 ································ **大黄窄栉芫菁 *Z. macroxantha***

(1018) 日本窄栉芫菁 *Zonitoschema japonica* (Pic, 1910)（图版 51：5）

Zonitis pallida Fabricius, 1794: 447 (nec Macleay, 1888).
Zonitis japonica Pic, 1910: 90.
Zonitoschema japonica: Bologna, 2008: 411.

鉴别特征：体长 10 ~ 15mm。雄性体黄色，触角、各足胫节、跗节和腿节端部黑色；通身密布棕黄色短毛。头部刻点大，较密，刻点间距约等于刻点直径；复眼大，背面观两复眼间距略小于上唇之宽；触角丝状，极长，向后伸达腹部中央，末节近端部略弯曲。前胸背板长约等于宽，接近钟形，中部最宽；近端部具 1 条不明显横凹，基半部中央具 1 条纵沟，基部无凹洼；刻点与头部近似。各足胫节端距均 2 枚，且形状、长度近似；跗爪背叶腹缘内侧齿完整，外侧仅基半部具齿。腹部倒数第 1 可见腹板后缘中央深裂呈双叶状。雌性与雄性相似，仅腹部倒数第 1 可见腹板后缘中央呈三角形深凹，不为双叶状。

采集记录：1 头，佛坪，1998. Ⅶ. 23。

分布：陕西（佛坪）、甘肃、上海、浙江、台湾；朝鲜半岛，日本。

(1019) 大黄窄栉芫菁 *Zonitoschema macroxantha* (Fairmaire, 1887) 陕西新纪录（图版 51：6）

Zonitis macroxantha Fairmaire, 1887: 194.
Zonitoschema macroxantha: Kaszab, 1960: 262.

鉴别特征：体长 15 ~ 22mm。雄性体黄色，但触角第 3 ~ 11 节和各足胫节、跗节黑色（触角第 2 节大部黄色，略黑色）；通身密布棕黄色短毛。头部刻点大且密，刻点间距小于刻点直径；复眼大，背面观两复眼间距略小于上唇之宽；触角丝状，极长，向后伸达腹部中央，末节近端部略弯曲。前胸背板长约等于宽，接近钟形，基半部中央具 1 条不明显的纵沟；盘区中央具 1 个圆凹，近端部具 1 个不明显的横凹，基部中央具 1 个浅凹。各足胫节端距均 2 枚，且形状、长度近似；跗爪背叶腹缘内侧齿完整，外侧仅基半部具齿。腹部倒数第 1 可见腹板后缘中央深裂呈双叶状。雌性与雄性相似，仅腹部倒数第 1 可见腹板后缘中央呈三角形深凹，不为双叶状。

采集记录：3 头，镇安云盖寺镇，850m，2014. Ⅵ. 18，苑彩霞、田颖采。

分布：陕西（镇安）、浙江、云南；菲律宾，印度尼西亚（苏门答腊）。

参考文献

Bologna, M. A. 2008. Meloidae. pp. 384-390. *In* Löbl, I. and Smetana, A. (eds), *Catalogue of Palae-*

arctic Coleoptera (Vol. 5: Tenebrionoidea). Apollo Books, Stenstrup, 670pp.

Borchmann, F. 1917. *Catalogus coleopterorum. Pars 69: Meloidae, Cephaloidae.* W. Junk, Berlin. 208 pp.

Dejean, P. F. M. A. 1821. *Catalogue de la collection de coléoptères de M. le Baron Dejean.* Crevot, Paris. viii + 136 + 2 (errata) pp.

Dejean, P. F. M. A. 1834. *Catalogue des coléoptères de la collection de M. le Comte Dejean. Deuxième édition. 3e Livraison.* Méquignon-Marvis Pères et Fils, Paris. pp. 177-256.

Denier, P. 1935. Coleopterorum americanorum familiae Meloidarum enumeratio synonymica. *Revista de la Sociedad Entomólogica Argentina*, 7: 139-176.

Fabricius, J. C. 1775. *Systema entomologicae, systen insectorum classes, ordines, genera, species, adiectis synonymis, locis, descriptionibus, observationibus.* Libraria Kortii, Flensburgi et Lipsiae. [32] + 832 pp.

Fabricius, J. C. 1781. *Species insectorum, exhibens eorum differentias specificas, synonyma auctorum, loca Natalia, metamorphosis, adiecitis observationibus, descriptionibus.* Tom I. Carol. Ernest. Bohnii, Hamburgi et Kilonii. viii + 552 pp.

Fairmaire, L. 1883. Description de coléoptères hétéromères de l'île de Saleyer. *Notes from the Leyden Museum*, 5: 31-40.

Fairmaire, L. 1886. Descriptions de coléoptères de l'intérieur de la Chine. *Annales de la Société Entomologique de France*, (6)6: 303-356.

Fairmaire, L. 1887. Description de cinq espèces nouvelles de la famille des Cantharides. *Notes from the Leyden Museum*, 9: 193-196.

Fischer, J. B. 1827. *Tentamen conspectus Cantharidiarum. Dissertatio inauguralis quam pro summis in medicina et chirurgia honoribus legitime obtinendis eruditorum examini.* Lindauer, Monachi. 26 pp.

Gemminger, M. and Harold, E. von. 1870. Familia LX. Cantharidae. *In* Gemminger, M. and Harold, E. von. (eds), *Catalogus coleopterorum hucusque descriptorum synonymicus et systematicus. Tom. VII. Tenebrionidae, Nilionidae, Pythidae, Melandryidae, Lagriidae, Pedilidae, Anthicidae, Pyrochroidae, Mordellidae, Rhipidophoridae, Cantharidae, Oedemeridae.* E. H. Gummi, Monachii. pp. 2124-2164.

Goeze, J. A. F. 1777. *Entomologische Bayträge zu des Ritter Linné zwölften Ausgabe des Natursystems. Erster Theil.* Weidemanns Erben und Reich, Leipzig. xvi + 736 pp.

Haldeman, S. S. 1852. Appendix C, Insects. *In* Stansbury, H. (ed.) *Exploration and survey of the Valley of the Great Salt Lake of Utah, including a reconnaissance of a new route through the Rocky Mountains.* Lippincott, Grambo & Co., Philadelphia. pp. 366-378, 2 pls.

Kaszab, Z. 1952. Die indomalaischen und ostasiatischen Arten der Gattung Gonocephalum Solier (Coleoptera: Tenebrionidae). *Entomologische Arbeiten aus dem Museum G. Frey*, 3: 416-688.

Kaszab, Z. 1960. Wissenschaftliche Ergebnisse der chinesisch-söwjetischen zoologischen Expedition nach SW. China Meloidae (Coleoptera). *Annales Historico-Naturales Musei Nationalis Hungarici*, 52: 255-263.

Kaszab, Z. 1962. Über das System der asiatischen Lytta-Arten, nebst Beschreibung drei neuer Arten (Coleoptera: Meloidae). *Annales Historico-Naturales Musei Nationalis Hungarici*, 54: 289-298.

Laporte, F. L. N. de Caumont de Castelnau. 1840. *Histoire naturelle des insectes coléoptères; avec une introduction renfermant l'anatomie et la physiologie des animaux articulés, par M. Brullé. Tome* deuxième. P. Duménil, Paris. 563 +[1] pp., pls 20-37.

LeConte, J. L. 1862. Classification of the Coleoptera of North America. Part 1. (cont.). Prepared for the Smithonian Institution. *Smithsonian Miscellaneous Collections*, 3: 209-286.

LeConte, J. L. 1866. New species of North American Coleoptera. *Smithsonian Miscellaneous Collections*, 6 (167): 87-168.

Motschulsky, V. de. 1854. Diagnoses de coléoptères nouveaux, trou vés par MM. Tatarinoff et Gaschkéwitsch aux environs de Pékin. *Études Entomologiques*, 2: 44-51.

Mulsant, E. and Rey, C. 1858. Coup d'oeil sur les insectes de la famille des cantharidiens accompagné de la description de diverses espèces nouvelles ou peu connues. *Mémoires de l'Académie Impériale des Sciences, Belles-Lettres et Arts de Lyon. Classedes Sciences (N. S.)*, 8: 122-220, 3 pls.

Olivier, A. G. 1795. *Entomologie, ou histoire naturelle des insectes, avec leurs caractères génériques et spécifiques, leur description, leur synonymie, et leur figure enluminée. Coléoptères. Tome troisième*. de Lanneau, Paris. 557 + xxviii, 65 pls.

Péringuey, L. 1909. Descriptive Catalogue of the Coleoptera of South Africa. Family Meloidae. *Transactions of the Royal Society of South Africa*, 1: 165-297, 4 pls.

Pallas, P. S. 1773. *Reise durch verschiedene Provinzen des russischen Reichs. Zweyter Theil. Zweytes Buch vom Jahr* 1771. Kayserliche Akademie der Wissenschaften, St. Petersburg. 371-744.

Pic, M. 1910. Hétéromères nouveaux du group des Zonitini. *Bulletin de la Société Entomologique de France*, 1910: 90-91.

Pic, M. 1913. Coléoptères exotiques en partie nouveau (Suite). *L'Échange, Revue Linnéenne*, 29: 163-166.

Reitter, E. 1911. *Fauna Germanica. Die Käfer des Deutschen Reiches, Vol.* 3. Lutz, Stuttgart. 436 pp., 48 pls.

Saylor, L. W. 1940. Two new generic names for South American Coleoptera. *Proceedings of the Entomological Society of Washington*, 42: 46.

Shapovalov, A. M. 2016. Remarks on taxonomy of the genus *Lytta* Fabricius, 1775 (Coleoptera: Meloidae) with description of a new subgenus and two new species from Asia. *Caucasian Entomological Bulletin*, 12(1): 99-108[in Russian with English abstract].

Tan, J. J. and Ma, W. Z. 2005. Coleoptera: Cicindelidae and Meloidae. 340-343. *In*: Yang, X. K. (ed.). *Insect fauna of Middle-West Qinling Range and South Mountains of Gansu Province*. Science Press, Beijing. 1055 pp. [谭娟杰, 马文珍. 2005. 鞘翅目: 虎甲科 芫菁科. 340-343. 见: 杨星科主编, 秦岭西段及甘南地区昆虫. 北京: 科学出版社, 1055.]

Wellman, F. C. 1910. The generic and subgeneric types of the Lyttidae (Meloidae s. Cantharidae auctt.), (Col.). *The Canadian Entomologist*, 41: 389-396.

中名索引

（按首字音序排列，右边的号码为该条目在正文的页码）

C

D

E

F

G

H

J

K

L

M

N

P

Q

R

S

T

W

X

Y

Z

学名索引

（按首字母顺序排列，右边的号码为该条目在正文的页码）

A

B

D

E

F

G

H

I

J

K

L

M

N

O

Q

R

S

T

U

V

W

X

Y

Z

图版 1

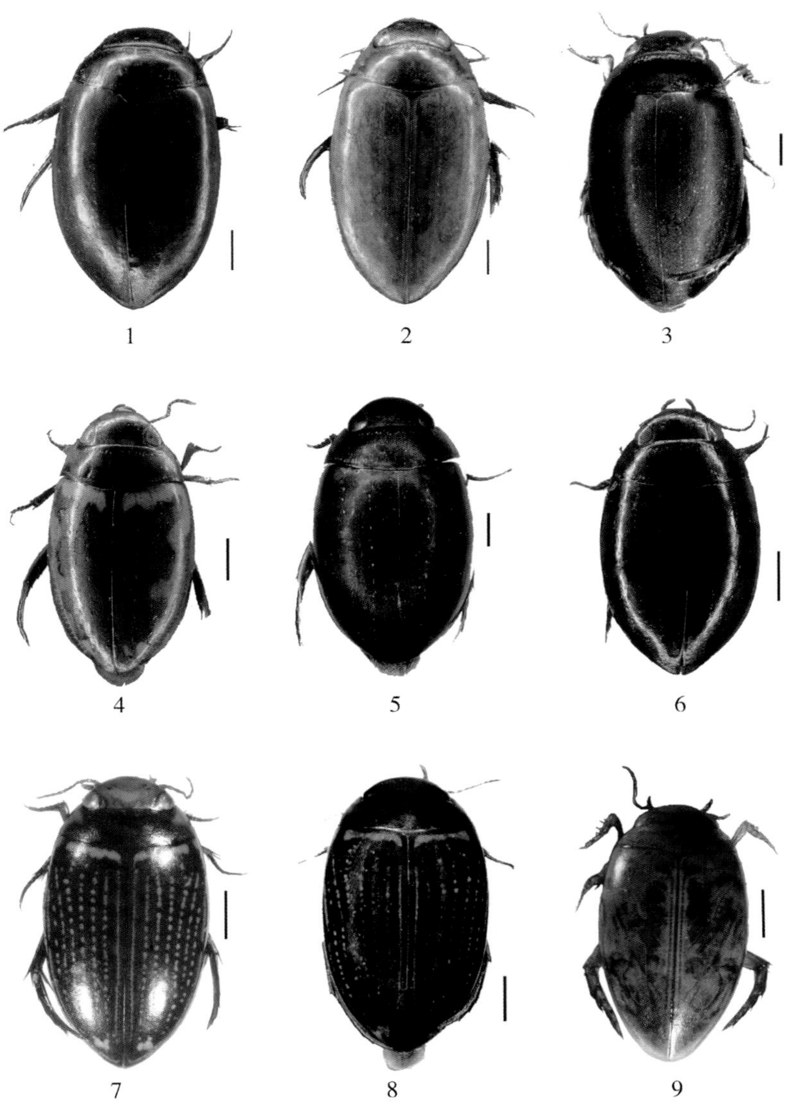

1. 等端毛龙虱 *Agabus aequalis* Sharp, 1882, ♂; 2. 瑞氏端毛龙虱 *Agabus regimbarti* Zaitzev, 1906, ♂; 3. 密纹宽缘龙虱 *Platambus angulicollis*(Régimbart, 1899), ♂; 4. 黄边宽缘龙虱 *Platambus excoffieri* Régimbart, 1899, ♂; 5. 五岭山宽缘龙虱 *Platambus wulingshanensis* Brancucci, 2005, ♂; 6. 雅安宽缘龙虱 *Platambus yaanensis* Nilsson, 2003, ♂; 7. 大斑短胸龙虱 *Platynectes dissimillis* (Sharp, 1873), ♂; 8. 大短胸龙虱 *Platynectes major* Nilsson, 1998, ♂; 9. 圆眼粒龙虱 *Laccophilus difficilis* Sharp, 1873, ♂. 比例尺 = 1mm

图版 2

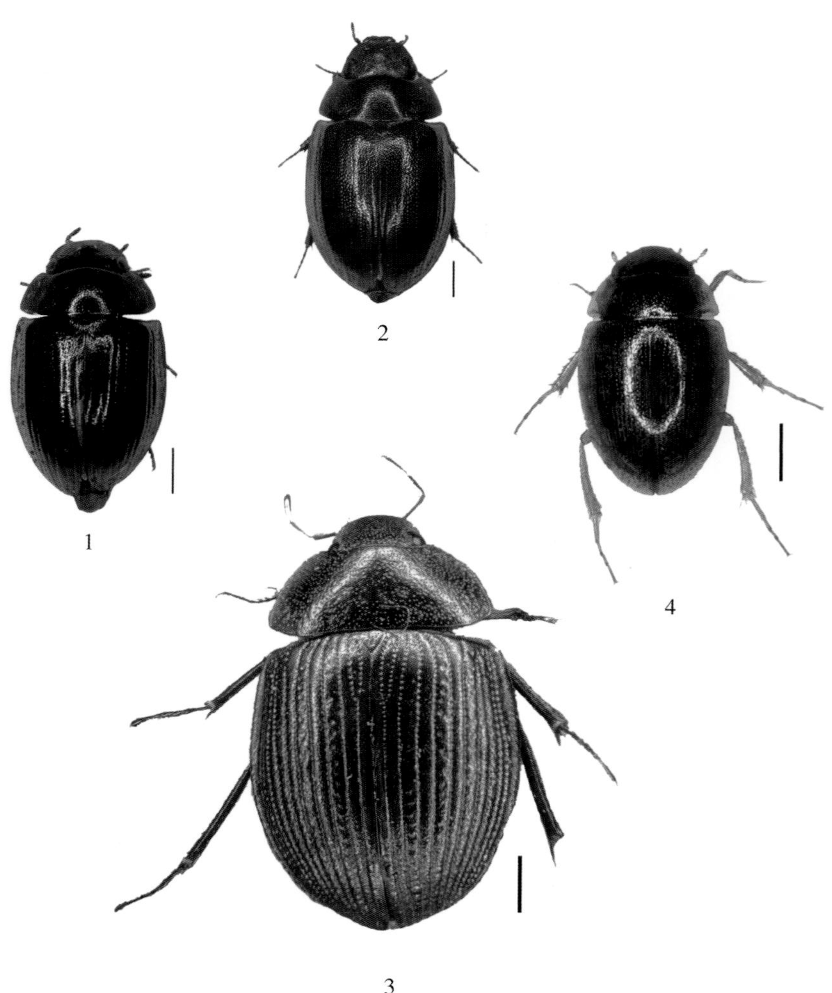

1. 茎突平胸牙甲 *Crenitis*（s. str.）*convexa* Ji *et* Komarek, 2003, ♂; 2. 陕西平胸牙甲 *Crenitis*（s. str.）*shaanxiensis* Ji *et* Komarek, 2003, ♂; 3. 条纹水龟甲 *Hydrocassis scapulata* Fairmaire, 1878, ♂; 4. 哈氏长节牙甲 *Laccobius hammondi* Gentili, 1984, ♂. 图 1, 2, 4 比例尺 = 0.50mm; 图 3 比例尺 = 1.00mm

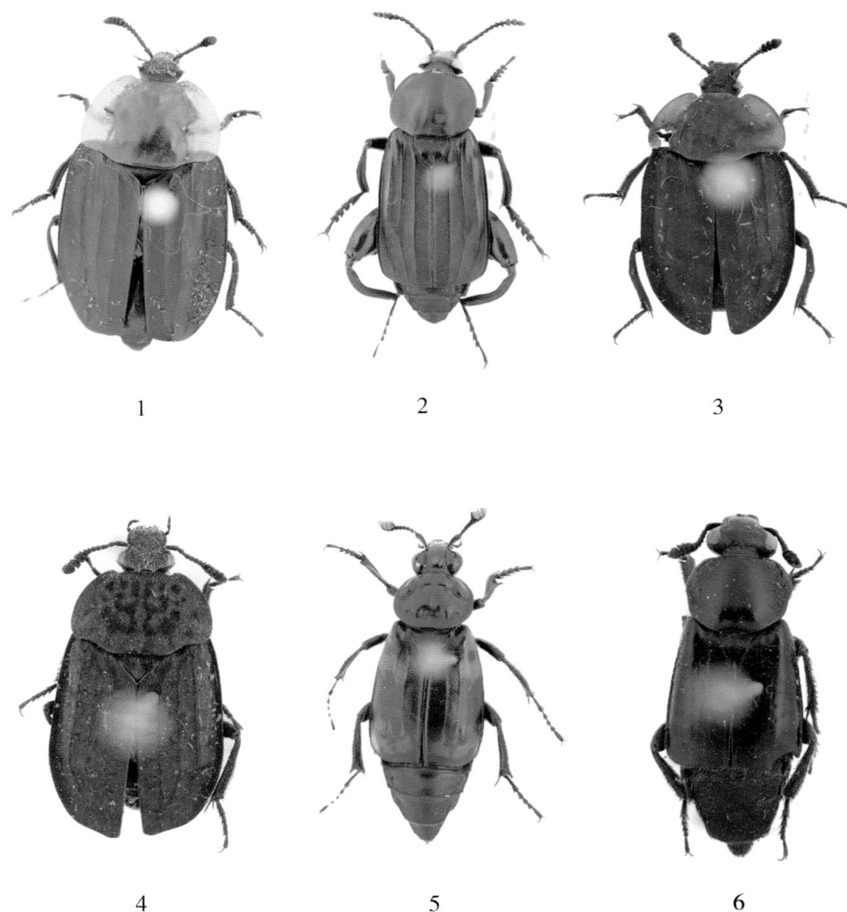

1. 红胸丽葬甲 *Necrophila* (*Calosilpha*) *brunnicollis* (Kraatz, 1877); 2. 滨尸葬甲 *Necrodes littoralis* (Linnaeus, 1758); 3. 红胸媪葬甲 *Oiceoptoma subrufum* (Lewis, 1888); 4. 皱亡葬甲 *Thanatophilus rugosus* (Linnaeus, 1758); 5. 尼覆葬甲 *Nicrophorus nepalensis* Hope, 1831; 6. 黑冥葬甲 *Ptomascopus morio* Kraatz, 1877

图版 4

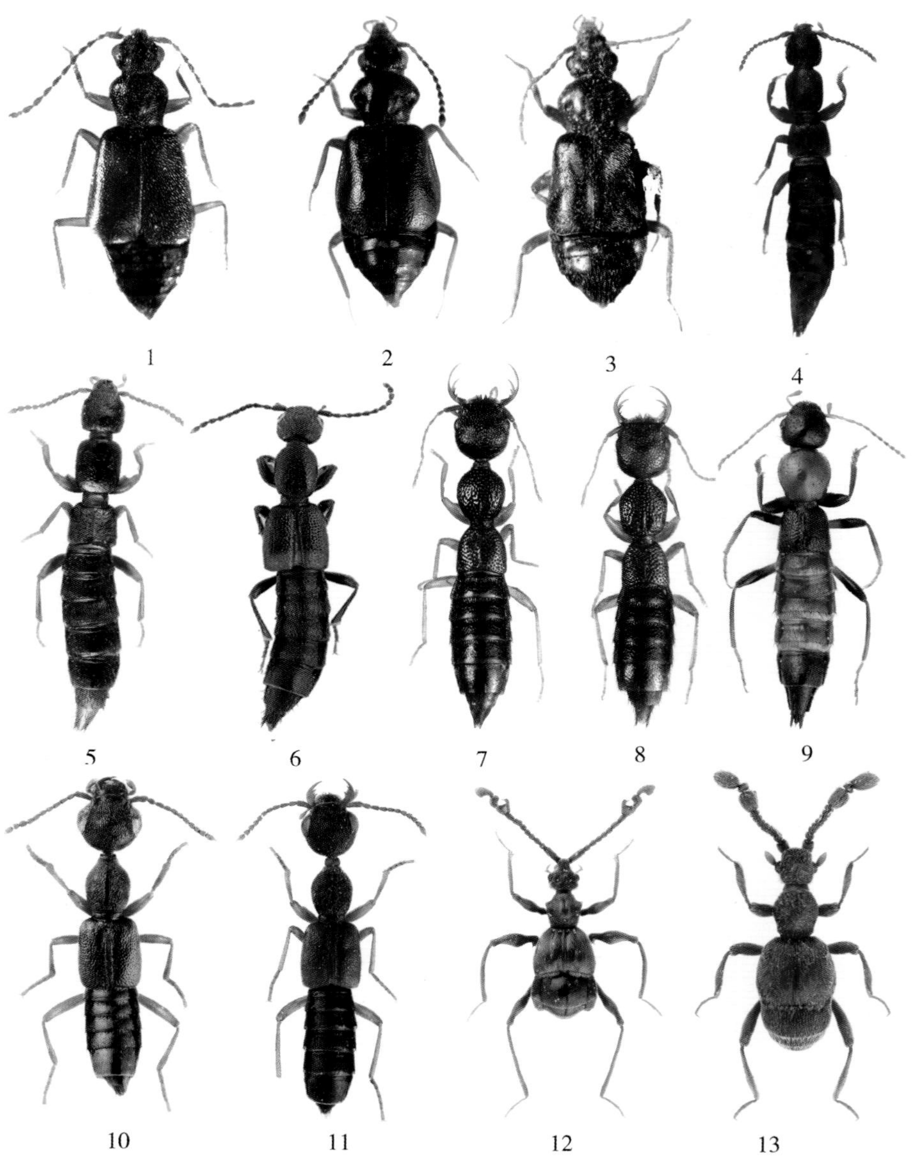

1. 大巴山盗隐翅虫 *Lesteva dabashanensis* Rougemont, 2000；2. 红边盗隐翅虫 *Lesteva rufimarginata* Rougemont, 2000；3. 七斑盗隐翅虫 *Lesteva septemmaculata* Rougemont, 2000；4. 异形隆线隐翅虫 *Lathrobium* (*Lathrobium*) *heteromorphum* Chen, Li *et* Zhao, 2005；5. 陕西隆线隐翅虫 *Lathrobium* (*Lathrobium*) *shaanxiensis* Chen, Li *et* Zhao, 2005；6. 棒针双线隐翅虫 *Lobrathium configens* Assing, 2012；7. 黄氏四齿隐翅虫 *Nazeris huanghaoi* Hu *et* Li, 2010；8. 陕西四齿隐翅虫 *Nazeris shaanxiensis* Hu *et* Li, 2010；9. 孔夫子毒隐翅虫 *Paederus* (*Harpopaederus*) *konfuzius* Willers, 2001；10. 细突皱纹隐翅虫 *Rugilus* (*Rugilus*) *fodens* Assing, 2012；11. 腹纹皱纹隐翅虫 *Rugilus* (*Rugilus*) *reticulatus* Assing, 2012；12. 野村氏长角蚁甲 *Pselaphodes nomurai* Yin, Li *et* Zhao, 2010；13. 长角糙蚁甲 *Sathytes longitrabis* Yin *et* Li, 2012

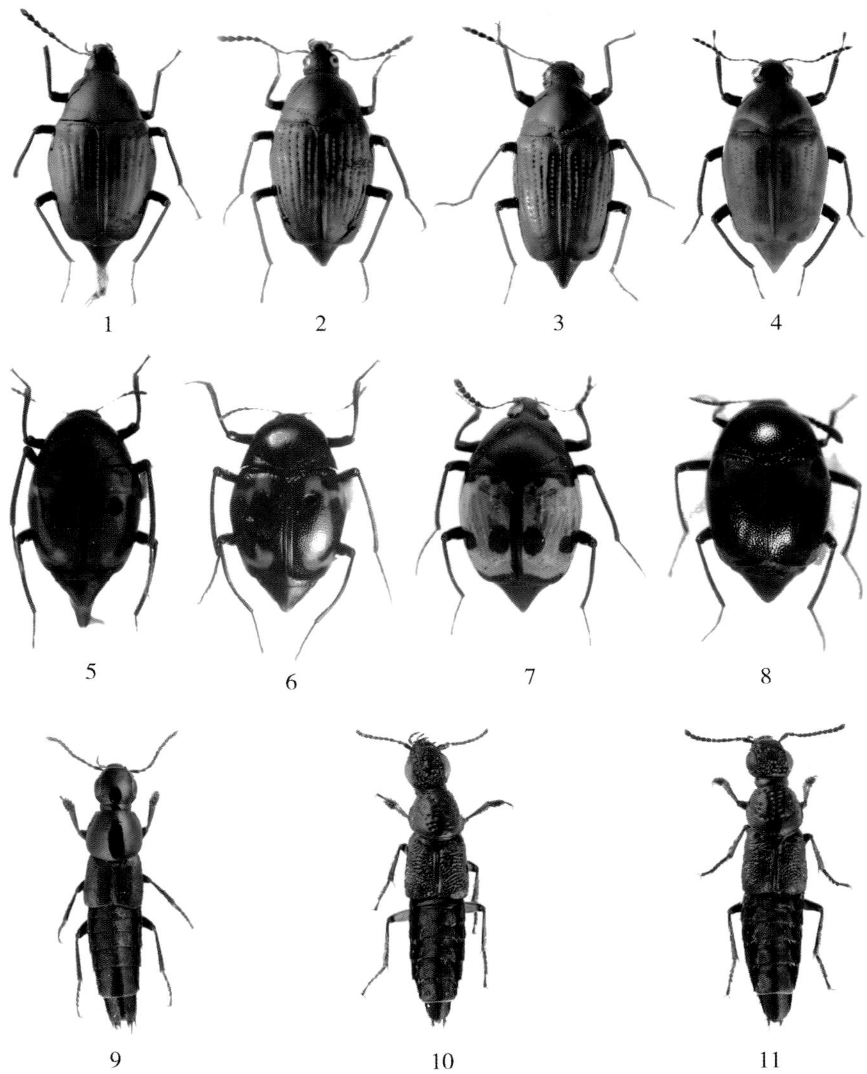

1. 异脊出尾蕈甲 *Ascaphium alienum* Tang *et* Li, 2009; 2. 黄氏脊出尾蕈甲 *Ascaphium huanghaoi* Tang *et* Li, 2009; 3. 小脊出尾蕈甲 *Ascaphium parvulum* Tang *et* Li, 2009; 4. 常卿背出尾蕈甲 *Episcaphium changchini* Sheng *et* Gu, 2009; 5. 伪出尾蕈甲 *Scaphidium falsum* He, Tang *et* Li, 2008; 6. 伯仲出尾蕈甲 *Scaphidium frater* He, Tang *et* Li, 2008; 7. 周氏出尾蕈甲 *Scaphidium zhoushuni* He, Tang *et* Li, 2009; 8. 点斑出尾蕈甲 *Scaphidium stigmatinotum* Löbl, 1999; 9. 贵肩隐翅虫 *Quedius* (*Microsaurus*) *guey* Smetana, 2001; 10. 红须肩隐翅虫 *Quedius* (*Raphirus*) *barbarossa* Smetana, 2002; 11. 双斑肩隐翅虫 *Quedius* (*Raphirus*) *bisignatus* Smetana, 2002

图版 6

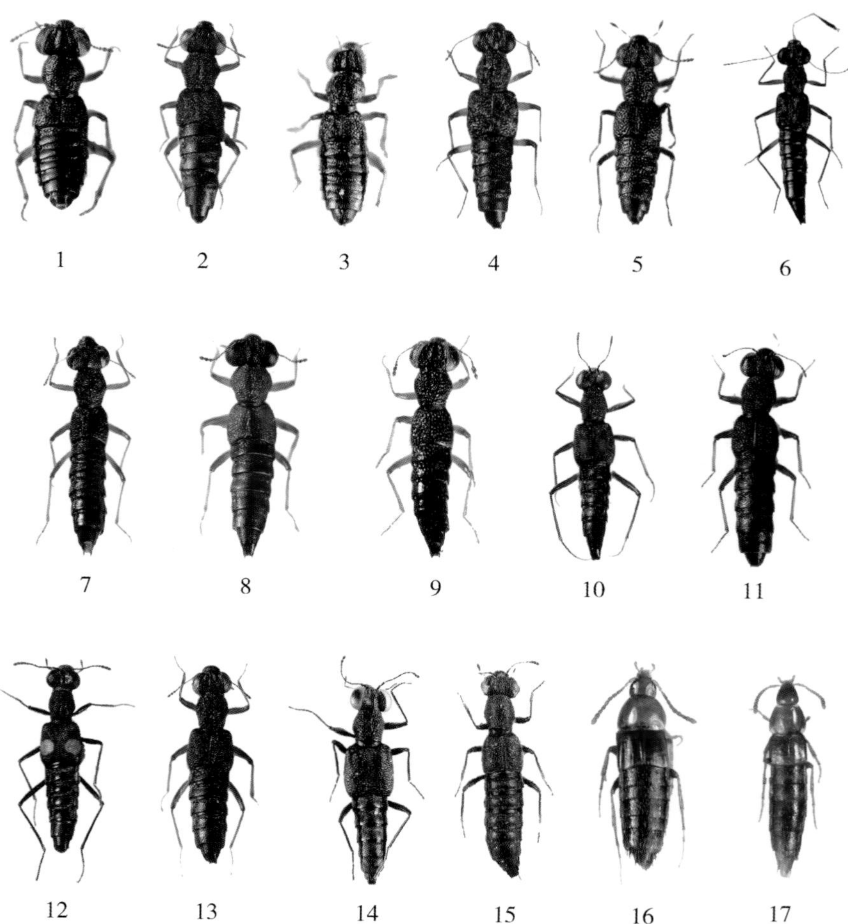

1. 幸运突眼隐翅虫 *Stenus* (*Hemistenus*) *fortunatoris* Tang *et* Puthz, 2009; 2. 异腹突眼隐翅虫 *Stenus* (*Hemistenus*) *alioventralis* Tang *et* Puthz, 2009; 3. 喇叭突眼隐翅虫 *Stenus* (*Hemistenus*) *bucinifer* Puthz, 2012; 4. 刺腹突眼隐翅虫 *Stenus* (*Hemistenus*) *scopulus* Zheng, 1992; 5. 太白山突眼隐翅虫 *Stenus* (*Hemistenus*) *taibaishanus* Tang *et* Puthz, 2009; 6. 闪蓝突眼隐翅虫 *Stenus* (*Hemistenus*) *viridanus* Champion, 1925; 7. 胡氏突眼隐翅虫 *Stenus* (*Hypostenus*) *hui* Tang *et* Puthz, 2009; 8. 黑头突眼隐翅虫 *Stenus* (*Hypostenus*) *nigriceps* Tang *et* Puthz, 2009; 9. 漆黑突眼隐翅虫 *Stenus* (*Hypostenus*) *nigritus* Tang, Li *et* Zhao, 2005; 10. 异突眼隐翅虫 *Stenus* (*Stenus*) *alienus* Sharp, 1874; 11. 分离突眼隐翅虫 *Stenus* (*Stenus*) *distans* Sharp, 1889, 伏牛山, ♀; 12. 华北突眼隐翅虫 *Stenus* (*Stenus*) *huabeiensis* Rougemont, 2001; 13. 腹毛突眼隐翅虫 *Stenus* (*Stenus*) *lanuginosipes* Puthz, 2010; 14. 伪铅色突眼隐翅虫 *Stenus* (*Stenus*) *plumbivestis* Puthz, 2008; 15. 微毛突眼隐翅虫 *Stenus* (*Stenus*) *pubiformis* Puthz, 2012; 16. 阿布毛须隐翅虫 *Ischnosoma absalon* Kocian, 2003; 17. 太白毛须隐翅虫 *Ischnosoma taibaiensis* Zhu, Li *et* Zhao, 2005

1

2

1. 华武粪金龟 *Enoplotrupes sinensis* Lucas, 1869; 2. 双叉犀金龟指名亚种 *Allomyrina dichotoma dichotoma*(Linnaeus,1771)

图版 8

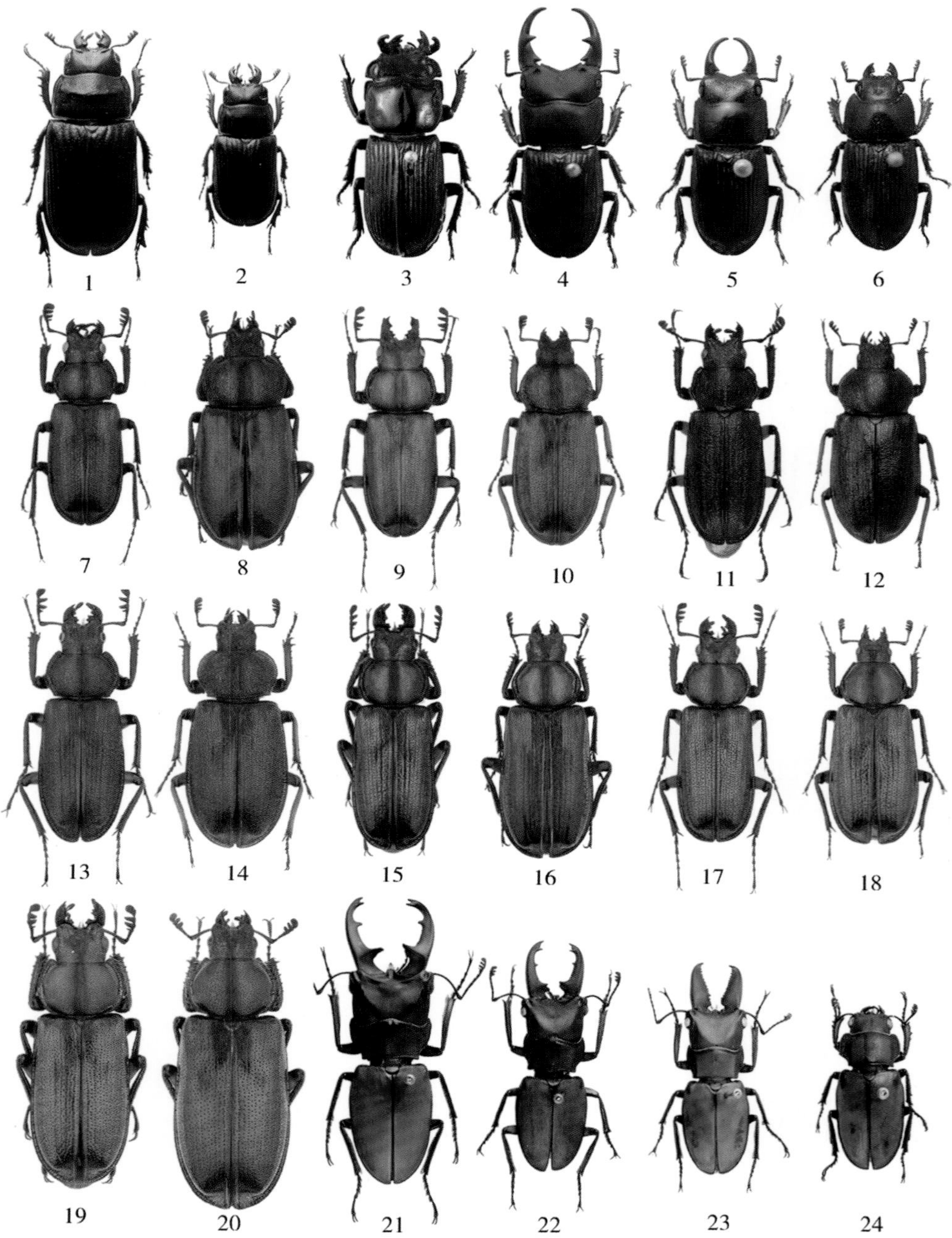

1－2. 米勒角锹甲 *Ceruchus minor* Tanikado *et* Okuda, 1994; 3. 长碛锹甲 *Nigidius elongatus* Boileau, 1902; 4－6. 粤盾锹甲 *Aegus kuangtungensis* Nagel, 1925; 7－8. 洪氏琉璃锹秦岭亚种 *Platycerus hongwonpyoi qinlingensis* Imura *et* Choe, 1993; 9－10. 细纹琉璃锹指名亚种 *Platycerus rugosus rugosus* Okuda, 1997; 11－12. 太白琉璃锹 *Platycerus yingqii* Huang *et* Chen, 2009; 13－14. 铁锈琉璃锹 *Platycerus tabanai tabanai* Tanikado *et* Okuda, 1994; 15－16. 布氏琉璃锹甲 *Platycerus businskyi* Imura, 1996; 17－18. 巴山琉璃锹 *Platycerus bashanicus* Imura *et* Tanikado, 1998; 19－20. 永幡琉璃锹 *Platycerus nagahatai* Imura, 2008; 21－24. 艾斯环锹甲 *Cyclommatus elsae* Kriesche, 1920

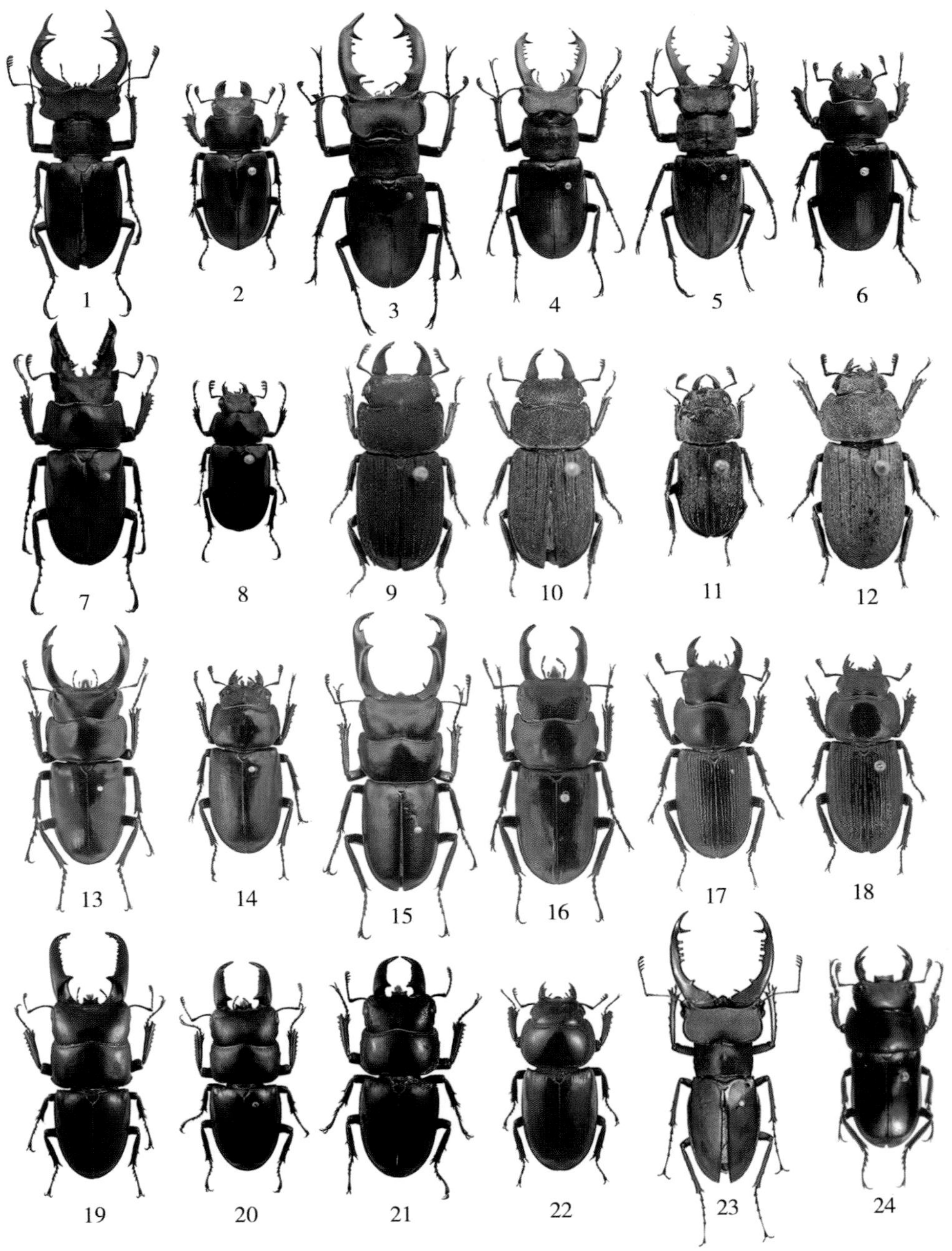

1 – 2. 九峰锹甲 *Lucanus szetschuanicus* Hanus, 1932；3 – 6. 斑股锹甲华北亚种 *Lucanus maculifemoratus dybowskyi* Parry, 1873；7 – 8. 戴维柱锹甲指名亚种 *Prismognathus davidis davidis* Deyrolle, 1878；9 – 12. 锈色刀锹甲 *Dorcus velutinus* Thomson, 1862；13 – 14. 吴氏刀锹甲 *Dorcus wui* Huang *et* Chen, 2013；15 – 18. 双齿刀锹甲 *Dorcus davidi*（Séguy, 1954）；19 – 22. 大扁锹甲华南亚种 *Serrognathus titanus platymelus*（Saunders, 1854）；23. 迷齿锹甲 *Lucanus suzumurai*, Fujita, 2010（作者原图）；24. 拟戟小刀锹甲 *Falcicornis taibaishanensis*, Schenk, 2008（作者原图）.

图版 10

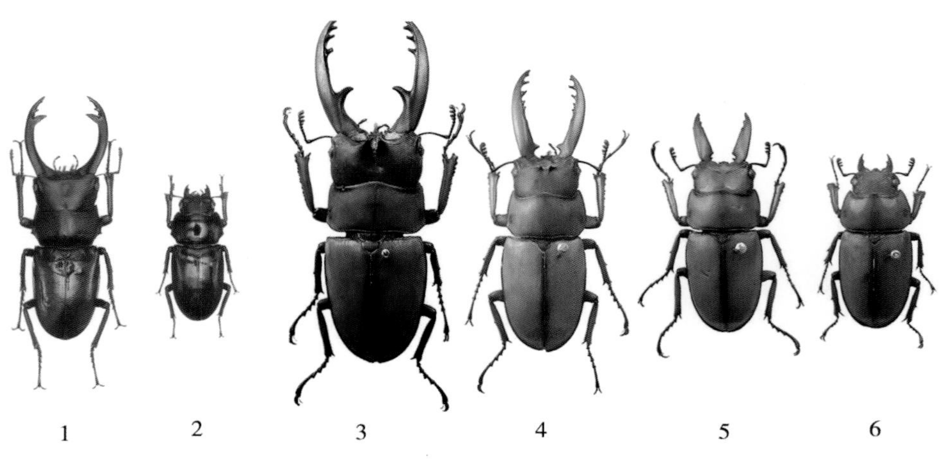

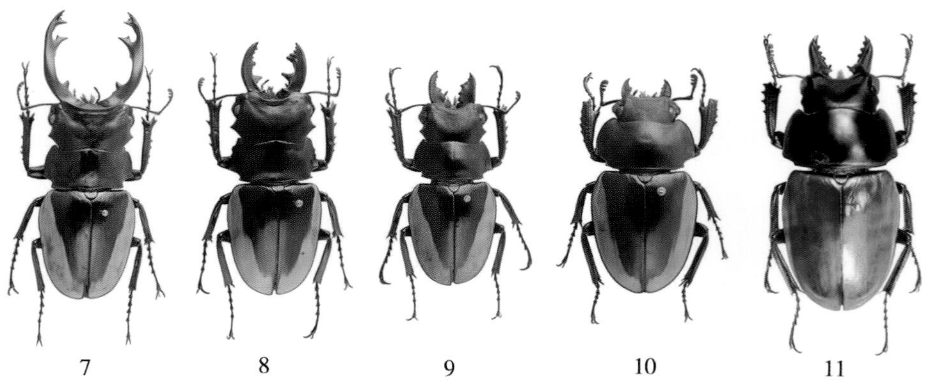

1－2. 锐齿半刀锹甲 *Hemisodorcus haitschunus*（Didier *et* Séguy, 1952）；3－6. 黄褐前锹甲 *Prosopocoilus blanchardi*（Parry, 1873）；7－10. 华美奥锹甲 *Odontolabis fallaciosa* Boileau, 1901；11. 陕西新锹甲 *Neolucanus shaanxiensis* Schenk, 2008（作者原图）.

1. 华山毛绢金龟 *Anomalophylla huashanica* Ahrens, 2005; 2. 陕西臀绢金龟 *Gastroserica shaanxiana* Ahrens *et* Pacholátko, 2003; 3. 东方码绢金龟 *Maladera* (*Omaladera*) *orientalis* (Motschulsky, 1858); 4. 毁灭码绢金龟 *Maladera* (*Cephaloserica*) *perniciosa* (Brenske, 1898); 5. 阔胫码绢金龟 *Maladera* (*Cephaloserica*) *verticalis* (Fairmaire, 1888); 6. 太平新绢金龟 *Neoserica* (s. l.) *taipingensis* Ahrens, Liu, Fabrizi *et* Yang, 2014; 7. 克氏日本绢金龟 *Nipponoserica koltzei* (Reitter, 1897); 8. 成都绢金龟 *Serica* (*Taiwanoserica*) *chengtuensis* Ahrens, 2009

图版 12

1. 格氏绢金龟 *Serica feisintsiensis* Ahrens, 2007; 2. 四姑娘山长角绢金龟 *Tetraserica sigulianshanica* Liu, Fabrizi, Yang *et* Ahrens, 2014; 3. 小云鳃金龟 *Polyphylla gracilicornis* Blanchard, 1871; 4. 黑阿鳃金龟 *Apogonia cupreoviridis* Kolbe, 1886; 5. 发婆鳃金龟 *Brahmina faldermanni* Kraatz, 1892; 6. 暗黑鳃金龟 *Holotrichia parallela* Motschulsky, 1854; 7. 红脚平爪鳃金龟 *Ectinohoplia rufipes* Motschulsky, 1860; 8. 戴单爪鳃金龟 *Hoplia davidis* Fairmaire, 1887

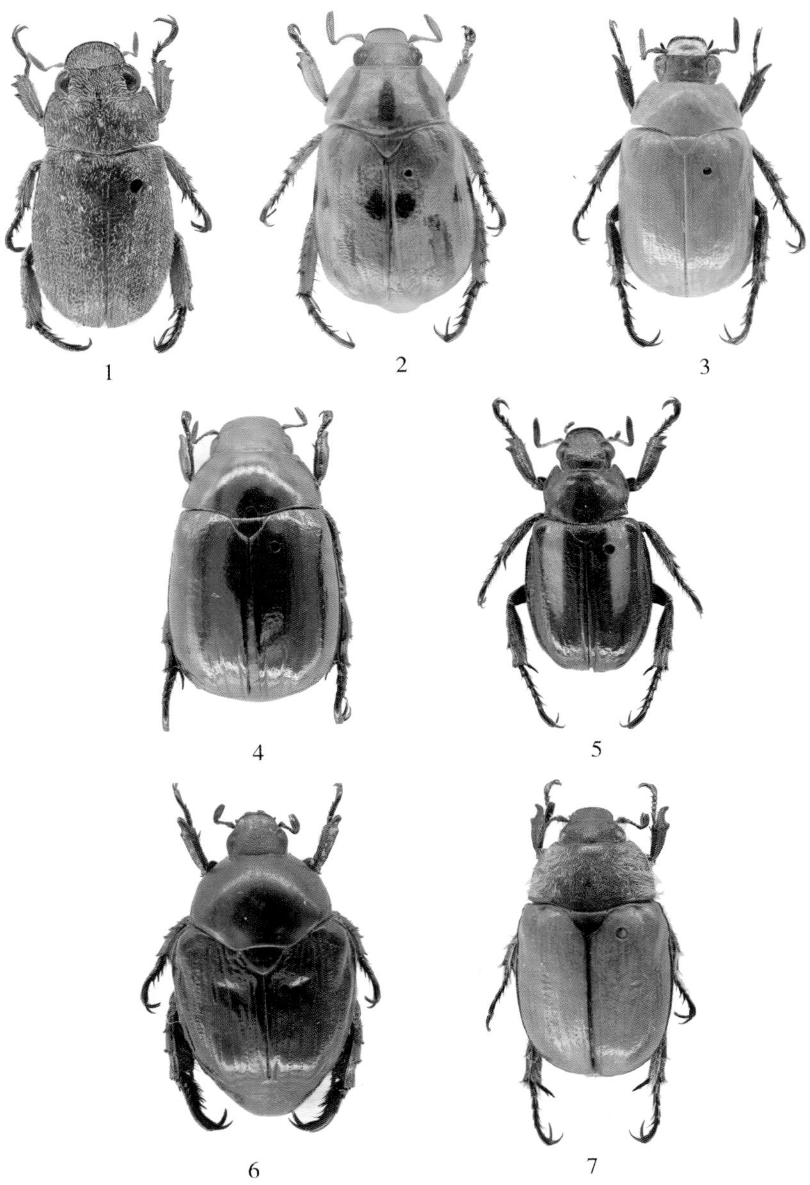

1. 毛斑喙丽金龟 *Adoretus* (*Lepadoretus*) *tenuimaculatus* Waterhouse, 1875; 2. 三带异丽金龟 *Anomala trivirgata* Fairmaire, 1888; 3. 蓝边矛丽金龟 *Callistethus plagiicollis plagiicollis* (Fairmaire, 1886); 4. 弯股彩丽金龟 *Mimela excisipes* Reitter, 1903; 5. 双带发丽金龟 *Phyllopertha bifasciata* Lin, 1966; 6. 棉花弧丽金龟 *Popillia mutans* Newman, 1838; 7. 苹毛丽金龟 *Proagopertha lucidula* (Faldermann, 1835)

图版 14

1. 猫司蜣螂 *Sinodrepanus rex*（Boucomont，1912）；2. 日本凯蜣螂 *Caccobius*（s. str.）*jessoensis* Harold，1867；3. 污毛凯蜣螂 *Caccobius*（*Caccophilus*）*sordidus* Harold，1886；4. 考氏艾嗡蜣螂 *Onthophagus*（*Altonthophagus*）*kozlovi* Kabakov，1990；5. 翅驼嗡蜣螂 *Onthophagus*（*Gibbonthophagus*）*atripennis* Waterhouse，1875；6. 背纹后嗡蜣螂 *Onthophagus*（*Matashia*）*dorsofasciatus* Fairmaire，1893；7. 黑玉后嗡蜣螂 *Onthophagus*（*Matashia*）*gagates* Hope，1831；8. 赛氏西蜣螂 *Sisyphus*（s. str.）*schaefferi*（Linnaeus，1758）

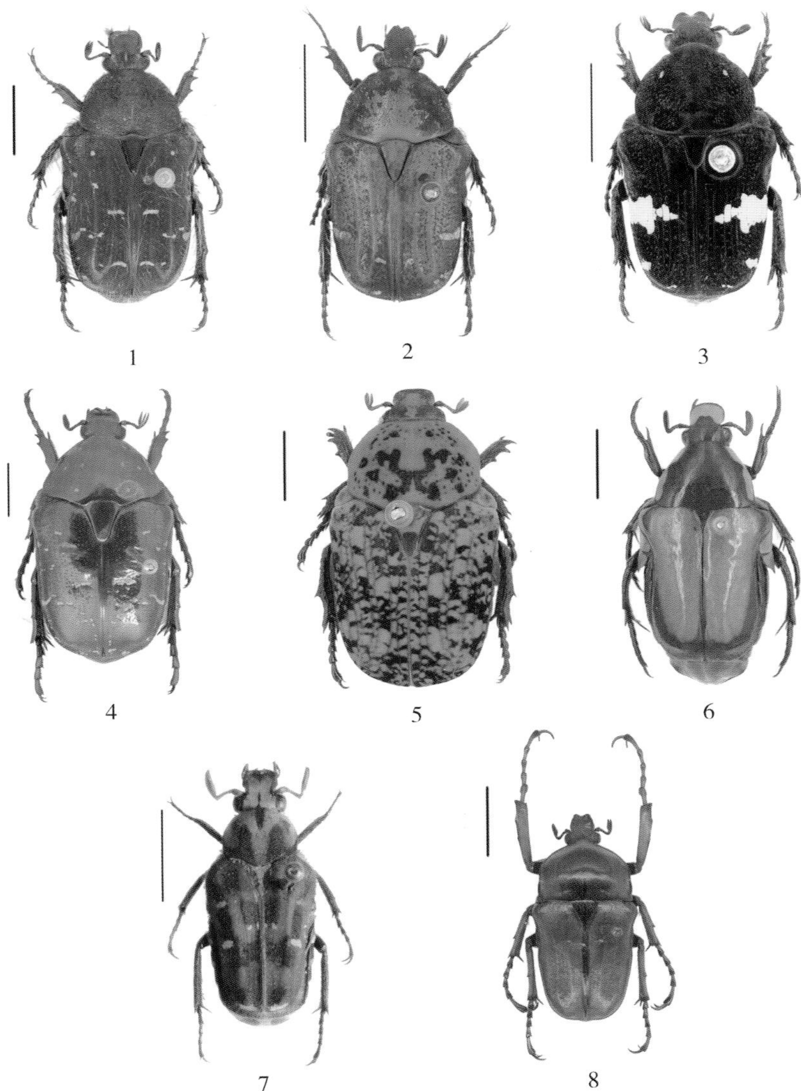

1. 长毛花金龟 *Cetonia* (*Eucetonia*) *magnifica* (Ballion, 1871); 2. 小青花金龟 *Gametis jucunda* (Faldermann, 1835); 3. 黄斑短突花金龟 *Glycyphana* (*Glycyphana*) *fulvistemma* Motschulsky, 1858; 4. 凸星花金龟 *Protaetia* (*Calopotosia*) *orientalis* (Gory *et* Percheron, 1833); 5. 褐锈花金龟 *Anthracophora rusticola* Burmeister, 1842; 6. 赭翅臀花金龟 *Campsiura* (*Campsiura*) *mirabilis* (Faldermann, 1835); 7. 穆平丽花金龟 *Euselates* (*Euselastes*) *moupinensis* (Fairmaire, 1891); 8. 沥斑鳞花金龟 *Cosmiomorpha* (*Cosmiomorpha*) *decliva* Janson, 1890. 比例尺 =5mm

图版 16

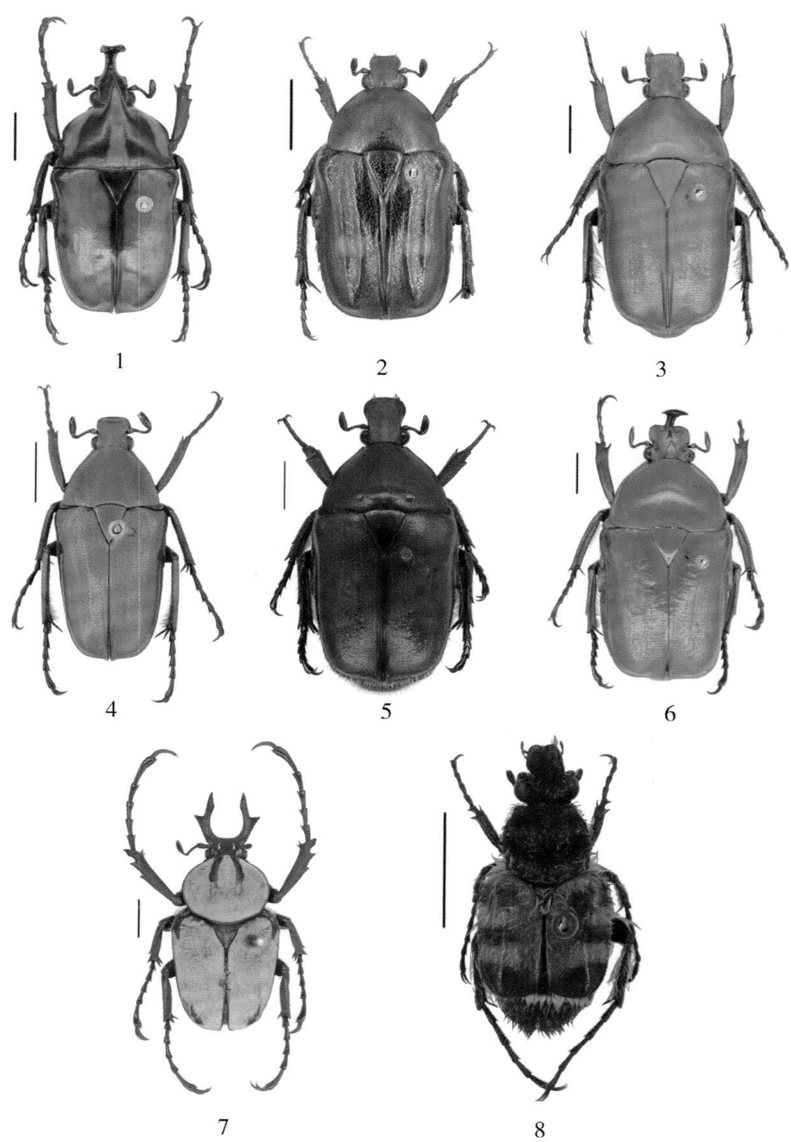

1. 褐斑背角花金龟 *Neophaedimus auzouxi* Lucas, 1870; 2. 皱贝花金龟 *Petrovizia guillotii* (Fairmaire, 1891); 3. 横纹伪阔花金龟 *Pseudotorynorrhina fortunei* (Saunders, 1852); 4. 长胸罗花金龟 *Rhomborhina* (*Pseudorhomborrhina*) *fuscipes* Fairmaire, 1893; 5. 黄毛阔花金龟 *Torynorrhina fulvopilosa* (Moser, 1911); 6. 绿唇花金龟 *Trigonophorus* (*Trigonophorus*) *rothschildii* Fairmaire, 1891; 7. 宽带鹿花金龟 *Dicronocephalus adamsi* Pascoe, 1863; 8. 短毛斑金龟花野亚种 *Lasiotrichius succinctus hananoi* (Sawada, 1943). 比例尺 =5mm

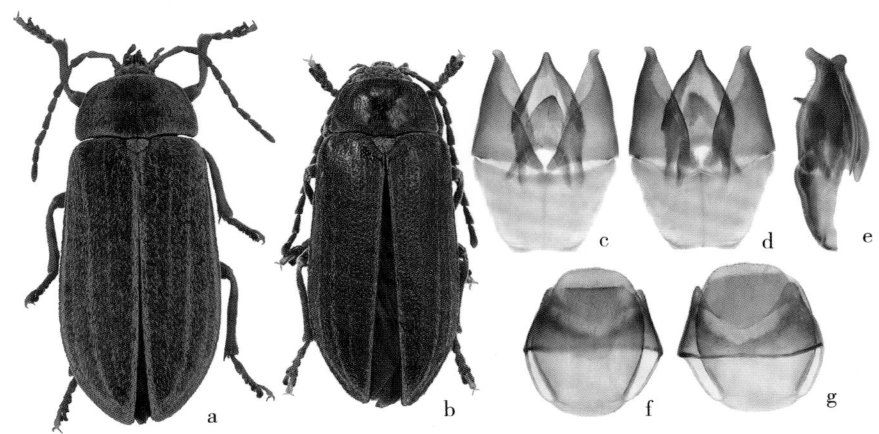

1. 尖花甲 *Dascillus acutus* Jin *et al.*, 2013

a. 雌虫；b. 雄虫；c. 阳茎腹面观；d. 阳茎背面观；e. 阳茎侧面观；f. 雄虫第9腹节腹板；g. 雄虫第9～10腹节背板

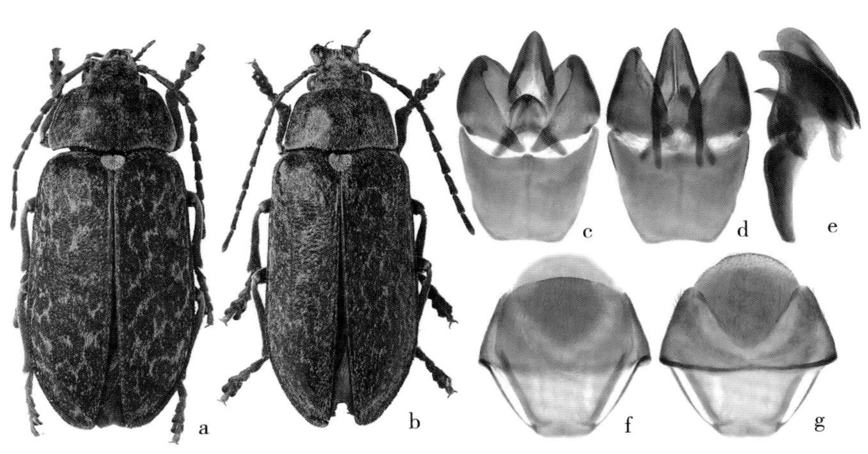

2. 雅花甲 *Dascillus jaspideus*（Fairmaire, 1878）

a. 雌虫；b. 雄虫；c. 阳茎腹面观；d. 阳茎背面观；e. 阳茎侧面观；f. 雄虫第9腹节腹板；g. 雄虫第9～10腹节背板

图版 18

1. 蒙古花甲 *Dascillus mongolicus* Heyden, 1889

a. 雌虫；b. 雄虫；c. 阳茎腹面观；d. 阳茎背面观；e. 阳茎侧面观；f. 雄虫第 9 腹节腹板；g. 雄虫第 9 ~ 10 腹节背板

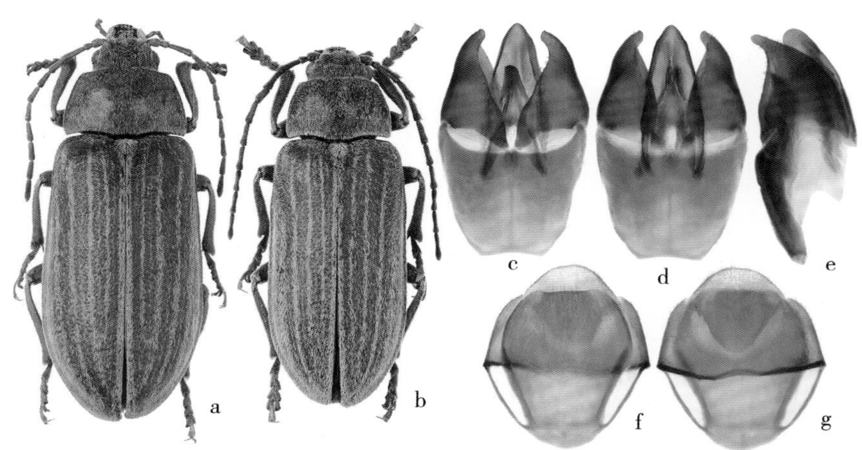

2. 拟线纹花甲 *Dascillus sublineatus* Pic, 1915

a. 雌虫；b. 雄虫；c. 阳茎腹面观；d. 阳茎背面观；e. 阳茎侧面观；f. 雄虫第 9 腹节腹板；g. 雄虫第 9 ~ 10 腹节背板

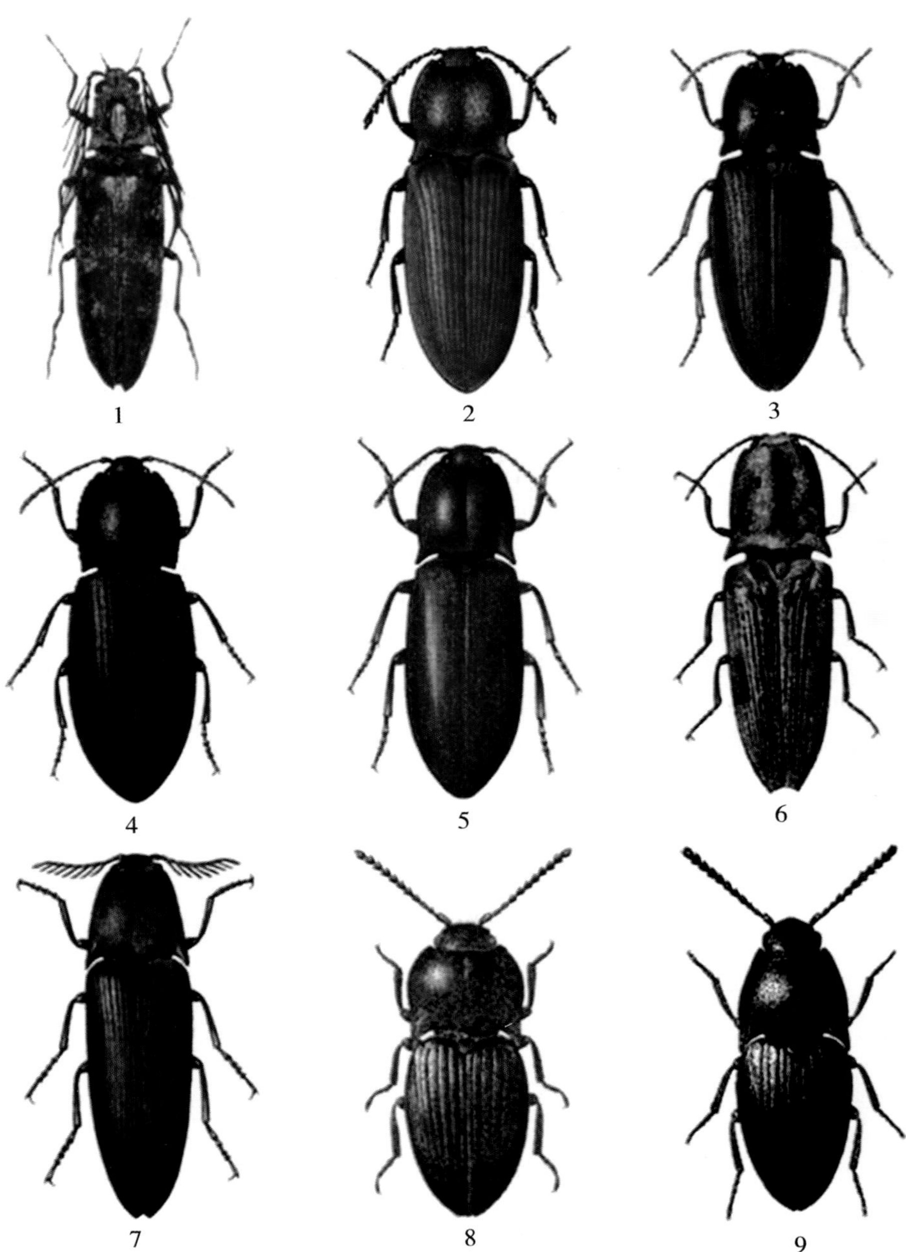

1. 库氏梳角叩甲 *Pectocera kucerai* Schimmel, 2006, ♂; 2. 泥红槽缝叩甲 *Agrypnus argillaceus* (Solsky, 1871), ♂; 3. 双瘤槽缝叩甲 *Agrypnus bipapulatus* (Candèze, 1865); 4. 暗色槽缝叩甲 *Agrypnus musculus* (Candèze, 1857); 5. 凸胸鳞叩甲 *Lacon rotundicollis* Kishii *et* Jiang, 1994; 6. 眼纹斑叩甲 *Cryptalaus larvatus* (Candèze, 1874); 7. 莱氏猛叩甲 *Tetrigus lewisi* Candèze, 1873, ♂; 8. 短胸胖叩甲 *Hypnoidus brevicollis* Dolin *et* Cate, 2002; 9. 椭体胖叩甲 *Hypnoidus obovatus* Dolin *et* Cate, 2003.（1. 引自 Schimmel, 2006a; 2～7 引自 Jiang & Wang, 1999; 8. 引自 Dolin & Cate, 2002; 9. 引自 Dolin & Cate, 2003.）

图版 20

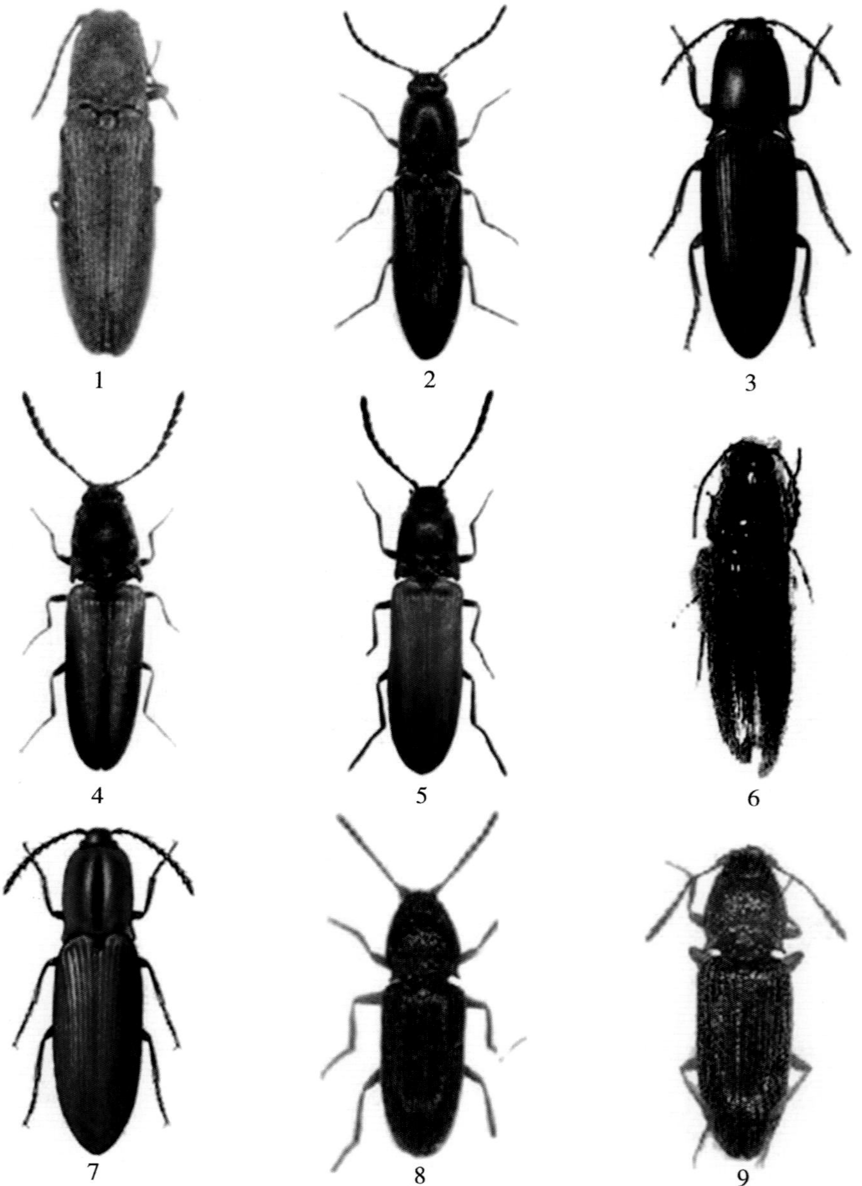

1. 霍氏筛胸叩甲 *Athousius holdereri*（Reitter, 1900）, ♂；2. 陕西筛胸叩甲 *Athousius shaanxiensis* Schimmel *et* Tarnawski, 2008, ♂；3. 武当筛胸叩甲 *Athousius wudanganus* Kishii *et* Jiang, 1996, ♂；4. 陕西梗叩甲 *Limoniscus shaanxiensis* Schimmel, 2006；5. 库氏梗叩甲 *Limoniscus kucerai* Schimmel, 2006；6. 中华奇叩甲 *Nothodes sinensis* Platia, 2009；7. 血色副叩甲 *Parathous sanguineus* Fleutiaux, 1918；8. 略阳钟胸叩甲 *Tropihypnus lueangensis* Schimmel *et* Tarnawski, 2008, ♂；9. 秦岭钟胸叩甲 *Tropihypnus petrae* Schimmel *et* Tarnawski, 2008, ♂.（1. 引自 Kishii & Jiang, 1996；2. 引自 Schimmel & Tarnawski, 2008a；3，7. 引自 Jiang & Wang, 1999；4，5. 引自 Schimmel, 2006a；6. 引自 Platia, 2009a；8. 引自 Schimmel & Tarnawski, 2008b；9. 引自 Schimmel & Tarnawski, 2008b.）

图版 21

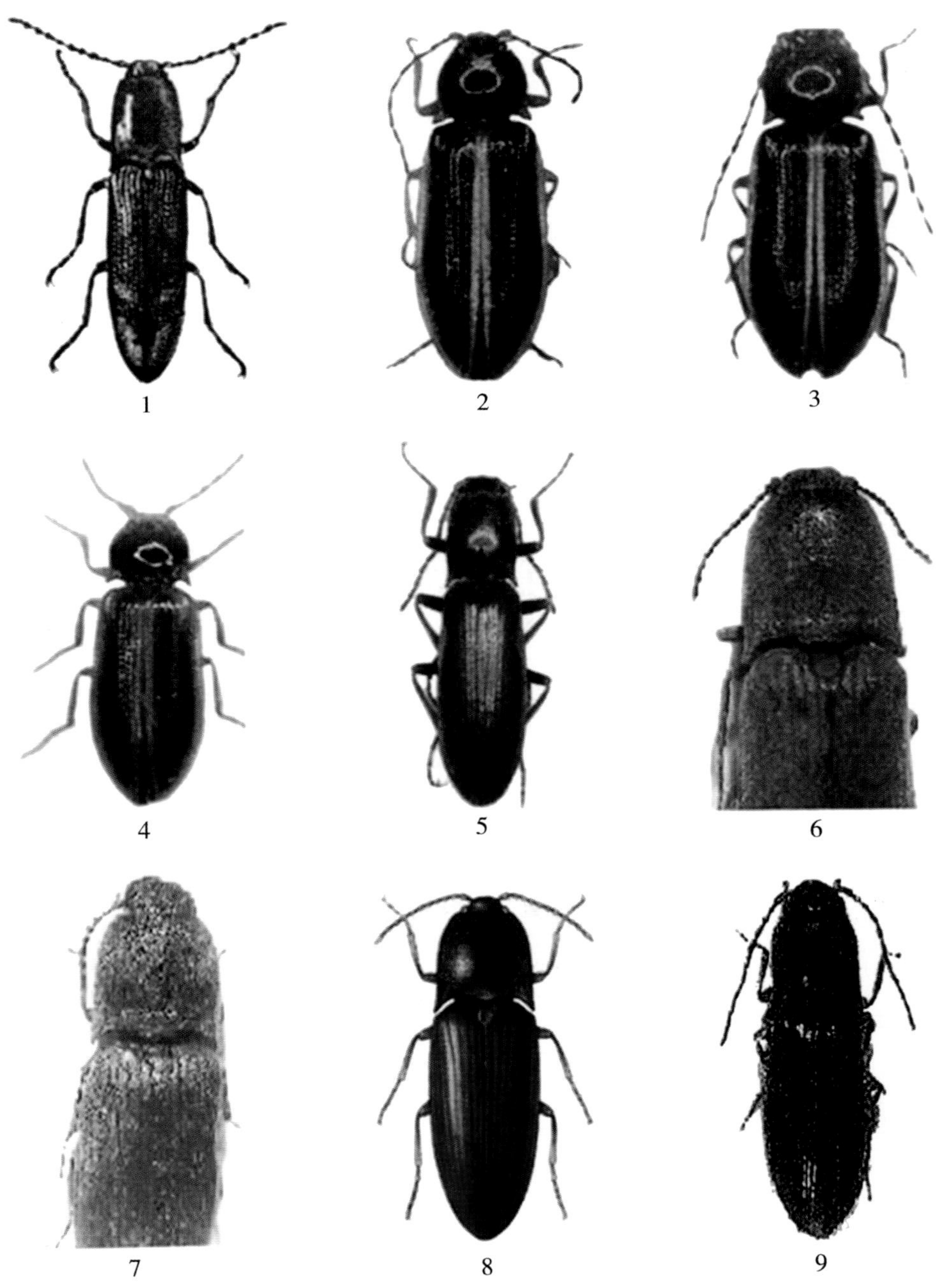

1. 横带脊角叩甲 *Stenagostus umbratilis*（Lewis, 1894）; 2. 厄氏薄叩甲 *Penia erberi* Schimmel, 2006; 3. 鄂西薄叩甲 *Penia gauchoana* Schimmel, 2006; 4. 陕西薄叩甲 *Penia shaanxiana* Schimmel, 2006; 5. 特纳高地叩甲 *Tarnawskianus turnai* Schimmel *et* Platia, 2007, ♂; 6. 赫氏锥尾叩甲 *Agriotes*（*A.*）*hedini* Fleutiaux, 1936; 7. 拟暗色锥尾叩甲 *Agriotes*（*A.*）*pseudobscurus* Platia, 2007; 8. 细胸锥尾叩甲 *Agriotes*（*A.*）*subvittatus* Motschulsky, 1859; 9. 怜杆叩甲 *Dalopius humilis* Platia, 2009, ♂.（1. 引自 Miwa, 1934; 2 ~4. 引自 Schimmel, 2006b; 5. 引自 Schimmel & Platia; 6, 7. 引自 Platia, 2007a; 8. 引自 Jiang & Wang, 1999; 9. 引自 Platia, 2009.）

图版 22

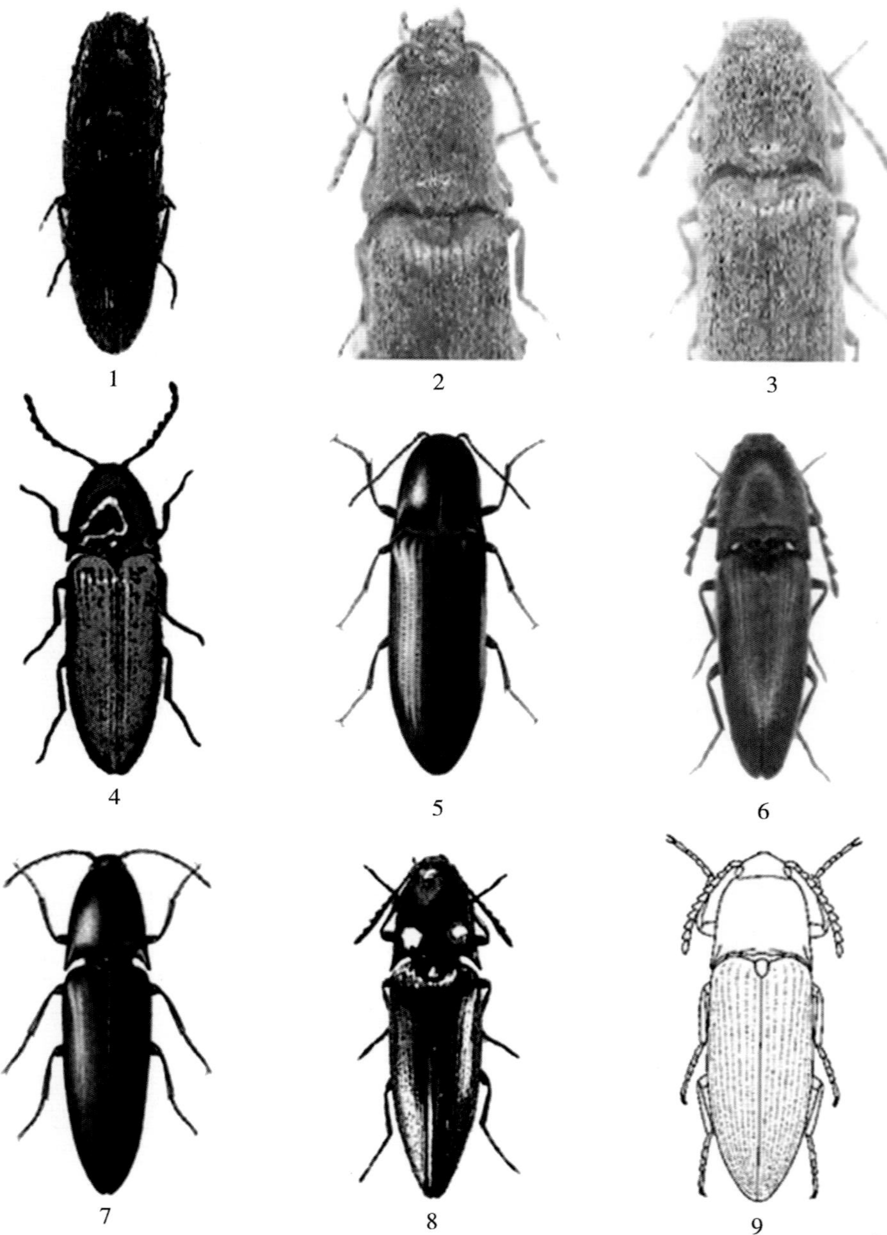

1. 独模杆叩甲 *Dalopius solitarius* Platia, 2009, ♂; 2. 扁额筒叩甲 *Ectinus frontalis* Platia, 2007, ♂; 3. 多模筒叩甲 *Ectinus numerosus* Platia, 2007; 4. 库氏锥胸叩甲 *Ampedus* (*A.*) *kucerai* Schimmel, 2003; 5. 暗足双脊叩甲 *Ludioschema obscuripes* (Gyllenhal, 1817); 6. 陕西刻角叩甲 *Mulsanteus shaanxiensis* Schimmel *et* Tarnawski, 2007; 7. 中华行体叩甲 *Nipponoelater sinensis* (Candèze, 1882); 8. 中华短角叩甲 *Vuilletus sinensis* Platia, 2008; 9. 西氏毛叩甲 *Sericus* (*Sericoderma*) *siteki* Platia *et* Gudenzi, 2006.（1. 引自 Platia, 2009; 2, 3. 引自 Platia, 2007a; 4. 引自 Schimmel, 2003; 5～7. 引自 Jiang & Wang, 1999; 8. 引自 Platia, 2008; 9. 引自 Platia & Gudenzi, 2006.）

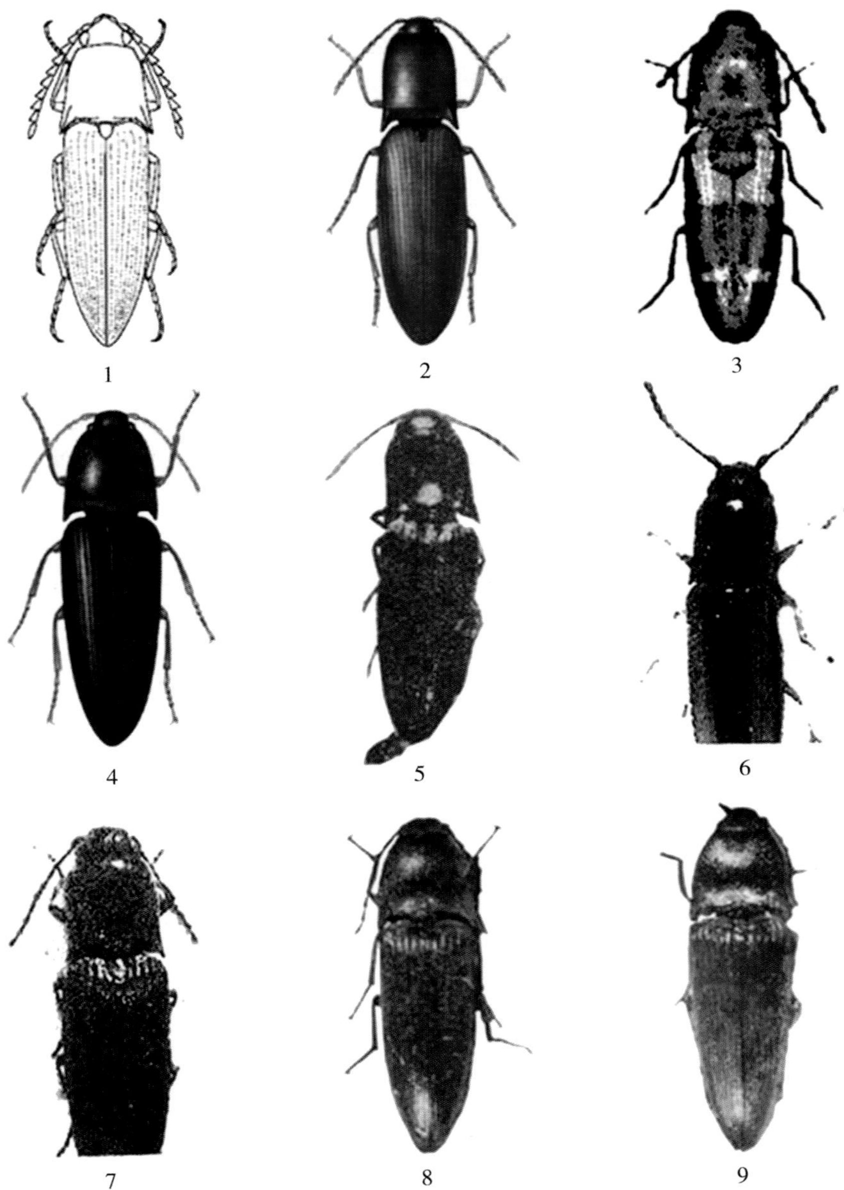

1. 瓦氏毛叩甲 *Sericus*（*Sericoderma*）*vavrai* Platia *et* Gudenzi, 2006; 2. 粒翅土叩甲 *Xanthopenthes granulipennis*（Miwa, 1929）; 3. 陕西孤叶叩甲 *Anchastelater shaanxiensis* Schimmel, 2007; 4. 长翅尖额叩甲 *Glyphonyx longipennis* Ôhira, 1966; 5. 红胸尖额叩甲 *Glyphonyx rubricollis* Miwa, 1928; 6. 中华三齿叩甲 *Lanecarus sinensis*（Fleutiaux, 1934）; 7. 神农架截额叩甲 *Silesis erberi* Platia, 2006; 8. 古氏梳爪叩甲 *Melanotus*（*M.*）*gudenzii* Platia *et* Schimmel, 2001; 9. 湖南梳爪叩甲 *Melanotus*（*M.*）*hunanensis* Platia *et* Schimmel, 2001.（1. 引自 Platia & Gudenzi, 2006; 2, 4. 引自 Jiang & Wang, 1999; 3. 引自 Schimmel, 2007; 5. 引自 Kishii, 1990; 6. 引自 Platia, 2005b; 7. 引自Platia, 2006; 8, 9. 引自 Platia & Schimmel, 2001.）

图版 24

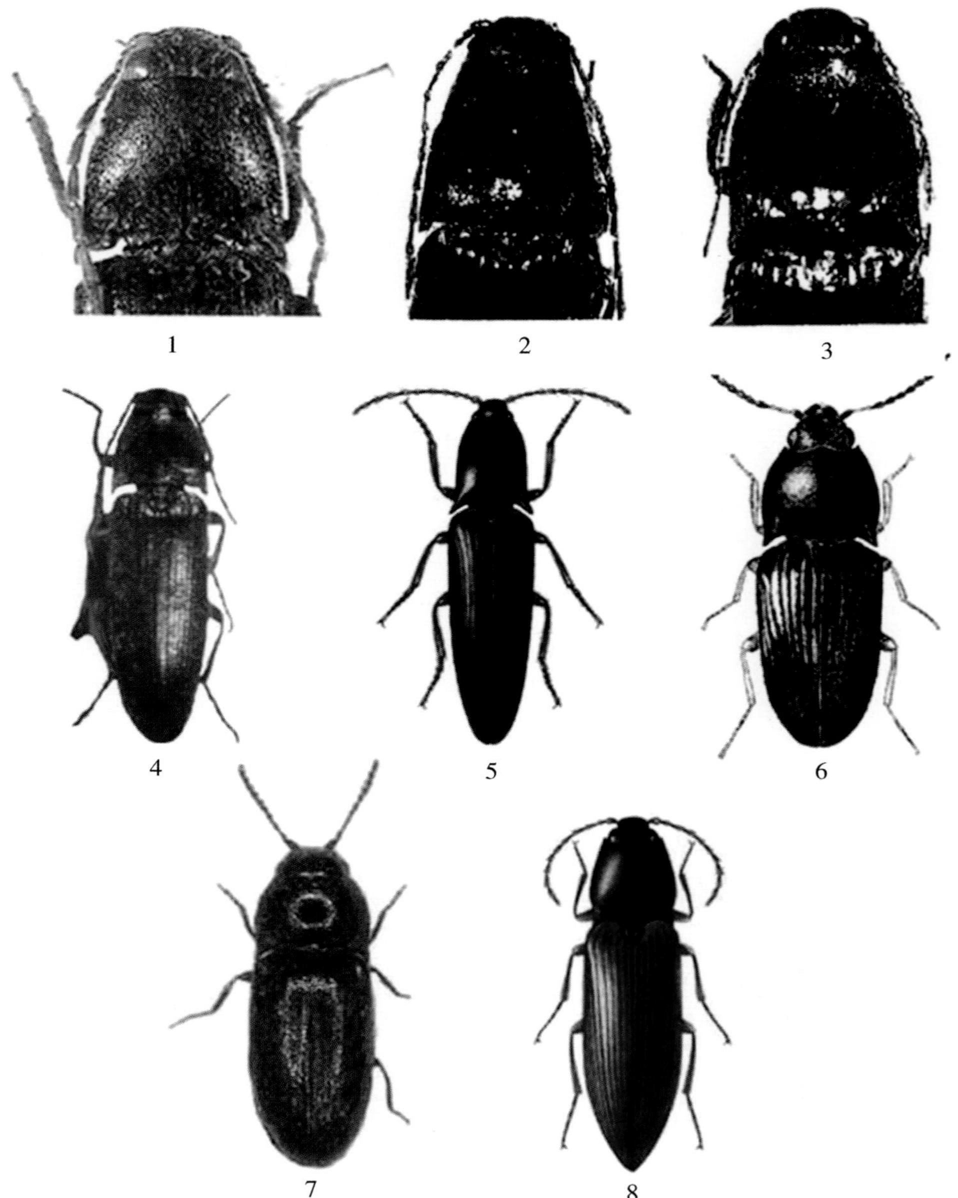

1. 太行梳爪叩甲 *Melanotus*（*M.*）*knizeki* Platia, 2005, ♂；2. 太白山梳爪叩甲 *Melanotus*（*M.*）*plutenkoi* Platia, 2007；3. 陕西梳爪叩甲 *Melanotus*（*M.*）*shaanxianus* Platia, 2007；4. 卧龙梳爪叩甲 *Melanotus*（*M.*）*zhilongensis* Platia *et* Schimmel, 2001；5. 刺角弓背叩甲 *Priopus angulatus*（Candèze, 1860）；6. 周至玲珑叩甲 *Zorochros*（*Z.*）*wrasei* Dolin, 1999；7. 云南微叩甲 *Quasimus yunnanus* Schimmel *et* Tarnawski, 2009；8. 伪齿爪叩甲 *Platynychus*（*P.*）*nothus*（Candèze, 1865）.（1. 引自 Platia & Schimmel, 2005a；2，3. 引自 Platia, 2007b；4. 引自 Platia & Schimmel, 2001；5，8. 引自 Jiang & Wang, 1999；6. 引自 Dolin, 1999；7. 引自 Schimmel & Tarnawski, 2009.）

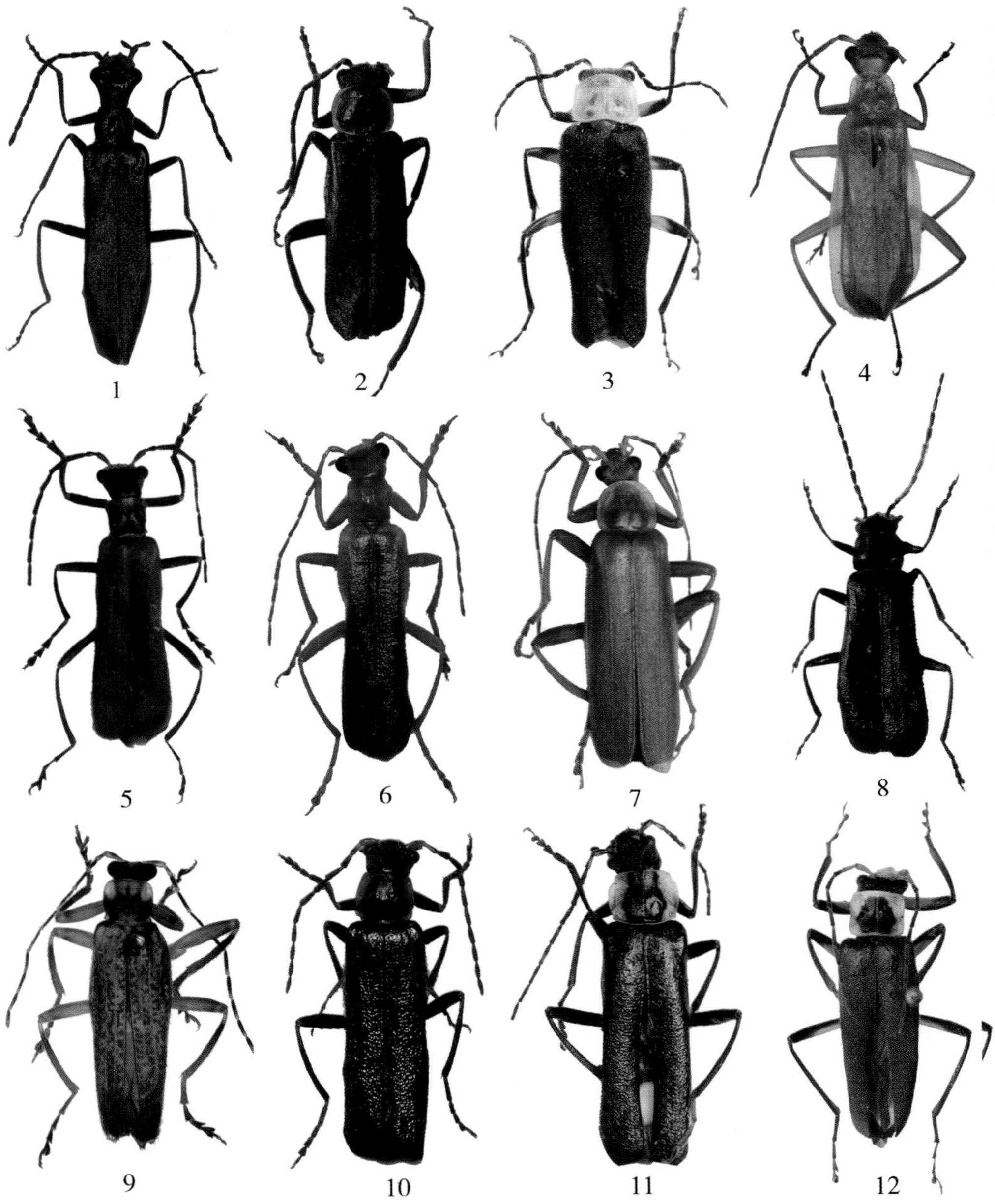

1. 垂氏亚齿花萤 *Asiopodabrus tryznai* (Švihla, 2004); 2. 棕翅花萤 *Cantharis* (s. str.) *brunneipennis* Heyden, 1889; 3. 细角赛花萤 *Cyrebion gracilicornis* Y. Yang *et* X. Yang, 2010; 4. 淡黄异角花萤 *Fissocantharis semifumata* (Fairmaire, 1889); 5. 黑红缢胸花萤 *Leiothorax atrosanguineus* Švihla, 2005; 6. 吉氏异花萤 *Lycocerus jelineki* (Švihla, 2004); 7. 中华圆胸花萤 *Prothemus chinensis* Wittmer, 1987; 8. 甘肃丝角花萤 *Rhagonycha* (s. str.) *gansuensis* Švihla, 1995; 9. 双色狭胸花萤 *Stenothemus diffusus* Wittmer, 1974; 10. 传氏台湾花萤 *Taiwanocantharis drahuska* (Švihla, 2004); 11. 布氏道花萤 *Taocantharis businskae* (Wittmer, 1997); 12. 陕西丽花萤 *Themus* (s. str.) *shensianus* Wittmer, 1983

图版 26

1. 普通郭公甲 *Clerus dealbatus*（Kraatz, 1879）; 2. 斑胸筒郭公甲 *Tenerus maculicollis*（Lewis, 1892）; 3. 中华毛郭公甲 *Trichodes sinae* Chevrolat, 1874; 4. 光滑艾蕈甲 *Episcapha*（*Episcapha*）*psiloides* Bedel, 1918; 5. 黄带艾蕈甲 *Episcapha*（*Episcapha*）*flavofasciata*（Reitter, 1879）; 6. 月斑沟蕈甲 *Aulacochilus luniferus*（Guérin-Méneville, 1841）

1. 华新拟叩甲 *Caenolanguria sinensis* Zia, 1933；2. 细异安拟叩甲 *Neanadastus gracilis* Zia, 1959；3. 隔色毒拟叩甲 *Paederolanguria alternata*（Zia, 1959）；4. 环特拟叩甲 *Tetraphala collaris*（Crotch, 1876）

图版 28

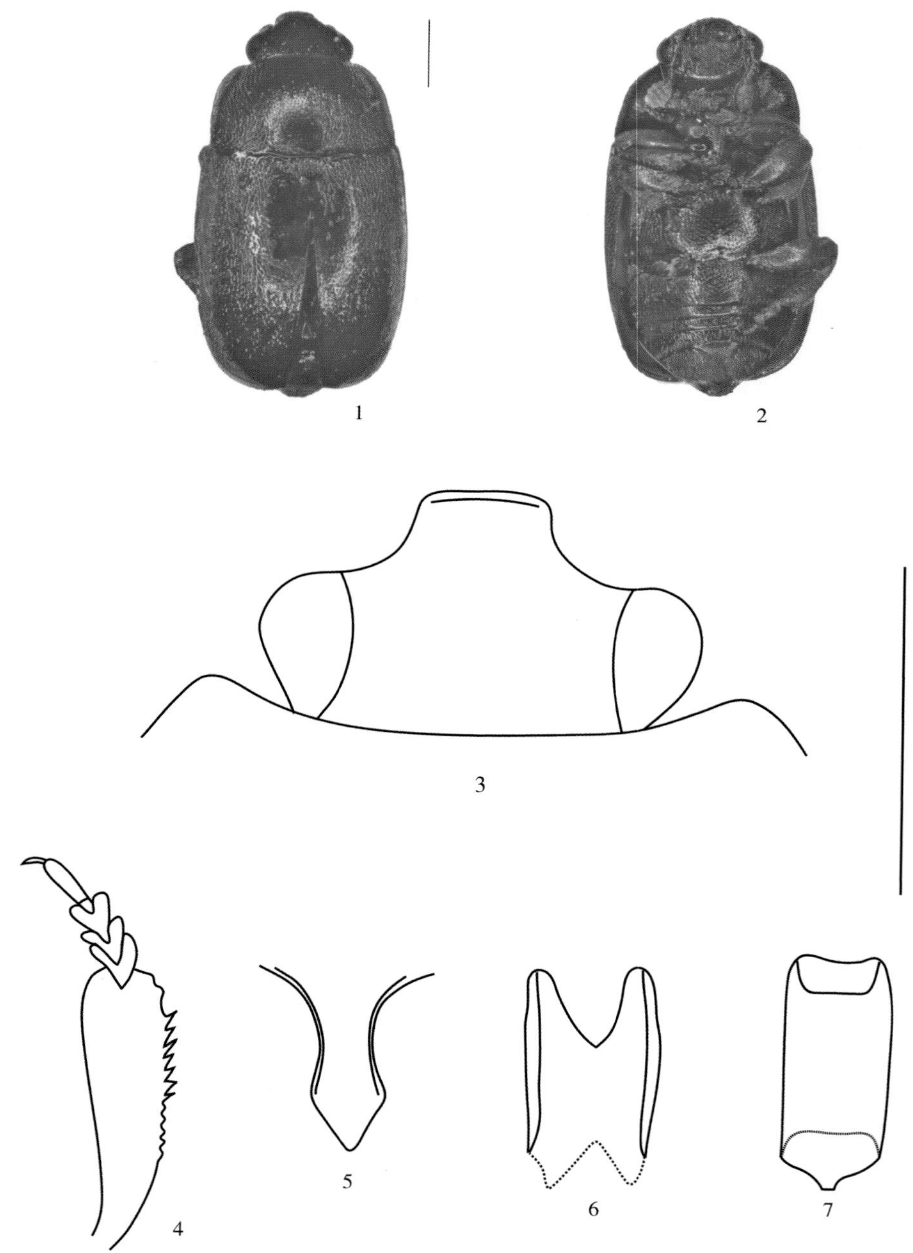

油菜花露尾甲 *Meligethes aeneus*（Fabricius, 1775）

1. 背面观；2. 腹面观；3. 头部；4. 前足胫节；5. 前胸腹板突；6. 阳茎基腹面观；7. 阳茎中叶腹面观. 整体照比例尺 =0.50mm，线条图比例尺 =0.05mm

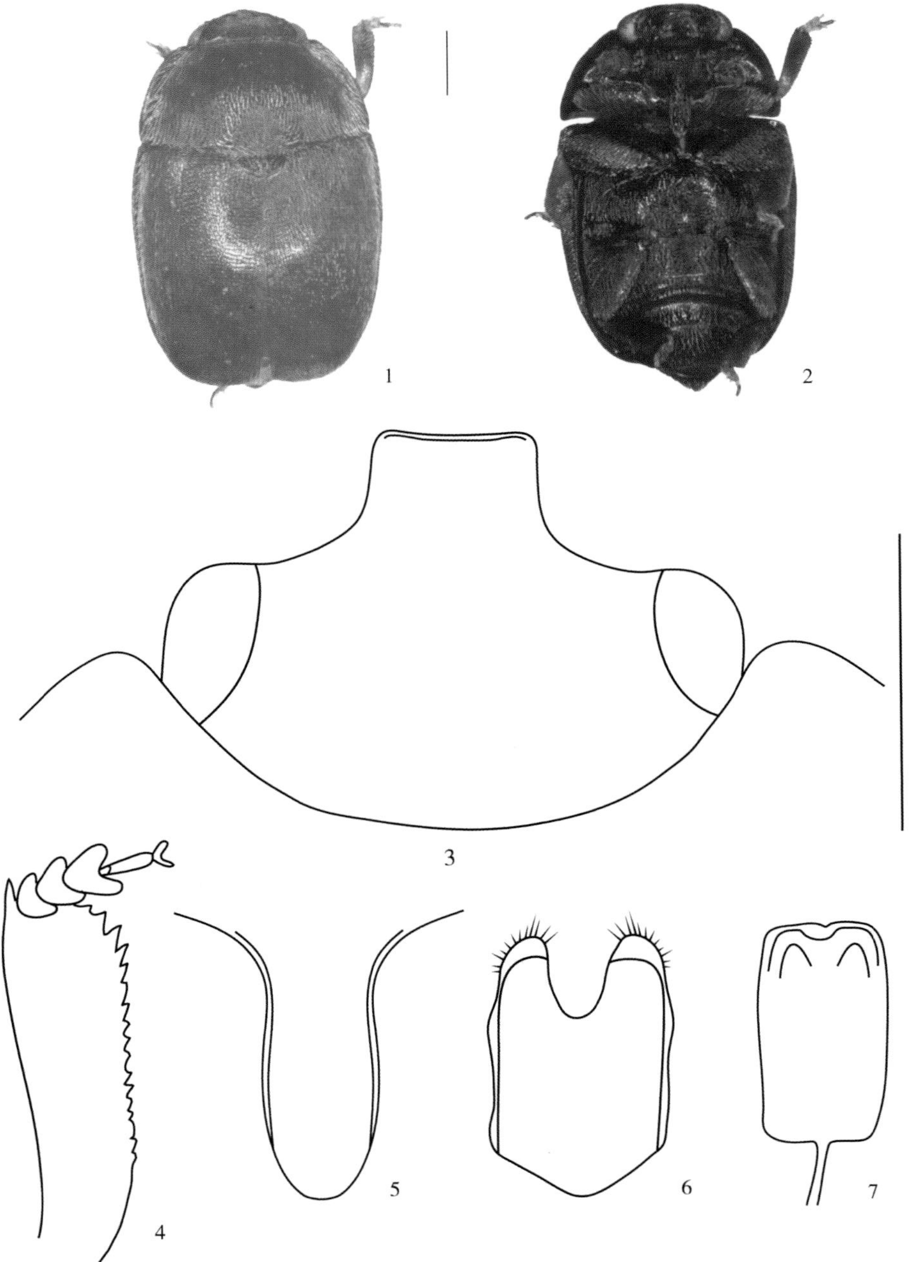

优雅菜花露尾甲 *Meligethes hammondi* Kirejtshuk

1. 背面观；2. 腹面观；3. 头部；4. 前足胫节；5. 前胸腹板突；6. 阳茎基腹面观；7. 阳茎中叶腹面观. 整体照比例尺 =0.50mm；线条图比例尺 =0.05mm

图版 30

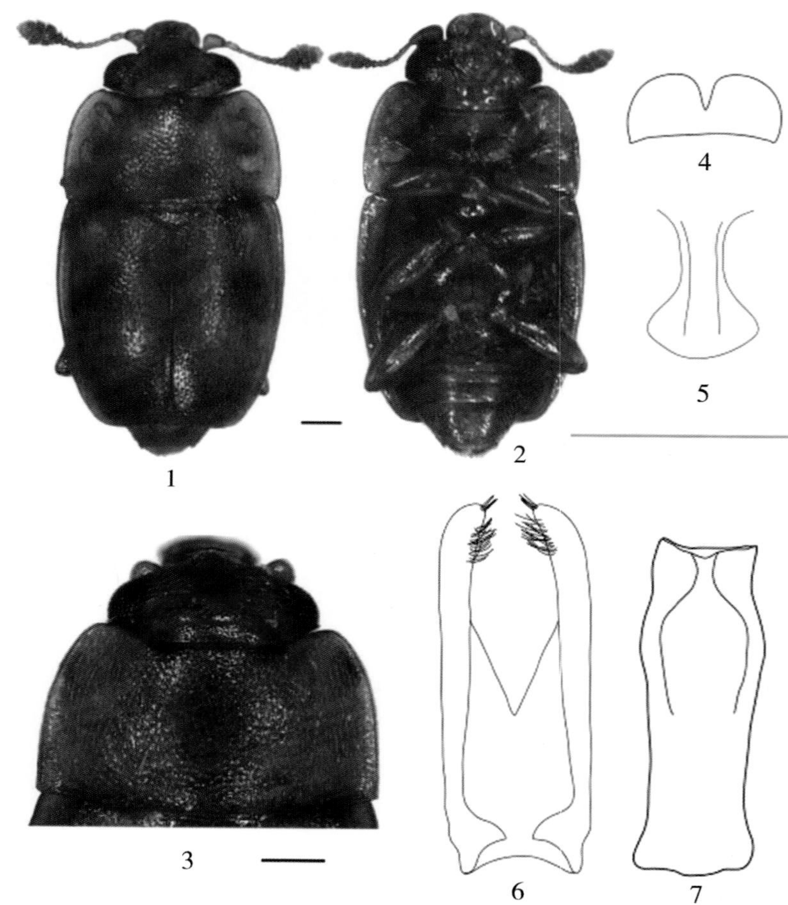

黑斑露尾甲 *Epuraea*（*Haptoncus*）*ocularis* Fairmaire, 1849

1. 背面观；2. 腹面观；3. 前胸背板；4. 唇基；5. 前胸腹板突；6. 阳茎基腹面观；7. 阳茎中叶腹面观. 比例尺 = 0. 20mm

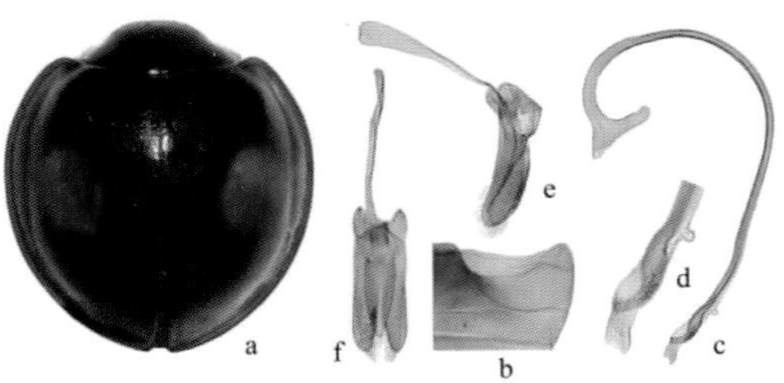

1. 红点唇瓢虫 *Chilocorus kuwanae* Silvestri，1909（引自任顺祥等，2009）

a. 成虫；b. 腹部；c. 弯管；d. 弯管端；e. 阳基侧面；f. 阳基正面

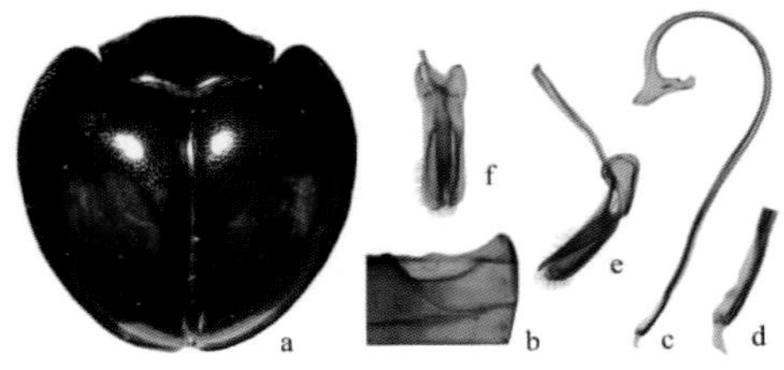

2. 闪蓝红点唇瓢虫 *Chilocorus chalybeatus* Gorham，1892（引自任顺祥等，2009）

a. 成虫；b. 腹部；c. 弯管；d. 弯管端；e. 阳基侧面；f. 阳基正面

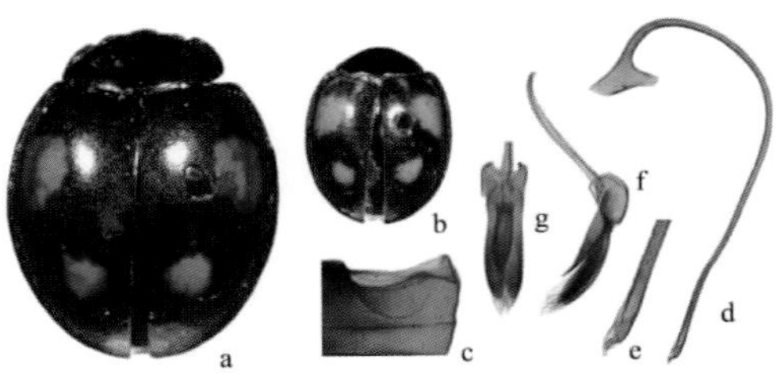

3. 蒙古光瓢虫 *Exochomus mongol* Barovsky，1922（引自任顺祥等，2009）

a－b. 成虫；c. 腹部；d. 弯管；e. 弯管端；f. 阳基侧面；g. 阳基正面

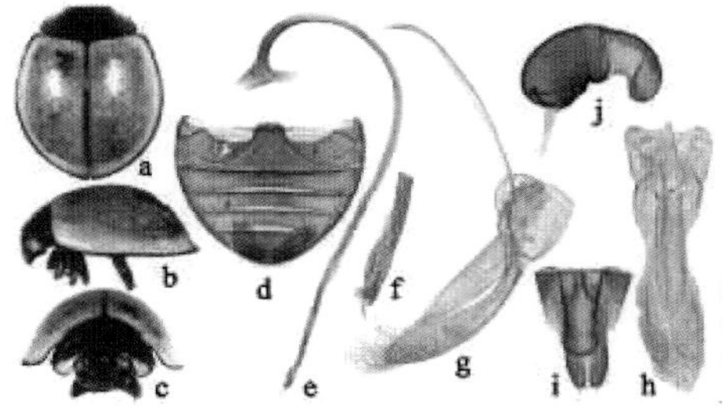

4. 黑缝光瓢虫 *Xanthocorus nigrosuturarius* Li *et* Ren，2015（引自 Li，*et al.*，2015）

a－c. 成虫；d. 腹部；e－f. 弯管；g－h. 阳基；i. 生殖板；j. 受精囊

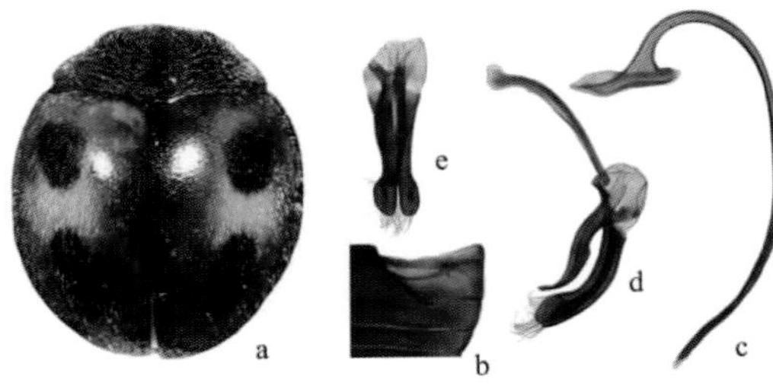

5. 艳色广盾瓢虫 *Platynaspis lewisii* Crotch，1874（引自任顺祥等，2009）

a. 成虫；b. 腹部；c. 弯管；d. 阳基侧面；e. 阳基正面

6. 四斑广盾瓢虫 *Platynaspis maculosa* Weise，1910（引自任顺祥等，2009）

a. 成虫；b. 腹部；c. 弯管；d. 阳基侧面；e. 阳基正面

图版 32

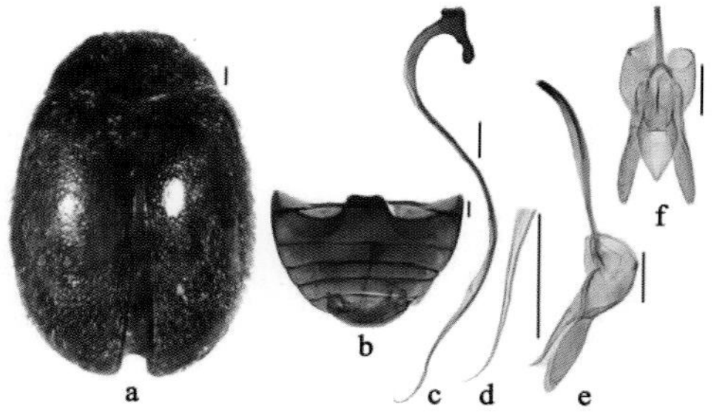

1. 宁陕毛瓢虫 *Scymnus* (*Neopullus*) *ningshanensis* Yu *et* Yao, 2000
a. 成虫；b. 腹部；c. 弯管；d. 弯管端；e. 阳基侧面；f. 阳基正面. 比例尺 = 100μm

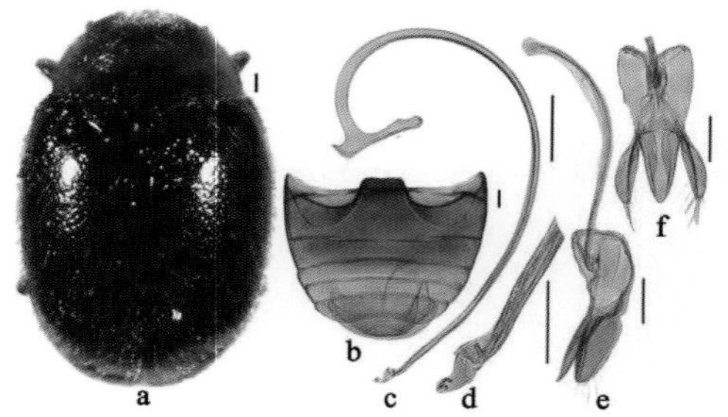

2. 双旋小瓢虫 *Scymnus* (*Pullus*) *bistortus* Yu, 1995
a. 成虫；b. 腹部；c. 弯管；d. 弯管端；e. 阳基侧面；f. 阳基正面. 比例尺 = 100μm

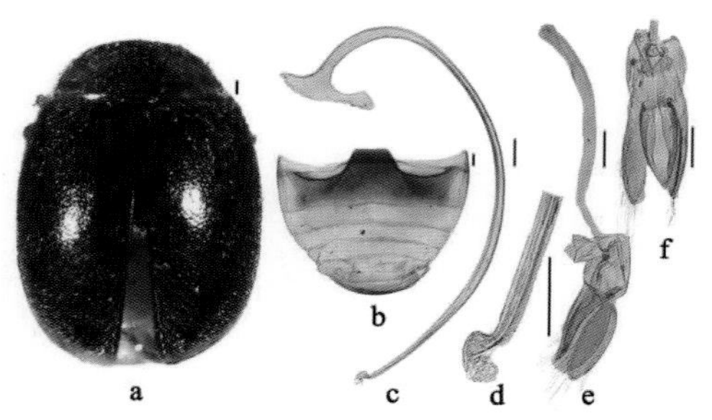

3. 河源小瓢虫 *Scymnus* (*Pullus*) *heyuanus* Yu, 2000
a. 成虫；b. 腹部；c. 弯管；d. 弯管端；e. 阳基侧面；f. 阳基正面. 比例尺 = 100μm

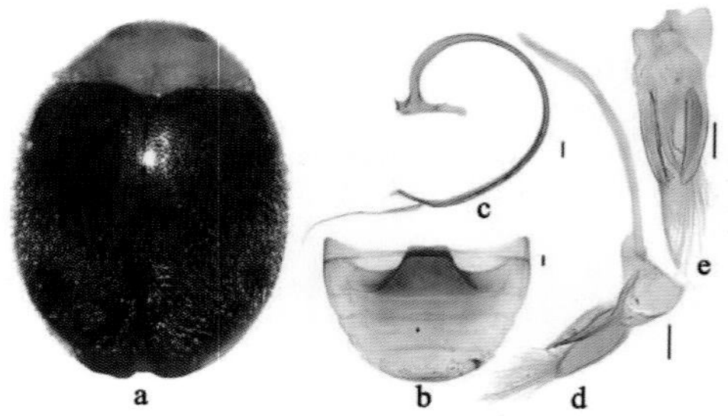

4. 日本小瓢虫 *Scymnus* (*Pullus*) *japonicus* Weise, 1879
a. 成虫；b. 腹部；c. 弯管；d. 阳基侧面；e. 阳基正面. 比例尺 = 100μm

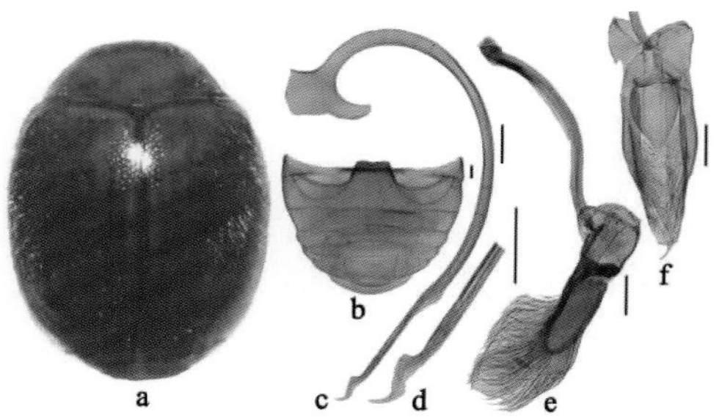

5. 矛端小瓢虫 *Scymnus* (*Pullus*) *lonchiatus* Pang *et* Huang, 1985
a. 成虫；b. 腹部；c. 弯管；d. 弯管端；e. 阳基侧面；f. 阳基正面. 比例尺 = 100μm

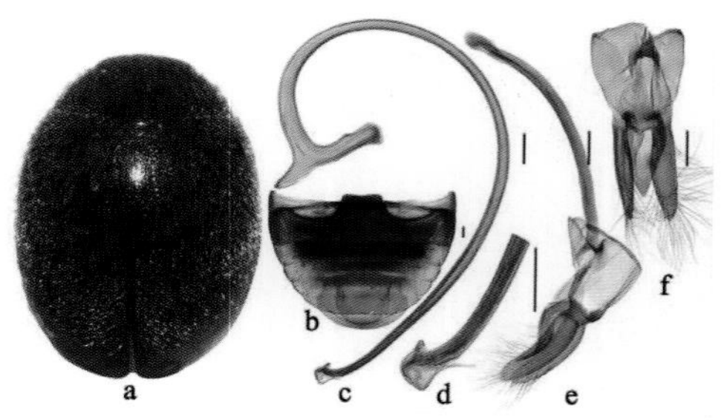

6. 后斑小瓢虫 *Scymnus* (*Pullus*) *posticalis* Sicard, 1912
a. 成虫；b. 腹部；c. 弯管；d. 弯管端；e. 阳基侧面；f. 阳基正面. 比例尺 = 100μm

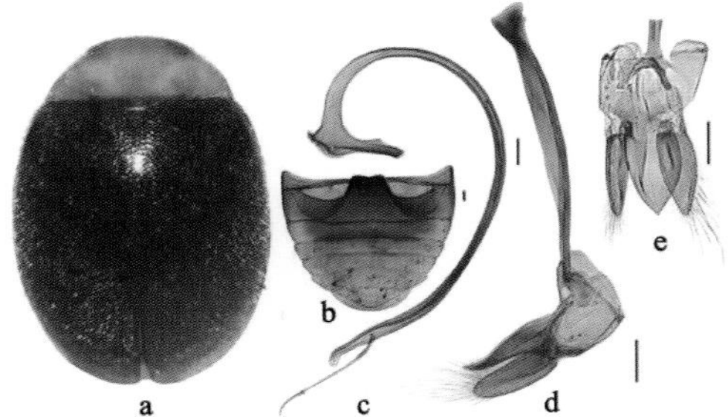

1. 端手小瓢虫 *Scymnus* (*Pullus*) *takabayashii* (Ohta, 1929)
a. 成虫；b. 腹部；c. 弯管；d. 阳基侧面；e. 阳基正面. 比例尺 = 100μm

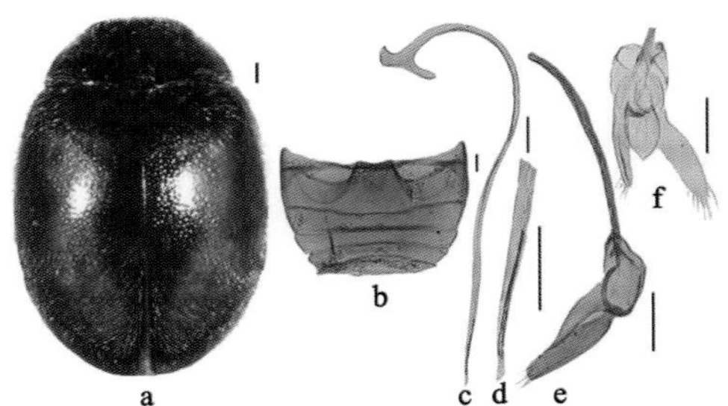

2. 哑铃小瓢虫 *Scymnus* (*Pullus*) *yaling* Yu, 1999
a. 成虫；b. 腹部；c. 弯管；d. 弯管端；e. 阳基侧面；f. 阳基正面. 比例尺 = 100μm

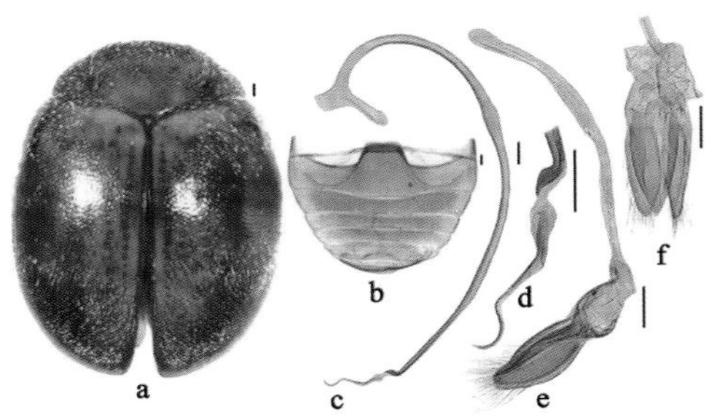

3. 肥厚小毛瓢虫 *Scymnus* (*Scymnus*) *pinguis* Yu, 1999
a. 成虫；b. 腹部；c. 弯管；d. 弯管端；e. 阳基侧面；f. 阳基正面. 比例尺 = 100μm

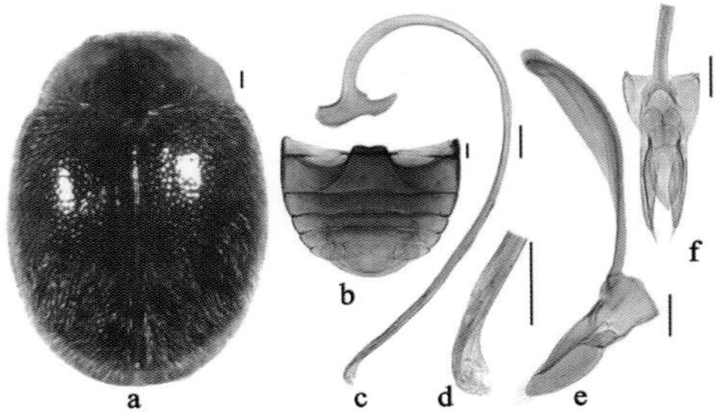

4. 长毛小毛瓢虫 *Scymnus* (*Scymnus*) *crinitus* Fürsch, 1966
a. 成虫；b. 腹部；c. 弯管；d. 弯管端；e. 阳基侧面；f. 阳基正面. 比例尺 = 100μm

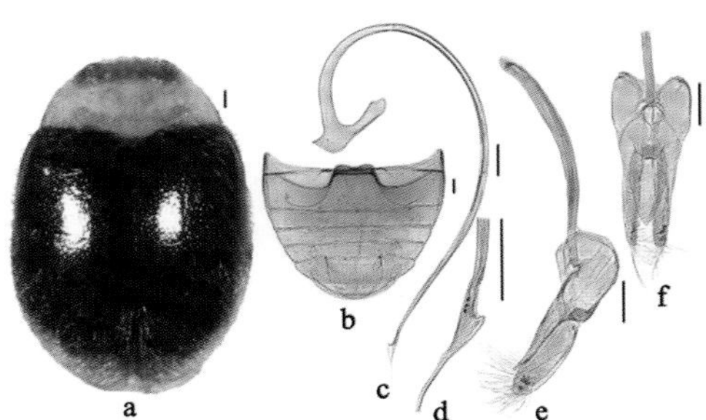

5. 长爪小毛瓢虫 *Scymnus* (*Scymnus*) *dolichonychus* Yu *et* Pang, 1994
a. 成虫；b. 腹部；c. 弯管；d. 弯管端；e. 阳基侧面；f. 阳基正面. 比例尺 = 100μm

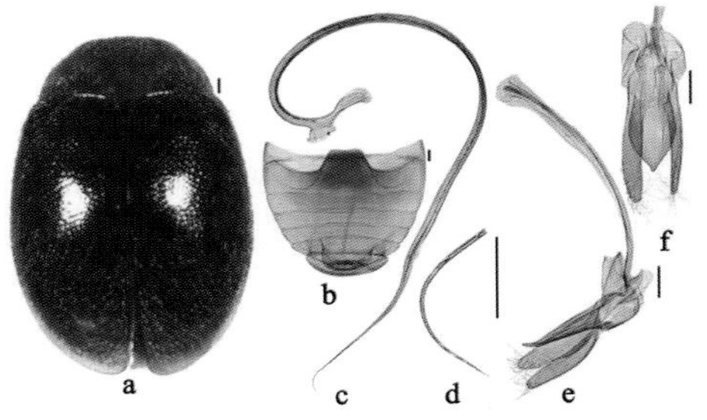

6. 线管小毛瓢虫 *Scymnus* (*Scymnus*) *grammicus* Yu, 1995
a. 成虫；b. 腹部；c. 弯管；d. 弯管端；e. 阳基侧面；f. 阳基正面. 比例尺 = 100μm

图版 34

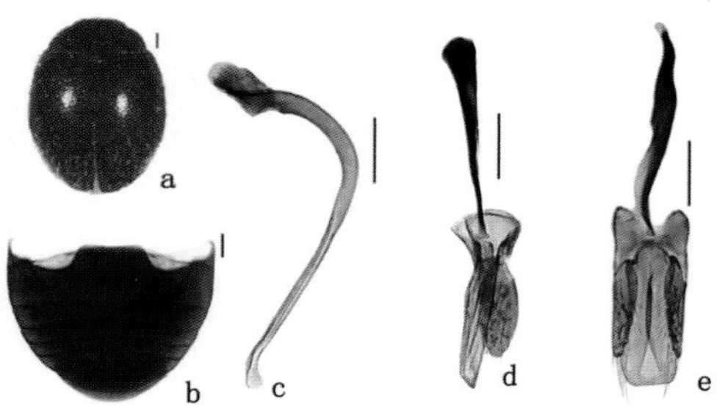

1. 阿穆尔食螨瓢虫 *Stethorus* (*Allostethorus*) *amurensis* Iablokoff-Khnzorian, 1972

a. 成虫；b. 腹部；c. 弯管；d. 阳基侧面；e. 阳基正面. 比例尺 = 100μm

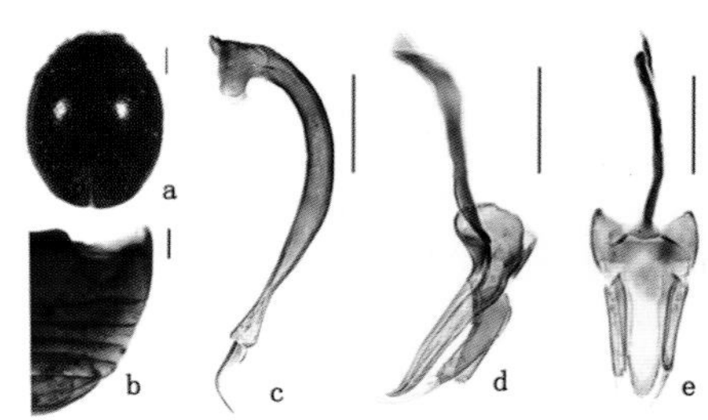

2. 束管食螨瓢虫 *Stethorus* (*Allostethorus*) *chengi* Sasaji, 1968

a. 成虫；b. 腹部；c. 弯管；d. 阳基侧面；e. 阳基正面. 比例尺 = 100μm

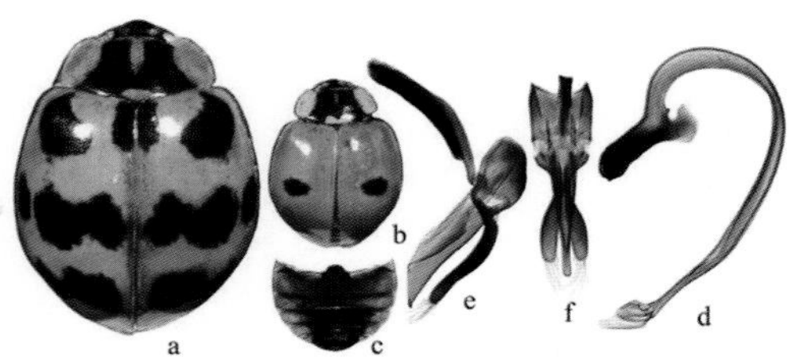

3. 二星瓢虫 *Adalia bipunctata* (Linnaeus, 1758)(引自任顺祥等, 2009)

a – b. 成虫；c. 腹部；d. 弯管；e. 阳基侧面；f. 阳基正面

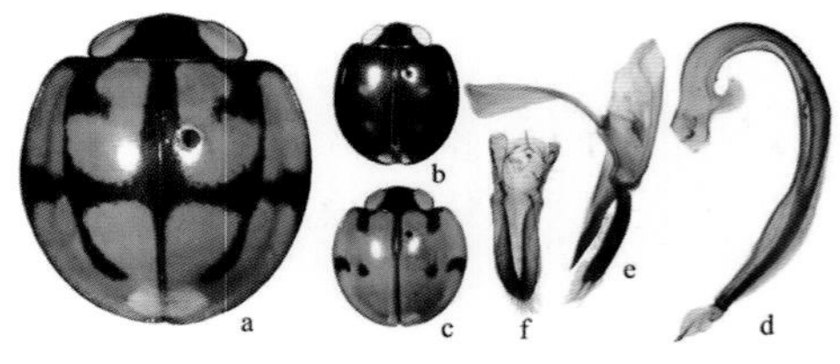

4. 六斑异瓢虫 *Aiolocaria hexaspilota* (Hope, 1831)(引自任顺祥等, 2009)

a – c. 成虫；d. 弯管；e. 阳基侧面；f. 阳基正面

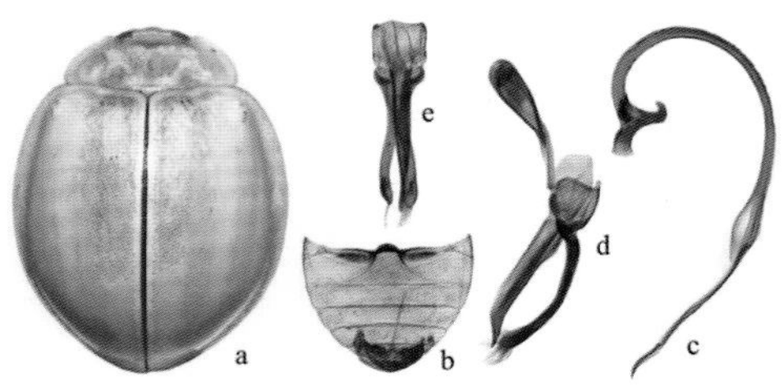

5. 三纹裸瓢虫 *Calvia championorum* Booth, 1997(引自任顺祥等, 2009)

a. 成虫；b. 腹部；c. 弯管；d. 阳基侧面；e. 阳基正面

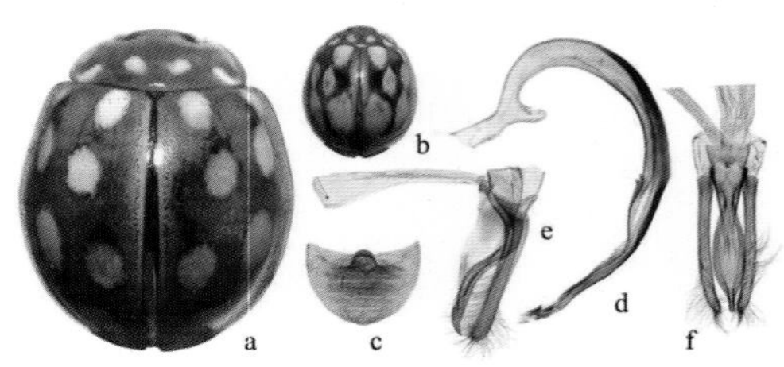

6. 四斑裸瓢虫 *Calvia muiri* (Timberlake, 1943)(引自任顺祥等, 2009)

a – b. 成虫；c. 腹部；d. 弯管；e. 阳基侧面；f. 阳基正面

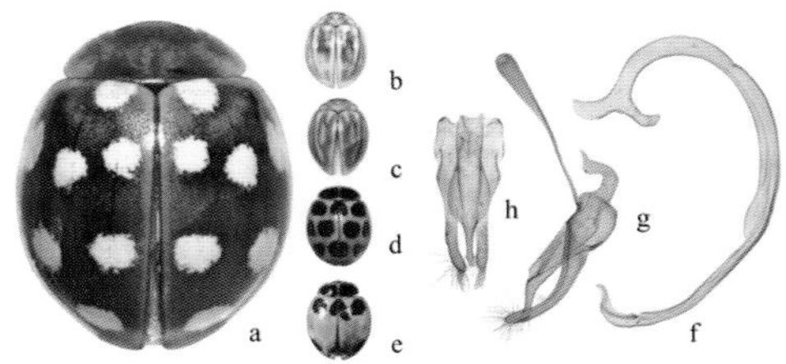

1. 十四星裸瓢虫 *Calvia quatuordecimguttata* (Linnaeus, 1758)(引自任顺祥等, 2009)

a－e. 成虫; f. 弯管; g. 阳基侧面; h. 阳基正面

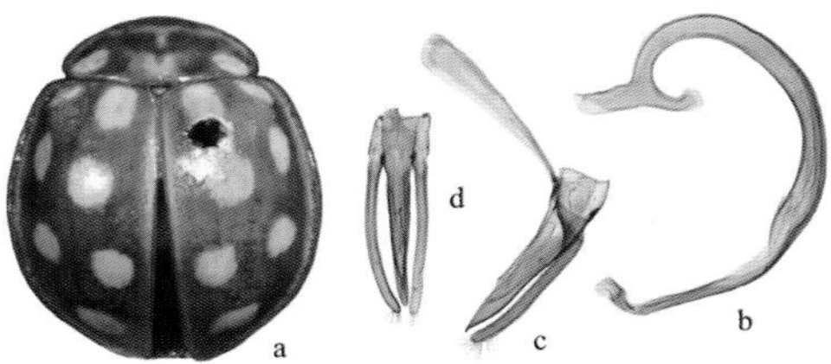

2. 十五星裸瓢虫 *Calvia quindecimguttata* (Fabricius, 1777)(引自任顺祥等, 2009)

a. 成虫; b. 弯管; c. 阳基侧面; d. 阳基正面

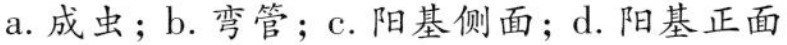

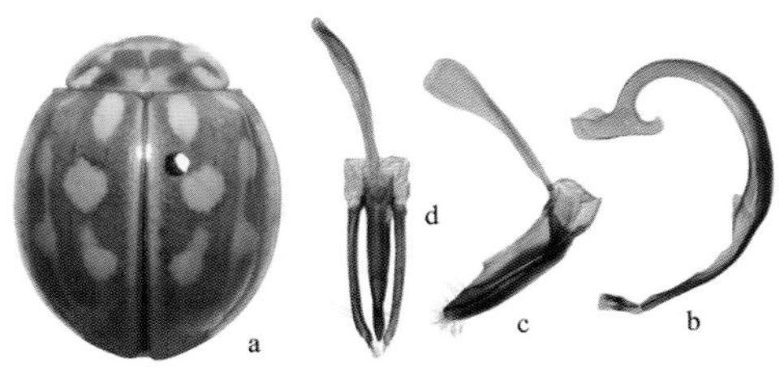

3. 枝斑裸瓢虫 *Calvia hauseri* (Mader, 1930)(引自任顺祥等, 2009)

a. 成虫; b. 弯管; c. 阳基侧面; d. 阳基正面

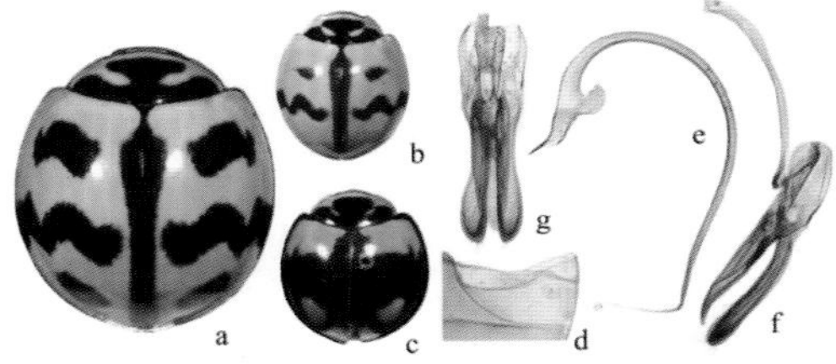

4. 六斑月瓢虫 *Chilomenes sexmaculatus* (Fabricius, 1781)(引自任顺祥等, 2009)

a－c. 成虫; d. 腹部; e. 弯管; f. 阳基侧面; g. 阳基正面

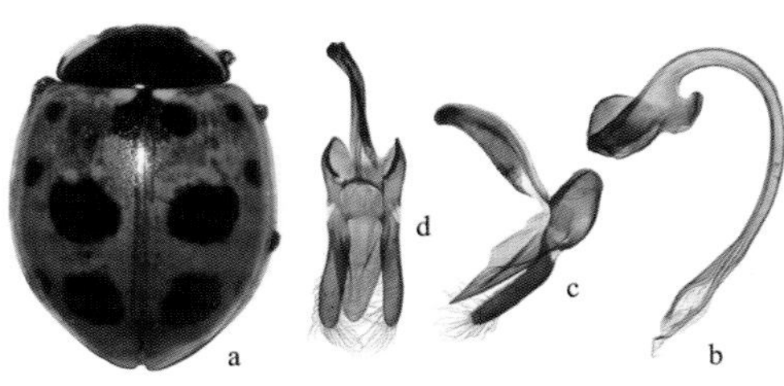

5. 华日瓢虫 *Coccinella ainu* Lewis, 1896(引自任顺祥等, 2009)

a. 成虫; b. 弯管; c. 阳基侧面; d. 阳基正面

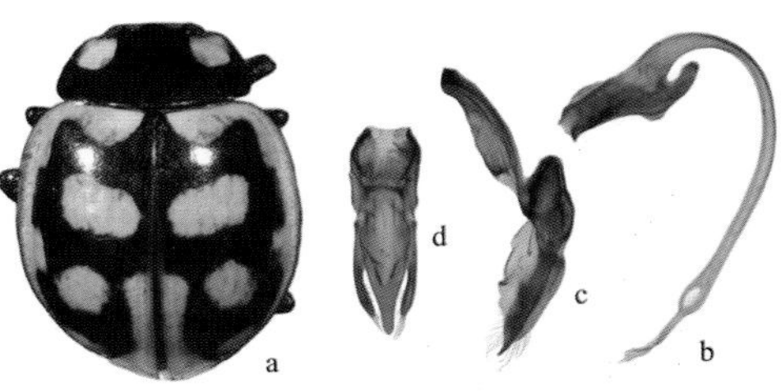

6. 黄绣瓢虫 *Coccinella luteopicta* Mulsant, 1866(引自任顺祥等, 2009)

a. 成虫; b. 弯管; c. 阳基侧面; d. 阳基正面

图版 36

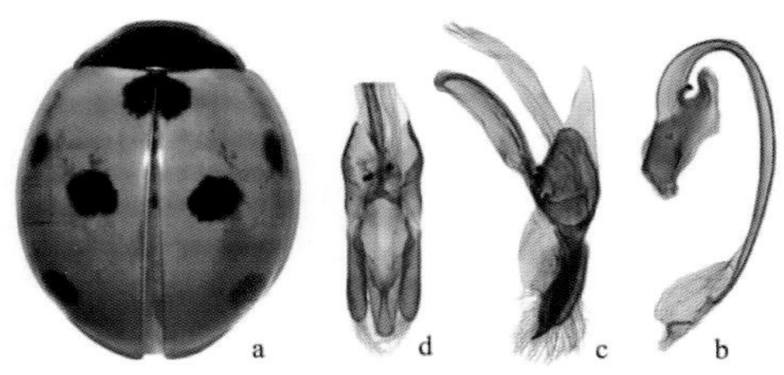

1. 七星瓢虫 *Coccinella septempunctata* Linnaeus, 1758(引自任顺祥等, 2009)
a. 成虫; b. 弯管; c. 阳基侧面; d. 阳基正面

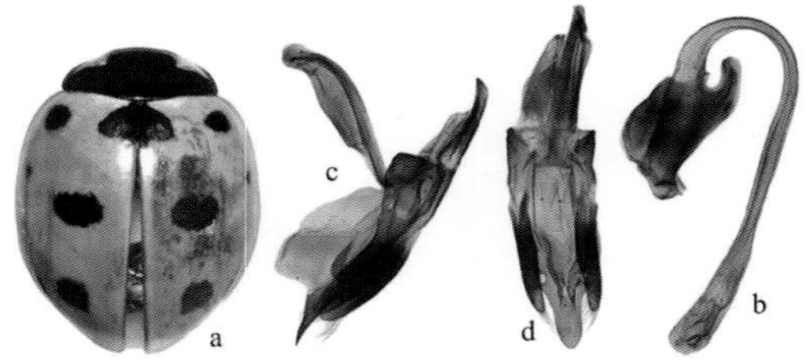

2. 横斑瓢虫 *Coccinella transversoguttata* Faldermann, 1835(引自任顺祥等, 2009)
a. 成虫; b. 弯管; c. 阳基侧面; d. 阳基正面

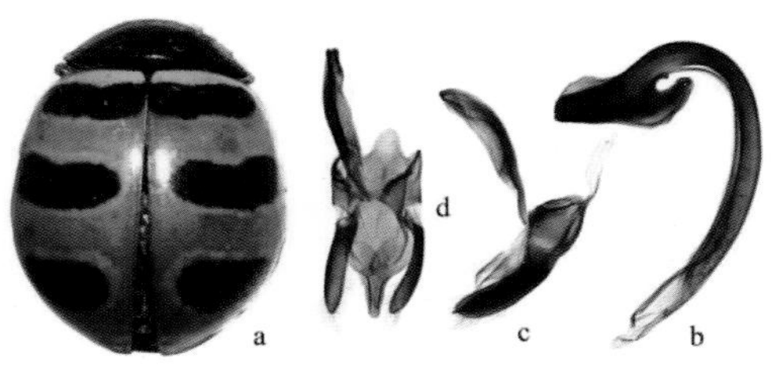

3. 横带瓢虫 *Coccinella trifasciata* Linnaeus, 1758(引自任顺祥等, 2009)
a. 成虫; b. 弯管; c. 阳基侧面; d. 阳基正面

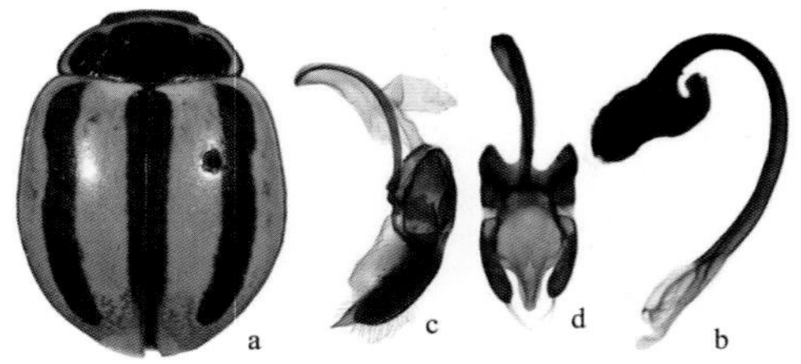

4. 纵条瓢虫 *Coccinella longifasciata* Liu, 1962(引自任顺祥等, 2009)
a. 成虫; b. 弯管; c. 阳基侧面; d. 阳基正面

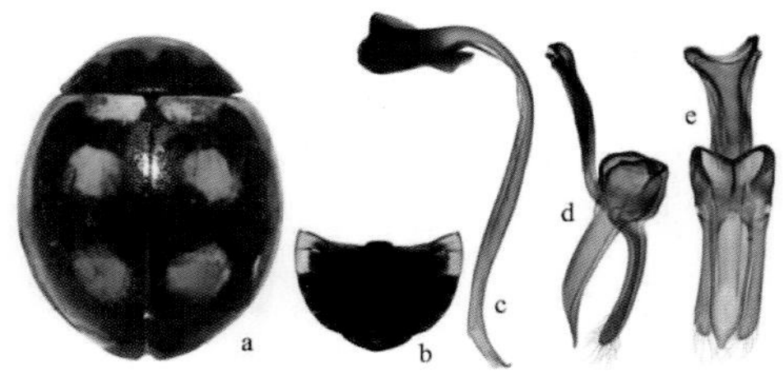

5. 中国双七星瓢虫 *Coccinula sinensis* (Weise, 1889)(引自任顺祥等, 2009)
a. 成虫; b. 腹部; c. 弯管; d. 阳基侧面; e. 阳基正面

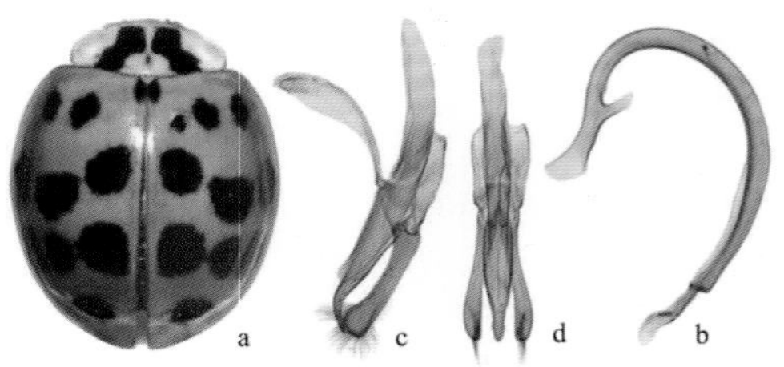

6. 异色瓢虫 *Harmonia axyridis* (Pallas, 1773)(引自任顺祥等, 2009)
a. 成虫; b. 弯管; c. 阳基侧面; d. 阳基正面

图版 37

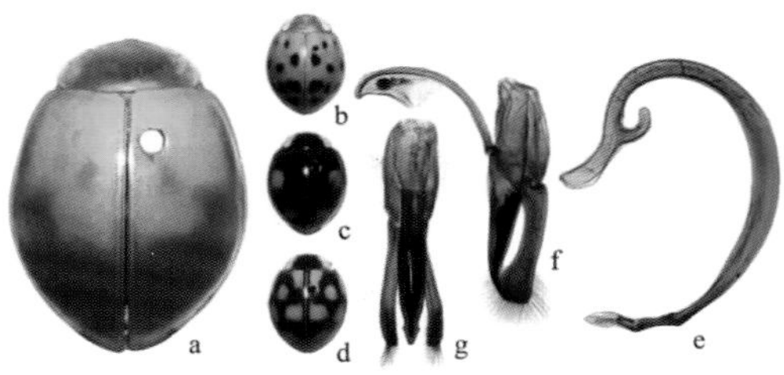

1. 隐斑瓢虫 *Harmonia yedoensis* (Takizawa, 1917)(引自任顺祥等, 2009)

a－d. 成虫; e. 弯管; f. 阳基侧面; g. 阳基正面

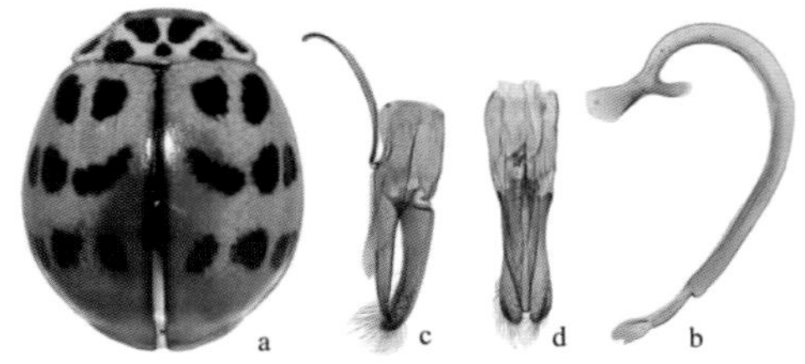

2. 四斑和瓢虫 *Harmonia quadripunctata* (Pontoppidan, 1763)(引自任顺祥等, 2009)

a. 成虫; b. 弯管; c. 阳基侧面; d. 阳基正面

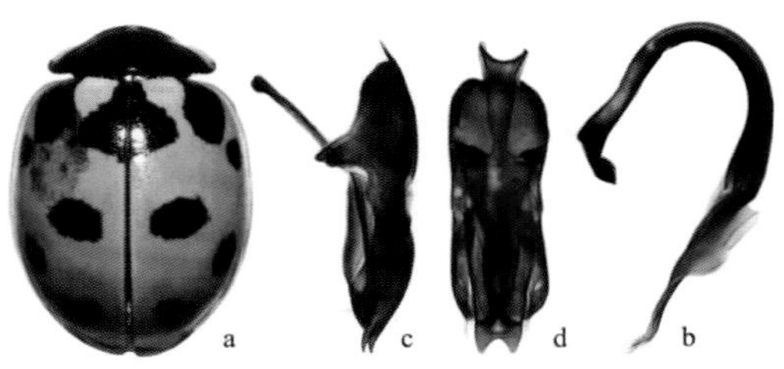

3. 黑斑突角瓢虫 *Hippodamia potanini* (Weise, 1889)(引自任顺祥等, 2009)

a. 成虫; b. 弯管; c. 阳基侧面; d. 阳基正面

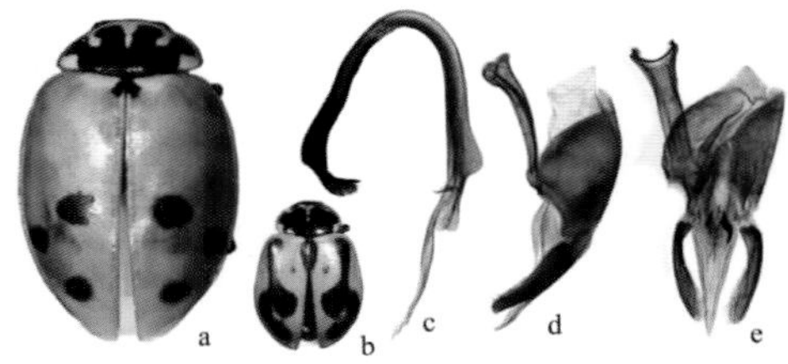

4. 多异瓢虫 *Hippodamia variegate* (Goeze, 1777)(引自任顺祥等, 2009)

a－b. 成虫; c. 弯管; d. 阳基侧面; e. 阳基正面

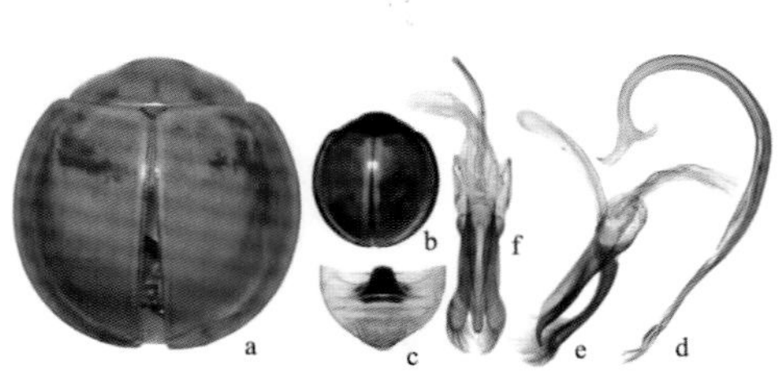

5. 周缘盘瓢虫 *Lemnia circumvelata* (Mulsant, 1853)(引自任顺祥等, 2009)

a－b. 成虫; c. 腹部; d. 弯管; e. 阳基侧面; f. 阳基正面

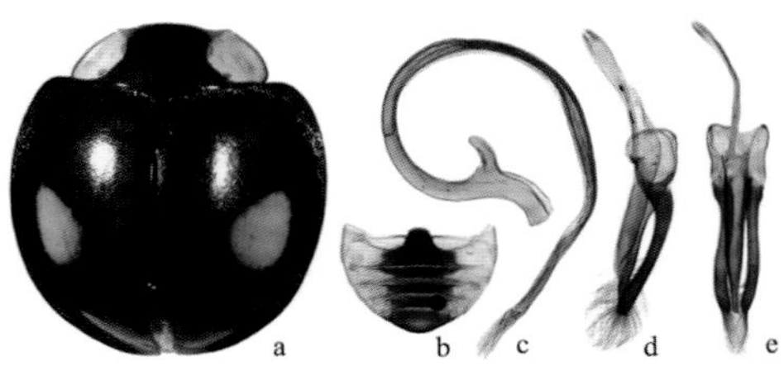

6. 黄斑盘瓢虫 *Lemnia saucia* (Mulsant, 1850)(引自任顺祥等, 2009)

a. 成虫; b. 腹部; c. 弯管; d. 阳基侧面; e. 阳基正面

图版 38

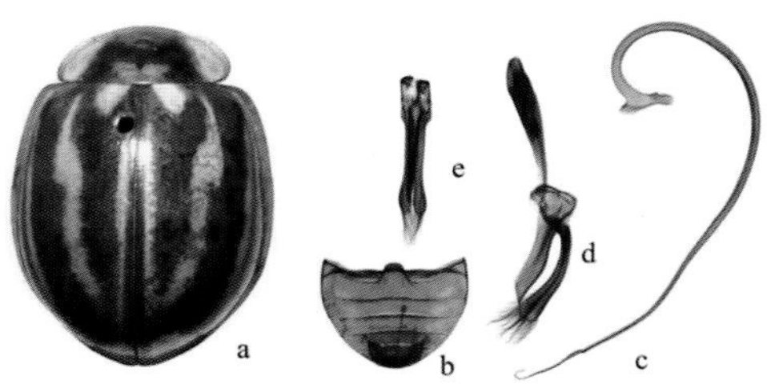

1. 黑中齿瓢虫 *Mysia gebleri* (Crotch, 1874)(引自任顺祥等, 2009)

a. 成虫; b. 腹部; c. 弯管; d. 阳基侧面; e. 阳基正面

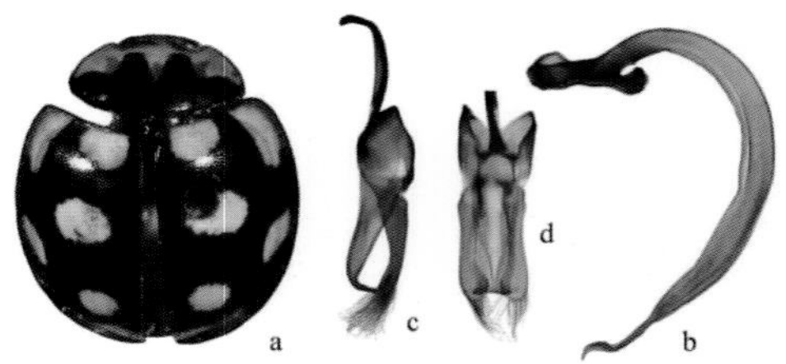

2. 十二斑巧瓢虫 *Oenopia bissexnotata* (Mulsant, 1850)(引自任顺祥等, 2009)

a. 成虫; b. 弯管; c. 阳基侧面; d. 阳基正面

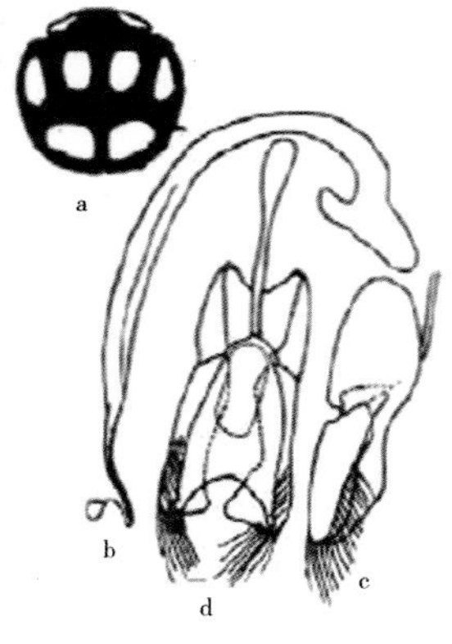

3. 粗网巧瓢虫 *Oenopia chinensis* (Weise, 1912)(引自虞国跃, 1993)

a. 成虫; b. 弯管; c. 阳基侧面; d. 阳基正面

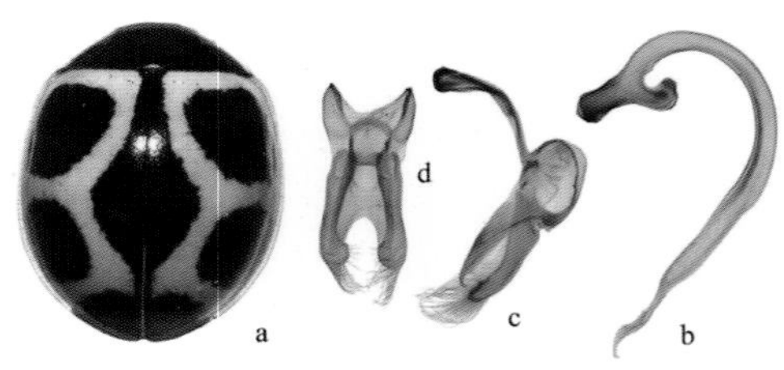

4. 黄缘巧瓢虫 *Oenopia sauzeti* Mulsant, 1866(引自任顺祥等, 2009)

a. 成虫; b. 弯管; c. 阳基侧面; d. 阳基正面

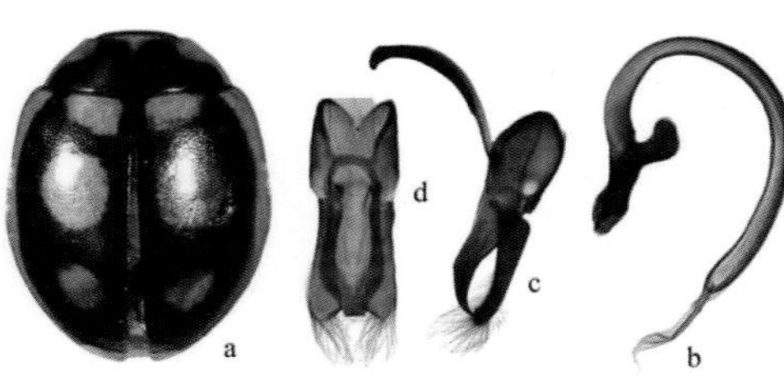

5. 梯斑巧瓢虫 *Oenopia scalaris* (Timberlake, 1943)(引自任顺祥等, 2009)

a. 成虫; b. 弯管; c. 阳基侧面; d. 阳基正面

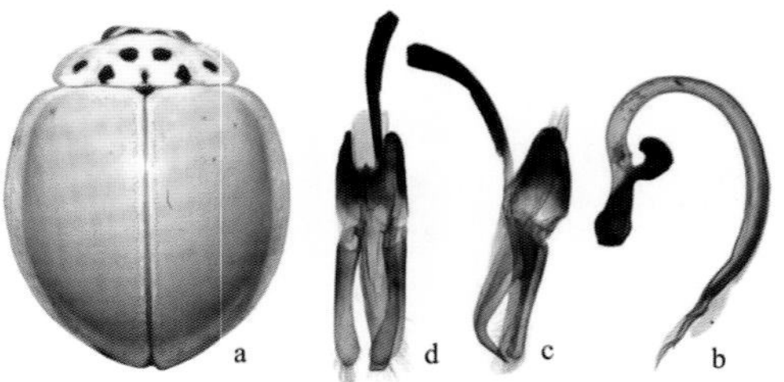

6. 点斑巧瓢虫 *Oenopia signatella* (Mulsant, 1866)(引自任顺祥等, 2009)

a. 成虫; b. 弯管; c. 阳基侧面; d. 阳基正面

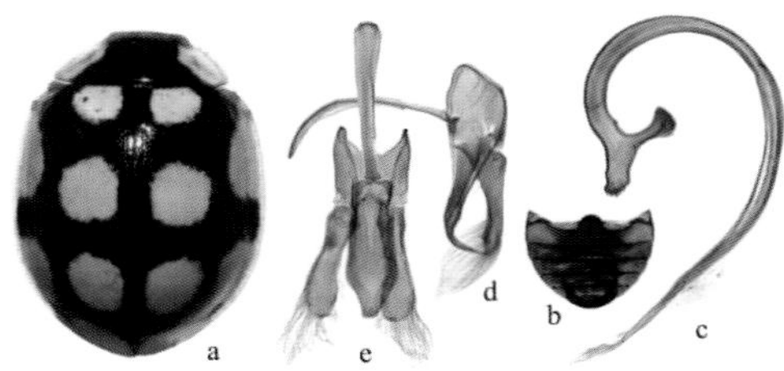

1. 双六巧瓢虫 *Oenopia billieti*（Mulsant, 1853）(引自任顺祥等, 2009)

a. 成虫; b. 腹部; c. 弯管; d. 阳基侧面; e. 阳基正面

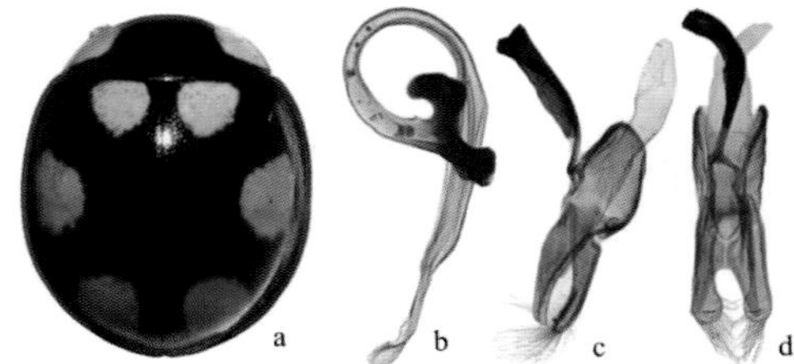

2. 六斑巧瓢虫 *Oenopia sexmaculata* Jing, 1986(引自任顺祥等, 2009)

a. 成虫; b. 弯管; c. 阳基侧面; d. 阳基正面

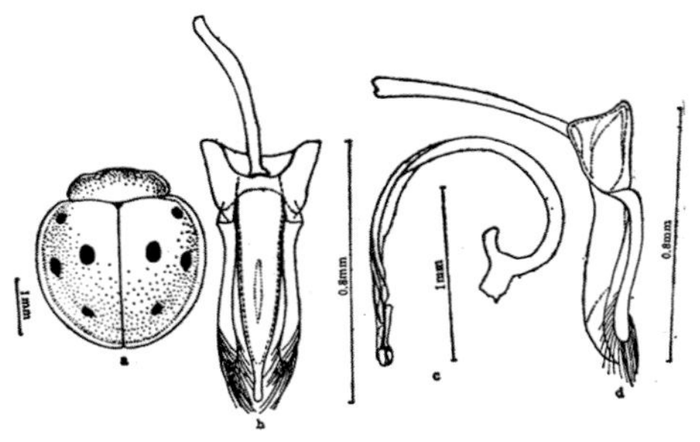

3. 小圆纹裸瓢虫 *Phrynocaria circinatella*（Jing, 1992）(引自经希立, 1992)

a. 成虫; b. 阳基正面; c. 弯管; d. 阳基侧面

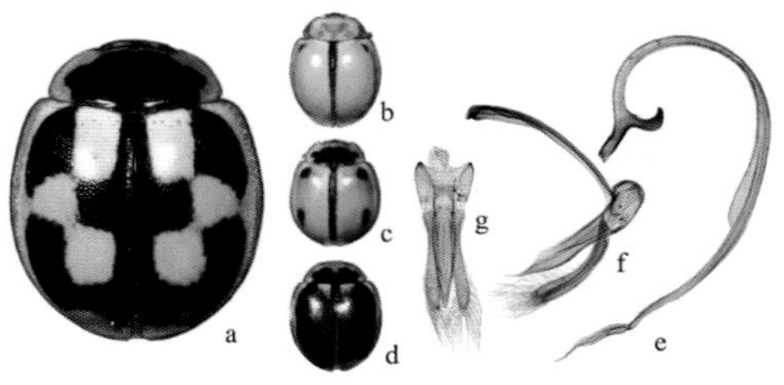

4. 龟纹瓢虫 *Propylea japonica*（Thunberg, 1781）(引自任顺祥等, 2009)

a–d. 成虫; e. 弯管; f. 阳基侧面; g. 阳基正面

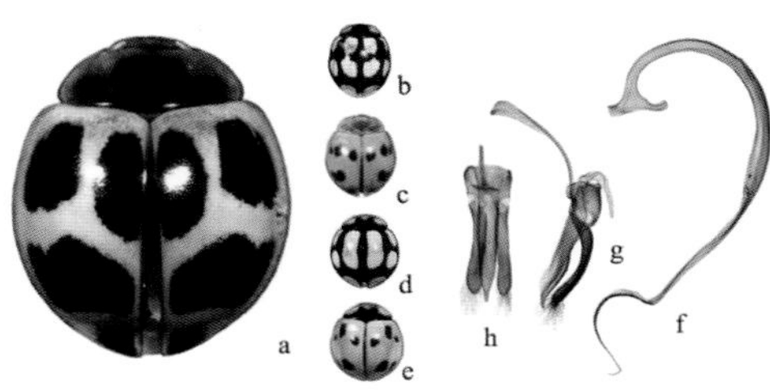

5. 黄宝盘瓢虫 *Propylea luteopustulata*（Mulsant, 1850）(引自任顺祥等, 2009)

a–e. 成虫; f. 弯管; g. 阳基侧面; h. 阳基正面

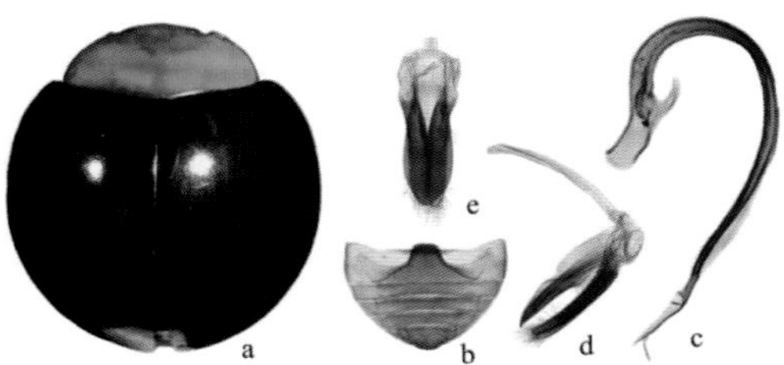

6. 红颈瓢虫 *Synona consanguinea* Poorani, Ŝlipiński *et* Booth, 2008(引自任顺祥等, 2009)

a. 成虫; b. 腹部; c. 弯管; d. 阳基侧面; e. 阳基正面

图版 40

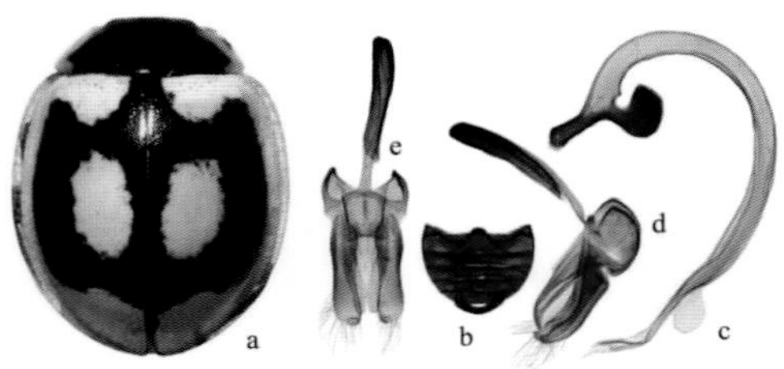

1. 滇黄壮瓢虫 *Xanthadalia hiekei* Iablokoff-Khnzorian, 1977(引自任顺祥等, 2009)

a. 成虫; b 腹部; c. 弯管; d. 阳基侧面; e. 阳基正面

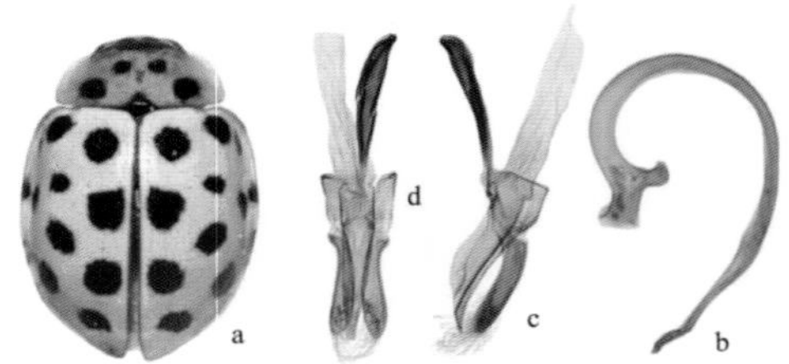

2. 二十二星菌瓢虫 *Psyllobora vigintiduopunctata* (Linnaeus, 1758)(引自任顺祥等, 2009)

a. 成虫; b. 弯管; c. 阳基侧面; d. 阳基正面

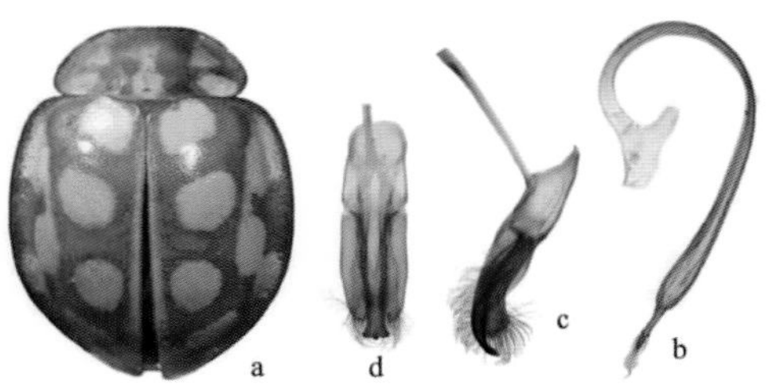

3. 十六斑黄菌瓢虫 *Halyzia sedecimguttata* (Linnaeus, 1758)(引自任顺祥等, 2009)

a. 成虫; b. 弯管; c. 阳基侧面; d. 阳基正面

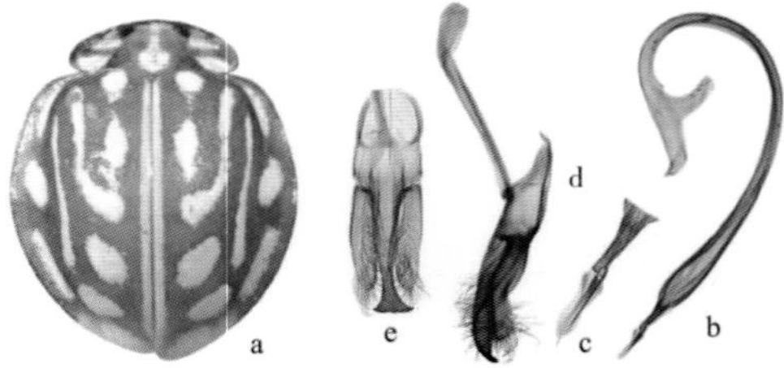

4. 梵文菌瓢虫 *Halyzia sanscrita* Mulsant, 1853(引自任顺祥等, 2009)

a. 成虫; b. 弯管; c. 弯管端; d. 阳基侧面; e. 阳基正面

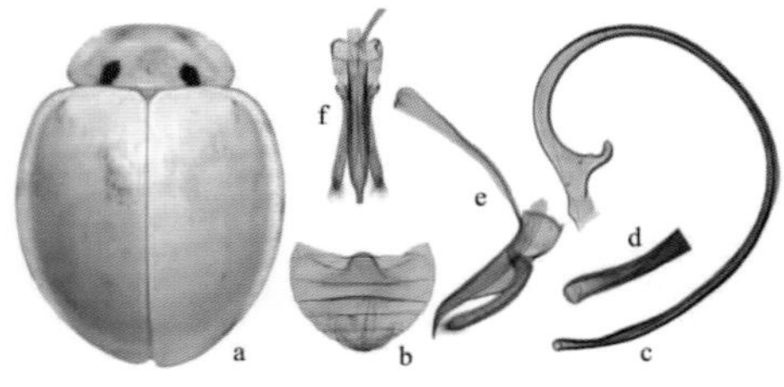

5. 陕西素菌瓢虫 *Illeis shensiensis* Timberlake, 1943 (引自任顺祥等, 2009)

a. 成虫; b. 腹部; c. 弯管; d. 弯管端; e. 阳基侧面; f. 阳基正面

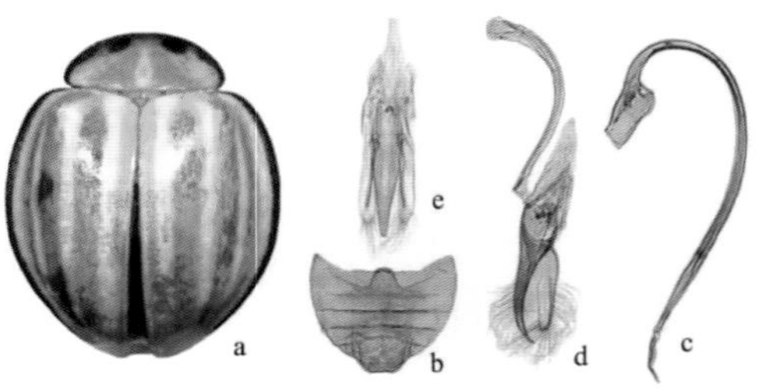

6. 白条菌瓢虫 *Macroilleis hauseri* (Mader, 1930)(引自任顺祥等, 2009)

a. 成虫; b. 腹部; c. 弯管; d. 阳基侧面; e. 阳基正面

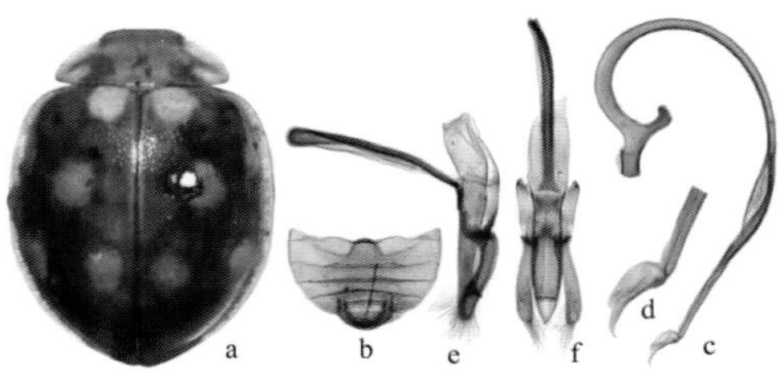

1. 十二斑褐菌瓢虫 *Vibidia duodecimguttata*（Poda, 1761）(引自任顺祥等, 2009)

a. 成虫；b. 腹部；c. 弯管；d. 弯管端；e. 阳基侧面；f. 阳基正面

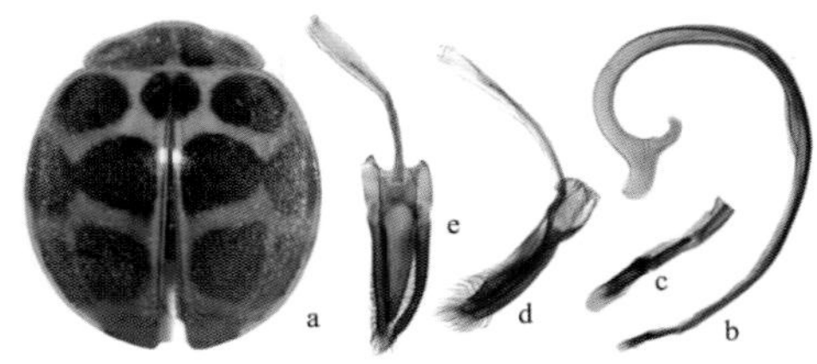

2. 十二斑新红瓢虫 *Singhikalia duodecimguttata* Xiao, 1993(引自任顺祥等, 2009)

a. 成虫；b. 弯管；c. 弯管端；d. 阳基侧面；e. 阳基正面

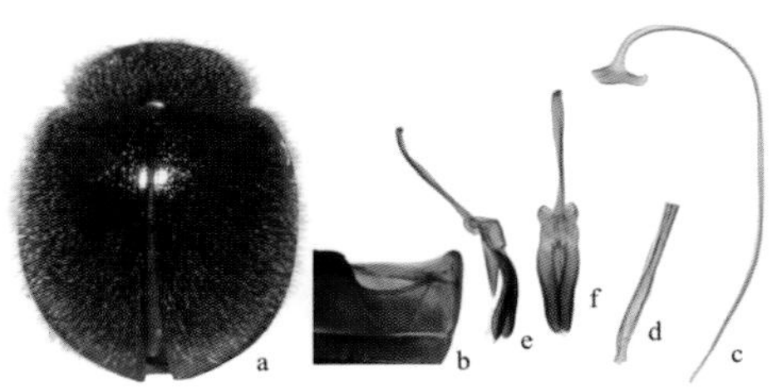

3. 云南粒眼瓢虫 *Sumnius yunnanus* Mader, 1955 (引自任顺祥等, 2009)

a. 成虫；b. 腹部；c. 弯管；d. 弯管端；e. 阳基侧面；f. 阳基正面

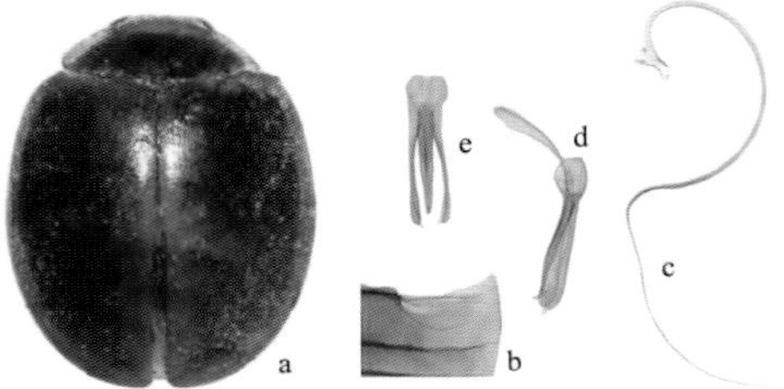

4. 红环瓢虫 *Rodolia limbata*（Motschulsky, 1866）(引自任顺祥等, 2009)

a. 成虫；b. 腹部；c. 弯管；d. 阳基侧面；e. 阳基正面

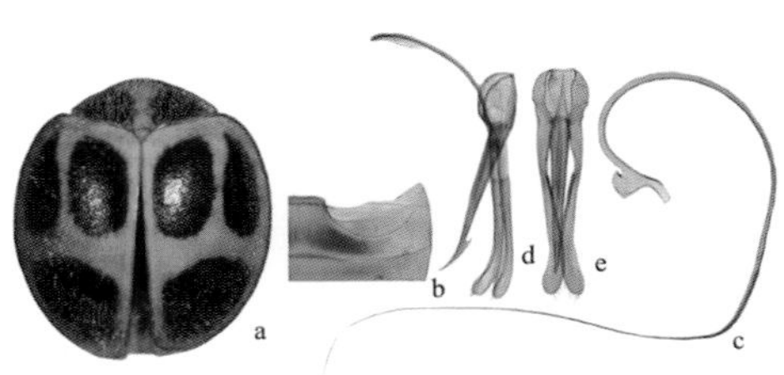

5. 四斑红瓢虫 *Rodolia quadrimaculata* Mader, 1939 (引自任顺祥等, 2009)

a. 成虫；b. 腹部；c. 弯管；d. 阳基侧面；e. 阳基正面

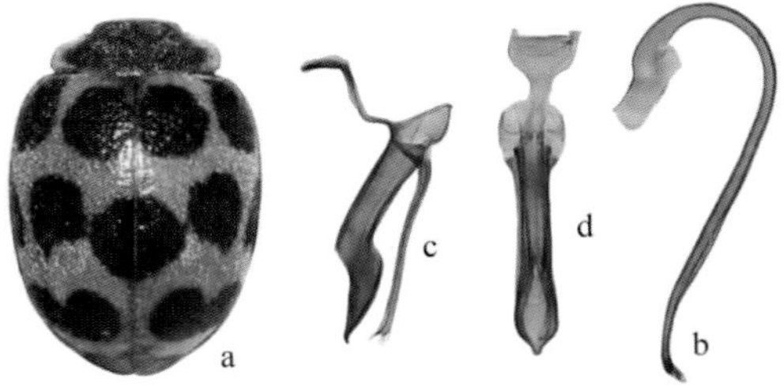

6. 十五斑崎齿瓢虫 *Afidentula quinquedecemguttata* (Dieke, 1947)(引自任顺祥等, 2009)

a. 成虫；b. 弯管；c. 阳基侧面；d. 阳基正面

图版 42

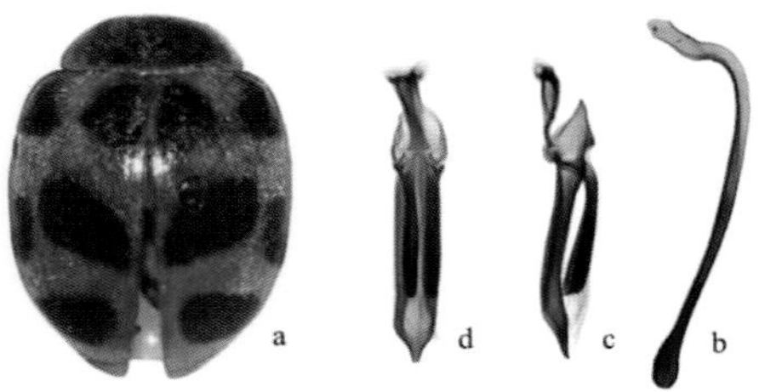

1. 河南长崎齿瓢虫 *Afissula henanica* Yu, 2000(引自任顺祥等, 2009)

a. 成虫; b. 弯管; c. 阳基侧面; d. 阳基正面

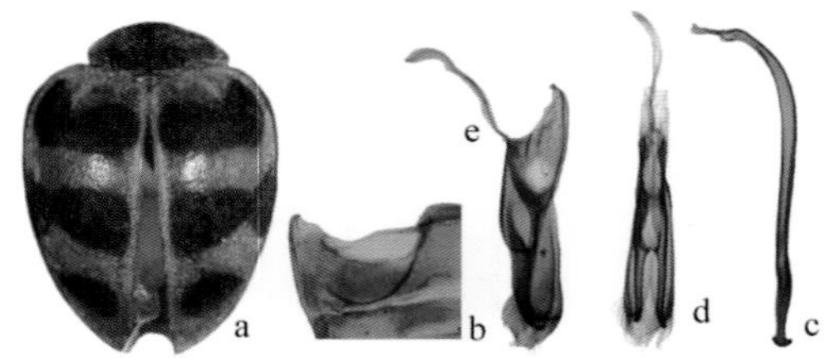

2. 尖锐食植瓢虫 *Epilachna acuta* (Weise, 1900)

a. 成虫; b. 腹部; c. 弯管; d. 阳基正面; e. 阳基侧面

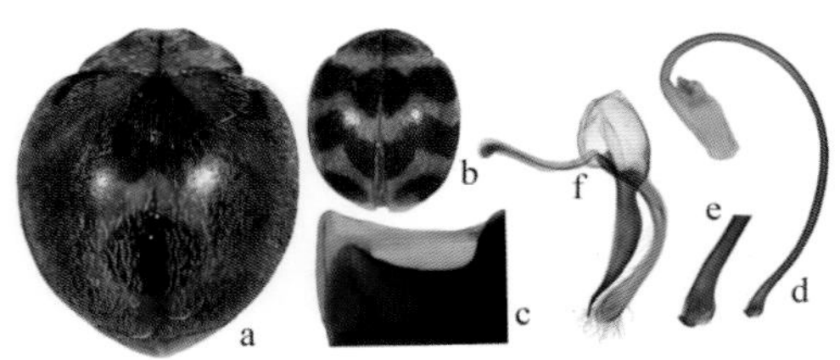

3. 瓜茄瓢虫 *Epilachna admirabilis* Crotch, 1874(引自任顺祥等, 2009)

a－b. 成虫; c. 腹部; d. 弯管; e. 弯管端; f. 阳基侧面

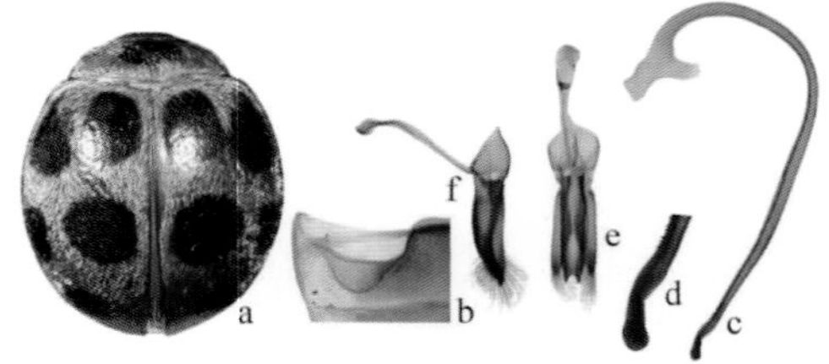

4. 安徽食植瓢虫 *Epilachna anhweiana* (Dieke, 1947)(引自任顺祥等, 2009)

a. 成虫; b. 腹部; c. 弯管; d. 弯管端; e. 阳基正面; f. 阳基侧面

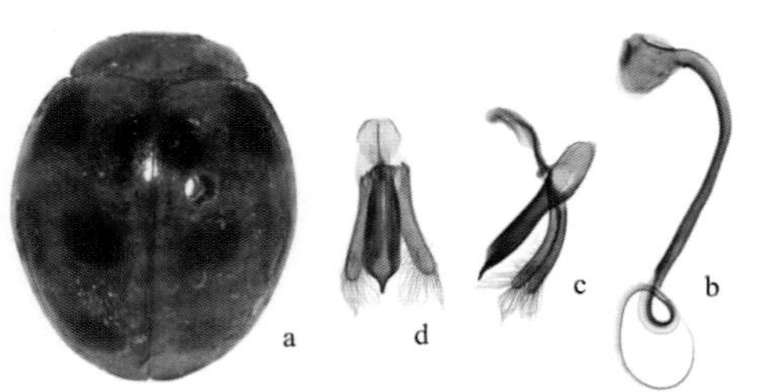

5. 端生食植瓢虫 *Epilachna apicilaris* Yu, 2000(引自任顺祥等, 2009)

a. 成虫; b. 弯管; c. 阳基侧面; d. 阳基正面

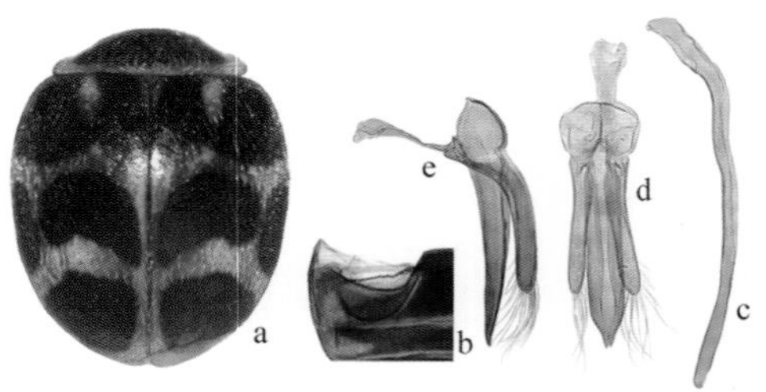

6. 新月食植瓢虫 *Epilachna bicrescens* (Dieke, 1947)(引自任顺祥等, 2009)

a. 成虫; b. 腹部; c. 弯管; d. 阳基正面; e. 阳基侧面

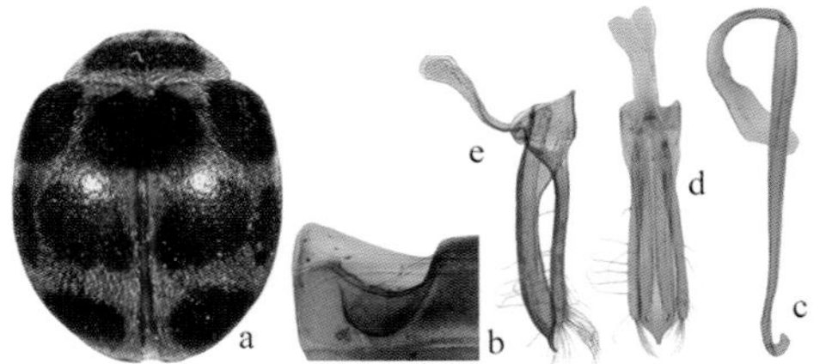

1. 中华食植瓢虫 *Epilachna chinensis* (Weise, 1912)(引自任顺祥等, 2009)

a. 成虫; b. 腹部; c. 弯管; d. 阳基正面; e. 阳基侧面

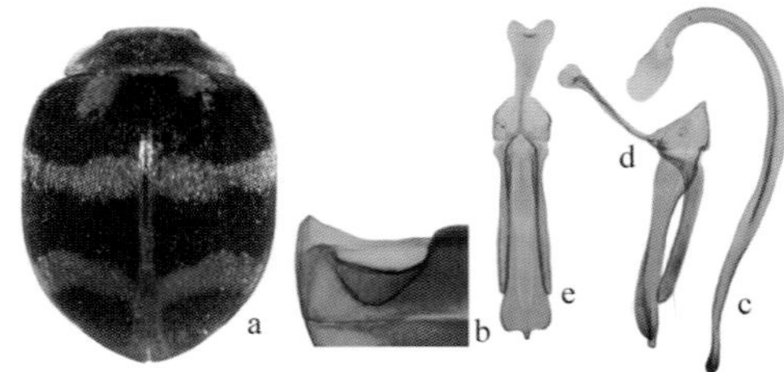

2. 峨眉食植瓢虫 *Epilachna emeiensis* Zeng, 2000(引自任顺祥等, 2009)

a. 成虫; b. 腹部; c. 弯管; d. 阳基侧面; e. 阳基正面

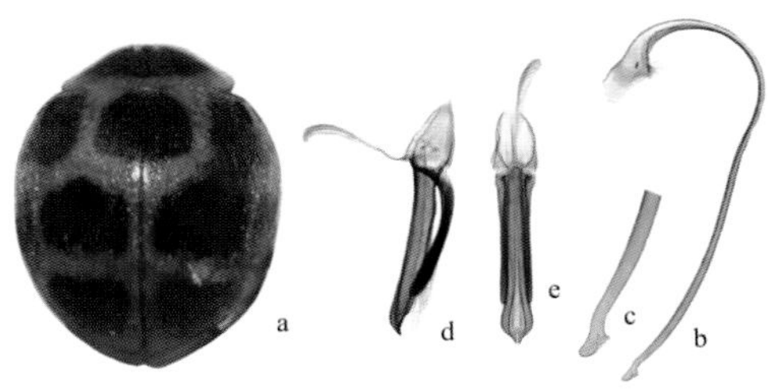

3. 九斑食植瓢虫 *Epilachna freyana* Bielawski, 1965(引自任顺祥等, 2009)

a. 成虫; b. 弯管; c. 弯管端; d. 阳基侧面; e. 阳基正面

4. 菱斑食植瓢虫 *Epilachna insignis* Gorham, 1892(引自任顺祥等, 2009)

a. 成虫; b. 弯管; c. 阳基侧面; d. 弯管端

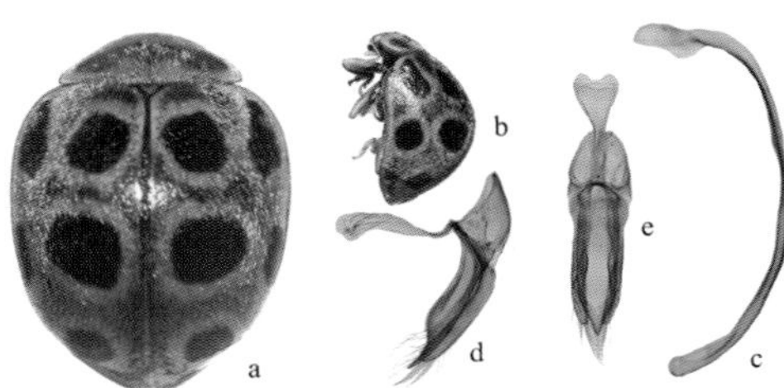

5. 眼斑食植瓢虫 *Epilachna ocellatae-maculata* (Mader, 1930)(引自任顺祥等, 2009)

a–b. 成虫; c. 弯管; d. 阳基侧面; e. 阳基正面

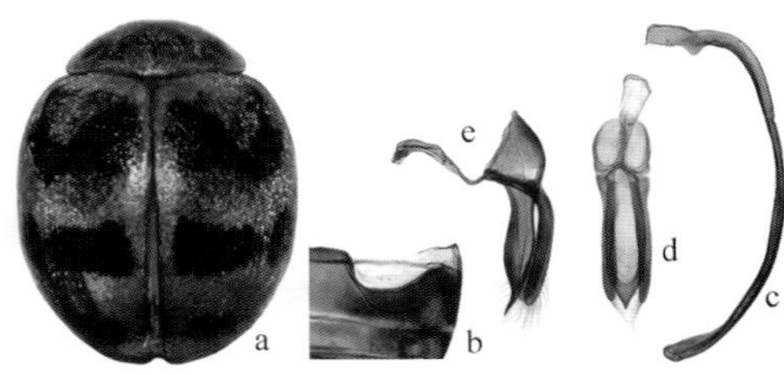

6. 艾菊瓢虫 *Epilachna plicata* Weise, 1889(引自任顺祥等, 2009)

a. 成虫; b. 腹部; c. 弯管; d. 阳基正面; e. 阳基侧面

图版 44

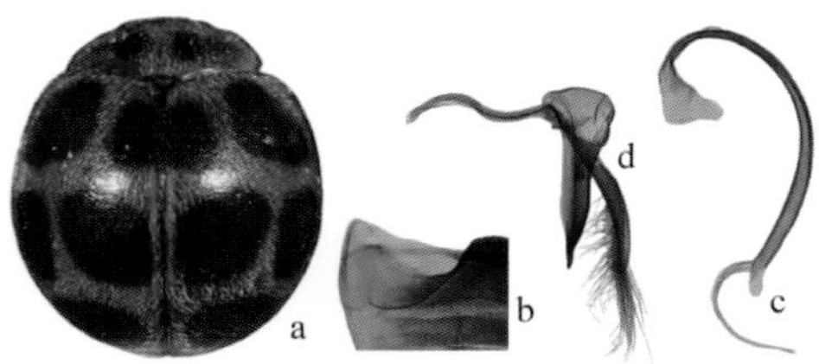

1. 端尖食植瓢虫 *Epilachna quadricollis* (Dieke, 1947)(引自任顺祥等, 2009)

a. 成虫; b. 腹部; c. 弯管; d. 阳基侧面

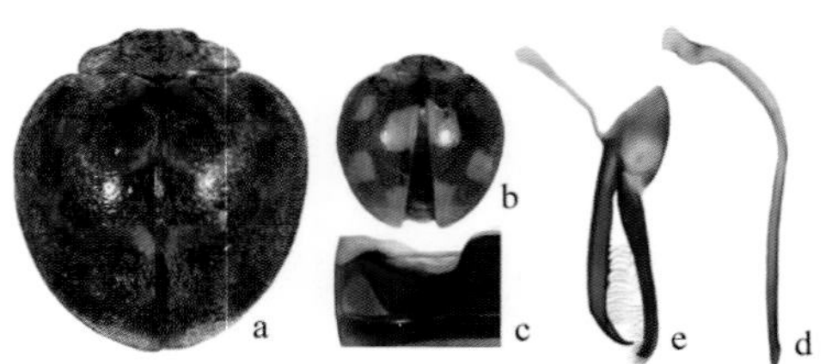

2. 马铃薯瓢虫 *Henosepilachna vigintioctomaculata* (Motschulsky, 1857)(引自任顺祥等, 2009)

a－b. 成虫; c. 腹部; d. 弯管; e. 阳基侧面

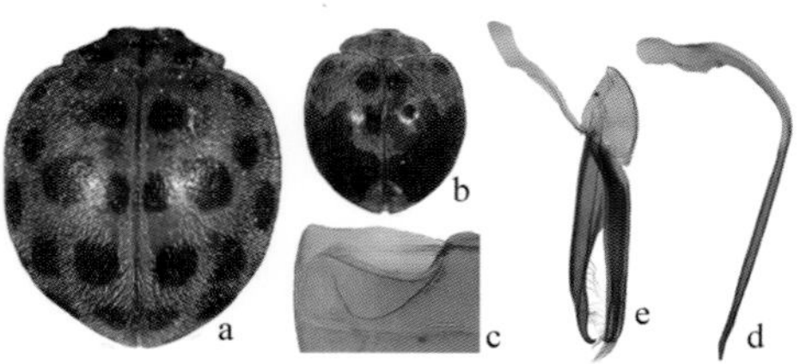

3. 茄二十八星瓢虫 *Henosepilachna vigintioctopunctata* (Fabricius, 1775)(引自任顺祥等, 2009)

a－b. 成虫; c. 腹部; d. 弯管; e. 阳基侧面

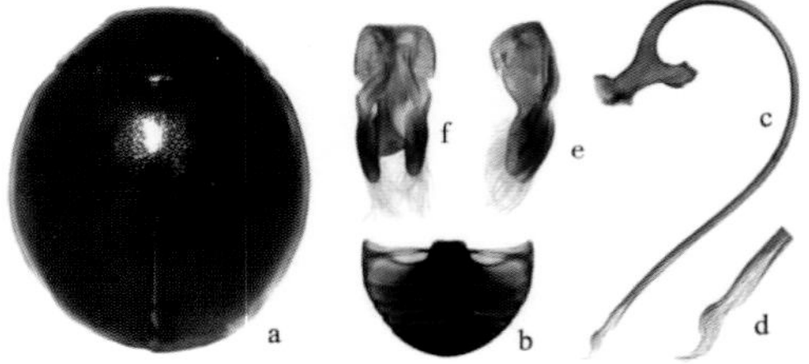

4. 黑背显盾瓢虫 *Hyperaspis amurernsis* Weise, 1887(引自任顺祥等, 2009)

a. 成虫; b. 腹部; c. 弯管; d. 弯管端; e. 阳基侧面; f. 阳基正面

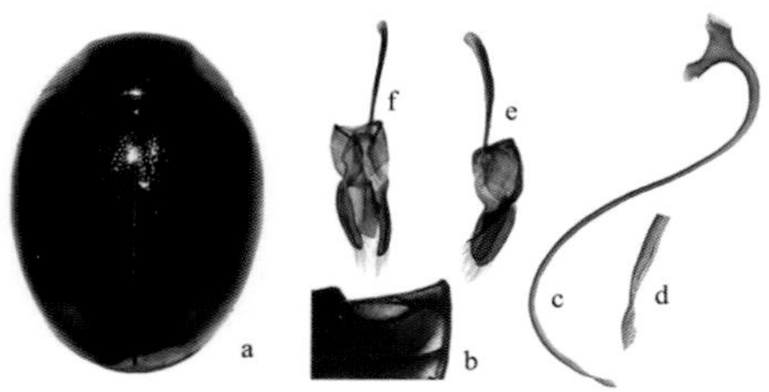

5. 亚洲显盾瓢虫 *Hyperaspis asiatica* Lewis, 1896 (引自任顺祥等, 2009)

a. 成虫; b. 腹部; c. 弯管; d. 弯管端; e. 阳基侧面; f. 阳基正面

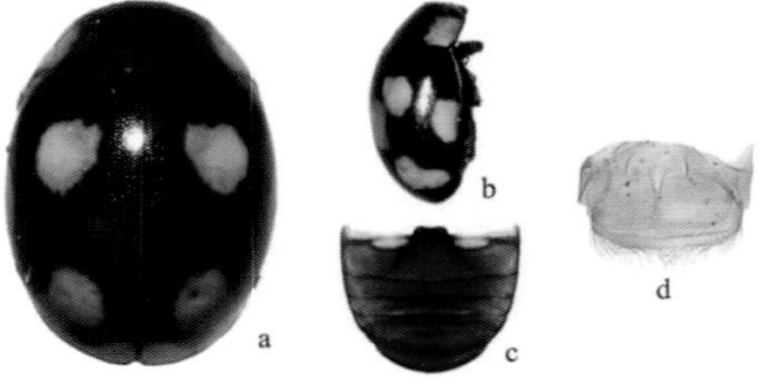

6. 六斑显盾瓢虫 *Hyperaspis gyotokui* Kamiya, 1963(引自任顺祥等, 2009)

a－b. 成虫; c. 腹部; d. 生殖板

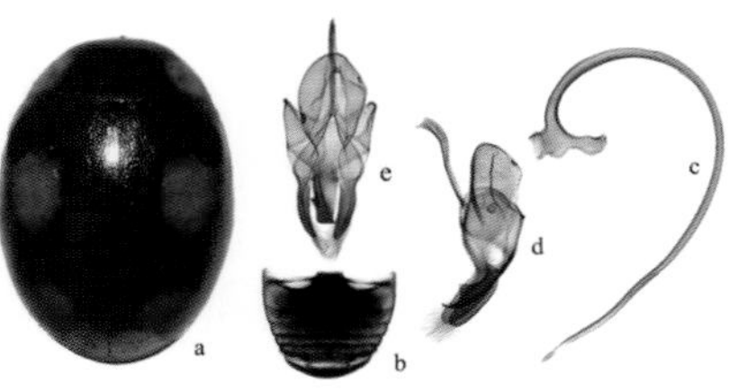

7. 四斑显盾瓢虫 *Hyperaspis leechi* Miyatake, 1961(引自任顺祥等, 2009)

a. 成虫; b. 腹部; c. 弯管; d. 阳基侧面; e. 阳基正面

8. 华丽蕈伪瓢虫 *Mycetina superba* Mader, 1941, ♂

9. 彩弯伪瓢虫亚洲亚种 *Ancylopus pictus asiaticus* Strohecker, 1972, ♂

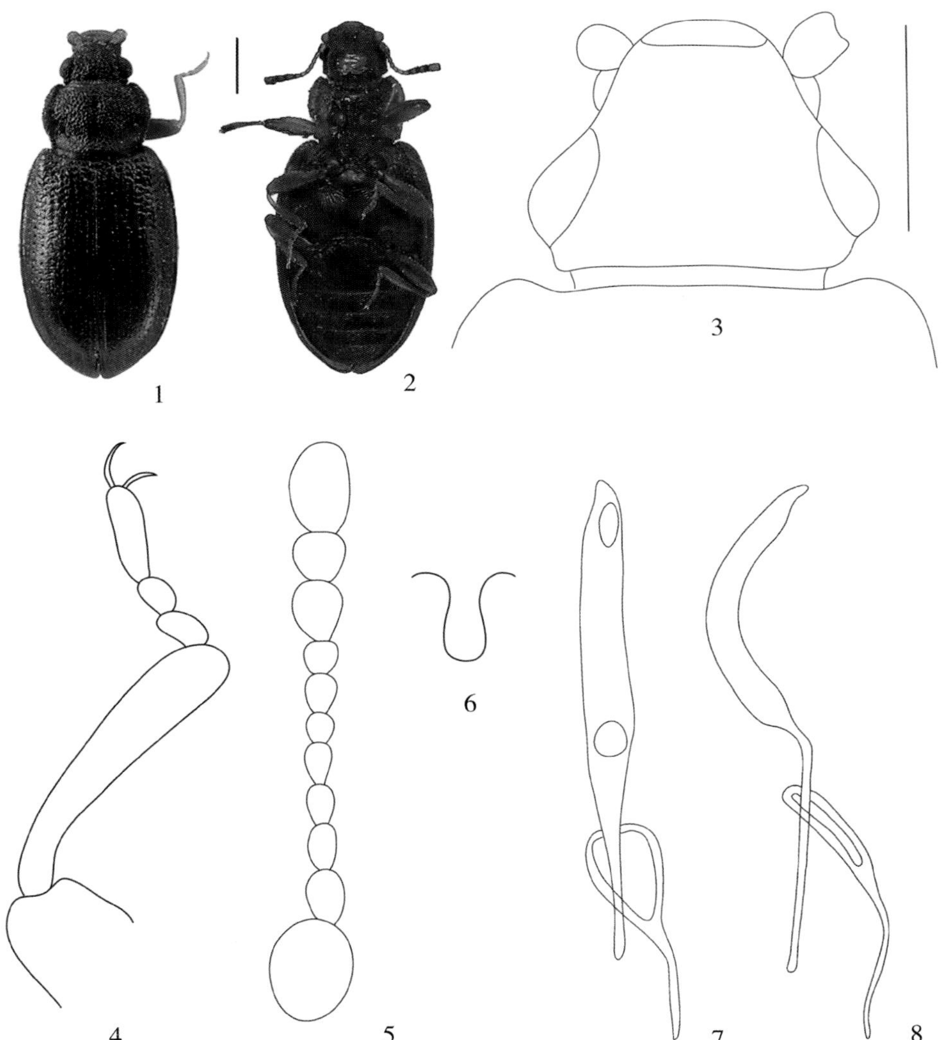

皱纹龙骨薪甲 *Enicmus rugosus*（Herbst，1793）

1. 背面观；2. 腹面观；3. 头部；4. 前足胫节；5. 触角；6. 前胸腹板突；7. 阳茎腹面观；8. 阳茎侧面观. 整体照比例尺 =0.20mm；线条图比例尺 =0.05mm

图版 46

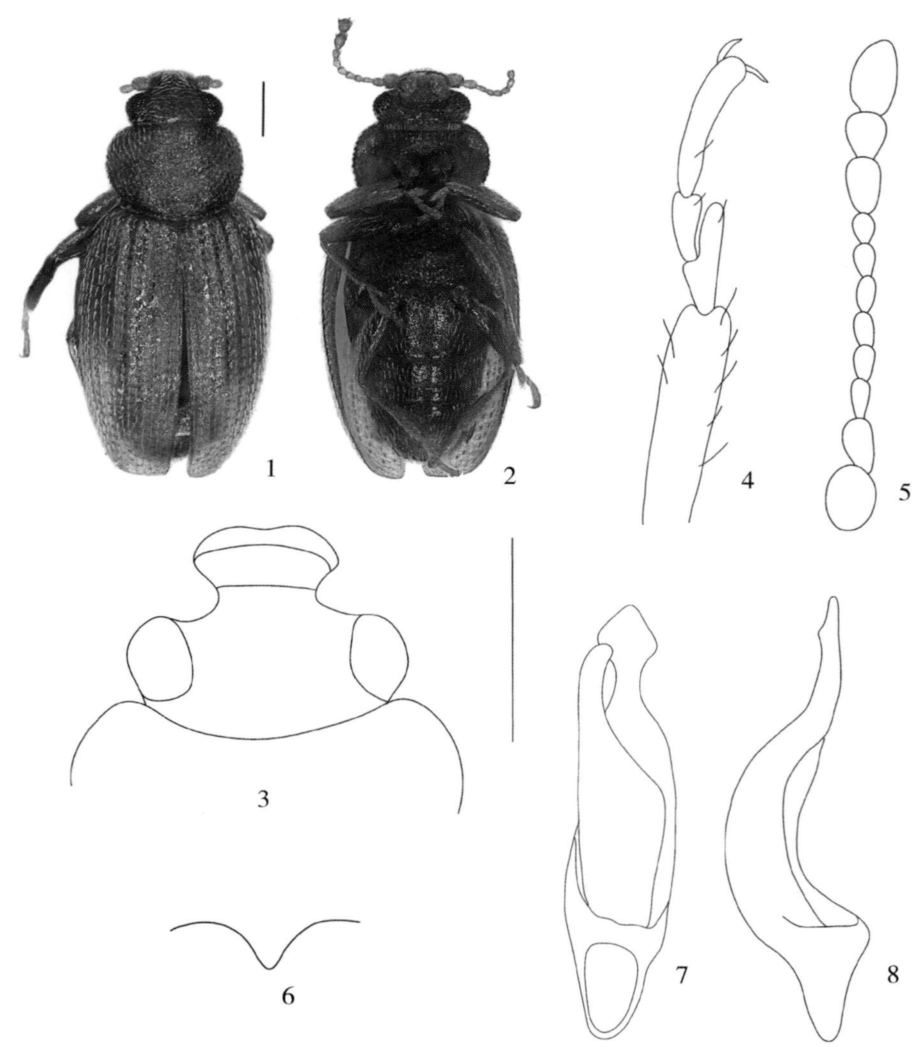

小肖花薪甲 *Corticarina minuta*（Fabricius，1792）

1. 背面观；2. 腹面观；3. 头部；4. 前足胫节；5. 触角；6. 前胸腹板突；7. 阳茎腹面观；8. 阳茎侧面观. 整体照比例尺 =0.20mm；线条图比例尺 =0.05mm

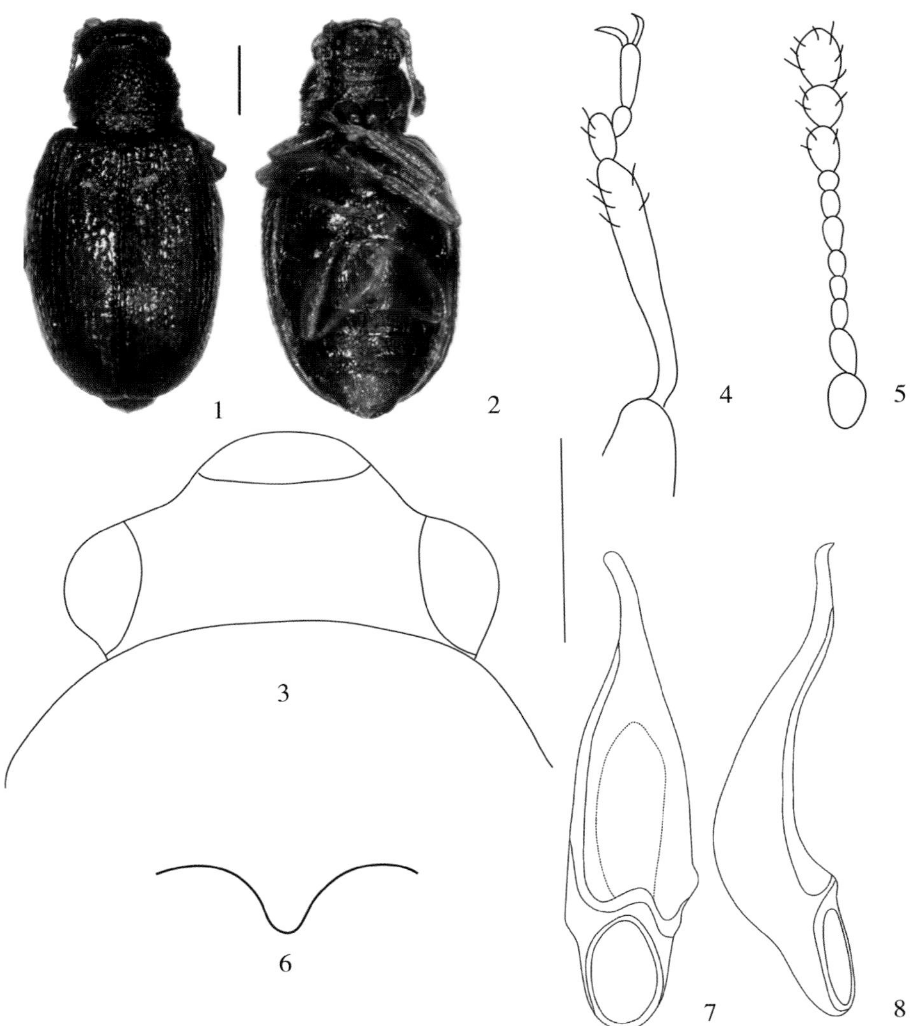

拟肖花薪甲 *Corticarina similata*（Gyllenhal，1827）

1. 背面观；2. 腹面观；3. 头部；4. 前足胫节；5. 触角；6. 前胸腹板突；7. 阳茎腹面观；8. 阳茎侧面观. 整体照比例尺 =0.20mm；线条图比例尺 =0.05mm

图版 48

1. 白盾带花蚤 *Glipa alboscutellata* Kono, 1934; 2. 台湾带花蚤 *Glipa formosana* Pic, 1911; 3. 向日葵姬花蚤 *Mordellistena parvuliformis* Stsñhegoleva-Barovskaja, 1930

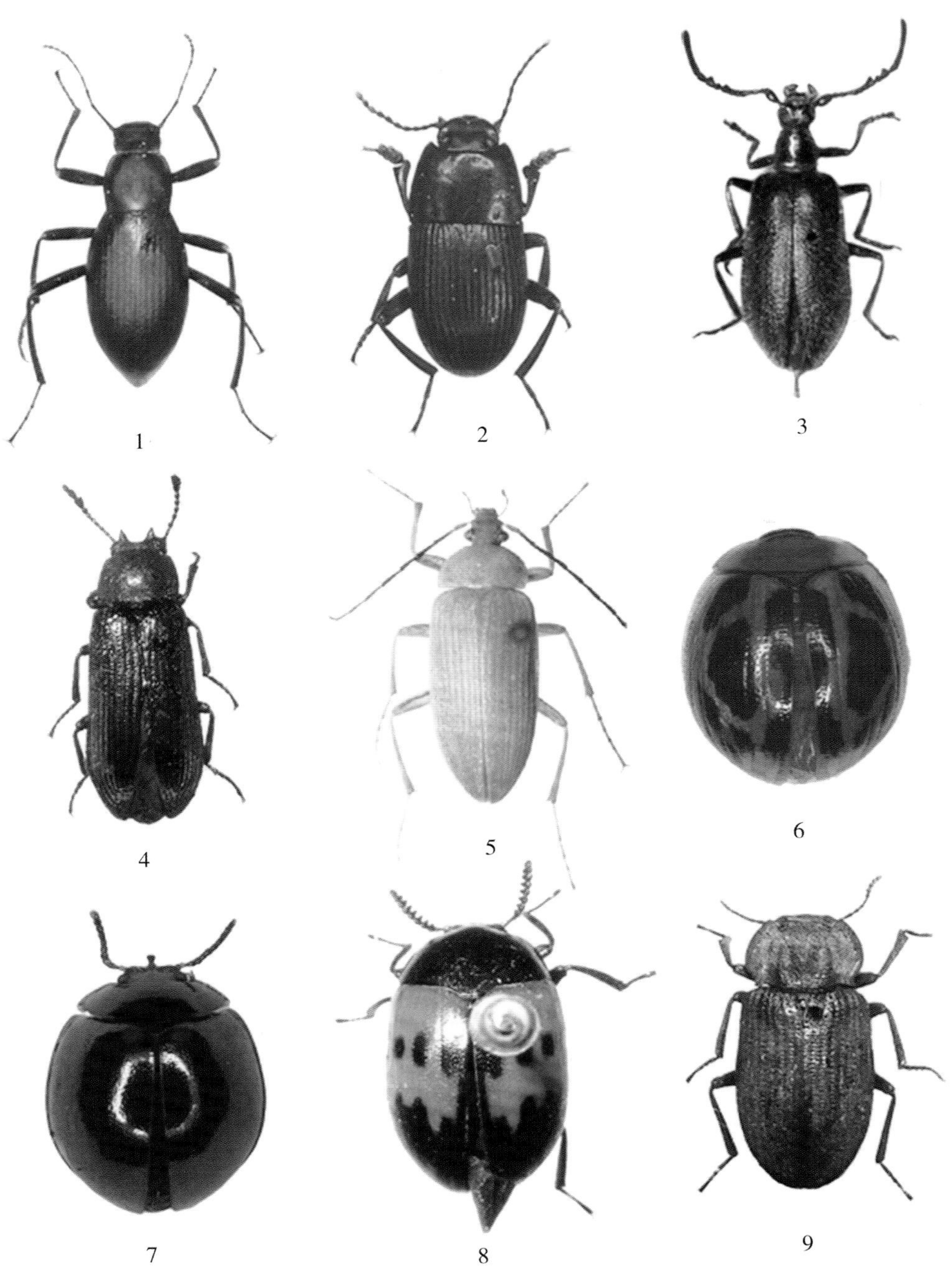

1. 中华琵甲 *Blaps* (*Blaps*) *chinensis* (Faldermann, 1835); 2. 瘦直扁足甲 *Blindus strigosus* (Faldermann, 1835); 3. 普通角伪叶甲 *Cerogria* (*Cerogria*) *popularis* Borchmann, 1937; 4. 短毛隐毒甲 *Cryphaeus barbellatus* Wu *et* Ren, 2008; 5. 杂色栉甲 *Cteniopinus* (*Cteniopinus*) *hypocrita* (Marseul, 1876); 6. 多斑舌甲 *Derispia maculipennis* (Marseul, 1876); 7. 独角舌甲 *Derispiola unicornis* Kaszab, 1946; 8. 刘氏菌甲 *Diaperis lewisi lewisi* Bates, 1873; 9. 亚刺土甲 *Gonocephalum* (*Gonocephalum*) *subspinosum* (Fairmaire, 1894)

图版 50

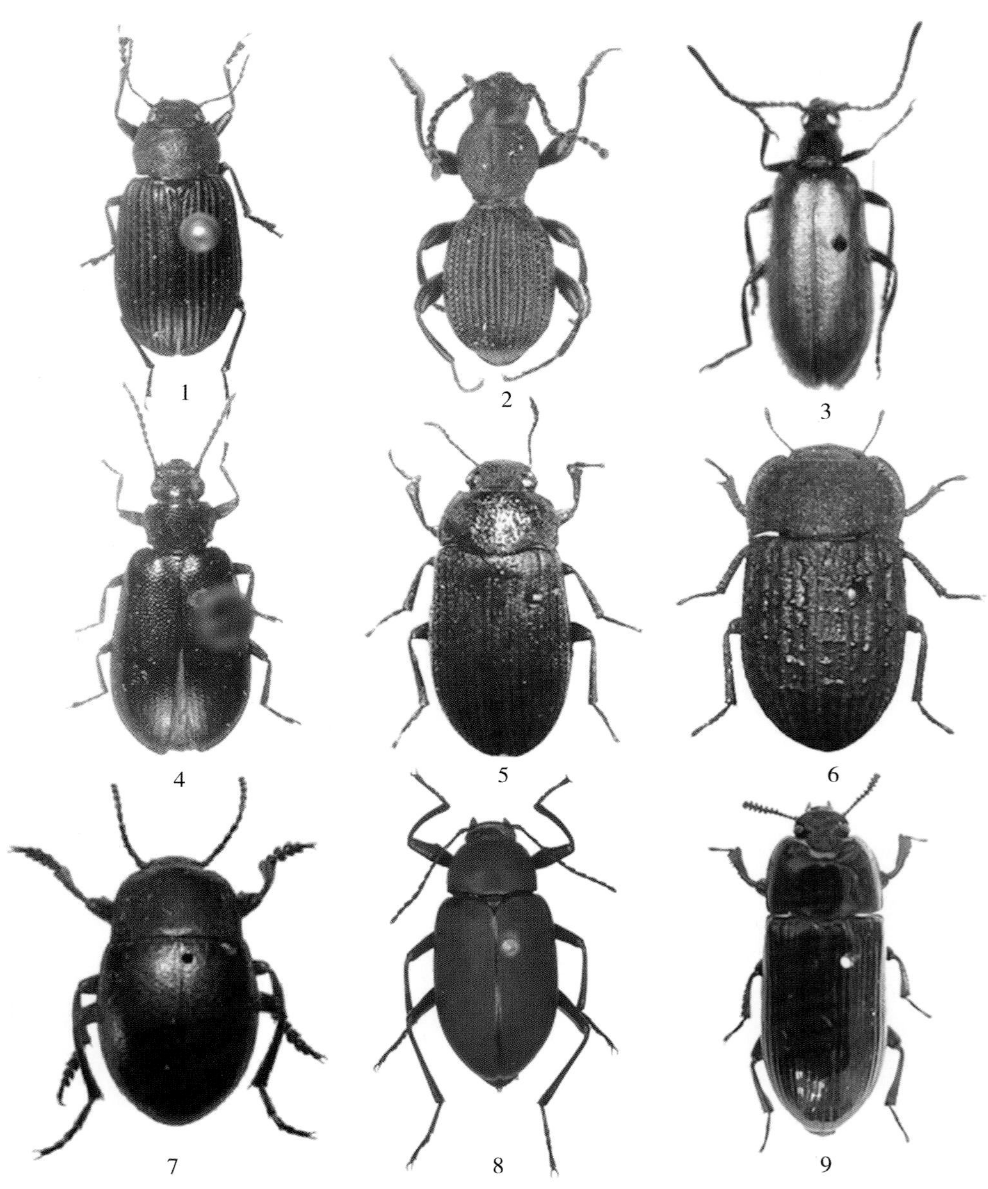

1. 隆线异土甲 *Heterotarsus carinula* Marseul, 1876; 2. 太白山莱甲 *Laena houzhenzica* Schawaller, 2001; 3. 黑胸伪叶甲 *Lagria nigricollis* Hope, 1843; 4. 东方小垫甲 *Luprops orientalis* (Motschulsky, 1868); 5. 扁毛土甲 *Mesomorphus villiger* (Blanchard, 1853); 6. 类沙土甲 *Opatrum* (*Opatrum*) *subaratum* Faldermann, 1835; 7. 多点齿刺甲 *Oodescelis* (*Acutoodescelis*) *punctatissima* (Fairmaire, 1886); 8. 长茎邻烁甲 *Plesiophthalmus longipes* Pic, 1938; 9. 梁氏齿甲 *Uloma liangi* Ren et Liu, 2004

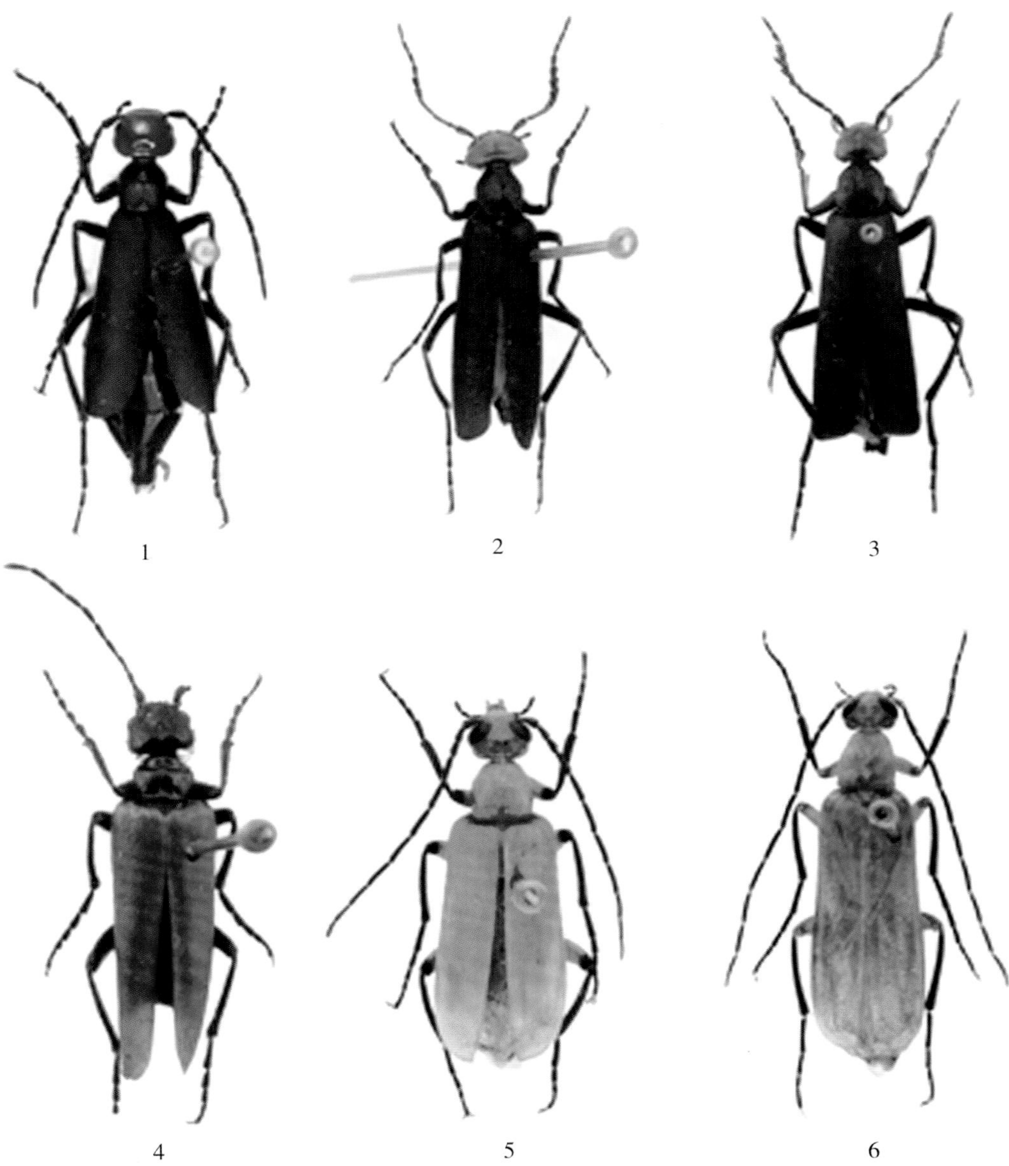

1. 短翅豆芫菁 *Epicauta* (*Epicauta*) *aptera* Kaszab, 1952; 2. 扁角豆芫菁 *Epicauta* (*Epicauta*) *impressicornis* (Pic, 1913); 3. 西北豆芫菁 *Epicauta* (*Epicauta*) *sibirica* (Pallas, 1773); 4. 沟胸绿芫菁 *Lytta* (*Asiolytta*) *fissicollis* (Fairmaire, 1886); 5. 日本窄栉芫菁 *Zonitoschema japonica* (Pic, 1910); 6. 大黄窄栉芫菁 *Zonitoschema macroxantha* (Fairmaire, 1887)